令和6年10月改訂

不動産の評価
権利調整と税務

土地・建物の売買・賃貸からビル建設までのコンサルティング

鵜野和夫
税理士・不動産鑑定士
下﨑 寛
関原教雄

清文社

推　　薦

吉　野　公　治

（社団法人日本不動産鑑定協会会長）

このたび，清文社から，本書が刊行される運びとなったことは，まことに時宜をえたことであり，大変，よろこばしいことと思います。

著者の鵜野さんは，不動産鑑定士，税理士の二つの資格をおもちで，建設会社の開発部門におつとめの実務家で，こうした著作をなさるには，まさに，うってつけの方のように思われます。

誰もが知りたい地価の評価方法，税金の仕組み，土地の有効利用の仕方等の知識がコンパクトな形で収められ，くだけた，判り易い解説が付せられたこの本は，日頃，土地のことには比較的なじみのうすい一般の方々にも，また，日常土地のことで頭を悩ませている実務家の方々にも，よき相談相手となるものと思われます。

そうした意味で，この本が，お読みになる方々のお役に立てば，著者も「望外の幸せ」と思われるでありましょう。

昭和53年５月

平成18年度『不動産協会優秀著作奨励賞』受賞！

本書は，平成19年４月に，㈳不動産協会より，不動産実務家の立場から見て有意義な著作物であるとして，『不動産協会優秀著作奨励賞』を受賞致しました。

本書は，平成９年５月に，日本不動産学会より，平成８年度日本不動産学会実務著作賞を受賞致しました。

令和６年版の序

㈠

令和６年の経済については，新型コロナウイルス後の景気が穏やかに回復しているなか，円安基調で推移しており，日経平均株価が戦後初めて４万円に届くなど，金融情勢の変化が激しい時代には入ってきていた。

不動産においても全般的に高値横ばいであり，都心部の不動産の再開発案件も多くなってきている。

不動産コンサルタントを行う専門家としては，等価交換等の権利調整が難しくなってきており，権利調整に係る税務，時価等に高度な知見が必要となってきている。

㈡

令和６年地価公示が令和６年３月に発表された。

今年の地価動向は，全用途平均で住宅地・商業地はいずれも３年連続で上昇率が拡大した。三大都市圏の東京圏，名古屋圏では，住宅地・商業地のいずれも３年連続で上昇し，大阪圏では，住宅地は３年連続，商業地は２年連続で上昇した。

住宅地では，都心部の利便性・住環境に優れた地域などでは，住宅需要は堅調であり，地価上昇が続いている。一方，商業地では，都市部を中心に，人流回復を受けて店舗の需要が回復傾向となり，オフィス需要も底堅く推移したことなどから，地価の回復傾向が続いている。

地価公示と相続税路線価とはリンクしているので，不動産コンサルティングを行う場合，重要な指標となることに留意をしたい。

㈢

令和６年相続税路線価が令和６年７月１日に発表された。

今年の路線価については，全国の標準宅地の路線価の平均値は＋5.3％となり，３年連続上昇している。この要因としては新型コロナウイルスの影響が和らぎ，外国人のインバウンドによる増加で商業地，観光地の活性化，中心市街地の再開発の進展によるものの影響が大きいといわれている。今後，路線価の推移が不動産コンサルタントのビジネスに大きく影響するものと思われるので，路線価の推移も注目すべき指標である。

㈣

令和６年度税制改正のうち不動産関連の改正事項については，大きな改正がなく，適用期間の延長が主となっている。

令和６年における知っておきたい不動産関連の主な税制改正は，以下のとおりである。

１．法人税・所得税

① 交際費等の損金不算入制度（措法61の４）の適用期限が令和９年３月31日まで延長された。

② 中小企業者等の少額減価償却資産の取得価額の損金算入制度（措法67の５）の適用期限が令和８年３月31日まで延長された。

③ 中小企業者の欠損金等以外の欠損金の繰戻還付制度の不適用措置（措法66の12）の適用期限が令和８年３月31日まで延長された。

④ 特定の居住用財産の買換え及び交換の場合の長期譲渡所得の課税の特例（措法36の２，36の５）の適用期限が，令和７年12月31日まで延長された。

⑤ 居住用財産の買換え等の場合の譲渡損失の繰越控除等（措法41の５）の適用期限が，令和７年12月31日まで延長された。

⑥ 特定居住用財産の譲渡損失の繰越控除等（措法41の５の２）の適用期限が，令和７年12月31日まで延長された。

２．相続税

「居住用の区分所有財産の評価」については，相続税法の個別通達が創設され，令和６年１月１日から一定の算式により評価することとされた。

３．地方税

① 住宅用家屋の所有権の保存登記若しくは移転登記又は住宅取得資金等に係る抵当権の設定登記に対する登録免許税の税率の軽減措置の適用期限が，令和９年３月31日まで３年間延長された。

② 不動産の譲渡に関する契約書等に係る印紙税の税率の特例措置の適用期限が，令和９年３月31日まで３年間延長された。

③ 宅地評価土地の取得に係る不動産取得税の課税標準を価格の２分の１とする特例措置の適用期限が令和９年３月31日まで３年間延長された。

④　住宅及び土地の取得に係る不動産取得税の課税標準（本則４％）を３％とする特例措置の適用期限が令和９年３月31日まで３年間延長された。

⑤　固定資産税の新築住宅に係る軽減措置（新築住宅は３年間２分の１，長期優良住宅は５年以上２分の１等）が令和８年３月31日まで延長された。

＊　　　＊　　　＊

本年版については，鵜野和夫先生のご意思を尊重し，関原先生と共著でまとめている。

いつもながら税務資料は，毎年何らかの改正があり，その都度，最新情報を確認して，お使いになる場合の利便性も考えて工夫している。

なお，文中には，私見もあり，ご容赦をお願いしたい。

また，各資料については，各方面のご協力を得て作成しており，さらに，本書の執筆にあたり，株式会社清文社の編集者藤本優子氏には多大なるご尽力をいただいており，感謝を申し上げたい。

最後に，本書をご利用になる読者の方々の一助になれば幸いである。

令和６年10月吉日

下﨑　寛

■目　次

8　簡便評価法——その2 …… 40
——近隣地域内に公示地等のない場合における簡便評価法

9　簡便評価法——その3 …… 50
——近隣地域内に公示地等のない場合におけるより簡便な評価法

10　価格時点と時点修正 …… 56
——地価は時とともに変化する

11　商業地の評価 …… 61
——公示価格を利用して商業地の評価ができるか。また，どうすればよいか

12　工業地の評価 …… 63
——工業地はどのように評価すればよいか

13　調整区域内の土地の評価 …… 69
——調整区域内の土地を公示価格を利用して評価するとき，特に注意しなければならないことがある

第3節　相続税路線価等および評価通達付表を利用して，土地評価をする簡便法を会得する …… 73
——特に商業地および都心の住宅地の評価に便利

14　相続税路線価による簡便評価法 …… 73
——相続税路線価を利用する地価の簡便な評価法を理解する

15　評価通達付表による簡便評価法 …… 79
——評価通達付表を利用して個別の土地を評価する簡便法を理解する

16　財産評価基本通達による特殊な画地の簡便評価法 …… 91
——特殊な地形（不整形地，袋地，無道路地，私道，崖地など）の土地の評価の方法を理解する

17　相続税路線価のない土地の簡便評価法——相続税倍率表 …… 114
——相続税の路線価の付けられていない土地は，固定資産税の評価額を相続税の倍率表で調整して簡便評価することができるというが，具体的にどのように算出するのか

18　借地権・借地・貸家建付地等の税務評価 …… 119
——借地権，転貸借地権，貸家建付地等とその底地の相続税での評価を解説し，この割合方式を利用した簡便評価法を説明する

第2章 土地・建物を買う人や贈与・相続を受ける人への税金のコンサルティング

第1節 土地・建物の取得に関する贈与税・相続税対策のさまざま……136

1 親からの住宅資金の援助と贈与税をめぐるやりくり算段……136
——土地の値上りで住宅の取得も難しくなったが，親からの住宅資金の贈与に特例がもうけられていたが…

2 贈与税の計算の仕方……138
——贈与税はどのように計算するか。そして，土地や建物の評価の仕方は

3 配偶者に贈与税の特別控除……144
——20年以上つれそった妻や夫への居住用資産の贈与には，2,000万円の配偶者特別控除がある

4 住宅取得等資金の親などからの贈与の特例……148
——住宅取得等資金を父母・祖父母から贈与を受けた場合の特例

5 教育資金の父母，祖父母などからの一括贈与の特例……153
——教育資金をあらかじめ一括して贈与したときの特例とその手続きは

6 結婚・子育て資金の父母，祖父母などからの一括贈与の特例……157
——結婚または子育て資金をあらかじめ一括して贈与したときの特例とその手続きは

7 贈与税の相続時精算課税制度……160
——親などから子や孫へ贈与したときには，2,500万円（特別控除）と，毎年110万円（基礎控除）までは贈与税が課税されず，相続が発生したときに精算して課税する制度がある

8 親からの借金と贈与税……166
——親からの借金で，贈与税をとられないためには

9 銀行ローンと贈与税……169
——子の銀行ローン残高を親が弁済したら贈与税…

10 登記名義とその変更と贈与税……170
——うっかり子の名義で登記して，贈与税をとられそうになったとき，どうすればよいか

11 低額譲渡と負担付贈与……172
——親族間での譲渡や負担付贈与をした不動産は時価で評価。著しく低い価額であれば贈与税

12 贈与税と時効……176
——公正証書と時効を利用して，贈与税をうまくのがれる方法はないか

13 贈与税と相続税……178
——贈与税と相続税とはどういう関係にあるか

14 相続税の計算の仕方……179
——相続税はどのようにして計算するか

15 配偶者には優遇措置……187
——妻の相続した分は，法定相続分か１億6,000万円の多い分までは非課税

16 生前贈与のある場合の相続税の計算……192
——死亡前７年以内の贈与と相続時精算課税制度による贈与は，相続税計算のときに精算される

17 事業用・居住用の小規模宅地の減額特例……198
——事業用・居住用の宅地のうち330㎡まで，特定事業用宅地などは400㎡まで，貸付事業用宅地は200㎡までについて，減額の特例がある

18 配偶者居住権などの評価は……205
——配偶者の居住権の保護など

19 相続税の申告と納付……210
——相続税は死亡後10か月以内に申告して納付する

20 相続税の延納と物納……216
——相続税を現金で払えないときは…，先づ延納，それでも払えないときに物納

第２節　土地取得に関する印紙税・登録免許税・不動産取得税・固定資産税・都市計画税・消費税……229

21 契約書等と印紙税……229
——契約書等を作成すると印紙税が課税される

22 固定資産課税台帳……239
——固定資産課税台帳の読み方を理解する——登録免許税，不動産取得税，固定資産税，都市計画税等の基礎

23　**不動産の取得と登録免許税(1)**……248
——登記をするときには，登録免許税が課せられる

24　**不動産の取得と登録免許税(2)**……254
——登録免許税は，登記の種類ごとに税率が定められている。また，一定の新築住宅や中古住宅については税率が軽減される特例がもうけられている。これらの不動産の取引に関する登録免許税を順を追って解説する

25　**中間省略登記に代わる登録免許税の節税方法**……264
——中間省略登記はできなくなった。これに代わる節税方法は

26　**不動産取得税**……268
——不動産を取得すれば，不動産取得税がかかる

27　**特定の住宅用の家屋の不動産取得税の課税標準の特例**……274
——住宅用家屋について，一定条件をそなえていれば，その価格から一定額が控除される

28　**住宅用の土地の不動産取得税の税額軽減の特例**……277
——住宅用の土地については，一定の条件をそなえていれば，税額の軽減措置がある

29　**不動産取得税の特例を受けるための手続き**……279
——これらの特例を受けるための手続きは——所定の期間内に所定の申告を

30　**固定資産税**……285
——不動産を所有していると，毎年，固定資産税が課税される

31　**固定資産税評価額，課税標準と税額**……288
——固定資産税の税額はどのように計算するか。評価額，負担調整率と課税標準の関係はどうなっているか

32　**固定資産税の税額軽減措置**……294
——新築住宅は一定期間だけ固定資産税が２分の１に減額される

33　**都市計画税**……297
——都市計画税とはどういう税金か。税額はどのように計算するのか

34　**土地・建物を取得したときの消費税**……304
——土地や建物を取得したとき，どのような消費税が課税されるのか

第３節　住宅を新築したり，住宅を購入した場合には，「住宅ローン控除」の適用で，税額が安くなる……306

35　住宅ローン控除……306
——住宅ローン控除の仕組みと条件はどうなっているか。控除額はどのように計算するのか

36　住宅ローン控除の適用の手続き……316
——住宅ローン控除による控除を受けるためには確定申告をしなければならない。その手続きを具体例で説明する

37　住宅ローン控除の申告漏れ……327
——翌年３月に住宅ローン控除の申告をしなかったときはどうなるか

第４節　非居住者や外国法人からの土地・建物の購入には源泉徴収……345

38　非居住者や外国法人から土地・建物を買ったときは源泉徴収して納付……345
——外国人などの非居住者や外国法人から土地・建物を買い受けた場合には，買主は，売買代金から10.21％の源泉徴収をして納付しなければならないことに注意

第３章　土地・建物を売る人への税金のコンサルティング——個人が売った場合

第１節　所得税の構造を明らかにし，そのなかで，土地・建物の譲渡は，どのように取り扱われているかを把握する……350

1　譲渡所得税のあらまし……350
——土地や建物を売ったときの税金は，利益に課せられる

2　所得税の構造と各種所得……351
——所得税の構造はどうなっているのか。所得をどのようにとらえるのか

第２節　土地・建物の譲渡所得と税金の計算の仕方……368

3　土地や建物の譲渡所得の計算法……368
——土地や建物の売買の譲渡所得はどのように計算するのか

4　譲渡所得と借入金利子……380
——譲渡所得の計算上，借入金の利息は差し引けるか

5 土地と建物の譲渡所得の損失と損益通算と繰越控除……382
——土地・建物を譲渡して赤字の出た場合に，その赤字は他の所得から差し引けるのか？ ゴルフ会員権やレジャークラブの会員権などはどうなのか？

6 長期譲渡所得の税額計算……387
——土地・建物等の長期譲渡所得の税額はどのように計算するのか

7 短期譲渡所得の税額計算……394
——土地・建物の短期譲渡所得の税額計算の仕方を理解する

8 長期譲渡・短期譲渡の区分……397
——長期譲渡所得と短期譲渡所得との分かれ道——取得の日の判定によって異なる

9 優良住宅地の造成・優良住宅の建設等のための土地譲渡の税率軽減……402
——優良住宅地の造成・優良住宅の建設等のための土地長期譲渡所得については税額計算の特例がある

10 税額計算方法からみた譲渡所得の分類——まとめ……413
——税額計算方法の差異から譲渡所得を分類すると……

第3節 特別の場合で土地・建物の譲渡に関する所得税が軽減される場合……416

11 譲渡所得の特例……416
——土地・建物の譲渡所得について，特別の場合には特例措置がある

12 居住用財産の特例——あらまし……423
——居住用財産を譲渡したときには，3,000万円の特別控除・軽減税率や買換特例を利用して節税をする

13 特定の居住用財産の買換特例の適用要件……433
——特定の居住用財産の買換特例の適用を受けるためには，どのような要件をそなえていなければならないか

14 居住用財産の特例の適用条件①——居住用とは……439
——居住用財産の特例は，「居住の用に供している」ものでなければ適用されない

15 居住用財産の特例の適用条件②——建物と敷地の関係……442
——居住用財産の特例は，建物と敷地との関係で適用されないことがある

16　居住用財産の特例の適用条件③――その他……449
――居住用財産の特例の適用にあたって，その他どんなことに留意しなければならないか

17　居住用財産の特例の適用を受けるための手続き……451
――居住用財産の特別控除や買換えの特例の適用を受けるためには確定申告をしなければならないが，その手続きは

18　特定の居住用財産の譲渡損の損益通算と繰越控除……459
――特定の居住用財産を譲渡して損失が生じたときには他の所得と損益通算し，さらに赤字が残るときには3年間にわたって繰越控除ができる

19　配偶者居住権・配偶者敷地利用権の譲渡……463
――配偶者居住権等の消滅等によって対価を得る場合，譲渡所得の取得費はどのように計算するのか

20　特定事業用資産の買換え（交換）にも特例……465
――特定の事業用資産を譲渡し，一定の条件の下で買い換えたときも特例がある

21　特定事業用資産の特例の適用条件①――事業用・貸付用とは……470
――この特例を受けるためには，従前資産も買換資産も事業用か貸付用でなければならない。では，事業用・貸付用とは

22　特定事業用資産の特例の適用条件②――取得と使用の期間制限……475
――この特例を受けるためには，買換資産を取得する期間と，使用を開始し，使用を続ける期間に制限がある

23　特定事業用資産の特例の適用を受けるための手続き……478
――特定事業用資産の特例の適用を受けるためには確定申告をしなければならないが，その手続きは

24　特定事業用資産の特例適用後の税務……488
――この特例の適用を受けると取得費の引継ぎがあり，課税の繰延べといわれている。また，取得日は引き継がれない

25　借家人と居住用財産・事業用資産の特例等……491
――借家人は居住用財産や事業用資産の特例は受けられない。その立退料は一時所得または一般の譲渡所得になる

26　固定資産の交換の特例……493
――土地・建物を交換したとき，課税される場合と課税されない場合がある

27　土地区画整理法による換地等の場合の税金……500
――土地区画整理法による区画整理事業で換地されたときは課税されない

28　土地区画整理法によらない換地の場合の税金……505
――土地区画整理法によらない換地についても，一定の要件を満たせば課税されない場合もある

29　共同造成・宅造協力のときの税金……507
――共同造成・宅造協力で，土地の交換分合や素地と造成地との交換をしたとき，税金はどうなるか

30　土地収用法等の特例……511
――土地収用法等で収用された場合や収用されそうな場合の譲渡にも特例がある

31　特定住宅地造成事業等への譲渡の1,500万円控除……517
――特定の住宅の建設や宅地の造成事業などのために土地を譲渡した場合に，譲渡益から1,500万円を控除する特例がある

32　相続財産の譲渡と課税の特例……519
――相続等（遺贈を含む）した土地・建物を譲渡したときの税金はどう計算するか

33　保証債務の履行と譲渡の特例……525
――借金の保証人になっていたところ，借主が返済不能になったため，肩代りして支払うために土地を売ったときにも課税されるか

34　保証債務の特例の具体的判断基準……528
――保証債務の履行をして求償権の行使ができない場合の譲渡所得の特例の適否につき，具体的な例で説明する

35　競売・代物弁済等と譲渡……532
――借金の担保に差し入れた土地が競売になったとき，代物弁済で取られたときの譲渡所得はどうなるか

第4節　土地・建物の譲渡が事業所得・雑所得になる場合……533

36　事業所得・雑所得に該当する場合……533
――個人が宅地造成をしたり，建売住宅やマンションを建設して譲渡した場合は，譲渡所得ではなく，事業所得や雑所得となる

37　土地・建物の譲渡と消費税……536
――個人が，住宅やマンションを譲渡した場合の消費税はどのようになるか

第4章 土地を売る法人への税金のコンサルティング ——法人の場合

第 2 編

借地に関する種々の権利とその評価と税務

第5章 借地権とはどういうものか。借地に関して，どういう権利関係があり，それらの価格はどうなっているか

第1節　借地権とこれをめぐる権利調整……576

1　借地権の成立とその変化……576
——借地権はどのようにして成立し，変化し，借地人の権利が強化されてきたのか

2　借地権と借地法制の変遷……582
——借地権とは，どういう内容の権利であるか。借地法制の変遷により，借地権がどのように変化して，現在に至っているかを見る

3　新規地代の決定……590
——借地権の設定にあたって，当初の地代は，どのように評価し，そして，どのように決められるのか

4　継続地代の改定……594
——借地権を設定した後の地代の改定はどのようにするのか。また，借地法制でどのような制限を受けているか。そして，どのように評価し，どのように決められるのか

5　借地権と借地権価格……602
——借地権とはどういうものか。そして，借地権価格はどのようにして成立するか

6　借地権価格の評価……605
——借地権価格は，取引事例比較法，土地残余法，賃料差額還元法，割合方式によって評価する

7　借地権の譲渡・転貸と承諾料……614
——借地権を譲渡・転貸するにはどうすればよいか。その場合の承諾料はどれくらいか

8　借地上の建物増改築，借地条件変更と承諾料……618
——借地上の建物を増改築するのに，どのようにすればよいか。建物を非堅固造から堅固造へ変えるのにどうすればよいか。その承諾料は

9　更新料の性格とその価格……622
——更新料とはどういうものか。支払わなければならないものなのか。支払う場合は，どれくらいの金額になるのか

10　地上権と賃借権……628
——建物の所有を目的とする地上権と賃借権とは，どう違うか。それぞれの評価の差

11　借地権のつかない建物の評価……631
——建物の買取請求権を行使したときの建物の時価はどう評価するか(場所的利益)

12　定期借地権とは……634
——定期借地権とは，どういう内容のものであるか。また，どのようにして設定したらよいのか

13　定期借地権の利用の状況……638
——定期借地権は，現在，どのような用途に，どのように利用されているか

14　一般定期借地権の地代，権利金と保証金……641
——定期借地権を設定するときの標準的な地代の水準は？　また，権利金や保証金の授受は，どのようになっているのだろうか。そして，継続地代は？

15　事業用借地権の地代，権利金と保証金……647
——定期借地権のうち，事業用借地権を設定するときの地代の水準は。また，権利金や保証金の授受はどうなっているのか

16　定期借地権と底地の評価……650
——定期借地権に借地権価格というものが発生しているのだろうか。それとの関係で底地の価格は

17　定期借地権・底地の相続税等での評価……653
——相続税・贈与税では，定期借地権や定期借地権の設定されている土地（貸宅地・底地）について，どのように評価することになっているのか

第2節　借地権以外の土地使用権……666

18　一時使用の賃貸借とその権利……666
——建物の所有を目的とする一時使用の賃貸借とはどういうものか。その権利はどれくらいあるのか

19　建物の所有を目的としない賃貸借……668
——建物の所有を目的としない賃貸借，その他には，どういう借権があるのか

20　使用借権とは……669
——建物の所有を目的とする使用貸借とは，どういう法律的性格をもったものなのか

21　使用借権の価格は……675
——使用借権にも価格はあるのか，あるとすれば，どのように評価するのか

22　区分地上権……679
——空間の上下の一部を区切って設定される地上権もある

23　地役権……680
——地役権は承役地を要役地の便益に供するために契約によって設定される権利である

24　空中権……685
——都市の高度利用のため，空中権を売買することも目立つようになった。この空中権の売買とは，具体的には，どういうことなのか

第6章　借地に関連して，どのような税金が課せられているか。そして，その節税方法は

第1節　借地等をめぐる税務は……695
——所得税，法人税，相続税，贈与税

1　借地権の設定・譲渡などと所得分類……695
——借地に関してどのような税金が課せられるか——譲渡所得になる場合と不動産所得になる場合

2　借地権の設定・譲渡・消滅の税務……697
——借地権の譲渡・消滅の対価は譲渡所得。設定時の権利金は譲渡所得か不動産所得

3　借地の保証金の税務……701
——借地権の設定にあたって権利金を収受せずに，保証金を収受したり，低利の貸付金を受けた場合

4　地役権の設定・譲渡・消滅の税務……704
——地役権の設定の対価は原則として不動産所得，特別のものだけ譲渡所得。譲渡・消滅の対価は譲渡所得

5　借地権等の譲渡所得の計算……706
——借地権等の設定・譲渡等の譲渡所得の計算の仕方はどうするか

6　地代に係る所得税と事業税と消費税……710
——地代に係る所得税と事業税と消費税はどう計算するか

7　更新料，借地権譲渡承諾料，増改築または借地条件変更承諾料の不動産所得の計算……711
——更新料，借地権譲渡承諾料，増改築または借地条件変更承諾料などを受け取ったときの不動産所得の計算の仕方はどうするか

8　借地権等と法人税……714
——借地権の税務について，法人の場合はどう計算するのか

9　定期借地権の税務……716
——定期借地権の税務は，どのようになるのか。普通借地権とは異なる取扱いとなるのか。また，その設定などにあたって，どのような点に留意しなければならないか

第2節　親族・同族会社等の特殊関係者間の借地の税務……721

10　個人と個人との土地の無償貸借と税務上の取扱い……721
——権利金も地代も授受しないで，個人間で土地を無償で貸し借りした場合の税務上の取扱いはどうなるか

11　法人の土地を社長に無償で貸したら……727
——法人が社長などに権利金を取らないで土地を貸したときは，どうなるか

12　社長の土地を法人に無償で貸したら……737
——社長が法人に，権利金を取らないで土地を貸したときはどうなるか

13　法人の土地を他の法人に無償で貸したら……740
——親会社が子会社に，権利金を取らないで，土地を貸したときはどうなるか

14　権利金を授受しない土地貸借のまとめ……744
——権利金を授受しない土地貸借があったときの課税関係をまとめてみると

15　相当の地代と相続税の借地権評価……748
——相当の地代で貸借している場合の貸地と借地の相続税の評価は，特別の方法で評価する

第 3 編
建物を建築して土地を利用するときのコンサルティング
—そのときの貸家と借家権の法律と税務—

第7章 貸アパート，貸マンション，貸ビルのコンサルティング

第1節　貸アパート・貸ビル等の事業計画と税務……758

1　貸アパートの事業計画……758
——貸アパートの事業計画をどのように立てたらよいか

2　貸アパートの税金……770
——貸アパートの税金をどのように計算したらよいか。そして，その節税方法は

3　商業ビルの事業上の特殊性と立地条件……779
——商業ビルの事業上の特殊性はどこにあるか。計画にあたって，特に立地条件の判定を慎重にしなければならない（平面的位置による差）

4　商業ビルと階層別効用比……783
——商業ビルの計画にあたっては，階層別効用の差を十分に把握しなければならない（立体的位置による差）

5　商業ビルの事業計画……786
——商業ビルの事業計画は，どのように立てたらよいか

6　建物等の減価償却……797
——貸家用の建物，建物附属設備は，その耐用年数にわたって減価償却をすることになっている。減価償却の基礎となる価額は，耐用年数は，そして，償却の方法と計算の仕方は。平成19年以来，3回の改正があり，取得した日によって，償却の方法などが異なっている

7　修繕費と資本的支出……812
——貸家の通常の修繕費は必要経費になるが，その内容によっては，資本的支出とされ，減価償却することになる。その区分は

8　貸家経営と消費税等……821
——貸ビルの家賃について消費税等が課せられる。その範囲は。また，貸付用建物の建築・購入に課せられる消費税等とその対策は

9　貸家経営の消費税の実務……833
——内税・外税，税込・税抜とはどのように違うのか。また，このどちらかを採用することによって，消費税や所得税等の税額が有利・不利になることがあるのか

10　貸家経営と消費税の還付……837
——貸家経営で，取得した建物に含まれている消費税の還付を受けられる場合がある。そのためには，どのような方法をとればよいか——ただし，住宅用貸家だけの場合は対象外

第2節　貸家と借家権の法律と評価……846

11　普通借家権の推移と借家権価格……846
——借家法により借家権は強化され定着していったが，借地権と比較すると。借家権と借家権価格の関係は

12　定期借家制度とは……850
——貸家事情の変遷から借家制度の改正を経て，定期借家制度が創設された。その内容と手続きなどは

13　建物及びその敷地の鑑定評価——自用建物と貸家……854
——建物及びその敷地の鑑定評価をどのようにするのか。自用の建物と貸家とでは，また，普通借家と定期借家とでは，どう違うのか

14　土地残余法——鑑定評価では……865
——宅地の収益価格は，鑑定評価では賃貸建物を想定して求める

15　借家権の鑑定評価……868
——借家権とはどのようなもので，どのように鑑定評価されているのか。定期借家の場合は

第3節　マンション・ビル等を建設して賃貸したときの相続税……872

16　賃貸ビルと相続税の節税……872
——借入金や保証金で賃貸ビルを建設すれば，相続税の節税が図れるが，地価の動向や賃貸市場の状況に注意

17　個人の土地と同族会社の賃貸ビルの税務……880
——個人が賃貸ビルを建設するとき，同族会社を設立し，ビルを会社の所有にしたら節税になるか

18　相続予定者の共同ビル……887
——個人が賃貸ビルをつくるとき，相続予定者の共同ビルにしたら税金はどうなるか

19 同族の管理会社への管理料，転貸会社からの家賃の制約……889
——個人の建物を同族会社に管理させて管理料を支払っている場合，また，転貸させている場合の家賃について，税務上で特別の制約はあるか

第8章 共同ビルの基本形態，運営，権利調整，評価，税務のコンサルティング

1 共同ビル建設によるメリット増加と問題点……894
——共同ビルを建設して効率化をはかりたい。しかし，それを事業化するにあたっては複雑な問題もある

2 共同ビルの所有形態……896
——共同ビルの所有形態にはどういうものがあるか。そして，それぞれの特色は

3 共同ビル建設における従前の権利の評価……900
——共同ビルにおける建設後の床の配分には，従前の権利が一つの基準となる。そして，従前の権利をどう評価すればよいか

4 共同ビル建設における従後の床の評価と配分……904
——共同ビルにおける床の配分にあたって，どのようにして評価して配分したらよいか

5 共同ビル建設における建築費の負担割合……909
——共同ビルにおいて建築費の負担割合をどのように決めたらよいか

6 階層別収益価格と床配分基準および事業採算限界線……911
——共同ビルの床配分基準となる床価格を求めるのに，収益価格による方法もある。そして，この収益価格を利用して，共同ビル計画の採算限界線のメドをつけることもできる

7 区分所有ビルの専有部分と共用部分……914
——共同ビルを区分所有するとき，専有部分と共用部分をどのように区分したらよいか

8 区分所有ビルの管理……920
——区分所有ビルの管理はどのようになされるのか。管理組合，規約，管理者，管理組合法人とは

9　**区分所有ビルの共用部分の持分，管理等と建替え**……925
——区分所有ビルの共用部分の持分はどのように決められるのか。共用部分の管理等はどうするのか。建替えの必要が生じたときはどうするのか

10　**共同ビルの所有形態と敷地の関係と借地権課税の問題**……935
——共同ビルの所有形態と敷地との関係はどうなるか。また，相互に借地権を設定したということで課税問題が生じるか

11　**共同ビルと管理会社①——受託型または転貸型管理会社**……937
——受託型管理会社または転貸型管理会社で調整機能を果たさせる

12　**共同ビルと管理会社②——所有型管理会社**……940
——管理会社を設立してビルを所有させる方式をとったらどうなるか——税務対策に問題がある

13　**借地権者の参加した場合の共同ビル**……943
——共同ビル建設に借地権者が参加している場合は，どういう問題が起こり，どう処理したらよいか——敷地関係，税務，床の配分

14　**借家権者のいる場合の共同ビル**……947
——共同ビル建設にあたって，借家権者のいる場合はどうなるか

第9章　等価交換方式による賃貸マンション，ビルの権利調整，評価と税務のコンサルティング

1　**等価交換方式**……952
——等価交換方式とはどういう方式であるか

2　**等価交換方式のメリット**……955
——等価交換方式によるマンション建設をすることは，地主と開発業者にどういうメリットがあるか

3　**等価交換方式の取引形態**……958
——等価交換といっても，交換によらず売買によることも多い。また，全部譲渡方式と部分譲渡方式とがある

4　**等価交換方式における交換基準**……965
——等価交換方式において，どのように交換すれば等価になるか

5　**等価交換方式と税金**……968
——等価交換方式で税金は有利になるか——どのような特例を利用すればよいか

6　立体買換えの特例——既成市街地等内における中高層耐火共同住宅建設のための買換特例……974
——立体買換えの特例が適用できるのは，どういう条件をそなえているときか

7　特定事業用資産の買換特例……981
——等価交換方式で利用される特定事業用資産の買換特例の内の市街化区域内等における土地有効利用の買換特例は，どのような場合に利用されるのか

8　等価交換と居住用財産の特例①……984
——等価交換に居住用財産の特別控除または買換特例を利用することもできる

9　等価交換と居住用財産の特例②……987
——居住用財産の特例を利用して等価交換をするとき，どんな点に注意しなければならないか

10　等価交換の特例適用の手続き……989
——これらの買換特例を受けるための手続き等はどうしたらよいか

11　優良住宅等のための土地譲渡の軽減税率との併用……998
——一定の条件をそなえた優良住宅等のために土地を譲渡したときの税額の計算での優遇措置との併用はできない

12　買換特例適用後の税務……999
——等価交換の特例の適用を受けて買い換えた場合，その後の税務処理はどうなるか

13　法人が地権者の場合の等価交換……1003
——地権者が法人の場合の等価交換はどうなるか

■コラム目次■

＜凡　例＞

所法………所得税法
所令………所得税法施行令
所則………所得税法施行規則
所基………所得税基本通達
法法………法人税法
法令………法人税法施行令
法則………法人税法施行規則
法基………法人税基本通達
通法………国税通則法
通令………国税通則法施行令
登法………登録免許税法
登令………登録免許税法施行令
印法………印紙税法
印令………印紙税法施行令
印基通……印紙税基本通達
相法………相続税法
相令………相続税法施行令
相則………相続税法施行規則
相基………相続税法基本通達
評基………財産評価基本通達
措法………租税特別措置法
措令………租税特別措置法施行令
措則………租税特別措置法施行規則
措所通……租税特別措置法（所得税関係）取扱通達
措法通……租税特別措置法（法人税関係）取扱通達
措相通……租税特別措置法（相続税法の特例のうち農地等に係る納税猶予の特例及び延納の特例関係以外）の取扱いについて
消法………消費税法
消令………消費税法施行令
消基通……消費税法基本通達
地法………地方税法
地令………地方税法施行令
地則………地方税法施行規則
会法………会社法
会計規……会社計算規則
耐通………耐用年数取扱通達
建基法……建築基準法
民…………民法
新型コロナ税特法……新型コロナウイルス感染症等の影響に対応するための国税関係法律の臨時特例に関する法律
不登法……不動産登記法

〈なお，判例，裁決例の引用は下記によった。〉
国裁例………『国税不服審判所裁決例集』租税裁決例研究会（ぎょうせい）
判租法………『判例租税法』租税判例研究会（新日本法規）
判例法所……『最新判例からみた法人税と所得税』西野嚢一（日本税務研究所）
租税百選……『別冊ジュリスト№17』（有斐閣）
判例所法……『判例所得税法』清水敬次（ミネルヴァ書房）
シュト………『月刊シュトイエル』日本税法学会（三晃社）
判例時報……『旬刊判例時報』（判例時報社）

■令和６年の税制改正

令和６年の税制改正のうち，本書関連部分の主なものはつぎのとおりである。

❶ 印紙税

不動産の譲渡に関する契約書等に係る印紙税の税率の特例措置の適用期限が令和９年３月31日まで３年延長された。

❷ 登録免許税

次の税率軽減措置の適用期限が令和９年３月31日まで３年延長された。

(1) 住宅用家屋の所有権の保存登記若しくは移転登記又は住宅取得資金の貸付け等に係る抵当権の設定登記に対する登録免許税の税率の軽減措置

(2) 特定認定長期優良住宅の所有権の保存登記等に対する登録免許税の税率の軽減措置

(3) 認定低炭素住宅の所有権の保存登記等に対する登録免許税の税率の軽減措置

(4) 特定の増改築等がされた住宅用家屋の所有権の移転登記に対する登録免許税の税率の軽減措置

❸ 不動産取得税

宅地評価土地の取得に係る不動産取得税の課税標準の特例，及び土地等の取得に係る不動産取得税の税率の特例の適用期間が，令和９年３月31日まで３年延長された。

❹ 固定資産税・都市計画税

土地に係る固定資産税の負担調整措置及び条例減額制度の適用期間が，令和９年３月31日まで３年延長された。

❺ 相続税・贈与税

(1) 住宅取得等資金に係る贈与税の非課税措置の適用期限の延長

住宅取得等資金に係る贈与税の非課税措置の適用期限が，令和８年12月31日まで３年延長された。

(2) 分譲マンション等の評価に関する措置の創設

令和６年１月１日以後に相続，遺贈又は贈与により取得した「居住用の区分所有財産」（いわゆる分譲マンション）の価額は，新たに定められた「居住用の区分所有財産の評価について」（法令解釈通達）により評価する措置が講じられた。

❻ 所得税

(1) 所得税・個人住民税の定額減税

納税者及びその配偶者を含めた扶養親族１人（いずれも居住者）につき，令和６年の所得税３万円を減額する措置が講じられた(合計所得金額1,805万円超の者は適用対象外)。

(2) 子育て世帯等に対する住宅ローン控除の拡充

子育て世帯等（19歳未満の扶養親族を有する者又は自身若しくは配偶者のいずれかが40歳未満の者）が住宅を取得し，令和６年中に居住の用に供した場合の住宅借入金等特別控除における借入限度額が上乗せとなる措置が講じられた。

(3) 「既存住宅に係る特定の改修工事をした場合の特別控除」の子育て世帯等に対する拡充

子育て世帯等が，その所有する家屋について，子育て対応改修工事等を令和６年中に行い居住の用に供した場合，当該子育て改修工事に係る標準的な工事費用相当額（250万円を限度）の10%に相当する金額を所得税から控除する措置が講じられた。

(4) 既存住宅の耐震改修をした場合の特別控除，認定住宅等の新築等をした場合の特別控除について，適用期限が令和７年12月31日まで２年延長された。

(5) 特定の居住用財産の買換え及び交換の特例

適用期間が令和７年12月31日まで２年延長された。

(6) 居住用財産の買換え等の場合の譲渡損失の繰越控除

所要の経過措置を講じた上で，適用期間が令和７年12月31日まで２年延長された。

(7) 特定居住用財産の譲渡損失の繰越控除

適用期間が令和７年12月31日まで２年延長された。

❼ 法人税

中小企業者等の少額減価償却資産の取得価額の損金算入制度の適用期限が令和８年３月31日まで延長された。

❽ 消費税

本書関連部分で大きな改正はない。

※　本書では，原則として法令に基づき和暦で表記しています。
※　申告書等については，令和６年９月現在国税庁が公表している様式をもとに掲載しています。実際の様式はこれと異なる場合がありますので，ご留意ください。

第１編

一般の土地売買のときの評価と税務のコンサルティング

●第１編のねらい●

土地・建物を買ったり，売ったりするとき，「評価」と「税務」について真剣に相談される。この評価と税務とを十分に理解しておくことが，売買当事者にとっても，コンサルタントにとっても非常に効果的な武器となる。

土地売買と一般商品の売買の差

一般の個人が土地を売買することは，一生に何度もあるものではない。また，土地売買の金額は，その人の所得なり資産に対して非常に大きいウェイトを占めている。したがって，日用品や耐久消費財などをムードで買っている人でも，いざ，土地・建物を買う場合には慎重にならざるを得ない。

しかし，一般の人は，土地・建物の売買についての経験は乏しいから，知識も少なく，この土地・建物がどれだけの価値をもっているのか，いくらで売買すれば損しないのか，そして売買に関連してどれだけ税金がかかるのかなどについて非常な不安をもっているのが通常である。それだけに，コンサルタントが適切なアドバイスをし，数々の疑問に答え，不安を取り除いてあげれば，信頼を寄せてくる。その信頼にもとづいて正しいリードをすれば，仕事もスムースに進むであろうし，それがまた当事者にとってもプラスになる。

当事者が最も聞きたいことはなにか

顧客が売る側であれ買う側であれ，疑問点の一つは，その価格で売って（または買って）損をしないか，要するに，その価格が妥当であるかどうかということである。バブル時のような地価高騰の時代であれば，多少高く買って損をしたと思っても，その後の地価上昇が穴埋めをしてくれたし，売る場合も，高い値付けで出しておけば，そのうちに買手がついた。しかし，ややもち直しているとはいえ現在のように地価が沈滞傾向にあり，先行きの見えない時代になると，売手も買手も慎重になっており，いい加減な価格では売買が成立しなくなってきた。したがって，売手も買手も納得するような妥当な価格はいくらかということを把握し，それを適切にアドバイスすることが必要になってくる。これは，**評価の問題**である。

つぎに，土地・建物の売買をすれば，どれだけ税金をとられるかという問題がある。最近の税制改正で，土地税制は猫の目のようにくるくると変わるが，現在ではそれが，長期譲渡の場合でも，普通は売買差益の20.315%（復興特別所得税2.1%上乗せ），短期譲渡だと，39.63%（復興特別所得税2.1%上乗せ）の税金が課せられる。税金がいくらぐらいかかるのか，そして，税金を安くするにはどうしたらよいかということが，土地を売るかどうかを決める根本材料にさえなっている。そして，買手のほうでは，登記の税金や不動産取得税，場合によっては，贈与税の問題が出てきたりして，買った後でどういう税金がかかるかは，非常に気になることである。これが，**税務の問題**である。

そのほかにも，資金の問題，土地の環境，建築規制など様々な問題があるが，この「評価」と「税務」の問題は，素人では特にわかりにくい問題であり，当事者が最も心配していることであり，そして，どこに相談してよいか困っていることでもある。

第１編の構成

それで，**第１編**では，土地を売買するにあたって，どのようにして土地を評価したらよいかについて，**第１章**で土地の種類ごとに評価上の留意点と素人でも少し勉強すればできる簡便評価法を説明し，**第２章**では土地・建物を買ったときや，贈与・相続を受けるときの税金と節税法を，**第３章**では個人が土地・建物を売ったときの税金と節税法を詳しく解説した。そして，**第４章**では会社が土地を売ったときの税金を参考までに簡単に触れておいた。

第1章

妥当な土地価格をコンサルティングするために，どのように土地を評価し，当事者に納得させるか

●第１章のねらい●

売主，買主の抱いている土地評価は誤っていることが多く，これを正しくリードしなければならない。

土地売買の当事者にとって最大の関心事は，その土地がいくらで売れるのか，そして，その価格で売って損をしないのか，あるいは，いくらなら買えるのか，そして，その価格で買って損をしないのかということである。

土地を売る人への価格のコンサルティング

土地の所有者は，自分の土地を，適正な評価額よりもかなり高いと信じ込んでいることが多い。その原因の一つは，その土地に対する愛着である。たとえていえば，わが子に対する盲愛にも似ているところがある。少々出来の悪い子であっても，親の欲目からみれば，やはり人並以上にみえてくる。また，子供が結婚する年頃になって見合いの話がもちこまれたりすると，いやもっといい相手がみつかるはずだ，などと考えるのは人間の本性であり，どうにもならない心情でもある。

（注）もっとも，固定資産税や相続税の評価となると，自分の土地はこんなに高いはずはない，けしからんと言い出すのも人情である。ただ，平成初年のバブル崩壊直後は，固定資産税や相続税の評価のほうが，売却可能な価額を上回っていた時代もあった。

土地についても，長年住みなれていれば，あるいは長年所有していれば，その長所ばかり目についてくるし，客観的にみれば短所だと判断されるところでさえ，長所に思えてくる。たとえば，図のように，敷地から幅員２m，延長12mの部分で公道に接している住宅地であれば，一般には，建築上の制限があって住宅地としての価値は劣ると判断されるのだが，所有者にとっては，このほうが家の前を人車が通らないので，居住するのには閑静でいいと感じられ，

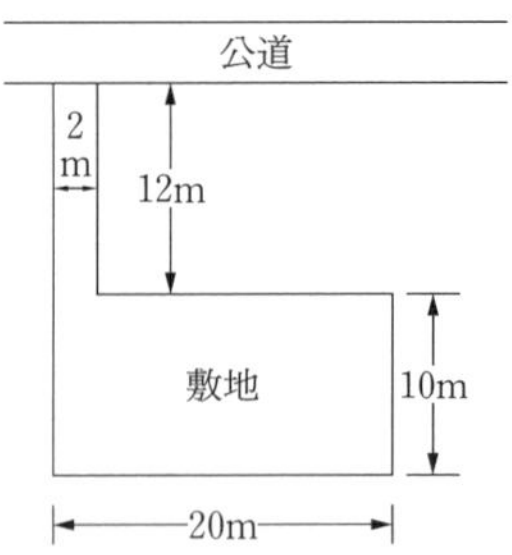

だから道路に面しているところより，住宅地としての価値は高いのだと思っていたりするものである。

本人の主観的価値としては，それはそれでいいのかもしれない。しかし，売るということは，多くの買い希望者の価値観，すなわち世間一般の価値——いいかえれば客観的な価値——にもとづいた妥当な価値と折合いをつけることなのである。したがって，コンサルタントとしては，本人の主観的価値が世間で通用しないということを理解させてあげなければならない。

つぎに，所有者は，周囲の人々から，その所有地についての長所ばかりを聞かされていることが多い。これも，わが子をほめられて喜んでいるようなものである。世間の人々は，蔭では悪口をいっても，余程のことがなければ，親に面と向かってその子供の悪口はいわないものである。

土地についても同様である。「お宅の近所は団地も続々とできてすごい発展ですね」といわれれば，悪い気はしない。「もう，一坪100万円はするでしょう」と何人かにいわれているうちに，実際はまだ60万円にもならないのに，100万円近くで買う人がいるのではないかと思ってくる。それに，近所のどこがいくらで売れたという話も，そのなかで高く売れたという例ばかりが記憶に残って，自分に有利な資料だけで自分なりの評価をつくりあげている。そして，これが客観的な評価に近いと思いこんでいることが多い。

また，周辺の地価が低落し，安い価格での売買例がいくつか出ていても，「いや，あれは売り急いだので，そんなに安くなったのだ。それにうちの土地は…。」と，頑張っているうちにドンドン値下りしていく例も見られた。

コンサルタントとしてのアドバイスは，本当に客観的な評価をし，これを客観的な資料にもとづいて売主に理解させることである。売主にとっては，その客観的な評価を素直に受け入れることは，何だか自分の財産が目減りするようで面白くない。相当の抵抗があるはずである。

だから，それを理解させるためには，コンサルタントのほうとしても，それ相当の根拠と説得力をもっていなければならない。

客観的な価値，すなわち適正な評価額を売主に納得させれば，その後はスムースにゆく。なぜなら，そういう妥当な価格であれば，買主はそれほどの困難もなく見つかるからである。

土地を買う人への価格のコンサルティング

土地を買おうと思っている人は，その買付資金は特定しているが，土地は特定していない。どの方面の，どの辺りの，どのような環境の土地という大体のイメージはある。そういう大きな範囲内で，特定の土地を限定するのは，資金との関係で価格の問題になる。

買おうとする人にとって，土地は未知な土地であることが多い。したがって，その価格で買って本当に損をしないのかどうか，心配すればキリのないことである。

加えて，売るときとは反対に，安ければ安いほどいい，できれば掘出し物でも見つからないかと思うのが人情であり，値段がいくらかということばかりで頭がいっぱいになってしまって，土地の価値と価格との関係を見失ってしまうことが多い。3.3㎡当り80万円が相場である地域に，60万円の土地があったとする。80万円の土地は，整然と造成されており，都市ガス，上下水道も敷地内に引込み済みである。60万円の土地は，都市ガスはなく，上水道も50m位先から引っ張ってこなければならず，下水道もなくて排水もできないから，敷地内に吸込桝を造って処理しなければならない。それに崖地の部分も多くて，有効に使える部分が少なくなるというような欠点をもっていることがふつうである。そういう欠点があるからこそ，60万円と低い価格になっている。しかし，60万円が安いと思いこんでしまうと，そういう欠点が目に入らなくなる。また，そういう欠点を指摘しても，それでも60万円は安いと思う。

そうすると，60万円の土地を買おうとしている場合，その欠点がどれだけ価格に影響するのかを金額的に示してあげなければならない。そして，60万円の土地は，適正に評価すれば55万円なのだ，だから，60万円は一見安いようにみえるが，その土地の価値からいって，実は割高なのだ。土地の価値からいって，80万円の土地のほうが値打ち物なのだ。こういうことを買主に納得させなければならない。それを納得させて初めて，売買契約ができることになる。

第１章の構成

コンサルタント自身が土地の妥当な価格を把握し，売買当事者に説明し，納得させるための一つの有効な方法として，第１節では，公示価格とはどういうものかを，第２節では，公示価格を利用して土地を評価する簡便評価法を，第３節では，相続税路線価とそれを利用する簡便評価法を説明する。

〈人にはどれだけの土地がいるか〉

昔，ロシアにパホームという農民がいて，パキシール地方では，べらぼうに安く土地が手に入るという話を聞いて出かけていくと，そのとおりである。千ルーブルの金を先に渡し，ある丘を日の出に出発し，欲しい土地の周りを歩いて，日没までに戻ってきたら，その土地を貰えるといわれた。早速，翌朝出発する。歩いていくと，いい土地がいくらでもある。もう曲がって戻ろうとすると，その先にもっと肥沃な土地があり，なかなか戻れない。日が傾きかけたのに気づき，あわてて駆け戻るが，丘の上についたとき精魂つきはてて倒れて死んでしまう。そして，頭から足まで入るだけの大きさの墓穴に埋められる。これがパホームに必要な土地だったのである（トルストイ民話集）。バブルの時代にもあったような話である。

第１節
土地評価に公示価格を利用できるか。そして公示価格とは。

1　土地評価の基本的な形

土地の評価はどのようになされているのか。その基本的な形は。

一般の人の行っている土地評価の方法

土地の評価について，専門的にいえば，いろいろとむずかしい方法があり，また，議論もされている。ここでは，まず，一般の人が土地の売買にあたって，どのような方法で評価（値ぶみ）をしているかということからはじめてみよう。

まず，売買の対象となる土地（これを**対象地**という）の周辺で土地の売買の例がないかどうかを聞く。そして，売買の例（これを専門用語では**取引事例**といっている）があれば，それが，どこで，いつごろ，いくらで売買されたかを聞く。そして，そこで，そのころ，その価格で売買されたのならば，いま，ここで，売買されるのなら，どれくらいの価格なら妥当であろうと見当をつける。

売買された例が聞き出せなかったら，あそこで，いくらで売りたい（売り希望価格）という話があったとか，ここなら，いくらで買いたい（買い希望価格）という話があったということを参考として見当をつけるであろう。

土地評価の基本的な形

このような形が売買にあたっての一般的な手順であり，また，土地評価の基本的な形でもある。ある土地の売買が現実になされたということは，そのとき，売主も買主もそれなりの評価（値ぶみ）をし，買主はいくつかの他の土地と比較し，それだけの貨幣を払ってもその土地を買いたいという計算もあり，売主もその値段なら手放してもいいというソロバンもあって，両者の合意が成り立ったと考えてよいであろうからである。

そして，このような取引事例地の価格を基準にして，取引事例地と対象地との立地条件などを比較し，その事例が取引された時点から地価が，上がっているか下がっているという変動を考慮して調整し，すなわち**時点修正**を行って，対象地の価格を求めるというのは，専門家である不動産鑑定士の行う鑑定評価のプロセスのなかでも，最も重要な柱の一つをなしている。

この基本形を簡易な式で示すと，つぎのようになるのである。

$$\left(\begin{array}{c}\text{取引事例地}\\\text{の売買価格}\end{array}\right)\times\frac{(\text{対象地の立地条件等})}{(\text{取引事例地の立地条件等})}\times(\text{時点修正率})=(\text{対象地の価格})$$

(注)　不動産鑑定評価では，さらにきめ細かい式になるが，それについては第２節で詳しく説明する。

取引事例地の価格の検討

しかし，その売買の例が，はたしてそのようにして合理的になされたのかどうかということは，それだけでははっきりしない。売主のほうで資金繰りに追われて，換金のためかなり割安に売り払ったのかもしれない。また，買主のほうで，どうしてもその土地でなければならないという事情があって，世間相場よりはるかに割高の値段であることを承知で買ったのかもしれない。

また，売り希望価格，買い希望価格も，それなりの根拠があってその希望価格が出されたのであろうが，その価格ではまだ売買が成立していないのであるから，売り希望価格が割高であったり，買い希望価格が割安であったからであろうとも推測される。しかし，どれだけ割高で，あるいはどれだけ割安であったかはこれだけでははっきりしない。

公示価格の果たす役割

こういうような事情があるため，一つの取引事例だけから，対象地の価格を求めるのは危険なことである。その危険を避けるためには，一つの取引事例だけから価格を求めず，数多くの取引事例を集めて，それらの価格と比較して価格を求めなければならない。

といっても，専門家以外の一般の人が数多くの取引事例を集めるということは容易なことではない。

そこで，こういう場合に取引事例に代わって，対象地の価格を求めるときの基準（目安）になるものとして，**公示価格**がもうけられている。

この公示価格を取引事例地の売買価格におきかえてみると，前の式は，

$$(\text{公示地の公示価格})\times\frac{(\text{対象地の立地条件等})}{(\text{公示地の立地条件等})}\times(\text{時点修正率})=(\text{対象地の価格})$$

となる。

公示価格には問題はないか，また，どういうものか

もっとも，この公示価格の性格については，いろいろと議論されている。たとえば，国が発表するものだから，政策的な配慮などがあって，地価（時

価）を正確に反映していないのではないかなどが，その代表的なものである。この点については次項以降で検討することとする。

それはともかくとして，土地の評価方法を理解してもらうための説明の仕方として，この公示価格から入ったほうが理解しやすいので，本章ではまず，第１節で公示価格の説明から入ることとする。

比較の方法はどうするのか

つぎに，取引事例地または公示地の条件と対象地の条件を比較するという作業が残る。条件を比較するといっても，どう比較したらよいかという問題が残る。この比較の方法と時点修正などの方法を，土地の種類に応じて第２節で説明する。

〈フロリダの土地ブームと鑑定評価制度〉

昭和50年代の日本列島改造論で，１億総不動産屋となり，地価高騰に酔い痴れていた悪夢はしばしばよみがえる。当時のブームの破局は，別荘地への異常な投資，投機となって出現した。

1920年代のアメリカでも，マイアミ・ビーチを中心とするフロリダ海岸別荘地でバカげた土地投機が起こった。別荘地への土地投機は，「もう一人のバカがいる」と信じることから起こる。「この地価は少し高すぎる。しかし，オレよりバカなやつがもう一人ぐらいいて，もっと高い値段で買うだろう」と思って投資する。フロリダでもそうであった。しかし，ある夜，すさまじい暴風雨がフロリダを襲い，それが別荘ブームに水をかけた。もともとが砂上の楼閣であり，その夢がさめ出せば，ガラガラと崩壊する。

そういう痛い経験から，アメリカで鑑定評価制度が生まれ，育った。日本はそれを輸入し，その後にいくどかの激しい土地投機に見まわれたが，国土法の規制や金融政策などとあいまって，カタストロフだけはなんとか避けられてきたようであったが，昭和末期のバブルとその崩壊，またその後のミニバブルとその崩壊にあたって，途惑いを隠し得ない。

2 公示価格とその読み方

公示価格とはどういうものか。
——その読み方（住宅地の場合）は

公示価格とは

売買の予定地（対象地）の評価をしようとするとき，対象地と比較するため基準とする土地の価格として公示価格を利用する方法のあることを前項で説明した。また，公示価格が地価相場を正しく反映しているものであるかどうかについて，いろいろ論議されていることにも触れた。

しかし，いずれにせよ，公示価格とはどういうものであるかということを知らなくてはハナシにならない。この項では，まず，公示価格とはどういうものであるかということを具体的に説明する。

公示価格の目的はなにか，なにを見たらわかるか

公示価格の目的については，**地価公示法**という法律の第１条で，いくつか定められているが，その第一として，「一般の土地の取引価格に対して指標を与え」ることが規定されている。

ひらたくいえば，一般の人が土地の売買をするとき，その付近の公示地の価格（公示価格）を見て，この価格を参考にして，その売買価格を決められるようにするためということである。

そのためには，この公示価格が誰にでもわかり，手軽に利用されるようになっていなければならない。

それで，国土交通省の土地鑑定委員会が，公示地の毎年１月１日現在の価格（公示価格）を，３月中旬ごろ（令和６年は３月27日）の官報に公示している。この官報は，政府刊行物販売所等で売られている。また，公示価格の主な地点の概要が**図表１－１**（次ページ）に示したように，公示した日の日刊新聞の朝刊に掲載されるので，これを保存しておくと便利である。

また，国土交通省のホームページの「不動産情報ライブラリ」（https://www.reinfolib.mlit.go.jp/）で閲覧し，プリントアウトすることもできる。

なお，公示価格を補うものとして，各都道府県が毎年９月下旬に発表する都道府県基準地標準価格（価格時点７月１日）というものもある。これも公示価格と同様の性格のものである。

図表１－１　新聞に掲載された公示価格の例

東　京

◇千代田区	今年	昨年
[住]三番町6-25	3600	3340
[住]紀尾井町3-32	2260	2110
♦[住]六番町6-1	4390	4280
		※4390
[住]九段北2-3-25	3340	3110
[住]平河町2-12-8	2050	1900
[商]大手町1-4-2	14300	14100
[商]丸の内2-4-1	36800	36700
[商]神田錦町2-7-15	1480	1330
[商]神田岩本町1-2	3330	3120
[商]外神田3-8-9	2800	2540
♦[商]神田小川町1-1-1	6040	5660
		※5820
[商]神田三崎町3-4-9	3480	3260
[商]九段南2-2-5	3630	3370
[商]飯田橋4-7-10	4380	4110
[商]霞が関1-4-1	15100	14800
[商]永田町2-13-1	8510	8090
[商]二番町3-4	4700	4410
[商]一ツ橋2-6-8	1730	1560
[商]神田三崎町3-3-3	1530	1380
♦[商]丸の内3-3-1	26900	26800
		※26800
[商]飯田橋3-13-1	3880	3650
[商]大手町2-2-1	29100	28800
[商]神田相生町101	9580	9000
[商]鍛冶町2-3-14	4210	3950
[商]有楽町1-1-3	21500	21300
♦[商]神田駿河台	2600	2340
2-1-47		※2410
[商]九段北4-3-32	2330	2120
♦[商]麹町4-4-2	6720	6310
		※6500
[商]内神田2-14-12	3050	2760
[商]神田司町2-19-25	1890	1710
[商]神田猿楽町2-5-4	1820	1650
[商]東神田3-3-10	1120	1010
[商]内幸町2-1-4	13700	13400
[商]神田駿河台	1650	1490
3-3-17		
[商]内幸町1-2-1	14500	14200
[商]神田紺屋町47-1	2180	1980

◇中央区		
[住]明石町5-19	1930	1790
[住]勝どき3-4-18	1500	1410
♦[住]月島3-25-3	1500	1390
		※1430
[住]佃3-11-13	987	918
[住]佃2-12-12	1460	1360
♦[住]晴海5-1-9	1220	1140
		※1160
[住]日本橋中洲2-3	1450	1340
♦[商]銀座6-8-3	29300	28500
		※28800
[商]京橋1-15-1	8000	7650
[商]京橋1-1-1	22900	22400
[商]日本橋久松町	2210	2050
12-8		
[商]日本橋人形町	3240	
1-18-9		
[商]日本橋兜町13-1	5900	5600
[商]日本橋小伝馬町	3170	3020
12-2		
[商]勝どき4-2-14	2250	2100
♦[商]新富1-9-1	2430	2250
		※2300
♦[商]日本橋本町	6100	5800
4-1-11		※5870
[商]新川1-17-27	2610	2420
[商]銀座4-2-15	29600	28600
♦[商]日本橋人形町	2000	1860
2-21-10		※1890
[商]新川2-12-15	2430	2260
[商]銀座4-5-6	55700	53800
[商]銀座7-9-19	39900	38600
[商]八丁堀1-9-7	4870	4590
[商]銀座2-3-18	6010	5710
[商]八重洲2-10-17	13400	13100
♦[商]銀座2-6-7	40900	39500

◇港区		
[住]赤坂6-19-23	3070	2910
♦[住]六本木5-13-1	2500	2360
		※2430
[住]南青山4-20-4	2870	2690
♦[住]赤坂1-14-11	5350	5120
		※5240
[住]西麻布1-8-19	1660	1560
[住]白金台4-16-4	1160	1090
♦[住]高輪1-9-5	1640	1520
		※1580
[住]高輪4-20-19	1530	1420
[住]元麻布2-3-24	2830	2660
[住]南麻布4-9-34	3920	3750
[住]芝浦2-3-27	1970	1730
[住]港南3-7-23	1560	1380
[住]南麻布1-27-33	1900	1800
[住]三田2-7-25	2220	2060
[住]東麻布2-17-8	1680	1550
[住]南麻布1-5-11	3700	3390
[住]白金台3-16-10	4260	3990
♦[商]新橋1-18-16	14000	13300
		※13700
[商]六本木4-9-5	10300	9730
[商]芝2-3-8	3660	3450
[商]新橋3-10-9	5970	5570
♦[商]赤坂2-13-23	5220	4940
		※5040
♦[商]高輪2-19-19	4380	4110
		※4250
♦[商]芝大門2-11-1	2680	2500
		※2560
[商]芝大門1-4-8	5540	5200
[商]西新橋2-11-13	1730	1610
[商]虎ノ門4-1-17	7390	7070
[商]港南2-3-1	5700	5360
[商]東麻布2-32-10	2480	2300
[商]浜松町2-11-7	2030	1850
[商]新橋6-12-8	1990	1850
[商]赤坂2-2-17	10100	9530
[商]新橋1-17-1	6490	6130
[商]西新橋1-10-8	3380	3160
[商]南青山2-1-1	13700	13200
♦[商]麻布台3-4-10	3660	3370
		※3530
[商]赤坂3-10-1	6250	
[商]麻布十番3-7-11	2980	2780
[商]赤坂2-8-14	3250	3030
[商]三田4-7-27	2360	2180

◇新宿区		
[住]大久保1-14-7	695	641
♦[住]大京町6-8	1000	950
		※972
[住]下落合4-17-3	740	704
[住]中落合4-8-30	640	607
[住]四谷三栄町14-26	894	840
♦[住]高田馬場1-21-21	835	793
		※807
[住]喜久井町34-58	779	740
[住]南元町4-49	1570	1450
[住]富久町32-6	812	765
[住]若葉1-19-18	1020	965
[住]愛住町7-12	966	917
[住]余丁町12-24	829	789
[住]中井2-27-13	635	605
[商]歌舞伎町1-1-16	8840	8550
[商]余丁町6-23	1350	1240
[商]新宿2-5-10	6580	6040
[商]西新宿1-7-1	21200	20600
♦[商]高田馬場2-8-4	2400	2230
		※2280
♦[商]四谷3-1-8	4500	4170
		※4270
♦[商]西新宿2-6-1	13000	12800
		※12900
[商]神楽坂2-12-18	3270	2950
[商]山吹町331-8	1370	1270
♦[商]若松町33-9	1650	1550
		※1580
[商]百人町1-16-14	2530	2340
♦[商]新宿3-5-4	18700	18000
[商]神楽坂3-1-16	1620	1480
♦[商]北新宿1-12-12	1170	1090
		※1120
[商]西新宿4-16-2	1100	1040
[商]西早稲田1-23-15	1050	987
[商]神楽坂6-64	2060	1860
[商]西新宿4-4-15	2770	2630
[商]新宿2-10-6	2670	2480
[商]市谷本村町2-5	2630	2450

◇文京区		
[住]千駄木2-9-14	855	797
♦[住]西片1-11-5	1280	1200
		※1240
[住]小日向2-28-20	969	905
[住]関口2-7-2	962	897
[住]本駒込5-22-2	1070	991
♦[住]白山4-28-18	1050	980
		※1020
[住]本駒込6-8-22	1390	1300
[住]目白台3-14-10	859	801
♦[住]小石川5-17-12	1090	1010
		※1050
[住]大塚6-14-25	790	733
[住]本駒込1-20-13	2350	2160
[住]小石川2-9-13	1140	1060
[住]向丘1-15-7	935	870
[住]関口2-4-19	1250	1150
[住]千駄木3-10-27	1170	1090
[住]弥生2-9-12	1110	1040
[住]千石1-4-7	951	890
[住]湯島4-9-4	1230	1150
[住]本駒込3-3-9	913	853
[住]千石4-25-4	1080	1000
[商]湯島3-39-10	4110	3910
♦[商]小石川1-3-21	3050	2720
		※2850
[商]音羽2-11-22	1760	1640
♦[商]千駄木3-40-2	1570	1440
		※1490
[商]千石4-45-14	1770	1640
[商]千石4-36-15	1040	966
[商]白山2-26-14	1700	1570
[商]目白台2-6-14	1130	1050
[商]本郷1-4-4	2640	2450
[商]本郷5-3-2	1170	1090
[商]千駄木2-29-4	1260	1170
[商]本駒込6-15-12	1820	1680
[商]水道2-12-12	928	859
[商]小石川2-25-18	1940	1790
[商]西片2-16-25	1250	1160
[商]千石2-21-3	1130	1050

◇台東区		
[住]谷中2-8-14	931	880
♦[住]上野桜木1-1-5	947	895
		※919
[住]谷中6-2-19	822	776
[住]池之端1-4-28	2020	1880
[商]上野4-5-5	11200	10200
[商]浅草1-1-2	5560	4760
♦[商]西浅草2-13-10	2050	1740
		※1840
[商]上野2-11-2	2370	2190
♦[商]浅草橋1-18-10	3000	2780
		※2870
[商]北上野2-32-9	1220	1130
[商]東上野3-14-7	1120	1040
[商]西浅草3-9-3	1290	1120
[商]上野7-2-8	1850	1710
[商]蔵前4-5-10	1700	1580
[商]雷門1-5-1	1470	1360
[商]台東1-14-9	1260	1170
♦[商]三筋2-24-8	1340	1240
		※1280
[商]上野7-6-10	2200	2030
♦[商]東上野1-7-13	1440	1330
		※1380
[商]浅草橋3-4-4	896	819
[商]日本堤2-25-19	464	430
♦[商]浅草5-37-6	660	610
		※631
[商]浅草橋3-27-9	1190	1110
[商]北上野2-4-6	777	722
[商]西浅草3-4-2	1050	910
[商]寿4-6-1	888	822
[商]雷門1-2-11	1220	1120
[商]蔵前3-19-2	692	640
[商]入谷1-23-1	858	801
[商]小島1-18-5	897	832

（出所）2024年３月27日付『日本経済新聞』より

〈図表１－１の見方〉

単位：１平方メートル当たり1,000円（1,000円未満切り捨て）

令和６年１月１日現在

住＝住宅地　商＝商業地　工＝工業地

㈱　地名は原則として住居表示。調査変更地点は前年値空欄。前年値欄の※は半年前に発表された基準地価。◆は国土交通省がその地域の代表として選んだ標準地。

※平成25年地価公示より，準工業地域，市街化調整区域内の地点を標準地の用途分類に合わせて，住宅地，商業地，工業地に分類しています。

〈令和６年地価公示の実施状況〉

１．標準地の設定対象区域

令和６年地価公示は，令和６年１月１日現在において，公示区域（地価公示法施行規則（昭和44年建設省令第55号）及び平成25年国土交通省告示第1307号）を対象として行われた。

標準地の設定区域は，全国の市街化区域及び市街化調整区域に区分された都市計画区域約52,182平方キロメートル並びにその他の都市計画区域約50,794平方キロメートル計約102,975平方キロメートルの区域並びに都市計画区域外の公示区域で，対象市区町村は1,376（23特別区，787市，528町（東京電力福島第一原発事故に伴う避難指示区域内において調査を休止している福島県双葉郡，大熊町及び双葉町の２町を含む。）及び38村）である。

２．標準地の設定数

標準地の設定数は，市街化区域20,560地点，市街化調整区域1,375地点，その他の都市計画区域4,049地点，都市計画区域外の公示区域16地点計26,000地点となっている（うち，福島第一原子力発電所事故の影響による６地点は調査を休止している）。なお，全ての標準地の代表性，中庸性，安定性，確定性等について点検を行った結果，適正と認められた25,655地点を継続の標準地として設定し，標準地の状況の変化に伴い前記条件に合致しなくなった190地点については選定替を行っている。

標準地の設定密度は，市街化区域では，全国的におおむね約0.7平方キロメートル当たり１地点，市街化調整区域では，約27平方キロメートル当たり１地点，その他の都市計画区域では，約13平方キロメートル当たり１地点となっている。

これを用途別に市街化区域，市街化調整区域，その他の都市計画区域及び都市計画区域外の公示区域ごとにみると，次のとおりである。

(1)　市街化区域

ア　住宅地と宅地見込地を合わせて14,347地点で，主として，第一種低層住居専用地域，第二種低層住居専用地域，第一種中高層住居専用地域，第二種中高層住居専用地域，第一種住居地域，第二種住居地域及び準工業地域に対して，三大都市圏（東京圏，大阪圏及び名古屋圏）及び地方四市（札幌市，仙台市，広島市及び福岡市）では，約0.6平方キロメートル当たり１地点となり，地方圏（三大都市圏及び地方四市を除く。）では，約1.0平方キロメートル当たり１地点の割合となっている。

イ　商業地は5,219地点で，準住居地域，近隣商業地域，商業地域及び準工業地域に対して約0.7平方キロメートル当たり１地点の割合となっている。

ウ　工業地は994地点で，準工業地域，工業地域及び工業専用地域に対して約3.7平方キロメートル当たり１地点の割合となっている。

(2)　市街化調整区域

ア　住宅地，商業地及び工業地を合わせて1,325地点で，約28平方キロメートル当たり１地点の割合となっている。

イ　現況林地は，三大都市圏の市街化調整区域内の現況山林について50地点となっている。

(3)　その他の都市計画区域

住宅地，商業地及び工業地を合わせて4,049地点で，約13平方キロメートル当たり１地点の割合となっている。

(4)　都市計画区域外の公示区域

住宅地及び商業地を合わせて16地点となっている。

（出所）国土交通省ホームページ（令和６年地価公示）より作成。

ある地点の公示価格

ここでは，まず，公示価格を利用するための基本として，公示価格とはどういうものかを具体例にもとづいて説明することにする。

中級の住宅地として開発され，環境を整えてきた東京近郊の街として，田園都市線沿線の街々がある。この線は，地下鉄と相互乗り入れをし，渋谷を通じて都心まで接続し，都心に通勤するサラリーマンの快適なベッドタウンとなっている。

その沿線の「青葉台駅」（渋谷から急行で約30分）を降りると，北側の高台に整然と造成されて分譲された住宅街がある。名前も「青葉台」といい，１丁目と２丁目があり，その背後にも住宅街が続いている。その青葉台１丁目に**地価公示標準地（公示地）**がある。「横浜青葉－12」という記号がついている。

令和６年３月27日の官報により，「横浜青葉－12」を掲記すると，**図表１－２**のようになっている。この記載例によって，公示価格の読み方を説明する。

図表１－２　公示地（住宅地）の概要

(1) 標準地番号	(2) 所在及び地番	(3) 価格（円/㎡）	(4) 地積（㎡）	(5) 形状（間口：奥行き）	(6) 利用現況,利用区分,構造	(7) 周辺の土地の利用現況	(8) 前面道路の状況	(9) 給排水等状況	(10) 交通施設,距離	(11) 用途区分,高度地区,防火・準防火（建ぺい率(%)，容積率(%))
横浜青葉－12	青葉台１丁目21番22	376,000	280	１：1.2	建物などの敷地，W（木造）2F	中規模一般住宅が多い区画整然とした住宅地域	南6.5m市道	水道，ガス，下水	青葉台 650m	第一種低層住居専用地域 40(%)，80(%)

（注）　価格時点：令和６年１月１日。なお，都道府県地価調査における「青葉(県)－９」(同一地点）の令和５年７月１日の標準価格（25ページ参照）は37.0万円。

『横浜青葉－12』　横浜市青葉区に，住宅地の公示価格は49地点あり，１から49までの番号がついている。この地点はその12番という記号である。なお青葉区には，住宅地のほかに商業地の公示価格の地点が７地点ある。これらは後で説明する。

『横浜市青葉区青葉台１丁目21番22』　公示価格の地点の所在地であり，土地登記簿に記載されている所在地である（なお，登記簿の地番と住居表示の番地とが異なるときは，この下に住居表示を「　」書きしてある。たとえば76ページの**図表１－30(ア)**参照）。だから，これを読んで地図（**図表１－３，１－４**）をみると，どの辺にこの地点があるかを探すことができる。また，国交省のホームページで，「不動産情報ライブラリ」⇨「地域から探したい方へ・

図表１－３　地価公示と周辺図

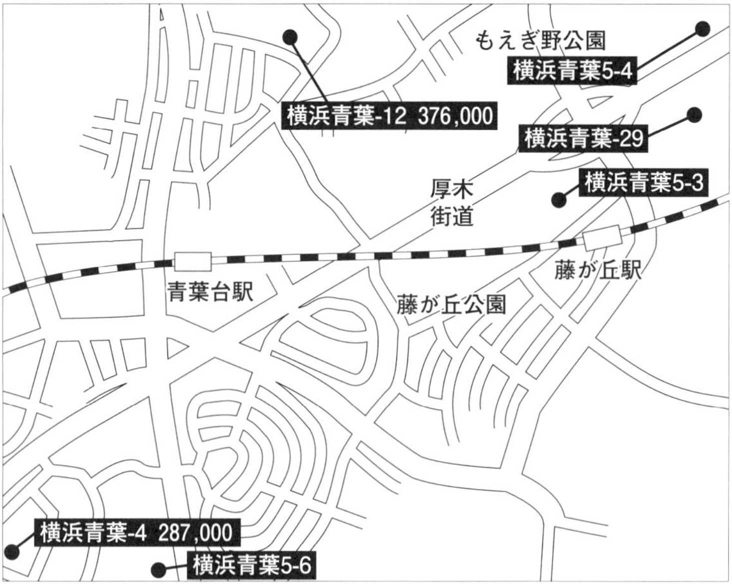

地域検索」で，「住所からの場合」をチェックし，閲覧したい公示価格等の所在地の都道府県⇨市区町村⇨地区⇨字丁目⇨地図表示をクリックすると地図が表示される。さらに，価格情報を選択し全選択にチェックを入れて「決定」をクリックすると，地図上に「標準地番号」と直近の公示価格等が表示される。この標準地番号を選択し「詳細表示」をクリックすると，標準地の概要と，過去の地価，対前年変動一覧等が表示される。また，相続税の路線価図からでも簡単に確認できる（**図表１－５**参照）が，路線価に記入されている価格は，相続税の評価額であり，公示価格の約80％の水準になっている。

『376,000』　この土地の１㎡当りの単価である。

『280』　この土地の面積である。だから，この土地の価額は，（280㎡×376,000円＝105,280,000円）ということになる。

面積と地価

土地の単価というものは，面積によって変わる。この例でいうと，280㎡でその単価が37万6,000円である。この10倍の2,800㎡の土地が売りに出されたとする。これに単価37万6,000円を乗ずると，10億5,280万

図表１－４　公示地・対象地等の周辺図

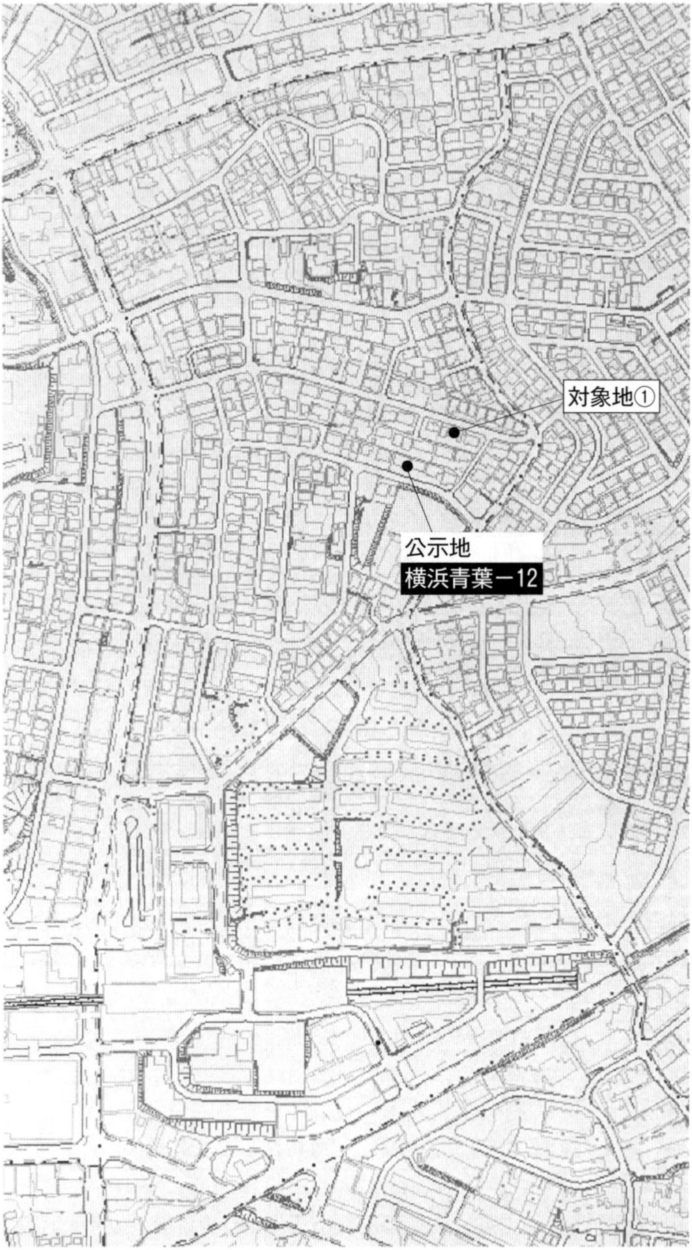

（横浜市ホームページより作成）

図表１－５

横浜青葉－12　376,000円

横浜市青葉区青葉台１丁目21番22　280㎡

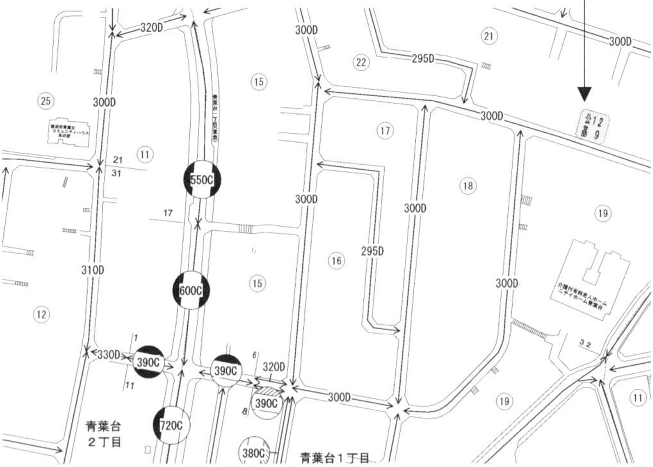

円となる。かなり高給取りのサラリーマンでも買えない値段である。とすると，買う人は特殊な資産家とか不動産業者とかに限定されてくる。買手が減れば，物の値段が下がるのが自然の理である。不動産業者が転売を考えているのなら，転売益を出すために安く仕入れたいであろう。これを数区画に分割造成した住宅団地として分譲しようとするのには，造成費等も見込んでおかなければならない。それでも，その約30％減の７億3,696万円ぐらいなら売れるかもしれない。そうすると，その１㎡当りの単価はおよそ26万3,200円となる。

逆に，この土地の面積が90㎡だとする。そして，公示価格の約20％増の１㎡当り45万1,200円で売ろうとする。そうすると，土地の価額は約4,061万円となる。これならば，ある程度のサラリーマンなら買えるかもしれない。そして，この辺りの地価としては，それほどバカ高い価額ではなく，すぐ売れるかもしれない。なお，マンションやビルの適地では，土地の面積が大きくなると，土地の単価が高くなる場合もある（78ページのコラム「面大地・地積規模の大きな宅地」参照）。

このようにして，土地の単価というものは土地の面積との関係で決まるものである。そして公示価格は，その地域のなかで標準的な面積の土地を選定している。したがって，その周辺の土地でも標準的な面積と違う面積の土地を売買しようとすると，その土地単価は変わってくるということを覚えておかねばならない。そういう意味で，公示価格を見るときには，面積にも注意を払わなけ

ればならない。

地形と地価

つぎに，『1：1.2』と書いてあるのは地形（じがた）である。間口1に対して奥行1.2ということ，すなわち，この敷地は間口約15m，奥行約18mの長方形の土地であるということである。もし「1：1」と書いてあれば，間口1に対し奥行1の正方形の土地という意味である。

地形と地価とは密接な関係をもつ。狭い三角形の地形の土地であれば，その地形なりに三角形の家をつくらざるを得ない。それはつくりにくく（すなわち，建築費が多くかさむ），そして住みにくい。だから，そういう土地は安くなる。

では，どういう地形がよいかというと，その土地の周辺の利用状況によって一概にはいえないが，普通の住宅地であれば，長方形で1：1.2から1：1.5ぐらいの地形や，1.2：1または正方形の地形がよいとされている。この範囲をこえている地形であれば，一応注意したほうがよい。

なお，台形とか多角形とか特殊な地形をしている場合には，それぞれ「台形」とか「多角形」とか記載してあるが，正方形，長方形の場合は，特に記載していない。「1：1」とあれば正方形のことである。

面積と地形との関係

狭い三角形の地形の土地については上記で説明した。それでは，広い三角形の地形の土地についてはどうだろうか。比較して図示すると，**図表1－6**のようになる。

(イ)の場合には，三角形か，少なくとも不整形の家しか建たない。しかし，(ロ)のような広い土地であれば，整形のマンションを建てて，余った土地を駐車場にすることもできる。地形というものは，面積によって良くもなり悪くもなる。したがって，地形と面積とを常に関連づけて考えねばならない。

利用現況，利用区分，構造

つぎには『W（木造）2F』と記載されている。Wというのは木造ということである。この公示価格の地点に，木造2階建の住宅が建っているという意味である。

公示価格の地点というものは，その周辺の土地の利用状況をみて，標準的な利用がなされている土地を選定している。だから，ここに『W（木造）2F』と書いてあるのは，その周辺の標準的利用状況が木造2階建の住宅であるということを示している。なお，鉄筋コンクリート造は「RC」と表示している。

土地の価格というものは，その利用状況によって変化するからである。

木造モルタル2階建のアパートの建て混んだなかに，ぽつんと高級住宅があっても，その土地の価値が高級住宅地並みになるわけではない。そういう地域では，アパートの敷地のほうが価値は高いかもしれない。

図表１－６　狭い三角形と広い三角形の地形の土地

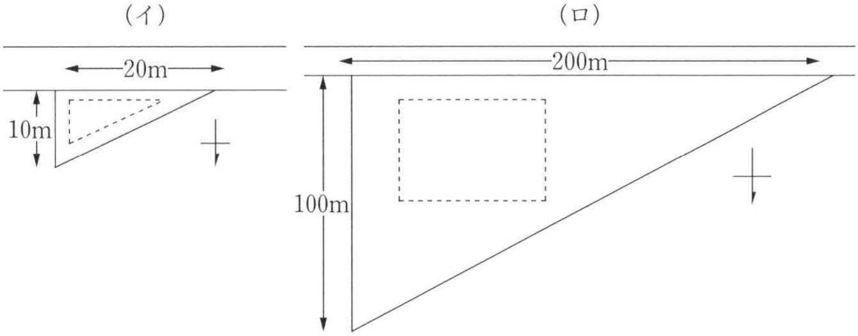

地域の現況（近隣地域）

つぎの欄には，『中規模一般住宅が多い区画整然とした住宅地域』とあるが，これは公示価格の地点の周辺の土地の状況を説明している。公示価格というものは，特定の地点を示して，その地点の地価を表示している。しかし，その目的とするところは，そうすることによって，その周辺の土地の地価の水準を明らかにすることにある。この周辺の土地を「近隣地域」という。そして，この近隣地域の性格を説明すると，『中規模一般住宅が多い区画整然とした住宅地域』ということになるのである。

道路その他の公共施設と地価

つぎに『南6.5m市道』『水道，ガス，下水』と記載してある。この敷地の南側に6.5mの市道があり，水道と都市ガスと公共下水がいつでも使える状態にある敷地であるという意味である。

建築基準法で，道路に面していない土地には家を建てられないよう規定してある。そして，その幅員は原則として４m以上ないといけないようになっている。だから幅員４m以上の道路に面していない土地は，同じ地域にあっても，全く地価が低いことになる。

家を建てることが法律上可能であるかどうかは，その宅地にとって致命的なことであるが，その最低限の要求を満たしている敷地を比較した場合，道路の幅員はある程度までは広いほうがよい。自動車の入らないぐらい狭い道路より，自動車の入る道路のほうが地価は高くなる。しかし，過ぎたるは及ばざるがごとしというが，あんまり幅員の広い便利な道路で，自動車の交通が激しすぎるようになると，住宅地としての快適性は失われ，地価は下がる。

「水道，ガス」と記載してあって，「下水」が記載されていない場合がある。これは，公共下水等がないということである。公共下水というのは，便器の水を流すと，汚物が流されて，その家の前面道路の下に埋められている公共の下水管に流れ込み，公共の末端処理場に流れついて処理される――全部公共で処理してくれる，そのかわり下水使用料を徴収される――そういう下水である。その他，大規模に造成された住宅団地の場合，団地内に汚水集中処理場があり，公共の管理にはなっていないが，団地内の管理組合などで維持管理している場合も「下水」と記載してある。自分の敷地に浄化槽があり，そこで浄化して道路傍の側溝に流して，最後には公共の下水に接続するようになっていても，「下水」ありとは記載していない。「ガス」も都市ガスの有無ということである。プロパンガスを使っていても，「ガス」ありとは記載しない（プロパンの集中供給施設のある場合は「ガス」と記載してある）。なお，水道，ガス，下水については，標準地の敷地内に引き込まれていない場合でも，前面道路に本管が敷設してあって，引き込もうと思えば，通常の工事費で引き込めるようになっている場合も，「水道」「ガス」「下水」と記載してある。

交通状況

『青葉台650m』というのは，田園都市線の青葉台駅から歩いて，すなわち道路距離で650mということである。標準的な歩行速度は１分間80mということになっている。だから，650mというと８分ぐらいかかるということで，駅からかなり便利な場所である。駅から都心までの距離と，駅からその土地までの距離は，住宅地の地価を判定するときの最も重要な要素ともいえる。

用途区分，高度地区，防火・準防火，建ぺい率・容積率

『第一種低層住居専用地域（40(%)，80(%)）』というのは，この土地が第１種低層住居専用地域にあり，建ぺい率（敷地に対する建物の建築面積割合）が40％で，容積率（敷地に対する建物の延床面積）が80％ということである。だから，この敷地に建物を建築しようとすると，

建ぺい率　280㎡×0.4＝112㎡（約34坪）

容 積 率　280㎡×0.8＝224㎡（約68坪）

である。この標準地は，建ぺい率，容積率がかなりきつく制約されているといえる。建ぺい率，容積率が大きければ，それだけ土地を有効に利用できることになり，一般的には地価が高くなる傾向になっている。

しかし，自分の土地が有効に利用できるということは，隣の土地も有効に利用できるということになる。そうすると，その地域全体の土地利用状況が過密になり，住居としての快適性は失われ，地価を下げる要因となることもある。その辺を総合的に考えて，地価を判定しなければならない。

なお，第１種低層住居専用地域とは，平屋建や２階建程度の低層住宅に係る良好な住居の環境を保護するために定められた地域であって（都市計画法９条），建物の高さの最高限度も10mまたは12mまでと制限されている（建築基準法55

条）などの厳しい規制がもうけられている。

図表１－７　鑑定評価書の見方

１．鑑定評価書において使用されている符号等は，次のとおりです。

(1)　「標準地（基準地）番号」の欄においては，用途別に数字を付し次のように表示しています。

－１．－２．－３．………………住宅地
３－１．３－２．３－３．………宅地見込地
５－１．５－２．５－３．………商業地
７－１．７－２．７－３．………準工業地
９－１．９－２．９－３．………工業地
10－１．10－２．10－３．………市街化調整区域内の現況宅地
13－１．13－２．13－３．………市街化調整区域内の現況林地（地価公示のみ）
（林）20－１．（林）20－２．（林）20－３．
………林地（地価調査のみ）

※　平成25年地価公示より，準工業地域，市街化調整区域内の地点を標準地の用途分類に合わせて，住宅地，商業地，工業地に分類しています。

(2)　「所在及び地番」欄には，土地区画整理事業による仮換地となっている場合には，原則として，従前の土地の所在及び地番を表示し，（　）内に現在の土地の当該事業による工区名，街区番号及び符号（仮換地番号）等を表示しました。なお，仮換地番号と住居表示の両方のある場合は仮換地番号の表示を省略しました。なお，標準地等が数筆にわたる場合は「外」と，一筆の一部である場合には「内」とそれぞれ表示しました。

(3)　「地積」欄には，原則として，土地登記簿に記載されている地積（土地区画整理事業の仮換地又は土地改良事業の一時利用地である標準地等については，当該仮換地等の指定地積）を表示し，１平方メートル未満の端数は切り捨ててあります。また，標準地等の一部が私道となっている場合には，その「地積」欄には私道部分を含めて全筆の地積を表示しました。

(4)　「形状」欄には，市街化調整区域内の現況林地及び林地以外の標準地等について標準地等の間口と奥行のおおむねの比率（宅地見込地にあっては，前面道路と接する辺又は至近の道路におおむね平行する辺と，この辺から対辺までの長さの比率）を左側に間口，右側に奥行の順で表示しました。なお，形状は，台形，不整形と特に表示しない限り四角形です。

(5)　「利用区分，構造」欄には，当該標準地等にある建物の構造を次の略号で表示し，数字はその階層（地下階層がある場合，地上階層にはＦを，地下階層にはＢを付してある。）を表示しています。ただし，価格判定の基準日に新しい建物が建築中の場合は「建築中」，建物が解体中の場合は「取壊中」とし，また，建物が撤去されている場合（仮設建物が存している場合等を含む。）には，「空地」と表示しています。

鉄骨鉄筋コンクリート造　……………ＳＲＣ
鉄筋コンクリート造　…………………ＲＣ
鉄骨造　………………………………Ｓ

軽量鉄骨造　……………………………ＳＬ
木造　…………………………………………Ｗ

(6)　「前面道路の状況」欄には，前面道路の状況を「方位」,「幅員」,「道路の種類」の順に表示してあります。なお，道路の種類は次の区分により表示し，前面道路の舗装の状況は，「未舗装」と特に表示しない限り舗装済みです。
①道路法の道路は「国道」,「都道府県道」,「市町村道」等
②土地区画整理事業施行地区内の道路（①，③を除く。）は，「区画街路」
③私人が管理する道路で，いわゆる私道と称されているものは，「私道」
④その他の道路は，「道路」

(7)　「給排水等状況」欄については，次により表示しました。
①ガス事業法により，ガスが供給されている場合及び通常の工事費負担によってガス供給が可能な場合は，「ガス」と表示しました。
②水道法による水道事業又は専用水道により給水されている場合及び通常の工事費負担によって，これらの水道から給水可能な場合は，「水道」と表示しました。
③標準地等が下水道法に基づく処理区域内にある場合及び公共下水道に接続し又は終末処理場を有している場合は，「下水」と表示しました。

(8)　「交通施設，距離」欄には，原則として鉄道駅名及び標準地等から鉄道駅（地下駅の場合には地表への出入口）までの道路距離を表示し，50m未満の場合は，「近接」又は「接面」と表示しました。

(9)　以上の表示は，基準日の状況により行いました。

２．ほか，特に林地において使用されている符号等は，次のとおりです。

(1)　「利用区分，構造」欄には，「用材林地」又は「雑木林地」の別を表示しました。

(2)　「交通施設」欄には，駅名及び基準地から駅までのおおよその道路距離を表示しました。

(3)　「用途区分，高度地区，防火・準防火」欄には，地域の特性を次により分類して表示しました。
都市近郊林地
農村林地
林業本場林地
山林奥地林地

３．不動産IDについて

(1)　標準地を構成する「不動産ID」について，その「所在及び地番」と「不動産ID」を記載しています。

(2)　不動産IDは，標準地が所在する土地の登記簿に記載されている「不動産番号」（13桁）と同番号だけで特定できない場合にも特定できるよう特定コード（４桁）を加えた17桁の番号で構成し，不動産番号だけで対象不動産を特定できる土地の特定コードは「0000」としています。

(3)　標準地が複数筆にわたる場合は，原則No.1に地番（枝番）番号の一番小さい筆を記載しておりNo.2以降については，「字」単位でまとめた上で，地番（枝番）の番号の小さい筆順に，最大50筆まで記載しています。

(4)　宅地の標準地が50筆を超える場合は，51筆以上の筆数を「備考」欄に“外○筆”と記載しています。宅地見込地及び林地の標準地が25筆を超える場合は，26筆以上の筆数を「備考」欄に“外○筆”と記載しています。

3 都道府県地価調査標準価格と公示価格

都道府県地価調査標準価格とはどういうものであるか。

地価公示標準地（公示地）とならんで，都道府県地価調査基準地というものがある。これは，公示地と同じような性格をもっており，公示地の不足地点と調査時点を補う性格のものである。公示価格が毎年１月１日の価格であるのに対して，都道府県の基準地価格は毎年７月１日の価格である。前掲の横浜市青葉区の住宅地についてみれば，公示地が49地点あるが，この49地点ではカバーされていない，要するに公示地のもうけられていない地域にこの基準地がもうけられており，令和６年発表のものによると，青葉区では，24地点あり，そのうち，公示価格の価格時点からの変動を示すために，公示地と同一の６地点の基準地がもうけられている。

公示地は国土交通省，地価調査基準地は各都道府県と，管轄は違っているが，両者は互いに価格のバランスをとって評価決定されている。評価の仕方も同じである。したがって，公示価格と全く同じように利用すればよい。

なお，公示地は主として都市計画区域内だけにもうけられている(注)が，都道府県の基準地は都市計画区域外のかなり辺地の町村にももうけられており，また，純粋な「林地」にももうけられているので非常に便利になっている。

（注）　都市計画区域以外では，土地取引が相当程度見込まれるものとして，国土交通大臣が定める区域に設定される（地価公示法施行規則１条①）。

基準地価格は毎年９月下旬に都道府県の公報で発表され，各市町村の役所，都道府県庁の担当部署に備え付けられてある。

また，国土交通省のホームページの「不動産情報ライブラリ」（13ページ参照）で閲覧し，ダウンロードすることもできる（なお，令和６年分については令和６年９月17日に公表された）。

4 公示価格の評価方法

公示価格は，どのようにして評価され，公示されるのか。

公示価格を評価・決定し，公示する組織

国土交通省に土地鑑定委員会がもうけられており，この委員会が公示地点を選定し，評価し，価格を決定し，そして毎年３月下旬ごろの官報に公示価格を公示するようになっている。その担当部門は国土交通省不動産･建設経済局地価調査課である。

さらに具体的にいうと，全国の各県を地域別にいくつかのブロックに分け，それぞれのブロックに土地鑑定委員会の分科会をもうけている。この分科会は，鑑定評価員で構成されている。鑑定評価員は，不動産鑑定士のなかから，土地鑑定委員会が委嘱する。

この分科会で担当する地域内にある公示地点を，さらに分けてそれぞれの鑑定評価員が担当して鑑定評価することになっている。そして，万全を期するため，一つの公示地点を２人以上の鑑定評価員が別々に鑑定評価し，両者の間に，相当の開差が生じてしまうようなことがあれば，定期的に開催される分科会の場で，地域間の価格バランスなどを議論して調整をはかり，慎重な態度で臨むことになる。そして，最終的には土地鑑定委員会で価格の決定をし，公示することになる（**図表１－８参照**）。

なお，都道府県基準地の標準価格は都道府県が所轄するが，その評価の仕組みと評価方法は，公示価格とほぼ同様である。

どのような評価方法で鑑定評価されるか

基本的には，一般の不動産鑑定評価と同じである。まず，**取引事例比較法**により**比準価格**を求める。これは，公示地の周辺で実際に売買された実例を集めて，これらの売買実例に売り急ぎや買い急ぎがあって正常に取引される価格より割高で取引されたのではないか，または割安で取引されたのではないかなどを，まず検討して調整する。そのあと，周辺地と公示地との地域要因，個別的要因の比較を行い，取引された時点と公示価格の価格時点との価格の変動率を調整し，一応の試算価格を出す。この試算価格を比準価格といって，公示地そのものが売買されるとしたら，正常な条件のもとではいくらになるだろうかという価格である。

公示価格から対象地の価格を比較法で求める方法を第２節（33ページ以下）で

図表１－８　地価公示の手順の概略図土地鑑定委員会

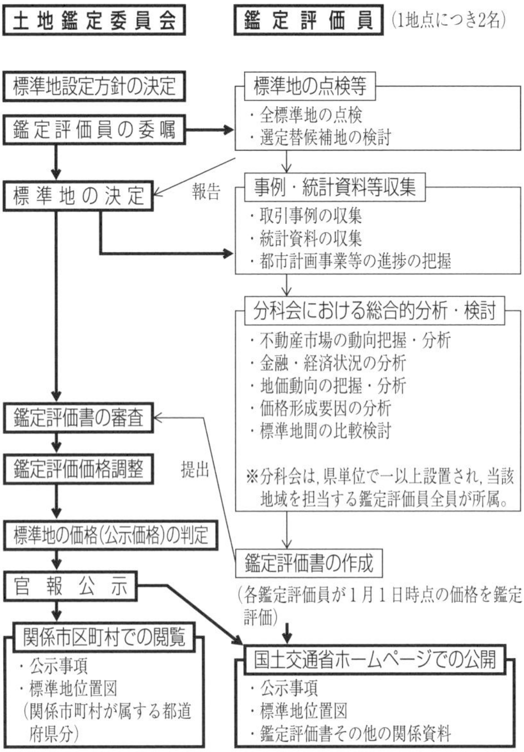

(出所) 国土交通省ホームページより

解説しているが，公示地を事例地と読み替えて取引事例比較法の具体的な方法を理解されたい。

つぎに，**収益還元法**によって**収益価格**を求める。これは，公示地に，その地域に適合し，その土地を最有効に使用した建物を建てて賃貸することを想定し，周辺の賃貸物件――公示地が住宅地なら，近隣地域内または周辺の類似した地域内にある賃貸住宅，賃貸アパート――の実例と比準して，その建物の年間家賃を想定し，その年間家賃から，賃貸するための諸経費を控除して，その賃貸物件の年間にあげる純収益を求め，これだけの利益をあげるために，通常どれだけの元手（この場合は土地と建物）があればよいのかを逆算して求める。いいかえれば，家賃から割り出した純収益はこれだけになる。とすれば，土地と建物をいくらで買えば採算にのるかということで，賃貸するための土地と家に投資する限界がみつかる。まず建物への投資の限界を出し，残りが土地への投資の限界――すなわち，その土地の上限価格であると考える。このようにして，その純収益を還元して，その元本にあたる土地の価格を求める。このようにして試算された価格を収益価格という。

なお，具体的な評価方法は858ページ以下に掲げてある。

その他に，その公示地が最近造成された団地内の宅地などである場合，さらに**原価法**によって**積算価格**を求める。これは，公示地の周辺で最近造成分譲された土地の実例を分析して，公示地と比較する。そうすると，公示地が現在もし田の状態であったならば，これを現在，田のままの価格で買収して，それを造成して，分譲したら，どれだけの価格になるかということがわかる。このようにして，素地（田）の買収代価に，造成工事費や販売費用などを加えて算出された試算価格を積算価格という。

なお，公示地が既成の市街地である場合には，原価法は適用しない。

土地バブルの宅地の造成開発の盛んな時代には，この積算価格も重視されていたが，現在は，公示地のほとんどが熟成した既成市街地内の宅地であるため，この原価法による積算価格は，あまり見られなくなっている。

また，土地の評価には，開発法という手法がある。開発法は，公示地の面積が，その地域の標準的な面積に比べて大きいときに適用される。開発には，戸建分譲やマンション開発等があるが，いずれにしても開発後の価格を想定し，これから開発・造成費用等の経費を差し引いて，現況での価格を求めるものである。

このように複数の方法で，それぞれの試算価格を求める。いずれも試算価格であり，鑑定評価額ではない。このそれぞれの試算価格が一致していれば，問題は少ない。しかし，それらの価格が違うことが多い。その差異は，人間の行為（売買したり，賃貸する行為）というのが必ずしも合理的でないこと，また，社会の動きが必ずしも秩序だって整然と動いていないことに起因している。

これらの試算価格の差が開いている（**開差**があるという）とき，この差を調整し，そして最終的に評価額を決定することになる。

三試算価格の開差の調整・決定の仕方

鑑定評価というものは，この三つのそれぞれ違った試算価格を書き並べて，これを参考にして考えて下さいといって済むものではない。これらの異なる試算価格をもとにして広い角度から検討して調整して，一つの価格（鑑定評価額）を決定しなければならない。

たとえば，マイホーム型の戸建の住宅地であれば比準価格にウェイトをおいて収益価格を参考までに止めるとか，投資向の商業地であれば，収益価格にウェイトをおいて比準価格を参考に止めるなどをして調整している。その過程の詳細はあまりにも専門的になりすぎるので，その説明は省略するが，国土交通省のホームページで公示価格を閲覧し，ページにある「詳細表示」→鑑定評価書「詳細表示」をクリックすると，その土地の「鑑定評価書」が表示される。

たとえば，**図表１－２**の公示地（住宅地）の概要（16ページ）に掲げた横浜青葉—12の場合は，試算価格として，

取引事例比較法による比準価格　376,000円/㎡

収益還元法による収益価格　　85,400円/㎡

を求め，下記のように調整・検証を行って，

鑑定評価額105,000,000円，１㎡当りの価格376,000/㎡と決定している。

〈試算価格の調整・検証及び鑑定評価額の決定の理由〉

上記市場から，土地価格は居住性等に着目した自用目的での取引が中心で価格水準が形成され，比準価格は規範性のある価格が得られた。低層マンション等の賃貸物件も散見されるが地元の地主層による遊休地の土地活用等の目的が主で収益性は低く価格形成に及ぼす影響度は小さい。よって，市場取引価格を反映した比準価格を標準とし，収益価格は参考にとどめ，単価と総額との関連を考慮し，他の標準地との均衡にも留意のうえ上記の通り鑑定評価額を決定した。

〈不動産投資信託等の理論的仕組みと実情〉

ＲＥＩＴ：**不動産投資信託**　リートと発音し，Real Estate Investment Trust の略。日本版 REIT を J-REIT という。投資法人（ファンド）が，多くの投資家から集めた資金を認可を受けた運用会社（投資信託委託業者）に運用を委託して，オフィスビルやマンション，ショッピングセンターなどの不動産を買い，これを維持管理しながら，必要に応じて物件を買い替えるなどして運用し，家賃から必要経費を引いた利益のほとんど（90％超）を投資家に分配する金融商品。ファンドの利益には法人税等は課税されないが，分配金を受け取った投資家には，株式の配当と同じように所得税等が課税される。ファンドのタイプとして会社型と投資信託型とがあり，そのいくつかは上場されており，毎日の値動きは日刊新聞の株式欄に掲載されている。

＊　　＊　　＊

不動産投資信託等は，このように不動産の収益（貸家の家賃）に基礎を置いているので，その相場も，投資した不動産の収益に比例して変動するのが理論的であるが，いったん，証券市場に上場されると，上場株式の株価がその会社の業績との直接的な結びつきを離れて，その時々の景気，特に金融情勢の影響によって大きく変動するのと同様に，上場された不動産投資信託等も，投資した不動産の収益から離れて投機的ともいえる変動をしているのが実情である。

5 実勢価格を調査するには

現実に市中で取引されている実勢価格（いわゆる時価）を調べるにはどうすればよいか。

売買の参考として必要な実勢価格の調査

これまで，公示価格とはどういうものか，その読み方そしてどのように評価され，公示されるのかを説明してきた。

ところで，土地売買のコンサルティングの一環として土地の評価をしようとするとき，そこで求める価格は，現実に売買が成立する価格であり，売主にとっても，買主にとっても納得のいく価格であろう。公示価格がいかに理論的に正しく，また，あるべき価格であったとしても，それが現実に取引された価額でないとしたならば，売買の参考にしようという目的の場合には，説得性が弱いことになろう。

また，不動産業者の店頭やインターネットで，売物件の広告は出されているが，これはあくまでも売り希望価格であって，実際に売買された価格ではない。

国土交通省の土地取引価格情報

国土交通省で，市町村ごとに，実際取引事例のうち取引価格の把握できた事例を「宅地（土地及び土地と建物）」「土地」「土地と建物」「中古マンション等」「農地」「林地」に分類して，**図表１－９**のように公開している。もっとも，売買時点は令和××年第×四半期の間というところまでであり，所在地も市町村名までであるが，駅からの時間距離が示されており，駅を中心として，その地域の売買価格水準を調べるのに参考となる。

国土交通省のホームページ「不動産情報ライブラリ」（https://www.reinfolib.mlit.go.jp/）⇨「不動産価格の情報をご覧になりたい方へ」⇨「データの検索・ダウンロード」から「地域」「価格情報区分」「種類」「時期」を選択し「一覧表示」をクリックすると「検索結果一覧」で閲覧できる。

公示価格と実勢価格について

一般的にみて，地価の安定している時期においては，公示価格と「いわゆる実勢価格」との価格水準は，ほぼ同水準にあり，公示価格を基礎として，取引されるだろう価格を比較的容易に推定することができる。

しかし，地価が急激に上昇している時期においては，公示価格と「いわゆる実勢価格」との開きが大きくなっており，また「いわゆる実勢価格」のなかでの最低価格と最高価格との開きが大きくなる傾向が生じる。

一方，地価が急激に下落しつつある状況下では，取引が激減し，たまたま成立した事例があっても，それは余程資力があって，また，必要に迫られての取引であったりして，その周辺の土地がその価格でいつでも売れるというものではなく，それ以下の価格でも売りたいという売り希望物件が棚ざらしになっているからといって，売買事例もないのに公示価格を急には下げられないという背景もあって，「その価格では売れない公示価格」などという現象が出現することもある。また，公示価格は，ある程度に定着した価格水準を公示するものであり，そのため価格変動期には遅行性をもっているという性格のあることも，「いわゆる実勢価格」との開差となって表われるともいえる。(注)

（注）　公示価格の評価作業は，その価格時点（１月１日）の前後で行われるが，比準価格を求める基礎となる取引事例は，直近時点のものを多数収集することは実務上困難であり，取引事例の多くは，価格時点の３～６か月ぐらい以前のものを参考とせざるを得ない。こういうこともあって，地価が上昇しつつある状況下では低目に，地価が下落しつつある状況下では，取引が激減することもあって高目に評価されるという傾向になりがちな性格ももっている。

図表１－９　不動産情報ライブラリ　検索結果一覧

＊2023年第４四半期の例示

(1)　土地

種類	地域	市区町村名	地区名	最寄駅：名称	最寄駅：距離（分）	取引価格（総額）単位：万円	坪単価 単位：万円	面積（㎡）	取引価格（㎡単価）	土地の形状	間口	今後の利用目的	前面道路：方位	前面道路：種類	前面道路：幅員（m）	都市計画	建ぺい率（%）	容積率（%）
宅地(土地)	住宅地	横浜市青葉区	青葉台	青葉台	8	7,300	150	155	470,000	ほぼ台形	16	住宅	北東	市道	6.5	1低住専	40	80
宅地(土地)	住宅地	横浜市青葉区	あざみ野	あざみ野	13	4,500	150	100	450,000	長方形	12.5		西	市道	5.5	1低住専	40	80
宅地(土地)	住宅地	横浜市青葉区	美しが丘	たまプラーザ	24	7,200	110	220	330,000	長方形	7.5	住宅	南西	市道	9	1低住専	40	60
宅地(土地)	住宅地	横浜市青葉区	美しが丘	たまプラーザ	15	7,100	120	195	370,000	ほぼ長方形	13	住宅	北東	市道	6.5	1低住専	50	80
宅地(土地)	住宅地	横浜市青葉区	荏田町	江田(神奈川)	8	6,200	90	230	270,000	ほぼ長方形	16	住宅	北	市道	8	1低住専	40	80
宅地(土地)	住宅地	横浜市青葉区	大場町	あざみ野	19	20,000	110	620	330,000	ほぼ整形	39	住宅	北東	市道	12	1低住専	40	80
宅地(土地)	宅地見込地	横浜市青葉区	鴨志田町	青葉台	30分～60分	1,200	14	290	42,000	ほぼ整形	12		北西	市道	4.5	調整区域		
宅地(土地)	住宅地	横浜市青葉区	鉄町	市が尾	30分～60分	3,500	13	910	39,000	不整形	50.0m以上		東	市道	8.5	調整区域		
宅地(土地)	住宅地	横浜市青葉区	桜台	青葉台	18	7,300	120	200	360,000	ほぼ長方形	14		南	市道	6.5	1低住専	50	80
宅地(土地)	住宅地	横浜市青葉区	奈良町	こどもの国(神奈川)	14	4,600	60	250	180,000	ほぼ長方形	12.5	住宅	南西	市道	6.5	1低住専	40	80
宅地(土地)	住宅地	横浜市青葉区	若草台	青葉台	21	6,300	110	190	330,000	ほぼ長方形	11	住宅	南西	市道	6.5	1低住専	50	80

(2)　土地と建物

地域	市区町村名	地区名	最寄駅：名称	最寄駅：距離（分）	取引価格（総額）単位：万円	面積（㎡）	土地の形状	間口	延床面積（㎡）	建築年	建物の構造	用途	今後の利用目的	前面道路：方位	前面道路：種類	前面道路：幅員（m）	都市計画	建ぺい率（%）	容積率（%）
住宅地	横浜市青葉区	あざみ野	あざみ野	14	7,100	125	袋地等	3	105	2023年	木造	住宅	住宅	南西	市道	6.5	2中住専	60	150
住宅地	横浜市青葉区	あざみ野	あざみ野	5	15,000	185	長方形	20	145	2011年	木造	住宅	住宅	南西	市道	8.5	1低住専	40	80
住宅地	横浜市青葉区	美しが丘	たまプラーザ	14	5,600	65	袋地等	2.5	80	2023年	木造	住宅	住宅	東	市道	6.5	準住居	60	200
住宅地	横浜市青葉区	美しが丘	たまプラーザ	15	8,200	135	長方形	7.7	180	2007年	木造	住宅、駐車場	住宅	南西	市道	6.5	1低住専	50	80
住宅地	横浜市青葉区	荏子田	あざみ野	25	4,800	155	不整形	2.5	80	2005年	木造	住宅	住宅	南西	市道	6.5	1低住専	40	80
住宅地	横浜市青葉区	荏子田	たまプラーザ	30分～60分	6,700	130	不整形	7.5	100	2023年	木造	住宅	住宅	東	市道	6.5	1低住専	40	80
住宅地	横浜市青葉区	荏田西	江田(神奈川)	13	6,700	125	ほぼ長方形	7.9	100	2023年	木造	住宅	住宅	南	市道	6.5	1低住専	40	80
住宅地	横浜市青葉区	榎が丘	青葉台	18	7,300	185	正方形	13.8	105	2023年	木造	住宅	住宅	北東	市道	5	1低住専	50	80
住宅地	横浜市青葉区	榎が丘	青葉台	11	5,300	125	袋地等		100	2023年	木造	住宅	住宅	北東	私道	4.5	1低住専	40	80
住宅地	横浜市青葉区	大場町	あざみ野	19	22,000	720	長方形	48	400	1995年	木造	共同住宅	住宅	北東	市道	12	1低住専	40	80
住宅地	横浜市青葉区	大場町	あざみ野	26	4,900	210	ほぼ長方形	13	155	1998年	RC、木造	住宅	住宅	北東	市道	6	1低住専	40	80
住宅地	横浜市青葉区	恩田町	田奈	13	5,900	135	ほぼ台形	10	100	2023年	木造	住宅	住宅	北	市道	4	1低住専	50	80
住宅地	横浜市青葉区	柿の木台	藤が丘(神奈川)	18	6,000	105	ほぼ正方形	10	80	2023年	木造	住宅	住宅	南東	市道	6.5	1低住専	40	80
住宅地	横浜市青葉区	鉄町	青葉台	30分～60分	500	70	ほぼ長方形	9.1	55	1969年	木造	住宅	住宅	東	市道	3	調整区域	50	80

(3)　中古マンション等

市区町村名	地区名	最寄駅：名称	最寄駅：距離（分）	取引価格（総額）単位：万円	間取り	面積（㎡）	建築年	建物の構造	用途	今後の利用目的	都市計画	建ぺい率（%）	容積率（%）
横浜市青葉区	青葉台	青葉台	4	2,000	1LDK	40	1970年	RC		住宅	2種住居	60	200
横浜市青葉区	あざみ野	あざみ野	10	6,000	2LDK	90	2001年			住宅	2中住専	60	150
横浜市青葉区	市ケ尾町	市が尾	3	3,500	3LDK	70	1978年			住宅	近隣商業	80	300
横浜市青葉区	美しが丘	あざみ野	13	5,800	3LDK	70	2005年	RC	住宅		準住居	60	200
横浜市青葉区	美しが丘	たまプラーザ	9	6,500	3LDK	75	2000年	RC	住宅		1中住専	60	150
横浜市青葉区	美しが丘	たまプラーザ	18	3,000	2LDK	65	1968年	RC	住宅	住宅	1低住専		
横浜市青葉区	荏田町	あざみ野	14	5,500	3LDK	65	2007年			住宅	準住居	60	200
横浜市青葉区	荏田町	江田(神奈川)	7	2,300	2DK	30	2006年	RC		住宅	準住居	60	200
横浜市青葉区	荏田西	市が尾	13	4,700	3LDK	95	1986年	RC		住宅	準住居	60	200
横浜市青葉区	荏田西	市が尾	6	3,300	3LDK	75	2014年	RC		住宅	2種住居	60	200
横浜市青葉区	荏田西	江田(神奈川)	4	4,200	3LDK	65	1999年			住宅	準住居	60	200
横浜市青葉区	榎が丘	青葉台	6	5,900	2LDK	75	2011年	RC		住宅	1種住居	60	200
横浜市青葉区	桜台	青葉台	14	3,400	3LDK	65	1995年	RC		住宅	1中住専	60	150
横浜市青葉区	しらとり台	田奈	8	3,500	2LDK	70	1986年	RC		住宅	準住居	60	200

（国土交通省ホームページより）

第2節
公示価格等を利用して，土地評価をする簡便法を会得する。

6 対象地を評価するための簡便法

対象地を評価するための簡便評価法の前提として。

正確に知りたいときは不動産鑑定士の利用

土地売買のコンサルにあたって，適切な価額を把握したいという場合に，もっとも有効な方法は不動産鑑定士に鑑定評価を依頼するとともに，売買にあたって妥当な上限価格と下限価格についてのアドバイスを受けることである。不動産鑑定士が鑑定評価するとき，現実の取引事例の価格と比準して求めた比準価格，収益価格，積算価格などを慎重に比較考量し，これらを関連づけて求めた価格を，さらに公示価格とのバランスも考慮して評価額を決定している。また，不動産鑑定士は，公示価格と実勢価格とがどのようなバランスを保っているかも知っているから，売買の参考資料とするのだからとはっきりいって鑑定評価を求めれば，その目的に役立つ適正な評価をしてくれるであろうし，適切なアドバイスもしてくれるであろう。

しかし，費用の問題，時間の関係など，あるいは，とりあえず大体の価格を知ればよいのだということで，不動産鑑定士に依頼できない，またはしない場合で，おおよその地価を知りたいというときには，どういう方法があるだろうか。

対象地を公示地・事例地と比較する方法

そういう場合，公示価格をそのまま利用して売買予定地(対象地)の評価ができれば，非常に便利である。この比較を行う場合，当然のことながら，ただ漫然と感じただけで比較を行うわけにはいかない。

この比較を有効に行うためには，それなりの手順があるし，また，比較をするためのメド（比較した結果を数値（係数）に置き換える表，すなわち比準表）もある。第２節では，比較する基準地を公示地に例をとって比較するための簡便な方法を説明する。この基準地を売買事例地としたときも，同様の手順・同様の係数によることになるので，そのつもりで読んでもらいたい。

7 簡便評価法――その１

近隣地域内に公示地等がある場合における簡便評価法。

設　例　前掲の地図（**図表１－４**）に対象地①（18ページ）と示してある横浜市青葉区青葉台１丁目21番●の土地を例として，簡便評価法による評価の仕方を説明しよう。その土地の内容について公示価格の記載にならって概要を記すと，つぎのとおりとなる。

図表１－10　対象地①の概要

	所在地	１㎡当り価格	地積（㎡）	形状	利用現況	周辺の土地の利用現況	前面道路の状況	給排水等の状況	交通施設，距離	用途区分，高度地区，防火・準防火（建ぺい率(%)，容積率(%)）
対象地	横浜市青葉区青葉台１丁目21番●	χ	250	正方形	更地	閑静な住宅地域	北６．5m市道	水道 ガス 下水	青葉台750m	第一種低層住居専用地域(40(%)，80(%))

そして，この付近の公示価格を探すと，前記の「横浜青葉－12」がある。対象地をこの公示地と比較しながら，対象地①の価格を求める簡便評価法を，この項で説明する。

対象地，公示地　『対象地』というのは，評価をしようとする対象の土地をいう。この設例では，「横浜市青葉区青葉台１丁目21番●」の土地がこれにあたる。『公示地』というのは，公示価格の標準地であり，この場合には，**図表１－４**「公示地・対象地等の周辺図」（18ページ）で調べると，「横浜青葉－12」がこれにあたる。

近隣地域　住宅街を観察すると，一定の範囲にわたって，ほぼ同等の規模，品質の住宅が建ち並んでいる。そこに空地があったりしても，いずれ同様の住宅が建つだろうと推測される。その典型的なものが，分譲地または建売住宅地である。

これをより細かく観察すると，建っている住宅ばかりでなく，その敷地となっている土地の一区画の面積，造成工事のでき具合，敷地内における上下水道やガスの施設等において共通点がみられ，一定の範囲を超えると，また違った共通点をもった住宅街がこれに続いている。このように建物やその敷地に共通な特性をそなえた一定の範囲を『近隣地域』といっている。

地価公示地の近隣地域は，鑑定評価書で確認できる。「横浜青葉－12」の鑑定評価書では近隣地域の範囲を，「東80m，西70m，南20m，北60m」としている。この範囲を広いと思うか狭いと思うかは考え方のわかれるところであるが，かつて，近隣地域の範囲を広範囲に設定したために問題となった例があったことから，このような範囲設定になっている。都心部の住宅地の鑑定評価では，近隣地域は概ね東西南北数10mの範囲で近隣地域を設定されることが多い。

近隣地域内の地価の相互関係

近隣地域内の各土地の価格は，多少の差はあるが，大体同水準のレベルを保っている。多少の差というのは，道路が南側にあって日照のよい土地と，南側に近接して建物が建っていてやや日照の悪い土地との差であったり，同じ近隣地域内でもバス停から近い土地と遠い土地という程度の差である。

道路の幅も広く日照のよい所の地価が，たとえば1㎡当り33万円とする。道路の幅が狭く日照の悪い所が27万円とかいうように，大体一定の幅――この場合は30万円という線をはさんでその前後が10％程度の幅――で近隣地域内の地価は分布していることが多い。

対象地と公示地とが同一近隣地域内にある場合

同じ近隣地域内の地価水準はほぼ同一，おおよそ上下10％合計20％程度の差であること，そして，その近隣地域の地価の標準を示すものが公示価格であることは，これまでに説明したところである。

したがって，この設例の近隣地域の１㎡当りの地価水準は「横浜青葉－12」の価格である37万6,000円程度であり，対象地の地価は，37万6,000円±10％，すなわち33万8,400円～41万3,600円程度であるといってよい。

この程度の感じで価格がわかればよいときもあり，それならこれで十分である。しかし，もうちょっと詳しく把握したいということであれば，「個別的要因」を検討しなければならない。

個別的要因とは

同一の近隣地域にはほぼ似たような土地が集まっていて共通の特性をもっているが，前面道路の幅員が広いとか狭いとか，日照がいいとか悪いとかなどの個別の特性をもっている。似たもの同志の土地のなかで，それぞれの土地がもっている特性を，それぞれの土地の「個別的要因」という。同一の近隣地域内の土地が同じレベルの地価水準をもっていながら，この「個別的要因」の差異によって若干の地価の差がつくことになる。

設例による対象地の個別的要因を観察し，それをまとめて，公示地と比較し

図表１－11　設例の対象地と公示地との比較表

条件	項　　　目	公示地（地価公示標準地）との比較	格差の内訳			条件ごとの総合点
			公示地	対象地		
街路条件	系統および連続性	標準地とほぼ同等である	普通	普通	0	100/100
	幅　　　員	標準地とほぼ同等である	普通	普通	0	
	舗　　　装	標準地とほぼ同等である	普通	普通	0	
交通・接近条件	最寄駅への接近性	標準地は650m，対象地は750m	普通	やや劣る	－１	99/100
	最寄商業施設への接近性	標準地とほぼ同等である	普通	普通	0	
	幼稚園・小学校・公園・病院・官公署等への接近性	標準地とほぼ同等である	普通	普通	0	
環境条件	日照，温度，通風，乾湿等	標準地とほぼ同等である	普通	普通	0	100/100
	地勢，地質，地盤等	標準地とほぼ同等である	普通	普通	0	
	隣接地の利用状況	標準地とほぼ同等である	普通	普通	0	
	上　水　道	標準地と同じ	普通	普通	0	
	下　水　道	標準地と同じ	普通	普通	0	
	都市ガス等	標準地と同じ	普通	普通	0	
	変電所，ガスタンク，汚水処理場，焼却場等	標準地と同様に，これらの嫌悪施設の影響はない	普通	普通	0	
画地条件	地　　　積	標準地は280㎡，対象地は250㎡とほぼ同様である	普通	普通	0	97/100
	間口狭小，奥行逓減，奥行短小，奥行長大，不整形地，三角地，高低	対象地は正方形であり，左記条件による減価のないことは標準地と同様である	普通	普通	0	
	方　　　位	標準地は南側道路に，対象地は北側道路に接面	南	北	－３	
	角　　　地	特になし。標準地も同様	普通	普通	0	
	準角地，二方路，三方路，袋地，無道路地，崖地等，私道減価，高圧線下地	特になし。標準地も同様	普通	普通	0	
行政的条件	用途地域およびその他の地域，地区等	標準地と同じく，１低専（40，80）	普通	普通	0	100/100
その他		特になし	普通	普通	0	100/100

たところ，**図表1－11**に記載したようであったとして，これを数量化すると同表に示したようになる。

この表で項目別の点数を合計して百分比で表わすと，条件ごとの総合点になる。たとえば，交通・接近条件なら，最寄駅への接近性－1.0であり，これを交通・接近条件$\frac{99}{100}$と表わす。画地条件については，方位－3とあり画地条件は$\frac{97}{100}$となる。これら各条件は相乗積で求め，これらを相乗すると，つぎのようになる。

（街路条件）（交通・接近条件）（環境条件）（画地条件）（行政的条件）（その他）

$$\frac{100}{100} \times \frac{99}{100} \times \frac{100}{100} \times \frac{97}{100} \times \frac{100}{100} \times \frac{100}{100} \fallingdotseq \frac{96.0}{100}$$

これを，「横浜青葉－12」の公示価格37万6,000円に乗ずると，

$$376{,}000\text{円} \times \frac{96.0}{100} = 360{,}960\text{円}$$

となり，対象地の一応の評価額が得られる。

売買事例の価格から比較して対象地の価格を求めるときも，上記と同様の手順によればよい。

個別的要因の係数の求め方（土地価格比準表）

図表1－11では，最寄駅への接近性は－1.0とか，北方位－3とか，いきなり数字を記入して計算してきた。しかし，その数字をどうして求めるのかが一番知りたいところだろう。

たとえば，方位については，地価公示の鑑定評価書で確認することができる。「横浜青葉－12」の鑑定評価書には，「街路」について「基準方位北」と記入されている。さらに「対象標準地の個別的要因」では「方位＋3.0」と記入されている。基準方位北に対して「横浜青葉－12」は南側道路に接していることから「方位＋3.0」となる。

この方位格差は，その地域により異なる。その地域の標準的な画地規模が大きく，どちらの方位でも日照や通風にあまり影響がないときは，方位格差は小さくなる。一方で，住宅密集地だと，どの方位かにより日照が大きく異なるため，方位格差は大きくなる。

不動産鑑定士が鑑定評価する場合にも，この数字を適正に判断して求めるのが大きな作業となり，かなり専門的になってしまう。

しかし，ここでは，簡便評価法によっておおよその地価を把握し，土地を取得するときのコンサルティングに，その判断を誤らせないための一つの目処と

して対象地の地価を把握しようとしているのである。その目的であれば，便利な表ができている。これは，国土交通省不動産・建設経済局（旧土地・建設産業局）地価調査課が監修し，地価調査研究会が編著した『土地価格比準表』(注)（住宅新報社刊）のなかの「**標準住宅地域の個別的要因比準表**」（**巻末資料**参照）である。この表はわりとよくできているので，この表によって数字を入れていくと，大体の地価は出てくるようになっている。

（注）　この「土地価格比準表」について，平成２年10月に改正された不動産鑑定評価基準にあわせて改訂が行われ，平成６年に［六次改訂版］，平成28年に［七次改訂版］の比準表が刊行されている。

この比準表（標準住宅地域の個別的要因）を使用できる範囲

これはあくまでも「標準住宅地域」を対象としている。したがって，商業地域とか工業地域には使用できない。それはそれで，また別の比準表ができている。

それから，同じ住宅地域といっても，「優良住宅地域」もあり，アパートなどが混在し，標準住宅地域に比し住環境の劣る住宅地域――これを「混在住宅地域」と呼んでいる――もある。この場合の「優良住宅地域」というのは，東京でいえば田園調布とか渋谷の松濤とか，横浜では山手町の高台とかいう，ぜいたくで，敷地についても建物についても無駄の多い特殊な住宅地域を指しているのであって，設例にあげた田園都市線沿線の分譲地などは標準住宅地域に属するであろう。

「混在住宅地域」というのは，狭い路地に小住宅や木造アパートなどが雑然と並んでいて，隣の小さな町工場の振動が伝わってきたりするような住宅地域を指している。

したがって，「標準住宅地域」というのは広い範囲の住宅地域を含んでおり，住宅地域について個別的要因を係数化するときは，まずこの標準住宅地域の比準表を使えばいいということになる。

比準表を使うときの注意

しかし，この比準表も全国の住宅地の標準というのか平均というものをまとめたものである。住宅地域というものは共通性の強いものであるが，しかし，地方，地域によって千差万別である。たとえば，マイカーで通勤したり，買物に行くのがふつうになっている地方都市では，最寄駅への接近性などは相対的に重要度が低いということもある。それだけでなく，この比準表どおりに数字を入れていくと，常識的にみて，どうもおかしいという結果が出てくることもある。そういうときは，自分の常識で検討するか，専門家の意見を求めて，正しい判断に近づかなければならない。

8 簡便評価法——その２

近隣地域内に公示地等のない場合における簡便評価法。

近隣地域内に公示価格のないときは

評価をしたい対象地の近隣地域内に公示価格のないときは，どうすればいいのか。むしろ，こういうケースのほうが多いだろう。

類似した地域の公示地等を探す

比較しようとする公示地等が同一の近隣地域内にない場合，近隣地域外であっても，対象地と価格水準の同程度の地域にある公示地等と比較する以外にない。しかし，対象地の価格がわからず，その価格を求めるために比較するのに適当な公示地等を探しているのである。対象地と価格水準の同じ公示地等など，初めからわかるはずがない。その手がかりとして，まず対象地の近隣地域とできるだけ似ている地域，すなわち**類似地域**にある公示地等を探すことになる。

たとえば，大手の開発業者の造成分譲した同程度の規模の分譲団地で，道路幅員や各画地の面積が同じくらいであって，最寄駅からの方向が違っていたり，最寄駅は違うが，駅からの距離は同じくらいというような団地はよくみかけられる。これらの団地をそれぞれ類似地域ということができる。

また，人工的に造成した団地でなくても，ある鉄道の沿線沿いに似たような住宅街が自然発生的に形成されていることがよくある。こういう住宅街を相互に類似地域という。なぜ類似した地域の公示地等を探すかといえば，比較しやすくするためである。

大手の開発業者の整然と区画された造成団地で，一区画180㎡程度の宅地を探している人に，雑然とした住宅街で90㎡程度の住宅地を，価格が安いから買いなさいとすすめても，すぐには切り換えられるものではない。やはり，足をのばし，時間をかけても，類似した宅地を求め続けるであろう。その人にとっては，90㎡程度の雑然とした住宅地は比較の対象外であるのだ。これは，ある特定の人についてだけいえることではなく，住宅を求める多くの人がいて，そういう人々が類似の特性をもった住宅地を比較して，そのなかから価格と品質等を検討して，土地を購買し，住宅を建築しているのである。

また逆に，雑然とした住宅地の90㎡の土地を求めている人々に，整然と区画された180㎡の土地をすすめても，土地にそれだけの資金をつぎこむよりも，土地は90㎡でいいから，土地代を節約して早く家を建てたほうがいいとか，節約した金を貯金したほうがいいとかいうかもしれない。

そういうようにして，区画整然とした大団地の180㎡の土地と，雑然とした宅地の90㎡の土地とは，需要者の層が異なっており，それぞれ異なったマーケットを形成しているものである。したがって，地価の形成の仕方も異なっている。だから,地価を比較しようとすれば,類似している住宅地域と住宅地域との相互間のほうがわかりやすい。そういう意味で，類似地域内の公示地等を探すのである。

同一需給圏内にある類似地域

しかし，類似していれば，どこでもいいというものではない。東京の新宿のオフィス街に通勤している人が，田園都市線の「青葉台駅」あたりの住宅地を探して，なかなか気に入る土地がなかったり，気に入っても価格の面で手が届かなかったとする。そういうときに，その人の求めていた住宅地に全く類似し，そして価格も手頃だという土地が成田市の郊外にあって，それをすすめたとしても，その人は見向きもしないだろう。それは，その人の需要する地域外にあるからである。逆に，その人に「青葉台駅」隣りの「藤が丘駅」あたりの類似した住宅地をすすめたら食指を動かすであろう。その人にとって,「青葉台駅」あたりも,「藤が丘駅」あたりも同一の需給圏にあり，成田市近郊の土地は，その人の需給圏の外にあるからである。これを，供給される土地の側からみると,「青葉台駅」あたりの住宅地と,「藤が丘駅」あたりの住宅地とは，これを求める需要者の層が同じだということであり，成田市近郊の土地を求める需要者の層は別であるということである。

「青葉台駅」あたりの住宅地と,「藤が丘駅」あたりの住宅地とは「**同一需給圏**」にあるといい,「青葉台駅」あたりの住宅地と，成田市近郊の住宅地とは異なった需給圏にあるという。

いま説明をわかりやすくするために，東京近郊の田園都市線沿線の住宅地と成田市近郊の住宅地とを比較した。しかし，田園都市線の「青葉台駅」あたりの住宅地と，西武池袋線の「西所沢駅」あたりの住宅地，東武伊勢崎線の「春日部駅」あたりの住宅地，総武線の「津田沼駅」あたりの住宅地，これらが東京都心からの通勤時間がほぼ同じくらいだからといって，同一需給圏であるかないかは，なかなか判定しにくい問題である（一般には，住宅地について，これらの間は同一需給圏とはいってない）。

しかし実務上，同一需給圏内の類似地域にある公示地等を探す場合には，同じ鉄道沿線の同じ駅の周辺の公示地等のある地域で，対象地の所在する地域と類似した地域を探し，なければその隣の駅の周辺，それでもなければそのつぎの駅の周辺と探していけば，大体見つかるようになっている。そして，それと比較すればよい。

ここでくれぐれも注意しておきたいのは，比較する公示地等がただ対象地に近ければよいというものではない。同一需給圏内にあって，かつ類似地域になければならないということである。同一需給圏と類似地域との関係を図で示すと，**図表１－14**のようになる（44ページ）。

近隣地域内に公示地等のない場合の簡便評価法

つぎに，近隣地域内に公示地等のない場合の簡便評価方法を，下記の対象地②を例として説明する。

図表１－12　対象地②の概要

	所在地	１㎡当り価格	地積（㎡）	形状	利用現況	周辺の土地の利用現況	前面道路の状況	給排水等状況	交通施設，距離	用途区分，高度地区，防火・準防火（建ぺい率(%)，容積率(%)）
対象地	横浜市青葉区若草台９番●	χ	165	11.00：15.00	更地	一般住宅の多い区画整然とした住宅地域	北６ｍ市道，側道（角地）	水道 ガス 下水	青葉台 1.7㎞	第一種低層住居専用地域(50(%)，80(%))

この対象地②と周辺の地価公示地等を図示すると**図表１-13**に掲げたようになる。対象地②の北側に「横浜青葉-７」，東側に「横浜青葉-40」，南西側に「横浜青葉-15」がある。

対象地②の近隣地域の範囲を，仮に，対象地②を中心に，東70m，西90m，南20m，北70mと設定したとする。

このうち，地価公示地[横浜青葉-40]は，建ぺい率50%，容積率80%と対象地②に類似しているので，対象地②に近隣地域内に地域内標準地を設定することにより［横浜青葉-40］との要因を比較することができる。

［横浜青葉-40］の概要は次のとおりである。

［横浜青葉-40］

標準地番号	所在地番	価格（円/㎡）	地積（㎡）	形状（間口：奥行）	利用区分，構造	利用現況	給排水等状況	周辺の土地利用現況	前面道路の状況	都市計画区域区分	用途区分，高度地区，防火・準防火	建ぺい率（％），容積率（％）
横浜青葉-40	たちばな台２丁目５番４５	257,000	154	（1.0：1.2）	建物などの敷地，W（木造）2F	住宅	ガス・水道・下水	一般住宅が多い区画整然とした高台の住宅地域	北西6.5m市道	市街化区域	第一種低層住居専用地域	50（％），80（％）

図表１－13　対象地②と周辺の公示地（概略図）

図表１－14　同一需給圏と類似地域との関係

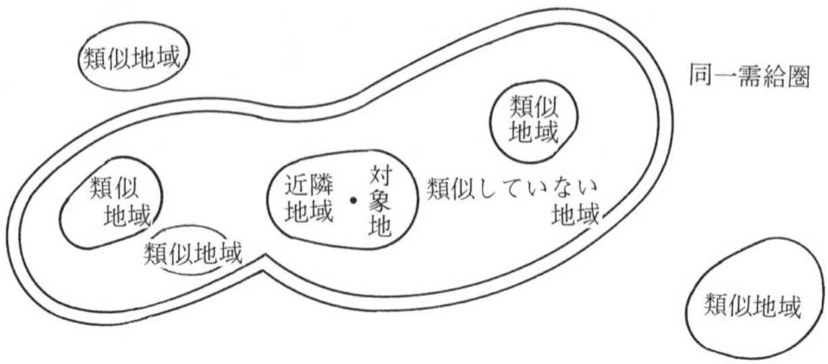

地域要因の比較をしてから対象地の価格を求める

対象地と公示地等とが同一の近隣地域内にある場合は，対象地の個別的要因と公示地等の個別的要因とを比較すればよかった。しかし，対象地の所在する近隣地域と，公示地等の所在する近隣地域とが異なる場合は，それぞれの地域の地価水準が異なるから，対象地の近隣地域の地価水準をまず判定し，それからその近隣地域内における対象地の個別的要因を加味して，対象地の価格を求めることになる。これを図で示すと，**図表１－15**のようになる。

この方式は少しわかりにくいかもしれない。設例にのっとって説明しよう。対象地②は，角地である。そして，公示地の「横浜青葉－40」はその地域（近隣地域の範囲は「横浜青葉－40」を中心に東80m，西70m，南80m，北60m）のほぼ標準的な画地である。そこで，対象地の地価を求めるとき，いきなり公示地等と対象地とを比較しないで，まず近隣地域と比較して対象地の地域全体の地価水準を求める。この場合，両方の住宅地域を代表する標準地を設定しなければならない。公示地等のある地域を代表する標準地は公示地の「横浜青葉－40」であり，ここの価格１㎡当り25万7,000円が団地の価格水準となっている。対象地のある近隣地域については，評価する人が自分で標準地を設定しなければならない。

図表１－15　対象地の価格を求める方法の図示

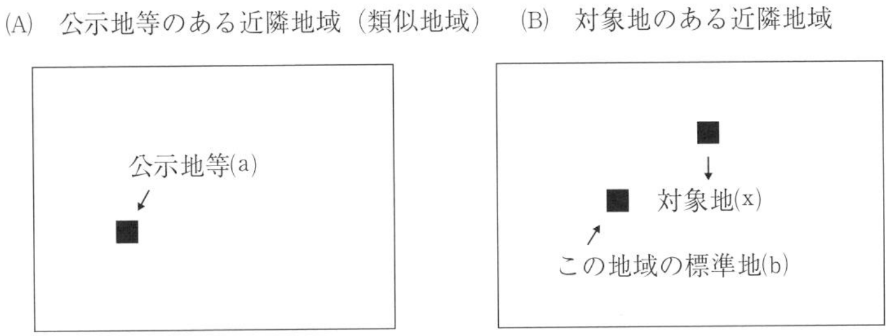

①　公示地等のある地域(A)の地価水準≒公示地等(a)の公示価格等

②　①で求めた公示地等のある地域(A)の地価水準から，対象地のある近隣地域(B)の地価水準を求める。

③　上記の①②の作業は，公示地等(a)と対象地のある近隣地域の標準地(b)とを比較して，(b)の価格を求める。

④　(b)と(x)とを比較して，対象地(x)の価格を求める。

地域格差の比較により対象地の地域の地価水準を求める

この比較に用いる資料が前述した『土地価格比準表』のなかの「**標準住宅地域の地域要因比準表**」(**巻末資料**参照)である。この比準表を用いて比較したところ，**図表１－16**のようになった。これを前節で説明したようにして，総合の係数を求めるとつぎのようになる。

$$\underset{\text{(街路条件)}}{\frac{100}{100}} \times \underset{\text{(交通・接近条件)}}{\frac{100}{100}} \times \underset{\text{(環境条件)}}{\frac{100}{100}} \times \underset{\text{(行政的条件)}}{\frac{100}{100}} \times \underset{\text{(その他)}}{\frac{100}{100}} = \frac{100}{100}$$

これを，「横浜青葉－40」の価格に乗じると，

$$257{,}000\text{円} \times \frac{100}{100} = 257{,}000\text{円}$$

となる。これが，対象地のある近隣地域を代表する地価水準であり，地域内標準地の価格となる。

個別的要因から対象地の価格を求める

このようにして，対象地の所在する近隣地域の地価水準がわかった。もっと具体的にいえば，その分譲地の地域内標準地の価格がわかった。

つぎに，この土地と，対象地②の個別的要因を比較して，対象地②の価格を求めることになる。これは，前項で説明したような方法で，**巻末資料**の「**標準**

図表１－16　対象地②の地域と公示地等の地域との比較表

条件	項目	対象地②の属する近隣地域㋑と公示地等の属する近隣地域㋺との比較	格差の内訳			条件ごとの総合点
			公示地等の近隣地域㋺	対象地の近隣地域㋑		
街路条件	幅員	幹線道路：地域㋑㋺とも６ｍ，支線４～５ｍの幅員である	普通	普通	0	100/100
	舗装	いずれも舗装あり，その程度もほぼ同等である	普通	普通	0	
	配置	街路の配置の整然さはほぼ同等である	普通	普通	0	
	系統および連続性	幹線街路との関係はほぼ同等である	普通	普通	0	
交通・接近条件	最寄駅への接近性	地域㋑は青葉台駅から1,700ｍ，地域㋺は1,800ｍ	普通	普通	0	100/100
	最寄駅から都心への接近性	最寄駅は同一である	普通	普通	0	
	最寄商業施設への接近性	地域㋑は駅前商店街から約1.7㎞，地域㋺は約1.8㎞	普通	普通	0	
	最寄商業施設の性格	同一	普通	普通	0	
	幼稚園，小学校，公園，病院，官公署等		普通	普通	0	
環境条件	日照，温度，湿度，風向，通風等	ほぼ同等である	普通	普通	0	100/100
	眺望，景観，地勢，地盤等	ほぼ同等である	普通	普通	0	
	居住地の近隣関係等の社会的環境の良否	ほぼ同等である	普通	普通	0	
	画地の標準的面積	ほぼ同等である	普通	普通	0	
	各画地の配置の状態	ほぼ同等である	普通	普通	0	
	土地の利用度	ともに有効に利用されており，未利用地についても有効に利用される可能性がある	優る	優る	0	
	周辺の利用状態	地域㋑㋺はほとんどが専用住宅	普通	普通	0	
	上水道	ともに整備されている	有	有	0	

	下水道	ともに整備されている	有	有	0	
	都市ガス等	ともに整備されている	有	有	0	
	変電所，ガスタンク，汚水処理場，焼却場等	ともに，これらの嫌悪施設の影響は特にない	無	無	0	
	洪水，地すべり，高潮，崖くずれ等	ともに，これらの危険性はない	無	無	0	
	騒音，振動，大気汚染，じんあい，悪臭等	ともに，これらの影響はない	無	無	0	
行政的条件	用途地域およびその他の地域地区等	ともに1低専（50，80）であり，戸建一般住宅用地として，効用はほぼ同等と判定される	普通	普通	0	$\frac{100}{100}$
	その他の規制	ともに，特になし				
将来の動向			普通	普通	0	$\frac{100}{100}$
その他		特になし				

図表１－17　対象地②と地域内標準地との比較表

条件	項目	地域内標準地との比較	格差の内訳			条件ごとの総合点
			地域内標準地	対象地		
街路条件	系統および連続性	いずれもほぼ同じ	普通	普通	0	100/100
	幅員	いずれもほぼ同じ	普通	普通	0	
	舗装	いずれもほぼ同じ	普通	普通	0	
交通・接近条件	最寄駅への接近性	ほぼ同等である	普通	普通	0	100/100
	最寄商業施設への接近性	同上	普通	普通	0	
	幼稚園，小学校，公園，病院，官公署等への接近性	同上	普通	普通	0	
環境条件	日照，温度，通風，乾湿等	ほぼ同じ	普通	普通	0	100/100
	地勢，地質，地盤等	同等である	普通	普通	0	
	隣接地の利用状況	いずれも一戸建専用住宅の敷地である	普通	普通	0	
	上水道	あり	有	有	0	
	下水道	ともに集中処理施設による			0	
	都市ガス等	あり	有	有	0	
	変電所，ガスタンク，汚水処理場，焼却場等	いずれも特にない	無	無	0	
画地条件	角地	対象地は角地である	普通	優る	＋５	105/100
	方位		南	南	0	
行政的条件	用途地域およびその他の地域地区等	ともに同じく１低専（40，80）である	普通	普通	0	100/100
その他		特になし				100/100

住宅地域の個別的要因比準表」を使って行う。その内容は，**図表1－17**のとおりである。この表から，条件ごとの総合点の相乗積を求めると，つぎのようになる。

$$\underset{(\text{街路条件})}{\frac{100}{100}} \times \underset{(\text{交通・接近条件})}{\frac{100}{100}} \times \underset{(\text{環境条件})}{\frac{100}{100}} \times \underset{(\text{画地条件})}{\frac{105}{100}} \times \underset{(\text{行政的条件})}{\frac{100}{100}} \times \underset{(\text{その他})}{\frac{100}{100}} = \frac{105}{100}$$

これを，前に求めた地域内標準地の価格に乗ずると，求める価格が得られる。

$$257,000\text{円} \times \frac{105}{100} = 269,850\text{円}$$

〈青地と赤道と水路〉

かつて，登記所で公図を閲覧すると，江戸時代の古絵図さながらの公図に出くわすことがあった。色とりどりに塗られていて，たのしいものである。青く塗ってあるところが「青地」（あおち），関西では「畦畔」（けいはん）といっている。ガケ地など耕作不能のところであり，国有地である。赤く塗ってあるところが「赤道」（あかみち）といって，公道である。水色で細長く塗られているのが「水路」（すいろ）である。水路といっても，埋められて，現在はその面影を残していないところがある。しかし，水は昔通っていた道を通りたがるものである。豪雨の後，一夜あけると，新築の家の縁の下に，小川が流れていたりすることもある。注意したほうがよい。

〈用悪水路〉

田に灌漑用の水を引くための水路を「用水路」，その水を排出するための排水路のことを「悪水路」といい，両方を兼ねている場合に，「用悪水路」（ようあくすいろ）という。農地を買って家を建てるときなど，台所排水や浄化槽からの汚水などを，ここに勝手に流し込むわけにはいかない。ないしょのつもりでも，下流の田にコヤシがききすぎて，稲が異常に成長して，バレタという話もある。

9 簡便評価法――その３

近隣地域内に公示地等のない場合におけるより簡便な評価法。

もっと簡便な評価法

前項で説明した近隣地域内に公示地等のない場合における簡便評価法（「簡便評価法－その２」）は，簡便評価法と名づけながら，多少ややこしくなっている。忙しいときには，もっと簡単で，もっとわかりやすい評価法があったほうがよい。それを，ここで説明しよう。しかし，これは上述の「簡便評価法－その２」の簡便化である。だから，これから説明する簡便法を明確に理解するためには，先の簡便評価法をもあわせて理解しておいてもらいたい。

対象地と公示地等とを直接比較する

「簡便評価法－その２」は，公示地等の価格から公示地等の所在する近隣地域の地価水準をまず把握し，つぎにこれと対象地の所在する近隣地域とを比較し，その地域の地価水準を把握し，それから対象地の価格を求めた。

図表１－18　「簡便評価法ーその２」と「簡便評価法ーその３」の比較

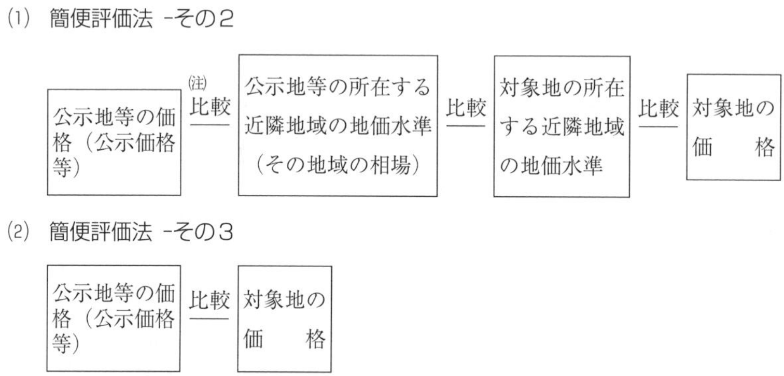

(注)　公示地等と公示地等の所在する近隣地域との比較は，「簡便評価法－その2」では省略してある。これは，公示地等はその地域の価格を代表しているものであり，一般の場合には，（公示価格等＝公示地等の地域の地価水準）であるから，手間を省いたのである。

このプロセスにおける比較を省略して，公示地等と対象地とを直接比較したらどうか，もっと簡単にならないかと思われるであろう。これを図で書くと，**図表１－18**の「⑵簡便評価法－その３」のようになる。

「簡便評価法－その２」では２回のプロセスが必要であったが,「簡便評価法－その３」では１回のプロセスとなり，ぐっと手間が省ける。手間は省けて簡単になるかわりに精度は落ちる。しかし，大体の評価額を求めればよくて，精度は多少落ちても手取り早くて簡単なほうがいいという場合もあろう。そういうときは，この方法を使えばよい。

公示地等の選定と比準表

この場合も，比較の対象とする公示地等の選定は十分に注意しなければならない。「簡便評価法－その２」で述べたとおり，対象地と同一需給圏内にあって，かつ類似地域にある公示地等を選定しなければならない。

この簡便算定方法は，**図表１－19の表１**（対象地が既成宅地であるとき）または**表２**（対象地が造成宅地であるとき）の「**既成（または造成）宅地価格形成要因比準表**」と前項で説明した「**標準住宅地域の個別的要因比準表**」（**巻末資料**）の画地条件の項目を使って行うこととなる。

対象地②を，前項の「横浜青葉－40」と直接に比較し，この方法により評価すると，**図表１－20**のように１㎡当り29万0,410円になる。これは，「簡便評価法－その２」で求めた対象地②の価格26万9,850円に比して，若干の差がある。この方法は比較する要因も少なく，係数も違うのであるから，ある程度の差が出るのは仕方がないであろう。

この簡便評価法の限界

地価を評価する方法に限らず，どんな場合でも簡単明瞭なことがよいに決まっている。そして，簡単な方法を使ったからといって，必ずしも精度が劣るとは限らない。しかし，簡単な方法というのは，結果が誤っている場合にその誤差が大きくなる傾向があり，また，誤差をチェックする機能が弱いことも否定し得ない。

したがって，この簡便評価法によって求めた答（評価額）については，評価した人の常識的な判断によって十分に検討してもらいたい。そして，おかしいと思えば，ちょっと手数がかかるが，先の「簡便評価法－その２」の手法でもう一度確かめるとか，専門家（不動産鑑定士）に相談するほうがよい。

図表１－19　住宅地および商業地の価格の簡便算定方法

第１　住宅地の価格の簡便算定方法

（表１）　既成宅地価格形成要因比準表

比較項目	A	B	C	D
最寄駅（バス停）までの道路距離	400m +3.5	800m 0	1,200m −3.5	1,600m −7.0
最寄駅までのバス乗車時間		乗車時間10分 0	乗車時間15分 −5.0	乗車時間20分 −10.0
前面道路の舗装の状況		完全舗装 0	簡易舗装 −2.0	未舗装 −4.0
前面道路の幅員		５m以上７m以下 0	４m以上５m未満 ７m超 −2.0	４m未満 −5.0
最寄商業施設までの距離	400m +3.5	800m 0	1,200m −3.5	1,600m −7.0
幼稚園，小学校，病院，官公署までの距離		500m 0	900m −2.0	1,300m −4.0
住宅環境	やや優る +5.0	普通 0	やや劣る −5.0	劣る −10.0
上水道		有 0	引込可能 −2.0	引込不能 −3.0
下水道	公共下水道(処理区域)又は集中処理施設に接続 +2.0	排水区域で処理区域外 0	排水区域外 −2.0	
都市ガス	有 +1.0	引込可能 0	引込不能 −1.0	

（表２）　造成宅地価格形成要因比準表

比較項目	A	B	C	D
最寄駅（バス停）までの道路距離	400m +5.0	1,000m 0	1,400m −3.0	1,800m −6.0
最寄駅までのバス乗車時間		乗車時間10分 0	乗車時間15分 −3.0	乗車時間20分 −6.0
前面道路の舗装の状況		完全舗装 0	簡易舗装 −2.0	未舗装 −4.0
前面道路の幅員		５m以上６m以下 0	４m以上５m未満 ６m超 −3.0	

最寄商業施設までの距離	400m +4.0	800m 0	1,200m −2.0	1,600m −4.0
幼稚園，小学校，病院，官公署までの距離	500m 未満 +2.0	500m 0	900m −1.0	1,300m −2.0
住　宅　環　境	やや優る +5.0	普　通 0	やや劣る −5.0	劣　る −10.0
上　水　道		公共上水道 0	専用水道 −2.0	井　戸 −5.0
下　水　道	公共下水道(処理区域)又は集中処理施設に接続 +4.0	各戸浄化槽 0	くみ取り −1.0	
都　市　ガ　ス	有 +1.0	引込可能 0	引込不能 −1.0	
宅地仕上げの程度	擁壁が　自然石又は人工自然石 +2.0	擁壁がコンクリート間知石 0	擁壁がブロック −1.0	擁壁が一部のみブロック −2.0
将　来　の　動　向	やや優る +2.5	普　通 0	やや劣る −2.5	劣　る −5.0

この表の使用方法

1　この表は，「住宅地及び商業地の価格の簡便算定方法」のうち，「第1　住宅地の価格の簡便算定方法」の付表である。

2　住宅地域のうち標準住宅地域と混在住宅地域にある住宅地に適用できる。

3　この表は，表1，表2に分かれている。表2の「造成宅地価格形成要因比準表」は，造成団地の評価をするときに適用し，表1の「既成宅地価格形成要因比準表」は，自然発生的に形成された住宅地域や造成団地でも造成後相当に年数を経過し，一般の既成市街地と同様な条件になった住宅地域に適用する。

4　この表は，画地条件以外の条件を比較するのに用い，画地条件の比較は，標準住宅地域であれば，**巻末資料**の「標準住宅地域の個別的要因比準表」の「画地条件」を用いる。

そして，この表で求めた結果を，**図表1―20**の表に記入し，「計（格差率の総和)」を求め，画地条件については，同表の「計（格差率の相乗積)」を求め，最後に，一番右下の欄の「価格の算定」の記載例のようにして評価額を求める。

図表1－20

住宅地(標　準)調査及び算定表

価格形成要因比較項目		基準地		対象地		格差率
		基準地番号	横浜青葉－40	申請番号	対象地②	
		所在	たちばな台2丁目5番45	所在	青葉区若草台9番[redacted]	
		内訳	格差率	内訳	格差率	
地域要因及び画地条件以外の個別的要因	最寄駅（バス停）までの道路距離	(青葉台)駅 ( )バス停 まで(1,800)m	0	(青葉台)駅 ( )バス停 まで(1,700)m	0	
	最寄駅までのバス乗車時間	乗車時間（10）分	0	乗車時間（10）分	0	
	前面道路の舗装の状況	（完全）舗装	0	（完全）舗装	0	
	前面道路の幅員	（6.5）m	0	（6.0）m	0	
	最寄商業施設までの距離	（300）m	0	（300）m	0	
	幼稚園、小学校、病院、官公署までの距離	（　）m		（　）m		
	住宅環境	優る、(やや優る)、普通 やや劣る、劣る	+5	優る、(やや優る)、普通 やや劣る、劣る	+5	
	上水道	(公共上水道)	0	(公共上水道)	0	
	下水道	(公共下水道)	+2	(公共下水道)	+2	
	都市ガス	（有）	+1	（有）	+1	
	宅地仕上げの程度	普通	0	普通	0	
	将来の動向	普通	0	普通	0	
	(危険、嫌悪施設による危険性、悪影響等)					$\frac{100+(B)}{100+(A)}$
	計（格差率の総和）		+8		(B) +8	$=\frac{108}{108}$

価格形成要因 比較項目			基準地 内訳	対象地 内訳	格差率
画地条件	地積・間口・奥行・形状等	地積	地積（ 154 ）㎡ 普通、やや劣る、劣る	地積（ 165 ）㎡ 普通、やや劣る、劣る	1.00
		間口狭小	間口（約 12 ）m 普通、やや劣る、劣る、相当に劣る、極端に劣る	間口（約 11 ）m 普通、やや劣る、劣る、相当に劣る、極端に劣る	1.00
		奥行逓減	奥行（約 13 ）m 普通、やや劣る、劣る、相当に劣る、極端に劣る	奥行（約 15 ）m 普通、やや劣る、劣る、相当に劣る、極端に劣る	1.00
		奥行短小	普通、やや劣る、劣る、相当に劣る、極端に劣る	普通、やや劣る、劣る、相当に劣る、極端に劣る	1.00
		奥行長大	奥行/間口 = 13/12 普通、やや劣る、劣る、相当に劣る、極端に劣る	奥行/間口 = 15/11 普通、やや劣る、劣る、相当に劣る、極端に劣る	1.00
		不整形地	普通、やや劣る、劣る、相当に劣る、極端に光る	普通、やや劣る、劣る、相当に劣る、極端に劣る	1.00
		三角地	（　）角、最小角（　）度 普通、やや劣る、劣る、相当に劣る、極端に劣る	（　）角、最小角（　）度 普通、やや劣る、劣る、相当に劣る、極端に劣る	
	方位・高低・角地・その他	方位	接面街路の方位 北、西、東、南、その他（　）	接面街路の方位 北、西、東、南、その他（　）	1.06
		高低	接面街路より約（　）m（等高）い 優る、やや優る、普通、やや劣る、劣る	接面街路より約（　）m（等高）い 優る、やや優る、普通、やや劣る、劣る	1.00
		角地	角地の方位（接面街路） 北西、北東、南西、南東 普通、やや優る、優る、相当に優る、特に優る	角地の方位（接面街路） 北西、北東、南西、南東 普通、やや優る、優る、相当に優る、特に優る	1.07
		準角地	準角地の方位（接面街路） 北西、北東、南西、南東 普通、やや優る、優る、相当に優る、特に優る	準角地の方位（接面街路） 北西、北東、南西、南東 普通、やや優る、優る、相当に優る、特に優る	
		二方路	普通、やや優る、優る、特に優る	普通、やや優る、優る、特に優る	
		三方路			
		袋地			
		無道路地			
		崖地等			
		私道減価			
	その他	高圧線下地	高圧線下地積（　）㎡、 総地積に対し（　）%	高圧線下地積（　）㎡、 総地積に対し（　）%	
	計（格差率の相乗積）				1.13

価格の算定	基準地の価格		地域要因及び画地条件以外の個別的要因における格差率の計		画地条件における格差率の計		比準価格
	（257,000）円	×	（ 108/108 ）	×	（ 1.13 ）	＝	（290,410）円

10 価格時点と時点修正

地価は時とともに変化する。

図表1－21　ある公示価格の変動率

公示地番号	横浜 青葉－12
所在地	横浜市青葉区青葉台1丁目21番22
最寄駅との関係	青葉台 650m

年	1㎡当り価格（単位・円）（　）内は対前年比
昭和45年	39,500
46年	47,500（+20.6%）
47年	54,500（+14.7%）
48年	75,000（+37.6%）
49年	94,000（+25.3%）
50年	85,000（−9.5%）
51年	85,000（±0%）
52年	86,700（+2.0%）
53年	91,000（+5.0%）
54年	109,000（+19.8%）
55年	130,000（+19.3%）
56年	169,000（+30.0%）
57年	（欠）
58年	236,000
59年	240,000（+1.7%）
60年	246,000（+2.5%）
61年	277,000（+12.6%）
62年	475,000（+71.5%）
63年	785,000（+65.3%）
64年	635,000（−19.2%）
平成2年	635,000（±0%）
3年	645,000（+1.6%）
4年	600,000（−7.0%）
5年	520,000（−13.3%）
6年	450,000（−13.5%）
7年	432,000（−4.0%）
8年	400,000（−7.4%）
9年	381,000（−4.8%）
10年	370,000（−2.9%）
11年	350,000（−5.4%）
12年	336,000（−4.0%）
13年	325,000（−3.3%）
14年	309,000（−4.9%）
15年	294,000（−4.9%）
16年	285,000（−3.1%）
17年	285,000（±0%）
18年	298,000（+3.5%）
19年	327,000（+9.7%）
20年	362,000（+10.7%）
21年	334,000（−7.7%）
22年	311,000（−6.9%）
23年	307,000（−1.3%）
24年	302,000（−1.6%）
25年	303,000（+0.3%）
26年	309,000（+2.0%）
27年	317,000（+2.6%）
28年	322,000（+1.6%）
29年	327,000（+1.6%）
30年	333,000（+1.8%）
令和元年	342,000（+2.7%）
2年	351,000（+2.6%）
3年	352,000（+0.3%）
4年	355,000（+0.8%）
5年	363,000（+2.3%）
6年	376,000（+3.6%）

（注）昭和45年から昭和56年までの標準地は「青葉台1丁目23番5」で，昭和57年は欠，昭和58年から現在の地点になっているが，下図に掲げたように，同一近隣地域内にあり，位置的に近接し，個別的要因もほぼ同一であるので，同一地点とみなし，地価水準と変動率を表示した。

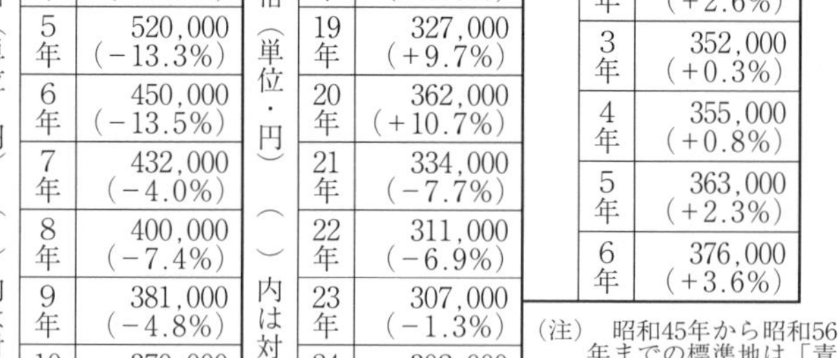

価格時点とは　地価は時とともに変化する。上昇することもあれば，下落することもある。これまでの設例にあげた公示地（「横浜青葉－12」）について，その価格の変化を示すと，**図表１－21**のとおりであり，これをグラフで示すと**図表１－22**のようになっている。

したがって，地価がいくらというとき，それはいつの地価がいくらだという表現をしないと意味がない。たとえば「横浜青葉－12」の令和６年１月１日の地価は，１㎡当り37万6,000円である，というように表現する。この令和６年１月１日というのが価格時点である。

ところで，先述の「簡便評価法」で対象地の価格を求めるにあたって，特に

図表１－22　公示地・青葉－12の地価推移

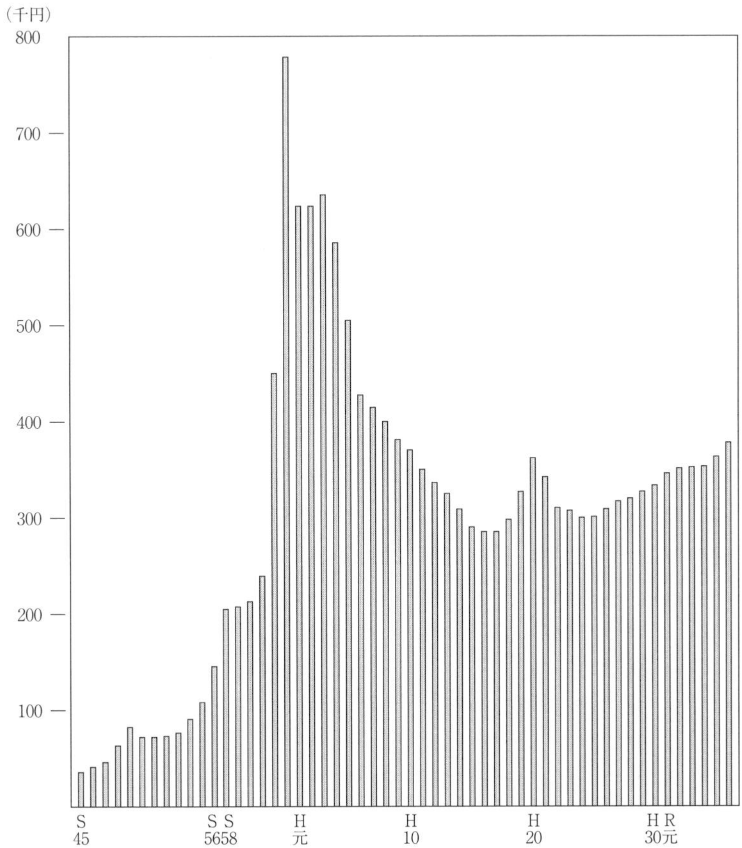

いつの価格とは記さなかった。公示地の令和６年１月１日の公示価格と比較し，別に時点修正を施していないのだから，求められた対象地の価格はそれぞれ令和６年１月１日の価格である。

時点修正について

ところで，土地の売買をしようとする人が知りたいのは，その現在時点の地価である。それが令和６年５月１日であれば，求める価格は，令和６年５月１日の価格である。そして，比較に使った公示地の価格は令和６年１月１日の価格だから，すでに４か月が経過している。その間に地価が変動していれば，価格を修正しなければならない。これを時点修正という。

では，どういう方法を使って時点修正をすればよいのか。その対象地なり，公示地等の所在する地域の公示価格等の時点から評価時点までの取引状況を調べて地価の動きを把握する。それから，日本経済，金融，社会，行政上の動きなどをマクロにとらえて，それらの一般的要因の動きと関連させて変動率をとらえることになる。しかし，これは言うは易いが，大変な作業である。専門家でないと，ちょっとムリであろう。

時点修正の簡便法

簡便評価法で用いた「横浜青葉－12」の令和５年１月１日の価格を調べてみると36万3,000円であったが，令和６年１月１日の価格は37万6,000円となっていた。その対前年変動率は(＋)3.6％となっている。

令和６年１月１日から令和６年５月１日までの間，同様の変動をしていたと仮定すると，令和６年５月１日までの変動率は，

$$3.6\% \times \frac{4\text{か月}}{12\text{か月}} = 1.20\%$$

となり，「簡便評価法－その１」で求めた設例対象地①の価格360,960円（38ページ）を基に，その後の変動率を加味して令和６年５月１日の価格を求めると，

$$360{,}960\text{円} \times (1 + 0.12) = 360{,}960\text{円} \times 1.12 \fallingdotseq 404{,}275\text{円}$$

ということになる。

しかし，これは令和６年１月１日以後の同地域で同じ率で地価変動していたと仮定しての話である。

より精度の高い時点修正をするには

地価変動の激しい時期においては，時点修正を的確にすることがなかなか困難となる。

国土交通省が，公開している「不動産情報ライブラリ」（32ページ参照）なども，地域の地価の動向を見るのに参考になる。

不動産鑑定士が時点修正をするときには，常時，沿線別の地価の動向を調査しており，また，鑑定評価を依頼されたときは，評価対象地の周辺の取引事例を集めて，これらの取引価格の推移を参考とする。しかし，いずれも過去の価格である。不動産業者の店頭の売物件の広告や不動産情報雑誌の広告に掲載された価額は，実際に売れた価額ではなく，売り希望価額であるが，過去数か月分の情報誌で，同一物件や類似物件の売り希望価額の変化を調べるのも，地価の変動を推定する参考になる。さらに，地元精通者の意見も聞き，評価対象地の変動率を判定するようにしている。

〈変動の原則と価格時点〉

哲学史をひもとくと，その冒頭で，「万物は流転する」というヘラクレイトスの言葉に出あうであろう。

不動産鑑定評価基準でも，不動産の価格を形成する要因は，つねに変化しており，それにつれて価格も変化し続けていることを説明し，これを「変動の原則」と名づけている。したがって，地価の評価をするときには，それがいつの，すなわち，令和何年何月何日の価格なのかを明記しなければならない。これを「価格時点」という。

求める価格時点は，現在だけでなく，過去にもあり，未来にもある。訴訟関係の評価では，５，６年前の価格を求めることはけっこう多い。

古いのでは，100年前の価格を求めたのもある。これは，白人にうそをつかれて土地を取りあげられたインディアンが，その補償を求めた裁判で，当時（西部劇の舞台になった時代）の土地価格を評価したものである。

〈幽霊山〉

幽霊の出る山ではない。山自体が幽霊のように，人の心が欲で曇って闇になると姿を現わすが，白日の下でつかまえようとすると，たちまち，かき消えてしまう山である。

縄ちぢみしている山林（登記簿10万㎡，実測７万㎡）があって，これを少しずつ分筆して売っていく。売るとき，売るほうの土地だけ実測して分筆登記し，売り渡した実測面積を登記簿から引いていく。７万㎡売ったとき，登記簿上は３万㎡残っているが，現実の山林はなにも残っていない。こういう状態の山を幽霊山という。

しかし，世の中は広いもので，バブルの頃には，こういう幽霊山を承知で買うものもいた。買う人は事情を知っているから二束三文の安値で買う。そして，担保として差し入れる。登記簿に残っているのだから，抵当権の設定登記もきちんとできる。また，これを分筆して，現状有姿の別荘分譲などといって売り歩くものもおり，それを買って，隣近所に権利書をみせびらかして楽しんでいる人もいた。有ると思えば有り，有らぬと思えば有らぬ。色即是空，空即是色か。

＊　　＊　　＊

平成17年の不動産登記法の改正により，分筆登記するとき，全体の土地を実測し，差があれば地積更正をすることになったが，山林などの広大な土地については全部の実測を省略することができるとされている。

＊　　＊　　＊

なお，最近では，少子高齢化の影響で，利用効率の低い土地――特に，山林については，相続があっても，登記されず，相続が何代か続くと，所有者がだれなのか？　そういう意味での幽霊山が増えてきている。

11　商業地の評価

公示価格を利用して商業地の評価ができるか。また，どうすればよいか。

これまで，公示価格を利用しての地価の簡便評価法を，住宅地を例にとって説明してきた。住宅地以外の商業地や工業地等を評価する場合，その簡便法を応用できるか，応用できるとすればどうやればよいかを，これから説明する。

商業地の評価について

商業地にも公示地がもうけられており，したがって公示価格はある。それから，住宅地の評価で説明した『土地価格比準表』に，高度商業地域，準高度商業地域，普通商業地域，近隣商業地域，郊外路線商業地域に分けて，それぞれの比準表が記載されている。だから，公示価格を基礎として，この比準表を使いこなせれば，評価しようとする対象地のある程度の価格はつかめる。

しかし，商業地の価格は，実に微妙であり複雑であり，一歩わき道に入ると価格が半分になったり，３分の１になったりする。表通りと裏通りを比べても同様のことがいえる。同じ表通りでも，50mも歩くと全く価格水準が違ってくる。一歩一歩足を出すたびに，価格がガクンガクンと下がっていくような場所もある。また，広い道路に面していると，こちら側の宅地，向こう側の宅地とでは価格が大きく開いていることがある。

その地価の差は，対象地の前の街路がその商業地域の中心とどう連続しているか，その街路の幅員はどうか（商業地の場合はただ広ければよいというものではない），舗装・歩道はどうなっているか，商業地域の中心や駅との接近の度合はどうか，そして客足はどのように流れていて，時間によってどう変化するか，向う三軒両隣りにどんな建物があるか，その土地の地形はどうなっているか，用途地域などはどうか，そして将来性はどうであろうかなど，様々の要因の差から生じている。

比準表の利用は

比準表は，こういう要因ごとに何点を加減点するかという基準を示している。だが，これらの要因の地価に対する影響度はそれぞれの商業地域によって全く異なっているのにもかかわらず，比準表は高度商業地域，準高度商業地域，普通商業地域，近隣商業地域，郊外路線商業地域の五つに分類してあるにすぎない。だから，比準表の数字を機械的にあてはめても，正しい評価額を得られないことが多い。不動産鑑定士は，評価しようとする商業地に比準表を利用する場合にも，その地域の実情にあわせて比準表をアレンジして使用している。しかし，専門家でないコンサルタントの場合には，ここまでやることはちょっと無理であろう。

しかし，商業地の取引についてコンサルタントとして関係することは，かなり多いはずである。特に，**第３編**で詳述する共同ビル，等価交換方式ビルが計画される場合は，商業地が大部分である。その場合，不動産鑑定士に依頼して，鑑定評価書を作成してもらえば一番よい。だが，それには費用と時間がかかる。その取引や計画がものになるかどうかわからないという当初の段階から，それだけの費用を投ずるわけにいかないという場合も多い。そのときはどうすればよいか。

相続税の路線価図を利用したら

その場合には，この比準表を使うより，第３節で述べる「相続税路線価による簡便評価法」を使って評価するほうが簡単で便利である。

なお，この相続税路線価も，それほど正確なものとはいえないので，その使用にあたっては，77ページの「相続税路線価図を使用する場合の留意点」と，107ページの「評価通達の補正率等についての私見」に記載のところに留意していただきたい。

〈移行地と見込地〉

住宅地域のなかで，バス停などを中心に店舗がつくられて，次第に商業地域へ変化し始めた地域がある。こういう地域を移行地域といい，そのなかの土地を移行地（この場合は商業移行地）という。また，現況は農地地域であるが，周辺は宅地地域となり，その地域もいずれ開発されて宅地地域に転換することが確実な地域がある。これを見込地地域といい，このなかの土地を見込地（この場合は，宅地見込地）という。農地→宅地と大分類で変化するのが見込地，宅地という大分類のなかで住宅地→商業地と変化するのが移行地である。

12 工業地の評価

工業地はどのように評価すればよいか。

工場建設のときの土地評価

工場建設のために土地を取得する場合は，その土地をその価格で買収し，工場を建設して生産した場合に，土地買収に係る投資や土地の維持費なども含めての原価計算をして，その生産物のコストで採算が合うかということが，工業地の価格の決め手になる。採算が合わなければ断念せざるを得ない。そして，工場の場合，一般に大規模の土地が必要であり，工場の生み出す純収益に比して非常に多くの土地を必要とする。逆にいえば，工業地の１㎡当りの純収益は極めて低いのが一般である。だから，工場用地というものは，ふつうは相当に低い価格でなければ成り立たない。

しかし，そういう地価の低い土地は東京近郊にはなくなってきた。高度成長期には，たとえば栃木県なり茨城県の奥のほうに求めて，工業団地が開発・造成された。そのような工場用地については，それぞれの付近の工業地域の公示価格と比較して評価することができる。参考までにあげると，**図表１－23**のようなものがある。

図表１－23　栃木県の工業地の公示価格の概要

標準地番号	所在及び地番	価格 (円/㎡)	地　積 (㎡)	形　状 (間口：奥行き)	利用現況	周辺の土地の利用現況	前面道路の状況	給排水等状況	交通施設,距離	用途区分,高度地区,防火・準防火（建ぺい率(%)，容積率(%)）
宇都宮9－1	平出工業団地８番２	23,600	14,614	1 ： 2	工場	中規模工場等が建ち並ぶ国道沿線の工業団地	北東 10m 市道	水道	宇都宮 5.4km	工業専用地域(60(%),200(%))
鹿沼9－1	鹿沼市さつき町７番３	17,000	62,743	1 ：1.5	工場	大中規模工場が建ち並ぶ工業団地	南西20m国道,三方路	水道,ガス	鹿沼 6.2km	工業専用地域(60(%),200(%))
真岡9－1	真岡市松山町21番３外	17,900	35,764	1 ： 2	工場	大規模工場が建ち並ぶ街区整然とした工業団地	西18m 国道,背面道	水道,ガス	寺内 1.6km	工業専用地域(60(%),200(%))

（価格時点：令和６年１月１日）

このうち,「鹿沼９－１」を例としてあげると，総面積62,743㎡の敷地に，昭和42年から44年にかけて開発造成された製造業を主とする工業団地で，その地価水準は，**図表１－24**に示しているように周辺の住宅地「鹿沼－９」の29,500円,「鹿沼－１」の25,600円と比べると，かなり低くなっている。

図表１－24　鹿沼周辺地価公示および都道府県地価調査（概略図）

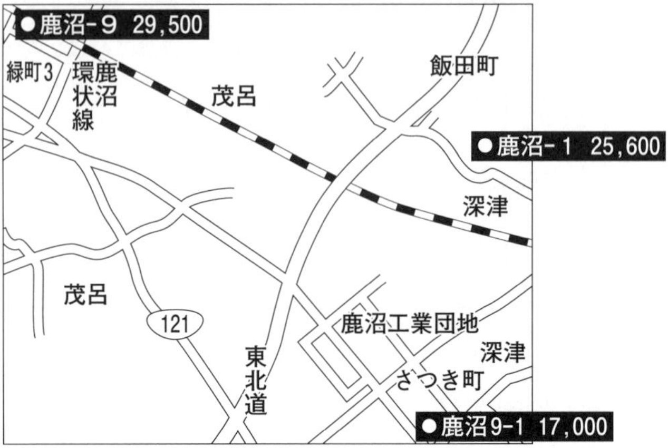

（図中○は地価公示。以下同じ）

図表１－25　京浜工業地区の工業地の公示価格

標準地番号	所在及び地番	価格（円/㎡）	地　積（㎡）	形　状（間口：奥行き）	利用現況，利用区分，構造	周辺の土地の利用現況	前面道路の状況	給排水等状況	交通施設，距離	用途区分，高度地区，防火・準防火（建ぺい率（%），容積率（%））
川崎9－1	千鳥町12番「千鳥町9-2」	97,000	28,315	1：1	工場SRC,RC,S,W,B以外,及び田,畑	大規模な石油化学工場が多い臨海工業地域	南東25m市道	水道，ガス	川崎6.7km	工業専用地域(60(%),200(%))
川崎9－2	大川町2番52「大川町12－10」	130,000	2,199	1：1.2	工場兼事務所S(鉄骨造)3F	中小規模の工場、営業所が建ち並ぶ工業団地	南西12m市道	水道，ガス	川崎5.6km	工業専用地域(60(%),200(%))
川崎9－3	塩浜3丁目24番56	147,000	6,203	1：1.2	工場SRC,RC,S,W,B以外,及び田,畑	大中規模工場、事務所等が建ち並ぶ工業地域	北東16m市道	水道，ガス，下水	川崎5.3km	工業地域(60(%),200(%))
川崎9－4	小島町4番60「小島町4－3」	210,000	1,820	1：1.2	倉庫兼事務所RC(鉄筋コンクリート造)4F	中小規模工場の多い大規模工業地域内の工業地域	北東12m市道	水道，ガス，下水	小島新田700m	工業専用地域(60(%),200(%))

（価格時点：令和６年１月１日）

都市で操業している工業地の評価

また，都心部の京浜工業地帯のなかに前ページに掲げたような公示地があり，その価格は**図表１－25**のようになっている。これらはいずれも，現に工場として操業している工場であり，また工業地帯のなかにある倉庫などである。

これらの公示地の位置を示すと，**図表１－26**のとおりである。

このうち，「川崎９－１」「川崎９－２」は，工業専用地域の工業団地内の工場また工場兼事務所の用地で，地価は97,000円/㎡，また，130,000円/㎡と，工業地域内の工場団地の「川崎９－３」の147,000円/㎡に比べて低くなっている。

この理由の一つとして，用途の制限が厳しく，工業専用地域では，住宅の建築ができないのに対し，工業地域では，住宅の建築が可能であるため，マンションや通常規模の商業施設への転用が可能なことがある。

もっとも，地価形成は，上記の理由だけによるものでなく，工業専用地域の工業団地内にある「川崎９－４」は210,000円/㎡と，工業地域の「川崎９－３」より高くなっているが，これは，近接する殿町地区が羽田空港とのアクセス改善を視野に開発が進められている先端地区であることの影響を受けていることによる。

工場跡地の評価

工場を売買する場合に，工場の建物を解体撤去し，その跡地にマンション等を建設する目的の場合もある。

マンションの敷地として利用することが，その土地の最有効な使用方法だとすると，その土地は，たとえ現在工場があって操業していたとしても，住宅地または住宅移行地(注)ということになる。そして，その工業地は中高層住宅用地としての価格で売買されることになる。

(注)　都市計画上の工業専用地域内では，住宅等の建設は不可能であるので，あくまでも工場，倉庫等の用地としてのみ売買されるので，住宅地域に移行しつつある周辺の工業地域，準工業地域に比し，はるかに低い地価水準であることが多いので注意しなければならない。

図表1－26　工場地帯の地価（川崎市川崎地区（概略図））

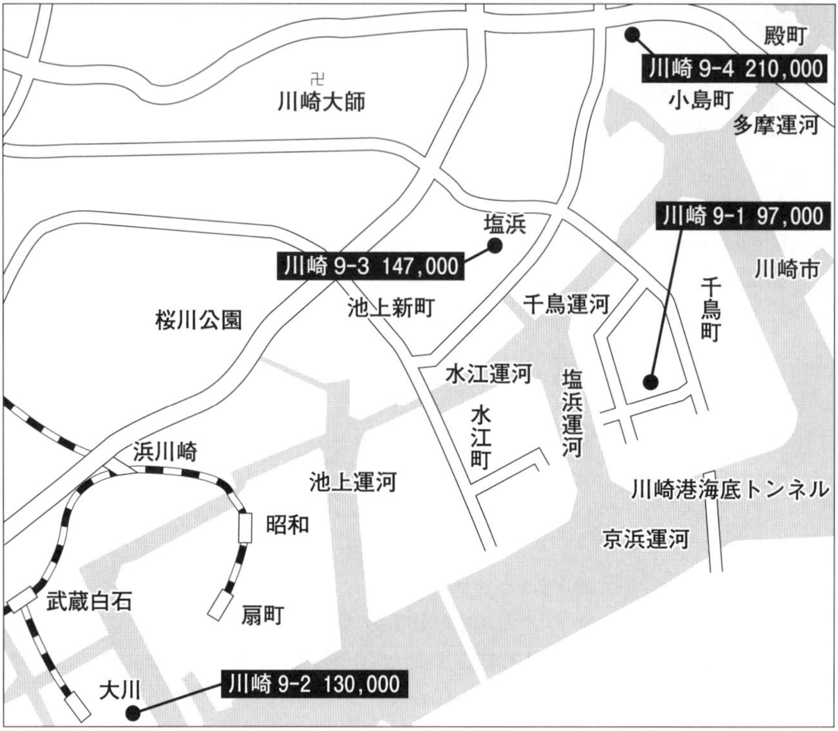

その場合は，当然に住宅地として評価されることになるから，周辺にある住宅地の公示価格と比較して，その価格を求めることになる。その方法は，基本的には前述の住宅地の評価で説明したところと同様である。

ただ，こういう工場跡地は，地積が大きいため，建売住宅の敷地としては利用効率の劣る場合が多く，また，マンション用地としては逆に利用効率が高まることもある。その辺も検討しなければならない。それから，売主が建物を撤去して更地にして売るのか，建物を残したまま売るのかということで価格が違ってくる。ちょっと考えると，建物を残したほうが高いように感じられるかもしれないが，それは逆である。建物が残っていれば，買手はマンションを建てる前にその建物の解体撤去費用を負担しなければならない。単純にいえば，その負担額と同額だけ，工場の建物付の土地の価格は安くなるのが当然である。

工場跡地と土壌汚染など

工場跡地については，かつての工場の製造物と製造方法や，廃棄物の処理の方法によって，工場廃棄物が埋められていたり，そのために土壌汚染が生じ，地下水汚染まで引き起こしていることが少なくない。その場合，これらの埋設物を除去しなければならないので，その費用を差し引いて評価しなければならない。その埋設物がコンクリートの破砕物とか鉄屑のような場合には，その物だけを除去して捨て場に持って行く費用を考慮すればよいが，化学物質による土壌汚染という段階になると，汚染された土壌を入れ換えねばならない。その場合に，汚染土壌を受け入れる捨て場があるかどうかという困難な問題も生じる。また，地下水汚染に至っている場合には，即時適切な処置をとらねばならない義務が生じる。

したがって，工場跡地について，旧工場の種類によっては，地下埋設物や土壌汚染の有無やその程度などの調査を専門家に依頼するなどの必要があることに留意しておかなければならない。

いわゆる準工業地域の土地の評価

都市計画に準工業地域という地域が定められている。しかし，鑑定評価上は準工業地域という分類はない。都市計画上の準工業地域をみると，都市内にあっては小規模の町工場，木造アパート，やや程度の劣る一般住宅が混在しているところが多い。鑑定のほうでは，これを「混在住宅地域」といっている。また，中小の工場ばかりが集まっている地域もある。これは「中小工場地域」である。

都市計画上の色ぬりにこだわらず，その地域の実態をとらえて，それぞれに即して評価をすることになる。

（注）　工業地域および工業専用地域で建築を禁止されている建築物（都計法９条⑫～⑬，建基法48条⑫～⑬，同表第２）

(を)	工場地域内に建築してはならない建築物	一　(る)項第三号に掲げるもの(注) 二　ホテル又は旅館 三　キャバレー，料理店その他これらに類するもの 四　劇場，映画館，演芸場若しくは観覧場又はナイトクラブその他これに類する政令で定めるもの 五　学校（幼保連携型認定こども園を除く。） 六　病院 七　店舗，飲食店，展示場，遊技場，勝馬投票券発売所，場外車券売場その他これらに類する用途で政令で定めるものに供する建築物でその用途に供する部分の床面積の合計が一万平方メートルを超えるもの
(わ)	工業専用地域内に建築	一　(を)項に掲げるもの 二　住宅

	してはならない建築物	三　共同住宅，寄宿舎又は下宿 四　老人ホーム，福祉ホームその他これらに類するもの 五　物品販売業を営む店舗又は飲食店 六　図書館，博物館その他これらに類するもの 七　ボーリング場，スケート場，水泳場その他これらに類する政令で定める運動施設 八　マージャン屋，ぱちんこ屋，射的場，勝馬投票券発売所，場外車券売場その他これらに類するもの

（注）　個室付浴場業に係る公衆浴場その他これに類する政令で定めるもの。

なお，準工業地域内では，建築できない建築物は，火薬類の製造など環境の悪化をもたらす特定の工場と個室付浴場だけである（同表(る)）。

13 調整区域内の土地の評価

> 調整区域内の土地を公示価格を利用して評価するとき，特に注意しなければならないことがある。

調整区域とは

わが国の都市計画では，土地の所在する区域をまずつぎのように大きく分類している。

- 都市計画区域内
  - 市街化区域
  - 市街化調整区域
  - 未指定
- 都市計画区域外
  - 準都市計画区域（注）
  - その他

市街化調整区域とは，都市が無秩序に拡がっていって，スプロール現象または虫喰い状態になるのを防止する意味で，都市計画の区域内に一定の線を引いて（これを「**線引き**」という），この外側を市街化調整区域として当分の間，宅地開発も建物の建築も原則として認めない。そして，市街化区域のほうで都市施設が整備されて，なおかつ，市街化区域内で宅地が不足していれば，調整区域の一部を市街化区域に編入して，徐々に市街化を進めていこうという目的でもうけられた，一種の開発規制区域である。

（注）**準都市計画区域**：都市計画区域の外で，相当数の住居その他の建築物の建築，または，その敷地の造成が現に行われ，または，行われると見込まれる一定の区域で，その区域の自然的・社会的条件や関連法令による土地利用の規制の状況を勘案して，そのまま土地利用を整序することなく放置すれば，将来における都市としての整備，開発および保全に支障が生じるおそれがあると認められる区域を，市町村が都道府県知事の同意を得て指定した区域であり（都計法５条の２），この区域内で建築物を建築する場合には，建築確認を得なければならない（建基法６条①４号）など，都市計画区域内に準じた規制がなされている。

建築確認は，特定規模等の建築物（同条①１～３号）以外は，都市計画区域および準都市計画区域内の建築にのみ必要とされている（同条①４号）。

調整区域内の公示価格等

ところで，調整区域内でも建物が建っている土地もある。調整区域内の農村に行けば，県道や町村道に沿って農家が散在し，コンビニがあり，火の見櫓やバス停などがあって，一つのまとまった地域を形づくっている。これを**農家集落地帯**という。こういうところでも，建物の新築は規制されている。もっとも，農家の二・三男が独立して世帯

図表１－27　調整区域内の公示価格（調区内住宅地）の概要

標準地番号	所在及び地番	価格 (円/㎡)	地積 (㎡)	形　状 (間口：奥行き)	利用現況	前面道路の状況	給排水等状況	交通施設，距離	用途区分，高度地区，防火・準防火（建ぺい率(%)，容積率(%)）
戸塚-27	小雀町字庚申塚1868番36	104,000	162	台形 1：1.2	住宅	北 4ｍ 市道	水道，ガス，下水	大船 3.8㎞	市街化調整区域 (50(%)，80(%))

（価格時点：令和６年１月１日）

をもつためとか，その集落内の人のための日用品のための店舗とか，国・県道沿であればガソリンスタンドとかドライブイン等の沿道サービス施設などは，開発許可を受けて建物を建築することも可能である。しかし，一般の人が宅地を買って住宅などを建築しようと思っても通常は許可にならない。

また，開発許可を受けて，宅地造成された住宅団地もある。この団地内では，その開発許可で定められた条件の範囲内で，住宅等の建物を建築することができる。

調整区域内でも

こういう地域の内にも，公示地また都道府県基準地が設定されている地域もあり（**図表１－27**参照），その地域内の宅地であれば，この価格と比較して，調査したい宅地の価格を求めることができる。

しかし，比較して評価できるのは，現に建物の建っている宅地，また，建築許可の得られる宅地の範囲である。

隣接する地域であっても，建物の建てられない地域は，全く地価水準が異なっているので，注意しなければならない。

調整区域内でも住宅街を形成していれば

調整区域内であっても，市街化区域に隣接し，市街化区域と一体的な日常生活圏を構成している地域内で，約50戸以上の建築物が連なって建っているようなところでは，現在空地であっても，各地方自治体の許可を得て，建物を建てられるようになっている(注)。そういう団地内の土地については，団地内に公示地がもうけられておれば，その公示価格と比較して評価することができる。

その場合でも，その団地を一歩外に出れば，たとえ隣接地であっても，まるっきり価格が違ってくるので注意しなければならない。

（注）　都市計画法34条11号。なお，この基準について，たとえば横浜市では，⑴予定建築物の敷地を含む半径100ｍの円内におおむね50以上の建築物が連たんしている

こと（参考図－１），⑵隣棟間隔（敷地相互の距離）50m以内で50以上の建築物が連たんしていること（高速道路･鉄道･河川等によって分断されていないこと）（参考図－２）という基準をもうけている。

（参考図－１）

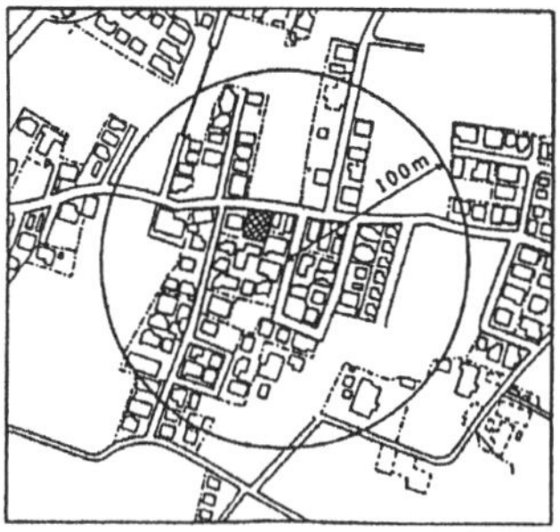

（参考図－２）

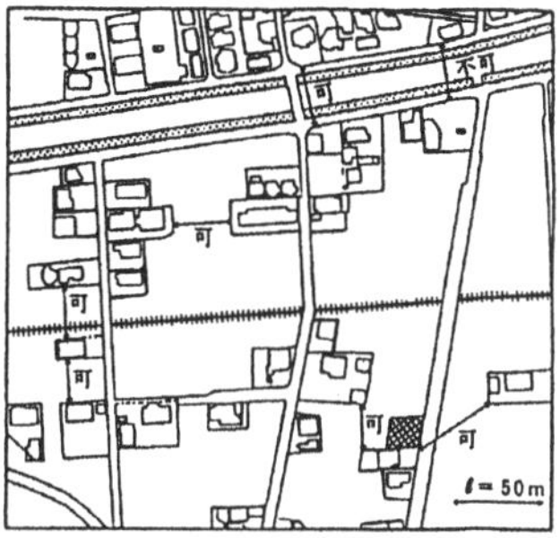

（出典：横浜市「都市計画法による開発許可の手引（令和６年４月改訂版）立地基準編第３章」）

〈価格と価額〉

土地の値段について，あるときは価格，あるときは価額という用語が使われている。

税務でも，そのような使い分けがされている。

不動産の鑑定評価でも，評価格といったり，評価額といったりと，分けて使っていることがある。

どのようにして，使い分けをしているのであろうか。

まず，単価として表現しようとするとき，「１㎡当りの価格」といい，総額を表現するとき，「鑑定評価額×××円」というように用いている。

しかし，それだけではないようである。

たとえば，鑑定では，「試算価格」とか「比準価格」というが，「試算価額」とか「比準価額」という用語は使われていない。「試算価格」を調整した後で，「鑑定評価額」を決定している。

相続税でも，取得財産の価額から，債務および葬式費用の金額を引いたものを，純資産価額とし，これに生前贈与された一定の財産価額を加えたものを「課税価格」といっている。この場合の「価格」では，単価を記載するのではなく，総額を記載している。そして，この課税価格から，基礎控除を引いたものが，相続税の総額となり，これに税率を乗じることから，税額の計算が始まる。

このような角度から見ていくと，「価格」という表記は，単に単価という意味だけで用いられているのではなく，計算の過程にあるとか，いわば抽象的な金額を記載するときに用いられ，「価額」という表記は，実際に取引された金額とか，また最終的に結論づけられた現実の金額なのだというニュアンスをもっているようでもある。

＊　　＊　　＊

本書を執筆するにあたり，そのようなニュアンスを意識しながら記述したが，そのような慣用が定着している状態ではなく，必ずしも一貫してはいないが，上述したようなことを漠然と考えながら読んでいただきたい。

第３節
相続税路線価等および評価通達付表を利用して，土地評価をする簡便法を会得する。
——特に商業地および都心の住宅地の評価に便利

14　相続税路線価による簡便評価法

相続税路線価を利用する地価の簡便な評価法を理解する。

相続税の路線価を利用しての簡便評価

相続税の**路線価図**というものがある。**図表１－28**に掲げたような図である。

相続税や贈与税の土地の課税価格は，この図の各道路（路線）に記入されている**路線価**をもとにして算出することになっている。また，国税庁のホームページ（https://www.rosenka.nta.go.jp/）で閲覧して，プリントアウトすることもできる。

この路線価図は，ほぼ全国の市街地を網羅しているので，地価を調べるのに便利である（路線価図を作成されていない地域もあるが，これについては，114ページの「**17　相続税路線価のない土地の簡便評価法－相続税倍率表**」を参照されたい）。

しかし，この路線価は，時価そのものではなく，後述するように公示価格の水準のおおむね80％の価格で記せられている。

したがって，この路線価を利用して，時価を調べようとするならば，路線価図の価格を0.8で割ると，公示価格水準の価格が逆算され，おおよその時価が把握できるということになる。

まず，路線価の読み方から説明していこう。

路線価図から地価の概略を調べる

図表１－28のほぼ中央の渋谷駅前の「西口バスターミナル」の広場に面して，「③道玄坂１丁目」と記せられた街区があり，この前の街路（路線）に 20,960A という記号が付けられている。

これは，この街路の「←」「→」の記号に接した画地の範囲内の土地の１㎡当

令和
6
40045

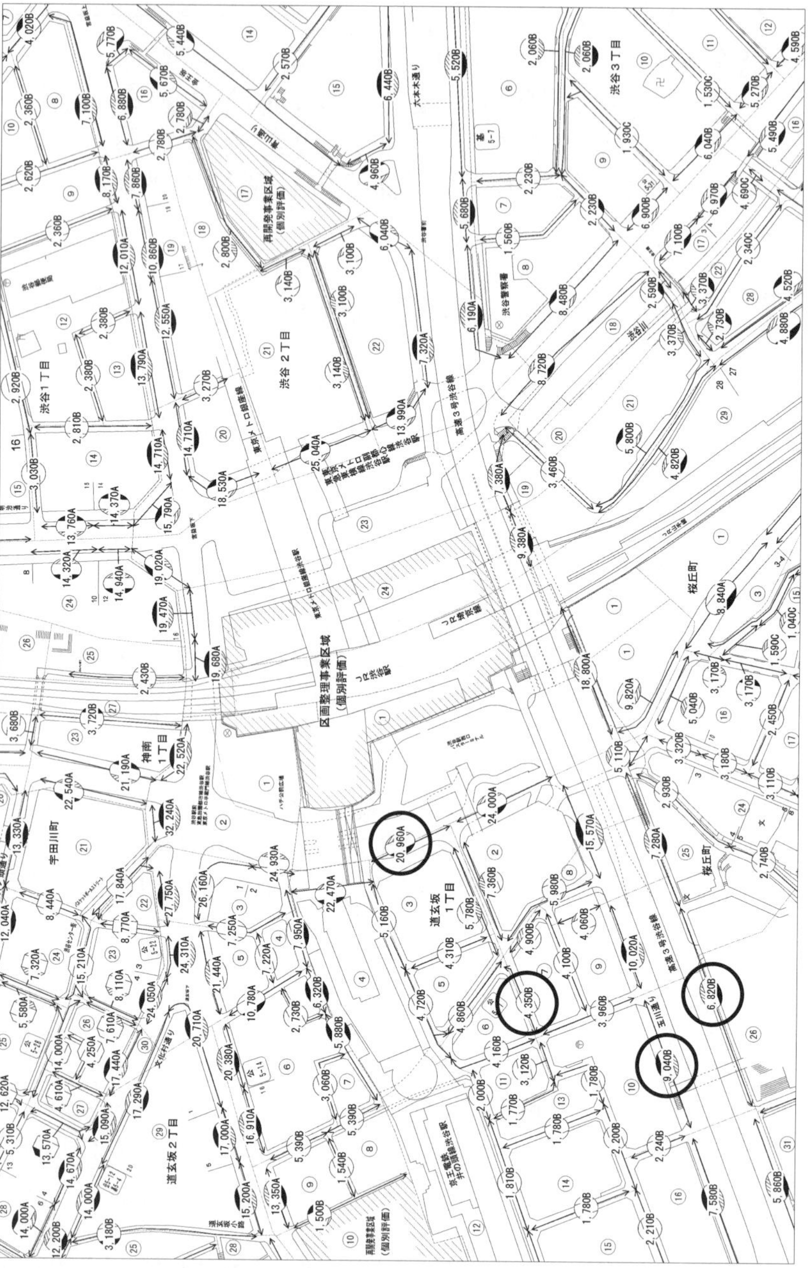

図表１－28　渋谷駅付近の相続税路線価図（令和６年分）

図表１－29

記号	借地権割合
A	90%
B	80%
C	70%
D	60%
E	50%
F	40%
G	30%

(ア)　地区区分の判定記号

地区	記号
ビル街地区	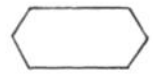
高度商業地区	
繁華街地区	
普通商業・併用住宅地区	
中小工場地区	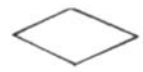
大工場地区	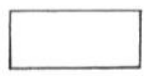
普通住宅地区	無印

(イ)　地域区分の適用範囲

適用範囲	記号
道路の両側の全地域	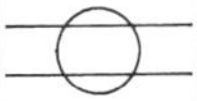
道路の南側（下方）の全地域	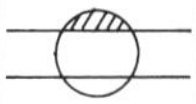
道路沿い	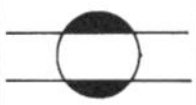
道路の北側（上方）の道路沿いと南側（下方）の全地域	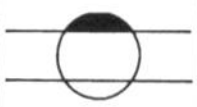
道路の北側（上方）の道路沿いのみの地域	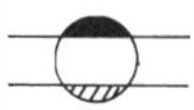

（注）　適用範囲は，「普通商業・併用住宅地区」の地区記号により例示。

りの路線価は20,960,000円であるということを示している。これを元にして時価を調べようとすると，これを0.8で割ってみると，

20,960,000円÷0.8＝26,200,000円

となり，これがこの土地の公示価格水準の地価ということになる。

路線価図の読み方　ところで，路線価図を見ると，路線の価格の数字が，やなどなどの色々な図形で囲まれている。これは**図表１－29の(ア)地区区分の判定記号**を参照されたい。設例の形は，この地区が「高度商業地区」であることを示している（この地区の区分は，次項の「**15　評価通達付表による簡便評価法**」で必要となる）。

そして，同図表の**(イ)地域区分の適用範囲**を見ていただきたい。

設例の街区の裏側のほうの街区に 4,350B と記せられている路線があるが，これは，この路線に接する両側の街区の路線価が4,350千円ということを示している。

図の右側の首都高速３号渋谷線をはさんで，9,040B と 6,820B という記号が付けられているが，これは黒く塗られている側に接している宅地だけがこの価格，すなわち反対側（斜線部分側）は，この価格でないということを示している。つまり，道玄坂１丁目側が9,040千円で，桜丘町側が6,820千円であることを示している。

これらの記号の読み方は，**図表１－29(イ)地域区分の適用範囲**に掲げてある。

なお，**図表１－29**には，Ａ～Ｇの記号に対する借地権割合を示している。たとえば，設例 20,960A の記号はＡであるので借地権割合が90％であることを示

図表１－30(ア)　渋谷駅付近の公示地の概要

標準地番号	所在及び地番並びに住居表示	価格（円/㎡）	地積（㎡）	形　状（間口：奥行き）	利用現況,利用区分,構造	周辺の土地の利用現況	前面道路の状況	給排水等状況	交通施設，距離	用途区分,高度地区,防火・準防火（建ぺい率(%)，容積率(%)）
5－1	道玄坂１丁目16番18「道玄坂1-6-3」	6,020,000	78	台形1：1.5	店舗RC（鉄筋コンクリート造）6FB1	中層の店舗ビル等が建ち並ぶ商業地域	北東10m区道	水道，ガス，下水	渋谷230m	商業地域防火地域(80(%)，800(%))
5-12	道玄坂２丁目213番「道玄坂2-29-19」	17,500,000	207	台形1：2	店舗兼事務所RC（鉄筋コンクリート造）7FB1	中高層の店舗，事務所ビルが建ち並ぶ商業地域	北東20m区道	水道，ガス，下水	渋谷300m	商業地域防火地域(80(%)，700(%))
5-14	道玄坂２丁目36番10「道玄坂2-6-17」	24,200,000	1,513	不整形1：2	店舗，事務所兼映画館SRC（鉄骨鉄筋コンクリート造）16FB2	中高層の店舗等が建ち並ぶ繁華な商業地域	北西22m区道，三方路	水道，ガス，下水	渋谷200m	商業地域防火地域(80(%)，800(%))

（価格時点：令和６年１月１日）

図表１－30(イ)　渋谷駅周辺の東京都基準地の標準価格

基準地番号	所在及び地番並びに住居表示		価格（円/㎡）	地積（㎡）	形　状（間口：奥行き）	利用現況,利用区分,構造	前面道路の状況	給排水等状況	交通施設,距離	用途区分,高度地区,防火・準防火（建ぺい率(%)，容積率(%)）
	所在及び地番	住居表示								
5－4（都）	渋谷区道玄坂２丁目213番	道玄坂２－29－19	16,700,000	207	台形1：2	店舗兼事務所RC（鉄筋コンクリート造）7FB1	北東20m市区町村道	水道，ガス，下水	渋谷300m	商業地域防火地域(80（%），700(%))

（価格時点：令和５年７月１日）

している。

なお，設例地に隣接する街区に「区画整理事業区域（個別評価）」と記せられているが，このような地域は，事業の進行に応じて価格が変動するので，相続税等で利用する場合には，税務申告のときに税務署に申請して，評価をしてもらうようになっている。

路線価により求めた価格と時点修正

その公示価格は，その年の１月１日の価格である。したがって，上記により求めた価格も，１月１日の価格である。求めようとする評価額が，たとえば11月１日のものであるとすると，その間に，価格が変動していると考えねばならない。そして，どれくらい変動しているかを調べて調整，すなわち，時点修正をしなければならない。

この時点修正の方法は，「**10　価格時点と時点修正**」(56ページ）で説明してある。

なお，その場合，価格時点の近いものから修正をしたほうが，より的確な値が得られるだろう。

なお，都道府県の地価調査の基準地は，７月１日の価格を公表している。したがって，この発表後に，７月以後の価格を求めようとするときには，この基準地と路線価を組み合わせて，対象地の７月１日の価格を求め，これから時点修正をしたほうが，より正しい結果が得られる。

（注）　相続税・贈与税の申告にあたっては，その相続また贈与の時点がいつであっても，上記のような時点修正をすることなく，その年間を通して路線価図の金額によって算出する。

相続税路線価図を使用する場合の留意点

公示価格は土地取引にあたっての取引価格の指標を与えることを目的として作成されたものであるのに対して，相続税路線価は相続税・贈与税を課税するための評価額を算定するために作成されたものである。そして，市街地地域の全部の路線(道路）に価格を付している。

しかし，その路線のすべてについて，その街路の状況，公法上の規制，環境，商業地ではその優劣の判定などを，些細に調査して，的確に判断するということは，到底できることではない。そのようなこともあってか，評価の安全率をとって，公示価格の80％の水準で評価するようにしている。

それでも，道路条件の劣悪なところ，道路幅員が狭小で実際に建築できる容積が都市計画上の容積率をはるかに下回るところ，商業地域にあって店舗の建築が建築基準法上認められないところ，建築基準法上の道路でない路線などについて，これらの条件を加味しないで路線価が時価より高く付せられているものもかなり多く目につく。

また，特に高度商業地域において，裏通りの路線価が，表通りの路線価の水準に比較して，一般に高目につけられているのも目立つ。

しかし，これらの面を考慮しても，それなりに参考になるものであり，特に日本人は公的権威を信用する傾向が強いので，コンサルタントとしては，自分で大体の地価をとらえるにせよ，顧客や関係者に説明するにせよ，上記のような限界のあることを考慮した上で利用するとよい。

〈面大地・地積規模の大きな宅地〉

面積の大きい土地を鑑定で**面大地**（めんだいち）といい，税務評価では**地積規模の大きな宅地**といっている。ところで問題は，面大地というものは面積の小さい土地に比し価格が高くなるのか，安くなるのかということである。「土地価格比準表」の「近隣商業地域の個別的要因比準表」中の画地条件のなかに「地積過大」という項目があり，標準的な画地の地積より過大であれば，価格が下がるような係数が表示されている（なお，中高層住居専用地域，住居地域等において，マンション敷地としての利用が成熟している場合には，この減価は行う必要がないということになっている）。

大きな土地があって，それを切っていくつかの標準的な画地に分割しなければ有効に利用できない場合は，道路などを入れなければならないので，その分だけ有効宅地部分が減るから，一般的傾向として面大地は減価するといえよう。しかし，量販店などを建てるとき標準的な画地をいくつか買収して（この場合，買収費は適正地価よりつり上がるのが通常である），面大地をつくるときもある。その量販店が採算上成り立つようなら，その面大地の価値は増加しているといえよう。その後，周辺の面大地はどうなるか。商圏からみて当分の間他の量販店等が進出してこないようなら周辺の面大地は減価するし，他の量販店等が続々進出するようであれば増価するであろう。

15 評価通達付表による簡便評価法

評価通達付表を利用して個別の土地を評価する簡便法を理解する。

評価通達付表について

路線価を利用して地価水準を把握する方法を前項で説明した。しかし，個々の土地は，地形などに応じてその価格が異なってくる。相続税に関する財産評価基本通達（以下，評価通達という）の（**付表1**）～（**付表9**）には，それぞれの地形に応じた評価の尺度を定量的に表示してある。これも課税目的のために作成されたものであり，画一的で，地域による特性を織り込んでいないという欠点があるが，とにかく機械的に計算できるという点では便利であり，それだけに主観の入り込む余地は少なく，大量の土地を評価する場合とか，共同ビルを建設するときに各画地間の地価のウェイトづけをする場合に，これを利用すると効果のあることが多い。しかし，あくまでも機械的計算であるので，算出した結果について，常識から判断しておかしいところがあれば，経験に基づいて修正しなければならない（注）。

（注）109ページの「評価通達の補正率等についての私見」を参照されたい。

図表1－31は，評価通達付表に掲げられた各種の補正率表であるが，82ページの**図表1－32**の設例を用いて，以下，相続税等の申告の場合に適用する計算の仕方を説明していく。

図表１－31　財産評価基本通達付表

（付表１）　奥行価格補正率表（平成30年分以降用）

地区区分／奥行距離m	ビル街地区	高度商業地区	繁華街地区	普通商業併用住宅地区	普通住宅地区	中小工場地区	大工場地区
4未満	0.80	0.90	0.90	0.90	0.90	0.85	0.85
4以上 6未満		0.92	0.92	0.92	0.92	0.90	0.90
6 〃 8 〃	0.84	0.94	0.95	0.95	0.95	0.93	0.93
8 〃 10 〃	0.88	0.96	0.97	0.97	0.97	0.95	0.95
10 〃 12 〃	0.90	0.98	0.99	0.99	1.00	0.96	0.96
12 〃 14 〃	0.91	0.99	1.00	1.00		0.97	0.97
14 〃 16 〃	0.92	1.00				0.98	0.98
16 〃 20 〃	0.93					0.99	0.99
20 〃 24 〃	0.94					1.00	1.00
24 〃 28 〃	0.95				0.97		
28 〃 32 〃	0.96		0.98		0.95		
32 〃 36 〃	0.97		0.96	0.97	0.93		
36 〃 40 〃	0.98		0.94	0.95	0.92		
40 〃 44 〃	0.99		0.92	0.93	0.91		
44 〃 48 〃	1.00		0.90	0.91	0.90		
48 〃 52 〃		0.99	0.88	0.89	0.89		
52 〃 56 〃		0.98	0.87	0.88	0.88		
56 〃 60 〃		0.97	0.86	0.87	0.87		
60 〃 64 〃		0.96	0.85	0.86	0.86	0.99	
64 〃 68 〃		0.95	0.84	0.85	0.85	0.98	
68 〃 72 〃		0.94	0.83	0.84	0.84	0.97	
72 〃 76 〃		0.93	0.82	0.83	0.83	0.96	
76 〃 80 〃		0.92	0.81	0.82			
80 〃 84 〃		0.90	0.80	0.81	0.82	0.93	
84 〃 88 〃		0.88		0.80			
88 〃 92 〃		0.86			0.81	0.90	
92 〃 96 〃	0.99	0.84					
96 〃 100 〃	0.97	0.82					
100 〃	0.95	0.80			0.80		

（注）　上掲の現行の奥行価格補正率表は，平成30年１月１日以後の贈与・相続から適用されている。

（付表２）　側方路線影響加算率表

地区区分	加算率	
	角地の場合	準角地の場合
ビル街地区	0.07	0.03
高度商業地区・繁華街地区	0.10	0.05
普通商業・併用住宅地区	0.08	0.04
普通住宅地区・中小工場地区	0.03	0.02
大工場地区	0.02	0.01

（注）　準角地とは，下図のように一系統の路線の屈折部の内側に位置するものをいう。

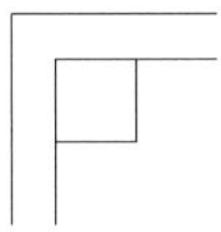

（付表３）　二方路線影響加算率表

地区区分	加算率
ビル街地区	0.03
高度商業地区 繁華街地区	0.07
普通商業・併用住宅地区	0.05
普通住宅地区 中小工場地区 大工場地区	0.02

（付表６）　間口狭小補正率表

地区区分／間口距離 m	ビル街地区	高度商業地区	繁華街地区	普通商業・併用住宅地区	普通住宅地区	中小工場地区	大工場地区
4未満	—	0.85	0.90	0.90	0.90	0.80	0.80
4以上　6未満	—	0.94	1.00	0.97	0.94	0.85	0.85
6 〃　8 〃	—	0.97		1.00	0.97	0.90	0.90
8 〃　10 〃	0.95	1.00			1.00	0.95	0.95
10 〃　16 〃	0.97					1.00	0.97
16 〃　22 〃	0.98						0.98
22 〃　28 〃	0.99						0.99
28 〃	1.00						1.00

（付表７）　奥行長大補正率表

地区区分 奥行距離 間口距離	ビル街地区	高度商業地区 繁華街地区 普通商業・ 併用住宅地区	普通住宅地区	中小工場地区	大工場地区
2以上　3未満	1.00	1.00	0.98	1.00	1.00
3 〃　4 〃		0.99	0.96	0.99	
4 〃　5 〃		0.98	0.94	0.98	
5 〃　6 〃		0.96	0.92	0.96	
6 〃　7 〃		0.94	0.90	0.94	
7 〃　8 〃		0.92		0.92	
8 〃		0.90		0.90	

図表１－32　設例

75ページの**図表１－29㋐**地区区分の判定記号によって判定すると，南側の路線は○印が付けられているので「普通商業・併用住宅地区」，その他の路線は無印であるので「普通住宅地区」にあると判定される。

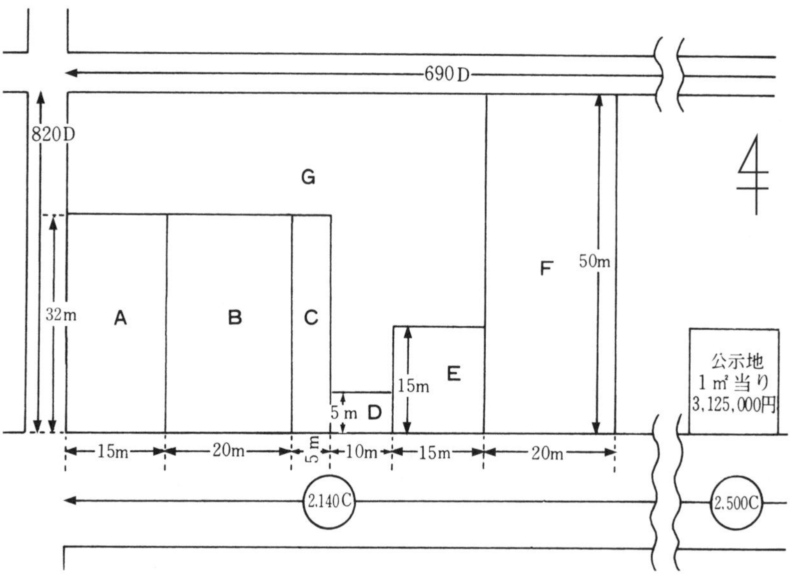

上図のような画地を例として説明する。

B 地の評価（奥行価格補正率）

Ｂの土地の面する正面路線価は214万円である。Ｂの地形は間口20m，奥行32mである。この場合，**奥行価格逓減**という現象が起きてくる。土地は道路と結びついて利用されて，その効用を発揮する。道路からの距離，すなわち奥行が長くなりすぎると，その土地の利用効率は下がってくるという考え方である。現実に，商店街ではふつう，ある奥行までは店舗として利用できるが，それから奥は客足も少なくなるので商品置場としての利用価値しかないということも起こる。このような減価を「奥行逓減」といっている。どこがその境目かということは，地区によって異なる。（**付表１**）によれば，「高度商業地区」では48mから，「普通住宅地区」では24mからとなっている。境目から先の補正率も地区によって異なる。高度商業地区のほうが逓減の度合が小さくなっている。

Ｂは ◯ 印であるから，「普通商業・併用住宅地区」に属する。そして，奥行32mであるから，奥行価格補正率は32m以上36m未満の0.97が該当することになる。そこで，Ｂの単価はつぎのようになる。

（正面路線価）　（奥行価格補正率）
2,140,000円×　0.97　＝2,075,800円

なお，**図表１－33**の場合の奥行距離のとり方は，相続税の評価ではＡによることになっている。

図表１－33　奥行距離のとり方

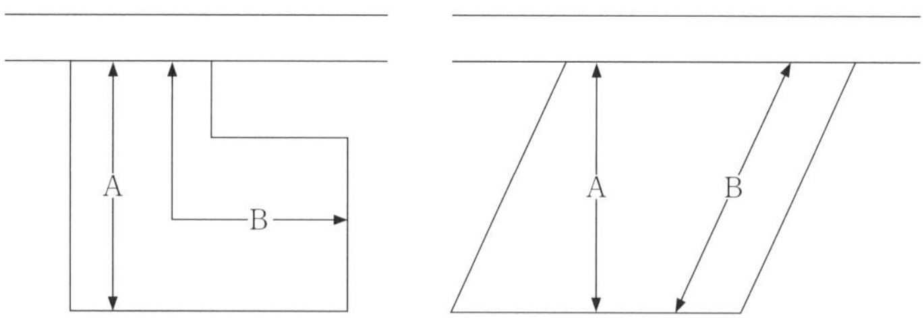

さらに，地形の複雑な不整形地の奥行距離については91ページ以下参照。

C 地の評価（間口狭小補正率と奥行長大補正率）

Ｃの正面路線価も214万円で，間口５m，奥行32mである。この場合は，間口が狭いという減価がある。間口が狭いとレイアウトもむずかしくなり，店舗の場合には客の誘導にも困難さが生じてくる。この減価率を示したのが，（**付表６**）の間口狭小補正率表である。これによると，0.97になる。

ところで，間口が狭いときには，上に述べたような絶対的な非効率があると同時に，奥行部分との関係でも減価が生じてくる。奥行が多少長くても，間口

が広ければ，それなりの使い方ができる。たとえば店舗の場合に，間口が狭ければ客の誘導が困難であり，かつ，間口に比し奥行が長いことで，その不利は二重に作用してくる。この減価率を示したのが（**付表７**）の奥行長大補正率表であり，Ｃの場合は，

$$\frac{\text{奥行距離}}{\text{間口距離}}=\frac{32\text{m}}{5\text{ m}}=6.4$$

であり，この表の６以上７未満に該当するので，0.94となる。Ｃの地価は，

（正面路線価）	（奥行価格補正率）		（間口狭小補正率）		（奥行長大補正率）	
2,140,000円×	0.97	×	0.97	×	0.94	≒1,892,714円

となる。

なお，奥行長大補正率は，間口と奥行との関係であるから，間口が狭くなくとも，間口に比して奥行が長大である場合にも生じる。

Ｄ地の評価（奥行価格補正率）

Ｄについては，間口10m，奥行５ｍであり，奥行逓減や間口狭小や奥行長大などからの減価は生じていない。しかし，奥行５ｍというのは短すぎる。ここに店舗を建築するとして，前後50㎝ずつあけたとすれば建物の奥行は４ｍとなり，その利用方法がかなり限定されてしまう。「**奥行短小**」による減価といわれている。これは，高度商業地区より繁華街地区のほうが減価率は低くなっている。繁華街では奥行が短くても，それなりに商品を並べておけば，ともかく売れる。高度商業地区では，一般に大中規模の店舗・事務所などの敷地として利用されているので，ある程度の奥行のある建物でないと，商売などに及ぼす影響も大であることによる。この減価率は工場地区になると，もっと大になる。工場の場合，設備との関連から一定の奥行がないことは影響が甚大であるからである。

この減価も，（**付表１**）の奥行価格補正率表に掲げてあり，Ｄについては４ｍ以上６ｍ未満の0.92になる。Ｄの地価（単価）はつぎのようになる。

（正面路線価）	（奥行価格補正率）	
2,140,000円×	0.92	＝1,968,800円

Ｅ地の評価（標準的地形）

Ｅについては，間口15m，奥行15mと，奥行逓減も間口狭小も奥行長大も奥行短小もない。標準的地形である。したがって，Ｅ地の地価（単価）は，路線価の214万円そのものズバリであって，補正の必要はない。

Ａ地の評価（側方路線影響加算率）

Ａは，214万円の路線と82万円の路線とに面している角地である。Ａはこの両方の路線から影響を受けている。この場合，特別の事情がなければ，路線価の高いほうの路線を**正面路線**といい，他を側方路線といっている[(注１)]。そして，側方路線価の一定率を

加算することになっている(注２)。たとえば，商店街の場合，側方に道路があれば，そこを歩いている客も店舗に誘導することもできるし，商品の搬入にも便利であるということで，その土地の価値が増加するからである。この加算率を表わしたのが，**（付表２）**の側方路線影響加算率である。

まず，正面路線価による計算をし，側方路線影響加算をする。

（正面路線価）　（奥行価格補正率）
2,140,000円×　0.97　＝2,075,800円……①

（側方路線価）　（奥行価格補正率）　（側方路線影響加算率）
820,000円　×　1.0　×　0.08　＝65,600円……②

①　＋　②　＝　2,141,400円

これが，Ａの地価（単価）となる。

（注１）　正確にいえば，その画地に与える影響の強いほうの路線を**正面路線**とする。

相続税の評価にあたっては，双方の路線価について，つぎの式のように，まず，双方の路線の地区に応ずる奥行価格補正率による補正を行い，奥行価格補正後の価格の高いほうを正面路線とする。

（路線価）　（奥行価格補正率）　（奥行価格補正後の価格）
2,140,000円×　0.97　＝　2,075,800円

820,000円×　1.00　＝　820,000円

となるので，Ａ地の正面路線は，214万円のほうの路線になる。

この判定をする場合の奥行価格補正率は，各路線の地区の補正率を適用して行う。

（注２）　なお，（注１）によって判定されたＡ地の正面路線は「普通商業・併用住宅地区」で，側方路線は「普通住宅地区」に属している。この判定後の側方路線などの奥行価格補正率と側方路線影響率は，正面路線の地区，この場合は「普通商業・併用住宅地区」の補正率を採用して計算する。

また，正面路線の借地権割合はＣで70%，側方路線の借地権割合はＤで60%となっているが，このような場合のこの宅地の借地権割合は，正面路線の借地権割合，すなわち，Ｃの70%を採用して計算する。

Ｆ地の評価（二方路線影響加算率）

Ｆは角地ではないが，裏面の道路に挟まれた二方路の土地である。この場合，角地ほどではないが，裏面道路も利用できることによって土地の効率は上がっている。**（付表３）**の二方路線影響加算率を用いて計算する。

Ｆの地価（単価）を計算すると，つぎのようになる。

（正面路線価）　（奥行価格補正率）
2,140,000円×　0.89　＝1,904,600円……①

（裏面路線価）（奥行価格補正率）（二方路線影響加算率）
690,000円 × 0.89 × 0.05 ＝30,705円……②

① ＋ ② ＝1,935,305円

正面路線の判定および地区に応じた補正率の採用については，Ａ地の場合の（注１）（注２）に準じて行う。なお，Ｆ地の正面は「普通商業地区・併用住宅地区」であるのに対して，裏面は「普通住宅地区」になっているが，①に加算するときの計算式の奥行価格補正率と二方路線影響加算率は「普通商業・併用住宅地区」の率を適用する。

なお，**図表１－34**に掲げたＨの69万円の路線は，側方路線でなく，裏面路線として二方路線影響加算率を適用して計算する。また，Ｉのように，82万円の路線に接する間口が狭小で，その影響を受ける度合が著しく低い場合は，69万円の路線を正面路線として計算し，かつ，不整形地としての補正（91ページ以下参照）を行う。

図表１－34

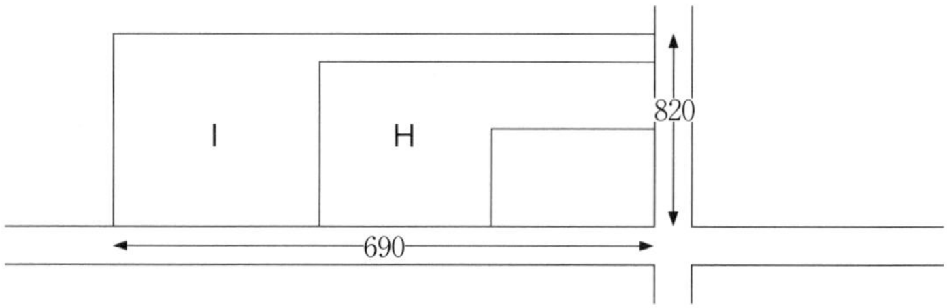

三方路および四方路の場合　Ａ～Ｇを一体とすると，間口85m，奥行50mの三方路の土地となり，以下のようになる。

（正面路線価）（奥行価格補正率）
2,140,000円× 0.89 ＝1,904,600円……①
（側方路線価）（奥行価格補正率）（側方路線影響加算率）
820,000円 × 0.80 × 0.08 ＝52,480円……②
（裏面路線価）（奥行価格補正率）（二方路線影響加算率）
690,000円 × 0.89 × 0.05 ＝30,705円……③
① ＋ ② ＋ ③ ＝1,987,785円

四方路，つまりこの地区全体をまとめて間口は85m，奥行は50mで，右側にも路線があるとして，その路線価を左側と同じ820,000円と仮定して計算すると，以下のようになる。

（正面路線価）（奥行価格補正率）
2,140,000円× 0.89 ＝1,904,600円……①
（側方路線価）（奥行価格補正率）（側方路線影響加算率）
820,000円 × 0.80 × 0.08 ＝52,480円……②
820,000円 × 0.80 × 0.08 ＝52,480円……③

（裏面路線価）　（奥行価格補正率）　（二方路線影響加算率）
690,000円 × 0.89 × 0.05 ＝30,705円……④
① ＋ ② ＋ ③ ＋ ④ ＝2,040,265円

なお，以上はすべて相続税路線価をもとに算出したものであり，これらを公示価格の水準に引き直すと，たとえばＢ地であれば，

2,075,800円÷0.8＝2,594,750円

となる。また，公示価格とその路線価（画地補正後の価格）を利用して，

$$\underset{\left(\substack{\text{付近の公示地}\\\text{の公示価格}}\right)}{3{,}125{,}000\text{円}} \times \frac{\overset{\text{（対象地の路線価）}}{2{,}075{,}800\text{円}}}{\underset{\text{（公示地の路線価）}}{2{,}500{,}000\text{円}}} = 2{,}594{,}750\text{円}$$

というように価格を求めることもできる。また，この周辺でいくつかの売買事例が求められれば，その価格を用いて，公示価格の場合の上式と同様の計算をすれば，実勢価格水準の価格が求められるであろう。

評価明細書　相続税や贈与税での実際の申告にあたっては，**図表１－35**（89ページ，90ページ）に掲げた「土地及び土地の上に存する権利の評価明細書」に記入して計算していくことになっている。

上述した三方路の例を参考までに記載しておいた。

なお，Ｃ地のように間口の狭小な一方路の宅地については，「１　一路線に面する宅地　Ａ」で求めた金額を「５－１　間口が狭小な宅地等」に移記して計算をし，その金額Ｅを「自用地の評価額」の欄に移記して計算する。

〈地域の種別と土地の種別〉

不動産を，その用途という観点から分類したものを，鑑定評価上，「不動産の種別」といい，まず，「地域の種別」わけをして，大きく，宅地地域，農地地域，林地地域等とする。さらに，宅地地域を住宅地域，商業地域，工業地域等に細分し，住宅地域を優良，標準，混在住宅地域等に細々分する。そして，土地について，これらのどの地域にあるかによって，宅地，農地，林地等に種別し，また住宅地，商業地……等に細分している。したがって，商業地域のなかに住宅があっても，その「土地の種別」は住宅地でなく，商業地となる。住宅地域のなかに田がぽつんと残っていることもあるが，その田は，農地でなく住宅地の種別に入れられる。土地価格比準表を利用するとき，この種別に応じた表を適用しなければならない。

（なお，この種別は，登記簿上の地目とは直接の関係はない。また，固定資産課税台帳では，その敷地が現状でどう利用されているかによって分類されるので，この種別と異なっているものも多い。）

図表1－35㋐　相続税等の土地等の評価明細書の記載例

土地及び土地の上に存する権利の評価明細書（第1表）　○○　局(所)　○○　署　XX 年分　XX ページ

（令和六年分以降用）

（住居表示）	（ 同XX番X号 ）	所有者	住　所（所在地）	△△市△△町△番	使用者	住　所（所在地）
所在地番	○○市○○町○○番		氏　名（法人名）	△　△　△　△		氏　名（法人名）　同　左

地目	地積	路線価 正面	側方	側方	裏面	地形図及び参考事項
(宅地) 山林 田 雑種地 畑 （　）	4,250 ㎡	2,140,000円	820,000円	円	690,000円	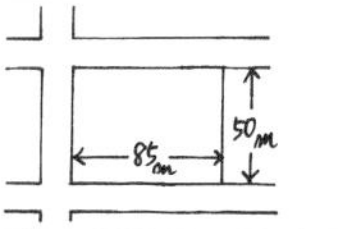
間口距離 85 m	利用区分 (自用地) 私道 貸宅地 貸家建付借地権 貸家建付地 転貸借地権 借地権 （　）		地区区分 ビル街地区 普通住宅地区 高度商業地区 中小工場地区 繁華街地区 大工場地区 (普通商業・併用住宅地区)			
奥行距離 50 m						

自用地1平方メートル当たりの価額

項目	計算	（1㎡当たりの価額）円	記号
1　一路線に面する宅地	（正面路線価）2,140,000円 ×（奥行価格補正率）0.89	1,904,600	A
2　二路線に面する宅地	（A）1,904,600円 ＋ [(側方)・裏面 路線価]（820,000円 ×（奥行価格補正率）0.8 × [(側方)・二方 路線影響加算率] 0.08）	1,957,080	B
3　三路線に面する宅地	（B）1,957,080円 ＋ [側方・(裏面) 路線価]（690,000円 ×（奥行価格補正率）0.89 × [側方・(二方) 路線影響加算率] 0.05）	1,987,785	C
4　四路線に面する宅地	（C）　円 ＋ [側方・裏面 路線価]（　円 ×（奥行価格補正率）. × [側方・二方 路線影響加算率] 0.）		D
5-1　間口が狭小な宅地等	（AからDまでのうち該当するもの）　円 ×（間口狭小補正率）（. ×（奥行長大補正率）.）		E
5-2　不整形地	（AからDまでのうち該当するもの）　円 × 不整形地補正率※ 0. ※不整形地補正率の計算 （想定整形地の間口距離）m ×（想定整形地の奥行距離）m ＝（想定整形地の地積）㎡ （（想定整形地の地積）㎡ －（不整形地の地積）㎡）÷（想定整形地の地積）㎡ ＝（かげ地割合）% （不整形地補正率表の補正率）0. ×（間口狭小補正率）. ＝ 0.　① （奥行長大補正率）. ×（間口狭小補正率）. ＝ 0.　② （小数点以下2位未満切捨て） [不整形地補正率（①、②のいずれか低い率、0.6を下限とする。）] 0.		F
6　地積規模の大きな宅地	（AからFまでのうち該当するもの）　円 × 規模格差補正率※ 0. ※規模格差補正率の計算 {（（地積（Ⓐ））㎡×（Ⓑ）＋（Ⓒ））÷（地積（Ⓐ））㎡} × 0.8 ＝ 0.（小数点以下2位未満切捨て）		G
7　無道路地	（F又はGのうち該当するもの）　円 ×（1 － 0.（※）） ※割合の計算（0.4を上限とする。） （（正面路線価）円 ×（通路部分の地積）㎡）÷（（F又はGのうち該当するもの）円 ×（評価対象地の地積）㎡）＝ 0.		H
8-1　がけ地等を有する宅地　〔南、東、西、北〕	（AからHまでのうち該当するもの）　円 ×（がけ地補正率）0.		I
8-2　土砂災害特別警戒区域内にある宅地	（AからHまでのうち該当するもの）　円 × 特別警戒区域補正率※ 0. ※がけ地補正率の適用がある場合の特別警戒区域補正率の計算（0.5を下限とする。） 〔南、東、西、北〕 （特別警戒区域補正率表の補正率）0. ×（がけ地補正率）0. ＝ 0.（小数点以下2位未満切捨て）		J
9　容積率の異なる2以上の地域にわたる宅地	（AからJまでのうち該当するもの）　円 ×（1 － 0.（控除割合（小数点以下3位未満四捨五入）））		K
10　私道	（AからKまでのうち該当するもの）　円 × 0.3		L

自用地の評価額	自用地1平方メートル当たりの価額（AからLまでのうちの該当記号）	地積	総額（自用地1㎡当たりの価額）×（地積）	
	（C）1,987,785円	4,250㎡	8,448,086,250円	M

（注）1　5-1の「間口が狭小な宅地等」と5-2の「不整形地」は重複して適用できません。
2　5-2の「不整形地」の「AからDまでのうち該当するもの」欄の価額について、AからDまでの欄で計算できない場合には、（第2表）の「備考」欄等で計算してください。
3　「がけ地等を有する宅地」であり、かつ、「土砂災害特別警戒区域内にある宅地」である場合については、8-1の「がけ地等を有する宅地」欄ではなく、8-2の「土砂災害特別警戒区域内にある宅地」欄で計算してください。

（資4－25－1－A4統一）

図表１－35(イ)　相続税等の土地等の評価明細書の記載例

土地及び土地の上に存する権利の評価明細書（第２表）

（令和六年分以降用）

セットバックを必要とする宅地の評価額	(自用地の評価額) 円 − ((自用地の評価額) 円 × (該当地積) ㎡ / (総地積) ㎡ × 0.7)	(自用地の評価額) 円	N
都市計画道路予定地の区域内にある宅地の評価額	(自用地の評価額) 円 × (補正率) 0.	(自用地の評価額) 円	O

大規模工場用地等の評価額	○ 大規模工場用地等 (正面路線価) 円 × (地積) ㎡ × (地積が20万㎡以上の場合は0.95)	円	P
	○ ゴルフ場用地等 (宅地とした場合の価額)(地積) (円 × ㎡×0.6) −（ (1㎡当たりの造成費) 円× (地積) ㎡)	円	Q

区分所有財産に係る敷地利用権の評価額		(自用地の評価額) 円 × (敷地利用権（敷地権）の割合) ―――	(自用地の評価額) 円	R
	居住用の区分所有財産の場合	(自用地の評価額) 円 × (区分所有補正率) .	(自用地の評価額) 円	S

	利用区分	算式	総額	記号
総額計算による価額	貸宅地	(自用地の評価額) 円 × (1− (借地権割合) 0.　)	円	T
	貸家建付地	(自用地の評価額又はV) 円 × (1− (借地権割合) 0.　×(借家権割合) 0.　×(賃貸割合) ㎡/㎡)	円	U
	(　)権の目的となっている土地	(自用地の評価額) 円 × (1− (　割合) 0.　)	円	V
	借地権	(自用地の評価額) 円 × (借地権割合) 0.	円	W
	貸家建付借地権	(W, ADのうちの該当記号)(　) 円 × (1− (借家権割合) 0.　× (賃貸割合) ㎡/㎡)	円	X
	転貸借地権	(W, ADのうちの該当記号)(　) 円 × (1− (借地権割合) 0.　)	円	Y
	転借権	(W, X, ADのうちの該当記号)(　) 円 × (借地権割合) 0.	円	Z
	借家人の有する権利	(W, Z, ADのうちの該当記号)(　) 円 × (借家権割合) 0.　× (賃借割合) ㎡/㎡	円	AA
	(　)権	(自用地の評価額) 円 × (　割合) 0.	円	AB
	権利が競合する場合の土地	(T, Vのうちの該当記号)(　) 円 × (1− (　割合) 0.　)	円	AC
	他の権利と競合する場合の権利	(W, ABのうちの該当記号)(　) 円 × (1− (　割合) 0.　)	円	AD
備考				

(注)　区分地上権と区分地上権に準ずる地役権とが競合する場合については、備考欄等で計算してください。

(資4－25－2－A4統一)

16　財産評価基本通達による特殊な画地の簡便評価法

特殊な地形（不整形地，袋地，無道路地，私道，崖地など）の土地の評価の方法を理解する。

不整形地の評価（その１）——相続税での評価

前項では，整形の画地について説明したが，実際の画地は様々であり，整形でない土地，すなわち，不整形地であることが多いであろう。不整形の画地は，通常は整形の画地より使い勝手が悪いので，それだけ減価することになる。

鑑定評価では，その不整形地の形状に合わせて，具体的にどのような建物が建てられるかを調べ，それと同面積の整形地に建てられる建物，また，庭などの利用状態などと比較して，どれだけの制約があり，それが，どの程度の減価になるかを検討するが，評価通達では，そこまでの分析はしないで，その形状だけから減価を求めるようにしている。

つぎに，この通達と**図表１－35**の「評価明細書」によって説明していく。

不整形地の評価（その２）——近似整形地を作図し，整形地としての価額を求める

不整形地の形は千差万別であるが，評価通達ではまず，**図表１－36㋐**に掲げたような不整形地を例としてあげている。

図表１－36㋐（普通住宅地）

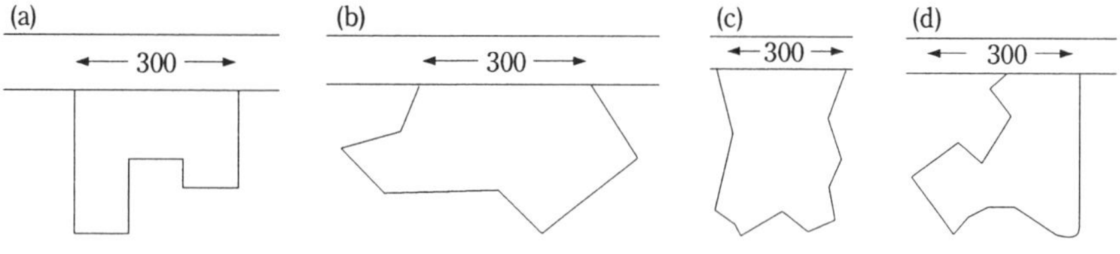

これらの例の場合，**図表１－36㋑**のように整形地を想定して，路線価に奥行価格補正率と不整形地の実際の面積を掛けて，不整形地でないと仮定した場合の**整形地としての価額**を算出する。

具体的には，一方路～四方路のいずれかにより，**図表１－35**の「評価明細書」のＡからＤまでの計算をする。

図表１－36㋐の形を基に例示すると，つぎのようになる。

図表１－36(ｲ)（普通住宅地）（路線価300,000円）

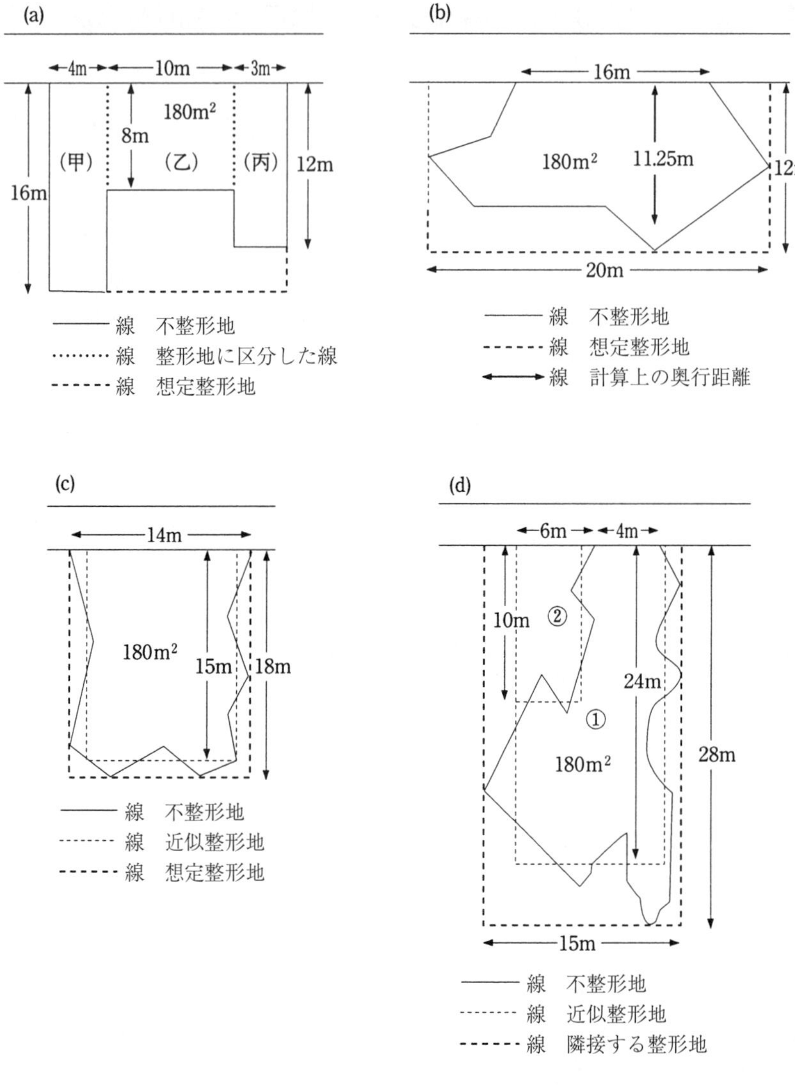

(a)**地**の場合は，不整形地を……線で甲，乙，丙の３区画に分割し，それぞれの価額を求めて，合計した価額を面積で割って，整形地としての１㎡当りの価額（単価）を求める。

	（路線価）	（奥行価格補正率）	（面積）	
甲地……	300,000円×	1.0	×（4m×16m）=	19,200,000円
乙地……	300,000円×	0.97	×（10m×8m）=	23,280,000円
丙地……	300,000円×	1.0	×（3m×12m）=	10,800,000円
合計			180㎡	53,280,000円

1㎡当りの価額＝53,280,000円÷180㎡＝296,000円

(b)**地**の場合は，不整形地の外側を---------線で囲んだ想定整形地を想定する。この場合の奥行は，不整形地の面積を間口で割った長さ（この例では11.25m）と，想定整形地の奥行（この例では12.0m）との短いほうを採用し，この例での奥行は11.25mとなる。

（路線価）　（奥行価格補正率）　（整形地としての1㎡当りの価額）
300,000円×　1.0　＝　300,000円

(c)**地**の場合は，まず不整形地に---------線で囲んだ近似整形地を作図し，この奥行を採用して仮の価額を求める。この例での奥行は15mとなる。近似整形地は，不整形からはみ出す部分と引っ込んだ部分との面積がおおむね等しくなり，かつ，それぞれの合計地積ができるだけ小さくなるように作図する。

（路線価）　（奥行価格補正率）　（整形地としての1㎡当りの価額）
300,000円×　1.0　＝　300,000円

(d)**地**は，①のような近似整形地を作図し，隣接する②の整形地を合わせた価額を求めてから，②の価額を引いて，①の価額を求め，これを近似整形地の面積で割って，不整形地の単価を算出し，これを不整形地の面積に掛けて，**整形地としての価額**を求める。

	（路線価）	（奥行価格補正率）	（面積）	
①＋②の価額…	300,000円×	0.97	×（10m×24m）=	69,840,000円
②の価額………	300,000円×	1.0	×（6m×10m）=	18,000,000円
①－②の価額				51,840,000円

不整形地としての1㎡当りの価額＝51,840,000円÷（240㎡－60㎡）＝288,000円

不整形地の評価（その3）
――かげ地割合補正率を求める

整形地としての価額を求めたら，つぎに**かげ地割合**を求める。かげ地割合というのは，**図表1－36(イ)**のように，不整形地の外周を------線で囲った想定整形地の面積から不整形地の実際の面積を引いて求めたもので，このかげ地割合が大きいほど，不整形の度合いが大きいと見るようになっている。

それぞれについてかげ地割合を求めると，つぎのようになる。

（想定整形地の面積）（不整形地の面積）

$$\text{(a)地}\cdots\cdots\frac{(17\text{m}\times16\text{m})-180\text{m}^2}{(17\text{m}\times16\text{m})}=\frac{92\text{m}^2}{272\text{m}^2}\fallingdotseq33.82\%$$

$$\text{(b)地}\cdots\cdots\frac{(20\text{m}\times12\text{m})-180\text{m}^2}{(20\text{m}\times12\text{m})}=\frac{60\text{m}^2}{240\text{m}^2}=25.00\%$$

$$\text{(c)地}\cdots\cdots\frac{(14\text{m}\times18\text{m})-180\text{m}^2}{(14\text{m}\times18\text{m})}=\frac{72\text{m}^2}{252\text{m}^2}\fallingdotseq28.57\%$$

$$\text{(d)地}\cdots\cdots\frac{(15\text{m}\times28\text{m})-180\text{m}^2}{(15\text{m}\times28\text{m})}=\frac{240\text{m}^2}{420\text{m}^2}\fallingdotseq57.14\%$$

そして，**図表１－37㈠**の「地積区分表」によって，この不整形地の地区区分ごとに掲げられた地積による分類から，地積区分のＡ，Ｂ，Ｃのどれに該当するかを判定する。

設例の地積は，いずれも普通住宅地区で180㎡であるので，「Ａ」に該当することになる。

つぎに，**図表１－37㈡**の「不整形地補正率表」の「普通住宅地区」の「Ａ」と「かげ地割合」の交叉する数値を求める。

(a)地のかげ地割合は33.82％であるので，不整形地補正率は0.90となる。

同様にして，(b)地は0.92，(c)地は0.92，(d)地は0.75となる。

不整形地の評価（その４）
――評価額を求める

つぎに，**図表１－35**の「評価明細書」の下掲の「５－２　不整形地」に，（整形地としての価額）と（不整形地補正率）を記入して計算する。なお，この欄で計算した①と②の低いほうを採用し，かつ，補正率は0.6を限度とする。

(d)地を例として記載すると，整形地としての価格は，288,000円となっているので，これを基にして算出すると，下記のとおりとなる。この例では，（不整形地補正率表の補正率）に（間口狭小補正率）を掛けた数値は0.70となるが，0.6を限度とするとされているので，（不整形地補正率）は0.7となる。

5-2　不　整　形　地	（1㎡当たりの価額）円	
（ＡからＤまでのうち該当するもの）288,000 円 ×　不整形地補正率※ 0.70 ※不整形地補正率の計算 （想定整形地の間口距離）15 m ×（想定整形地の奥行距離）28 m ＝（想定整形地の地積）420 ㎡ （（想定整形地の地積）420 ㎡ －（不整形地の地積）180 ㎡）÷（想定整形地の地積）420 ㎡ ＝（かげ地割合）57.14 % （不整形地補正率表の補正率）0.75 ×（間口狭小補正率）0.94 ＝（小数点以下2位未満切捨て）0.70 ① （奥行長大補正率）0.90 ×（間口狭小補正率）0.94 ＝ 0.84 ② 不整形地補正率（①、②のいずれか低い率、0.6を下限とする。）0.70	201,600	F

自用地の評価額	自用地１平方メートル当たりの価額（ＡからＬまでのうちの該当記号）	地　積	総　額（自用地１㎡当たりの価額）×（地　積）	
	（Ｆ）201,600 円	180 ㎡	36,288,000 円	M

図表１－37

㋐（付表４）地積区分表

地区区分＼地積区分	A	B	C
高度商業地区	1,000㎡未満	1,000㎡以上 1,500㎡未満	1,500㎡以上
繁華街地区	450㎡　〃	450㎡以上 700㎡未満	700㎡　〃
普通商業・併用住宅地区	650㎡　〃	650㎡以上 1,000㎡未満	1,000㎡　〃
普通住宅地区	500㎡　〃	500㎡以上 750㎡未満	750㎡　〃
中小工場地区	3,500㎡　〃	3,500㎡以上 5,000㎡未満	5,000㎡　〃

㋑（付表５）不整形地補正率表

かげ地割合＼地区区分・地積区分	高度商業地区，繁華街地区，普通商業・併用住宅地区，中小工場地区			普通住宅地区		
	A	B	C	A	B	C
10%以上	0.99	0.99	1.00	0.98	0.99	0.99
15%　〃	0.98	0.99	0.99	0.96	0.98	0.99
20%　〃	0.97	0.98	0.99	0.94	0.97	0.98
25%　〃	0.96	0.98	0.99	0.92	0.95	0.97
30%　〃	0.94	0.97	0.98	0.90	0.93	0.96
35%　〃	0.92	0.95	0.98	0.88	0.91	0.94
40%　〃	0.90	0.93	0.97	0.85	0.88	0.92
45%　〃	0.87	0.91	0.95	0.82	0.85	0.90
50%　〃	0.84	0.89	0.93	0.79	0.82	0.87
55%　〃	0.80	0.87	0.90	0.75	0.78	0.83
60%　〃	0.76	0.84	0.86	0.70	0.73	0.78
65%　〃	0.70	0.75	0.80	0.60	0.65	0.70

なお，(a)地，(b)地，(c)地については，その地形から（奥行長大補正率）と（間口狭小補正率）は関係ないので，上述で求めた補正率がそのまま最終の補正率となる。たとえば，(a)地ではつぎのようになる。

5-2　不　整　形　地	（1㎡当たりの価額）円	
（AからDまでのうち該当するもの）　不整形地補正率※ 296,000 円 × 0.90 ※不整形地補正率の計算 （想定整形地の間口距離）（想定整形地の奥行距離）（想定整形地の地積） 17 m × 16 m ＝ 272 ㎡ （想定整形地の地積）（不整形地の地積）（想定整形地の地積）（かげ地割合） （ 272 ㎡ － 180 ㎡）÷ 272 ㎡ ＝ 33.82 % （不整形地補正率表の補正率）（間口狭小補正率）（小数点以下2位未満切捨て）　［不整形地補正率（①、②のいずれか低い率、0.6を下限とする。）］ 0.90 × 1.0 ＝ 0.90 ① （奥行長大補正率）（間口狭小補正率） 1.0 × 1.0 ＝ 0.1.0 ②　　0.90	266,400	F

また，(b)地については，つぎのようになる。

5-2　不　整　形　地	（1㎡当たりの価額）円	
（AからDまでのうち該当するもの）　不整形地補正率※ 300,000 円 × 0.92 ※不整形地補正率の計算 （想定整形地の間口距離）（想定整形地の奥行距離）（想定整形地の地積） 20 m × 12 m ＝ 240 ㎡ （想定整形地の地積）（不整形地の地積）（想定整形地の地積）（かげ地割合） （ 240 ㎡ － 180 ㎡）÷ 240 ㎡ ＝ 25.00 % （不整形地補正率表の補正率）（間口狭小補正率）（小数点以下2位未満切捨て）　［不整形地補正率（①、②のいずれか低い率、0.6を下限とする。）］ 0.92 × 1.0 ＝ 0.92 ① （奥行長大補正率）（間口狭小補正率） 1.0 × 1.0 ＝ 0.1.0 ②　　0.92	276,000	F

(c)地については，つぎのようになる。

5-2　不　整　形　地	（1㎡当たりの価額）円	
（AからDまでのうち該当するもの）　不整形地補正率※ 300,000 円 × 0.92 ※不整形地補正率の計算 （想定整形地の間口距離）（想定整形地の奥行距離）（想定整形地の地積） 14 m × 18 m ＝ 252 ㎡ （想定整形地の地積）（不整形地の地積）（想定整形地の地積）（かげ地割合） （ 252 ㎡ － 180 ㎡）÷ 252 ㎡ ＝ 28.57 % （不整形地補正率表の補正率）（間口狭小補正率）（小数点以下2位未満切捨て）　［不整形地補正率（①、②のいずれか低い率、0.6を下限とする。）］ 0.92 × 1.0 ＝ 0.92 ① （奥行長大補正率）（間口狭小補正率） 1.0 × 1.0 ＝ 0.1.0 ②　　0.92	276,000	F

なお，不整形地の形状は，上掲の4タイプに収まらないが，評価通達では，上記の四つの方法のいずれかの方法を選択して近似整形地を求めて計算すればいいようになっている。

ただし，近似整形地を求める場合は，近似整形地から，はみ出す不整形地の部分の地積と，近似整形地に含まれる不整形地以外の部分の地積がおおむね等しく，かつ，その合計地積ができるだけ小さくなるようにする（評基20(3)(注)）。

不整形地の評価（その5）――
不整形地補正率を適用しない場合

下図のような地形の宅地に対しては不整形地補正率を適用しないで，つぎのように評価することになっている。

〔参考図－1〕〔普通住宅地区〕

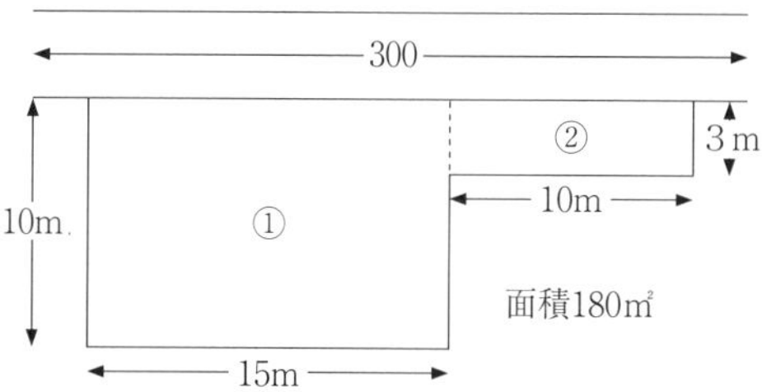

〔参考図－2〕〔普通住宅地区〕

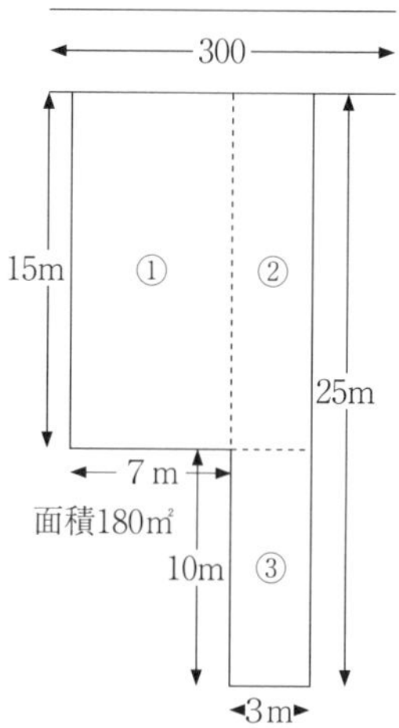

〔参考図－1〕

①と②に区分し，それぞれ奥行価格補正率で算出して合計し，面積で割って，1㎡当りの価額を求める。

	(路線価)	(奥行価格補正率)	(面積)	
①……	300,000円×	1.0	×(15m×10m)＝	45,000,000円
②……	300,000円×	0.90	×(10m×3m)＝	8,100,000円
合計			180㎡	53,100,000円

1㎡当りの価額=53,100,000円÷180㎡=295,000円

〔参考図－2〕

①，②，③に区分して，つぎのようにして求める。

①＋②……300,000円×1.0 ×(10m×15m)＝45,000,000円……(ア)

②＋③……300,000円×0.97×(3m×25m)＝21,825,000円……(イ)

②…………300,000円×1.0 ×(3m×15m)＝13,500,000円……(ウ)

(イ)－(ウ)……21,825,000円－13,500,000円＝8,325,000円……(エ)

(ア)＋(エ)……45,000,000円＋8,325,000円＝53,325,000円

1㎡当りの価額＝53,325,000円÷180㎡＝296,250円

（注）　大工場地区にある不整形地については，原則として不整形地補正を行わないが，地積がおおむね9,000㎡程度までのものは，**図表1－37**の中小工場地区の区分によって補正してもよいとされている（評基付表5（注4））。

袋地の評価

〔参考図－３〕のような画地は，鑑定評価では袋地といわれ，簡便な評価方法としては，標準住宅地域内の宅地については，**巻末資料編**収録の比準表に掲げたように評価している。(注１)

相続税等の評価では，これを不整形地の一種としてとらえて評価する。

図表１－36(イ)の(d)地の間口が極端に狭くなった状態と考えればよく，上述した(d)地の評価方法で評価する。

〔参考図－３〕

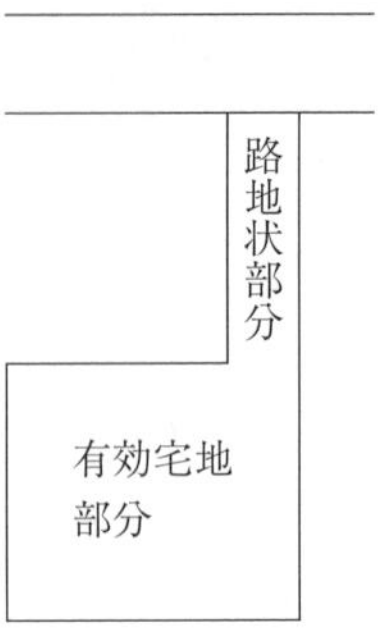

〔参考図－４〕

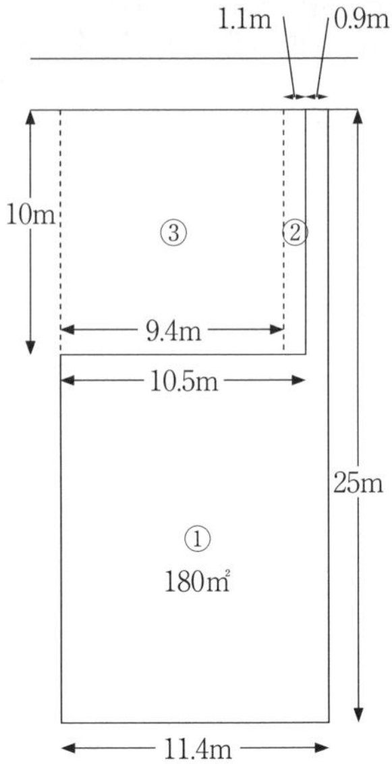

（注１）　**〔参考図－３〕**のような袋地状の敷地について，たとえば東京都では東京都建築安全条例（３条）で，路地状部分の延長と建築物との関係で，つぎの制限をもうけている。

路地状部分（ℓ）の長さ	路地状部分の幅員（a）	
	右記以外の場合	耐火建築物および準耐火建築物以外の建築物で延べ面積が200㎡を超えるものの場合(注)
20m以下のもの	２m以上	３m以上
20mを超えるもの	３m以上	４m以上

（注）　同一敷地内に２以上の建築物がある場合は，それらの延べ面積の合計とする。

なお，民法でいう「袋地」は，下記の無道路地を指している。

無道路地の評価

〔参考図－３〕の路地状部分の間口の幅員（道路と接する長さ，接道距離）がさらに狭くなり，２m未満となると，建築基準法の規制で建築物を建築できなくなる。(注２)また，地方自治体の建築関係条例等によって，それ以上の接道距離が求められることもある。

〔参考図－４〕の①のように，普通住宅地区に，間口の幅員が0.9mの宅地があったとする。接道義務が２ｍであったとすると，さらに，②の部分（幅1.1m）を買増しするなどして，２ｍまで拡げなければならない。

この例の場合には，つぎのようにして算出する。

上図の②＋③の部分は，上述した不整形地のかげ地にあたる部分と考える。そして，この部分を前面宅地といっている。

まず，対象地と前面宅地とをあわせた整形地（①＋②＋③）を想定して路線価に奥行価格補正率を乗じて，想定整形地の仮の価額を求める。本例では，つぎのようになる。

想定整形地（①＋②＋③）の価額　（路線価）300,000円×（奥行価格補正率）0.97×（面積）（11.4m×25m）
＝82,935,000円……(ア)

つぎに，前面宅地の評価額をつぎのようにして求める。

前面宅地（②＋③）の価額＝（路線価）300,000円×（奥行価格補正率）（注3）1.00×（10.5m×10m）
＝31,500,000円……(イ)

（注２）　都市計画区域内および準都市計画区域内で建築物を建築しようとするときは，その敷地が，原則として４ｍ以上の道路に２ｍ以上接していなければならない（建基法43条②一）。

（注３）　前面宅地の奥行が短いため，（②＋③）の奥行価格補正率が1.00未満となるときの補正率は1.00として計算する。なお，（①＋②＋③）の奥行が短くて，その補正率が1.00未満となっているときの（②＋③）の補正率は（①＋②＋③）の補正率と同じ率として計算する。

それから，想定整形地の価額(ア)から，前面宅地の価額(イ)を引いて，対象地の不整形補正前の価額を求める。

（想定整形地の価額）82,935,000円－（前面宅地の価額）31,500,000円＝（対象地の不整形補正前の価額）51,435,000円（１㎡当り285,750円）……(ウ)

対象地は不整形地でもあるので，不整形補正を前述した(d)と同様にして行う。

かげ地割合：$\dfrac{(11.4\text{m}\times 25\text{m})-180\text{m}^2}{(11.4\text{m}\times 25\text{m})}\fallingdotseq 36.84\%$

地積区分表のＡ，不整形地補正率表の普通住宅地区のＡ，35％以上

下掲の表の計算により，

かげ地割合による仮の不整形地補正率：0.88……(エ)

それから，この率に間口狭小補正率を乗じて，かげ地割合による補正率を求める（小数点２位未満切捨て）。

(エ)0.88×（間口狭小補正率）0.90≒0.79……(オ)

さらに，対象地の現状による形状から，つぎの補正率を求める。

（間口狭小補正率）0.90×（奥行長大補正率）0.90＝0.81……(カ)

そして，上記の(オ)と(カ)の低い率が採用する補正率となる。したがって，不整形地としての価額は，つぎのようになる。

$$\left(\begin{array}{l}\text{不整形補正前の}\\\text{対象地の価額}\end{array}\right) \qquad (\text{不整形補正率}) \qquad \left(\begin{array}{l}\text{不整形補正後の}\\\text{対象地の価額}\end{array}\right)$$
$$51{,}435{,}000\text{円} \times 0.79 = 40{,}633{,}650\text{円} \cdots\cdots(\text{キ})$$

しかし，この状態では，対象地には建物は建てられない。建物を建築できる状態にするには，通路を買い増して拡幅しなければならない。この部分は路線価で買収できると考えている（各種の補正率を適用しないで計算する）。そうすると，その買収費用は，

$$(\text{路線価}) \qquad \left(\begin{array}{l}\text{通路拡張部分}\\\text{の価額}\end{array}\right)$$
$$300{,}000\text{円} \times (1.1\text{m} \times 10\text{m}) = 3{,}300{,}000\text{円} \cdots\cdots(\text{ク})$$

となり，これを，不整形補正後の対象地の価額から引いたのを無道路地としての対象地としての価額としている。

$$\left(\begin{array}{l}\text{対象地の不整形地}\\\text{としての価額}\end{array}\right) \quad \left(\begin{array}{l}\text{通路拡張部分}\\\text{の価額}\end{array}\right) \quad \left(\begin{array}{l}\text{対象地の無道路地}\\\text{としての価額}\end{array}\right)$$
$$40{,}633{,}650\text{円} - 3{,}300{,}000\text{円} = 37{,}333{,}650\text{円}$$
$$(1\,\text{m}^2\text{当り}\,207{,}409\text{円})$$

具体的には，下表のとおりとなる（%の端数処理の関係で若干の誤差が生じている）。

地目	地積	路線価 正面	路線価 側方	路線価 側方	路線価 裏面	地形図及び参考事項
(宅地)〔丸囲み〕 山林 田 雑種地 畑 （　）	180 ㎡	300,000 円	円	円	円	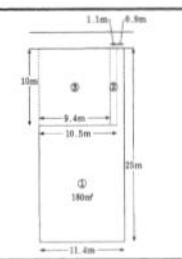

間口距離	2 m	利用区分	(自用地)〔丸囲み〕 私道 貸宅地 貸家建付借地権 貸家建付地 転貸借地権 借地権 （　）	地区区分	ビル街地区 (普通住宅地区)〔丸囲み〕 高度商業地区 中小工場地区 繁華街地区 大工場地区 普通商業・併用住宅地区
奥行距離	25 m				

		記号
1　一路線に面する宅地 （正面路線価）　　　（奥行価格補正率） 円 ×（※99ページの計算式の(ウ)を記載する。）	（1㎡当たりの価額） 円 285,750	A
5-2　不整形地 （AからDまでのうち該当するもの）　不整形地補正率※ 285,750 円 × 0.79 ※不整形地補正率の計算 （想定整形地の間口距離）（想定整形地の奥行距離）（想定整形地の地積） 11.4 m × 25 m ＝ 285 ㎡ （想定整形地の地積）（不整形地の地積）（想定整形地の地積）（かげ地割合） （285 ㎡ － 180 ㎡）÷ 285 ㎡ ＝ 36.84 % （不整形地補正率表の補正率）（間口狭小補正率）（小数点以下2位未満切捨て） 0.88 × 0.90 ＝ 0.79 ① （奥行長大補正率）（間口狭小補正率） 0.90 × 0.90 ＝ 0.81 ② ［不整形地補正率（①、②のいずれか低い率、0.6を下限とする。）］ 0.79	（1㎡当たりの価額） 円 225,742	F
7　無道路地 （F又はGのうち該当するもの）　（※） 225,742 円 ×（1 － 0.08） ※割合の計算（0.4を上限とする。） （正面路線価）（通路部分の地積）（F又はGのうち該当するもの）（評価対象地の地積） （300,000 円 × 11 ㎡）÷（225,742 円 × 180 ㎡）＝ 0.08	（1㎡当たりの価額） 円 207,682	H

自用地の評価額	自用地1平方メートル当たりの価額（AからLまでのうちの該当記号）	地積	総額（自用地1㎡当たりの価額）×（地積）	
	（H） 207,682 円	180 ㎡	37,382,760 円	M

〔参考図－5〕

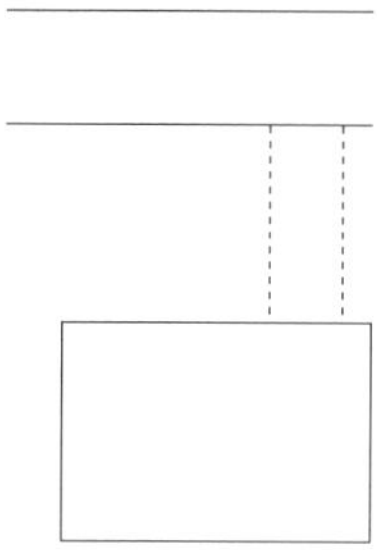

なお，無道路地としての減価率は，不整形地としての価額の４割までとなっている。

〔参考図－5〕の場合は，道路に全く接していない無道路地であるが，この場合は囲んだ部分を買増しすると仮定して同様の算定をすることになる。

鑑定評価での比準表での無道路地の評価については，**巻末資料編**を参照のこと。

がけ地の評価について

評価通達の（**付表８**）の「がけ地」というのは，崖地を含んだ画地のことである。

図表１－38　がけ地

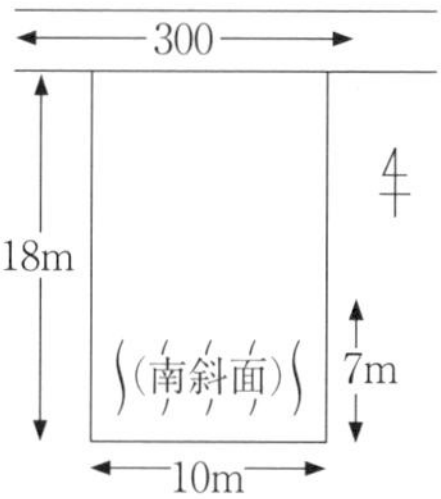

（普通住宅地区）

その画地に含まれた崖地部分が全体の何割を占めているか，また，その崖地の傾斜する方位がどうであるかということから，減価率を求めようとするものである（評基付表８）。

たとえば，**図表１－38**のような崖地を含んだ画地があった場合は，**図表１－39**のがけ地補正率表により，つぎのようにして求めることになる。

$$\frac{\text{がけ地地積}}{\text{総地積}}=\frac{10\text{m}\times7\text{ m}}{10\text{m}\times18\text{m}}\fallingdotseq0.38$$

（正面路線価）　（奥行価格補正率）　（がけ地補正率）
300,000円 × 1.00 × 0.88 ＝264,000円

図表1－39

（付表8）　がけ地補正率表

がけ地の方位 ／ がけ地地積/総地積	南	東	西	北
0.10以上	0.96	0.95	0.94	0.93
0.20 〃	0.92	0.91	0.90	0.88
0.30 〃	0.88	0.87	0.86	0.83
0.40 〃	0.85	0.84	0.82	0.78
0.50 〃	0.82	0.81	0.78	0.73
0.60 〃	0.79	0.77	0.74	0.68
0.70 〃	0.76	0.74	0.70	0.63
0.80 〃	0.73	0.70	0.66	0.58
0.90 〃	0.70	0.65	0.60	0.53

（注）　がけ地の方位については，つぎにより判定する。

(1)　がけ地の方位は，斜面の向きによる。

(2)　２方位以上のがけ地がある場合は，つぎの算式により計算した割合をがけ地補正率とする。

（総地積に対するがけ地部分の全地積の割合に応ずるA方位のがけ地補正率 × A方位のがけ地の地積 ＋ 総地積に対するがけ地部分の全地積の割合に応ずるB方位のがけ地補正率 × B方位のがけ地の地積 ＋……）

÷ がけ地部分の全地積

(3)　この表に定められた方位に該当しない「東南斜面」などについては，がけ地の方位の東と南に応ずるがけ地補正率を平均して求めることとして差し支えない。

容積率の異なる２以上の地域にわたる宅地

〔参考図－６〕のように，容積率の異なる２以上の地区にまたがる宅地については，後方の②の部分の有効利用度が低くなることから，正面路線価を基に，図表１－35の「評価明細書」の「I」までの計算をした後で，つぎの式による減額をするようになっている（評基20-7）。

〔参考図－６〕

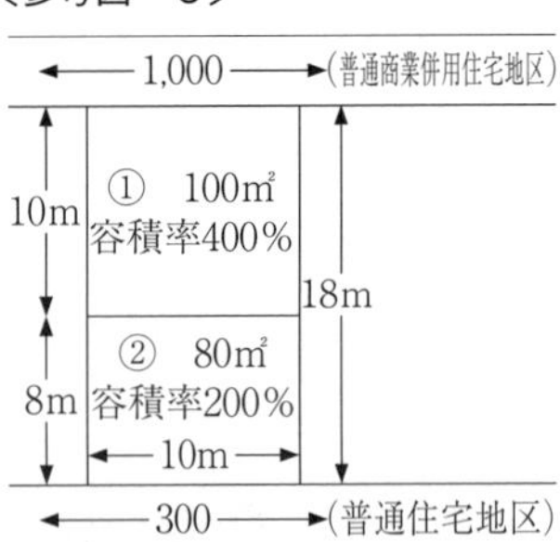

$$\left(1-\frac{\text{容積率の異なる部分の各部分に適用される容積率にその各部分の地積を乗じて計算した数値の合計}}{\text{正面路線に接する部分の容積率}\times\text{宅地の総地積}}\right)\times\text{容積率が価額に及ぼす影響度}$$

〈容積率が価額に及ぼす影響度〉

地　区　区　分	影響度
高度商業地区，繁華街地区	0.8
普通商業・併用住宅地区	0.5
普通住宅地区	0.1

(注)　上記算式により計算した割合は，小数点以下第３位未満を四捨五入して求める。

〔参考図－6〕の場合の「Ｉ」までの計算は，

(正面路線価)　(奥行価格補正率)
1,000,000円×　1.0　＝1,000,000円……(A)

となっている。

減価率は，

$$\left\{1-\frac{400\%\times100㎡+200\%\times80㎡}{400\%\times(100㎡+80㎡)}\right\}\times\underset{0.5}{\left(\text{普通商業併用住宅地区の影響度}\right)}=\underset{0.111}{(\text{減価率})}\quad\text{（小数点３位未満四捨五入）}$$

となり，

1,000,000円×（１－0.111）＝　(１㎡当りの価額) 889,000円

となる。

(注) 正面路線の容積率が他の部分の容積率よりも低い場合には，この減価の計算はしない。

〔参考図－7〕

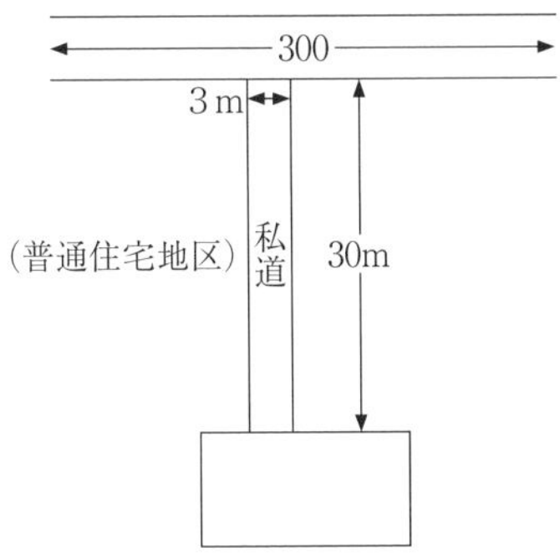

私道の評価　私道については，**図表１－35**の「評価明細書」の「Ｋ」までの評価をした後の価額の３割として求めることとされている。

〔参考図－7〕について計算すると，つぎのようになる。

(正面路線価)　(奥行価格補正率)
300,000円 ×　0.95　×
(間口狭小補正率)　(奥行長大補正率)
0.90　×　0.90　＝230,850円
(私道補正率)
230,850円×（１－0.7）＝69,255円

なお，不特定多数の者の通行の用に供されているもの(注)は評価しない。すなわ

ち，0円となる（評基24）。

（注）「不特定多数の者の通行の用に供されている私道」について，国税庁のホームページ（質疑応答事例）で照会の回答要旨として，次のように掲載されている。

不特定多数の者の通行の用に供されている例を具体的に挙げると，次のようなものがあります。

イ．公道から公道へ通り抜けできる私道

ロ．行き止まりの私道であるが，その私道を通行して不特定多数の者が地域等の集会所，地域センターおよび公園などの公共施設や商店等に出入りしている場合などにおけるその私道

ハ．私道の一部に公共バスの回転場や停留場が設けられており，不特定多数の者が利用している場合などのその私道

２項道路に面してセットバックのある宅地

建築基準法では，道路の幅員は，原則４m以上とされているが，同法が適用された際に，建築物が立ち並んでいた４m未満の道で，特定行政庁の指定したものは，道路とみなすとされており[注]，同法42条２項で規定しているところから，「２項道路」といわれている。この「２項道路」にのみ接する宅地に建物を建築する場合には，道路の中心線から２m後退させて建築しなければならず，これを「セットバック」といっている。この後退部分は，将来道路敷きとして提供することになっているが，**図表１－35(ア)**（89ページ）の「評価明細書」の「M」まで計算して求めた「自用地の評価額」から，この部分の価額の７割を減価して求めるようになっている（評基24－６）。

〔参考図－８〕について計算例を示すと，つぎのとおりとなる。

自用地としての評価額……300,000円（正面路線価）×1.0（奥行価格補正率）×180㎡（面積）＝54,000,000円

$$54{,}000{,}000\text{円} - \left\{54{,}000{,}000\text{円} \times \frac{(0.5\text{m}\times 10\text{m})\ \text{（セットバック部分の地積）}}{180\text{m}^2\ \text{（総地積）}} \times 0.7\right\} = 52{,}950{,}000\text{円}$$

（注）セットバック部分は道路とみなされるので，この部分に建築物の建築はできないだけでなく，建ぺい率・容積率の算定の基礎となる敷地面積にも算入されない。

〔参考図－8〕（普通住宅地区）
（路線価 300,000 円）

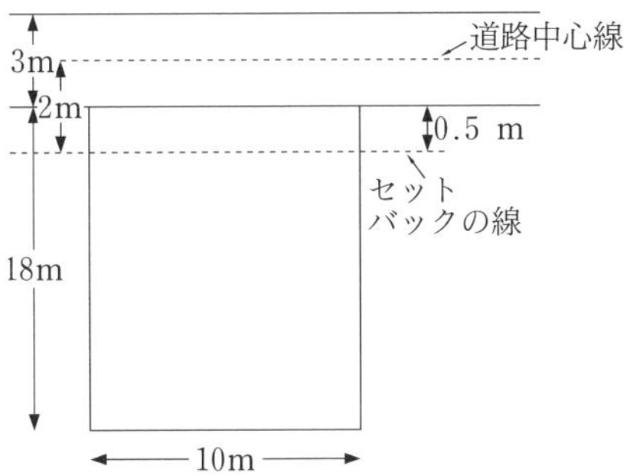

〔参考図－9〕（普通商業・併用住宅地区）
（路線価 900,000 円）

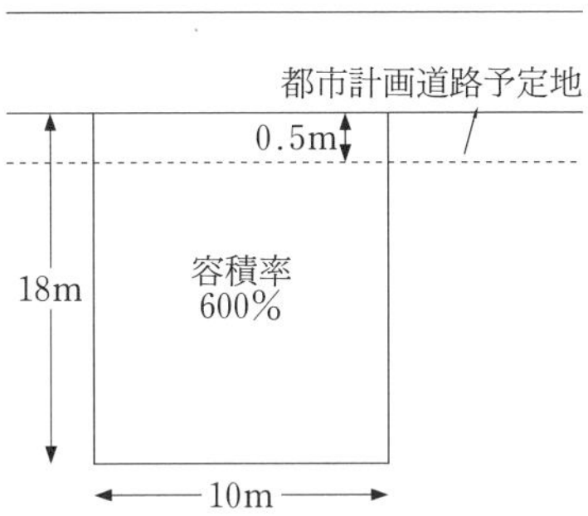

地積規模の大きな宅地（旧・広大地）

従来の「広大地の評価」を廃止し，**地積規模の大きな宅地**の評価とし，三大都市圏内では500㎡以上，それ以外の地域では1,000㎡以上の宅地の評価は，下掲の地域に所在するものを除き，下記のように評価する(注)。

まず，奥行価格補正，側方，二方，三方また四方路線影響加算と不整形地補正をして求めた価格に，つぎの式により求めた補正率を乗じて求める。

（算式）

$$規模格差補正率 = \frac{Ⓐ \times Ⓑ + Ⓒ}{地積規模の大きな宅地の地積（Ⓐ）} \times 0.8$$

上の算式中の「Ⓑ」及び「Ⓒ」は，地積規模の大きな宅地が所在する地域に応じ，それぞれ次に掲げる表のとおりとする。

(イ)　三大都市圏に所在する宅地

地区区分／記号／地積㎡	普通商業・併用住宅地区，普通住宅地区	
	Ⓑ	Ⓒ
500以上　1,000未満	0.95	25
1,000　〃　3,000　〃	0.90	75
3,000　〃　5,000　〃	0.85	225
5,000　〃	0.80	475

(ロ)　三大都市圏以外の地域に所在する宅地

地区区分 ／ 記号 ／ 地積㎡	普通商業・併用住宅地区，普通住宅地区 Ⓑ	普通商業・併用住宅地区，普通住宅地区 Ⓒ
1,000以上　3,000未満	0.90	100
3,000　〃　5,000　〃	0.85	250
5,000　〃	0.80	500

（注）　上記算式により計算した規模格差補正率は，小数点以下第２位未満を切り捨てる。

都市計画法等に定めるつぎの地域に所在する宅地には，上式の補正は適用しない（評基20－２）。

①　市街化調整区域（都市計画法第34条第10号または第11号の規定に基づき宅地分譲に係る同法第4条《定義》第12項に規定する開発行為を行うことができる区域を除く）

②　工業専用地域

③　指定容積率が，東京都区部で400％以上，その他の地域で300％以上の地域

計画道路予定地内の宅地

都市計画による計画道路予定地の区域内にある宅地は，建物の階数や構造が制限され(注)，有効に利用できないが，これについて，**図表１－40**のように，地区区分，容積率，地積割合（計画道路予定地の地積／総地積）の別に応じて定めている補正率を，**図表１－35(ア)**（89ページ）の「評価明細書」の「M」まで計算して求めた「自用地の評価額」に乗じて求めるようになっている（評基24－７）。

図表１－40

地区区分 ／ 容積率 ／ 地積割合	ビル街地区，高度商業地区		繁華街地区，普通商業・併用住宅地区				普通住宅地区，中小工場地区，大工場地区		
	700％未満	700％以上	300％未満	300％以上400％未満	400％以上500％未満	500％以上	200％未満	200％以上300％未満	300％以上
30％未満	0.88	0.85	0.97	0.94	0.91	0.88	0.99	0.97	0.94
30％以上60％未満	0.76	0.70	0.94	0.88	0.82	0.76	0.98	0.94	0.88
60％以上	0.60	0.50	0.90	0.80	0.70	0.60	0.97	0.90	0.80

〔参考図－９〕について，計算例を示すと，つぎのとおりとなる。

	(正面路線価)		(奥行価格補正率)		(地積)
自用地としての評価額……	900,000円	×	1.0	×	180㎡＝162,000,000円

普通商業・併用住宅地区で，容積率600％（500％以上）で，地積割合は2.77％（30％未満）であるので，補正率は0.88となり，

162,000,000円×0.88＝142,560,000円

となる。

（注）　都市計画道路予定地の区域内では，原則として，

①　階数が２階以下で，かつ地階を有しないもので，かつ，

②　主要構造部が木造，鉄骨造，コンクリートブロック造その他これに類する構造であるもの

で，容易に移転し，もしくは除却できるものである場合についてのみ，都道府県知事の許可を得て建築できるとされている（都計法54条③）。

〔参考図－10〕

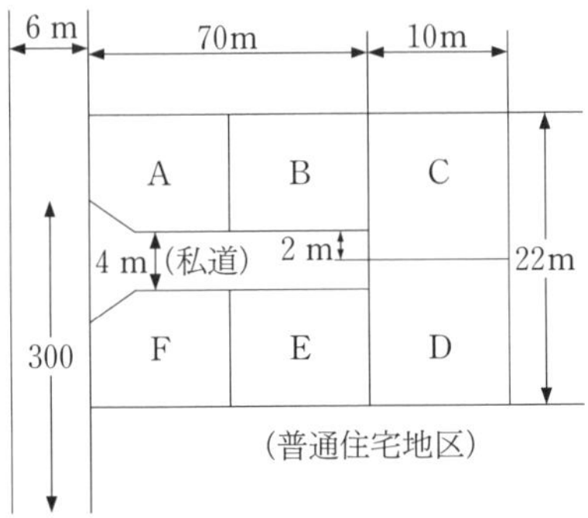

路線価の付けられていない宅地　路線価の付けられている地域内にあっても〔参考図－10〕のような宅地の私道などで路線価の付けられていない路線がある。

その場合は，「特定路線価設定申出書」（図表１－41，112ページ）を提出して，路線価を付けてもらってから評価することになっている。

〔参考図－10〕の場合の私道に付けられた特定路線価が21万円であるとすると，たとえばＣ地については，つぎのようにして算出する。

	(奥行価格補正率)		(間口狭小補正率)		(奥行長大補正率)	
210,000円×	1.00	×	0.90	×	0.92	＝173,880円

居住用区分所有財産の評価　令和６年１月１日以後に相続，遺贈又は贈与により取得した「居住用の区分所有財産（いわゆる分譲マンション）は，個別通達により評価することとされた（令和５年９月28日付課評２-74ほか１課共同「居住用の区分所有財産の評価について」法令解釈通達）。

(イ)　「居住用の区分所有財産」の評価方法の概要

居住用の区分所有の価額は，次の算式のとおり評価する。

【算式（自用地の場合）】

価額　＝　区分所有権の価額（①）＋　敷地利用権の価額（②）

①　従来の区分所有権の価額　×　区分所有補正率

（従来の区分所有権の価額＝家屋の固定資産税評価額×1.0）

②　従来の敷地利用権の価額　×　区分所有補正率

（従来の敷地利用権の価額は，路線価方式あるいは倍率方式により算定した価額）

（注１）「居住用の区分所有財産」とは

一棟の区分所有建物（区分所有者が存する家屋で，居住の用に供する専有部分があるものをいう）に存する居住の用に供する専有部分一室に係る区分所有権（家屋部分）及び敷地利用権（土地部分）をいう。

（注２）「居住の用に供する専有部分」とは

一室の専有部分について，構造上，主として居住の用途に供することができるものをいい，原則として，登記簿上の種類に「居宅」を含むものが該当する。

（注３）貸家建付地・小規模宅地等の特例等について

貸家及び貸家建付地である場合のその貸家及び貸家建付地の評価並びに小規模宅地等の特例の適用については，この個別通達適用後の価額により行うこととなる。

（注４）この個別通達の適用がないもの

・構造上，主として居住の用途に供することができるもの以外のもの（事業用のテナント物件等）
・区分建物の登記がされていないもの（一棟所有の賃貸マンション等）
・地階（登記上「地下」と記載されているものをいう）を除く総階数が２以下のもの（総階数２以下の低層の集合住宅等）
・一棟の区分所有建物に存する居住の用に供する専有部分の一室の数が３以下であって，その全てを区分所有者又はその親族の居住の用に供するもの（二世帯住宅等）
・棚卸商品等に該当するもの
・借地権付分譲マンションの敷地の用に供されている「貸宅地（底地）」の評価をする場合

㈺　「区分所有補正率」の計算方法

区分所有補正率は「１ 評価乖離率」，「２ 評価水準」，「３ 区分所有補正率」の順に以下のとおり計算する。

「１ 評価乖離率」

評価乖離率　＝　A　＋　B　＋　C　＋　D　＋　3.220

A…　一棟の区分所有建物の築年数×△0.033

築年数：建築の時から課税時期までの期間（１年未満の端数は１年）

B…　一棟の区分所有建物の総階数指数×0.239（小数点以下第４位切捨て）

総階数指数：総階数(地階を除く)を33で除した値（小数点以下第４位切捨て，１を超えるときは１）

C…　一室の区分所有等に係る専有部分の所在階×0.018
専有部分が一棟の区分所有建物の複数階にまたがる場合（いわゆるメゾネットタイプ）には，階数が低い方の階，専有部分の所在階が地階である場合には，零階とし，Cの値は零

D…　一室の区分所有権等に係る敷地持分狭小度×△1.195（小数点以下第４位切上げ）
※　敷地持分狭小度（小数点以下第４位切上げ）＝敷地利用権の面積÷専有部分の面積
※　敷地利用権の面積は次の区分に応じた面積（小数点以下第３位切上げ）
(a)　一棟の区分所有建物に係る敷地利用権が敷地権である場合
一棟の区分所有建物の敷地の面積×敷地権の割合
(b)　上記(a)以外の場合
一棟の区分所有建物の敷地の面積×敷地の共有持分の割合

(注)　評価乖離率が零又は負数の場合には，区分所有権及び敷地利用権の価額は評価しない。

「２ 評価水準」

評価水準（評価乖離率の逆数）＝　1　÷　評価乖離率

「３ 区分所有補正率」

区分	区分所有補正率
評価水準＜0.6	評価乖離率×0.6
0.6≦評価水準≦1	補正なし（従来の評価額で評価）
1＜評価水準	評価乖離率

(注)　区分所有者が一棟の区分所有建物に存する全ての専有部分及び一棟の区分所有建物の敷地のいずれも単独で所有している場合には，敷地利用権に係る区分所有補正率は１を下限とする（区分所有権に係る区分所有補正率に下限はない）。

評価通達の補正率等についての私見

以上で，不整形地，袋地，私道，無道路地，崖地などの評価の方法を評価通達にのっとって説明してきたが，多種多様の形をとった画地を類型的に捉えて，主観を排除した画一的な評価をするためとはいえ，かなり荒っぽい評価方法といえよう。

特に**不整形地**について，不整形の度合はかげ地割合から，ある程度は推測で

きるとはいうものの，これからのみ減価割合を求めることは，かなり乱暴ともいえよう。

特に，〔**参考図－3**〕のような不整形地（**袋地**）については，商業地の場合は，現実はこの基準によって減価して求めた数字より，ずっと低くなるケースが多く見られる。

たとえば日用品小売店舗の並んでいるような商店街の袋地では，顧客を引き込む力が質的に劣ることから，その地域の最有効使用である小売店舗などは成り立たず，せいぜい有名な料理屋とか，美容院など予めその店を特定して訪れたいという顧客に限定され，場合によっては住宅以外に使えないこともあるからである。

そのような観点から，商業地における袋地は，道路に面している同地形のところの50％減ぐらいが適当だと，筆者はみている。

無道路地について，建築基準法等の規制を満たす通路部分を買い増すという考え方で計算法が組みたてられているようであるが，この考え方は，現実と遊離しており，あまりにも安易すぎる。この通路開設または増幅をしようとしても，隣地から買収できないために，このような無道路地となっているのであり，また，仮に買収できたとしても，通常の価額の何倍かの代価を要求されるのがふつうである。

また**私道**の価値は，これを利用している宅地の価額に吸収されているので，鑑定評価では，一般には，その宅地の評価額のほかに，さらに私道を評価することはしない。その宅地から私道を切り離して評価するならば，その宅地は無道路地としての評価となる。ただし，数画地を一体として開発するような場合で，その中に含まれている私道を廃道して一体として敷地として利用できる場合には，それなりの価額が生じる。だからといって，その実現性の不確実な時点で，この潜在価値を織り込んで評価するということはしていない。

しかし，相続税や贈与税の申告をするとき，路線価を基に算出しようとすると，通常はこの通達によらざるを得ないので掲げておいた。(注)

（注） 相続税または贈与税の財産評価は，その財産を取得した時の「時価」（相法22条）による。しかし，路線価と評価通達の画地補正で算定した評価額，つまり評価通達の定める方法によって評価した評価額が「時価」を上回り，それが「著しく不適当」と認められる場合には，国税庁長官の指示により，鑑定評価等によって求めた「時価」が認められる場合もある（評基６）。

土地価格比準表との関連

土地価格比準表の**「標準住宅地域の個別的要因比準表」**（巻末資料）の画地条件にも，前項およびこの項でとりあげた住宅地の画地の条件に応じた評価方法が掲載されている。評価通達付表が機械的に計算するようになっているのに対し，土地価格比準表のほうは，ある程度の判断を要するようになっている。この二つの方法を併用した上で比較検討すれば，より正しい評価に近づくことができるであろう。

図表1－41　特定路線価設定申出書

整理簿
※

税務署受付印

平成／令和＿＿年分　特定路線価設定申出書

※印欄は記入しないでください。

＿＿＿＿＿＿＿＿＿税務署長

令和＿＿年＿＿月＿＿日　　申出者（納税義務者）　住所（所在地）〒＿＿＿＿＿＿＿＿＿＿＿＿＿＿

氏名（名称）＿＿＿＿＿＿＿＿＿＿＿＿＿

職業（業種）＿＿＿＿＿電話番号＿＿＿＿＿＿

相続税等の申告のため、路線価の設定されていない道路のみに接している土地等を評価する必要があるので、特定路線価の設定について、次のとおり申し出ます。

1　特定路線価の設定を必要とする理由	□　相続税申告のため（相続開始日＿＿＿年＿＿月＿＿日） 被相続人（住所＿＿＿＿＿＿＿＿＿＿ 氏名＿＿＿＿＿＿＿＿＿＿ 職業＿＿＿＿＿＿＿＿＿＿） □　贈与税申告のため（受贈日＿＿＿年＿＿月＿＿日）
2　評価する土地等及び特定路線価を設定する道路の所在地、状況等	「別紙　特定路線価により評価する土地等及び特定路線価を設定する道路の所在地、状況等の明細書」のとおり
3　添付資料	(1)　物件案内図（住宅地図の写し） (2)　地形図（公図、実測図の写し） (3)　写真　　撮影日＿＿＿年＿＿月＿＿日 (4)　その他（　　　　　　）
4　連絡先	〒 住　所＿＿＿＿＿＿＿＿＿＿＿＿＿ 氏　名＿＿＿＿＿＿＿＿＿＿＿＿＿ 職　業＿＿＿＿＿＿＿電話番号＿＿＿＿＿＿
5　送付先	□　申出者に送付 □　連絡先に送付

＊　□欄には、該当するものにレ点を付してください。

（資９－29－Ａ４統一）

別紙 特定路線価により評価する土地等及び特定路線価を設定する道路の所在地、状況等の明細書

土地等の所在地 （住居表示）	〔 〕		〔 〕	
土地等の利用者名、利用状況及び地積	（利用者名） （利用状況）	㎡	（利用者名） （利用状況）	㎡
道路の所在地				
道路の幅員及び奥行	（幅員） m	（奥行） m	（幅員） m	（奥行） m
舗装の状況	□舗装済 ・ □未舗装		□舗装済 ・ □未舗装	
道路の連続性	□通抜け可能 （□車の進入可能・□不可能） □行止まり （□車の進入可能・□不可能）		□通抜け可能 （□車の進入可能・□不可能） □行止まり （□車の進入可能・□不可能）	
道路のこう配	度		度	
上 水 道	□有 □無（□引込み可能・□不可能）		□有 □無（□引込み可能・□不可能）	
下 水 道	□有 □無（□引込み可能・□不可能）		□有 □無（□引込み可能・□不可能）	
都 市 ガ ス	□有 □無（□引込み可能・□不可能）		□有 □無（□引込み可能・□不可能）	
用途地域等の制限	（ ）地域 建蔽率（ ）％ 容積率（ ）％		（ ）地域 建蔽率（ ）％ 容積率（ ）％	
その他（参考事項）				

（資９－30－Ａ４統一）

17　相続税路線価のない土地の簡便評価法――相続税倍率表

> 相続税の路線価の付けられていない土地は，固定資産税の評価額を相続税の倍率表で調整して簡便評価することができるというが，具体的にどのように算出するのか。

固定資産税の土地評価額の調べ方

固定資産税における土地の評価額については，**第２章**第２節の「**22　固定資産課税台帳**」で説明する土地（補充）課税台帳（**図表２－25**，240ページ）が，市区町村（東京都23区は都税事務所）に備えつけられており，これを閲覧すれば，その評価額を知ることができる。

また，固定資産税の納税通知書に，各土地の一筆ごとの評価額が記載されている。したがって，土地所有者である納税者自身は，閲覧をしに行かなくても，この通知書を見て，評価額を知ることができる。

また，固定資産税のための路線価図も公開されるようになっており，市区町村（東京都23区は都税事務所）に備えつけられているので(注)，その画地の補正率等による計算をすれば，固定資産税の評価額を算定することができる（固定資産税の画地条件による補正計算のため，「**15**」「**16**」で説明した相続税の付表などと同様な補正率などが定められている。なお，その率などは，相続税のそれと若干異なる）。

固定資産税の評価割合から逆算して求めることもできるが――評価は３年間据置き

固定資産税における土地の評価水準は，公示価格の70％ということになっているので，その評価額を0.7で割れば，その土地の公示価格水準での概算的な価額を算出することができる。

たとえば，**図表２－25**「土地（補充）課税台帳の例」（240ページ）に掲げた土地について計算すると，

（固定資産税評価額）45,000,000円÷0.7≒64,285,714円（公示価格水準での価額）

この土地の面積は150.00㎡であるので，１㎡当りの単価は約428,571円ということになり，これで，この周辺の同様な条件の土地の価額水準は，大体は42万円前後ぐらいだということを推理することができる。

固定資産税の評価替えは，３年に一度になっており，令和６年はこの評価替えの年である。上記で求めた価額は，令和６年度の基準年度価額であり，「**15**」で説明した相続税の路線価で算出したものと比較してみるのもよい。

相続税路線価の付けられていない土地のために倍率表

しかし，相続税の路線価の付けられていない地域がある。

たとえば，**図表１－43**（118ページ）の地図を見ると，道路に路線価の付せられていない地域があり，この地域が**倍率地域**であり，この地域に所在する土地は，相続税倍率表で評価することになる。たとえば，この図の右側に「北八朔町」と書かれた土地がある。

この土地を，**図表１－42**の相続税倍率表で探すと，北八朔町の「市街化調整区域」の「２　上記以外の地域」に所在している。その欄に「1.1」と記載している。これは，固定資産税の評価額に1.1を乗ずれば相続税の評価額が求められるということを示している。

固定資産税での評価は３年に１度で，その価格は３年間据え置かれる。相続税での評価は毎年変わる。この間の地価の変動を調整するため，毎年倍率を変えて発表している。なお，この固定資産税の評価額は，すでに画地条件による補正等を行った評価額であるので，1.1倍してから，さらに，「**16**」（91ページ以下）の補正計算をしてはいけないということになっている。

また，北八朔町の「市街化区域」の「宅地」の欄に「路線」と記載している。これは，この地域については，路線価が付けられているので「路線価」図を見なさいという意味である。

時価を求めるには

上記のようにして相続税の評価額を求めたら，これを相続税の評価割合とされている0.8で除すれば，公示価格水準のおおよその価額がわかることになる（詳しくは，「**15**」（79ページ以下）参照）。

農地等の相続税の評価

倍率表に記載されている「田」「畑」「山林」「原野」「牧場」「池沼」については，また，別の評価方法が定められている。

北八朔町の「市街化調整区域」のうちの「１　農業振興地域内の農用地区域」の「田」については，「純48」となっている。これは，この区域内の「純農地」については，固定資産税の評価額を48倍すると相続税の評価額になるということである。

また，「市街化調整区域」のうちの「２　上記以外の地域」の「畑」に「中91」とあるのは，中間農地については固定資産税の評価額を91倍しなさいということである。

「市街化区域」のうちの「田」に「比準」とあるのは，市街地農地については，周辺の宅地と比準して，農地の接する路線に路線価の付けられている場合は，その路線価により，その農地が宅地であるとした場合の評価額を求め，これから造成費相当額(注)を引いて算出しなさいということである。なお，市街地農地について倍率が定められている場合もあるが，このときは倍率を乗じて計算する。

なお，この表には記載されていないが，(周)，すなわち市街地周辺農地というものがあるが，これについては，その農地が市街地農地であるとした場合の評価額の80%として算出することになっている。

なお，純農地，中間農地，市街地周辺農地，また市街地農地の評価については，財産評価基本通達34～43－４で規定されている。

また，畑，山林，原野，牧場，池沼について，説明は省略するが，「田」の場合とほぼ同様に見ていけばよい。

(注)　固定資産税の評価額は，資産評価システム研究センターのホームページ
https://www.recpas.or.jp/
の「全国地価マップ」(https://www.chikamap.jp/)で閲覧できる。
また造成費については，各国税局ごとに定められ，評価倍率表に掲載されており，国税庁のホームページ（73ページ参照）で調べることができる。

図表１－42　相続税評価倍率表の例

令和 6年分　　　倍　率　表

市区町村名：横浜市緑区　　　　　　　　　　　　　　　　　　緑税務署

音順	町（丁目）又は大字名	適用地域名	借地権割合	固定資産税評価額に乗ずる倍率等 宅地	田	畑	山林	原野	牧場	池沼
			%	倍	倍	倍	倍	倍	倍	倍
あ	青砥町	市街化調整区域								
		1　農業振興地域内の農用地区域				純　68				
		2　上記以外の地域	50	1.1		中　85	中　62			
		市街化区域	－	路線	比準	比準	比準	比準		
い	いぶき野	市街化調整区域								
		1　農業振興地域内の農用地区域			純　53	純　74				
		2　上記以外の地域	50	1.2	中　70	中　86				
		市街化区域	－	路線	比準	比準	比準	比準		
か	上山１～３丁目	全域	－	路線	比準	比準	比準	比準		
	鴨居町	市街化調整区域								
		1　農業振興地域内の農用地区域								
		（1）ＪＲ横浜線より北側の地域				純　61				
		（2）ＪＲ横浜線より南側の地域				純　66	中　78			
		2　特別緑地保全地区				中　115	中　156			
		3　上記以外の地域	50	1.1		中　115	中　78			
		市街化区域	－	路線	比準	比準	比準	比準		
	鴨居１丁目	市街化調整区域	50	1.1						
		市街化区域	－	路線	比準	比準	比準	比準		
	鴨居２～６丁目	全域	－	路線	比準	比準	比準	比準		
	鴨居７丁目	市街化調整区域	50	1.1		中　116	中　76			
		市街化区域	－	路線	比準	比準	比準	比準		
き	北八朔町	市街化調整区域								
		1　農業振興地域内の農用地区域			純　48	純　68				
		2　上記以外の地域	50	1.1	中　70	中　91	中　62	中　62		
		市街化区域	－	路線	比準	比準	比準	比準		
	霧が丘１～６丁目	全域	－	路線	比準	比準	比準	比準		
こ	小山町	市街化調整区域								
		1　農業振興地域内の農用地区域			純　53	純　69				

令和
6
69171

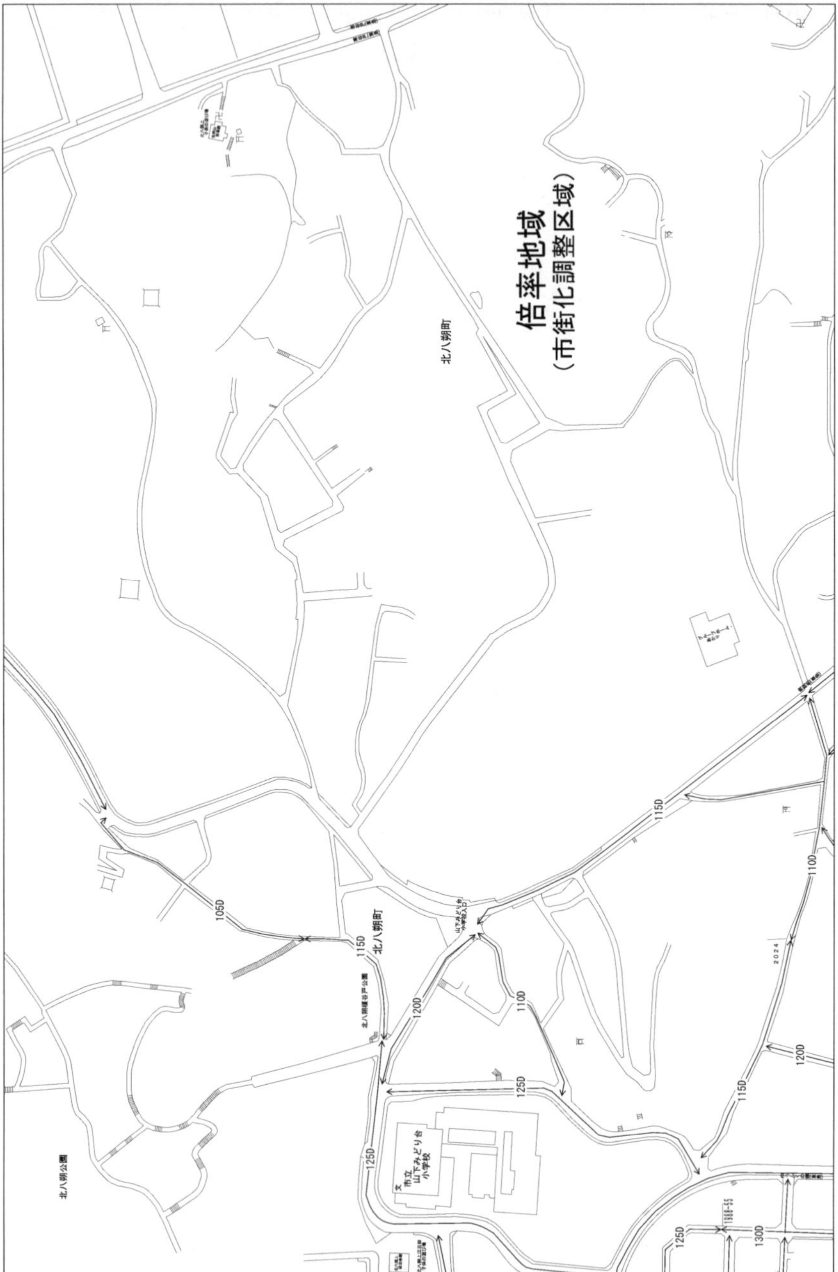

図表１－43　（路線価図より）

18　借地権・借地・貸家建付地等の税務評価

借地権，転貸借地権，貸家建付地等とその底地の相続税での評価を解説し，この割合方式を利用した簡便評価法を説明する。

借地権，底地等の評価は

借地権の鑑定評価は，「第５章」の「**6　借地権価格の評価**」で解説しているが，ここでは，土地や建物を貸借している場合に，どんな形態があるのか，そして，それぞれの権利は，相続税ではどのように評価されているのかについて解説する。

借地権の評価は

相続税での借地権の評価は，路線価図に借地権割合が下図のように定められており，自用地価格（更地価格）にこの割合を乗じて求めるようになっている。

図表１－44　相続税の借地権割合表

（単位：％）

記　号	A	B	C	D	E	F	G
借地権割合	90	80	70	60	50	40	30

たとえば，74ページの**図表１－28**の路線価図をみると，渋谷駅前広場のバスターミナル寄りの「道玄坂１丁目③」の街区の駅寄りの前に 20,960A と書いてある。このAなどの符号が借地権割合で，この例では90％ということである。

したがって，この場合の借地権の評価額は，

（自用地価格）　（借地権割合）　（借地権価格）
（20,960,000円× 0.9 ＝18,864,000円）

図表１－45　転貸借地権

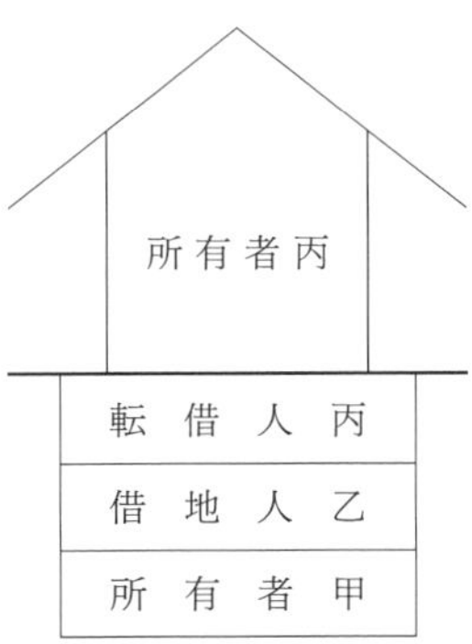

図表１－46　貸家建付地

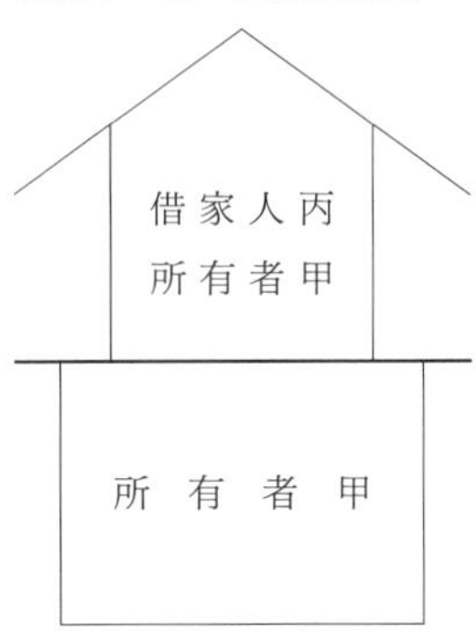

となる。

貸宅地(底地)の評価は　相続税の評価では，貸宅地の価格は，自用地価格から借地権価格を引いて算出している。

貸宅地価格＝自用地価格－借地権価格＝（自用地価格）×（1－借地権割合）

また，**転貸借地権割合**というのは，**図表1－45**のように，借地人がその借地権をさらに転貸している場合の，借地人乙の借地権の更地価格に対する割合であり，

転貸借地権割合＝{1×（借地権割合)}×{1－（借地権割合)}

で求められる。

この場合の丙の転借権の更地に対する割合が転借権割合であり，

転借権割合＝1×（借地権割合)×（借地権割合)

で求められる。

土地所有者の権利割合は，自用地価格から上記の転借権価格と転貸借地権価格を控除したものとなる。

貸家建付地割合というのは，**図表1－46**のように自分の土地に自分の建物が建っていて，その建物を貸している場合の土地の評価割合であり，

貸家建付地割合＝1－(借地権割合)×(借家権割合)

で求められる。

図表1－47　貸家建付借地権

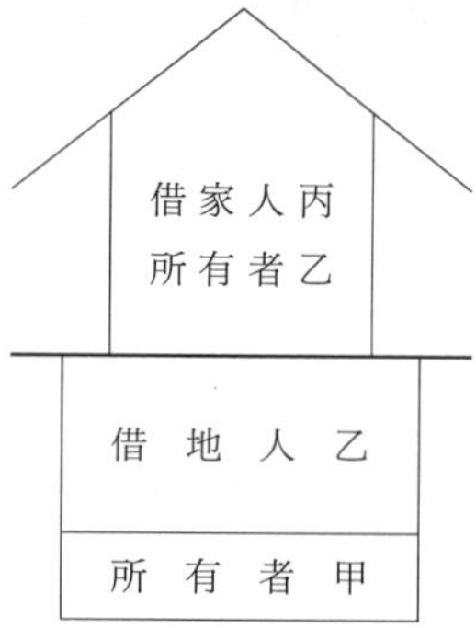

図表1－48　貸家建付転借権

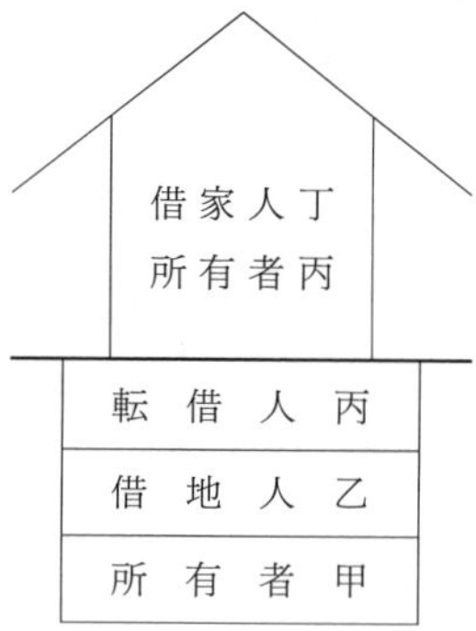

貸家建付借地権割合というのは，**図表1－47**のように，土地を借地して建物を所有している乙が，その建物を丙に貸している場合の乙の借地権を評価するときの更地価格に対する割合であり，

貸家建付借地権割合＝1×(借地権割合)－(借地権割合)×(借家権割合)

で求められる。

貸家建付転借権割合というのは，**図表1－48**のような転貸借地権の上の建物を第三者に貸している場合の，丙の転借権の更地価格に対する割合であり，

貸家建付転借権割合=1×(転借権割合)－(転借権割合)×(借家権割合)

で求められる。

図表１－49　借地権等の割合表

（単位：％）

記号	借地権割合	貸宅地割合	貸家建付地割合	貸家建付借地権割合	転貸借地権割合	転借権割合	貸家建付転借権割合	借家権割合
A	90	10	73	63	9	81	56.7	30
B	80	20	76	56	16	64	44.8	30
C	70	30	79	49	21	49	34.3	30
D	60	40	82	42	24	36	25.2	30
E	50	50	85	35	25	25	17.5	30
F	40	60	88	28	24	16	11.2	30
G	30	70	91	21	21	9	6.3	30

なお，**借家権割合**というのは，貸している建物を相続したとき，建物の評価額から，この借家権割合を引くというものである。借家人が借家権を相続した場合に，通常は建物の評価額にこの割合を乗じたものを相続財産に加えるということはない。

しかし，借家権が権利金等の名称をもって取引される慣行のある地域のものについては，建物については，建物の評価額は借家権割合を乗じた額（評基94），その敷地である土地については，その土地の価額に借地権割合と借家権割合を乗じた額（評基31）で評価することとされている。

図表１－49に借地権等の割合表を掲げておいたので，相続税や贈与税の計算をするとき利用してもらいたい。

（注）　相続税の評価における借家権割合は，一般には30％で，大阪国税局管内の市制地および路線価地域のみ40％と定められていたが，平成18年から全国一律に30％とされている。

なお，相続税の申告にあたっては，**図表１－35(イ)**（90ページ）に掲げた評価明細書（第２表）により計算する。

＊　　＊　　＊

上述の評価法は画一的に定められているもので，同じ地域の借地権といっても，その契約条件により強弱があり，鑑定評価では，これらの条件を加味して評価しており，詳しくは「**第５章**」の「**６**」以下で解説している。

〈建築中・建替え中空室の貸家の判定基準〉

貸アパート，貸ビルなどの**建築中に建築主が死亡**し，相続が発生することがある。この場合の建物の敷地は貸家建付地として評価されるのだろうか。

建物を賃貸すると借地借家法の制約で，賃料の値上げが制約され，また，その解約も制限されている。こういうことから，貸家を売買するとき，一般的には，その市場価格は低くなる。それで，相続税の評価基準で，貸家割引や貸家建付地割引がもうけられている。

入居者の決まっていない建物と敷地は，上述のような制約を受けていないので，これによる市場価格の低下は生じていない。したがって，建物は自用の建物としての評価，その敷地は自用地としての評価となる。

なお，**貸家建付地**とは，①完成した建物が現に存していること，②賃貸人がその建物の引渡しを受けて現実に入居していること，あるいは，賃貸借上の賃貸開始期日が到来していること，③通常の賃料に相当する金銭の授受があること，あるいは，その権利義務が発生していること等の要件をすべて具備していなければならないとした裁決例（平成７.11.14）がある（注１）。

なお，既存の貸家を取り壊して**建替え中**の場合も，従前の借家人に立退料などを支払わず，引き続いて入居するようになっている場合も，同様に貸家建付地として評価される（以上，平成４.12.９裁決）。

また，数室からなる一棟の貸家のなかの**一室が空室**になっている場合には，その割合に応じて，空室に対応する建物は自用の建物，敷地は自用地として評価することとなっているが，継続的に賃貸していたものが，**一時的に空室**（注２）になっている場合は，貸室に含めて評価するように取り扱われている（評基26(注)２）。

なお，建築中の建物は，その費用現価（死亡時までに発生した建築工事費・付帯費用の合計額）の70％で評価される（評基91）。

（注１）　建築中の建物であっても，権利金の授受が完了し，賃貸借契約が成立している場合には，借地借家法の制約が敷地に及んでいるが，上記の裁決例によれば，その敷地は貸家建付地として評価されないことになる。

（注２）　(イ)　各独立部分が課税時期前に継続的に賃貸されてきたものかどうか。

(ロ)　賃借人の退去後速やかに新たな賃借人の募集が行われたかどうか。

(ハ)　空室の期間，他の用途に供されていないかどうか。
(ニ)　空室の期間が，課税時期の前後の例えば1か月程度であるなど一時的な期間であるかどうか。
(ホ)　課税時期後の賃貸が一時的なものではないかどうか。（国税庁ホームページ/質疑応答事例/財産評価/貸家建付地等の評価における一時的な空室の範囲）

〈株式の相続税評価〉

上場されている株式や店頭取引銘柄などの株式（気配相場のある株式）は，証券取引所の相場に基づいて評価される。

それ以外の株式（取引相場のない株式）については，会社の規模に応じて，大会社，中会社，小会社と区分し，この区分に応じて，

①　業種別の株式相場に基づいて国税庁長官が定めた株価と係数によって評価する**類似業種比準価額方式**

②　会社の純資産に基づいて評価する**純資産価額方式**

のいずれかにより，また，この組合わせで求めるようになっている。

大会社の株式は，類似業種比準価額方式を原則とし，純資産価額方式によることも認められている。**中会社**の株式は，類似業種比準価額方式と純資産価額方式との併用を原則とし，純資産価額方式によることも認められている。**小会社**の株式は純資産価額方式を原則とし，類似業種比準価額方式の併用も認められている。

純資産価額方式というのは，会社の資産と負債とを相続税評価額により計算し，これにより求めた評価ベースでの純資産から，通常は清算所得相当額（評価ベースでの純資産価額から帳簿上の純資産価額を引いた評価差益の37％。なお，平成28年3月31日までの相続等の場合は38％）を差し引いて求めるものである。

なお，会社の総資産価額に占める株式等の価額が一定割合以上の「株式保有特定会社」や土地の価額が一定割合以上の「**土地保有特定会社**」の株式の評価は，原則として，純資産価額方式によることとされている。

取引相場のない株式で，その株主が持株数の少ない一般株主などである場合には，年間配当等から**配当還元方式**によって求める。

（注）　上記の大，中，小会社の区分は会社法で規定している大会社・小会社の区分とは異なる基準での分類で，その区分は評基178に表示されている。

〈僕のもの，君のもの〉

僕のもの，君のもの。

「この犬は，僕のだ」と，あの坊やたちが言っていた。「これは，僕の日向(ひなた)ぼっこの場所だ」ここに全地上の横領の始まりと，縮図とがある。

（パスカル『パンセ』前田陽一・由木康訳・中公文庫）

第2章

土地・建物を買う人や贈与・相続を受ける人への税金のコンサルティング

●第２章のねらい●　土地や建物を取得すると，莫大な税金がかかるというが。

土地や建物を取得するとどういう税金がかかるか

土地・建物を買ったり建てたりすると，思いもつかないような莫大な税金をとられて「まいったよ」という話はよく聞く。

そういう話が回りまわって，土地や建物を買おうとしている人，建物を建築しようとしている人を不安におとしいれている。

土地や建物を買う契約をすれば，その契約書には**印紙**を貼らなければならない。その権利を保全しようとして所有権の移転登記をすれば，そのとき**登録免許税**をとられる。

さらにその後で，**不動産取得税**がかかってくる。

そして，その土地や建物をもっているかぎり，毎年，**固定資産税**，**都市計画税**がかかってくる。

これらの税負担もかなり重いものとなっている。

たとえば，東京近郊で土地140㎡，建物100㎡程度の新築の建売住宅を6,000万円（土地3,500万円，建物2,500万円）で購入した場合の税金は，建物価格にかかる消費税（10％）250万円のほかには，だいたい**図表２－１**のようなものである。

合計して約118万円。しかし，新築住宅であれば，不動産取得税や登録免許税については一般に軽減措置が受けられるから合計して約43万円程度になる。

また70％をローンで借りて抵当権を設定した場合も，$42{,}000{,}000円 \times \frac{4}{1{,}000} = 168{,}000円$の登録免許税が追加される（軽減措置を受けられる場合は４万2,000円）。

それから，毎年の固定資産税と都市計画税は，おおよそ**図表２－２**のようになり，購入後３年間はいくらか安くなるが，それでも19万9,000円程度はかかる。結構バカにならない金額である。

しかし，土地や建物を買おうとしている人は，いやそんなものじゃない，もっととられるのだと，おどかす人もいる。土地・建物を売ったときにはかなりの利益が出

図表２－１　土地・建物を取得したときの概算税額

税金の種類	土　　地	建　　物	合　　計
契約書に係る印紙税			(注1) 30,000円
所有権移転に係る登録免許税 (注2)	(推定評価額) 24,500,000円 (税率) $\times \frac{15}{1,000}$ =367,500円	—	367,500円
保存登記に係る登録免許税 (注3)	—	(推定評価額)(注4)(税率) 10,700,000円 $\times \frac{4}{1,000}$ =42,800円 (軽減措置を受ければ16,000円)(注5)	42,800円 (軽減措置を受ければ16,000円)
不動産取得税	(推定評価額)　(注6) 24,500,000円 $\times \frac{1}{2}$ (税率) $\times \frac{3}{100}$ =367,500円 (軽減措置を受ければ0円)(注7)	(推定評価額)(注8)(税率) 12,500,000円 $\times \frac{3}{100}$ =375,000円 (軽減措置を受ければ15,000円)(注9)	742,500円 (軽減措置を受ければ15,000円)
合　　計			1,182,800円 (軽減措置を受ければ428,500円)

＊推定評価額は東京都心より約１時間半程度の位置にある住宅地の平成30年の標準的な評価額を参考として求めた簡略化した概算数値である。具体的な売買で推定評価額を求める場合は，本文の解説によられたい。

(注１)　令和９年３月31日までの軽減措置。詳細は231ページ参照。

(注２)　令和８年３月31日までの軽減措置。詳細は248ページ参照。

(注３)　原則は所有権移転登記を行うが，通常は便宜的に保存登記を行う（254ページ参照)。

(注４)　建物の価格については，**図表２－29**（251ページ）より，居宅木造　107,000円×100㎡＝10,700,000円

(注５)　令和９年３月31日までの軽減税率。詳細は248ページ参照。

(注６)　令和９年３月31日までの軽減措置。詳細は270ページ参照。

(注７)　詳細は277ページ参照。

(注８)　推定評価額は，新築建物2,500万円の50％相当とした。

(注９)　詳細は274ページ参照。

て，多額の所得税が課せられることがある。だが，買ったときは，まだ利益が出ていないのだから，普通なら，これ以上の税金をとられることはない。それ以上に税金をとられるとすると，つぎのような場合である。

図表２－２　固定資産税・都市計画税

	土　　地	建　　物	合　　計
固定資産税	（推定課税標準） 24,500,000円× $\frac{1}{6}$ （税率） × $\frac{1.4}{100}$ ≒57,167円	（推定課税標準）(注)（税率） 10,000,000円× $\frac{1.4}{100}$ ＝140,000円 （３年間は$\frac{1}{2}$の70,000円）	197,167円 (3年間は127,167円)
都市計画税	（推定課税標準） 24,500,000円× $\frac{1}{3}$ （税率） × $\frac{0.3}{100}$ ＝24,500円	（推定課税標準）　（税率） 10,000,000円× $\frac{0.3}{100}$ ＝30,000円	54,500円
合　　計			251,667円 (3年間は181,667円)

（注）固定資産税における住宅の評価は，初期減価として20％が減額される（241ページ参照）ので，不動産取得税の課税標準とは異なる。
　なお，実際に納付するときは100円未満が切り捨てられる。

土地や建物を買ったのがきっかけで多額の税金をとられることもある

土地や建物は高額な買物であり，かなり大きな金が動く。そこで，税務署でもこの機会をとらえて，その金がどこから出たとか，いろいろと調べる。そうすると，これがきっかけになって変なことがわかってくることがある。たとえば，つぎのようなものが代表的なものである。

① 過去に脱税していて，その脱税分を隠しておいたが，土地・建物を買うためにその金を使った。

② 土地・建物を買う資金が不足していて，その不足分を親から贈与してもらった。

これらは，土地・建物を買ったことに対してかかってきた税金ではない。買ったことをきっかけにして，見つかって，他の税金をとられただけである。だから，過去に正しい納税をして，その残りを貯金して蓄えた自分の金をもとに，不足分は銀行ローンなどで補って土地・建物を買ったのなら，なにも心配することはない。

図表2－3　登記申請書

登　記　申　請　書

登記の目的　　所有権移転

原　　因　　令和　　年　　月　　日売買

権　利　者

義　務　者

添付情報
　登記識別情報　登記原因証明情報
　代理権限証明情報　印鑑証明書　住所証明情報

登記識別情報を提供することができない理由
　□不通知　□失効　□失念　□管理支障　□取引円滑障害　□その他（　　　）

□登記識別情報の通知を希望しません。

令和　　年　　月　　日申請　　　法　務　局

申請人兼義務者代理人

連絡先の電話番号　　－　　　－

課税価格　金　　　円

登録免許税　金　　　円

不動産の表示
　不動産番号
　所　　　在
　地　　　番
　地　　　目
　地　　　積

　不動産番号
　所　　　在
　家 屋 番 号
　種　　　類
　構　　　造
　床　面　積

図表２－４　お買いになった資産の買入価額などについてのお尋ね

（不動産等用）

番　号	

※　既に回答がお済みの方は、各項目の記入は不要ですが、備考欄にその旨ご記入の上、ご返送ください。

項目	照会事項	回答事項			
1 あなたの	職　業		年齢	歳	
	資産を買い入れた年の前年の所得	所得の種類（○で囲む）	年間収入金額	千円	
		事業、農業、給与、不動産 その他（　）	年間所得金額	千円	

2 共有者の					
	住　所				
	氏　名			あなたとの続柄	
	職　業		年齢　歳	持分割合	／

3 買い入れた資産の						
	所在地		種類	細目	面積	
					㎡	
					㎡	
	売主の住所氏名等	住所（所在地）		氏名（名称）		あなたとの関係
	買い入れの時期	契約　年　月　日（登記　年　月　日）				
	買入価額	円	売買契約書の有無　有・無	お買いになった土地の上に建物があるときはその建物の所有者の	住所	
					氏名	あなたとの関係

4 費用	支払項目	金額	支払項目	金額	支払項目	金額
	登記費用	円	仲介手数料	円		円

5 支払金額（合計額）の調達方法

	金額	預貯金等の種類	預入先	名義人氏名	続柄
預貯金等から	円				
	円				

	金額	借入先の住所氏名等				借入名義人の氏名（続柄）
借入金から	円	住所				
		氏名		続柄		（　）
	円	住所				
		氏名		続柄		（　）

	売却年月日	金額	売却資産の名義人	売却した資産の所在地	種類	数量	譲渡所得申告の有無	申告先税務署名
資産の売却代金から	・・	円					有・無	税務署
	・・	円					有・無	税務署

	受贈年月日	金額	贈与者 住所	贈与者 氏名	贈与者 続柄	贈与税申告の有無	申告先税務署名
贈与を受けた資金から	・・	円				有・無	税務署
	・・	円				有・無	税務署

その他から	円	給与・賞与・手持現金・その他（　　）
合計	円	

備考	平成＿＿年＿＿月頃に＿＿＿＿税務署へ回答済み。

以上のとおり回答します。　　　　年　　月　　日

住所＿＿＿＿＿＿＿＿＿＿　フリガナ 氏名＿＿＿＿＿＿＿＿＿＿

電話（　　）

作成税理士	氏名		電話	（　　）

(資５－38)

税務署はどういう調査をするか

土地・建物を買ったら，「登記申請書」（**図表2－3**）（129ページ）に，その土地・建物が誰から誰へ，いつ，どういう原因で移ったかを書き込み，登記所（正式名称は法務局出張所）へ提出する。登記の内容は，手数料を払えば誰でも閲覧することができるため，税務署や市役所（固定資産税係）は，土地・建物の移動があったことを簡単に知ることができる。

しかし，この登記申請書には，その土地・建物の価格や，その人の資金調達などは記載されていないから，税務署は，買った人あてに「お買いになった資産の購入価額などについてのお尋ね」（**図表2－4**）（130～131ページ）という書類を発送する。税務署は，買った人全員に発送するわけではなく，選ばれた人にのみに発送する。なお，送られてきた人は，正直に記入して返送した方がよい。

税務署は，この内容をチェックする。主として，買値と資金調達方法の点である。年齢，勤務先，家族，年収などからみて，おかしくないぐらいの貯金があり，また銀行ローンについても，その人が十分に返済していける程度のもので，おかしくないと税務署が判断すれば，それで整理をして終りになる。

だが，年齢，勤務先，年収からみて貯金が多すぎたり，その人の収入ではどうしても返済できないくらい多額の銀行ローンだったりしたら，本人を税務署に呼んで詳しく調査をすることになる。

そのとき，過去に脱税があれば，それが見つかって所得税の追徴をとられることもあり，親から資金を贈与してもらっていれば贈与税をとられることもある。

過去に脱税をしていた人へのコンサルティング

脱税をしていた人へのコンサルティングというのもおかしい話だが，事業を営んでいる人で，所得を少なく申告していた人ならば，自分で修正申告をして，ごまかしていた税金を払うようにすることである。普通の場合なら，過去３年分の申告書を修正して申告する。悪質なものは７年分になる。

正しい税金を払いなさいというコンサルティングなど

聞かされてもしようがないというかもしれない。しかし，税務署の調査で見つかった場合，悪質であれば，ごまかしていた税金の35%の**重加算税**(注)が，悪質でなくとも10%から15%の**過少申告加算税**(注)がつく。調査の通知のある前に自分で進んで修正申告すれば，これらの加算税だけはつかない（いずれの場合も，その他に**延滞税**(注)はつく）。これも節税のうちであろう。ほかにもっといい方法はないかといわれても困る（通法65条，68条，60条）。

（注） 363ページ以下コラム参照。

贈与税をとられそうな人へのコンサルティング

土地・建物の価額もずいぶん高くなっているので，親からの資金援助がないと，買えないケースがふえている。親からの資金援助を，親からお金をもらうという形で受けると，それは贈与になり，年間の基礎控除の110万円を超えた部分に贈与税が(注1)(注2)かかる。

（注1） 父母・祖父母からの住宅資金の贈与について，一定の額までを非課税とする特例がある（148ページ参照）。

（注2） 相続時精算課税制度での親からの2,500万円までの贈与に贈与税を課さないという制度があるが，これは相続するまで課税を待ってあげるというだけのもので，相続したとき相続財産に加算されて課税される（160ページ参照）。

では，親からお金をもらわないで，借りたらどうか。それは贈与ではない。だから，贈与税はかからない。

それだけのことである。しかし，親子間の金銭のやりとりは，もらったのか，借りたのか，曖昧なことが多い。子に貸したお金を子が返さなくても，文句をいわない親も多い。わが子がお金を返さないからといって，子の家財道具を差し押さえて競売にかけてまでして，強引にお金を取りたてる親はまずいないだろう。とすると，返さなくてもいい借金は，借金でなくて，もらったお金ではないか，という疑惑が生まれる。

子が，不足資金を親から借りたと主張しても，税務署のほうは，いやもらったのだろうと疑う。だから，よほど慎重に対策を立てなくてはならない。

第２章の構成

そういうことで，この章ではまず，第１節で土地・建物を買うことに関連して心配となる贈与税の対策を解説し，ついでに相続税のあらましを説明する。そして，つぎに土地・建物を買ったり保有したりすることによって生ずる印紙税，登録免許税，不動産取得税，固定資産税，消費税とその節税方法を第２節で説明し，第３節では，住宅を新築すると税金を戻してくれる住宅ローン控除について説明する。

〈吉田は悪田　豊葦原瑞穂国〉

字吉田とか吉田町と名づけられた地名は全国に多くある。吉田の田は田畑の田であり，吉は葭であり，葭とは葦と同義で吉田とは葭（葦）の生い茂っていたところを開発して田に変えた土地，すなわち葦田（悪田）である。

天照大神の頃の水稲は，自然の水溜りに排水溝をつくってモミを播いて収穫していた。水稲は瑞穂であり，豊葦原瑞穂国とは実にうまく表現したものである。登呂遺跡には田下駄というバカでかい下駄が飾られているが，その頃の水田は泥深く，こういう下駄をはかないとズブズブと足が吸い込まれてしまう底無し沼のようなものであったことを示している。

その後，農耕が発達すると，灌漑施設をつくって，水の無い土地に水を引き新田開発をするようになった。この方が稲の収穫も多い。

ところで，水田を埋めて造成し建物を建てるとき，一番大切なのは地盤の良否である。それを判定するにはボーリング調査をするのがよいが，もっと大ざっぱに見分けようとするとき，地名（特に字名）を見て，字吉田とか字吉原というところは用心するのも一つの方法である。東京近郊に新吉田町という住宅地があり，ここに家を建てたあと大雨が降ったら，地盤沈下して家が傾いたという実例を筆者は知っている。

〈税法（法律），施行令，施行規則と通達〉

税金を徴収するためには，その裏付けとなる法律がなければできない。これを**租税法律主義**という。所得税法，法人税法，相続税法などが，この法律にあたる。**法律**というのは，国会で議決されて制定される。しかし，基本的なことは法律で定めていても，微に入り細をうがつところまで法律で定められない部分もある。そういう枝葉末節の部分であるが，その法律を円滑に運用するために必要なものは**政令**で定める。所得税法施行令などが，これにあたる。政令は，閣議で決定して制定される。これは，国会で議決されるわけでないので，決められるのは法律が委任した枠のなかで，法律を補足する範囲内のことである。それから，申告書の様式をどうするとか，どういう書類を添付しなければならないかということになると，なにも閣議にまでかけることもないだろうということで，主務大臣（税については財務大臣）に任せっきりにして，**省令**というもので間に合わせている。所得税法施行規則などがこれにあたる。ともかく，法律，政令，省令の三本で税法が構成されている。しかし，行政の末端機関である税務署で，署員が個々の納税者から徴税する段階となると，もっと具体的な指針が必要となってくるので，国税庁長官や各国税局長が，管轄内の税務署長に対して，**通達**というものを出している。税法の第○条にこう書いてあるのは，当局としては具体的にはこういう意味だと解釈している（解釈通達）とか，税法の第○条にこう書いてあるが，そこまでムキになってやらなくて手心を加えてもいいから，事務をスムースに処理しろ（取扱通達）とかいうものである。

通達というものは，あくまでも国税庁内部における業務命令であり，納税者を直接拘束するものではない。とはいっても，税務署員にとっては上司の命令であり，このとおり処理をしなければならないことになっている。

また，「事務連絡」とか「企画官情報」というものもある。これは，通達の解説や実務上の取扱要領などを示したものであるが，税務署員はこれによって処理していく。そういう意味で，「通達」も「事務連絡」も間接的に納税者を拘束している。そのため，主要な通達などは公開されている。トラブルを起こしたくなかったら，この通達なども読んで，税務当局の解釈に従った税務処理をしなければならないような仕組みになっている。

＊　　＊　　＊

こうなると，租税法律主義とは一体なんだったのかと，頭をかしげたくもなる。

第１節
土地・建物の取得に関する贈与税・相続税対策のさまざま

1 親からの住宅資金の援助と贈与税をめぐるやりくり算段

土地の値上りで住宅の取得も難しくなったが，親からの住宅資金の贈与に特例がもうけられていたが…。

住宅資金がたまるまで待てない

バブルの崩壊で地価は下がったとはいうものの，その後，また上げたり，下がったりを繰り返し，都市郊外のちょっとした建売住宅を買っても，すぐ4,000万円から6,000万円ぐらいになるし，マンションでも4,000万円前後はするようになると，その70％を住宅ローンでまかなうとしても，頭金だけで1,200万円か1,800万円ぐらいは用意しておかなければならない。

しかし，現在の一般のサラリーマンで，生活費を払った後，コツコツと貯金して，これぐらいためるとなると，それこそ何年かかるかわからない。

贈与には高額の贈与税

そこで，子が住宅を取得するとき，親の資金援助を受けることが多くなっている。

しかし，すなおにその資金の贈与を受ければ，高額の贈与税がかかってくる。

たとえば，500万円の資金の贈与を受ければ，138ページ以下で説明するようにして計算すると，一般には53万円の贈与税がかかり，その約10％が目減りしてしまう。1,000万円の資金の贈与なら，贈与税は231万円となり，約４分の１弱も目減りしてしまう。

なお，18歳(注)以上の者が直系尊属より贈与を受ける場合は軽減され，500万円で48.5万円，1,000万円で177万円の贈与税となる。

これでは，たまったものではないから，親からの援助資金は「**4**」（148ページ以下）で述べるように借金ということにして辻つまをあわせたりしていたのだが，住宅ローンの返済に加えて，親からの借金を返すとなると，普通のサラリーマンでは，とうていそこまで手は回らないであろう。

住宅資金の贈与の特例をめぐって

平成20年に未曾有の世界不況が到来し，この不況脱出政策の一つとして，住宅産業の活性化を推進しようということで，平成21年度から「**父母・祖父母からの住宅取得等資金の贈与の特例**」が創設されている（148ページ参照）。

なお，60歳以上の親から18歳(注)以上の子または孫に贈与するときに，2,500万円までは贈与税を課税せず，これを超える部分に一律20％の低率で課税し，相続のときに精算するという「**相続時精算課税制度**」というものもうけられた（160ページ以下参照）が，これは課税を相続のときまで先送りするというもので，減税とは異なるものであることに留意しておかなければならない。

（注）　令和４年３月31日までの贈与は20歳。

＊　　　　＊　　　　＊

この特例の詳細を説明するまえに，まず，一般の場合の贈与税の計算の仕方を次項「２」で解説することにする。

〈炉税と窓税〉

イングランドには，かつて，炉税というものがあり，これが廃止され，窓税に変わった。この変遷について，アダム・スミスは，『諸国民の富』のなかでつぎのように述べている。

租税の考案者たちは，家屋に課すべき税金について，家賃を課税標準としようとしたが，正確に把握するのが困難であろうと想像し，炉の数に対して課税した。しかし，そのためには徴税人は，各室に入って見なければならなかった。このいまわしい臨検が本税をいまわしいものにしていた。そこで革命後まもなく，炉税は隷従の表象として廃止された。そのつぎの租税は，窓の数に対して課するものであった。窓の数は，たいていの場合，外部から数えられるし，またいずれの場合にも，その家屋のどの室にもはいらずにすむわけである。それゆえ，徴税人の臨検は，窓税の場合には炉税よりも怒りを買うことが少なかったのである。

2 贈与税の計算の仕方

贈与税はどのように計算するか。そして，土地や建物の評価の仕方は。
（相法21条の５，21条の７，措法70条の２の４，70条の２の５）

贈与税のしくみと基礎控除

贈与税とは，贈与を受けた人(注)（受贈者）が払う税金である。毎年１月１日から12月31日までの間に，その人が贈与を受けたお金なり物なりを合計して，**基礎控除の110万円**を控除して，その残りに税率をかけて計算し，**翌年の２月１日から３月15日までに受贈者の住所の税務署に申告して納税**をする。

（注）　海外資産の贈与・相続等については，197ページのコラム参照。

ここで注意しなければならないのは，基礎控除の110万円は，その人が１年間に贈与を受けた合計額から引くのである。ある年に，親から110万円，兄から80万円，妻の実家から50万円もらって，それぞれ110万円以下だから贈与税はかからないと思っている人がいる。これは間違いで，こういう場合は，

（親から）　（兄から）　（妻の実家から）
110万円＋ 80万円 ＋　　50万円　　＝240万円

というように，その年に贈与してもらった金額を全部合計して，それから基礎控除の110万円を引いて，

　　　　（基礎控除）（課税価格）
240万円－ 110万円 ＝ 130万円

と計算する。すなわち，130万円が贈与税の対象となる。

贈与税額の計算

このようにして求めた価格に，**図表２－５**（141ページ）の贈与税の速算表を使って税額を計算する。

なお，高齢者の眠っている財産を若い次世代に早期に移して経済の活性化を促進する趣旨で，父母，祖父母，曽祖父などの直系尊属から，贈与を受けた年の１月１日で18歳(注)以上の者へ贈与したものを**「特例贈与財産」**といい，その他の**「一般贈与財産」**と区別し，税率が**図表２－５**のように軽減されている。

贈与税の計算は，上記のどの財産の贈与を受けたかによって，次のようになる。

⑴　**「一般贈与財産用」**だけの場合

たとえば，つぎのような贈与の場合に，この計算方法になる。

・直系尊属以外の親族（夫，夫の父や兄弟など）や他人から贈与を受けた場合

・直系尊属から贈与を受けたが，受贈者の年齢が財産の贈与を受けた年の1月1日現在において18歳(注)未満の者の場合（18歳(注)未満の子や孫の場合）

（例）贈与財産の価額が500万円の場合（「一般税率」を適用する。）

基礎控除後の課税価格　500万円－110万円＝390万円

贈与税額の計算　390万円×20％－25万円＝53万円

⑵　**「特例贈与財産」**だけの場合

たとえば，財産の贈与を受けた年の1月1日現在において18歳以上の子や孫が父母又は祖父母から贈与を受けた場合に，この計算方法になる。

（例）贈与財産の価額が500万円の場合（「特例税率」を適用する。）

基礎控除後の課税価格　500万円－110万円＝390万円

贈与税額の計算　390万円×15％－10万円＝48.5万円

⑶　**「一般贈与財産用」**と**「特例贈与財産用」**の両方がある場合

たとえば，18歳(注)以上の方が，配偶者と自分の両親の両方から贈与を受けた場合など。この場合には，つぎのように計算する。

①　全ての財産を「一般税率」で計算した税額に占める「一般贈与財産」の割合に応じた税額を計算する。

②　全ての財産を「特例税率」で計算した税額に占める「特例贈与財産」の割合に応じた税額を計算する。

③　納付すべき贈与税額は，①＋②の合計額。

（例）一般贈与財産が100万円，特例贈与財産が400万円の場合の計算

①この場合，まず，合計価額500万円を基につぎのように計算をする。

（全ての贈与財産を「一般贈与財産」として税額計算）

500万円－110万円＝390万円

390万円×20％－25万円＝53万円

（上記の税額のうち，一般贈与財産に対応する税額（一般税率）の計算）

53万円×100万円／（100万円＋400万円）＝10.6万円…①

つぎに「特例贈与財産」の部分の税額計算を行う。

②この場合も，まず，合計価額500万円を基に次のように計算する。

（全ての贈与財産を「特例贈与財産」として税額計算）

500万円－110万円＝390万円

390万円×15％－10万円＝48.5万円

（上記の税額のうち，特例贈与財産に対応する税額（特例税率）の計算）

48.5万円×400万円／（100万円＋400万円）＝38.8万円…②

（贈与税額の計算）

③贈与税額＝①一般贈与財産の税額＋②特例贈与財産の税額

上記の場合　①10.6万円＋②38.8万円＝49.4万円…贈与税額

（注）令和４年３月31日までの贈与は20歳。

不動産の贈与税の課税価格　不動産の贈与を受けたときの課税価格については，土地について相続税路線価のもうけられているところは，**第１章**第３節の「**14　相続税路線価による簡便評価法**」以下（73ページ以下）で詳述したように相続税路線価に基づいて，通達に定められている計算方法によって算出すればよい。

都市部の市街化区域のほとんどの地域については，路線価が付けられているが，市街化調整区域内の宅地や農地山林，また，都市遠郊の市街地については，相続税路線価のもうけられていない地域もある。こういう地域では，これも**第１章**第３節の「**17　相続税路線価のない土地の簡便評価法――相続税倍率表**」（114ページ）で述べた固定資産税の評価額に一定の評価倍率を乗じて課税価格を求めることになる。

なお，家屋については，固定資産税の評価額そのものが，贈与税および相続税の課税価格になる。

（注）貸地・借地・貸家の評価については**第１章**「**18**」参照。

贈与税の延納　贈与税の納期は，上述したように翌年の２月１日から３月15日までとなっているが，贈与税額が10万円を超え，かつ，金銭で納付することが困難な場合には，５年以内の年賦延納が認められている。なお，その場合，年利6.6％（特例割合適用で0.8％（注））の利子税がつけられる。

なお，贈与税については，物納は認められていない。

（注）贈与税の利子税の特例割合適用についての具体的算出法については，218ページの「相続税および贈与税の利子税の特例」を参照のこと。

親（贈与者）が贈与税を支払ったら

親が子に贈与して，贈与税がかかってきた。その贈与税を親（贈与者）が納付してもいいものなのか。

昔は，贈与した人が贈与税を払うようになっていたが，現在の税制では贈与税額は，贈与を受けた人に課税されるのだから，贈与を受けた人が納めなければならない。贈与をした人が納付したら，その贈与税相当額を再度贈与したということになり，その贈与税にまた贈与税が課せられる。そして，その贈与税についても，また贈与税が……ということになる。

筆者が，これに関して税務署に確かめに行ったことがあるが，そのときは，そこまでは言わないから兎に角払って下さい，といわれたこともあったが，これは昭和の御代の話であって，今は，かなり厳しい取扱いになっている。

とりあえず，親から“借金”して贈与税を納付するのが多いであろうが，そのためには，「親からの借金と贈与税」（166ページ）に記載した手続きをとっておく必要がある。

図表２－５　贈与税の速算表

贈与税の課税価格（基礎控除および配偶者控除後）		税率と控除額	
		一般贈与財産	特例贈与財産（18歳(注)以上の者への直系尊属からの贈与）
	200万円以下	10%	10%
200万円超	300万円以下	15%－10万円	15%－10万円
300万円超	400万円以下	20%－25万円	
400万円超	600万円以下	30%－65万円	20%－30万円
600万円超	1,000万円以下	40%－125万円	30%－90万円
1,000万円超	1,500万円以下	45%－175万円	40%－190万円
1,500万円超	3,000万円以下	50%－250万円	45%－265万円
3,000万円超	4,500万円以下	55%－400万円	50%－415万円
4,500万円超			55%－640万円

（注）令和４年３月31日までの贈与は20歳。

〈毎年継続して非課税枠までの贈与〉

親から子へ贈与するとき年間110万円までなら贈与税は課税されない。10年間連続贈与すれば，1,100万円まで無税で，相続予定の財産を減らせるので，相続税対策の一環として利用したいという相談がよくある。

この場合，1,100万円を10回に分けて贈与するという契約をすれば，1,100万円の贈与をして，それから110万円を引いた990万円に贈与税が課せられるが，毎年ごとに110万を贈与する契約書を作成し，親の銀行口座から現金を引き出して，子の銀行口座に振り込むということを繰り返して行えば贈与税は課税されない。

なお，子の銀行口座は，名義だけでなく，通帳なども子が保管し，自由に引き出せるような状態でないといけない。そうでないと贈与したことを否認され，相続が生じたときその全部は親の遺産と認定され，相続税の対象に加えられ骨折損のくたびれ儲けとなった例がよく見られるので注意しなければならない。（参考：平成28年３月30日・東京国税局審理課長・文書回答「暦年贈与サポートサービスを利用した相続税法第24条の該当性について」）

〈遺贈と死因贈与〉

「**遺贈**」というのは，自分が死んだらこれこれの財産を誰にあげるということを遺言状に書いておくなどの方法で遺言しておくと，死んだとき効力があらわれ，指名された人がその財産をもらえるというものである(注)。あらかじめもらう人に話しておく必要もないが，また，贈る人の気が変わったら，いつでも取り消したり，変更したりすることができる。もらう方にとっては，あてにならないところもある。

（注）　遺言により他の相続人（配偶者，子，両親に限る）の取得分が法定相続分の２分の１を下回るときは，遺留分請求ができる。

「**死因贈与**」というのは，贈る人が「死んだらこの財産をあげよう」といい，もらう人が「では，そのときはいただきましょう」という契約をするものである。一般に，贈与契約を文書にしておくと，もらう人の承諾がなければ取り消せないことになっているが，死因贈与は遺贈に近い性格をもっていることから，生前の遺言で取り消されたり，変更されたりすることもある。しかし，生前からある義務（生活費の扶助など）を負担させる負担付死因贈与としておくと，その負担の大部分が履行されているときなどは取り消すことはできなくなるなど，遺贈にくらべて，拘束力は強い。

3 配偶者に贈与税の特別控除

> 20年以上つれそった妻や夫への居住用資産の贈与には，2,000万円の配偶者特別控除がある。
> （相法21条の6，相令4条の6，相則9条）

配偶者に2,000万円の控除

配偶者に居住用の土地・建物を贈与したときには，2,000万円までは贈与税がかからないという制度がある。これは，

① 婚姻期間20年以上の配偶者（この期間は入籍してから計算する）に

② 居住用の土地や建物またはこれらを取得するための資金を贈与し

③ その翌年の3月15日までに，その配偶者がその土地・建物に居住し，その後も引き続いてそこに居住する予定である場合に

④ 戸籍謄本（または抄本），土地や建物の登記事項証明書その他の書類で取得したことを証するもの(注)を添付して，申告（翌年2月1日から3月15日まで）した場合に

2,000万円までの控除を受けることができる。なお，この控除が受けられるのは，同一の配偶者からの贈与については，一生に一度だけである。

（注）平成28年の改正により，登記事項証明書に限らず売買契約書や贈与契約書等の添付でもよくなった。また，住民票の添付も不要となった（相則9条）。

居住用の土地のみの贈与

居住用の土地・建物のうち土地だけの贈与を受けた場合にも，その土地の上の建物が，受贈者の配偶者（すなわち贈与した者）か，受贈者と同居する者の親族の所有であれば，この特例を受けられるとされている（相基21の6－1⑵）。

店舗併用住宅の持分の贈与

1階が店舗で120㎡，2階が住宅で80㎡の店舗併用住宅の共有持分の$\frac{1}{2}$の贈与を受けた場合，民法上では，店舗部分120㎡の$\frac{1}{2}$と住宅部分80㎡の$\frac{1}{2}$の贈与を受けたことになり，この考え方だと，住宅部分の$\frac{1}{2}$からは特別控除を引けるが，店舗部分の$\frac{1}{2}$は特例の対象外となってしまう。

しかし，贈与を受けた持分の$\frac{1}{2}$は，2階の住宅（居住用部分）からとしているとして申告すれば，それも認めるとされている（相基21の6－3）。

たとえば，家屋の評価額が2,000万円，敷地である土地の評価額が4,000万円であるとすると，建前どおりに計算すると，

○居住用部分

$$\overset{（建物）}{(20,000,000円} + \overset{（土地）}{40,000,000円)} \times \overset{（面積持分）}{\frac{80㎡}{200㎡}} \times \overset{（持分）}{\frac{1}{2}} = \overset{\left(\substack{贈与された居住用\\部分の評価額}\right)}{12,000,000円}$$

○店舗部分

$$\overset{（建物）}{(20,000,000円} + \overset{（土地）}{40,000,000円)} \times \overset{（面積持分）}{\frac{120㎡}{200㎡}} \times \overset{（持分）}{\frac{1}{2}} = \overset{\left(\substack{贈与された店舗\\部分の評価額}\right)}{18,000,000円}$$

となり，配偶者の特別控除は，居住用部分からしか控除されないので，

$$\overset{\left(\substack{贈与された居住用\\部分の評価額}\right)}{12,000,000円} - \overset{\left(\substack{配偶者の\\特別控除}\right)}{20,000,000円} < 0$$

と計算され，贈与された店舗部分の評価額から110万円の基礎控除を引いて，

$$\overset{\left(\substack{受贈された店舗\\部分の評価額}\right)}{18,000,000円} - \overset{（基礎控除）}{1,100,000円} = \overset{（贈与税の課税価格）}{16,900,000円}$$

1,690万円が贈与税の課税価格となる。

これに対して，贈与を受けた持分の$\frac{1}{2}$は，住宅部分の80㎡と店舗部分の20㎡であるとして申告すれば，

○贈与された居住用部分

$$(20,000,000円+40,000,000円)\times\frac{80㎡}{200㎡}=24,000,000円$$

○贈与された店舗部分

$$(20,000,000円+40,000,000円)\times\frac{20㎡}{200㎡}=6,000,000円$$

となり，居住用部分の2,400万円から，配偶者控除の2,000万円を引いて400万円となり，店舗部分の600万円を加えた1,000万円から基礎控除の110万円を引いた890万円が贈与税の課税価格となる。

どういう贈与の仕方がトクか

この配偶者に対する贈与税の特別控除は，資金（現金）で贈与しても，土地や建物で贈与しても，贈与税の評価額で2,000万円までである。贈与税の評価額は，現金については，そのものズバリであるが，土地については，公示価格水準の80％をメドとして路線価が設定されている。公示価格と時価とがほぼ同水準とすると，土地については，時価で2,500万円程度のものを贈与しても，路線価は2,000万円だからこの特別控除の範囲内であり，贈与税はかからないことになる。なお，建物の評価額は，だいたい建築費の50％ぐらいの水準になっている。

なお，そのほか，**贈与税の基礎控除の110万円**（138ページ参照）**も併用**して受けられるから，2,110万円まで贈与しても贈与税はかからない。土地と建物を合わせた平均の評価が時価の70％とすれば，時価約3,000万円の土地と建物を

贈与しても，贈与税はかからないということになる。

マイホームを売るときにも有利

また，現在居住している土地や建物を贈与するとき，建物だけ全部妻に贈与して，敷地は夫に残しておくという形で，この制度を利用している人も多いが，将来この土地・建物を売却することになったとき，後で（423ページ以下で）説明する居住用財産の特別控除の適用を受けるとき，この形だと２人で3,000万円までの控除しか受けられないが，建物も土地もともに夫と妻との共有になるように按分して贈与をしておくと，居住用財産の特別控除を，夫と妻とで受けられ最高3,000万円×２人＝6,000万円までとなり，有利となる。

このあたりのことも考慮して，この制度を利用しておくとよいであろう。

マイホームを売る直前に贈与したら

マイホームを売る直前に贈与した場合には，配偶者に対する贈与税の特別控除については，その要件の「③　その翌年の３月15日までに，その配偶者がその土地・建物に居住し，その後も引き続いてそこに居住する予定である場合」に該当しなくなるので，その適用は受けられない。

また，居住用財産の特別控除の適用を受けられるかということについては，この法律では，単に，「居住の用に供している家屋」と規定しているのみであるが，それは「真に居住の意思をもって客観的にもある程度の期間継続して生活の本拠としている」ことであるという最高裁の判例がある(注１)。

贈与を受けた配偶者が永年同居していれば，上記の要件をクリアしているようだが，さらにその期間に「所有者として居住していた」という条件も必要だとされている(注２)。

この場合は，配偶者は所有者と居住していたのではないので，売買直前に贈与を受けて所有者になっても，所有者になってからは，真に居住の意思をもって，ある程度の期間居住していたとはいえないので，この法条でいう「居住の用に供している家屋」には該当せず，居住用財産の特別控除の特例も適用されないことになる。

まさに「骨折り損のくたびれ儲け」ということになる。

（注１）　詳しくは439ページ「居住用財産の特例の適用条件①－居住用とは」参照。

（注２）　10年以上，母親と同居していた子が，購入の申込みを受諾した直後に，贈与を受けて譲渡した例について，同法で規定する居住の用に供しているの判断について，建物の「所有者となる前の居住期間は……考慮すべき事実とはならない。……同項にいう居住は，その家屋の所有者として，真に居住の意思を持って居住している場合をいう……」（国税不服審判所・平成22.６.24裁決）。

〈離婚における慰謝料，財産分与と贈与〉

夫の不貞などで離婚したとき，妻の受けた精神的苦痛などを慰謝するものとして支払われるのが「慰謝料」である。税法では，これをもらっても非課税となっている。

ところで，夫婦の財産というものは，夫婦で協力して築きあげたものである。財産が夫一人の名義になっていても，そのなかには，妻の持ち分が混じっているはずである。離婚をきっかけとして，これを精算して分けるのを「財産分与」という。もともと妻の持ち分であったのを分けて持っていくだけのことだから贈与ではない。

このように離婚した妻の側でもらった金品について，通常の場合は課税されることはない。しかし，離婚された夫のほうで，その慰謝料等を捻出するために建物や土地を他人に売却すると，譲渡所得税が課税されることになる。また，家屋敷を気前よく別れる妻に渡すこともある。こういう場合には，慰謝料を支払うかわりに家屋敷で精算した，すなわち代物弁済をしたということで，土地・建物の譲渡があったということで譲渡所得税が課税されることになる（401ページのコラム参照）。それが財産分与という性質のものであっても，日本の民法が夫婦別産制という考え方をしているので同様に課税される。浮気をした報（むく）いとはいえ，踏んだり，けったりである。

もっとも，離婚するまで夫も居住していた土地・建物を渡すのならば，居住用財産の特別控除という手もないことはないが，これも妻に譲渡した場合には適用にならない（449ページ参照）という制約がある。もちろん，離婚してしまえば赤の他人であるから，その土地・建物を離婚してから渡したのなら，この特例の適用は受けられる。微妙なところである。離婚するときにも，感情のみに走らず，冷静に対処しなければならない。

＊　　　＊　　　＊

なお，妻の不貞などで離婚した夫の受けとる慰謝料なども同様である。

4 住宅取得等資金の親などからの贈与の特例

住宅取得等資金を父母・祖父母から贈与を受けた場合の特例。（措法70条の２，70条の３）

父母等からの住宅取得等資金の贈与の特例

父，母，祖父母など直系尊属から，住宅資金の贈与を受けて，住宅の新築，取得または住宅を増改築した場合，下掲の金額までは，贈与税が非課税とされる。

図表２－６

住宅用家屋の区分	非課税限度額
耐震，省エネ又はバリアフリーの住宅用家屋（注）	1,000万円
上記以外の住宅用家屋	500万円

（注）　以下の要件を住宅性能証明書等で証明されている住宅用家屋

新築住宅	・断熱等性能等級５以上（結露の発生を防止する対策に関する基準を除く）かつ一次エネルギー消費量等級６以上 ※令和５年末までに建築確認を受けた住宅又は令和６年６月30日までに建築された住宅は，断熱等性能等級４以上又は一次エネルギー消費量等級４以上（改正法附則54⑤） ・耐震等級（構造躯体の倒壊防止）２以上又は免震建築物 ・高齢者等配慮対策等級（専用部分）３以上
既存住宅・増改築	・断熱等性能等級４以上又は一次エネルギー消費量等級４以上 ・耐震等級（構造躯体の倒壊等防止）２以上又は免震建築物 ・高齢者等配慮対策等級（専用部分）３以上

適用期限が**令和８年12月31日まで**（改正前は令和６年12月31日まで）延長された（措法70の２①）。

贈与者と受贈者は

この特例の適用となる贈与者は，その直系尊属――具体的には，父母，祖父母，曾祖父母などである。また，贈与を受ける者は，贈与を受けた年の１月１日で**18歳以上**（注）で，贈与を受けた年の合計所得金額（385ページ参照）が**2,000万円以下**（新築等をする住宅用の家屋の床面積が40㎡以上50㎡未満の場合は，1,000万円以下）の者である。

（注）　令和４年３月31日までの贈与は20歳。

贈与と取得・居住の期限は　上記の期間中に贈与を受け，贈与の翌年３月15日までに受贈者本人の居住用の家屋（その敷地の土地また借地権を含む）を新築，取得，増改築をし，かつ，居住の用に供するとき（同日までに入居できない場合には，同日後遅滞なく（遅くとも，贈与の翌年12月31日までに入居することが確実であると見込まれるとき）に適用される。

（注）災害に起因するやむを得ない事情により，上記期日までに建物の新築，取得，増築または入居ができなかった場合には，翌々年の12月31日まで延長される特例（措法70条の２⑩）がある。

非課税枠は　上記の要件を満たしている場合，その新築，取得，増改築の対価に充てた額のうち，**上記の金額まで**は贈与税の課税価格に算入しないとされている。なお，一般の贈与税の110万円控除（138ページ参照）と併用することもできる。

また，「相続時精算課税制度」の2,500万円の控除との併用もできるが，この特例は，相続時に精算する制度であるので，その点に留意して適用する必要がある（160ページ以下参照）。

死亡前７年以内の贈与でも　この特例の適用を受けた贈与については，それが被相続人の死亡前７年以内であっても，非課税とされた部分の額は，相続税の課税価格への加算はされない（192ページ参照）。

※被相続人の死亡が令和５年12月31日以前だと死亡前３年以内，令和６年１月以後は加算年数については経過措置がある（192ページ参照）。

適用される家屋とは　適用される家屋は，つぎの要件をそなえた家屋である（措法70条の２，措令40条の４の２①②③）。

①　家屋の登記簿上の面積（区分所有の場合は専有部分の面積）が240㎡以下40㎡以上（注１）（受贈者の合計所得金額が1,000万円以下の場合は40㎡以上50㎡未満）の家屋でその床面積の$\frac{1}{2}$以上が自己の居住の用に供されるものであること

②　中古の家屋については，上記の要件のほか，つぎのいずれかの要件をそなえたもの

(イ)　昭和57年１月１日以後に建築されたものであること（注２）

(ロ)　地震に対する安全性に係る基準に適合するものであることにつき，「耐震基準適合証明書」「建設住宅性能評価書」等の書類により証明されたものであること

なお，上記(ロ)に該当しない中古住宅（要耐震改修住宅用家屋）でも，贈与により住宅取得等資金の取得をした日の属する年の翌年３月15日までに，耐震改修工事等により耐震基準に適合したことが証明されたときは，この特例が適用さ

れる（措法70条の２⑦，措令40条の４の２⑩，措法70条の３⑦，措令40条の５⑦）。

また，省エネ等住宅の特例を受ける場合は，さらに，下記の（注３）の基準を満たしている住宅。

（注１）家屋が店舗併用住宅など居住用部分以外の部分がある場合も，面積基準は家屋全体の面積で判定する。区分所有建物以外の家屋を共有している場合も，家屋全体の面積で判定する（措通70の３－６）。

（注２）昭和57年１月１日以後か否かの判定は，家屋の登記事項証明書による（措規23条の５の２③一イ）。

（注３）家屋の取得日前２年以内に調査または評価されたものであること（平成21年国土交通省告示685号）。

土地については

適用対象となる建物の敷地の用に供されている土地（借地権を含む）も対象となる。

適用される増改築とは

上記に該当する自己所有の家屋（面積が240㎡以下50㎡(注)（一定の場合は40㎡）以上でその$\frac{1}{2}$以上を自己の居住の用に供されるもの）についてなされる増改築等で，工事費が100万円を超えるものをいう。なお，増改築等とは，具体的には，つぎのものをいう（措令40条の４の２⑤）。

(ア)　増築，改築，建築基準法上の大規模の修繕又は大規模の模様替

(イ)　マンションの場合で，床又は階段・間仕切壁・主要構造部である壁のいずれかの過半について行う修繕又は模様替

(ウ)　居室・調理室・浴室・便所・洗面所・納戸・玄関・廊下のいずれかの床又は壁の全部について行う修繕又は模様替

(エ)　一定の耐震基準に適合させるための修繕又は模様替

(オ)　一定のバリアフリー改修工事

(カ)　一定の省エネ改修工事給水管・排水管又は雨水の浸入を防止する部分に係る修繕又は模様替（リフォーム工事瑕疵担保責任保険契約が締結されているものに限る）

(キ)　耐震，省エネ又はバリアフリーの住宅用家屋の基準に適合させるための修繕又は模様替え（148ページ（注）参照）

（注）面積50㎡未満の家屋でも増築後50㎡（一定の場合は40㎡）以上で，240㎡以下となるものも適用対象となる。

特殊関係者からの取得等は適用外

なお，この家屋（敷地を含む）と増改築は，受贈者の配偶者，直系血族，生計を一にしている親族等（措令40条の４の２⑦）以外の者から取得等したものでなければならない（措法70条の２②五）。

取得の日と居住の日の期間は　贈与を受けた年の翌年３月15日までに取得(注)または増改築の費用に充て，同日までに居住の用に供すること。また，同日までに居住できなかった場合は，同日後遅滞なく（遅くても同年12月31日までに）居住の用に供すること。

（注）新築の場合は，上記の日までに少なくとも屋根（その骨組みを含む）を有し土地に定着した建造物と認められる状態，増改築の場合は，その部分が屋根（その骨組みを含む）を有し，既存の家屋と一体となって，土地に定着した建造物と認められる状態になっていなければならない（措則23条の５の２①②）。

なお，この取扱いは，新築また増改築等の場合に適用される。また，青田売りのマンションなど建築中の建物を購入した場合は，原則どおり，受贈日の翌日の３月15日までに，その引渡しを受けていなければならない。

適用の手続きと添付書類　贈与税の申告書に，この特例の適用を受ける旨を記載し，下記の所定の明細書と書類を添付して，翌年**３月15日まで**に提出する。なお，この期日後に申告書を提出しても，この特例は適用を受けられなくなるので注意しなければならない（措通70の２－15）。

（注）この特例適用後，上記の日までに入居できなかった場合は，贈与の翌々年の２月末までに修正申告書を提出して，贈与税を納付する（措法70条の２④１）。

⑴　共通事項

贈与者ごとに，下記の記載のある明細書

①　贈与税の申告書に，

住宅取得等資金を贈与により取得した日，金額，そのうち特例適用を受ける部分の金額，贈与した者との続柄，受贈者の当年分の所得税の確定申告書の提出日と税務署名を記載(注)し，

（注）受贈者が所得税の申告をしていない場合には，源泉徴収票などで合計所得金額を明らかにする書類を添付する。

②　受贈者の戸籍謄本その他の書類で受贈者の生年月日および贈与者が直系尊属に該当することを証するもの

③　特殊関係者以外から新築等したことを明らかにする書類（建築工事請負契約書または売買契約書など）

⑵　家屋の取得・新築をした場合

④　取得・新築した家屋の登記事項証明書

⑤　取得した土地の登記事項証明書

なお，期日までに取得，新築されているが，入居できない場合には，

⑥　直ちに居住の用に供することのできない事由，および居住予定時期を記した書類

⑦　期日以後遅滞なく居住の用に供することを約する書類

を添付することになっている。

また，期日までに新築家屋が竣工していないが，新築に準ずる状況にあるときは，④の家屋の登記事項証明書もとれないので，

⑧　新築工事の請負契約書など住宅用家屋であることを明らかにするものの写し

⑨　建築業者等の工事の現況（屋根が組み上っていること等）を証する書類で，完成予定年月日の記載があるもの

⑩　その日以後遅滞なく居住の用に供すること，その後遅滞なく④の登記事項証明書を提出することを約する書類で，居住予定時期を記載した書類

を添付することになっている。

そして，入居後上記の④の書類を提出する。

改築等をした場合には

⑪　増改築後の家屋の登記事項証明書（この証明書だけでは，その工事が特例対象の工事であることを明らかにすることができない場合には，これを明らかにする書類も添付）

⑫　建築確認を要する増改築等である場合には，建築確認済証の写しまたは検査済証の写し，建築確認を要しないものは建築士の増改築等工事証明書

⑬　この工事に係る請負契約書などで工事の年月日，費用の額と明細を明らかにする書類

なお，贈与の翌年の３月15日までに工事が完成していないが，完成に準ずる状態にあるときは，これを証する証明書

⑭　工事請負契約書などで特例対象工事となることを明らかにする書類

⑮　工事を請け負った建設業者などの工事が完成に準ずる状態にあることを証明する書類で完了予定日の記載のあるもの

⑯　増改築が完了したとき，遅滞なく上記の書類を提出することを約する書類

を添付し，工事完了後に上記の書類を提出する。

（注）　省エネ等住宅の新築，取得，増改築の特例を受ける場合には，建設住宅性能評価書の写しなど，住宅用の家屋が省エネ住宅または耐震住宅に該当する旨を証する書類を贈与税の申告書に添付することとされている（措則23条の５の２⑥）。

5 教育資金の父母，祖父母などからの一括贈与の特例

教育資金をあらかじめ一括して贈与したときの特例とその手続きは。（措法70条の２の２）

教育資金の贈与の1,500万円非課税とは

親や祖父母が，子や孫へ，生活費や学校の入学金や教授料などを必要になった都度に渡せば，これも贈与ということになるが，扶養義務者相互間でのこのような贈与は非課税ということになっている（相法21条の３）。

しかし，将来に必要になるだろうということで，あらかじめ一括して贈与すれば，贈与税の対象となる。もっとも，その子や孫が，年間に贈与された合計金額が110万円までなら，基礎控除の110万円を引けば，課税価格が０円になるので，課税されない。

この制度は，さらにそれ以上の金額を贈与しても，これに1,500万円を加えた金額までは，贈与税を課さないという特例である。

適用要件は

この特例は，

① 父母，祖父母，曽祖父母などの直系尊属(注１)から

② 年齢30歳未満で，前年の合計所得金額が1,000万円以下(注２)の者へ

③ 将来の教育資金を一括して贈与した場合

④ 1,500万円（うち，学校等以外は500万円）まで非課税とする

で，**令和８年３月31日まで**に贈与した場合に適用される。

（注１）「配偶者の直系尊属から」は，本人がその者と養子となっている場合以外は含まれない（措相通70の２の２－３）。

（注２）所得年齢制限は，平成31年度の改正で追加されている。

贈与の手続きは

つぎのいずれかの形で贈与する。

① 直系尊属が，金融機関等と子または孫などを受益者とする「教育資金管理契約(注１)」をして金銭を信託する。

② 直系尊属から書面による贈与を受けた子や孫などが，銀行等(注２)と「教育資金管理契約」をして，金銭を受領後２か月以内に銀行等に預け入れる。

そして，信託または預け入れする日(注３)までに，「教育資金非課税申告書」を，その金融機関を通して税務署に提出する。

（注１）　たとえば，当初1,000万円で契約し，後日500万円を追加する場合は「追加教育資金非課税申告書」を提出する。また，当初の贈与が祖父から1,000万円で，次に祖母から500万円という場合,それぞれ別の契約をし,別の申告書を提出する。
（注２）　銀行等：第一種金融商品取引業者（証券会社など）を含む。
（注３）　「教育資金管理契約」は，一つの金融機関に限られている（措法70条の２の２⑥）。

教育資金の範囲は　つぎの者に直接支払われた金額のうち，
⑺　①②を併せて1,500万円まで
⑴　そのうちの②については500万円まで
が非課税の対象となる(注)。

※教育資金の範囲や学校の範囲などに関しては，文部科学省ホームページ【www.mext.go.jp】に掲載されている。

①　**学校等**（学校教育法に規定する幼稚園から大学，専修学校や予備校に代表される各種学校，外国にある教育施設でその国の学校教育制度に位置付けられている学校，国際的な認証機関により認証されたインターナショナルスクールや文部科学大臣が指定した外国人学校，児童福祉法等に規定する保育所や認定こども園等をいう）

入学金，授業料，入園料，保育料，入学(園)検定料，施設設備費，在学証明や成績証明などの証明手数料，学用品の購入費，修学旅行・遠足費，学校給食費その他学校等における教育に伴って必要な費用で学校に支払ったもの

②　**学校等以外の者**

学習塾・家庭教師，そろばん塾などの入会金，月謝等の教育に関する役務の対価として直接支払われる金銭や，習字，茶道，スイミング，ピアノ，バレエ教室など受贈者の教養の向上のために支払われる金銭，あるいは，学校等が教育に伴って必要と認めた物品の販売店への支払いに充てるための金銭（措令40条の４の３，平成25年３月30日付文部科学省告示68号）。

また，平成27年の改正で，通学定期券代，留学渡航費，学校等に入学・転入学・編入学するために必要な転居の際の交通費が追加され，平成27年４月１日の贈与から適用されている（措法70条の２の２②一ロ，措令40条の４の３⑧）。

（注）　1,500万円を超える金額を預入等した場合の差額部分は，預入等をしたその年の贈与税の対象となる。

なお，令和元年７月１日以後に支払われる次の⑺から⑴までの費用で，受贈者が23歳に達した日の翌日以後に支払われるものについては，教育訓練を受講

するための費用に限られる。

(ア)　教育に関する役務の提供の対価

(イ)　施設の使用料

(ウ)　スポーツ又は文化芸術に関する活動その他教養の向上のための活動に係る指導への対価として支払われる金銭

(エ)　(ア)の役務の提供又は(ウ)の指導において使用する物品の購入に要する金銭であって，その役務の提供又は指導を行う者に直接支払われるもの

教育資金の受取方法は

「教育資金管理契約」を締結するとき，

①　支払年月日から１年以内に金融機関等の営業所等へ領収書等を提出して支払いを受ける方法

②　支払年月日の翌年３月15日までに１年分の領収書等をまとめて提出して支払いを受ける方法

のいずれかを選択しておく。そして，支払った時に支払先の領収書(注)を取扱金融機関に提出，金融機関は，教育資金に充てられたことを確認し，その記録を保存する。

(注)　領収書等に記載された金額が１万円以下で，かつ，その年中に支払った合計額が24万円に達するまでのものについては，その領収書等に代えて，支払先，支払金額等を記載した書類（少額教育資金支出支払明細書）を提出して受け取ることができる（措規23条の５の３⑧⑨）。

教育資金管理契約の終了と課税関係

教育資金管理契約は，受贈者が30歳に達した日に終了し，残額がある場合には，その年にその残額の贈与があったとして，基礎控除の110万円を超える場合には一般の贈与税が課税されることとなるので，翌年３月15日までに贈与税の申告をする。

なお，令和元年の改正で30歳到達時において，現に①学校等に在学し又は②教育訓練給付金の支給対象となる教育訓練を受講している場合には，その時点で残高があっても，贈与税は課税されないこととされた。その後，①又は②に該当する期間がなくなった年の年末に，その時点の残高に対して贈与税が課税される（ただし，それ以前に40歳に達した場合には，その時点の残高に対して贈与税が課税される）（措令40条の４の３）。

教育資金管理契約期間中に贈与者が死亡したとき

贈与者が贈与後７年以内に死亡した場合，一般には，その７年分の贈与税を相続財産に加算して相続税を計算する（192ページ参照）が，教育資金の贈与については，相続税への加算はしないとされていたが，令和元年の改正で，

下記の場合を除いて，相続財産に加算して計算することとされた（措令40条の４の３）。

受贈者が，

① 23歳未満である場合

② 学校等に在学している場合

③ 教育訓練給付金の支給対象となる教育訓練を受講している場合

また，受贈者が30歳に達した時に，

(ア) 学校等に在学　または

(イ) 教育訓練給付金の対象となる訓練を受講している場合

には，その時点で残高があっても課税されず，(ア)(イ)の期間終了後，その前に40歳になったら，その時点の残高に対して課税される（措令40条の４の３）。

ところが，令和５年の改正で，令和５年４月１日以降に，教育資金非課税贈与の特例を受けた場合，その贈与者の相続財産の課税価格の合計が５億円を超えるときは，受贈者が23歳未満であっても，その贈与者の死亡日における管理残額を相続財産に加算して計算することとされた。

なお，受贈者が贈与者の子以外（孫など）で相続税が課せられる場合には，その管理残高に対する相続税の２割加算(注)がなされる（措法70の２の２⑫⑬）。

（注）令和３年４月１日以降の相続から適用。

受贈者が死亡したとき　受贈者が死亡した時も，管理契約が終了するが，この場合は，残額があっても贈与税は課税しない（措法70条の２の２⑯四，⑱）。

6 結婚・子育て資金の父母，祖父母などからの一括贈与の特例

結婚または子育て資金をあらかじめ一括して贈与したときの特例とその手続きは。　（措法70条の２の３）

結婚・子育て資金の贈与の非課税とは

親や祖父母が，子や孫の結婚式の費用や出産，子育ての費用などを必要になった都度に渡せば，これも贈与ということになるが，扶養義務者相互間でのこのような贈与は非課税ということになっている（相法21条の３）。

しかし，将来に必要になるだろうということで，あらかじめ一括して贈与すれば，贈与税の対象となる。もっとも，その子や孫が，年間に贈与された合計金額が110万円までなら，基礎控除の110万円を引いて課税はされない。

この制度は，さらにそれ以上の金額を贈与しても，一定額までは，贈与税を課さないという特例である。

適用要件は

この特例は，

① 父母，祖父母，曽祖父母などの直系尊属（注１）から

② 18歳（注２）以上50歳未満の者で

③ 合計所得1,000万円以内の者（平成31年４月１日以後の贈与の場合）

④ 将来の結婚・子育て費用に充てるための資金を一括して贈与した場合

⑤ 受贈者一人につき1,000万円（結婚に際して支出する費用は300万円）まで非課税とする

で，**令和７年３月31日まで**に贈与した場合に適用される。

（注１） 配偶者の直系尊属は，本人がその者と養子となっている場合以外は含まれない（措相通70の２の３－３）。

（注２） 令和４年３月31日までの贈与は20歳。

贈与の手続きは

つぎのいずれかの形で贈与する。

① 直系尊属が，銀行等（注２）と子または孫などを受益者とする「結婚・子育て資金管理契約（注１）」をして金銭を信託する。

② 直系尊属から書面による贈与を受けた子や孫などが，銀行等（注２）と「結婚・子育て資金管理契約」をして，金銭を受領後２か月以内に銀行等に預け入れる。

そして，信託また預け入れする日までに，「結婚・子育て資金非課税申告書」

を，その金融機関を通して税務署に提出する。(注3)

（注1）たとえば，当初800万円で契約し，後日200万円を追加する場合は「追加結婚・子育て資金非課税申告書」を提出する。また，当初の贈与が祖父から800万円で，つぎに祖母から200万円という場合，それぞれ別の契約をし，別の申告書を提出する。

（注2）銀行等：第一種金融商品取引業者（証券会社など）を含む。

（注3）「結婚・子育て資金管理契約」は，一つの金融機関に限られている（措法70条の2の3⑥）。

結婚・子育て資金の範囲は

①　結婚に際して支払う以下のような金銭

1）挙式費用，衣装代等の婚礼（結婚披露）費用（婚姻の日の1年前の日以後に支払われるもの(注)）

2）家賃，敷金等の新居費用，転居費用（一定の期間内に支払われるもの）

②　妊娠，出産及び育児に要する以下のような金銭

3）不妊治療・妊婦健診に要する費用

4）分べん費等・産後ケアに要する費用

5）子の医療費，幼稚園・保育所等の保育料（ベビーシッター代を含む）など

※費用の内容やその取扱いなど結婚・子育て資金の範囲については，内閣府ホームページ【www.cao.go.jp】に掲載されている。

（注）一般的なものとして，挙式や結婚披露宴を開催するために必要な費用（会場費，衣装代，飲食代，引き出物代，写真・映像代，演出代，装飾代，ペーパーアイテム（招待状等），人件費など）であるが，下記のものは対象とならない。

・両家顔合わせ・結納式に要する費用
・婚約指輪，結婚指輪の購入に要する費用
・エステ代
・挙式や結婚披露宴に出席するための交通費（海外渡航費を含む）や宿泊費
・新婚旅行代

結婚・子育て資金の受取方法は

「結婚・子育て資金管理契約」を締結するとき，

①　支払年月日から1年以内に金融機関等の営業所等へ領収書等を提出して支払いを受ける方法

②　支払年月日の翌年3月15日までに1年分の領収書等をまとめて提出して支払いを受ける方法

のいずれかを選択しておく。そして，支払った時に支払先の領収書を取扱金融機関に提出，金融機関は，結婚・子育て資金に充てられたことを確認し，その記録を保存する。

結婚・子育て資金管理契約の終了と課税関係

結婚・子育て資金管理契約は，受贈者が50歳に達した日に終了し，残額がある場合には，その年にその残額の贈与があったとして，その金額が基礎控除の110万円を超える場合一般の贈与税が課税されることになるので，翌年３月15日までに贈与税の申告をする。

（注１）　受贈者が死亡した時も，管理契約が終了するが，この場合は，残額があっても贈与税は課税しない（措法70条の２の３⑬二，⑮）。

（注２）　信託等があった日から結婚・子育て資金管理契約の終了の日までの間に贈与者が死亡した場合，その死亡の日における非課税拠出額から結婚・子育て資金支出額を控除した残額については，受贈者が贈与者から相続または遺贈により取得したものとみなして，当該贈与者の死亡に係る相続税の課税価格に加算される（この点が教育資金の贈与の特例と異なる。）。なお，受贈者が贈与者の子以外（孫など）で相続税が課せられる場合には，その管理残高に対する相続税の２割加算(注)がなされる（措法70の２の３⑫，令和３年改正法附則75⑤，令和３年改正措令附則29⑦）。

（注）　令和３年４月１日以降の相続から適用。

7　贈与税の相続時精算課税制度

親などから子や孫へ贈与したときには，2,500万円（特別控除）と，毎年110万円（基礎控除）までは贈与税が課税されず，相続が発生したときに精算して課税する制度がある。　（相法21条の９～21条の18）

この制度創設の趣旨――生前贈与の負担を軽くして経済活性化を

これまでで説明したように，贈与税の税率は，相続税の税率に比べて極めて高率であるため，親が死亡するまで財産の承継を待っているしかないというのが一般的であった。

しかし，高齢化が進むにつれて，財産を承継したとき，相続人も高齢化しているという状態になり，高齢化すれば保守的になるのが通常であり，せっかくの財産を有効活用し，社会経済の活性化につなげるということから，ますます遠のいていく。

それで，贈与したときの贈与税の負担を軽くするから，早いうちに財産を行動力の旺盛な相続人に受け継いでもらって，社会経済の活性化にも役立ててもらいたい。こういう趣旨で創設されたのが，この制度である。

60歳以上の親から18歳以上(注２)の子または孫へ

この制度は，**60歳以上の父母または祖父母など直系尊属(注１)**から**18歳以上(注２)の子(注３)または孫**に贈与したとき，贈与により取得した財産の価額が2,500万円までなら贈与税を課税せず，**2,500万円を超える部分**について**一律20%**の低い税率で課税するというものである。

この贈与は１回でもまた何年かに分けてもよく，たとえば１回目に1,500万円，つぎの年に２回目の500万円，その翌々年に３回目の1,000万円というように贈与することもでき，その場合，１回目の1,500万円は課税されず，２回目は１回目と累計した額が2,000万円になるが，2,500万円未満であるので課税されず，３回目に累計額が3,000万円となり，2,500万円を超えた500万円に20％の100万円の贈与税が課税され，その後の贈与については金額に関係なく一律20％の贈与税が課税されるという仕組みになっている。

なお，令和６年１月１日以後の贈与では，新たに110万円の基礎控除が創設され，つぎのように贈与税を計算することになる。

上記の例で贈与税を計算してみると，まず，１年目は1,500万円から基礎控除の110万円を控除すると1,390万円になるが，特別控除の2,500万円を下回るため贈与税は課税されない。このとき，特別控除の残りは1,110万円（2,500万円−1,390万円）となる。２年目の500万円も，基礎控除の110万円を控除すると390万円となり，特別控除の残り1,110万円を下回るため贈与税は課税されない。このとき，特別控除の残りは720万円（2,500万円−1,390万円−390万円）となる。３年目の1,000万円は，同様に基礎控除110万円を控除すると890万円となるが，ここから特別控除の残り720万円を控除した超過分170万円に20％の贈与税が課税される。その後の贈与は，特別控除の2,500万円は使い切ってしまっていることから，贈与財産から基礎控除の110万円を控除して一律20％の贈与税が課税される。

（注１） 60歳未満の親からの贈与であっても，**令和８年12月31日まで**に住宅取得等資金の贈与を受けて，所定の住宅の取得等をした場合には，この相続時精算課税制度の適用を受けることはできる（措法70条の３）。

なお，この場合の所定の住宅について，適用対象となる既存住宅用家屋は，令和４年度の税制改正前まで築年数要件であったが，改正後は，これに代えて，昭和57年１月１日以後に建築された家屋であることが要件とされた。この相続時精算課税制度は，令和４年１月１日以後に取得する贈与から適用となる（措令40の５②，措規23の６）。

（注２） 年齢基準は贈与した年の１月１日で判定する。民法（相続法）の改正により，令和４年３月31日以前の贈与により取得する財産に係る贈与税については20歳以上。

（注３） なお，平成26年12月31日以前の贈与について，贈与者の年齢要件は65歳以上，受贈者は20歳の子となっていた。孫についてその親が死亡していて祖父または祖母の代襲相続人にあたる場合も対象となる。父，母が生存していても，孫が祖父または祖母の養子になっている場合も対象者となる。相続の順位については，185ページのコラム参照。

贈与者・受贈者の組合せ

この制度は，贈与者と受贈者との組合せごとに選択することになっている。たとえば，**図表２−７**のような構成の家族があったとする。

この場合，次男だけが父からの贈与について，この制度の適用を受けるが，母からの贈与については一般の贈与の適用を受け，長男と長女はこの制度の適用を受けず，贈与を受けるときは，一般の制度によるということもできる。また，長女も父と母からの贈与についてこの制度の適用を受け，長男だけこの制度の適用を受けないということもできる。

図表２−７

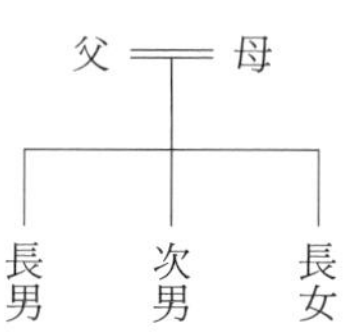

なお，この制度の選択は，家族全員（推定相続人全員）の

合意で決めるのでなく，各贈与者と受贈者とがそれぞれ単独で決めればよいことになっている。

制度の選択の手続き

この制度を選択するときは，受贈者が贈与税の申告書提出時に，相続時精算課税選択届出書をあわせて税務署に提出しなければならない。

なお，贈与された財産が相続時精算課税に係る贈与税の基礎控除（110万円）以下の場合には贈与税の申告書を提出しなくてもよいが，相続時精算課税選択届出書は提出しなければならない（相法21条の９②，相令５条①②，５条の６①，相規10条①②，11条①）。

さらに，受贈者や特定贈与者の戸籍の謄本または抄本その他の書類で，次の内容を証する書類をあわせて提出しなければならない。

① 受贈者の氏名，生年月日
② 受贈者が特定贈与者の直系卑属である推定相続人または孫であること。

選択したら変更できない

そして，この制度をいったん選択して税務署に届け出ると，それ以後，贈与者が死亡して相続するまでの贈与は，すべてこの制度によらなければならない。すなわち，中途で一般の贈与税の制度に戻ることはできなくなる（相法21条の９⑥）。

相続時の精算――贈与がなかったとして再計算

相続時精算課税制度を適用して，贈与税を申告すると，特別控除が2,500万円あるから，たとえば，子に1,500万円贈与しても贈与税を払わなくて済む。しかし，これは贈与の段階だけのもので，相続税で精算するときに，控除されるのは相続税の基礎控除だけで，これに2,500万円の特別控除枠が加わるわけではない。また，相続時精算課税制度を適用して，一般の贈与税率よりは低率（一律20％）で贈与税を支払っているのは，仮払いのようなもので，相続時に精算するときには，通常の相続税率で計算しなおされる（**図表２－８**（次ページ）と192ページ以下参照）。

ただし，令和５年の改正により特別控除の2,500万円とは別に，110万円の基礎控除が創設され，この110万円の基礎控除部分は相続財産に加算しなくてもよいことになっているので，うまく活用したい。

精算時に加算する価額――将来の予測

この制度を適用して，生前に贈与された財産を，相続時に加算するときの価額をどうするのかということが，この制度を利用するときの一番の問題となる。

金銭で贈与されたときはともかく，土地や建物で贈与されたときには，贈与時と相続時とでは，その価額が変動しているのが通常であろう。

図表２－８　（単位：円）

法定相続人か否かの区分	法定相続人			
相続人の続柄	合　計	長　男	次　男	長　女
各相続人の法定相続分	1.00	３分の１	３分の１	３分の１
各人が実際に取得した財産の価額	405,000,000	205,000,000	0	200,000,000
各人が負担した債務	0	0	0	0
各人が負担した葬式費用	5,000,000	5,000,000	0	0
死亡前３年以内に受けた贈与の価格	0	0	0	0
相続時精算課税の基礎控除後の贈与	200,000,000	0	200,000,000	0
課税価格	600,000,000	200,000,000	200,000,000	200,000,000
法定相続人の数	3			
基礎控除額	48,000,000			
基礎控除後の価額	552,000,000	184,000,000	184,000,000	184,000,000
相続税の総額の計算	169,800,000	56,600,000	56,600,000	56,600,000
各人の算出税額と合計	169,800,000	56,600,000	56,600,000	56,600,000
死亡前３年以内の贈与税額控除	0	0	0	0
相続時精算課税制度による贈与税	35,000,000	0	35,000,000	0
各人の実際に納付する税額と合計	134,800,000	56,600,000	21,600,000	56,600,000

この制度では，贈与時の価額（具体的には贈与税の申告書に記載した価額）そのものを，精算時の相続税の価額とするとされている（相法21条の15①）。

したがって，贈与された財産の価額が，相続時に上昇しているときは，この制度を適用していれば有利になるし，下落しているときは不利になる。

土地について，近年，下落傾向にあったが，大都市やその近郊では下げ止まり，上昇傾向に転じた後，また，下降するということを繰り返しており，相続時にはどうなっているのかを予測して贈与することになろうが，相続時（死亡時）が何時になるかということは人知の及ばざるところでもあるので，こういう面から選択することは難しいことでもあろう。

建物については，年々，時の経過にしたがって相続税での評価額が減価していくものであるが，貸家の場合には，贈与後の家賃収入は受贈者の所得となり，相続財産に加算されなくなることなども検討して選択しなければならない。

株式に至っては変幻極まりないものである。

精算時に加算する価額の特例

土地の価額が，時の流れで変動するのはやむを得ないことであるが，災害(注１)により被害を受け価値が大幅に下落してしまった場合にまで，贈与時の価額を，精算時の相続税の価額とするのは，納税者にとって酷であろう。

そこで，令和５年の改正で，相続時精算課税制度を適用して贈与した土地または建物が，相続税の申告期限までに災害により相当の被害を受けた場合には，一定額(注２)を控除して相続財産に加算することとされた（措法70の３の３①）。

この特例対象となる「相当の被害」とは，例えば，土地であれば，贈与時の土地価額のうち被災価額の占める割合が10％以上の被害を受けたものが対象となる（措令45の５の３③）。

（注１）ここでいう災害とは，震災，風水害，冷害，雪害，干害，落雷，噴火その他自然現象の異変による災害及び火災，鉱害，火薬類の爆発その他の人為による異常な災害並びに害虫，害獣その他の生物による異常な災害をいう（措法70の３の３①，措令40の５の３①）

（注２）災害に係る土地または建物ごとの被災価額の合計額とし，贈与時における価額を限度とする（措令40の５の３⑩）。被災価額とは，土地または建物が災害により被害を受けた部分の価額から保険金，損害賠償金その他これらに類するものにより補填される金額を控除した残額をいう。

事業用・居住用の小規模宅地の減額特例等との併用不可

被相続人が死亡直前まで事業用，貸付用または居住用に使用した小規模宅地を相続したとき，所定の要件を備えているときに，一定面積まで評価額の50％または80％を減額する特例がある（詳しくは本章「**17**」参照）が，この相続時精算課税制度の適用を受けた者が上記の小規模宅地について，この制度による贈与を受けても，贈与時の申告でこの減額特例の適用を受けることはできないし，相続時の精算においても適用されない（措法69条の４①，措相通69の４－１）。

制度選択の判断基準

このように，この制度は相続税の節税目的に即したものではなく，逆に増税という結果になることも予想しておかなければならない。にもかかわらず，この制度を利用するケースとして，事業承継がある。すなわち，死後の相続争いを避けるために，生前に財産を分けておこうということがある。

また，事業を承継させる子に対し，事業用の資産と資金を贈与し，経営を委ねて隠居するという場合もある。

たとえば，資産が６億500万円あって，葬式費用が500万円かかるとして，差引き６億円の３分の１の２億円（相続時精算課税の基礎控除後）を次男に贈与するとする。この贈与について相続時精算課税制度を適用して贈与するとすると，贈与税額は，

（200,000,000円－25,000,000円）×20％＝35,000,000円

となる。この贈与税は相続税の計算のときに控除される。

相続時の遺産が予定どおりの６億500万円であって，長男が葬式費用を負担するとし，次男に贈与した２億円を差し引いたその後の財産を長女と均分に相

続するとすると，各人の納める税額は**図表２－８**のように，

長男　56,600,000円

次男　21,600,000円（既納付の贈与税35,000,000円を加えると実質負担は56,600,000円）

長女　56,600,000円

となる（相続税額の計算の仕方の詳細は179ページ以下で説明する）。

この計算にあたり，次男が贈与を受けた２億円の財産が経営努力の結果増加して３億円になっていたとしても，相続税の計算のときに遺産に加算する価額は贈与された２億円（土地・建物その他の財産も贈与税を申告したときの価格）で計上すればよい。

この場合は，節税効果もあったことになる。

しかし，経営に失敗して，資産がなくなっていたとしても，贈与された２億円は計上して算出した相続税額21,600,000円は納付しなければならないことも計算に入れておく必要がある。納付できないからと**相続の放棄**をしても，生前贈与された財産を相続により取得したものとみなして，これに対する相続税は課税される（相法21条の16①）。

相続税は連帯納付義務

上述したような状況で，次男が自分の分の相続税を納付できないとき，長男と長女はどうなるか。

相続税は，同一の被相続人から相続または遺贈によって財産を取得した者は，その相続税について，各人が利益を受けた利益の価額（具体的には取得した純資産）に相当する金額を限度として，互いに連帯納付の責めに任ずる（相法34条①）となっているので，次男が納められない分があれば，長男と長女とが連帯してそれぞれ受けた遺産の範囲内で納付しなければならないことになる（連帯納付義務の制限あり。215ページ参照）。

相続時精算課税制度の適用にあたって，他の推定相続人との協議や同意は必要としていないが，このような事態も予測されるので，他の推定相続人の同意をとっておいたほうが，死後を含めての家庭円満のためにもよいであろう。

8 親からの借金と贈与税

親からの借金で，贈与税をとられないためには。

親からの借金は

住宅を購入するとき，まず，頭金の３割程度を貯めて，残りを住宅ローンでまかなうというのがオーソドックスな方法だが，5,000万円の住宅なら，その３割でも1,500万円である。かなりの金額であり，待ち切れない。それに住宅ローンの利子も気になるところだ。

ということで，親から資金の援助を受ける。110万円までなら贈与税はないが，それでは雀の涙で，とうてい間に合わない。それでも不足する分は，とりあえず親から借金するということになる。

親子間の金銭の貸借は認められるか

親子間の金銭の貸借は，「税務署側では一切認めない，贈与と認定されて必ず贈与税をとられる」という人もいる。そうなのだろうか。

いや，そんなことはない。親から金を借りようが，高利貸から金を借りようが，借りた金は借金である。

税務署は，親から金を借りたから，それは贈与だというのではない。しかし本当は親からもらった金なのに，形式だけととのえて，もらったのではない，借りたのだといいはる人もいるので，親子など親族間で，無利子の金銭の貸借があった場合，実際は贈与であるのに，貸借の形式をとっているだけなのかも知れないから念査してよく調べなさいということになっている（相基９－10）。

そして，調べていくうちに，借金を返済した事実もなかったり，子供の収入から考えてその借金を返せないような状態なら，これは借金でない，贈与だ，といって贈与税をとるだろう。

どうすれば借金と認めてくれるのか

まず，借用証書を作っておいたほうがよい。その記載例を**図表２－９**（次ページ）に掲げておいた。これにならって，自分のケースにあてはめて作ったらよいだろう。

そして，借用証書に記載された返済期日に返済して，その証拠を残しておくことである。銀行振込みにしておけば，その証拠がはっきり残るだろう。

返済条件の決め方

返済条件も，銀行や勤め先から借りたらどうなるかを参考にして決めればよいだろう。本人の返済能力を考えて決めればよい。毎月の返済額を返したら，本人の給料がほとんど残らず，どうやっ

図表２－９　借用証書の例

借用証書

収入印紙

一　金一、二〇〇万円也
　ただし、利息一月〇・二パーセント
前記金額を借用受領いたしました。
（返済方法）
据置期間を一か月とし、令和〇年〇月〇日より、左記の金額に、借入残高に対する利息を付し、元本均等払により、貴殿のところへ持参、又は貴殿の指定する銀行口座に振込んで、お支払いいたします。
毎月の支払元本額　五万円也
支払回数　二四〇回
最終支払日　令和〇年〇月〇日
令和〇年〇月〇日
住所　××市××区××町××番
（借主）　家　野　息　子㊞
住所　××市××区××町××番
（貸主）　家　野　親　男　殿

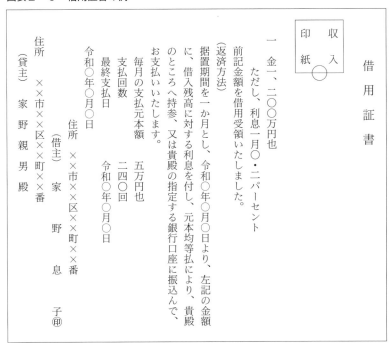

て生活しているのですかなどと税務署員に聞かれるようなことのないようにしたほうがよい。では，いくら残ったら生活できる範囲かということになる。常識で考えて，これくらいならという金額である。

銀行や勤務先からの貸付けでも，２年位の据置期間はある。親が子に貸すのだから，多少の据置期間はあってもおかしくない。しかし，据置期間20年，その後20年間で分割返済というのでは，税務署でも首をひねるだろう。ものには，ほどほどということがある。

利息はどうするか　子供にものを貸すとき，使用料をとらないことが多い。子に家を貸しても家賃をとらなかったり，土地を貸しても地代をとらないことが多い。このとき，子に与えた利益は税務上は贈与とみなされるのである。だが，その利益が少額である場合，または課税上弊害がないと認められる場合は，無利子で借りた金の利子相当分に贈与税を課さないように取り扱われている(注)（相基９－10）。

（注）　無利子の借入金について：「課税上弊害がないと認められる場合」とは，どの程

度の金額までをいうのかということは明示されていない。しかし，年間の利子相当分が110万円以内で，他の贈与がなければ，贈与税は課税されない。現状の利子率は，銀行の５年の定期預金をしても年利0.200％ぐらいが通常である。５年ものの個人向国債でも応募者利率で0.05％ぐらいである。子供に金を貸して，利子がそれより少しでも上回れば，親孝行になる。であれば，無利子などとしないで，上記の利子にプラス・アルファをして，年利何％と借入証書に書いておいたほうが，税務上のトラブルも避けられるであろう。

しかし，利息をつけないで金の貸借があった場合には，本当は贈与なのかもしれないから，よく調べろという通達も出されている（相基９－10）。だから，必要以上に根掘り葉掘り調べられるかもしれない。それがわずらわしいというのなら，年利0.5％ぐらいの利息をつけておけばどうだろう。

なお，どうしても子から利息を取りたくないときには，借用証書に「利息は付せず」というように明示しておかなくてはならない。そうでないと，利息の定めのないものとして，法定利息の３％分の所得が親のほうにあり[(注１)(注２)]，その同額を息子に贈与したと認定されるおそれがあるからである。

（注１）「利息を生ずべき債権について別段の意思表示がないときは，その利率は，その利息が生じた最初の時点における法定利率による。」（民法404条）。なお，平成29年６月改正の民法では，この利率は年３％とし，３年ごとに短期貸出利率を参考として変更するとされており，令和２年４月から施行されている。

（注２）親の受け取った利息は雑所得として所得税の課税対象となる。ただし，親の所得が１か所からの給与所得だけの場合は，給与所得以外の所得が20万円以下であれば確定申告をする必要はない。

返済した証拠を残しておくこと

借金だから，返済するのは当り前である。そして，これが借金か贈与かを認定する決め手になる。しかし，親子の間で両人が返した，返してもらったといっても，証拠力はうすい。領収書だって，いつでも作れると思えそうだ。親の預金口座に子が振り込めば銀行という第三者が入るから，証拠力を増すであろう。

9 銀行ローンと贈与税

子の銀行ローン残高を親が弁済したら贈与税…。

親が保証人となり，子が銀行から借入れをしたら

銀行から子が借入れすれば，何ら贈与の問題は起こらない。

いま，不足資金が800万円で，親が800万円もっていて，親が銀行に話をして，この800万円を定期預金にするから，銀行から子に800万円貸してやってくれ，そして，親が連帯保証人になるからといって，子が銀行から貸してもらうこともある。その場合，定期預金の利息が0.4%，貸付金の利息が3.0%なら，差引き2.6%の負担となり，利息については足がでる。しかし，親から子に貸したような煩わしさはなく，すっきりする。この場合，まず贈与税の問題は起こらない。

子の返済金の一部を親が負担したら

親が定期預金をしたり，連帯保証人にならなければ，銀行が貸してくれなかったのは，子の返済能力がそれだけ劣るからである。だから，その返済金の一部をどうしても払えないことがある。その場合，親が返済金の一部を負担することが多い。

この場合には，返済金のうち親が負担した部分はその年に贈与したこととなる。贈与税には，１年間で110万円の基礎控除がある。110万円を超えれば，超えた部分は贈与税がかかる。

税務調査の後で，銀行借入金を親が一括返済したら

銀行に対して親が定期預金をし，子が借入れをして，無事に税務署の調査も終わった。そうすると，定期預金の利息と借入金の利息の差を負担するのがバカらしくなる。そこで，定期預金をとりくずして，借入金を一括返済してしまいたくなることが多い。

しかし，税務署のほうでも，初めの調査のときにあやしいなと感じていると，何年かしてから，もう一度調査することがある。そのとき，親が子に代わって一括返済したことがわかると，その一括返済額は贈与であるので，そのときに課税される。

なお，この場合，贈与の時期はローンを一括返済したときであるので，借入れをしてから６年たったから更正されないなどと錯覚してはいけない。だから，この場合の期限は，一括返済の翌年の３月15日から６年後になる（相法37条）。

10 登記名義とその変更と贈与税

うっかり子の名義で登記して，贈与税をとられそうになったとき，どうすればよいか。

登記と贈与税

登記というものは，必ずしも真実の所有関係を表わしているとはかぎらない。したがって，親が資金をだして不動産を取得し，それを子の名義で登記しようが，親に贈与の意志がなく，したがって贈与の意志表示をせず，子もこれを受諾していなければ，そこには贈与という事実がなく，真実の所有者はあくまでも親であるのだから，贈与税の課税は生じないはずである。とはいうものの，これは理屈であり，上記のような事情の下で子の名義で登記すれば，税務署は，贈与があったとして必ず贈与税を課税してくるであろう。

うっかり，子の名義で登記したとき

しかし，贈与税のことなどあまり関心のない人は，不動産を取得したとき，うっかり子の名義で登記してしまい，後で，そんなことをしたら贈与税をとられるぞ，と聞かされてびっくりする親がけっこういる。そこで，あわてて本当の所有者である親の名義に変更しようとすると，そうすると，子から親にもう１回贈与があったとして，２回贈与税をとられるぞ，とおどかす人もある。２回贈与税をとられるということなどはないから，安心して早く名義を戻したほうがよい。

この場合，子名義から親名義に所有権移転登記をすることになるが，登記原因は「真正な登記名義の回復」として登記したほうがよい。

いつまでに名義変更（訂正）をしたらよいか（原則）

それができるのは，その不動産についての贈与税の「申告」「決定」または「更正」の日前である。その不動産について，自分で贈与があったと認めて贈与税の申告をしてしまった後ではダメである。しかし，贈与税を払いたくないから名義変更をするのであって，自分で進んで申告をしてしまうことはあまりないであろう。

「決定」というのは，納税者が自分で申告しない場合，税務署長が一方的に課税処分をすることである。この決定処分の後ではいけないのも原則となっている。それから，ここでいう「更正」とは，その年にその不動産以外に贈与された財産があって，その分について贈与税の申告をしていたところ，税務署のほうで，この不動産の贈与もあったろうといって，課税処分をすることを指している。この後も，原則として認めないということになっている。

よく，申告期限（翌年の３月15日）までに名義変更をしておかなければいけないと誤解している人が多い。そうではない。申告期限を過ぎても，上記の申告，決定，更正の前であればいいのである。

上記の日までに名義変更（訂正）をしなかったとき（例外）

ところで，名義変更（訂正）をしないで，贈与税は関係ないのだと安心していたところ，上記の「決定」または「更正」処分を受けてしまった。その場合は，どうにもならないか。まだ方法がある。まず，

① その決定処分なり，更正処分について，税務署長に対して「再調査の請求」あるいは「審査請求」をする（この手続きは，専門家でないとむずかしいから，税理士に依頼したほうがいいだろう）。再調査の請求や審査請求ができるのは，決定処分等の通知を受けた日の翌日から起算して３か月以内である。この期間を過ぎてしまったら，法律的には，もうどうにもならない。

② そして，再調査の請求をしたら，すみやかに名義変更をする。

どういう場合でも，名義変更（訂正）すれば認められるか

「決定」処分を受けた後で名義を訂正して贈与税を課せられないためには，以上の他にさらに，つぎの事情がなければならない。

① 訂正前の登記が「過誤」に基づき，または「軽率」になされたもので，それが取得者の年齢，社会的地位から考えて，ムリもないことだと確認できること，または，

② 名義人が，自分が名義人になっていることを知らないことが確認でき，かつ，その不動産を使用収益していないこと

のいずれかに該当していなければならない（この取扱いについては，「名義変更等が行われた後にその取消し等があった場合の贈与税の取扱いについて」昭和39年５月23日「直審（資）22」に詳しく述べられている）。

11　低額譲渡と負担付贈与

親族間での譲渡や負担付贈与をした不動産は時価で評価。著しく低い価額であれば贈与税。

相続税評価額での売買と贈与税

親が子に土地や建物を売る場合，その売買価額が，時価より低ければ，その価額と売買価額との差額分については，経済的利益の供与があったとし，これを贈与とみなして，贈与税を課するということになっている（相法７条）。

なお，親の側から見れば，このやりとりは売買（譲渡）であるので，譲渡所得税の対象となり，その売買価額から取得費と譲渡費用を控除した残額を譲渡所得として課税されることとなっている。

相続税評価額から通常の取引価額基準へ

かつては路線価等により算定された相続税の評価額以上の価額で売れば，その価額がいわゆる時価（第三者間で通常取引される価額）より低くとも，子には贈与税は課税しないように取り扱われていた。ところで，いわゆる時価5,000万円の土地の相続税の評価額は，だいたいその80％程度になっているので，その評価額は4,000万円ということになる。

それで，親が5,000万円で土地を買い，しばらくして，これを4,000万円で子に売れば，子に贈与税はかからないということになる。

一方，親のほうは，取得費5,000万円の土地を4,000万円で売ったのだから，利益（譲渡所得）はマイナスの1,000万円となり，譲渡所得に係る税金は払わなくてよくなる。

まことに，奇妙奇天烈（きみょうきてれつ）な話であるが，相続税の評価額を，いわゆる時価より低くしている以上，ごもっともといわざるを得ない話である。

しかし，納税者のほうも，こんなうまい話は通るはずはないと，警戒していたから，このような極端なケースを実行する人も少なかったが，だれかがこれで節税したという話が広まり，また，不動産業者等が新聞広告まで使って大々的に喧伝もしたので，われもわれもということになってしまった。

こうなってくると，課税当局のほうも，見過ごすわけにはいかず，この規制に乗り出すこととなり，同時に普及してきた負担付贈与（マンションをローン付で贈与する）の規制とともに，「負担付贈与又は対価を伴う取引により取得した土地等及び家屋等に係る評価並びに相続税法第７条及び第９条の規定の適用について」（平成１．３．29　直評５他）という通達を出して，このような場合に，路線価等により算出された相続税の評価額を判定基準とするのではなく，親子間の売買金額が，通常の取引価額に相当する金額より低ければ，一般的には，その差額分を子に贈与したとみなして，子に贈与税を課税することとした。

なお，この取扱いは，平成元年４月１日以後の売買から適用されている。

通常の取引価額とは

ところで，では，この通達の判定基準となっている「通常の取引価額」とは，どういうものをいい，また，どのようにして把握すればよいかという問題に移ることとなる。

特殊関係のない第三者間で，通常成立するであろう売買の場合の価額が，通常の取引価額といってしまえば，なんとなくわかったようになるかも知れないが，実際の土地の売買において契約される価額は，当事者の事情等を反映して，その高低の差は著しい。専門家である不動産鑑定士ですら，そこに苦慮しているわけであり，ただ「通常の取引価額」といわれただけでは，納税者も判断に惑うし，税務署のほうも困るであろう。

それで，取扱いでは，公示価格と比較して求めた価格ならばよいということとしている（174ページコラム参照）。

ただし，公示価格と比較して5,000万円の親所有の土地を，不動産業者から6,000万円で買いにきていて，まず，親が子に5,000万円で売り，すぐ，これを子が不動産業者に6,000万円で売ったというような場合には，差額の1,000万円は親から子への贈与として取り扱われるようになっている。

では，どのような場合でも，路線価で売買したら必ず時価との差額は贈与とされるか，これについて，興味のある裁決例，判例が出ているので参照されたい（174ページコラムの裁決例，判例参照）。

負担付贈与も規制

借金などの負担をつけて不動産等を贈与することを，負担付贈与という。これが贈与税・相続税の対象として利用されるのは，親が5,000万円（相続税の評価額4,000万円）のマンションを，自己資金1,000万円，住宅ローン4,000万円で購入し，これを，4,000万円のローン債務（負担）をつけて，子に贈与するような形で行われる。

この場合，子に対する贈与税は，マンションの評価額4,000万円からローン債務の4,000万円を引いてゼロ円となり，課税されない。

このように対価（債務の肩代わりという経済的利益）を得て贈与する場合は，譲渡（短期譲渡）にあたるとされ，親に譲渡所得に係る税金が課せられることになるが，譲渡収入4,000万円から取得費5,000万円を引いて譲渡所得はマイナス

1,000万円となり，譲渡の税額が生じないということになる。

これも，いかにも不合理であり，負担付贈与の場合の贈与税の評価も，「通常の取引価額」，この例では，5,000万円とすることとされている（前掲通達）。

（注）賃貸中のマンションなどを贈与する場合に，賃貸人から預っている敷金もいっしょに贈与しないと，敷金の返済義務という負担を付けた贈与，すなわち，負担付贈与とされて，時価評価されるので留意すること。

通常の贈与は路線価で

なお，上述した規制は親子間の売買とか負担付贈与の場合であり，それ以外の通常の贈与は，路線価等をもととして算出した評価額によることになっている。

〈低額譲渡の判定基準について裁決例〉

低額譲渡であるか，どうかの判定基準は，単に売買価額だけでなく，譲受けの事情，譲受価額，市場価額および相続税評価額などを総合勘案して社会通念に従い「著しく低い価額の対価に該当するか否か判断すべきものである（裁決例平成15．6．19裁決事例集65集「相続税法関連」→「資産の低額譲受け」）（国税不服審判所（https://www.kfs.go.jp/index.html）→「公表裁決事例」）。

この事例は祖母が高齢となり，本件貸アパートを所有していてもアパート経営，管理，所得税の申告が煩わしくなり，また，建築資金に充てた借入金を完済することを目的として，相続税路線価の水準の価額で孫に譲渡し，孫は金融機関から借金して買い受け，祖母がその代金で借金を完済した例である。

（単位：円）

	建　物	土　地	合　計
売買価額(A)	19,950,000	52,000,000（注）	71,950,000
税務署の主張する時価(B)		65,538,000	
相続税の評価額(C)	13,884,937	55,351,372	69,236,309

（注）孫の求めた不動産鑑定評価書も売買価額と同額，税務署の主張する時価の79.3%，売買時点：平成12年12月４日売買原因所有権移転登記）

審判所は上記の事情と上記の価額を比較考量した上で，低額譲渡に該当しないと判示している。

〈路線価での譲渡を著しく低い価額ではないとした判例〉

夫から妻と子が土地を路線価評価額と同額（時価の78%）で購入した件について，相続税法７条でいう「時価」とは公示価格水準をいうので，上記の価額は「低い価額」に当たるが，「著しく低い価額」とはいえないとして，贈与税の課税を取り消した東京地裁の判決（平成19．８．23）がある。なお，同判例では，同条の規定は，当事者間に租税回避の意図・目的があったか否かを問わずに，その価額が「著しく低い価額」であるかどうかという基準のみで判定されるものであると述べている点も参考になる（国税庁税務訴訟資料257号－154（順号10763））。

〈使用借権上の貸家と貸家建付地の判定〉

⑴　親の土地を，子が使用貸借で借りて，貸家を建てて賃貸していたときの贈与税・相続税でのその土地の評価は，借家人の権利が敷地に及んでいないということで，自用地（更地）としての評価となる。

⑵　親が自分の土地に貸家を建て，借家人のいる状態で子に建物だけを贈与したとき，その借家人の権利は敷地に及んでいるので，その状態のままで土地を相続したときの土地の評価は貸家建付地として評価される。しかし，贈与のときの借家人が退去し，別の借家人が入居したときは，使用借権上の建物を借りたのであるので，借家人の権利は敷地に及んでいないので，その後に相続のあったときの土地の評価は自用地（更地）としての評価となる。

12 贈与税と時効

> 公正証書と時効を利用して，贈与税をうまくのがれる方法はないか。（相法37条）

贈与税の時効は　贈与をしてもらって申告しなかった場合，税務署で調べて税額を決定して課税する。しかし，申告期限後６年(注)を経過すると，この「決定」のできる期間が経過する。これは俗に「税金の時効」といわれている。贈与税の申告期限は，贈与のあった翌年の３月15日である。したがって，贈与の翌年の３月15日から起算して６年を経過したら，たとえ，かつて贈与があったことがわかっても，贈与税を課税されることはない（相法37条①）。

なお，贈与のあったことを偽ったり，隠したりしたような場合には，この６年の期間が７年に延長されるようになっている（相法37条④）。

（注）所得税，法人税，消費税，相続税，贈与税などは納税申告書を提出して納税するようになっているが，その申告書の提出がなかった場合には，税務署長が調査して課税標準と税額を決定して課税することになっている（通法25条）。そして，その決定は法定申告期限から５年（相続税・贈与税は６年）を経過した日以後することができないとされている（通法70条，相法36条①，相法37条①）。

贈与の時期は　いつ贈与があったとするのか，それによって時効の時期が変わってくる。ところで，贈与契約とは，贈与する人が相手にこれを贈与するよという意志を表示し，相手が受諾することによって成立する契約である。しかし，書面によらない贈与は，その履行前はいつでも取り消せるという民法の規定があるから，贈与が確定するのは，贈与契約を文書で作成し，その契約効力の発生した日か，文書を作らない場合は，贈与を履行した日である（相基１の３・１の４共－８）。

（注）民法における贈与は，贈与者に贈与の意志があり，受贈者が受諾することが要件となっている（民法549条）。しかし，相続税法における贈与には，「みなし贈与」というものもあって，民法における贈与ではないが，税法では贈与とみなしますよという規定があることに注意（相法４条～９条など）。

土地・建物については，一般には土地・建物を引き渡し，所有権の移転登記をして履行する。しかし，登記はただ権利を保護するためだけであり，登記がないからといって，そのことをもって直ちに贈与の履行がなかったとはいいきれない。贈与契約書を作成し，その効力が発生した日が贈与のあった日だという主張をしたらどうだろうか。

登記をしないで公正証書を作成しておいたら

たとえば土地・建物を贈与して，所有権移転登記はしないが，公正証書を作成しておいたらどうだろうか。登記をすれば税務署にすぐわかって課税されてしまう。しかし，公正証書を作っても，公証人役場から税務署に通知がいくわけでないから，自分で申告さえしなければ税務署にはわからない。

そして，公正証書を作成し，その効力が発生した日，少なくとも土地・建物を目立たないように引渡しをしておいてその翌年の３月15日から起算して６年経過したら，「登記原因×年×月×日贈与」として所有権移転登記をする。登記の受付日は現在日だが，登記原因の日付は６年以上前の引渡日などにしておく。

これならば，税務署から『お買いになった資産の買入価額などについてのお尋ね』がきても，「これは贈与を受けた土地・建物です。しかし，贈与税は，もう時効にかかっているはずです」といえば，課税されないのではないか。これも一理屈である。ところが，公正証書による財産の贈与時期は，公正証書が作成された日ではなく，本件不動産に係る所有権の移転登記がされた日であるとされた事例がある（平成９年１月29日裁決事例，裁決事例集 No.53　381ページ）。したがって，このような考えは税務署が認めてくれないであろう。

これで時効にもちこむのは，やはりむずかしい

親が公正証書で贈与契約書を作成しておいて，その日から起算すれば時効の成立した日以後に死亡し，相続が始まった。そのとき，公正証書に記載してある財産は，贈与は済んでいるから，相続財産には含まれないはずだ。そして，その贈与税については時効が成立していると主張して争った事例があり，国税不服審判所にもちこまれた。

このときの裁決では，真に贈与をする意志があって贈与したのなら，土地・建物については，一般の人がするように，登記をするなり，外見上贈与をしたとわかるようなことをしているはずだ。そして，この場合，登記などをしては困るような特別の事情もなかった。だから，これは単に文書を作っただけで実際には贈与という事実はなかったのだ。だから，相続税の課税対象から除くべきでないという裁決であった（昭46．９．27裁決，また，平５．３．24名古屋地判）。

だから，こういう方法で贈与税（または相続税）をまぬかれることはむずかしいようである。

13 贈与税と相続税

贈与税と相続税とはどういう関係にあるか。

相続税の補完税

相続をしたときに相続税を課せられる。財産の多い場合には，相続税も相当の負担になる。それで，相続税を課せられる前に生前贈与をすれば，贈与した財産だけは相続税の課税対象からはずれるから，相続税はそれだけ負担が軽くなる。しかし，そういう生前贈与をそのまま認めていたのでは，相続税が尻ぬけになってしまう。それで，生前の贈与には贈与税を課し，相続税と相まって税収を確保し，課税の公平をはかろうとしている。

このように，相続税を補うという意味で，贈与税を相続税の補完税といっており，その規定も「相続税法」のなかにもうけられている。

生前贈与をしたほうがトクな場合 相続まで待ったほうがトクな場合

相続は一生に一回であり，贈与は小刻みに毎年でもできる。そういう意味もあって，贈与のほうが控除額は低く，税率は高くなっている。ぼう大な財産をもっていれば，小刻みに贈与して，贈与税を納めたほうが税額は安くてすむ場合も多い。また，一度に相続税を払うのが資金的にも大変だから少しずつ贈与税を払っておこうとする人もある。(注)

（注）　相続開始前7年以内に贈与した分は，贈与をしなかったものとして，それを遺産のなかに加えて相続税の計算をし，かつて納付していた贈与税を差し引いた額が実際納める相続税額となるようになっている。なお，配偶者に対する贈与税の特別控除を受けていたものは，7年以内のものであっても，遺産に加算しないことになっている。これについて詳しくは192ページ参照。

しかし，普通程度の財産程度であれば，相続税のほうがはるかに安い。**相続税の基礎控除**は，

3,000万円＋(600万円×法定相続人の数)

であり，法定相続人が3人なら，4,800万円までは控除になる。4,800万円というのは，土地・建物なら相続税の評価額でということであり，時価にして約6,000万円程度のものと考えておいてよいであろう。居住用や事業用の土地について，さらに，198ページで説明する評価減の措置があるので，これも考慮に入れて比較検討をしておくのがよい。

ここらの計算をよくしておいて，生前贈与にするか，相続まで待つか，あるいは，生前贈与と相続とを組み合わせるかを決めたほうがよい。

14 相続税の計算の仕方

相続税はどのようにして計算するか。

相続税の計算の仕方

相続税というのは，前項で説明したように，ある程度の財産までであれば，それほどの税額にはならないのであるが，それでもどれくらいかかるのか心配だという人が多いようであるので，つぎの設例によって計算の仕方を簡単に説明しておく。

〔設例〕

相続人（長男，次男，長女）３人のみの場合，法定相続分は各人３分の１ずつである。

遺産の内訳

住宅（建物）	時価	600万円	評価額	300万円
住宅用土地（150㎡）	〃	15,000万円	〃	2,400万円
貸　　家	〃	20,000万円	〃	6,500万円
貸家用土地（190㎡）	〃	11,000万円	〃	7,000万円
その他土地（未利用地）	〃	10,000万円	〃	8,000万円
現金，預金その他	〃	2,000万円	〃	2,000万円
資　産　計	〃	58,600万円	〃	26,200万円
借入金，預り敷金その他の債務	〃	△3,200万円		△3,200万円
葬式費用	〃	△200万円		△200万円
債務等計		△3,400万円		△3,400万円
差引合計（課税価格）		55,200万円		22,800万円

相続税の課税価格は，上記のように資産の評価額の合計２億6,200万円から債務等の合計3,400万円を差し引いた２億2,800万円となり，相続税の計算はここから出発する（なお，時価は参考までに記載しておいただけであって，相続税の計算には直接には関係ない。**建物の評価額**は建築費の50％前後，**土地の評価額**は時価の80％前後ぐらいが一応のメドである(注１)。また，貸家は自用の建物の評価額の30％減となり，貸家の敷地についても「貸家建付地割合」といって一般の土地の評価より20％前後安くなる。また，自宅や事業用地，貸付用地として使用している土地については一定面積の部分について，小規模宅地の評価減があって，その土地の使用の状況によっ

図表２－10　相続税の速算表

法定相続分に応ずる取得金額		税　率	控除額
	1,000万円以下	10%	－
1,000万円超	3,000万円以下	15%	50万円
3,000万円超	5,000万円以下	20%	200万円
5,000万円超	１億円以下	30%	700万円
１億円超	２億円以下	40%	1,700万円
２億円超	**３億円以下**	**45%**	**2,700万円**
３億円超	**６億円以下**	**50%**	**4,200万円**
６億円超		**55%**	**7,200万円**

て，50%～80%の評価減をする(注２)（198ページ参照）。

（注１）　建物の評価額の建築費に対する割合は，市町村によってかなりバラツキがあり，また，建築年月日によっても差がある。具体的な評価にあたっては固定資産税課税台帳で調べる必要がある。

（注２）　土地借地権等の具体的な評価方法については「第１章第３節」(73ページ以下)に，小規模宅地の軽減については198ページに詳しく述べてある。

現金，**借入金等**については，その金額ズバリが評価額となる）。

死亡保険金のある場合には，法定相続人数に500万円を乗じた金額までが非課税，**死亡退職金**については，法定相続人数に500万円を乗じた金額までが非課税となっている。

（注１）　相続人以外の者が受け取った死亡保険金，死亡退職金は，この非課税の対象にならない（相法12条①５号・６号）。

（注２）　死亡前３年以内に贈与を受けている場合，または相続時精算課税制度を適用している場合は，192ページ参照。

つぎに，この課税価格から**遺産に係る基礎控除額**を差し引いて，課税遺産総額を求める。

遺産に係る基礎控除額＝30,000,000円＋（6,000,000円×３人（法定相続人の数(注)））
＝48,000,000円

課税遺産総額＝228,000,000円（課税価格）－48,000,000円（遺産に係る基礎控除額）＝180,000,000円

（注）　法定相続人の数には，相続放棄した者も加えて算定する。

これを，つぎに法定相続人ごとに法定相続分によって分割する。この例の場合では，

長　男　$180,000,000円 \times \frac{1}{3} = 60,000,000円$

次　男　$180,000,000円 \times \frac{1}{3} = 60,000,000円$

長　女　$180,000,000円 \times \frac{1}{3} = 60,000,000円$

となり，この法定相続分に応じる取得金額を基にして，**図表２－10**（前ページ）の相続税の速算表を用いて，各人の相続税額を求める。

長　男	60,000,000円×30％－7,000,000円	=11,000,000円
次　男	〃	=11,000,000円
長　女	〃	=11,000,000円
合　計		33,000,000円

このようにして求めた各人の相続税額の合計3,300万円が，この相続に係る「相続税の総額」であり，遺産をどのように分割するかは，この段階では関係ない（未成年者のいる場合等については下記参照のこと）。あとは各人が自分で取得した財産（債務等控除後の課税価格）の比率に応じて税額を分担して納税することになる。

長男50％，次男40％，長女10％の割合で分けたのならば，各人の納税額は，

長　男　$33,000,000円 \times \frac{5}{10} = 16,500,000円$（100円未満切捨）

次　男　$33,000,000円 \times \frac{4}{10} = 13,200,000円$（　〃　）

長　女　$33,000,000円 \times \frac{1}{10} = 3,300,000円$（　〃　）

合　計　33,000,000円

となる。これを相続税の申告書（関連部分のみ抄記）で示すと，**図表２－11㋐**のようになる（平成27年１月１日以後による。**図表２－12**も同じ）。

図表２－11　子３人の相続税の計算例

㋐　（単位：円）

相続人の続柄	合　計	長　男	次　男	長　女
各相続人の法定相続分	1.00	1／3	1／3	1／3
各人が実際に取得した財産の価額	262,000,000	148,000,000	91,200,000	22,800,000
各人が負担した債務	32,000,000	32,000,000	0	0
各人が負担した葬式費用	2,000,000	2,000,000	0	0
課税価格	228,000,000	114,000,000	91,200,000	22,800,000
法定相続人の数	3			
基礎控除額	48,000,000			
基礎控除後の価額	180,000,000	60,000,000	60,000,000	60,000,000
相続税の総額の計算	33,000,000	11,000,000	11,000,000	11,000,000
各人の算出税額と納税額	33,000,000	16,500,000	13,200,000	3,300,000

未成年者・障害者には相続税額から特別の控除

相続人のうちに未成年者がいれば，**未成年者控除**といって，18歳(注)までの１年につき10万円が，上記の算出税額から控除される（相法19条の３）。

長女が17歳であった場合には，

３年×100,000円＝300,000円

の未成年者控除があるので次のようになる。

各人の算出税額	33,000,000	16,500,000	13,200,000	3,300,000
未成年者控除	300,000	0	0	300,000
各人の納税額	32,700,000	16,500,000	13,200,000	3,000,000

また，障害者については，**障害者控除**が85歳までの１年につき10万円（重度の心身障害者については１年につき20万円）が，算出税額から控除される（相法19条の４）。

（注）　令和４年３月31日までの贈与は20歳。

一親等の血族以外は相続税額は２割増し

一親等の血族（子，子のいないときは両親）以外の者，たとえば，相続人の兄弟姉妹や孫あるいは祖父母（いずれも二親等の血族）など，また孫養子が法定相続人になって相続した場合には，上記のようにして算出した税額の２割増が納める税額となる。なお，子の１人が死亡しているため，その子（孫）が代襲相続によって相続人となった場合には，この２割加算はされない(注)（相法18条）。

（注）　養子も一親等の血族に含まれるが，平成15年の改正で，養子とした孫は一親等の血族に含まれないこととされ，平成15年４月１日以後の相続から２割加算の対象とされている（相基18－３）。

図表２－12

法定相続人か否かの区分		法定相続人		法定相続人以外
相続人の続柄	合　計	長　男	次　男	孫
各相続人の法定相続分	1.00	1／2	1／2	
各人が実際に取得した財産の価額	262,000,000	148,000,000	91,200,000	22,800,000
各人が負担した債務	32,000,000	32,000,000	0	
各人が負担した葬式費用	2,000,000	2,000,000	0	0
課税価格	228,000,000	114,000,000	91,200,000	22,800,000
法定相続人の数	2			
基礎控除額	42,000,000			
基礎控除後の価額	186,000,000	93,000,000	93,000,000	0
相続税の総額の計算	41,800,000	20,900,000	20,900,000	
各人の算出税額と合計	41,800,000	20,900,000	16,720,000	4,180,000
一親等血族以外の加算率				0.2
一親等血族以外の加算額	0			836,000
各人の実際に納付する税額と合計	42,636,000	20,900,000	16,720,000	5,016,000

また，遺言による遺贈，死因贈与によって，法定相続人以外の者が取得した場合にも，相続税額は２割加算される。たとえば，法定相続人が長男と次男で遺贈を受けた孫がいる場合は，**図表２－12**のようになる。

（注）内縁の妻にも相続させたいというとき，遺言書で遺贈するとしておけば遺贈ということで相続税の対象となる。遺言書がない場合で，相続人が故人が生前お世話になったのでと財産を分けると，それは相続人がいったん相続したとして相続税の対象となり，その上で内縁の妻への贈与として贈与税の対象となる。

養子の数は制限される

これまで説明してきたように，相続税は，相続人の数が多ければ多いほど低くなる。

ところで，養子は実子と同等に扱われるようになっていたため，相続税の節税対策のためのみの目的で，養子を増やす傾向が目についてきていた。

この傾向を是正するため，昭和63年の税制改正で，相続税の計算にあたって法定相続人に算入できる養子の人数を，つぎのように制限している。

①　実子（代襲相続人等を含む）がいる場合には，養子のうち１人を法定相続人の数に含める。

②　実子のいない場合には，養子のうち２人まで法定相続人の数に含める。

なお，民法上の特別養子または配偶者の連れ子等を養子とした者については，実子と同様に取り扱う。なお，この養子の数の制限が適用されるのは，

①　基礎控除額を算出するときの人数（相法15条）

②　相続税の総額を算出するときに分割する人数（相法16条）

③　生命保険金や死亡退職金の非課税枠を算出するときの人数

の計算についてである。

〈非嫡出子の相続分〉

非嫡出子の相続分は嫡出子の$\frac{1}{2}$とされていたが，平成25年９月４日付最高裁判所の決定を受け，平成25年９月５日以後，申告（期限内申告，期限後申告および修正申告をいう）または処分により相続税額を確定する場合の相続分については，嫡出子と同率として，計算するようになっている。

――純資産が２億2,800万円の場合のシミュレーション

1．相続人が子３人の場合

被相続人の全財産（262,000,000円）－ 債務・葬式費用（34,000,000円）＝ 純資産価額（228,000,000円）

↓

純資産価額（228,000,000円）－ **相続税の基礎控除額**［3,000万円＋(法定相続人の数)(３人)×600万円］（48,000,000円）＝ 課税価格（180,000,000円）

↓

各相続人の法定相続分［子Ⓐ］（60,000,000円）→ 算出税額（11,000,000円）

各相続人の法定相続分［子Ⓑ］（60,000,000円）→ 算出税額（11,000,000円）

各相続人の法定相続分［子Ⓒ］（60,000,000円）→ 算出税額（11,000,000円）

各人ごとに下表で算出する。

〈相続税の速算表〉

各取得分の金額	率（%）	控除額（万円）
1,000万円以下	10	－
3,000　〃	15	50
5,000　〃	20	200
１億円以下	30	700
２　〃	40	1,700
３　〃	45	2,700
６　〃	50	4,200
６億円超	55	7,200

合計する

相続税の総額（33,000,000円）

子Ⓐの取得価額（114,000,000円）→ 子Ⓐの納める税金（16,500,000円）

子Ⓑの取得価額（91,200,000円）→ 子Ⓑの納める税金（13,200,000円）

子Ⓒの取得価額（22,800,000円）→ 子Ⓒの納める税金（3,300,000円）

↓

納める税金の合計（33,000,000円）

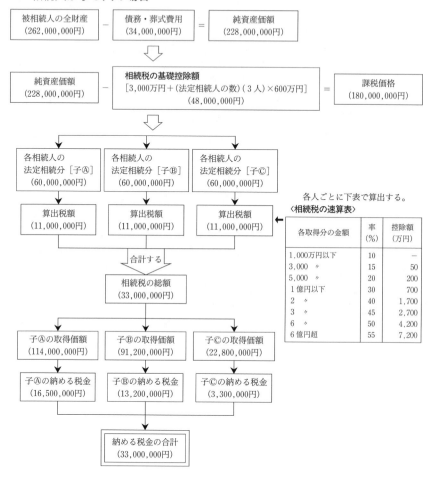

（注）　各人の納税額の計算にあたっては100円未満切捨て。191ページの表についても同じ。

〈死亡保険金と相続税〉

被相続人を被保険者とし，本人が保険料を負担した死亡保険金は，民法上の相続財産ではないが，相続税では，これを「相続により取得したものとみなす」として，相続税の課税財産に加え（相法３条①），相続人が受けた保険金については，相続人の数（相続を放棄した者も含む）に500万円を乗じた金額を非課税としている（相法12条①５イ）。

なお，死亡保険金は，民法上の相続財産でないので，保険受取人が相続を放棄した場合であっても，この保険を受領することができる。

〈相続の順位と法定相続分〉

だれが相続人となり，どれだけの相続分があるかについて，民法では，つぎのように定めている。

〔第１順位〕

配偶者と子のいるとき⇨配偶者が$\frac{1}{2}$，残りの$\frac{1}{2}$を子が均等に分ける（両親・兄弟姉妹がいても関係ない）。

子だけのとき⇨子が均等に分ける（同上）。

＊養子も実子と同じ順位と相続分。また，養子は実家の相続分も相続できる。

＊子のうち既に死亡している子がいれば，死亡した子の相続分をその子（孫）が均等に分ける（これを**代襲相続**という）。

〔第２順位〕

配偶者と両親だけのとき⇨配偶者$\frac{2}{3}$，残りの$\frac{1}{3}$を両親で均等に分ける（兄弟姉妹がいても関係ない）。

〔第３順位〕

配偶者と兄弟姉妹だけのとき⇨配偶者$\frac{3}{4}$，残りの$\frac{1}{4}$を兄弟姉妹で均等に分ける。

〈親族の範囲〉

相続税ではもちろん，所得税，法人税などでも，親族について，特別の扱い，制限をしていることが多い。

ところで，どこまでが親族かとあらためて考えると漠然としてしまう。

民法では，その範囲をつぎのように規定しており，これを図解すると，下掲の系図のようになる。

（親族の範囲）
民法第725条
　左に掲げる者は，これを親族とする。
一　六親等内の血族
二　配偶者
三　三親等内の姻族

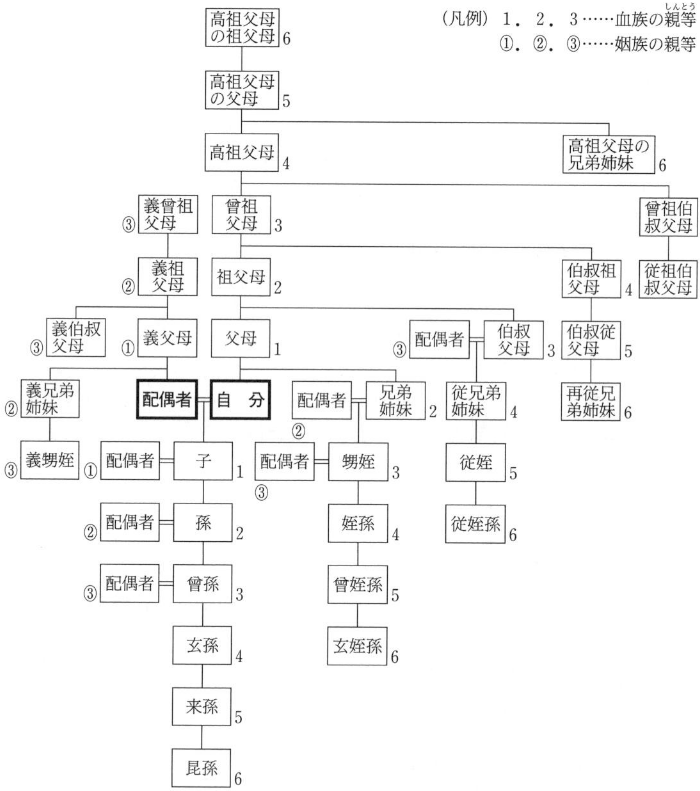

15 配偶者には優遇措置

妻の相続した分は，法定相続分か１億6,000万円の多い分までは非課税。

配偶者に対する相続税の軽減

前項の説明は，配偶者がいない場合の相続税の計算であるが，配偶者がいる場合には，配偶者について相続税の軽減措置がある。

前項の設例で，法定相続人が配偶者，長男，長女の３人のみの場合の法定相続分は，つぎのようになる。

配偶者　$\frac{1}{2}$

長　男　$\frac{1}{2}\times\frac{1}{2}=\frac{1}{4}$

長　女　$\frac{1}{2}\times\frac{1}{2}=\frac{1}{4}$

この場合の全員にかかる相続税の総額を算出するときは，前項の設例と同様に，純資産額が２億2,800万円で，基礎控除を引いた課税遺産総額は１億8,000万円だったとして，これを法定相続人ごとに法定相続分によって分割すると，

配偶者　180,000,000円$\times\frac{1}{2}=$90,000,000円

長　男　180,000,000円$\times\frac{1}{4}=$45,000,000円

長　女　180,000,000円$\times\frac{1}{4}=$45,000,000円

となり，この法定相続分に応じる取得価額を基にして，**図表２－10**（180ページ）の相続税の速算表を用いて，各人の相続税額を求める。

配偶者	90,000,000円×30％－7,000,000円＝20,000,000円
長　男	45,000,000円×20％－2,000,000円＝ 7,000,000円
長　女	45,000,000円×20％－2,000,000円＝ 7,000,000円
合　計	34,000,000円

このようにして求めた各人の相続税額の合計3,400万円が相続税の総額であるが，配偶者のいる場合には，配偶者の軽減措置があるため，配偶者の取得する遺産によって，全体の相続税額が変わってくる。

配偶者が法定相続分の50％，長男が40％，長女が10％の割合で取得すれば，各人の納税額は，

配 偶 者　34,000,000円×$\frac{5}{10}$＝17,000,000円

長　　男　34,000,000円×$\frac{4}{10}$＝13,600,000円

長　　女　34,000,000円×$\frac{1}{10}$＝ 3,400,000円

となり，配偶者の取得分は課税価格の２分の１以内であるので全額軽減され，納付する税金は，

（長男の分）13,600,000円＋（長女の分）3,400,000円＝17,000,000円

となる。

配偶者が遺産の20％，長男が60％，長女が20％を取得した場合には，

配 偶 者　34,000,000円×$\frac{2}{10}$＝ 6,800,000円

長　　男　34,000,000円×$\frac{6}{10}$＝20,400,000円

長　　女　34,000,000円×$\frac{2}{10}$＝ 6,800,000円

となり，納付する税金は，

（長男の分）20,400,000円＋（長女の分）6,800,000円＝27,200,000円

となる。

この例でみてもわかるように，配偶者の取得割合が多くなればなるほど，全体の納付相続税は軽くなるようになっている。といっても，限度がある。

(ア)　配偶者の取得した遺産が法定相続分(注)

(イ)　１億6,000万円のどちらか多い金額まで。

（注）　配偶者と子が相続人の場合は２分の１，配偶者と両親・祖父母が相続人の場合は３分の２，配偶者と兄弟姉妹が相続人の場合は４分の３となる。

この例でいうと，純資産価額は２億2,800万円であり，配偶者の法定相続分は２分の１の１億1,400万円で１億6,000万円未満であるので，配偶者が課税価格のうちの１億6,000万円分を取得した場合が，相続税がもっとも低くなる。

すなわち，配偶者分の税額は，

34,000,000円×$\frac{160,000,000円}{228,000,000円}$≒23,859,649円

となり，この全額が軽減の対象となり，長男の取得した3,400万円と長女が取得した3,400万円に対応する相続税は，

34,000,000円×$\frac{34,000,000円}{228,000,000円}$≒5,070,100円（100円未満切捨て）

となる。

すなわち，その他の相続人が２人で1,014万200円を納めればよいこととなる。

配偶者の軽減措置を受けるためには

配偶者についての相続税の軽減措置の適用を受けるためには，

① まず，その対象となる財産を配偶者が実際に取得しなければならない。申告書のなかだけ取得したことにして計算していても認められない。

② そのためには，少なくとも配偶者についての遺産分割が申告期限までに済んでいることが原則である。

③ もし，申告期限までに遺産分割が終わっていないときは，とりあえずこの配偶者の軽減措置を受けないものとして申告し，納税し，その後，3年以内(注)に分割し，それから4か月以内に更正の請求という手続きをとって，軽減分の税金を還付してもらうようになる（相法19条の2，32条，相令4条の2）。

（注） 遺産分割をめぐる争いがあって訴訟をしているなどの場合には，所定の手続きをとって判決の日まで猶予されるなどの特例の取扱いがある。

④ 配偶者は婚姻届を出して正式に戸籍に入っていなければならない。内縁関係では認められない（もっとも，内縁関係の場合，法定相続権はないのであるが，遺言等によって遺産を遺贈された場合には，相続税額に2割の税額が加算される）。

⑤ もし，申告期限までに遺産分割が終わっていないときに，未分割財産について，将来適用を受ける場合には，「申告期限後3年以内の分割見込書」に分割されていない理由等を記載して，相続税の申告書に添付しなければならない。

相続税の優遇措置と贈与税の特別控除

配偶者が生前に居住用の土地・建物の贈与を受けていたとき，2,000万円までは贈与税を課税されないという特例がある（144ページ以下参照）。

この特例を受けていて，さらに相続税について，上述した相続税の軽減措置も受けられるかという相談もよくある。相続開始前7年※内に贈与を受けていた場合で，一般の贈与の場合には，その贈与はなかったものとして，その贈与財産を相続財産に加算して相続税を計算し，すでに納付した贈与税は相続税から差し引いて精算するようになっている（相法19条）。

したがって，妻が配偶者の贈与税の特別控除の適用を受けて居住用の土地・建物の贈与を受けていても，その後，7年※以内に夫が死亡すれば，その土地・建物は相続財産に加えられて計算の仕直しということになると，元の木阿彌，骨折損のくたびれ儲けということにならないかという心配である。

しかし，配偶者の贈与税の特別控除については，それから７年※以内に相続が開始しても，特別控除の適用を受けた部分については，それはそれで済んだことにして，その分は相続税の財産に加算しないということになっている（相法19条②一）。

（注）配偶者に贈与がなされた年に，贈与者が死亡した場合には，その贈与を受けた財産について贈与税の申告をし，相続税の申告書に，その旨の記載をした場合には，配偶者控除が受けられ，相続税の財産に加算しないでいいようになっている（相法19条②二）。

※被相続人の死亡が令和５年12月31日以前だと死亡前３年以内，令和６年１月以後は加算年数については経過措置がある（192ページ参照）。

不動産取得税も考慮　相続によって土地・建物を取得した場合には不動産取得税は非課税となっているが，贈与によって取得した場合には，課税対象となることも留意しておくこと（地法73条の７一）。

〈代償分割と取得費〉

遺産分割に際して，家業を継ぐ次男が土地・建物を取得し，長男には，次男がもともとの手持資金，または土地などを交付し，バランスをとって分割することがある。これを代償分割といっている。

次男がその代償として，長男に現金で支払った場合には，特別の課税関係は生じないが，次男が所有していた個有の土地などの資産を長男に交付した場合には，次男は長男にその資産を譲渡したことになるので，譲渡所得課税が課せられ，それが土地・建物である場合には，それまでの所有期間に応じて，長期または短期譲渡としての分離課税が課せられる（所基33－１の５（代償分割による資産の移転），所基38－７（代償分割に係る資産の取得費））。

また，交付を受けた長男が，その土地・建物を将来，譲渡するときの譲渡所得を計算するときの「取得費」は，その交付を受けた日の時価とし，また，長期・短期を区分するときの所有期間の判定は，その交付を受けた日から起算して計算する。

なお，次男が相続した土地・建物を売却したときの取得費は，被相続人の取得した価額（取得費）を引き継ぐことになる。

——純資産が２億2,800万円の場合のシミュレーション

2．相続人が配偶者と子２人の場合

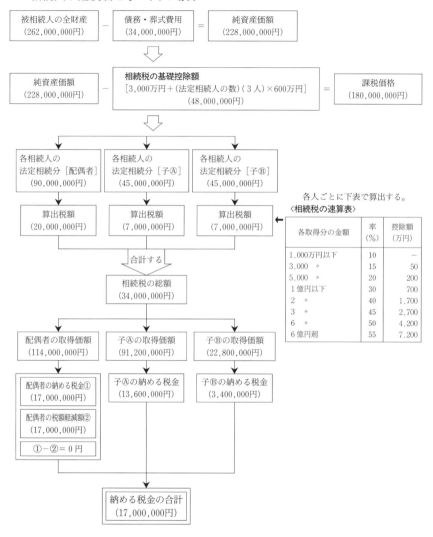

被相続人の全財産（262,000,000円） － 債務・葬式費用（34,000,000円） ＝ 純資産価額（228,000,000円）

⇩

純資産価額（228,000,000円） － **相続税の基礎控除額**［3,000万円＋（法定相続人の数）（３人）×600万円］（48,000,000円） ＝ 課税価格（180,000,000円）

⇩

各相続人の法定相続分［配偶者］（90,000,000円） → 算出税額（20,000,000円）

各相続人の法定相続分［子Ⓐ］（45,000,000円） → 算出税額（7,000,000円）

各相続人の法定相続分［子Ⓑ］（45,000,000円） → 算出税額（7,000,000円）

各人ごとに下表で算出する。

〈相続税の速算表〉

各取得分の金額	率（%）	控除額（万円）
1,000万円以下	10	－
3,000　〃	15	50
5,000　〃	20	200
1億円以下	30	700
2　〃	40	1,700
3　〃	45	2,700
6　〃	50	4,200
6億円超	55	7,200

合計する ⇩

相続税の総額（34,000,000円）

配偶者の取得価額（114,000,000円） → 配偶者の納める税金①（17,000,000円）／配偶者の税額軽減額②（17,000,000円）／①－②＝０円

子Ⓐの取得価額（91,200,000円） → 子Ⓐの納める税金（13,600,000円）

子Ⓑの取得価額（22,800,000円） → 子Ⓑの納める税金（3,400,000円）

↓

納める税金の合計（17,000,000円）

16 生前贈与のある場合の相続税の計算

死亡前7年以内の贈与と相続時精算課税制度による贈与は，相続税計算のときに精算される。

(相法19条，21条の15)

相続時の精算――贈与財産の加算と贈与税の控除

死亡前7年以内に贈与があったとき（基礎控除110万円以下の贈与も含む），また，相続時精算課税制度（160ページ参照）による贈与があったときには，被相続人が死亡して，相続税の計算をするときに，**相続によって財産を取得した者が贈与されていた財産**を，死亡時に残っていた遺産に加算して課税価格を求めて相続税額を算出し，それから贈与時に納付した贈与税額を差し引いて納める相続税額を算出することになっている（相法19条，21条の15)。

相続開始前に贈与があった場合の相続税額

これまで，相続開始前に贈与があった場合，相続財産に加算するのは相続開始前３年以内の贈与財産であったが，令和５年度の税制改正により，つぎのように改正され，あわせて経過措置がもうけられた。

1．改正事項

(1)　相続または遺贈により財産を取得した者が，その相続開始前７年以内に，その相続に係る被相続人の贈与により財産を取得したことがある場合に，その贈与により取得した財産を相続財産に加算する（相法19①)。

(2)　上記(1)により相続財産に加算する贈与財産のうち，相続開始前３年超７年以内に取得した財産がある場合には，その合計額から100万円を控除した残額を相続財産に加算する（相法19①)。

(3)　上記(1)により相続財産に加算する贈与財産があり，相続開始７年以内に被相続人以外の者から贈与を受けている場合などは，相続税額から控除する贈与税額は，被相続人から贈与により取得した財産の割合により算定する。この割合では，上記(2)の100万円を控除する前とする（相令４①)。

2．経過措置

・上記１の(1)と(2)は，令和６年１月１日以後の贈与により取得する財産に係る相続税について適用され，それ以前の贈与により取得した財産に係る相続税については，従来どおり相続開始前３年以内とする（令５改正法附則19①)。

・令和６年１月１日から令和８年12月31日までに相続または遺贈で財産を取得

した者については，上記１(1)の加算期間は「相続開始３年以内」とする（改正法附則19②）。

・令和９年１月１日から令和12年12月31日までに相続または遺贈で財産を取得した者については，上記１(1)の加算期間は「令和６年１月１日から相続開始日までの間」とする（改正法附則19③）。

・上記１(3)は，令和６年１月１日から施行する（改正相令附則１本文）。

この経過措置を，被相続人の相続開始日でまとめると，次のとおり。

被相続人の相続開始日	加算対象期間（相続税の課税価格に加算される暦年課税に係る贈与の対象期間）
～令和８年12月31日	相続開始前３年以内
令和９年１月１日～令和12年12月31日	令和６年１月１日から死亡の日までの間
令和13年１月１日～	相続開始前７年以内

なお，相続時精算課税制度による贈与は，この制度を選択した以後のすべての贈与が精算の対象になるのに対して，この制度によらない贈与は死亡前７年以内の贈与に限られている。(注１)(注２)(注３)

（注１）「配偶者の贈与税の特別控除」また「父母等からの住宅取得等資金の1,000万円（一定の場合は500万円）非課税」による贈与で贈与税を課税されなかった部分を除く。相法19条①「……贈与税の課税価格計算の基礎に算入されるもの……に限る。……」（145，189ページ参照）。

（注２）相続財産を取得しなかった者が生前に受けた贈与については，死亡前３年以内のものであっても課税価格に加算されない。

（注３）死亡前３年以内の贈与で，相続税の課税価格に加算した場合でも，その加算した贈与の価格から借入金等の債務を控除することはできない（相法13条，相基19－５）。

贈与税が加算される場合の計算例

死亡時に「**14　相続税の計算の仕方**」の179ページ設例に掲げたのと同じ遺産があって，長女に対して，生前に**図表２－13(ア)(イ)**のような贈与があったとした場合の贈与税と相続税の計算をして，相続時精算課税制度によった場合と，この制度によらない場合の計算例を掲げると，つぎのようになる。

図表２－13

（単位：円）

死亡前	(ア)　相続時精算課税による贈与				(イ)　特例贈与財産の贈与（特例税率）		
	贈与額	基礎控除	特別控除	贈与税額	贈与額	控除額	贈与税額
７年	3,000,000	1,100,000	900,000	0	3,000,000	1,100,000	190,000
６年	20,000,000	1,100,000	18,900,000	0	20,000,000	1,100,000	5,855,000
５年	2,000,000	1,100,000	900,000	0	2,000,000	1,100,000	90,000
４年	3,000,000	1,100,000	1,900,000	0	3,000,000	1,100,000	190,000
３年	2,000,000	1,100,000	900,000	0	2,000,000	1,100,000	90,000
２年	3,000,000	1,100,000	1,500,000	80,000	3,000,000	1,100,000	190,000
１年	2,000,000	1,100,000		180,000	2,000,000	1,100,000	90,000
合計	35,000,000	7,700,000	25,000,000	260,000	35,000,000		6,695,000

（注１）「(ア)　相続時精算課税による贈与」の「贈与額」のうち，相続時の相続財産に加算する贈与額は，35,000,000円から基礎控除の合計額770万円を控除した27,300,000円となる。

（注２）「(イ)　特例贈与財産の贈与(特例税率)」の「贈与額」のうち，死亡前４年から７年の贈与額の合計28,000,000円から100万円を控除した27,000,000円に，死亡前３年以内の贈与額の合計7,000,000円を加算した34,000,000円が相続税の課税価格に加算され，贈与税額6,695,000円が相続税から控除される。

なお，相続開始前７年以内の贈与加算は，経過措置がもうけられており，令和６年１月１日以降の贈与すべてがこの表のとおりとなるわけではない。

(ア)　相続時精算課税によった場合の相続税

（単位：円）

	合計	長男	次男	長女
純資産価格(財産－負債・葬式費用)	228,000,000	114,000,000	91,200,000	22,800,000
相続時精算課税による贈与	27,300,000			27,300,000
課税価格（基礎控除前）	255,300,000			
課税価格（基礎控除後）	207,300,000			
相続税の総額	41,190,000			
各人の算出税額		18,392,700	14,714,100	8,083,100
相続時精算課税の贈与税額控除	260,000			260,000
各人の納付する税額	40,929,900	18,392,700	14,714,100	7,823,100

(イ)　特例贈与財産の贈与によった場合の相続税

（単位：円）

	合計	長男	次男	長女
純資産価格(財産－負債・葬式費用)	228,000,000	114,000,000	91,200,000	22,800,000
死亡前７年以内に受けた贈与	34,000,000			34,000,000
課税価格（基礎控除前）	262,000,000			
課税価格（基礎控除後）	214,000,000			
相続税の総額	43,199,700			
各人の算出税額		18,796,800	15,037,400	9,365,400
死亡前７年以内の贈与税額控除	6,695,000			6,695,000
各人の納付する税額	36,504,600	18,796,800	15,037,400	2,670,400

贈与税の申告内容の開示制度

相続税の計算にあたって，死亡前７年※以内の贈与と相続時精算課税制度による贈与があった場合，これらによる贈与財産の価額と贈与税額を組み入れて計算しなければならない。

通常の場合は，相続人全員が集まって遺産を調べ，生前贈与があれば，そのときの贈与税の申告書を持ち寄って計算するであろうが，相続に争いのある場合には，他の相続人の生前贈与がわからないので，相続税の計算ができない事態が生じることもある。

このような事態を避けるため，相続税の申告書の提出に必要な場合に限り，他の相続人の受けた死亡前７年※以内の贈与と相続時精算課税制度による贈与に係る贈与税申告書に記載された贈与税の課税価格の合計額について，被相続人の住所地の税務署長に開示することを，死亡した年の３月16日以後から請求でき，請求後２か月以内に開示しなければならないようになっている（相法49条，相令27条）。

※被相続人の死亡が令和５年12月31日以前だと死亡前３年以内，令和６年１月以後は加算年数については経過措置がある（192ページ参照）。

（注）　この開示制度は平成15年の改正で創設され，平成15年１月１日以後の贈与により取得した財産に係る贈与税の課税価格から適用されている。

〈生計を一にする親族とは〉

所得税や相続税などで，親族を「生計を一にする親族」と，そうでない親族とに分け，その取扱いを異にする例が多くみられる。

たとえば，事業主が，生計を一にする親族に支払った給与などは制限されている（所法45条）とか，また，特定事業用資産の買換特例で従前・従後資産を事業の用に供するものである要件（466ページの(注)）や，相続税の小規模宅地の事業用宅地の判定（198ページ）に関して，生計を一にしている親族が事業の用に供していれば，本人が事業の用に供していたのと同様の取扱いをするなどである。

この「生計を一にする」とは具体的にどのような状態を指すかについて，通達ではつぎのように規定している。

（生計を一にするの意義）

所基２－47　法に規定する「生計を一にする」とは，必ずしも同一の家屋に起居していることをいうものではないから，次のような場合には，それぞれ次による。

(1)　勤務，修学，療養等の都合上他の親族と日常の起居を共にしていない親族がいる場合であっても，次に掲げる場合に該当するときは，これらの親族は生計を一にするものとする。

イ　当該他の親族と日常の起居を共にしていない親族が，勤務，修学等の余暇には当該他の親族のもとで起居を共にすることを常例としている場合

ロ　これらの親族間において，常に生活費，学資金，療養費等の送金が行われている場合

(2)　親族が同一の家屋に起居している場合には，明らかに互いに独立した生活を営んでいると認められる場合を除き，これらの親族は生計を一にするものとする。

〈遺留分と侵害額請求〉

法定相続人（兄弟姉妹を除く）には，法定相続分（185ページのコラム参照）の$\frac{1}{2}$の取り分が民法で確保されており，これを**遺留分**という。遺言や生前贈与で遺留分が侵された場合には，法定相続分を超えて財産を取得した者に，その不足分を取り戻すことを請求でき，これを**遺留分侵害額請求**という。

〈海外の財産にも相続税と贈与税〉

相続や贈与で財産を取得したとき，取得者が日本国内に住所のあるときは，その財産が国内にあろうと，国外にあろうと，相続税や贈与税が課せられることとされていた。したがって，日本人であっても，日本国内に住所がない者が，国外の財産を相続したり，贈与を受けたりしても，相続税や贈与税は課せられないことになっていた。

それで，相続税や贈与税のない国，あるいは軽い国に子を居住させ，住所を移しておき，親の財産をその国に移して，贈与するという租税回避を企てる抜目ない輩もでてきた。

そういうことを封じる意味もあって，平成12年の改正で相続・贈与前の５年以内のいずれかの時に，被相続人または相続人（贈与者または受贈者）のいずれかが，日本に住所を有していたことのある日本人は，相続や贈与によって取得した財産が国外にあるものであっても，相続税や贈与税が課せられることとされたが，平成29年の改正でこの５年以内が10年以内とされた。平成13年の改正で，被相続人または相続人（贈与者または受贈者）が国内に居住していれば，日本国籍を持たなくても課税されることとされていたが，平成29年の改正で優秀な知識労働者の来日を妨げないため，一時的な滞在期間が，相続・贈与の前15年以内で合計10年以下である場合は，日本国内の財産のみが課税対象とされた（相法１条の３，１条の４）。

17 事業用・居住用の小規模宅地の減額特例

事業用・居住用の宅地のうち330㎡まで，特定事業用宅地などは400㎡まで，貸付事業用宅地は200㎡までについて，減額の特例がある。（措法69条の４）

相続税での土地評価は

相続税や贈与税で課税価格を算出するときの土地の評価額は，「**第１章**第３節」（73ページ以下）で解説した相続税路線価を評価通達による評価規定等によって算出することになっているが，相続税での土地評価については，相続時の態様によって，特別の減額特例がもうけられている。

事業用・居住用の小規模宅地には評価減

相続税では，事業用，居住用または貸付用などで使われていた宅地のうち下表に掲げるまでの部分（小規模宅地(注)）は，通常の評価額に，**図表２－14**の割合を乗じて減額される（措法69条の４）。

（注）小規模宅地には，借地権および底地などを含む。税法の条文では，「小規模宅地等」という用語を用いている。

図表２－14

	区　　分	対象面積	減額割合
小規模宅地	特定居住用宅地	330㎡まで(注)	80％減
	特定事業用宅地	400㎡まで	
	特定同族会社事業用宅地		
	貸付事業用宅地	200㎡まで	50％減

（注）平成26年12月31日以前の相続までは，240㎡までとなる。

特定居住用宅地

特定居住用宅地とは，被相続人の死亡直前において(注１)，本人またはその相続人，もしくは相続人以外の者で本人と生計を一にしていた親族の居住の用に供されていた宅地(注２)で，建物の敷地の用に供されているものをいい，そのうち，下記のいずれかの要件をそなえているものをいう。

① 配偶者（被相続人の死亡時に同居していなくても可）が取得すること。取得後に居住しなくても可。取得直後に売却可。

② つぎの要件を満たす者が取得すること。

(イ) 同居していた親族（以下「同居の親族」という）が取得し，申告期限まで所有し，かつ，居住していること（同居については措相通69の4－21）(注3)。

(ロ) 相続開始時に居住している家屋を過去に所有したことがなく，配偶者も同居の相続人である親族もいない場合で，同居していなかった親族で被相続人の死亡前3年間，自己または配偶者，三親等内の親族またはこれらと特別の関係のある法人（同族会社等）が所有する家屋に居住したことのない者が取得し，申告期限まで所有していること。その家屋に居住しなくても可(注4)。

(ハ) 被相続人と同居していなかったが，被相続人と生計を一にしていた親族で，申告期限まで所有し，居住していること。

（注1） 被相続人が病気治療のため入院し，退院することなく死亡した場合の，入院前の家屋が，他の用途に供されていなければ，その家屋の敷地は，特定居住用宅地の対象となる。

（注2） その宅地が2以上ある場合には，主として居住の用に供していた一つの宅地等に限る（措令40条の2⑪)。

（注3） 被相続人と同居していた子A（相続人）が，転勤等の事情で別居したが，その家族は被相続人と同居しており，転勤等中に被相続人が死亡し，その家屋と敷地を子Aが相続により取得した場合で，転勤等の事情が解消した場合に，その家屋に戻って，その家族と起居すると認められる場合は，同居していた親族が取得したとして特定居住用宅地の対象となる。

（注4） いわゆる「**家なき子**」の相続である。平成30年の改正で，次のいずれかに該当する者が対象から除外され，平成30年4月1日以後の相続から適用されている。

イ　相続開始前3年以内に，その者の3親等内の親族又はその者と特別の関係のある法人が所有する国内にある家屋に居住したことがある者

ロ　相続開始時において居住の用に供していた家屋を過去に所有していたことがある者

なお，老人ホーム等で死亡したケースについては，203ページのコラム参照。

特定事業用宅地

特定事業用宅地とは，被相続人の死亡直前において，本人または本人と生計を一にしていた親族の事業の用（貸付事業を除く）に供されていた宅地で，建物または構築物の敷地の用に供されているものをいい，そのうち，下記のいずれかの要件をそなえているものをいう。

(1) 被相続人の事業の用に供されていた宅地を，親族が取得し，その事業を引き継ぎ，申告期限まで，その事業を継続し，その宅地を所有していること。

(2) 生計を一つにしていた親族の事業の用に供していた宅地を，親族が取得

し，相続直前から申告期限まで，その事業を営み，その宅地を所有していること。

(注)　生計を一にしている：196ページのコラム参照。

(3)　相続開始前３年以内に事業の用に供された宅地は除く。なお，その宅地の上で事業の用に供されている償却資産の価額が，その宅地の価額の15%以上であれば，適用となる（平成31年４月１日以後の相続により取得したものから適用)。

貸付事業用宅地　貸家または貸地については，事業と称するに至らない小規模な貸付けであっても，相当の対価を得て継続的に行うもの(注1)（準事業）であれば**貸付事業用宅地**の対象となる（措令40条の２①(注2)）。また，貸地の場合には，その土地が建物または構築物の敷地の用に供されていなければならない（措法69条の４①，措令40条の２①，措相通69の４－４(1))。なお，特定事業用宅地の「事業」からは不動産貸付業，駐車場業，自転車駐車場業および準事業は除くとされている（措法69条の４③１号かっこ書，措令40条の２⑦，措相通69の４－13）ので，減額割合は50%になっている。すなわち，不動産の貸付けについては，事業的規模であるかどうかに関係なく，その減額割合は50%となっている。

(1)　被相続人の貸付事業の用に供されていた宅地を，
　その親族が取得し，被相続人の貸付事業を引き継ぎ，申告期限まで引き続き所有し，貸付事業に供していること。

(2)　生計を一にしていた親族の貸付事業の用に供されていた宅地を，
　その親族が取得し，申告期限まで引き続き所有し，自己の貸付業務に供していること（被相続人の宅地でその貸付業務に使用していた場合などがこれにあたる)。

貸付事業用宅地の範囲から，相続開始前３年以内に貸付事業の用に供された宅地（相続開始前３年を超えて事業的規模で貸付事業を行っている者が当該貸付事業の用に供しているものを除く）が除外されており，平成30年４月以後の相続から適用されている。

(注１)　相当の対価を得て継続的に行っている貸付けでなければ，減額特例の対象にならないことに留意のこと（相当の対価については471ページ参照)。

(注２)　青空駐車場の例　(1)地面に駐車位置を指定するためのロープが敷設され，道路に面して駐車場であることを示す野立看板が設置されているのみの場合（東京高裁平成21年６月25日判決，最高裁平成21年11月27日決定)，(2)アスファルト舗装は敷地の８%程度，敷設された砂利は地中に埋没し金属製パイプを組み合わせたフェンスと看板があるのみの場合（国税（東京）不服審裁決平成17年12月16日）で，いずれも，構築物の敷地の用に供されているものといえないとして，適用を否認されている。

特定同族会社事業用宅地の減額割合

特定同族会社事業用宅地の減額割合も80％となっている。

特定同族会社事業用宅地とは，被相続人の死亡直前に被相続人もしくは生計を一にしていた親族が50％を超える株式(注)を有していた法人が事業の用に供していた宅地で，その法人の役員である親族が取得し，申告期限まで所有し，かつ，その法人の事業の用に供されているものをいう（たとえば，被相続人所有の土地・建物を法人に貸して，また，土地を貸して法人が建物を建てていたような場合が該当する）（措相通69の４－23，24）。

（注）　特例有限会社などは出資の50％超。

一棟の建物の敷地に特定居住用宅地・特定事業用宅地の併存している場合

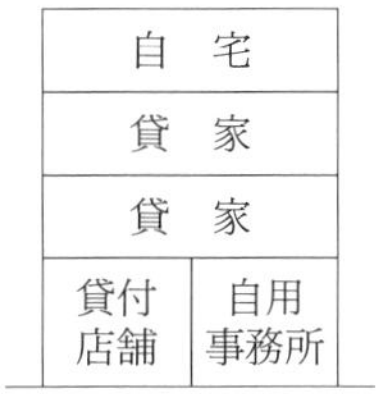

一棟の建物が右図のように，居住用，事業用や貸付用など複数の用途にあてられていた場合は，それぞれの室ごとに，そして取得者ごとに区分して，これに対応する敷地ごとに特定居住用宅地，特定事業用宅地，特定同族会社事業用宅地，貸付事業用宅地に該当するかを判定し，減額割合を算出して適応する。

建物が共有である場合には，取得者の持分ごとに判定する。

特定事業用宅地とその他の小規模宅地とがある場合の面積基準

相続によって取得した小規模宅地が，特定事業用宅地（特定同族会社事業用宅地を含む。以下，「特定事業用等宅地」という）があり，特定居住用宅地と特定事業用等宅地だけを選択する場合は，特定居住用宅地について330㎡まで，特定事業用等宅地について400㎡までと，合計730㎡まで適用になる。しかし，貸付事業用宅地も選択する場合はつぎの式になる。

（特定事業用宅地／特定同族会社事業用宅地）□㎡ $\times \frac{200}{400}$ ＋（特定居住用宅地）□㎡ $\times \frac{200}{330}$ ＋（貸付事業用宅地）□㎡ ≦ 200㎡

移転・建替中に死亡したときは

従前の事業場を移転したり，建替えようとして，従前の建物を取りこわし，新しい建物を新築しているときに，たまたま死亡するということは，不思議と多いものである。

居住用についても同様なことが起こる。環境の変化によるものであろうか。

そのような場合，新築中の建物を相続したものが，相続税の申告期限までは，その事業用または居住用に供している場合，また，申告期限までに完成していないときは，完成後すみやかに，その事業用または居住用に供することが確実と認められるときは，事業用宅地または居住用宅地として認めるとされている(注)（措相通69の４－５，８）。なお，この場合の居住用の取扱いについては，その死亡直前に，被相続人または生計を一にしている親族がその他に居住用の建物（建築中の一時的なものを除く）を所有していない場合に限られている。

（注）建築中の居住用建物の敷地が居住用宅地として認められるためには，相続開始時に現実に居住用建物の工事が着手され，居住用建物の敷地となることが外形的・客観的に明らかな状態であることが必要であるとの判例がある（平成８年３月22日東京地裁判決）。なお，事業用については，事業場の移転や建替えのためとなっているが，居住用については，このような限定はされていない。

申告要件　以上の軽減特例の適用を受けるためには，原則として，申告期限までに，どちらを選択するかを決めて，遺産の分割をして，申告書に記載して提出しなければならないが，申告期限後３年以内（相続に関し訴えが提起されているなどやむを得ない事情があり，税務署長の承認を受けたときは分割できることとなった日の翌日から４か月以内）に分割された場合も，特例の適用が認められる。

〈老人ホームに入所中の死亡と特定居住用宅地〉

老人ホームに入所中に死亡した場合，入居直前まで居住していた家屋の敷地が，特定居住用宅地の適用を受けられるか，どうか問題になる。

これについて，つぎの要件を満たす場合には，特例の適用を認めるとされ，**平成26年1月1日以後**の相続から適用されるようになっている（措法69条の4①，措令40条の2②③，措相通69の4－7の3）。

その要件は，

⑴　介護保険法の要介護認定または要支援認定を受けていた者が

①　老人福祉法に規定する認知症対応型老人共同生活援助事業が行われる住宅，養護老人ホーム，特別養護老人ホーム，軽費老人ホーム，または，有料老人ホーム

②　介護保険法の規定する介護老人保健施設，介護医療院

③　高齢者居住安定確保法に規定するサービス付き高齢者向け住宅

または，

⑵　障害者の日常生活及び社会生活を総合的に支援する法律の規定する障害者支援区分の認定を受けていた者が，同法の障害者支援施設または共同生活援助を行う住居

に入所していて，入所前の住宅は，事業・貸付けの用に供されていないこと。また，生計を一にしていた親族以外の居住の用に供されていないこと。

〈２世帯住宅と特定居住用宅地〉

一棟の建物の内で被相続人の居住部分と相続人の居住部分とが，連続していて，お互いに行き来できるような場合には，その相続人が当該家屋に同居していた者とされ，その相続人が取得すれば，この特例の適用対象となる。

〔建物内部で行き来できない構造の2世帯住宅〕

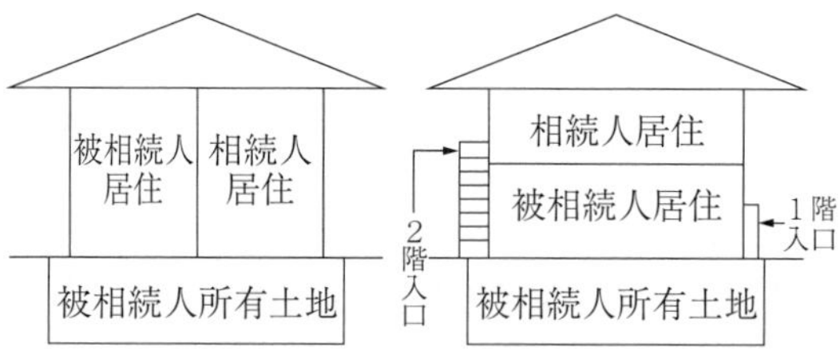

上図のように，その家屋が固定した壁で仕切られ，また，**上図右**のように１階と２階に別れて，それぞれ別の入口で出入りしている場合には，被相続人と相続人とが，それぞれ独立部分に居住していた場合でも，その家屋が，区分所有建物でない場合には，同居していたものとして，この家屋の敷地の全部について特例の適用を認めることとされ，平成26年１月１日以後の相続から適用されている。

したがって，区分所有建物である場合の２世帯住宅は，この特例が適用できないが，新築後数年経ってから，やはり使い勝手が悪いということで，被相続人の居住部分と相続人の居住部分の固定壁を取り払い，お互い家屋の中で行き来できるようになっている場合がある。つまり，家屋の実態と区分所有の登記とが一致していない場合である。このような場合に，特例が適用できる場合もあるため，専門の税理士に相談するのがよいだろう。

なお，マンションなどの区分所有建物の専有部分に，別々に居住していた場合には，同居していないものとされ，この特例は適用されない。

18 配偶者居住権などの評価は

> 配偶者の居住権の保護など。

配偶者居住権が創設された

被相続人の死亡の時に，遺産対象となる建物に，その配偶者が居住していた場合に，遺産分割が終了するまで，無償で居住できる権利として**配偶者短期居住権**が創設された（民法1037～1041条関係）。**令和２年４月１日**から施行されている。

そして，遺産分割で，配偶者がその建物の所有権を取得しないで，他の相続人が，その建物の所有権を取得したときは，配偶者は配偶者居住権を取得し，この権利は，配偶者の生存中続くこととなる。この権利を登記したときは，第三者にも対抗できる強い権利となり，配偶者は一生涯，安心して住み続けることとなる（民法1028～1036関係）。

配偶者居住権を選定するメリット

配偶者が居住していた土地・建物の所有権を取得すれば，スッキリするのに，なぜ，他の相続人にその土地の所有権を取得させて，その上に配偶者居住権を設定して，それを相続するメリットがあるのか？

一つは，配偶者居住権は，建物の所有権の評価額より低いということがいわれている。

配偶者居住権の評価額は，下記で解説するが，建物の所有権の一部であるので，建物全体の評価額より低くなる。

とすると，配偶者の取得できる法定相続分に余裕が出てきて，その分だけ，他の資産――金銭や株式あるいは，貸家なども取得でき，余裕のある余生を送ることができるともいわれている。

配偶者居住権の評価は

配偶者居住権の価額は，その建物を使い続けていく期間の価額であるので，次の式で求める（相法23条の２①，相令５の７）。

$$\text{建物の時価} = \left(\text{建物の時価}^{(注1)} \times \frac{(\text{建物の耐用年数}^{(注2)} - \text{経過年数} - \text{存続年数})}{\text{建物の耐用年数} - \text{経過年数}}\right)$$
$$\times \text{存続年数}^{(注3)}\text{に応じた民法の法定利率}^{(注4)}\text{による複利現価率}^{(注5)}$$

（注１）「建物の時価」は，相続税の評価額による固定資産税の評価額と同じ。

（注２）「建物の耐用年数」は，法定耐用年数（住宅用に1.5を乗じた年数。端数６か

月以上は1年，未満切捨（相規12の2）。

（注3）　配偶者の年令および性別に応じた完全生命表（厚生労働省）に掲げる「平均余命」（6か月以上は1年，未満は切捨）（相令5の7③一，相規12の3）。また，遺産分割協議，審判または遺言により定められている場合は，その年数（その年数が「平均余命」を超えるときは，上記「平均余命」による）（相令5の7③二）。

（注4）　法定利率は現行3％（民法404）。

（注5）　法定利率に1を加えた数を配偶者居住権の存続年数で累乗して得た数をもって1を除して得た割合（小数点以下3位未満四捨五入）（相規12の4）。配偶者居住権存続年数に対する法定年数の複利現価率。

〔計算例－①〕

評価額1,000万円の建物（木造，築後15年）を，妻85歳（平均余命8.30）が相続した場合の配偶者居住権を求める。なお，8.30年に応じる年利率3％による複利現価率は0.789である。

$$\underset{\text{(建物の評価額)}}{10{,}000{,}000\text{円}} - \underset{\text{(建物の評価額)}}{10{,}000{,}000\text{円}} \times \frac{\overset{\text{(法定耐用年数)}}{(22\text{年}\times1.5)} - \overset{\text{(経過年数)}}{15\text{年}} - \overset{\text{(平均余命)}}{8.30}}{(22\text{年}\times1.5)-15\text{年}} \times \underset{\text{(年利3％に応じた複利現価率)}}{0.789}$$

≒10,000,000円－4,251,833円

＝5,748,167円≒5,748,000円

配偶者居住権が設定された建物の敷地の評価

次の算式による（相法23の2④）。

土地の時価(注)－土地の時価×配偶者居住権の存続年数に応じた複利現価率

（注）　土地の時価は，相続税の評価額による。

〔計算例－②〕

土地の評価額を2,000万円とし，その他の条件は計算例－①と同じとする。

（土地の評価額）　（土地の評価額）　（複利現価率）
20,000,000円 － 20,000,000円 × 0.789

＝20,000,000円－15,780,000円＝4,220,000円

配偶者居住権の目的となっている建物の所有権の評価

建物の時価から，建物の配偶者居住権の価額を控除して求める（相法23条の2②）。

〔計算例－③〕

計算例を示すと，

（建物の評価額）　（配偶者居住権の価額）　（建物の所有権の価額）
10,000,000円 －　5,748,000円　＝　4,252,000円

配偶者居住権の目的となっている土地の所有権の評価

土地の時価から土地に対する配偶者居住権の価額を控除して求める。

〔計算例－④〕

計算例を示すと，

(土地の評価額)		(土地に対する配偶者居住権の価額)		(土地の所有権の価額)
20,000,000円	－	4,220,000円	＝	15,780,000円

配偶者居住権を登記するとき

配偶者居住権の登録免許税の税率は0.2%。

なお，遺産分割にあたっては，相続税で，配偶者が取得した遺産が，法定相続分と１億6,000万円とのいずれか多い方までなら，配偶者の相続税は無税となる（187ページ以下）。その関連を考慮して選択する必要がある。

婚姻20年以上の配偶者への生前贈与――遺産分割の対象外とする

相続財産を分割するとき，被相続人から生前に贈与を受けていた場合，この贈与された財産を，相続財産に持ち戻して分割しなければならない。すなわち，生前贈与により，相続財産が減ってしまっているので，その減った分を相続財産に加えようということである（民法903①）。

そこで，例えば，被相続人が，生前に子の住宅購入資金を贈与したとする。被相続人が亡くなり，相続財産を法定相続分で分割するときには，この子は特別受益者となり，贈与してもらった住宅購入資金は相続財産に持ち戻して自分の相続する財産を計算しなければならないことになる。

なお，婚姻期間が20年以上の夫婦であれば，その居住用家屋や敷地について生前贈与した場合に，持ち戻しをしなくてもよいことになっている（民法903④）。

相続税では，相続時精算課税制度や７年以内の贈与加算※等の場合を除き，既に課税済みの贈与財産は，受贈者のものとなり，原則として相続財産に加算して税額を計算する必要はない。

民法と税法では，相続財産の範囲を異にするので注意したい。民法上の相続財産は弁護士へ，税法上の相続財産は税理士へ相談するのがよいであろう。

※被相続人の死亡が令和５年12月31日以前だと死亡前３年以内，令和６年１月以後は加算年数については経過措置がある（192ページ参照）。

相続人の配偶者が，被相続人の看護などで寄与した場合

かつては被相続人を，その子の配偶者が療養看護していた場合，子の配偶者は相続人でないので，遺産にあづかることはできなかったが，６親等以内の血族と３親等の配偶者が，介護をしていて，被相続人の財産の維持，増加に特別の寄与をした場合，相続人に対し寄与に応じた金銭を請求できることとなっている（民法1050条）。

なお，食事や入浴の介助を，１日あたり１時間程度を２年間続けた場合に，約300万円が目安といわれている。

特別寄与料は遺贈

子の配偶者など，相続人でない者が，被相続人の看護などをして受けた特別寄与料は，遺贈により取得したとみなして，相続税を課税し，同額を相続人の課税価格から控除する。

なお，特別寄与者は，それを受けることを知った日から10月以内に申告書を提出しなければならない（相法４条②，相法29条①）。

＊　　　＊　　　＊

配偶者居住権の目的となっている建物及びその敷地が，収用され，また，換地処分の対象になった場合には，収用の特例（511ページ），換地処分の特例（500ページ）の適用を受けることができる。

〈配偶者居住権の中途解除〉
―無償なら贈与税・有償なら所得税と住民税―

配偶者居住権を，その存続期間中に放棄した場合，また，建物所有者と合意の下で解除された場合，配偶者居住権または敷地居住権の価額を贈与したものとして贈与税が課せられる（相基通９－13の２）。

【設例】

子が建物と土地を相続し，被相続人の配偶者（女性：配偶者居住権設定時70歳）が配偶者居住権（存続期間：終身（平均余命年数：20年（厚生労働省・完全生命表）））を取得し，その10年後に，対価の支払いなく子と配偶者の合意により配偶者居住権が消滅した場合

［消滅直前（相続開始から10年後）の各権利の価額］

〔前提〕

・建物　経過年数：14年　耐用年数：33年　相続税評価額：650万円

・土地　相続税評価額：9,000万円

・複利現価率：0.701（法定利率３％，12年間（80歳女性の平均余命年数（厚生労働省・完全生命表）））

①配偶者居住権の価額

$$650\text{万円} - 650\text{万円} \times \frac{33-14-12}{33-14} \times 0.701 \fallingdotseq \boxed{482\text{万円}}$$

※居住建物の所有権部分の価額　650万円－482万円＝168万円

②敷地利用権の価額

$$9{,}000\text{万円} - 9{,}000\text{万円} \times 0.701 = \boxed{2{,}691\text{万円}}$$

※土地の所有権部分の価額　9,000万円－2,691万円＝6,309万円

となり，子が，配偶者居住権の価額に相当する利益（482万円）および敷地利用権の価額に相当する利益（2,691万円）を，被相続人の配偶者から贈与により取得したものとみなされる。

なお，対価を得て有償で消滅させた場合は，その対価を譲渡したものとして，所得税と住民税が課せられるが，そのとき控除する取得費は，その土地・建物を被相続人が取得した時の価格に，配偶者居住権等の割合を乗じて計算した金額から，配偶者居住権を設定した時から消滅までの期間に係る減価償却費を控除した金額とする。

なお，譲渡所得の計算の解説は368ページ以下参照。

19 相続税の申告と納付

> 相続税は死亡後10か月以内に申告して納付する。

相続税の申告と納期　相続税の申告と納税の期限は，原則として，被相続人の死亡後10か月以内ということになっている（相法27条①）。ただし，期日を１日でも遅れると，原則として相続税額の５％の無申告加算税が課せられるので，注意しなければならない。

その前に，まず，準確定申告を　被相続人が，年の中途で死亡して，所得があった場合には，その年の１月１日から死亡した日までの所得金額と税額を算出し，死亡日から**４か月以内**に，相続人全員が共同で，申告して納税しなければならない。これを**準確定申告**という。

その様式は下記の**図表２－15**「準確定申告書等の記載例」に掲げておいた。

図表２－15　準確定申告書等の記載例

（相続人・包括受贈者が２人以上で代表者の指定がない場合）

㈠　準確定申告書は，一般申告書の用紙の表題に，「準」の文字を入れる。

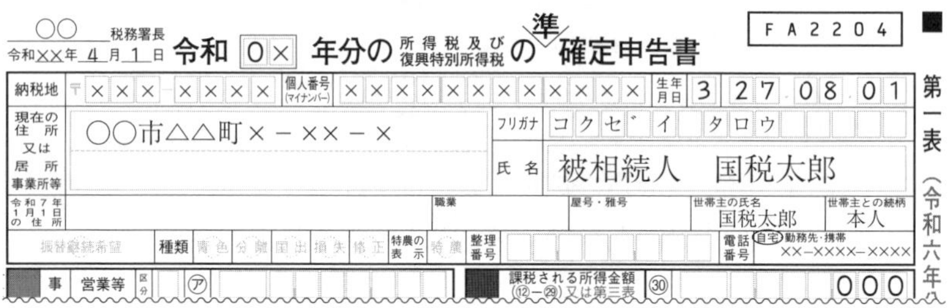

(ロ)　付表

死亡した者の××年分の所得税及び復興特別所得税の確定申告書付表
（兼相続人の代表者指定届出書）

受付印

1　死亡した者の住所・氏名等					
住所	（〒 XXX-XXXX　） ○○市△△町× － ×× － ×	氏名	フリガナ コクゼイ　タロウ 国税　太郎	死亡年月日	××年 12月 3日

2　死亡した者の納める税金又は還付される税金	〔第３期分の税額〕〔還付される税金のときは頭部に△印を付けてください。〕	△50,500 円…A
3　相続人等の代表者の指定	〔代表者を指定されるときは、右にその代表者の氏名を書いてください。〕 相続人等の代表者の氏名	国税良子
4　限定承認の有無	〔相続人等が限定承認をしているときは、右の「限定承認」の文字を○で囲んでください。〕	限定承認

5 相続人等に関する事項				
(1) 住所	（〒 XXX-XXXX　） ○○市△△町×−××−×	（〒 XXX-XXXX　） ○○市△△町×−××−×	（〒 XXX-XXXX　） ○○市△△町×−××−×	（〒　　－　　）
(2) 氏名（署名）	フリガナ コクゼイ　ヨシコ 国税　良子	フリガナ コクゼイ　イチロウ 国税　一郎	フリガナ コクゼイ　ジロウ 国税　二郎	フリガナ
(3) 個人番号				
(4) 職業及び被相続人との続柄	職業 会社員　続柄 妻	職業 会社員　続柄 子	職業 会社員　続柄 子	職業　続柄
(5) 生年月日	明・大・(昭)・平・令 31年 7月 20日	明・大・(昭)・平・令 58年 3月 10日	明・大・(昭)・平・令 59年 6月 1日	明・大・昭・平・令 年 月 日
(6) 電話番号	××−××××−××××	××−××××−××××	××−××××−××××	－　－
(7) 相続分 …B	(法定)・指定 1/2	(法定)・指定 1/4	(法定)・指定 1/4	法定・指定
(8) 相続財産の価額	35,000,000 円	17,500,000 円	17,500,000 円	円

6 納める税金等				
Aが黒字のとき　各人の納付税額 A × B〔各人の100円未満の端数切捨て〕	00円	00円	00円	00円
Aが赤字のとき　各人の還付金額〔各人の1円未満の端数切捨て〕	25,250 円	12,625 円	12,625 円	円

7 還付される税金の受取場所				
銀行等の預金口座に振込みを希望する場合　銀行名等	○○ (銀行)・金庫・組合・農協・漁協	○○ (銀行)・金庫・組合・農協・漁協	○○ (銀行)・金庫・組合・農協・漁協	銀行・金庫・組合・農協・漁協
支店名等	○○ 本店・(支店)・出張所・本所・支所	○○ 本店・(支店)・出張所・本所・支所	○○ 本店・(支店)・出張所・本所・支所	本店・支店・出張所・本所・支所
預金の種類	○○ 預金	○○ 預金	○○ 預金	預金
口座番号	×××××××	×××××××	×××××××	
ゆうちょ銀行の口座に振込みを希望する場合　貯金口座の記号番号	－	－	－	－
郵便局等の窓口受取りを希望する場合　郵便局名等				

（注）「5　相続人等に関する事項」以降については、相続を放棄した人は記入の必要はありません。

税務署整理欄					
整理番号		0	0	0	0
番号確認	身元確認	□ 済 □ 未済	□ 済 □ 未済	□ 済 □ 未済	□ 済 □ 未済

一連番号

○この付表は、**申告書と一緒に提出してください。**※還付される税金の受取りを代表者等に委任する場合には委任状の提出が必要です。

申告期限までに遺産分割がされていないときは……

相続財産の取り分について，相続人の間で争いなどがあって，相続税の申告期限までに遺産の分割が決まっていないときでも，申告期限までに申告書を提出しなければならない。

その場合は，とりあえず，法定相続分どおりに分割して取得したものとして申告して，各人が納税しておく。

そして，後日，相続人の間で話し合いがついて，分割が確定したら，その金額に基づいて，先に提出した申告を訂正して税金を清算する。その結果，先に払った税金が不足になった者は，修正申告して追加分を納め，払い過ぎになった者は，更正の請求をして還付を受けることになる。

相続税の軽減特例を受けるには……

配偶者の軽減特例や，小規模宅地等の軽減特例を受けるためには，申告期限までに分割が済んで，適用を受ける相続人がその財産を取得していなければならない。

それで，これらの特例を受けたいが，申告期限までに分割が終わっていなくても，その後３年以内に分割できる見込のあるときは，**図表２－16**「申告期限後３年以内の分割見込書」を提出しておく。

また，裁判所に和解・調停・審判の申立や訴えが提起されていて，３年以内に終わらないときは，さらに**図表２－17**「遺産が未分割であることについてやむを得ない事由がある旨の承認申請書」に，「やむを得ない理由」を記載して提出しておく。

共有申告中の家賃収入は

被相続人が貸家をしていた場合，未分割のため共有で申告している間は，その収入は，各人の持分に応じて取得し，また，その間の費用を分担する。そして，分割が確定したとき，その貸家は，相続時点にさかのぼって，その相続人の所有物となるが，その間に他の相続人が取得した家賃は精算するのかという問題が残る。

これについては，遺産とは別の財産であり，各相続人が確定的に取得したものであって，その後になされた遺産分割の影響を受けない，すなわち，清算することはないものであり，これによる更正の請求や修正申告はできないとされている（最高裁平成17年９月８日判決，国税庁ホームページ・タックスアンサーNo. 1376「未分割遺産から生ずる不動産所得」）。

図表２－16　申告期限後３年以内の分割見込書

通信日付印の年月日	確認印		番　　号
年　月　日			

被相続人の氏名 ＿＿＿＿＿＿＿＿＿＿

申告期限後３年以内の分割見込書

相続税の申告書「第11表（相続税がかかる財産の明細書）」に記載されている財産のうち、まだ分割されていない財産については、申告書の提出期限後３年以内に分割する見込みです。

なお、分割されていない理由及び分割の見込みの詳細は、次のとおりです。

1　分割されていない理由

……………………………………

……………………………………

……………………………………

……………………………………

……………………………………

2　分割の見込みの詳細

……………………………………

……………………………………

……………………………………

……………………………………

……………………………………

3　適用を受けようとする特例等

⑴　配偶者に対する相続税額の軽減（相続税法第19条の２第１項）

⑵　小規模宅地等についての相続税の課税価格の計算の特例
（租税特別措置法第69条の４第１項）

⑶　特定計画山林についての相続税の課税価格の計算の特例
（租税特別措置法第69条の５第１項）

⑷　特定事業用資産についての相続税の課税価格の計算の特例
（所得税法等の一部を改正する法律（平成21年法律第13号）による改正前の租税特別措置法第69条の５第１項）

（資４－21－Ａ４統一）

図表２－17　遺産が未分割であることについてやむを得ない事由がある旨の承認申請書

税務署受付印

遺産が未分割であることについてやむを得ない事由がある旨の承認申請書

※欄は記入しないでください。

＿＿年＿＿月＿＿日提出

〒
住所（居所）＿＿＿＿＿＿＿＿

＿＿＿＿＿＿税務署長

申請者　氏名＿＿＿＿＿＿＿＿

（電話番号　　－　　－　　）

遺産の分割後、
・配偶者に対する相続税額の軽減（相続税法第19条の２第１項）
・小規模宅地等についての相続税の課税価格の計算の特例（租税特別措置法第69条の４第１項）
・特定計画山林についての相続税の課税価格の計算の特例（租税特別措置法第69条の５第１項）
・特定事業用資産についての相続税の課税価格の計算の特例（所得税法等の一部を改正する法律（平成21年法律第13号）による改正前の租税特別措置法第69条の５第１項）
の適用を受けたいので、

遺産が未分割であることについて、
・相続税法施行令第４条の２第２項
・租税特別措置法施行令第40条の２第23項又は第25項
・租税特別措置法施行令第40条の２の２第８項又は第11項
・租税特別措置法施行令等の一部を改正する政令（平成21年政令第108号）による改正前の租税特別措置法施行令第40条の２の２第19項又は第22項
に規定するやむを得ない事由がある旨の承認申請をいたします。

1　被相続人の住所・氏名

住　所＿＿＿＿＿＿＿＿　氏　名＿＿＿＿＿＿＿＿

2　被相続人の相続開始の日　平成／令和＿＿年＿＿月＿＿日

3　相続税の申告書を提出した日　平成／令和＿＿年＿＿月＿＿日

4　遺産が未分割であることについてのやむを得ない理由

（注）やむを得ない事由に応じてこの申請書に添付すべき書類
①　相続又は遺贈に関し訴えの提起がなされていることを証する書類
②　相続又は遺贈に関し和解、調停又は審判の申立てがされていることを証する書類
③　相続又は遺贈に関し遺産分割の禁止、相続の承認若しくは放棄の期間が伸長されていることを証する書類
④　①から③までの書類以外の書類で財産の分割がされなかった場合におけるその事情の明細を記載した書類

○　相続人等申請者の住所・氏名等

住所（居所）	氏名	続柄

○　相続人等の代表者の指定　　代表者の氏名＿＿＿＿＿＿＿＿

関与税理士		電話番号	

※	通信日付印の年月日	（確認）	名簿番号
	年　月　日		

（資４－22－１－Ａ４統一）　（令 3.3）

準確定申告書の所得控除の計算にあって

(イ)　医療費控除の対象となるのは，死亡の日までに本人が支払った金額まで。死亡後に被相続人と生計を一にする相続人が支払った金額は，支払った相続人の医療費控除の対象となる（国税庁質疑応答事例「死亡した父親の医療費」）。

(ロ)　配偶者控除，扶養控除の対象となるかどうか（年間の収入限度など）は，死亡の日の現況により判定する。対象者となれば，日割計算でなく，全額を控除する。したがってサラリーマンなどの場合，申告をすれば，それまでに源泉徴収された税金が還付されることが多い。

(ハ)　事業所得，不動産所得のある場合，固定資産税等で納税通知書が死亡前に到着しているかどうかにかかわらず年税額の全部が死亡者の経費となる。

相続税は連帯納付義務だが

相続税は，相続人の全員が共同で相続したものとして，相続税の税額を算出し，これを各相続人が実際に取得した財産の割合で税金を納付することになっているので，相続人のうちの一人が相続税を納めないときには，その分を他の相続人に納税するよう請求される。すなわち，同一の被相続人から相続または遺贈によって財産を取得した者は，その相続税について，各人が利益を受けた利益の価額（具体的には取得した純資産）に相当する金額を限度として，互いに連帯納付の責めに任ずる（相法34条①）となっているので，次男が納められない分があれば，長男と長女とが連帯してそれぞれ受けた遺産の範囲内で納付しなければならないことになる。

相続財産を分割するときは，このことも留意しておかなければならない。

しかし，相続税の納付をしていない相続人が，つぎのいずれかに該当する場合には，他の相続人に納付を求めないこととされている（相法34条(注)）。

(1)　納税義務者が延納の許可を受けた場合

(2)　納税義務者の相続税について，納税猶予の適用を受けた場合

(3)　相続税の申告書の提出期限等から５年を経過する日までに連帯納付義務の履行を求められていない場合

（注）　連帯納付義務の制限は，平成24年の改正によるもので，平成24年４月１日以後に申告期限が到来する相続税および同日に未納（滞納，延納，納税猶予）となっている相続税から適用されている（附則（平成24年３月31日法律第16号）第57条）。

20 相続税の延納と物納

相続税を現金で払えないときは……，先づ延納，それでも払えないときに物納

延納制度

相続財産というものは，現金だけで構成されているものではない。むしろ，不動産などが大部分で，現金は比較的わずかしかないということのほうが一般的である。そういう場合には，多額の相続税を一度に現金で納付するということは難しくなる。

そういう場合を考慮して，各人の相続税額が10万円を超え，かつ，現金で納付することが困難な場合には，その困難である金額を限度として，分割して納められる制度，すなわち，延納制度がもうけられている。

延納ができる条件と制度

相続で取得した現金・預金は将来の不慮の支出の用意として全部残しておこう，とりあえず，延納を利用しておいて，と思っても，そうはいかない。**金銭で納付するのが困難な部分まで**である。

なお，延納の申請は，相続人全員で申請するのでなく，延納を必要とする相続人ごとに申請することになっている。

具体的には，**図表2－18**「延納・物納の許可限度額の計算方法」の「1　延納により納付することができる金額（延納許可限度額）の計算方法」で算出するようになっている（相法38条①，相令12条以下）。

同表の「②　納期限において有する現金，預貯金その他の換価が容易な財産の価額に相当する金額」というのは，相続で取得した現金・預貯金等だけでなく，**延納申請者の個有の現金・預貯金等も加算**して計算する。「換価が容易な財産」としては，公社債その他の有価証券，退職金，確実な取立てが可能と認められる貸付金，未収金等，取引市場の形成されているゴルフ会員権等，解約による負担の少ない養老保険，生命保険も含まれる。なお，この計算にあたって，延納申請者の相続した被相続人の債務や負担した葬式費用は控除される。

これから「③　申請者および生計を一にする配偶者その他の親族の3か月分の生活費」を控除する。この3か月分の生活費とは，

申請者　100,000円×12月

配偶者その他の親族（収入があることにより，申請者または配偶者の扶養控除の

図表２－18　延納・物納の許可限度額の計算方法

1　延納により納付することができる金額（延納許可限度額）の計算方法

①　納付すべき相続税額	
現金納付額	②　納期限において有する現金，預貯金その他の換価が容易な財産の価額に相当する金額
	③　申請者および生計を一にする配偶者その他の親族の３か月分の生活費
	④　申請者の事業の継続のために当面（１か月分）必要な運転資金（経費等）の額
	⑤　納期限に金銭で納付することが可能な金額（これを「現金納付額」という）（②－③－④）
⑥　延納許可限度額（①－⑤）	

2　物納により納付することができる金額（物納許可限度額）の計算方法

①　納付すべき相続税額	
②　現金納付額（１の⑤）	
延納によって納付することができる金額	③　年間の収入見込額
	④　申請者および生計を一にする配偶者その他の親族の年間の生活費
	⑤　申請者の事業の継続のために必要な運転資金（経費等）の額
	⑥　年間の納付資力（③－④－⑤）
	⑦　おおむね１年以内に見込まれる臨時的な収入
	⑧　おおむね１年以内に見込まれる臨時的な支出
	⑨　上記１の③及び④
	⑩　延納によって納付することができる金額（⑥×最長延納年数＋（⑦－⑧＋⑨））
⑪　物納許可限度額（①－②－⑩）	

対象とならない親族）　45,000円×12月×人数

前年の所得税額，地方税額，社会保険料等

の合計額に，治療費，養育費，教育費，住宅ローンの支払額などを加味した額である。なお，配偶者に収入のある場合には，それぞれの収入金額で按分して求めた額が申請者が負担する年間の生活費の額となり，この$\frac{3}{12}$が３か月分の生活費となる。

なお，個人事業者の場合には，「④　申請者の事業の継続のために当面（１か月分）必要な運転資金（経費等）の額」が控除される。

これは，事業の内容に応じた事業資金の循環期間のなかで事業経費の支払いや手形等の決済のための資金繰りがもっとも窮屈になる日のために留保を必要

とする資金をいうが，前年の確定申告等に基づいて求めた年間の経費のなかから臨時的な支出項目と減価償却費を控除した額に，経済情勢の変化等をふまえて調整した金額の$\frac{1}{12}$として求めても差し支えないとされている（相基38－２）。

上記の②から③と④を引いた金額は，納期限に金銭で納付することが可能な金額（⑤）とされ，これでも支払えない分，すなわち，申請者の「①　納付すべき相続税額」から，⑤を引いた金額が「⑥　延納許可限度額」として認められ，この範囲内での延納が許可されることになる。

なお，延納の申請にあたっては，延納金額に見合う担保を提供しなければならないが，通常の不動産については，時価の８割として評価されている。

延納期間は

延納申請ごとに，相続によって取得した財産について，不動産（借地権などを含む），事業用の固定資産，特定の同族会社の株式，立木など（これらを一括して**不動産等**という）の相続財産に占める割合に応じて，**図表２－19**の期間に年賦で分納することが認められている（相法38条～40条，52条）。

図表２－19　相続税の延納の利子税（年利率）

不動産等の割合	区　　分	延納期間（最高）	利子税（本則）	令和６年の適用利率
50％未満	――	５年	６％	0.7％
50％以上	不動産等部分	15年	3.6％	0.4％
	その他の部分	10年	5.4％	0.6％
75％以上	不動産等部分	20年	3.6％	0.4％
	その他の部分	10年	5.4％	0.6％

（注）　特別緑地保全地区等内の土地，森林計画立木の割合が20％以上の場合の森林計画立木等について，特別に低利の利子税が適用される場合がある（措法70条の８の２，70条の９）。

相続税および贈与税の利子税の特例

相続税および贈与税を延納する場合は，**相続税**については**図表２－19**に掲げた税率，**贈与税**については年6.6％を基に，下記の式で算出した利率による利子税が課せられる（相法52条，措法70条の11，措法93条）。

$$（前表の「利子税（本則）」欄の利率）\times \frac{延納特例基準割合}{7.3\%}$$（0.1％未満の端数は切捨て）

「延納特例基準割合」…分納の開始する年の前々年の９月から前年の８月までの各月における銀行の新規の短期貸出約定平均金利の合計を12で除して得た割合として各年の前年の11月30日までに財務大臣が告示する割合に，年0.5％

の割合を加算した割合である。

令和６年１月１日現在の特例基準割合が0.9%であり，この場合には，**図表２－19**に掲げた税率となる。

たとえば，利子税の本則が3.6%の場合で，上記の告示された特例割合が0.9%であった場合の特例適用利子税は，

$$3.6\% \times \frac{0.9\%}{7.3\%} \fallingdotseq 0.444\% \fallingdotseq 0.4\%$$

となる。

また，**贈与税**について同様の条件で求めると，

$$6.6\% \times \frac{0.9\%}{7.3\%} \fallingdotseq 0.814\% \fallingdotseq 0.8\%$$

となる。

延納後の許可取消し

延納している途中で分納の支払いを滞納していたりしていると，延納の許可を取り消されることがある（相法40条②）。延納の許可を取り消されると，未納分を一括して支払わなければならなくなり，滞納を続けていれば，延納の場合の利子税よりはるかに高利率の延滞税が課せられ，さらに，差押え，公売ということになる。

そうならないために，つぎのような制度がもうけられている。

延納後の納期延長

延納の許可を受けて分納している途中で，資力の状況が変化して，当初の期限どおりに分納することが困難となったときには，税務署長の許可を得て，分納の期限を延期してもらうことができる（相法39条㉚）。

分納期限を延長したときの期限は，次回の分納期限の前日である。また，その延長期限までに払えなかったときは，その次の回の分納期限の前日までである（相基39－14）。

延納の延長をして納められないときは特定物納の申請を

延納の延長をしても納めることが困難になった場合には，その金額を限度として物納に切り換えられる制度がある（相法48条の２）。

これは相続税の納期限から10年以内に申請することになっており，物納する財産は，後記する物納適格財産でなければならない。

延納期間の短縮や一括払いは

また，延納許可後に支払能力が向上したので延納期間を短縮したいとか，資産を売却したので一括して支払いたいというときは，それぞれ所定の手続きをとって，延納期間の短縮や一括払いをすることができるようになっている。

なお，この場合の利子税は，実際の延納期間に対し，**図表２－19**の利率を乗じ

て計算される。

物納制度　また，延納で分割払いすることも困難な場合には，許可を得て，相続財産の一部を現物で納付する，すなわち，物納することも認められている。

物納できる条件と金額は　物納が許可されるのは，延納しても払えない場合であり，具体的には**図表２－18**の「２　物納により納付することができる金額（物納許可限度額）の計算方法」で算出した金額の範囲内である（相法41条①，相令17条）。

この表の「②　現金納付額」は，延納のときの⑤と同じである。

つぎに,「延納によって納付することができる金額」を算出し，これを超える部分の金額が物納の許可される金額となる。

図表2－20 物納に充てることのできる財産の種類および順位

順　位	物納に充てることのできる財産の種類
第1順位	① 国債，地方債，上場株式(注)，不動産，船舶
	② 不動産及び上場株式のうち物納劣後財産に該当するもの
第2順位	③ 非上場株式等(注)
	④ 株式のうち物納劣後財産に該当するもの
第3順位	⑤ 動産

(注) 特別の法律により法人の発行する債券及び出資証券を含み，短期社債等を除く。

図表2－21 物納に充てることのできない財産――管理処分不適格財産（不動産の例）

管理処分不適格財産は物納が受け入れられない。どういう財産が管理処分不適格財産になるかを通常多く見られる不動産について例示しておいた。なお，ここに掲げる財産でも，一定の手続きをとって，物納できるものについて物納を予定しているなら，どのように対処をしておけばよいかを付記しておいた。

イ 担保権の設定されている財産
抵当権など担保権の設定登記がされている不動産（借入金の返済などをし抵当権等の設定登記を抹消する）
ロ 権利の帰属について争いのある財産
① 所有権の存否または帰属について争いのある不動産 ② 借地権，永小作権，賃借権などの権利の存否また帰属について争いのある不動産
ハ 境界が明らかでない土地
① 境界標の設置がされていないことにより他の土地との境界を認識できない土地（隣地の所有者等と立合いの下で境界線を設置して実測図を作成し境界確認書を取っておく。遅くとも物納申請書に添付して提出する必要がある）。 ② 借地権など土地使用収益権が設定されている土地の範囲が明確でない土地（土地賃貸借契約書などに図面を添付し，その境界を明示しておく）。
ニ 隣接する不動産の所有者等との争訟にならなければ通常の使用ができないと見込まれる不動産
① 隣地の建物または物納地の建物が境界線を超えている土地。ひさし等で軽微な越境で隣接不動産の所有者の同意のあるものは可。 ② 土地使用収益権の設定内容，または建物の使用・収益する権利の内容が，設定者にとって著しく不利な土地（貸地の地代，貸家の家賃などが世間相場に比べて著しく低い場合がこれに当たろう。あらかじめ地代,家賃等を世間相場並みに引き上げておく）。 ③ 賃貸料の滞納がある不動産その他収納後の円滑な契約の履行に著しい支障を及ぼす事情が存すると見込まれる不動産。 ④ その敷地を通常の地代により国が借り受けられる見込みのない土地上の建物（借地権付建物で地代が著しく高い場合がこれに相当するであろう）。
ホ 無道路地（通路部分の所有者の通行承諾書をとっておく）
ヘ 借地権の設定されている土地で借地権者が不明であるもの

ト　他の不動産と一体として利用されている不動産
①　共有物である不動産。その共有者全員が物納する場合は可。 ②　がけ地，面積が著しく狭い土地，また，形状が著しく不整形な土地これらのみでは使用することは困難な土地。 ③　私道の用に供されている土地，他の物納不動産と一体として使用されているものは可。 ④　敷地をともなわない建物だけ。ただし，借地権付建物は可。 ⑤　物納以外の不動産と一体となって効用を有する不動産。
チ　税法上の耐用年数を経過している建物。
リ　敷金等の返還債務その他の債務を国が負うこととなる不動産
①　敷金等の返還に関する義務を国が負うことになる不動産。物納申請者が精算すれば可。 ②　土地区画整理事業等が施行されている場合で，収納までに発生した賦課金等の債務を国が負うことになる不動産。また，清算金の援受の義務を国が負うことになる不動産。賦課金，清算金を国が引き継がない確認書を提出すれば可。
ヌ　管理処分するのに過大の費用が生ずる不動産
①　土壌汚染対策法に規定する特定有害物質等により汚染されている土地。 ②　廃棄物の処理及び清掃に関する法律に規定する廃棄物等が地下にある不動産。 ③　農地法の規定による許可を受けずに転用されている土地。 ④　土留等の設置，護岸の建設その他現状を維持するための工事が必要となる不動産。
ル　公の秩序・善良の風俗を害するおそれのある目的で使用されている不動産
①　風俗営業等の規制及び業務の適正化等に関する法律に規定する風俗営業または性風俗特殊営業等の業の用に供されている建物及びその敷地。 ②　暴力団員による不法な行為の防止等に関する法律の規定する暴力団の事務所等の施設の用に供されている建物及びその敷地。
ヲ　引渡しに際して通常必要な行為がされていない不動産
①　物納土地上の建物が既に滅失している場合で，建物の滅失登記がされていない土地（滅失登記をしておく） ②　廃棄物の処理及び清掃に関する法律に規定する廃棄物等が除去されていない不動産（廃棄物を除去しておく） ③　生産緑地法に規定する生産緑地で，「買取りの申出がされていないもの」（買取りの申出をしておく）

（注）　土地については，境界線について隣地所有者が同意して自署し，道路管理者の確認している「地積測量図」（図に記載ない場合は「境界線に関する確認書」）を物納申請の際に提出しなければならない。

いずれも，かなりの日数を要することになるので，物納予定の土地については，生前から準備しておくことが必要である。

図表２－22 物納劣後財産（不動産の例）

つぎに掲げるような財産は，他に物納に充てるべき適当な財産がない場合に限り物納に充てることができる。

1 地上権，永小作権もしくは耕作を目的とする賃借権，地役権または入会権が設定されている土地
2 法令の規定に違反して建築された建物及びその敷地
3 土地区画整理法による土地区画整理事業等の施行に係る土地につき仮換地または一時利用地の指定がされていない土地（当該指定後において使用または収益をすることができない土地を含む）
4 現に納税義務者の居住の用または事業の用に供されている建物及びその敷地（当該納税義務者が当該建物及びその敷地について物納の許可を申請する場合を除く）
5 配偶者居住権の目的となっている建物及びその敷地
6 劇場，工場，浴場その他の維持または管理に特殊技能を要する建物及びこれらの敷地
7 建築基準法第43条第１項に規定する道路に２メートル以上接していない土地
8 都市計画法の規定による都道府県知事の許可を受けなければならない開発行為をする場合において，当該開発行為が開発許可の基準に適合しないときにおける当該開発行為に係る土地
9 都市計画法に規定する市街化区域以外の区域にある土地（宅地として造成することができるものを除く）
10 農業振興地域の整備に関する法律の農業振興地域整備計画において農用地区域として定められた区域内の土地
11 森林法の規定により保安林として指定された区域内の土地
12 法令の規定により建物の建築をすることができない土地（建物の建築をすることができる面積が著しく狭くなる土地を含む）
13 過去に生じた事件または事故その他の事情により，正常な取引が行われないおそれがある不動産及びこれに隣接する不動産
14 事業を休止（一時的な休止を除く）をしている法人に係る株券

物納できる財産とその順位

物納できる財産は，相続税の申告書の課税価格の計算の基礎となった財産（相続時精算課税制度の適用を受けて贈与を受けた財産は除く）で，日本国内にあるものである（相法41条）。

具体的な種類と物納にあてる順位は，**図表２－20**「物納に充てることのできる財産の種類および順位」に掲げたとおりである。

物納のできない財産
――管理処分不適格財産

なお，同表に掲げた財産でも，管理処分不適格財産に該当しているものは，物納することはできない。どのような財産が管理処分不適格財産になるかを，不動産の場合について，**図表２－21**「物納に充てることのできない財産――管理処分

不適格財産（不動産の例）」で例示し，その対処方法を付記しておいた。

物納劣後財産とは　物納に適する第１順位に掲げた財産のうち，物納に適合する財産のない場合には，**図表２－22**「物納劣後財産」の表に掲げた財産を物納できるようになっている。

収納価格は　物納にあたって，収納される財産の価格は相続税申告書に課税価格とされた価格となっている。したがって，小規模宅地の減額の特例（198ページ参照）を受けている場合には，特例適用後の価額，すなわち，評価額の50～80％減の価格で収納されるようになっているので留意しておくこと。

（注）　不動産には，土地・建物の所有権は当然に含まれる。貸借関係にある土地について，地主の保有している底地や借主の地上権も不動産に含まれるが，賃借権は債権であるので，ここでいう不動産には該当しないとされている。借地関係の多くは賃借権である借地権であり，それ自体としては物納の対象とはならないが，借地上の建物は物納の対象となり，その建物の価額は借地権の評価額が含まれる。
　なお，自用地について，それが居住用・事業用に供されており，他に物納できる財産のない場合には，底地部分のみを物納することも認められているが，この後は国が地主となり，地代を国に支払うこととなる（その賃料については下掲コラム参照）。

延納・物納の申請期限　延納の申請や物納の申請は，相続税の申告期限と同じで，原則として死亡後10か月以内となっている。ただし，災害等で申告期限が延長されるような場合は10か月を過ぎても認められる場合がある。

〈底地の物納と賃料〉

居住用または事業用家屋の敷地（底地）だけを物納することも認められている。ただし，この場合は物納劣後財産になるため注意が必要である（相基通41-12）。物納後は，その土地を国から賃借することになるが，国の定める貸付条件により借り受けることになる。

〈相続税の創設と移り変わり―日露戦争の落し子として誕生〉

ヨーロッパでは，古くから相続税の伝統があり，中世において封建領主の相続にあたり，王が遺族の一人に相続権を認めるのと引き換えに相続税を課すということが見られる。

日本では，古来，相続など一族の間のことは，その長にまかせ，届出を求めることがあっても，その遺産に課税するという伝統はなかった。

相続税が導入されたのは，明治38年（1905年）に，日露戦争の戦費調達の財源の一つとして，創設されてからである。なお，そのとき，多くの非常特別税が制定されたが，相続税法は，恒久的な単行法として制定されている。

その根拠として，「相続税は，相続によって，一時に多額の財産を取得する者がある際に，その相続財産の一部を租税として納付せしめるものであるから，納税者の苦痛は極めて少ないにもかかわらず，国庫は確実にして巨額の収入を得るのみならず，国富の発展とともに無限にその収入を増加すべきものであって，はなはだ良好な税種であると認められるので，……」といわれている。

当時は「被相続人の遺産に一括して課税する「遺産税」方式により，課税対象になるのは一部の富裕層のみで，その税率は，基本的には1.2%から４%で，一定限度額を超えるごとに0.5%を加えるという程度のものであった。

また，税務当局が遺産を調べて課税する仕組みであったが「課税価格の決定をなすにあたっては，大体において，その実額を得ることを期し，いたずらに些細な点の計算に重きをおくようなことをしないこと」などと執務令が出ているように，かなり大らかなものであった。

＊　　＊　　＊

その後，いくつかの改正をへて，第二次世界大戦後のシャウプ勧告による昭和25年（1950年）の全文改正により，相続財産を取得した人ごとに課税する「遺産取得税」に改められた。なお，これは個人の一生をつうじて贈与・相続により取得した財産を累積して課税するという累積課税方式であったが，日本の国土になじまなかったため，昭和28年（1953年）に改正され相続税と贈与税とに分離され，贈与税については１年間（暦年）の受贈額の合計について課税されることとされ，また，相続税については，遺産の全体に対して相続税の総額を算出し，これを相続人の取得分に按分して納税する方式となり，現在に至っている。

〈相続税・贈与税の令和６年および最近の改正〉

相続税・贈与税（本章関連部分）について，令和６年につぎの改正がなされている。

◆**直系尊属から住宅取得等資金の贈与を受けた場合の贈与税の非課税制度の見直し**

適用対象となる住宅用家屋の要件について見直しが行われ，適用期限が令和８年12月31まで３年延長された（148ページ以下関連）。

◆**住宅取得資金の贈与を受けた場合の相続時精算課税の適用期限の延長**

適用期限が令和８年12月31日まで３年延長された（161ページ）。

〈税務申告書等の控えへの収受日付印の押なつについて〉

令和３年の税制改正で，同年４月１日以後の税務申告書類等への納税者の押印は，要しないこととされた。

一方で，令和７年１月から，申告書等の控えに収受日付印の押なつを行わないこととされた。書面申告等における申告書等の提出（送付）の際は，申告書等の正本（提出用）のみを提出（送付）するようお願いしている，と国税庁はコメントしている。

さらに，納税者の利便性の向上等の観点から，「あらゆる税務手続が税務署に行かずにできる社会」を目指し，申告手続等のオンライン化，事務処理の電子化，押印の見直し等，国税に関する手続や業務の在り方の抜本的な見直し（税務行政のデジタル・トランスフォーメーション（ＤＸ））を進めているところだそうだ。

本節では，相続税の仕組みの概要のみを解説したが，相続税に係る評価などの詳細については，つぎの各章節で解説してある。

○**土地の路線価方式による評価・土地の倍率方式による評価・借地権・底地また貸家・貸家建付地の評価**については，**第１編第１章**第３節の「相続税路線価等および評価通達付表を利用して，土地評価をする簡便法を会得する」(73～121ページ)

○**定期借地権とその底地の評価**については，**第２編第５章**第１節の「17　定期借地権・底地の相続税等での評価」(653～664ページ)

○**相当の地代で借地権を設定している場合の評価**については，**第２編第６章**第２節の「15　相当の地代と相続税の借地権評価」(748～751ページ)

○**相続した土地・建物を譲渡したときの譲渡所得税の特例**については，**第１編第３章**第３節の「32　相続財産の譲渡と課税の特例」(519～523ページ)

第２節
土地取得に関する印紙税・登録免許税・不動産取得税・固定資産税・都市計画税・消費税

21 契約書等と印紙税

契約書等を作成すると印紙税が課税される。

土地・建物の取引に関する契約書等と印紙税

土地・建物の取引に関して契約書等を作成すると印紙税が課せられる。印紙税のうち土地・建物の取引と関係のあるものを**図表２－23**に掲げておいた。なお，印紙税は，作成した文書に印紙を貼りつけて，その上に，印鑑などを押印して消印をして納付することになっている（印法２条）。

なお，**図表２－23**の１の(1)「不動産の譲渡に関する契約書」と，２の「建設工事の請負に関する契約書」の税率は**図表２－24**の金額となっている（措法91条）。

（注）　建設工事とは，建設業法２条①に規定するもので，建築工事，土木工事のほか，電気工事，塗装工事などの部分工事も含まれ，元請だけでなく下請も含まれている（建設業法別表第１）。

課税される契約書と部数

「契約書」というのは，契約の成立を証する文書である。その形式のいかんを問わない。一般の売買契約書，工事請負契約書などがこれにあたる。作成した部数だけ印紙を貼ることになる。正本，副本，写しなどと分けても，当事者の署名や捺印がしてあれば，そのすべてに印紙を貼ることになる。もっとも，署名・捺印をした文書をコピーしたものとか，署名や捺印をしていない単純な控は対象外となる。

注文書と請負契約

ところで，工事請負契約の場合，発注者が注文書で注文しただけでは契約が成立せず，工事請負人が請書を出して初めて契約が成立するという契約方式がある。この場合，発注者が注文書を作成した段階では，契約はまだ成立していないから，注文書には印紙を貼らなくて

図表２－23　印紙税の課税物件および税率(抄)

番号	課税物件	課税標準および税率
1	(1)**不動産の譲渡に関する契約書**(注１) (2)地上権または土地の賃借権の設定または譲渡に関する契約書（借地権の設定や譲渡の契約書など） (3)消費貸借に関する契約書（住宅ローン等の借入金の契約書など）	(1)　契約金額の記載のある契約書（１通につき） 10万円以下のもの　200円 10万円超50万円以下のもの　400円 50万円超100万円以下のもの　1,000円 100万円超500万円以下のもの　2,000円 500万円超1,000万円以下のもの　10,000円 1,000万円超5,000万円以下のもの　20,000円 5,000万円超１億円以下のもの　60,000円 １億円超５億円以下のもの　100,000円 ５億円超10億円以下のもの　200,000円 10億円超50億円以下のもの　400,000円 50億円超のもの　600,000円 (2)　契約金額の記載のない契約書１通につき　200円 非課税物件：契約金額10,000円未満の契約書
2	**建設工事の請負に関する契約書**(注) 建物の保守管理，清掃，設計，不動産鑑定，会計・税務の契約書	(1)　契約金額の記載のある契約書（１通につき） 100万円以下のもの　200円 100万円超200万円以下のもの　400円 200万円超300万円以下のもの　1,000円 300万円超500万円以下のもの　2,000円 500万円超1,000万円以下のもの　10,000円 1,000万円超5,000万円以下のもの　20,000円 5,000万円超１億円以下のもの　60,000円 １億円超５億円以下のもの　100,000円 ５億円超10億円以下のもの　200,000円 10億円超50億円以下のもの　400,000円 50億円超のもの　600,000円 (2)　契約金額の記載のない契約書１通につき　200円 非課税物件：契約金額10,000円未満の契約書
17	売上代金に係る金銭または有価証券の受取書	(1)　売上代金に係る金銭または有価証券の受取書で受取金額の記載のあるもの 100万円以下のもの　200円 100万円超200万円以下のもの　400円 200万円超300万円以下のもの　600円 300万円超500万円以下のもの　1,000円 500万円超1,000万円以下のもの　2,000円 1,000万円超2,000万円以下のもの　4,000円 2,000万円超3,000万円以下のもの　6,000円 3,000万円超5,000万円以下のもの　10,000円 5,000万円超１億円以下のもの　20,000円 １億円超２億円以下のもの　40,000円 ２億円超３億円以下のもの　60,000円 ３億円超５億円以下のもの　100,000円 ５億円超10億円以下のもの　150,000円 10億円超のもの　200,000円 (2)　(1)に掲げる受取書以外の受取書１通につき　200円 非課税物件：(1)　記載された受取金額が50,000円未満の受取書 (2)　営業に関しない受取書

(注)　不動産の譲渡および建設工事の請負の契約書には特例税率があり，**図表２－24**を参照。

図表２－24　「不動産の譲渡に関する契約書」「建設工事の請負に関する契約書」の特例税率

（平成26年４月１日から令和９年３月31日までに作成されたもの）

契約金額		特例税率
不動産の譲渡に関する契約書	建設工事の請負に関する契約書	
１万円未満のもの		非課税
10万円以下のもの	10万円以下のもの	200円
10万円超　50万円以下	100万円超　200万円以下	200円
50万円超　100万円以下	200万円超　300万円以下	500円
100万円超　500万円以下	300万円超　500万円以下	1,000円
500万円超　1,000万円以下		5,000円
1,000万円超　5,000万円以下		10,000円
5,000万円超　１億円以下		30,000円
１億円超　５億円以下		60,000円
５億円超　10億円以下		160,000円
10億円超　50億円以下		320,000円
50億円超		480,000円

よい。印紙が必要なのは請書のほうだけである（もっとも「請書の作成があってから契約が成立する」ということを注文書に記載してあることが必要である）。売買の申込書も同様である。

契約書のさまざまの形　契約書は，いわゆる**本契約書**だけでなく，それに先立って，①**仮契約書**，②**予約契約書**，③**停止条件付契約書**，④**念書・覚え書**などが作成されることが多い。これらも契約書である。仮契約書を作成して，後日，本契約書が作成されることがあるが，この場合は仮契約書にも本契約書にも印紙を貼らなければならない。なお，本契約成立後に変更契約書を作成することがある。これも契約書である（印法別表第一，印基通12）。

ところで，土地売買金額を変更するときの**変更契約書**には，どの税率を適用したらいいだろうか。

(1)　売買金額を増額するとき

①　売買金額を200万円増額すると記載したとき……100万円超500万円以下に該当し，印紙税1,000円

②　売買金額900万円を1,100万円に変更すると記載したとき……差額の200万円は100万円超500万円以下に該当し，印紙税1,000円

(2)　売買金額を減額するとき

③　売買金額を200万円減額すると記載したとき……金額の記載はないもの

とされ，印紙税200円

④　売買金額1,100万円を900万円に変更すると記載したとき……金額の記載はないものとされ，印紙税200円

（注）①～④の取扱いは，印紙税法・別表第１「課税物件表の適用に関する通則」４ニ参照。

特殊な取引形態と印紙税

贈与契約書は，無償であるので，**図表２－23**の１にある契約金額の記載のない契約書に該当し，200円である。たとえ1,000万円相当の土地と記載してあっても，金額の記載がないものとされる。**遺産分割協議書**には印紙は不要である（印基通別表第１）。

土地や建物の交換契約書も，**図表２－23** 1(1)の「不動産の譲渡に関する契約書」にあたるが，記載の仕方によって税額が異なる。

①　Ａ地1,000万円，Ｂ地1,200万円とを交換し，差金200万円を支払うと記載してある場合……高いほうの金額1,200万円により，記載金額1,000万円超5,000万円以下のものとして，印紙税10,000円

②　Ａ地とＢ地とを交換するとのみ記載してある場合……記載金額のないものとして，印紙税200円

③　Ａ地とＢ地とを交換し,差金200万円を支払うと記載してある場合……記載金額100万円超500万円以下のものとして，印紙税1,000円

なお，土地の評価額が記載してあれば，その評価額が記載金額となる。

買戻し条件付契約書で，甲から乙へ2,300万円で売り渡し，後日，乙が3,000万円で買い戻すことができる，と記載してある場合，甲から乙への譲渡と，乙から甲への譲渡との二つの契約が記載されていることになり,その合計の5,300万円が記載金額となり，印紙税は30,000円となる。

土地賃貸借契約書や**更新契約書**または**借地権譲渡契約書**は，**図表２－23**の１(2)「地上権または土地の賃借権の設定または譲渡に関する契約書」にあたり，設定や更新または譲渡等の対価(権利金や更新料などの金額)により印紙の額を判定する。なお，権利金等の金額の記載がなく賃料（地代）だけ記載されている場合には，記載金額のないものとして，印紙税は200円となる。保証金のある場合は下記参照。

建物の賃貸借契約書は，課税文書でないので，家賃，権利金，保証金がいくら高額でも印紙は貼らなくてもよい。ただし，保証金・建設協力金という名目などで差し入れたものでも，賃貸借期間に関係なく，一定期間後，一括返還または分割返済することとしているものがある場合もある。このような保証金・建設協力金などは，実質的には金銭の消費貸借という性格のものであるので，

図表２－23の１(3)「消費貸借に関する契約書」に該当し，その金額に対応する印紙を貼らなければならない（印基通別表第１）。

建物の立退承諾書は，補償損失契約ということで不課税文書とされ，印紙を貼る必要はない。

領収書と印紙税　土地売買，工事請負等の代金について，記載金額50,000円以上の領収書には印紙税が課税される。なお，50,000円以上であっても，営業に関しないものは非課税である。一般の個人が土地を売ったとき，契約書には印紙を貼らねばならないが，領収書には貼る必要はない。

そのほか，不動産・建築に関係ある者で，報酬をもらった下記の個人が発行する領収書も営業に関しないものとして，印紙は不要である。――不動産鑑定士，土地家屋調査士，司法書士，建築士，設計士，税理士など。ただし，これらの人が個人としてでなく，会社として業を行っている場合，たとえば株式会社××設計事務所が発行する領収書には，金額に応じて印紙が必要になる。公益法人等の発行する領収書も印紙は不要となっている。また，セールスマンが**仮領収書**を発行して，後日，正式の領収書に差しかえる場合は，その仮領収書にも印紙が必要である。**預り証**という形をとっても同じである。

表題でなく内容で判定――委任契約書などに注意　どの種類の内容に該当するかは，文書の表題，文書に記載された文言によるのでなく，その内容によって判定される。

たとえば，委任契約書は非課税であるが，決算書や税務書類の作成を税理士に委任する旨を記載した委任契約書という表題の文書であっても，その内容は請負契約であるので，請負契約書（図表２－23の２）に該当し，これに記載された報酬金額に応じた印紙を貼ることになる。なお，報酬金額の記載がなければ200円となる（印基通別表第１）。

印紙税の納税義務者　文書を作成した者である。領収書は金を受領した者が発行するのだから，納税義務者は金を受領した者である（印法３）。領収書に印紙が貼ってないからといって，代金を支払ったほうが罰せられることはない。

しかし，土地・建物の売買契約書などでは，売主と買主との両人が署名・捺印するのが普通である。この場合，文書を作成したのは，売主と買主であるから，双方とも納税義務者となり連帯して納税義務が生ずる。売主は買主の所持している契約書にも印紙を貼る義務を負っている。逆の場合も同じである。売主は印紙を貼っていたが，買主が印紙を貼っていなかった場合でも，税務署は売主から印紙税をとることもできる。

よく契約書に「印紙その他の費用は，売主・買主ともに折半して負担する」と記載されている。この場合でも，これは売主と買主との間の約束で，税務署には関係ない。税務署は売主に「まず印紙税を納めなさい。そして，そういう約束があるのなら，その後に買主のところに行って，その分を取り返してきたらいいでしょう」というだけである。売主が不動産業者の場合，つねに印紙を用意しておいて，契約書を作成したら，買主の所持するほうにも印紙を貼りつけ，その場で印紙代を払ってもらうよう習慣づけたほうがよい。

印紙を貼り間違えて消印をしてしまったとき

契約書の原案を一方が作成し，署名・捺印をし，印紙を貼って，相手のところに行ったところ，話が変わって，その契約書を使わなくなったということは，よくあることである。この場合，契約書を作成しなかったのだから，その印紙は生きている。上手にはがして，つぎの機会に利用すればよい。ところが，印紙に消印までしてしまった後で，契約書が作成されなかったときにはどうするか。消印をしてあるから，これをはがして使うわけにはいかない。

また，契約は成立したが，後でよく調べてみると，必要以上の印紙が貼ってあったという場合もある。この場合は，文書作成地を管轄する税務署にその文書をもっていって，**印紙税過誤納確認申請（兼充当請求）書**（用紙は税務署でも入手できるが，国税庁ホームページでも入手することができる）を提出する。そうすると税務署では，その文書に貼ってある印紙に「過誤納処理済」というスタンプを押してその文書を返してくれて，後日，指定する郵便局か銀行に振り込んで返してくれることになっている（印法14条，同令14条）。

間違えて消印を押してしまった印紙も，捨てないで再利用しよう。

印紙と契約書の効力

契約書に印紙を貼らないと，その契約書は効力が生じないと考えている人もままあるようだ。契約書の効力と印紙とは関係はない。印紙を貼らなかったり，貼っても消印しなかったりしたら，印紙税法上での脱税として罰せられるだけである。契約書の効力に，いささかも影響を及ぼすものではない（237ページのコラム参照）。しかし，契約書には必ず所定の印紙を貼ったほうがよい。契約上のトラブルが後で生じたとき，印紙を貼っていないと，なんとなくうしろめたい気がして，主張すべきことを遠慮してしまうことがある。

また，税務調査などで契約書をもってこいといわれたとき，その契約書に印紙を貼っていないと，隠さないでもよい契約書を隠して，なにも不審なことのないのに疑われたりする。また，「印紙」は同じ金額でも，デザインがときどき変わる場合がある。税務署に契約書をもっていく前に，あわてて印紙を買い求めて貼っていくと,「この契約書を作成した年には，この印紙はまだでていなかったはずですが」などといわれて，その契約書まで，後で作ったのではないかと疑われてしまう。貼るべきものは，貼っておいたほうがよい。

印紙を貼らなかったときの罰則

印紙を貼らなかったとき，また，貼っていても金額が不足していたときは，その３倍(最低額1,000円)の過怠税が課せられることになっている。また，印紙を貼ったが消印をしなかったときは，貼るべき印紙と同額の過怠税が課せられる（印法20条)。また，不正行為による場合などのときは，３年以下の懲役または100万円以下の罰金に処せられる等の罰則がもうけられている（印法21条)。

〈沽券（こけん）〉

現代の不動産権利書にあたるものを，江戸時代には「沽券」といっていた。「南総里見八犬伝」に，勇士の一人犬塚信乃の幼少であるのにつけこんで,「沽券はひとまず，それがしが預り」などといって伯父蟇六（ひきろく）が家屋田畑を横領する場面がある。沽券というものは，大事なものであり,「沽券にかかわる」という言葉もある。「沽」は「売」の意であり，沽券のことを「売り券状」ともいった。

下に掲げるのは，白木屋（現在，跡地には，コレド日本橋がある）の祖先が現在地を買ったときの沽券であり，町内の有力者が保証するという形をとっている。

永代売渡申屋敷の事

日本橋通り壱丁目新道角より三軒
目表京間裏行並二十間有レ之我等屋
舗此度代金百五拾両にて永代売渡
右之代金不レ残慥に請取申所実証也。
右之屋舗沽券親類者不レ及二申に一横合
より小茂構無レ之候。若以来六ケ敷
儀致二出来一候者加判之五人組名主罷
出埒明申可候。為二後日一永代売件状
如レ件

屋舗売主　吉岡松珉㊞
五人組　与兵衛㊞
同　中左衛門㊞

白木屋彦太郎　殿

〈印紙税の令和６年の改正〉

印紙税（本章関連部分）については令和６年に大きな改正はなかったが，不動産の譲渡に関する契約書と建設工事の請負に関する契約書についての，印紙税率の軽減措置が（**図表２－24**参照），令和９年３月31日までに作成されたものに延長されている（231ページ関連）。

〈消費税と契約書の記載金額〉

いくらの印紙を貼るかということは，契約書など文書に記載された金額によって決まってくる。

消費税は，土地については非課税であるが，建物には課税される。

建物の工事請負契約書や売買契約書に，請負金額や売買金額と区分して，消費税額の記載されている場合は，その消費税額を含めないところの請負金額また売買金額そのものによって印紙の額を判定することとなっている（平成元年間消３－２「消費税の改正に伴う印紙税の取扱いについて」１）。

〈電子契約書と印紙〉

印紙は，契約書などの紙の上に貼るものである。

ところで，最近では，インターネットを利用した電子商取引が増えてきている。その際，パソコンの画面に表われた契約書に，印紙を貼ろうとしても貼ることはできない。

これについて，国税庁では，これは単なる電気通信であって，文書とはいえないので，印紙税の課税対象にならないものと解している（請負契約に係る注文請書を電磁的記録に変換して電子メールで送信した場合の印紙税の課税関係について 福岡国税局 平成20年10月24日文書回答事例）。

なお，画面を用紙にプリントアウトしても，当事者の署名や記名捺印はされていないので，課税文書とはならない。

〈なぜ印紙を貼らなければならないのか——印紙税の歴史と未来〉

商取引のあったとき，その当事者には，それ相応の税金を負担するだけの財力があるであろう。

こういうことで課されるのが**流通税**である。

といっても，その商取引の内容——いくらもうかっているから，これぐらいの税の負担ができるであろうということまでを把握しようとすると，なかなか手間もかかるし，困難でもある。しかし，ある程度の大きな商取引であれば，契約書も作成するし，領収書も発行する。これらの文書には，どういう取引をして，その金額がいくらであるかということが記載される。したがって，その取引の種類と金額に応じた税額をきめておいて，その文書に印紙を貼らせて課税するということは，課税側としては，手間も省け，かなり効率のよい徴税方法である。

⑴　印紙の発明と普及

印紙税は1624年にオランダで初めて採用されて以来，各国に拡まり，18世紀ごろには，ヨーロッパの各国に普及していた。

印紙税の効率のよさについて，アダム・スミスは，『国富論』(1776年刊）で，つぎのように述べている。「印紙税や登記税による課税方法は，ごく近代に発明されたものである。とはいえ，わずか一世紀たつかたたぬうちに，印紙税はヨーロッパのいたるところに普及し，登記税もきわめてありふれたものになった。人民のポケットから金をはきださせてしまう術くらい，ある政府が他の政府からいちはやく学びとるものはないのである。」(大内兵衛他訳『諸国民の富（四)』岩波文庫)。

なお，ロシアでは，すこし遅れているが，18世紀の初め，ロシアのピョートル大帝が，不断の戦争によって軍事費が莫大な額にのぼり，国庫が底をついたとき，広く新税のアイデアの募集を行った。クルバードという，もと農奴だった男が，主人に従って外国にいったとき印紙税のことを知り，帰国するとこの募集に応じ，いわゆる「鷲」印紙税を提案した。これが当選して，年420ルーブルの財政収入を国庫にもたらした。彼は後に，商工局長に抜擢され，さらに副知事になったという（国税庁消費税課編『印紙税実務問答集』序より)。

よほど，画期的な税収をもたらしたのであろう。

⑵　日本での印紙税は

日本では，織田信長の楽市楽座により城下町を繁栄させるという政策の影響もあって，江戸時代には，商取引に課税するという感覚は薄かったが，西欧の文明もやや浸透してきた明治６年の「受取諸証文印紙貼用心得方規則」で採用され，当初は印紙の貼っていない証書は裁判上の証拠としないとか，犯則者を告発した者に賞金を与えるなどという制度があり，印紙税収入を重視していたことがうかがわれる。その後，幾多の改正を繰り返し，昭和45年の全文改正の「印紙税法」をへて現在に至っている。

なお，現在では，印紙を貼っていない証書でも，裁判で証拠として有効であるし，犯則者を告発しても賞金はもらえない。

⑶　印紙税はなぜ残っているのか

その後，たとえば，土地・建物の取引についてみても，登録免許税が創設され，譲渡所得税も整備され，不動産取得税もでき，建物については消費税も課税されている。印紙税というのは，これらの税のできる前には必要で，かつ重要であったかも知れないが，もうその存在価値は失っている。したがって，廃止してしかるべきではないかと思うが，課税する側としては，「経済取引等に伴って作成される文書のうち，一般的に，その出現した背後には相当の経済的利益が存在し，軽度な補完的課税の対象に取上げて然るべき文書に課せられる国税である」（大阪国税局消費税課長横田光夫監修『例解・印紙税』税務研究会出版局）と，かなり苦しい解説をしている。それが「軽度な」ものかどうかは感覚の差として，なぜこのような「補完的課税」が現在でも必要なのか。

慣性の法則は，こういう領域までも及んでいるのであろうか。

「赤ん坊と役人は握ったものは放さない」（里諺）

⑷　インターネットと印紙税の未来

ところで，世の進歩とともにインターネットを利用した電子商取引が増えてきている。この場合，パソコンの画面に表われる契約書に，どうやって印紙を貼ったらよいのかという問題が生じ，当局も鳩首協議したらしいが，結局のところ，印紙を貼らなくてもよいということになった。電子商取引の普及とともに，印紙税は自然消滅をしていくのであろうか。

22 固定資産課税台帳

固定資産課税台帳の読み方を理解する。――登録免許税,不動産取得税,固定資産税,都市計画税等の基礎

不動産を取得したときのさまざまの税金と課税標準

土地・建物を取得したとき，その権利の保全をしようとすれば登記をする。そのとき，登録免許税を納付しなければならない。また，土地・建物を取得したという事実に対して，不動産取得税が課せられる。そして，その土地・建物を保有していれば，毎年，固定資産税と都市計画税が課せられる。

これらの税金が，どういう税金で，どれぐらいの金額になるのか。土地・建物を買う人に，それに合わせて予算を組んであげなければならない。これを教えるのも，コンサルタントの仕事の一つである。

ところで，これらの税金は,固定資産課税台帳に記載されている価格(評価額)を基礎として計算される。その評価額そのものに税率を乗ずる場合もあれば，その評価額に一定の調整を加えた金額に税率を乗ずる場合もある。

ともかく，これらの税金の計算をしようとすれば，所有者であれば，毎年送られてくる「納税通知書」にその価格や課税標準が記載されているが，所有者以外の人は，市区町村役場の固定資産税課（東京都23区では都税事務所）へ行って，固定資産課税台帳を閲覧するか，固定資産課税台帳記載事項の証明書（評価証明書）を取りよせて調べることになる（詳しくは次ページ以下参照）。

固定資産課税台帳とは

固定資産課税台帳には「土地（補充）課税台帳」と「家屋（補充）課税台帳」とがある（地法341九）。

ここでは，その台帳がどういうものであるか，その閲覧や証明書の取り方，そしてその読み方を説明する。

なお，**固定資産税の納税通知書に土地（補充）課税台帳，家屋（補充）課税台帳**と同じ内容が記載されている。以下，東京都の例によって説明することとする。

土地(補充)課税台帳の例

固定資産土地(補充)課税台帳の様式は市町村によってまちまちであるが，土地(補充)課税台帳の一例を示すと，**図表２－25**のとおりである。

図表２－25　土地（補充）課税台帳の例（東京都）

①土地の所在	②登記地目	③登記地積 ㎡	④価　格　円	⑦固定前年度課標等　円	⑩都計前年度課標等　円	小規模地積　㎡
	現況地目	現況地積 ㎡	⑤固定本則課税標準額 円	⑧固定課税標準額　円	⑪都計課税標準額　円	一般住宅地積 ㎡
	非課税地目	非課税地積 ㎡	⑥都計本則課税標準額 円	⑨固定資産税(相当)額 円	⑫都市計画税(相当)額 円	非住宅地積　㎡
○○○町二丁目１番１	宅地	150.00	45,000,000	6,750,000	14,700,000	150.00
	宅地	150.00	7,500,000	7,125,000	15,000,000	
			15,000,000	99,750	22,500	

①**土地の所在**：登記簿上の地番で表示されている。
②**地目**：登記地目と現況地目とに分けて表示されている。課税は現況地目に基づいてなされている。私有の公衆道路などは非課税地目の欄に記載される。
③**地積**：登記地積と現況地積が記載されている。課税は現況地積による。
④**価格**：本年度の価格，すなわち，評価額であり，固定資産税，都市計画税，不動産取得税，登録免許税等の課税標準を算出する基礎となる価格である。
⑤**固定本則課税標準額**：地方税法の本法により，算出した固定資産税の課税標準額であり，商業地等の非住宅用宅地は⑤の価格と同額であり，住宅用地については価格の$\frac{1}{3}$（小規模住宅用地は$\frac{1}{6}$）となっている。これを基に，本年度の⑧**固定課税標準額**が求められ，これに税率を乗じて⑨**固定資産税（相当）額**が求められる。なお，⑦**固定前年度課標等**は，負担調整率によって本年度の課税標準額を求めるための金額である。
⑥**都計本則課税標準額**：地方税法の本法により算出した都市計画税の課税標準額であり，以下上述したと同様にして，本年度の⑪**都計課税標準額**を求め，⑫**都市計画税（相当）額**を求めている。

（注１）　東京都23区内の小規模非住宅用地について算出税額の２割を減免する特例がもうけられている（296，298ページ）。

（注２）　東京都23区内の小規模住宅用地の都市計画税について算出税額の$\frac{1}{2}$を軽減する特例がもうけられている（298ページ参照）。

都市計画税の税額は，

$$15,000,000円\times\frac{0.3}{100}=45,000円$$

となるが，23区内については，これを$\frac{1}{2}$に減額する特例があり，$45,000円\times\frac{1}{2}=22,500$円となる。

（注）　この台帳の表題に「土地（補充）課税台帳」と記載されている。

固定資産課税台帳は，登記簿に登録されている土地・建物について作成される。しかし，登記されていない土地・建物もある。土地については大体登記されているが，登記されていない土地も，ないことはない。建物については，登記されていない建物も多い。これらの未登記の土地・建物を補充して記載したものが「補充課税台帳」である。実務上は同じように扱われて，一緒に綴じ込まれていて，「土地（補充）課税台帳」という表題になっている（地法341十一）。

（図表２－25のつづき）

負担水準（%）		固定小規模課標　円 固定一般住宅課標 円 固定非住宅課標　円	都計小規模課標　円 都計一般住宅課標 円 都計非住宅課標　円	小規模軽減額(都) 円 減額税額(固・都) 円 減免税額(固・都) 円	摘　要
固　定	都　計				
90	98	7,125,000	15,000,000	22,500	都市計画税軽減 小規模住宅用地

図表２－26　家屋（補充）課税台帳の例

家屋の所在	区分家屋 物件番号	家屋番号	種類･用途 建築年次	構　造 屋　根	地上 地下	登記床面積 ㎡ 現況床面積 ㎡
○○○町二丁目１番地１		１－１－１	居　宅	木造	2	100.00
	10001		平20年	瓦葺	0	100.00

価　格　円	固定課税標準額 円 都計課税標準額 円	固定資産税(相当)額 円 都市計画税(相当)額 円	減額税額(固)　円 減免税額(固・都) 円	摘　要 ※
	6,000,000	84,000		
6,000,000	6,000,000	18,000		

（注）　家屋の場合は，価格（評価額）がそのまま課税標準額となっている。なお，マンションなどの区分所有家屋の「価格」欄には，一棟の建物全体の価格が記載され，この金額を持分割合によって按分した金額によって，「固定資産課税標準額」以下の欄に記載している。

家屋（補充）課税台帳　家屋（補充）課税台帳の一例を示すと**図表２－26**のとおりである。

家屋の評価額は，基準年度の再建築費から，時の経過による減価分を差し引いて求めることになっている。

なお，木造住宅についての**経年減点補正率基準表**を例として**図表２－27**（244ページ）に掲げておいた。同表の××点というのは１㎡当たりの再建築費の評価点数であり，基準を１点１円として，これに再建築費評点補正率，物価水準による補正率，設計管理料等による各種増減補正率を乗じて，再建築費を算出している。

したがって，これらの補正率を乗じた評点が１点１円であれば，61,190点以上95,820点未満というのは，１㎡当たりの再建築費が61,190円以上95,820円未満の建物という意味である。

この表を見てもわかるが，残存価額が20％に達すると据え置かれるようになっている。これは，鉄筋コンクリート造その他の構造についても同様である。これは，家屋を普通の状態において利用できるのは，一般的に再建築価額の20％程度の残存価額があるものが限度とされていること等を考慮して定められているものであると説明されている。

要するに，家屋を普通の状態で使用しているのなら，20％の価値が残っているとしている。

固定資産税の価格と不動産取得税の価格

家屋は，いったん入居すると価格が下がるのが通常であるので，固定資産税においては，初期減価といって，**図表２−27**に見られるように，たとえば木造家屋については，第１年目から，再建築費の２割減価した価格で登録されている(注)。新築された建物の不動産取得税の価格には，この初期減価は織り込まれていないので，固定資産課税台帳に登録された価格（評価額）よりこの分だけ高くなっている。

なお，すでに固定資産課税台帳に登録されている既存の家屋については，その登録価格が不動産取得税の価格となる。

（注）　この２割の初期減価がなされるのは，木造家屋の全部と非木造家屋のうちの住宅である。

土地・家屋等縦覧帳簿と縦覧制度

市町村は，固定資産の価格等を決定して固定資産課税台帳に登録したとき，「土地価格等縦覧帳簿」「家屋価格等縦覧帳簿」を毎年３月31日までに作成し，この帳簿を，毎年４月１日から20日または最初の納期限のどちらか遅いほうの日までの間，納税者の縦覧に供することになっている。

（注）　東京都23区内の令和６年の縦覧期間は４月１日（月）から７月１日（月）まで。

この縦覧帳簿には，固定資産に登録された事項のうち，土地については所在，地番，地目，地積，価格，家屋については所在，家屋番号，種類，構造，床面積，価格のみが記載されており，課税標準や税額は記載されていない。

従来は，納税者は自分の所有している土地と家屋しか見られなかったが，平成15年からは，他の土地や家屋の価格と比較することができるよう同一市町村内の他の土地や家屋の価格等も見ることができるようになっている（地法415条，416条）。また，この価格に不服のある場合には，審査の申し出ができるようになっている（審査の申し出について詳しくは246ページのコラム参照）。

課税台帳の閲覧制度

固定資産課税台帳の閲覧は，従来は行政サービスとしてされていたが，平成15年からは，これが法定化され，固定資産税の納税者だけでなく，借地人，借家人その他の関係者に対しても，台帳に登録された事項のすべてを閲覧させねばならなくなっている（地法382条の２）。ここでは，前掲の縦覧帳簿に記載されている事項のほか，住宅用地の特例を受けた後の課税標準も見ることができる。

閲覧できるその他の関係者というのは，その土地や家屋を対価を支払って使用収益している者（借地人，借家人など），破産法の破産管財人，会社更生法の管財人，民事再生法の保全管理人などである（地令52条の14，地則12条の４）。

（注）　ほとんどの役所で，固定資産課税台帳はコンピュータで処理されており，閲覧を申請すると，内容を記載したものを書面でアウトプットしてくれるようになっている。

課税台帳記載事項の証明書

市町村長は，上記の課税台帳を閲覧することができる者が，課税台帳に記載されている事項の証明書の請求をしたときは，その証明書を交付しなければならないとされている。また，上記の者のほか，民事訴訟の申立てに関し裁判所に納める手数料を算出するため家屋や土地の価格の証明書を必要とする場合も，この証明書の交付を受けることができるが，この場合の証明書には価格は記載されているが，課税標準は記載されていない（地法382条の３，地令52条の15，地則12条の５）。

納税通知書と課税明細書

固定資産税は市町村から送付されてくる納税通知書によって納付することになっているが，この通知書には，下記の事項を記載した課税明細書が添付されている（地法364条③④）。

土地については，所在，地番，地目，地積，価格，課税標準額，軽減税額

家屋については，所在，家屋番号，種類，構造，床面積，価格，課税標準額，軽減税額

路線価の公開

市街地宅地評価法が適用される地域については，路線価図が作成されて公開されており，また，それ以外の地域にあっては，標準宅地の位置と１㎡当りの価格が公開されており，だれでも閲覧することができるようになっている（地法410条②，地則15条の６の４）。ただし，固定資産税における評価替えは３年ごとであるので，一般の評価に利用しようというときは，評価時点がいつの分であるかについて注意しなければならない。

（注）　㈶資産評価システム研究センターの「全国地価マップ」（https://www.chikamap.jp/）で閲覧することができる。

課税台帳の閲覧や証明書の申請に行くときの注意

ところで，上記の閲覧や証明書の申請に行くとき準備しなければならないことが三つある。

①　課税台帳は，登記簿の地番で表示され編綴されている。住居表示の番地と登記簿上の地番とが違っている場合があるから，これを確かめていかないと，まごつくことがある。わからないときは役場に登記簿上の地番と住居表示の番地との対照表が備えつけてある場合もあるので，これで調べればよいが，この対照表は見にくいので，できればあ

図表２－27　木造家屋経年減点補正率基準表

1　専用住宅，共同住宅，寄宿舎及び併用住宅用建物

延べ床面積1.0㎡当たり再建築費評点数別区分							
61,190点未満		61,190点以上 95,820点未満		95,820点以上 147,770点未満		147,770点以上	
経過年数	経年減点補正率	経過年数	経年減点補正率	経過年数	経年減点補正率	経過年数	経年減点補正率
1	0.80	1	0.80	1	0.80	1	0.80
2	0.75	2	0.75	2	0.75	2	0.75
3	0.70	3	0.70	3	0.70	3	0.70
4	0.66	4	0.67	4	0.68	4	0.68
5	0.62	5	0.64	5	0.65	5	0.67
6	0.58	6	0.61	6	0.63	6	0.65
7	0.53	7	0.58	7	0.61	7	0.64
8	0.49	8	0.55	8	0.59	8	0.62
9	0.45	9	0.52	9	0.56	9	0.61
10	0.41	10	0.49	10	0.54	10	0.59
11	0.37	11	0.46	11	0.52	11	0.58
12	0.33	12	0.44	12	0.50	12	0.56
13	0.28	13	0.41	13	0.47	13	0.54
14	0.24	14	0.38	14	0.45	14	0.53
15以上	0.20	15	0.35	15	0.43	15	0.51
		16	0.32	16	0.40	16	0.50
		17	0.29	17	0.38	17	0.48
		18	0.26	18	0.36	18	0.47
		19	0.23	19	0.34	19	0.45
		20以上	0.20	20	0.31	20	0.43
				21	0.29	21	0.42
				22	0.27	22	0.40
				23	0.25	23	0.39
				24	0.22	24	0.37
				25以上	0.20	25	0.36
						26	0.34
						27	0.33
						28	0.31
						29	0.29
						30	0.28
						31	0.26
						32	0.25
						33	0.23
						34	0.22
						35以上	0.20

（固定資産評価基準（最新改正・令和５年11月15日総務省告示第385号）第２章家屋・別表９）

（注）　鉄骨鉄筋コンクリート造，鉄筋コンクリート造の建物については，**図表７－９**（793ページ）に掲載。

らかじめ調べておいたほうがよい。

② ほとんどの市区町村では，所有者や閲覧できる資格者本人でなければ閲覧できないようになっている。本人が閲覧に行くときは，本人であることを証する書類（マイナンバーカード，健康保険証，運転免許証，住民基本台帳カード，固定資産税の納税通知書など）を持参する。また，本人以外の人が閲覧しようとするときは，本人の委任状を持参すること。

課税台帳の閲覧や証明書の交付申請は，各市区町村によって，若干手続きが異なるので，ホームページ等で，事前に閲覧可能時間や必要な書類等を確認しておいたほうがよい。

〈地番と番地と住居番号〉

不動産登記では，土地を区割し，その単位を「筆」といっているが，その各筆を特定するために「○○町２丁目９番」というように，町，村，字（あざ）名などのつぎに番号をつけていて，これを**地番**という。この町名などが姓で，番号が名前にあたるものと考えてもよいだろう。また，一筆の土地，たとえば９番の土地を分筆すると，９番１，９番２というように名前をつけていき，この「１」「２」を**枝番**（えだばん）といっている。

これに対し，この土地の所在を示すのが**番地**で，建物の登記では，所在地「○○町２丁目９番地１」というように記載し，その建物が「９番１」という地番の上に建てられていることを示している(注)。

ところで，町の市街化が進むにつれて，土地の分筆や分割を繰り返しているうちに，この地番が入り乱れ，建物を探すのがむずかしくなったことなどから，昭和37年（1962年）に「住居表示に関する法律」が制定され，街区ごとに番号を，街区内の住居ごとに枝番をつけ，「○○町２丁目７番１号」というような**住居番号**がつけられている。

なお，登記簿の地番は従前どおりのままであるので，住居番号と一致していないところが多いが，登記の申請や閲覧は地番によっており，登記所では対照表など備えて便宜をはかっている。

（注） 地番は民有地につけられていたので，当初からの国有地は地番がない番外地（例：網走番外地）で，所在を示すとき，隣接地の番地を利用して○○番地先などと表示していた。

〈固定資産税評価額に不服のある場合の救済〉

土地価格等縦覧帳簿および家屋価格等縦覧帳簿は，原則として，毎年4月1日から4月20日まで，またはその年度の最初の納期限の日のいずれか遅い日以後の日までの間で，市区町村役場（東京都は都税事務所）で**縦覧**を行っている（地法416条）。この間に納税義務者（所有者）は台帳を閲覧し，その価格に，また，その後送られてくる納税通知書に記載された価格（評価額）に不服がある場合は，各市区町村にもうけられている固定資産評価審査委員会に**審査の申出**をすることができるようになっている。

なお，この申出のできる期間は，価格を固定資産課税台帳に登録した旨を公示した日から納税通知書の交付を受けた日後3月を経過する日までとされている（地法432条）。

なお，固定資産税の評価替えは3年に一度行われ，3年間据え置かれる。しかし，第2年度以降の基準日に地目の変換，家屋の改築，取壊しその他これに類する特別の事情のある場合等で，基準年度の価格によることが不適当である場合には，類似する土地・家屋の基準年度の価格に比準する価格を登録する（地法349条②③）。評価替えの行われる年を**基準年度**といい，令和3年，令和6年，令和9年……がこれにあたる。審査の申出ができるのは，原則としてこの基準年度だけである（新築，増改築，地目の変換などがあって，基準年度以外の年に評価替えが行われた場合は，例外としてその年にも審査の申出ができる）。もし，審査委員会の決定にも不服がある場合は，裁判所に訴えを提起することになる。

＊　＊　＊

地価が下落し，課税上著しく均衡を失すると認められる場合には，価格の修正が行われることになっている（291ページ参照）が，この**修正価格**に不服のある場合にも，上記と同様にして，審査の申出ができるようになっている。この審査の申出は，修正された価格に限定されている。なお，修正すべきであるのに修正されなかった場合には，修正することを申し出ることができる（地法附則17条の2）。

＊　＊　＊

固定資産税について，価格以外の間違い――たとえば，小規模宅地であるのに減額特例の適用をしていないなどについては，市町村長に**不服申立**をして訂正してもらう。これは期日の制限がない。（実務的には，明確な誤りであれば窓口に申し出れば，調査の上，すぐに訂正してくれる。）

〈太閤検地と固定資産課税台帳〉

豊臣秀吉は，天下を統一すると，日本六十余州津々浦々に至るまで「検地」を実施した。すなわち，全国の土地を調査し，標準的な収穫高によって，田ならば上田（じょうでん），中田（ちゅうでん），下田（げでん）と分け，上田の収穫高は１反あたり１石５斗，中田は１石３斗，下田は１石１斗というようにきめて検地帳に記載していった。畠の場合も，収穫高を米に換算して，上畠１石２斗，中畠１石，下畠８斗とか，屋敷も１石２斗とかいうように記載し，その耕作者の名前も登録した。

このように土地や建物を格付けし，米単位であっても，全国的な普遍的尺度で不動産の価値を評価しようとしている点では，「不動産鑑定評価基準」の原型ともいえよう。

「検地帳」というのは，現在の固定資産課税台帳と登記簿とを兼ねたようなものである。田畑などの所在地や面積や地目がまず記載されている。そして，検地帳に記載された耕作者が，その土地の権利者であるということでは登記簿に似た性質をもっているし，その耕作者が年貢米を納める納税義務者であるという点では，課税台帳の性質をもっている。そして，上田とか中畠というのは地目に相当し，１石５斗とか，１石とかいうのは評価額であり，それがイコール課税標準になる。

当時の租税のほとんどは年貢米によっていたので，この太閤検地によって，近世封建国家の財政的基礎が確立したといえよう。そして，四公六民といえば，各人ごとに集計された石高の40％を領主が賦課徴収するということであり，五公五民，六公四民という比率もあった。これが税率にあたる。

その後，この検地帳は，明治初頭の地租改正の土地台帳を経て，約430年後の現在の課税台帳に引きつがれており，固定資産税の評価額も貨幣で表示されることになっている。

23　不動産の取得と登録免許税(1)

登記をするときには，登録免許税が課せられる。

登録免許税とその税率

土地・建物を取得して，所有権移転登記や保存登記または抵当権設定登記などをするときには，登録免許税が課せられる（登法3条）。この税率は，登記の種類と，登記をしようとする不動産の態様などによって定められており，不動産の購入，新築などに関連する主な部分をぬきだすと，**図表2－28**のとおりである。

図表2－28　不動産の登記に係る登録免許税の早見表（抄）

表の（　）＊の軽減税率は**令和9年3月31日**まで，また＊＊の軽減税率は**令和8年3月31日**までの登記に適用される。

登　記　事　項	課税標準	本則税率 (軽減税率)
(1)所有権の保存登記 （税率の特例） ①個人が床面積50㎡以上の自己の居住用の住宅を新築し，または，新築住宅を取得し，1年以内にする保存登記 ②個人が自己の居住用の特定認定長期優良住宅または低炭素系住宅を新築し，または新築住宅を取得し，1年以内にする保存登記	不動産価額 〃 〃	1,000分の4 (1,000分の1.5)＊ (1,000分の1.0)＊
(2)所有権の移転の登記 イ．売買交換・贈与・遺贈(※)によるもの(注1) （税率の特例） ①土地の売買によるもの ②個人が自己の居住用の床面積50㎡以上の新築住宅を取得し1年以内にする移転登記 ③個人が自己の居住用の床面積50㎡以上の中古住宅で，昭和57年1月1日以後に建築されたもの（新耐震基準に適合している住宅用家屋）を取得し，1年以内にする移転登記(注4) ロ．相続による移転の登記(注5) ハ．共有物の分割による移転の登記 ④個人が自己の居住用の新築の特定認定長期優良住宅を取得し，1年以内にする移転登記 ⑤個人が自己の居住用の新築の低炭素系住宅を取得し，1年以内にする移転登記	不動産価額 〃 〃 〃 〃 〃 〃 〃	1,000分の20 (1,000分の15)＊＊ (1,000分の3)＊ (1,000分の3)＊ 1,000分の4 1,000分の4 戸建住宅(1,000分の2)＊ マンション(1,000分の1)＊ (1,000分の1)＊
(3)地上権または賃借権の設定，転貸または移転の登記		

イ．設定または転貸によるもの	不動産価額	1,000分の10
ロ．売買・贈与・遺贈(※)によるもの	〃	1,000分の10
ハ．相続によるもの	〃	1,000分の2
ニ．共有に係る権利の分割によるもの	〃	1,000分の2
(4)配偶者居住権の設定登記	不動産価額	1,000分の2
(5)信託の登記		
イ．所有権の信託の登記	不動産価額	1,000分の4 (1,000分の3)＊＊
ロ．先取特権，質権又は抵当権の信託の登記	債権金額または極度金額	1,000分の2
ハ．その他の権利の信託の登記	不動産価額	1,000分の2
(6)仮登記		
イ．所有権保存の仮登記	〃	1,000分の2
ロ．所有権移転の仮登記 (注1)		
① 売買・贈与・遺贈(※)によるもの	〃	1,000分の10
② 相続または共有物の分割によるもの	〃	1,000分の2
ハ．地上権または賃借権の設定，転貸，移転の仮登記		
① 設定または転貸によるもの	〃	1,000分の5
② 売買・贈与・遺贈(※)によるもの	〃	1,000分の5
③ 相続によるもの	〃	1,000分の1
④ 共有に係る権利の分割によるもの	〃	1,000分の1
(7)抵当権の設定の登記	債権金額または極度金額	1,000分の4
（税率の特例） 保存登記の税率の特例または所有権移転登記の税率の特例の対象となる新築住宅または中古住宅を取得した場合のその取得資金の貸付けに係る債権を担保するための，これらの住宅を目的とする抵当権の設定の登記で，取得後1年以内に行うもの	債権金額	(1,000分の1)＊
(8)土地の分筆または建物の分割などの登記		
イ．土地の分筆または建物の分割もしくは区分による表示の変更の登記	分筆または区分後の不動産個数	1個　1,000円
ロ．土地または建物の合併による表示の変更の登記	合併後の不動産個数	1個　1,000円
(9)登記の抹消（土地または建物の滅失による表示の抹消登記は課税されない）	不動産個数	1個　1,000円 （同一の申請書により20個を超える不動産について登記の抹消を受ける場合には，申請件数1件につき2万円）

（注1） ※中の「遺贈」は相続人以外の者に対する遺贈をいい，相続人に対する遺贈は「相続」に含まれる。

（注2） すでに賃借権の設定登記のしてある建物，また地上権，永小作権，賃借権，採石権，配偶者居住権の設定登記のしてある土地を，これら権利者に所有権移転するときの登録免許税は上表に

掲げた税率の$\frac{1}{2}$となる（登法17条④）。

（注３）　相続税を延納する場合には，担保として差し入れた不動産に抵当権の設定がなされるが，これは財務省が職権で登記するものであるので，登録免許税は課せられない。
物納のときの所有権移転登記についても同様である。

（注４）　築日付が昭和57年１月１日以後の家屋については，新耐震基準（335ページ参照）に適合している家屋とみなす。

（注５）　相続（遺贈を含む）により土地の所有権を取得した個人が，その相続によるその土地の所有権の移転登記を受ける前に死亡した場合には，令和７年３月31日までに，その死亡した個人をその土地の所有権の登記名義人とするために受ける登記については，登録免許税が課されない（措法84条の２の３①）。

この早見表の見方——適用される税率

この早見表は，不動産に係る部分を読みやすいようにアレンジして作成したものである。

ただし，**土地の売買による所有権移転**の登記で，**令和８年３月31日**までにする登記については，つぎのような軽減税率が適用される（措法72条）。

1,000分の15

なお，所有権移転の仮登記の軽減税率は，所有権移転の場合の税率の$\frac{1}{2}$となっている。

また，特定の居住用家屋の所有権保存登記，移転登記，抵当権設定登記の軽減税率（254ページ以下参照）の適用期限は，**令和９年３月31日**までにする登記となっている。

不動産価額とは

不動産の保存登記や移転登記などは，不動産価額に税率を乗じて税額を求めることになっているが，この表の不動産価額というのは，固定資産課税台帳に登録された価格（評価額）である（注１）。なお，登記申請の日が１月１日から３月31日までのときは前年の価格が適用される。また，価格の登録後に建物の増改築，損壊，土地の地目の変更などがあって，この登録価格によることが適当でないと認めるときは，上記の金額を基礎として，これらの事情を考慮して登記官が認定した価額とされる（注２）。たとえば，登記する土地が農地から宅地に変わっているのに登録価格は農地の価格のままである場合は，その土地の近傍の土地の価格と比較して，その土地の価額を決めるようになっている（登法附則７条，登令附則３，４）。

（注１）　具体的には，不動産の所在する市町村で，土地または家屋の「課税台帳記載事項証明書」（240ページ参照）の交付を受けて，これを登記申請書に添付して提出する。なお，この場合の「価格」は，登録価格の欄（**図表２−25**の④の欄）に記載されている金額そのものであって，「固定資産課税標準額」の欄に記載されて

図表２－29　東京法務局新築建物課税標準価格認定基準表

（基準年度：令和６年度）

（１平方メートル単価・単位：円）

構造／種類	木　造	れんが造・コンクリートブロック造	軽量鉄骨造	鉄骨造	鉄筋コンクリート造	鉄骨鉄筋コンクリート造
居　宅	107,000	—	121,000	130,000	166,000	—
共同住宅	116,000	—	121,000	130,000	166,000	—
旅館・料亭・ホテル	105,000	—	—	174,000	174,000	—
店舗・事務所・百貨店・銀行	80,000	—	68,000	147,000	159,000	—
劇場・病院	83,000	—	—	174,000	174,000	—
工場・倉庫・市場	64,000	—	47,000	104,000	116,000	—
土　蔵	—	—	—	—	—	—
附属家	70,000	—	51,000	114,000	127,000	—

※本基準により難い場合は，類似する建物との均衡を考慮し，個別具体的に認定することとする。

（出典：東京法務局ホームページ）

いる金額ではない。

（注２）　公衆用道路について，固定資産税は非課税とされているので，固定資産税課税台帳に評価額が登録されていない（地法348②五）。固定資産課税台帳に登録された評価額がない場合は，登記官が認定した評価額になる（登令附則３）。公衆用道路の形状等により，その価値は異なることから，管轄の法務局に個別に確認する必要がある。

新築建物の不動産価額は

建物を新築したとき，保存登記をする。この場合，建物の評価額は，まだ決まっていないので，固定資産課税台帳に登録されていない場合が多い。

この場合は，各法務局ごとに定められた基準年度の新築建物価格認定基準表によって登記官が課税標準を決める。令和６年度に適用されているものについてみると，法務局によって異なるが，東京法務局管内の基準を示すと，**図表２－29**のようになっている。

マンションの敷地の所有権移転登記と登録免許税

建物区分所有法の改正によって，昭和59年１月１日からは，原則として，マンションなどの区分所有建物とその敷地とを分離して処分することはできなくなった。

これにともなって，不動産登記法も改正され，そのようなマンションの敷地については，そのマンションの敷地である旨の登記をしておき，その後は建物の専有部分の保存登記や所有権の移転登記をするだけで，その敷地についての所有権移転登記はしないことになった。そして，建物の専有部分についての登記だけをすれば，その面積割合またはマンションの規約で定めた割合に応じた土地共有持分の所有権移転登記をしたのと同様の効力が生じることになる。

もっとも，規約によって，建物と敷地とを分離して処分できるように定めることもできるが，その場合は従来と同様の登記をするようになる。

これは，昭和59年１月１日以降に新築されたマンションから適用されるが，それ以前に建築されていた既存のマンションについても，昭和59年から５年の経過期間をおいて，順次，このような登記をするように変更されていくようになっていたが，変更されていないマンションもまだかなり残っている。

さて，このようにして敷地権である旨の登記のなされたマンションの敷地については，土地についての所有権移転登記はなされないのであるが，登記をしたのと同じ効力が生じることから，通常の所有権移転登記をしたときと同額の登録免許税が課せられるようになっている。

これは，登録免許税というものが，登記簿に記載することの手数料的なものでなく，権利を保護することの対価的な性格をもっているからである。

〈所有者不明土地対策の一環として〉

土地の魅力が薄れ，所有者不明の土地が国土の約24％（令和４年度国土交通省調べ）と，九州の面積を上回る規模となっている。

その多くは，相続で土地を受け継いでも，相続登記を受けないことになるので，その対策として，令和４年度税制改正により，つぎの免税措置が延長された。

(ア)　相続により土地を受け継いだ者がその登記をしないで死亡した場合，その相続人が，その死亡した人を登記名義人とするための所有権移転登記を，平成30年４月１日から令和７年３月31日までにする場合，登録免許税を課さない。

(イ)　所有者不明土地の利用の円滑化等に関する特別措置法の施行の日から，令和７年３月31日までに，相続登記の促進を図る必要があると法務大臣が指定する土地についての相続による所有権移転登記，また，保存登記（不動産登記法２条10号に規定する表題部所有者の相続人が受けるものに限る）で，その価額が100万円以下である場合（改正前は10万円以下），登録免許税を課さない（措法84条の２の３①，②）。

24　不動産の取得と登録免許税⑵

登録免許税は，登記の種類ごとに税率が定められている。また，一定の新築住宅や中古住宅については税率が軽減される特例がもうけられている。これらの不動産の取引に関する登録免許税を順を追って解説する。

不動産の取引ごとの登記の種類と登録免許税

一般的な不動産の取引に関係する登記の種類ごとにかかる登録免許税を解説していく。

表題登記には登録免許税はかからない

建物や土地の登記簿には，まず表題部がある。建物の表題部には，所在，家屋番号，種類，構造，床面積などが，土地については所在，地番，地目，面積が記載されている。

建物が新築されたときには，この建物の表題部はまだ作成されていないので，その所有者が１か月以内に表題の登記をすることが義務づけられており（不動産登記法47条①），これを怠った場合には10万円以下の過料に処す（同164条）とまで定められている。

こういう関係にあるから，表題登記については，登録免許税は課税されない。

建物の増改築などで表題部の内容が変わって，その変更などの登記についても同様である。また，建物を取り壊して**滅失登記**をするときも同様に課税されない。(注１)

土地について新たな土地が生じたとき(注２)，地目などの変更，滅失したときの表題登記，変更登記，滅失登記についても同様である。

（注１）　**図表２－28**の早見表の⑼参照。

（注２）　土地については，ほとんどすべての土地に表題部が作成されている。新たな土地が生ずるときというのは，公有水面を埋め立てたとき，また，登記をされていない国有地（番外地）の払い下げを受けたときぐらいであろう。滅失については，洪水などで土地が滅失することぐらいであろう。

所有権の保存登記と税率

新たな建物や土地が生じて表題登記をした後で，その所有者がだれであるかということを登記簿の甲区に記載して，所有権を確保するために所有権の登記が行われる。

所有権の保存登記の税率は1,000分の４となっている。

所有権の保存登記で一般的なのは，建物を新築したときである。この段階では，建物の価格が固定資産課税台帳に登録されていないのが一般的であるので[注]，このときの不動産価額は，**図表２－29**の新築建物価格認定基準表による。

木造の居宅で床面積が100㎡であれば，この表によれば，不動産価額は，

$$\underset{\text{（床面積）}}{100\text{㎡}} \times \underset{\text{（認定価格・単価）}}{107{,}000\text{円}} = \underset{\text{（不動産価額）}}{10{,}700{,}000\text{円}}$$

となり，登録免許税の税額は，

$$\underset{\text{（課税標準）}}{10{,}700{,}000\text{円}} \times \underset{\text{（税率）}}{\frac{4}{1{,}000}} = \underset{\text{（税額）}}{42{,}800\text{円}}$$

となる。

（注）　固定資産課税台帳への登録は登記所からの通知によって行われている。

一定の住宅を新築して保存登記をするときの軽減措置

しかし，その新築住宅が下記の一定の要件を満たしている場合，その税率が1,000分の1.5に軽減される。その結果，上記例について計算すると，

$$10{,}700{,}000\text{円} \times \frac{1.5}{1{,}000} = 16{,}050\text{円}$$

に軽減される。

一定の要件とは，

① 個人の自己の居住の用に供した家屋で

　(ア)　１棟の建物の床面積の合計（２棟以上を一体として使用する場合は，その合計）が50㎡以上であること

　(イ)　耐火・準耐火建築物である区分所有建物で，区分所有される専有部分の床面積が50㎡以上であるもの

　(ウ)　面積1,000㎡以上の一団の土地に集団的に新築された地上３階以下の建物で，準耐火構造に準ずる耐火性能を有するものとして国土交通大臣の定める基準に適合する区分所有建物で，区分所有される専有部分の床面積が50㎡以上であるもの

② **令和９年３月31日**までに新築されたもので

③ 新築後１年以内に

④ 新築した個人が登記をするもので

⑤ 家屋の所在地の市区町村長の住宅用家屋証明書（その家屋が新築されたものであること，および新築年月日の記載のあるもの）を添付すること

である（措法72条の２，措令41条，措則25条）。

一定の新築住宅を購入して保存登記をするときの軽減措置

上記例は，あらかじめ自分で土地を確保して，自分で住宅を新築した場合の軽減措置である。では，建売住宅やマンションのように，業者が新築してでき上がったものを買ったときはどうだろうか。この場合の登記は，業者がまず建物の保存登記をして，それから購入した個人に所有権移転登記をするのが原則である。そうすると，業者が保存登記に係る登録免許税を払い，さらに購入者が移転登記に係る登録免許税を払うこととなるので，通常はこのような原則的な登記手続きをふまず，すなわち，業者の保存登記を省略して買主が直接に保存登記をしていることが多い。この場合でも，下記の要件をそなえた住宅であれば，購入者が保存登記をしても，税率が1,000分の1.5に軽減されるようになっている。

上記の特例の適用となる要件は，

①　個人の自己の居住の用に供した建築後使用されたことのない住宅用家屋で

㋐　１棟の建物の床面積の合計（２棟以上を一体として使用する場合は，その合計）が50㎡以上であること

㋑　耐火・準耐火建築物である区分所有建物で，区分所有される専有部分の床面積が50㎡以上であるもの

㋒　面積1,000㎡以上の一団の土地に集団的に新築された地上３階以下の建物で，準耐火構造に準ずる耐火性能を有するものとして国土交通大臣の定める基準に適合する区分所有建物で，区分所有される専有部分の床面積が50㎡以上であるもの

②　**令和９年３月31日**までに取得されたもので

③　取得後１年以内に

④　取得した個人が登記をするもので

⑤　家屋の所在地の市区町村長の住宅用家屋証明書（その家屋が新築後使用されたことのないものであること，および取得年月日の記載のあるもの）を添付すること

である（措法72条の２，措令41条，措則25条）。

所有権の移転登記と登録免許税

建物や土地の所有権移転登記に係る登録免許税の税率は，その原因ごとに定められている。

①　売買，贈与または相続人以外の者に対する遺贈によるもの……1,000分の20

ただし，土地の売買による所有権移転登記で，**令和８年３月31日**までにする

登記は，
……1,000分の15
の軽減税率が適用される（措法72条①）。
② 相続または相続人に対する遺贈によるもの……1,000分の4
③ 共有に係る権利の分割によるもの……1,000分の4(注)

（注） 共有されていた土地を分筆して，共有物分割の登記をした際に，その持分に応じた価額に対応する場合の税率は1,000分の4であるが，上記の要件に該当しない場合の税率は1,000分の20となる（登令9条）。

一定の新築住宅を購入して移転登記をするときの軽減措置

一定の新築住宅を売買(注)により取得して，所有権の移転登記をする場合には，税率を1,000分の3に軽減する特例がもうけられている。

この特例の適用となる要件は，前ページの「一定の新築住宅を購入して保存登記をするときの軽減措置」に記載してある要件と同じである（措法73条，措令42条，措則25条の2）。

（注） この特例についての取得原因は，売買と競落に限られている（措令42条③）。したがって，交換や贈与などで取得したものについては，この特例は適用されないことになる。**第9章**の等価交換方式などで従後の建物を取得する場合，取引形態を相互売買にするか交換にするかで差が生じるので注意を要する。

一定の中古住宅を購入したときの移転登記の軽減措置

また，一定の中古住宅を売買により(注1)取得して，所有権の移転登記をするとき，下記の一定の要件を満たしている場合，その税率が1,000分の3に軽減される特例がもうけられている。

一定の要件とは，
① **令和9年3月31日**までに取得した個人の自己の居住の用に供する家屋で，
(ア) 面積については，その1棟の建物の床面積（2棟以上を一体として使用する場合は，その合計，区分所有建物(注2)では専有部分）が50㎡以上であって
(イ) 昭和57年1月1日以後に建築された家屋（上記の日前に建築された家屋で「耐震基準適合証明書」を受けたもの）で，
② これらに該当するものであることについての家屋所在地の市区町村長の証明書（家屋の取得日の記載のあるもの），すなわち**「既存住宅証明書」**を添付して
③ 取得の日から1年以内に，取得した個人が登記する場合
ということになっている（措法73条，措令42条，措則25条の2）。

（注1） 前掲「一定の新築住宅を購入して移転登記をするときの軽減措置」の（注）参照。

（注２）その構造は登記簿に記録された家屋の構造のうち，主たる部分の構成材料が鉄骨造，鉄筋コンクリート造，鉄骨鉄筋コンクリート造，石造，煉瓦造，コンクリートブロック造のものに限るとされている（措令42条②，措則25条の２②）。

特定の改修工事をした中古住宅の移転登記の軽減措置

令和９年３月31日までに，宅地建物取引業者により一定の質の向上を図るための改修工事が行われた中古住宅を取得する場合における所有権の移転登記に対する登録免許税の税率を，1,000分の１（一般住宅1,000分の３，本則1,000分の20）に軽減する（措法74条の３，措令42条の２の２，措規26条の３）。

この特例の適用要件は，下記のとおりである。

① 宅地建物取引業者がつぎに掲げる増改築等をした住宅用家屋（特例の適用を受けようとする個人が取得する前２年以内に当該宅地建物取引業者が取得をしたものに限る）であること。

㈠ ⅰ)またはⅱ)のいずれかの要件を満たす工事であること。

ⅰ) 大規模修繕要件（つぎの工事費用の額の合計額が100万円超）

ⓐ 増築，改築，大規模の修繕，大規模の模様替えの工事

ⓑ 区分所有部分の床，階段または壁の過半について行う一定の修繕または模様替えの工事

ⓒ 家屋のうち居室，調理室，浴室，便所，洗面所，納戸，玄関または廊下の一室の床または壁の全部について行う修繕または模様替えの工事

ⓓ 地震に対する一定の安全基準に適合させるための修繕または模様替え（耐震改修工事）

ⓔ 一定のバリアフリー改修工事

ⓕ 一定の省エネ改修工事

ⅱ) 住宅性能向上要件（つぎのいずれかの工事費用の額がそれぞれ50万円超）

一定の耐震改修工事（上記ⓓ），一定のバリアフリー改修工事（上記ⓔ），一定の省エネ改修工事（上記ⓕ），一定の既存住宅売買瑕疵担保責任保険契約が締結されている防水工事

㈡ 上記㈠の工事費用の総額が当該住宅用家屋の譲渡対価の額の20％相当額（300万円超の場合は300万円）以上であること。

② ①の住宅用家屋は，建築後使用されたことのあるもので，つぎの要件に該当するものであること。

㈠ 床面積が50㎡以上であること。

㈡ 新築された日から起算して10年を経過したものであること。

(ウ)　つぎのいずれかに該当すること。

i)　昭和57年１月１日以後に建築されたものであること

ii)　地震に対する安全上必要な構造方法に関する技術的基準またはこれに準ずるものに適合するものであること。

③　特例の適用を受けようとする個人が，上記①の宅地建物取引業者から①の住宅用家屋を取得し，その取得した者が居住の用に供する家屋であること。

④　これらの要件に該当することの当該家屋所在地の市区町村長の証明書を添付して，取得後１年以内に登記すること。

長期優良住宅・低炭素系住宅に係る特例

特定認定長期優良住宅または認定低炭素住宅を，**令和９年３月31日**までに新築し，または新築住宅を売買により取得して自己の居住の用に供して，新築・取得後１年以内に登記する場合の登録免許税は，つぎのように軽減される（措法74条，74条の２）。

特定認定長期優良住宅の場合は，

項　　目	本　　則	特　　例	
		一般住宅	特定認定長期優良住宅
所有権の保存登記	４／1,000	1.5／1,000	１／1,000
所有権の移転登記	20／1,000	３／1,000	１／1,000(注)

(注)　一戸建住宅の場合は1,000分の２

認定低炭素住宅の場合は，

項　　目	本　　則	特　　例	
		一般住宅	認定低炭素住宅
所有権の保存登記	４／1,000	1.5／1,000	１／1,000
所有権の移転登記	20／1,000	３／1,000	１／1,000

なお，対象となる特定認定長期優良住宅は，住戸の少なくとも一の階の床面積（階段部分の面積を除く）が40㎡以上であること。さらに，一戸建ての場合には，床面積が75㎡以上であること。共同住宅の場合には，一戸の床面積の合計（共用部分の床面積を除く）が40㎡であること等が要件とされている（長期優良住宅の普及の促進に関する法律施行規則４）。

（適用対象となる特定認定長期優良住宅の要件については330ページのコラムに，認定低炭素住宅の要件については331ページのコラムに掲載）

地上権，賃借権の設定等と登録免許税

地上権または賃借の設定または転貸の登記の税率は，1,000分の10になっている。また，移転の登記の税率は所有権移転の登記の２分の１の税率となっている。

仮登記と登録免許税　所有権移転の仮登記，所有権移転請求権保全の仮登記などの仮登記があるが，これらは本登記の税率の２分の１の税率となっていて，本登記をするときに，本登記の税率から仮登記の税率を引いた税率で税額を算出するようになっている（登法17条）。

土地の売買契約をして，買主は売主に半金を支払った。残金は６か月後に支払い，そのときに土地の引渡しをすることになっているとする。この場合，土地の所有権移転登記は，残額を支払ったときにするのが普通である。しかし，買主のほうは，半金も支払っており，この間，権利を保全する手段を何ら講じていないので心配である。もし売主がその間にこの土地を他の第三者に売ってしまって，所有権移転登記までしてしまったら，買主はこの第三者に対抗することはできない。すなわち，その土地を入手することは不可能になる。売主に対して，前に払った半金を返せと請求することはできるが，土地を二重売りするような相手であるから，金を返してくれるかどうかわからない。また，二重売りしないまでも，借入れをして，その土地に抵当権を設定してしまうこともある。この場合も同様なことが起こる。

こういうことにならないようにするには，契約をして内金を払ったとき，「所有権移転請求保全」の仮登記をしておけばよい。これは，残金全額を支払ったとき，この仮登記を本登記に移すことができるという登記である。この仮登記をした後で，第三者が所有権移転登記をしても，また抵当権設定登記をしていても，先に仮登記をした人が，残金を払って仮登記を本登記に直せば，第三者のなした登記の抹消を求めることができて，結果として瑕疵のない土地を確保できるという制度である。

売買による所有権移転の仮登記の税率は本登記の税率1,000分の20の半分の1,000分の10である。そして，本登記をするとき，この税額だけ控除してくれるようになっている（登法17条）。

土地の課税標準額を2,000万円とすると，

＜仮登記のとき＞

$$\underset{\text{（課税標準額）}}{20{,}000{,}000\text{円}}\times\overset{\text{（税率）}}{\frac{10}{1{,}000}}=\underset{\text{（登録免許税額）}}{200{,}000\text{円}}$$

＜本登記になおすとき＞

$$20{,}000{,}000\text{円}\times\left(\frac{20}{1{,}000}-\frac{10}{1{,}000}\right)=200{,}000\text{円}$$

で，合計40万円である。

仮登記を経ないで，直ちに本登記をしたときは，

$$20{,}000{,}000\text{円}\times\frac{20}{1{,}000}=400{,}000\text{円}$$

であり，これと同じ税額になる。

抵当権の登記と登録免許税

抵当権の登記の税率は本則1,000分の４となっている。

なお，上述した一定の新築住宅や中古住宅で軽減措置の適用を受けられる家屋を新築または取得するための資金の貸付けまたは賦払いの方法での支払いについての債権に関する抵当権の設定登記の税率は1,000分の１に軽減される（措法75条，措令42条の２の３，措則27条）。

新築住宅や一定の中古住宅に関する登録免許税の軽減措置と法人

なお，これらの特例は個人についてだけ適用があるもので，法人には一切関係がない。

マンション建替円滑化法に係る特例

マンション建替円滑化法に関しても，平成14年の改正で，登録免許税の特例制度がもうけられているが，これについては，933ページを参照のこと。

〈登録免許税に不服のあるとき〉

登記をするとき，申請書に登記証紙を貼らないと受け付けてもらえない。その金額について納得がいかなくても，たとえば課税標準になる評価額に疑問を抱いていても，また，特例の適用を受けられるはずだと主張しても，登記官のいうとおりの金額の証紙を貼らなければ受け付けてもらえないのだから，泣き寝入りをするということになる。これが，所得税の申告などと異なるところである。

しかし，あきらめきれないというときには，登記の終った後で，１年以内にその登記官に対し，「所轄の税務署長へ過誤納金を還付するように通知する請求」をする。登記官が間違っていたと認めれば，税務署にその通知をして，税務署から過誤納金として還付してもらえる。しかし，登記申請のときに認めなかったくらいだから，だいたいは，「還付の通知をすべき理由がない」という通知が返ってくる。こうなったら，国税不服審判所に審査請求し，棄却されたら，さらに，裁判所に提訴することになる。

なお，審査請求で，納税者の請求が認められた例として，分筆前の土地が商業地区に面していたが分筆後の土地が住宅地区にのみ面するようになった例（平８．４．22）（国税不服審判所ホームページ https://www.kfs.go.jp/index.html　公表裁決事例集 No. 51「登録免許税法関係」→「分筆前の土地の台帳価格を類似地とすることの可否」），分筆後の土地がＬ字型となったので補正して減額することを認められた例（平９．２．24）がある（『国税速報』平成10年10月11日号）。

〈登録免許税の令和６年および最近の改正〉

登録免許税（本章関連部分）について，令和６年にはつぎの改正がなされている。

登録免許税の税率軽減特例の適用期限の延長

(1)　住宅用家屋の所有権の保存登記および移転登記の軽減税率の適用期限が令和９年３月31日までに延長された（255ページ以下関連）。

(2)　特定認定長期優良住宅，認定低炭素住宅の新築に係る登録免許税の軽減特例の適用が，令和９年３月31日までの新築に延長された（259ページ関連）。

(3)　宅地建物取引業者により住宅の質向上の改修工事をしたものを取得した場合に,所有権移転登記をするときの登録免許税の軽減特例が，令和９年３月31日までの取得に延長された（258ページ関連）。

また，平成30年には，つぎの措置が創設されている。

◆　所有者不明土地対策に関して，登録免許税の優遇措置が創設された（253ページのコラム関連）。

25 中間省略登記に代わる登録免許税の節税方法

中間省略登記はできなくなった。これに代わる節税方法は。

中間省略登記とは

不動産業者が，土地を仕入れて転売する。また，その上に戸建て住宅を建てて販売する。こういう場合の土地の所有権移転登記は，

（旧・地主）⟶（不動産業者）への登記

をしてから，

（不動産業者）⟶（転売先等の買主）への登記

をするのが正式の登記の順序であるが，その都度，登録免許税が課せられるので，登録免許税を節約するため，（不動産業者）への登記と，（不動産業者）からの登記を省略して，

（旧・地主）⟶（買主）へ直接登記

することが広く行われており，中間の登記を省略しているので，中間省略登記といわれ，そのような登記による法的効果も最高裁判例でも認められてきた。

登記法の改正で中間省略登記は認められなくなった？

平成16年に不動産登記法が改正され，登記の手続きが改められ，登記が申請にあたって取引の経緯の実態を記載した「登記原因証明情報」を提出することとされ，中間省略登記は，この「情報」に記載されている所有権移転の実態を反映していないので，その申請は受理されず，その結果として中間省略登記はできなくなっている。

所有権を旧地主から買主へ直接移転させれば

問題は，所有権が，

（旧・地主）⟶（不動産業者）⟶（買主）

へと移転しているのに，所有権の移転登記を，

（旧・地主）⟶（買主）

とするからいけないのである。

それなら，（旧・地主）と（不動産業者）と売買契約をしても，不動産業者に所有権を移転させないで，実際の所有権を（旧・地主）から（買主）へと直接移転させれば，所有権移転の実態を反映しており，（旧・地主）から（買主）への直接に所有権移転登記をしても認められるということになる。

第三者のためにする契約方式

その一つは,「第三者のためにする契約」という方式である。これは売買契約の特約条項として,「乙（不動産業者）は，売買代金全額の支払いまでに本件土地の所有権の移転先となる者を指名するものとし，甲（旧・地主）は，本件土地の所有権を乙の指定する者に対し乙の指定及び売買代金全額の支払いを条件として直接移転することとする。」をつけておくことである。

「売買代金全額の支払い」までは，この土地の所有権は乙に移転しないのだから，その買主（丙）が決まるまで，甲への代金の一部を残しておけば，乙に所有権は移転していない。土地の転売をして，転買主（丙）が決まるまで，甲への代金の一部を残しておけば，乙に所有権は移転していない。そして，転売先の買主（丙）が決まった時に，土地の所有権を甲から丙に移転する登記をする。

この取引の流れのなかで，乙に所有権は実体的にも移転していないのであるから，甲から丙に直接に所有権移転登記を行っても，所有権の移転の実態を反映しているので，登記法上も問題はないということになる。

買主の地位の譲渡

もう一つは,「買主の地位の譲渡」という方式で，売買契約書では,「乙（不動産業者）から甲（旧・地主）への売買代金の支払いが完了した時に本件土地の所有権が乙に移転する。」という特約を付けておく。そして，買主（丙）に転売するまで，甲へ支払う売買代金の一部を残しておけば，乙には所有権は未だ移転していない状態にある。

そして，買主（丙）が決まったとき，乙丙間で,「乙の買主としての位置を丙に売買により譲渡する。」という契約をし，その承諾を甲に求め，甲が承諾して，甲から丙に直接に所有権移転をする方式である。

＊　　＊　　＊

なお，契約書の書き方・記載例付きの参考書として『中間省略登記の代替手段と不動産取引』（福井秀夫教授・吉田修平弁護士編著，ほかに法務省，国交省の担当者，福田龍介司法書士等が執筆（住宅新報社））がある。

〈登記と登録免許税――その歴史と未来〉

土地や建物の登記をするとき，高額の登録免許税がかかる。なぜ，こんなにも高額な税金がかかるのだろうかと，思わず溜息をつく。

(1)　所有権移転と登記――ドイツとフランス

土地や建物の所有権を移転するとき，ドイツなどのように，登記をしないと法律的に所有権が移転しないという国がある。また，フランスなどのように，「では移転しますよ」「はい，受けました」といえば，そういう意思表示だけで，登記をしなくても移転してしまう国もある。ライン河を渡っただけで，こんなにも違う。もっとも，フランスの場合でも，ふつうは口約束だけでなく，公証人役場に行って膨大な契約証書を作成し，そして，その権利を確保するために，登記所へ行って登記もする。

そして，そういうことを踏まえて，ドイツでは登記するときに登記税をとらないが，フランスでは，登記をしてあげているということからか，登記税をとる。

(2)　登記で権利を保全してあげるから税金を払え

日本では，フランスと同様に，登記をしなくても，意思表示だけで所有権が移転する法制を採っている。

しかし，たとえば，土地の売買をして，その売買が契約によって有効に成立したとしても，買主が直ぐに登記をしておかないと，その間に，売主が別の人にその土地を売ってしまって，その人が先に登記をしてしまうと，その登記をした人の土地になってしまうという制度になっている。したがって，買主は，自分の権利を守るため――第三者対抗力といっているが――に，登記をしている。

それで，課税側は，登録免許税というのは，登記簿に記載するだけの手数料ではないので，その権利を国が保護してあげるための対価である，だから，これくらいの税金は，その財産的価値にくらべれば，割高ではないのだといっている。

また，土地を買うための資金調達のため借入れをすると，抵当権を設定しなければならないが，その前提として，土地の所有権移転登記をしておかなければならない。――そら見ろ，登記することによって，こういう経済利益も得られるのだ。

こういうことを考えれば，登録免許税は高いとはいえないのではないか。

保護してもらいたくなかったら，登記をしなければいいでしょう。登記するか，どうかは，あなたの勝手ですよ。――

これが課税側の言い分のようである。

しかし，このような解説は，土地・建物の登記制度の根幹を蝕むものと考えていないのであろうか。

このことが，登記簿が権利関係の実体を反映せず，登記簿のみを信頼して取引できない事態をもたらしている。

(3)　登記に課税する起源と背景

日本の登記制度と登録税というのは，明治開国からのヨーロッパの制度の移入であるが，その本家であるヨーロッパでは，土地の所有権を王などの権力者に認知してもらうための対価として起源している。

自分の財産を王の権力により，保証してもらうための対価としての税金であった。

当時は，その財産に対して課税する効率的な方法がないために，登記という手続きの時点を捉えて課税したものである。

印紙税とともに，外形課税であり，王室の主要な財源の一つとなっていた。

(4)　日本での沿革の変遷

日本では，明治維新により土地売買が自由化され，土地の所有権を証明する地券が明治５年に発行されたが，明治19年に登記法が制定され，地券制度は廃止された。

この登記をするときに登記税が課せられることになったが，このとき，単なる手数料としてではなく，有力な財源として期待されている。ここには，登記という手段で，不動産の権利の移動を間接的に把握して課税しようという目的がある。その後，日清戦争後の国費膨張に対処するため，明治29年に「登録税法」に改められ，昭和44年に全文改正され，「登録免許税」として今日に至っている。

その後，昭和20年に土地・建物を取得したときの不動産取得税が都道府県税として制定され，また，建物の取得については，平成元年からは消費税が課税され，印紙税もあり，土地や建物の取得をするには，これらの多重の税を負担しなければならず，土地・建物の流動化を阻害している。

不動産の流動化のためにも，また税制の簡素化のためにも，これらの税の一本化と負担の軽減がのぞまれるところである（237～238ページのコラム参照）。

26 不動産取得税

不動産を取得すれば，不動産取得税がかかる。

不動産取得税は，不動産の取得にかかる税

不動産取得税は不動産を取得したとき，取得した人に各都道府県が課する税である（地法73条の2）。不動産とは，土地と家屋をいう。取得というのは，その「所有権を取得する」ということである。詳しいことは後で説明する。なお，登記をしなくても，不動産取得税は課税される。

このように不動産取得税は，不動産の所有権を取得したら，登記をするしないにかかわらず課税される税金である。登記は課税するための手がかりになっているにすぎない。

（注1）　親が家屋を子にいったん贈与して，子の名義で登記し，その後，贈与税が課税されると聞いて贈与を取り消し，登記を親の**名義に戻した場合**に，所定の手続きを取れば，贈与税は課税されないということを「10　登記名義とその変更と贈与税」（170ページ）で説明したが，この場合に，子は所有権をいったんは有効に取得しているので，不動産取得税は，子にも，親にも，原則として二重に課税されることになる（なお，実務的には，一定期間内に所定の手続きをとれば，この二重課税をしない取扱いを定めている都道府県もあるので，この例のような場合には，担当の窓口で相談してみるのがよい）。

（注2）　家屋や土地の取得という行為が，**法的に無効な場合**には，所有権の保存また移転の登記をしていても，その原因が無効であるので，所有権を取得したことにはならず，不動産取得税は課せられない。たとえば，詐欺や強迫によってなされた後で取り消した場合には，所有権の移転がなかったことになるので課税されない。すでに納付した税額があれば還付される。

（注3）　不動産業者が，土地や中古の建物を買って転売する場合，地主等から所有権の移転を受けて，さらに買主に所有権を移転すれば，まずその不動産業者に不動産取得税が課税され，さらに買主に課税されることになるが，「25　中間省略登記に代わる登録免許税の節税方法」（264ページ）で述べた「**第三者のためにする契約方式**」か「**買主の地位の譲渡**」という方法によれば，不動産業者は不動産の所有権を取得していないのだから，不動産取得税も課税されることはない。

不動産取得税の賦課徴収の方法

不動産を取得した人は，その旨を「不動産取得税申告書」に記入して申告することになっている。

しかし，この申告をする人は，あまりいないようである。

そこで，都道府県税事務所（以下，県税事務所という）のほうで，登記所から送られてくる「登記識別情報通知書」などでチェックして，不動産取得の申告をして下さいという案内状が，「不動産取得税申告書」（280ページの**図表２－31**に掲載）の用紙とともに送られてくる。これに基づいて，また，必要であれば現地におもむいて調査や評価をして，「納税通知書」を作成して，納税者に交付（送付）して課税するようにしている。しかし，後述するように，不動産取得税の軽減措置などを受けるためには，一定の期間内に所定の手続きをしなければならないということもあるので，土地・家屋を取得したらすみやかに取得の申告をしに行って，同時にその手続きをするようにしたほうがよい。

売買・新築のときの不動産取得税の課税時期

土地や家屋を取得した場合，いつの時点で取得されたのかということが，課税の時期を確定するため，また，特例適用の申告期限等ともからんで重要な問題となる。

土地や家屋を買った場合には，所有権移転の日が取得の日となる。所有権移転登記の日でなく，契約上で所有権が移転された日である。

家屋を請負契約で新築した場合には，建築工事が完成して，請負業者から家屋の引渡しを受けた日が，一般的には取得の日になると考えておけばよい。

厳密にいえば，

① 建築主が自営工事で家屋を建築した場合，または，建築業者に請負契約で工事を発注し，その契約等により家屋の所有権が原始的に建築主に帰属する場合には，その建築主が最初に使用した日（6か月を経過して使用されない場合には6か月を経過した日）

② 建築業者に請負工事を発注し，その契約等により家屋の所有権がまず請負業者に帰属し，その後，引渡しにより建築主に移転する場合には，その引渡しの日（6か月を経過してその引渡しのなされない場合には，6か月を経過した日に請負業者に課税し，その後，引渡しがなされたときに建築主に課税する）

③ 建売住宅や分譲マンションなどは，分譲業者（建築主）が，請負業者に発注して，建築完了後に建物の引渡し（譲渡）を受けて，これを購入者に譲渡することになっている。したがって，上記の②によれば，請負業者から引渡しを受けた時点で，一度，分譲業者に課税され，分譲の段階で，もう一度購入者に課税されることになるが，分譲業者が「家屋を新築して譲渡することを業とする宅地建物取引業者であるもの（注1）（注2）」であるときは，請負業者から引渡しを受けたときには課税されず，分譲された時点で購入者に課税されることになっている。ただし，新築後6か月（**令和8年3月31日までの**間に新築された住宅については1年間）を経過して，まだ分譲（譲渡）されな

い家屋については，その時点で分譲業者に課税され(注３)，分譲された時点でもう一度購入者に課税されることになる（地法73条の２②，地法附則10条の３①)。

（注１）この適用が受けられる者として，その他に都市再生機構，地方住宅供給公社など，地法73条の２②，地令36条の２の２に列挙されている。

（注２）この取扱いは，分譲業者が建築主として建築業者に発注し，建築して譲渡する場合のものであり，その他の者が新築した家屋を購入（仕入れ）して譲渡する場合は該当しない。

（注３）この場合の家屋が，274ページの特例適用住宅の要件をそなえている場合には，分譲業者も購入者も，その特例控除の適用を受けることができる。

附帯設備と家屋

家屋を建築する際に，電気・給排水・衛生・空調設備・エレベーター・エスカレーターなどの附帯設備が設置される。これらを家屋の所有者が設置した場合には，これらの価額を含めた価格が，家屋の価額（評価額）となる。

また，貸ビルなどでは，これらの附帯設備をテナントが取り付け，その所有権をテナントが保留しているケースも多い。しかし，このような場合でも，原則として，家屋の所有者が，これらの附帯設備をあわせて取得したものとみなして，すなわち，これらの価額を家屋の価額に含めて，家屋の所有者に課税することとされている。

しかし，納税通知書の交付を受けた日から30日以内に，両者で協議して申し出たときは，附帯設備の部分を分けてテナントに課税することになっている（地法73条の２⑥⑦)。

不動産取得税の税率と税額の計算の仕方

不動産取得税は，土地については240ページの**図表２−25**の土地（補充）課税台帳に登録されている④の価格（評価額）に，建物については241ページの**図表２−26**の家屋（補充）課税台帳に登録されている価格に税率を乗じて求める。実際にいくらで買ったかは関係ない。

不動産取得税の**標準税率は４％**になっているが，**令和９年３月31日**までに取得した**住宅または住宅用地にかかる税率は３％**とされている（地法附則11条の２①)。なお，店舗，事務所など住宅用以外の家屋にかかる税率は４％とされている。

また，宅地と宅地比準土地(注)を，**令和９年３月31日**までに取得した場合の不動産取得税の**課税標準は，その価格（評価額）の$\frac{1}{2}$**とするとされている（地法附則11条の５①)。

（注）宅地比準土地とは，宅地以外の土地で，状況が類似する宅地の価格と比準して，

その課税標準となる価格を評価する土地をいう。宅地並み課税を受けている農地等がこれにあたる。

上記をまとめて表示すると**図表２－30**のようになる。

図表２－30　不動産取得税の税率・課税標準

区　分			令和９年３月31日までの取得の特例	本　則
税率	土　地		３％	４％
	家　屋	住宅用家屋	３％	
		非住宅用家屋	４％	
課税標準	宅地及び宅地比準土地		固定資産評価額×$\frac{1}{2}$	固定資産評価額
	上記以外の土地及び家屋		固定資産評価額	

＊なお，特定の住宅用家屋および特定の住宅用地については，次項以降の特例による軽減措置がある。

宅地の固定資産課税台帳に登録されている価格（評価額）が45,000,000円であるとすると，令和９年３月31日までに取得した場合の税額は，

（評価額）45,000,000円（1,000円未満切捨て）×（経過措置）$\frac{1}{2}$ ×（税率）$\frac{3}{100}$ ＝（不動産取得税額）675,000円（100円未満切捨て）

となる。

不動産取得税の課税標準は，固定資産課税台帳に登録してある価格（評価額）によるが，固定資産税や都市計画税では負担調整率を乗じて課税標準を求めているので一致しないことが多い。なお，登録免許税の課税標準も，原則として，評価額そのものを課税標準とし，また独自の軽減措置をもうけているので一致しないことが多い。

なお，各都道府県税は，各都道府県の特殊事情に応じて，自主的に税率を定めるようにしている。しかし，都道府県ごとにあまり大きな差のあることは好ましくないので，標準税率をもうけている。そして，標準税率をメドとしながら，各都道府県は税率を定めるようになっている（302ページのコラム参照）。

不動産取得税を課せられない取得

不動産を取得すれば，取得の原因に関係なく，原則として不動産取得税が課せられることになっている。しかし，特殊な場合には課税されないこともある。これらのうち主なものを示すと，つぎのようになる。

〔取得の形態による区分〕

	取　得　原　因
課税される場合	売買，交換，贈与（死因贈与を含む），新築，増改築（増改築により家屋の価格が免税点以上に増加したものに限る）など
課税されない場合（地法73条の７，73条の６）	相続（包括遺贈および相続人への遺贈(注)を含む） 信託，譲渡担保，土地区画整理事業の換地など

（注）法定相続人でない孫などへの遺贈は，課税

なお，家屋を取り壊すことを条件として取得し，使用することなく直ちに取り壊した場合には，課税されない（地方税法の施行に関する取扱いについて（道府県税関係）５章第１，２(6)）。

都市再開発法による権利変換によって，従後の建物と土地を取得した場合には，その価格（評価額）から，つぎの算式によって算出した額が控除される（地法73条の14⑧）。

$$\text{権利床として取得する不動産の価格} \times \frac{\text{従前の宅地等の価額の合計額}}{\text{施設建築敷地等の価額の合計額}}$$

また，収用に係る補償金を受けて譲渡契約後２年以内に代替資産を取得した場合には，代替資産の価格から，収用された資産の価格が控除される（同条⑦）。

免税点以下なら課税されない

そのほかに，不動産取得税には免税点という制度がある（地法73条の15の２）。これは，あまり少額なものについては，課税の手間ばかりかかって，その徴税費用と税収とをくらべてみると，課税しないほうがかえってトクだというものを，次表に掲げるような一定の線を引いて，これから下は課税しないという制度である。

〔不動産取得税の免税点〕

区　分		免　税　点
土地の取得		100,000円未満
建物の取得	建築に係るもの	１戸　230,000円未満
	その他のもの	１戸　120,000円未満

免税点というのは，課税標準となるべき価額(注)が上表の免税点未満であれば課税しないが，これ以上ならば全額について課税するという趣旨である。土地の取得については，課税標準額が９万9,000円であれば全く課税されない。しか

し11万円であれば，

$$\underset{\text{(課税標準額)}}{110{,}000円}\times\frac{3}{100}=3{,}300円$$

が課税されることになり，

$$(110{,}000円-100{,}000円)\times\frac{3}{100}=300円$$

になるのではない。このところが，後で出てくる新築住宅の特別控除などでいう控除とは全く違うのだから，混同しないよう気をつけなければならない。

（注）　評価額ではなく，これに経過措置や特別控除などを加味して求めた課税標準となる価額が免税点未満であるかどうかで判定する。

〔用途による非課税〕

用途による非課税というのは，その用途からみて，もともと課税すべき性格でないもの，また，本来は課税の対象になる土地なり家屋であるのだが，一定の政策目的のために課税しないという性質のもので，公共の用に供する道路用地や墓地などが非課税の対象となっているが，その他は公共，公益に関するものが主であり，一般にはあまり関係のない制度が多いので説明は省略する。それを調べる必要があるときは，地方税法73条の３，73条の４に列挙してあるので，これを参照されたい。

〈新築特例住宅の適用される住宅の取得－建築と購入のみ〉

不動産取得税の課税対象となる不動産の「取得」の原因は，272ページに記載したように，建築や購入だけでなく，交換や贈与なども含まれているが，**新築特例住宅の1,200万円控除の対象**となる取得原因は，建築と購入だけが規定されている（地法73条の14①②）ので，贈与や交換によって取得した場合には，この特例の適用は受けられないことになる。等価交換方式による建設にあたって，売買方式によるか，交換方式によるか（958ページ参照）の選択にあたって，この差も考慮しておいたほうがよい。

なお，**既存住宅については**，「取得」とのみ規定されている（同条③）ので，購入以外の交換，贈与などによるものも含まれる。また，新築特例住宅の敷地や既存住宅の敷地についても，購入によるものに限らず，交換，贈与によるものも含めて対象となる。

27　特定の住宅用の家屋の不動産取得税の課税標準の特例

住宅用家屋について，一定条件をそなえていれば，その価格から一定額が控除される。

新築の特例適用住宅についての軽減措置

住宅(注1)を**新築**した場合，または新築住宅で一度も人が使用したことのない住宅を**購入**(注2)して取得した場合は，その住宅が下記の条件をそなえた**特例適用住宅**，すなわち，1戸の床面積が50㎡～240㎡（マンションなどの区分所有建物の専有部分が貸家の用に供されるものの場合は，40㎡～240㎡）であれば，

① 独立家屋については，1戸について

② マンション，アパートなどの共同住宅等については，それぞれの1区画ごとについて

1,200万円が控除される（地法73条の14①，地令37条の16）。

（注1） 別荘を除く。276ページのコラム参照。

（注2） 交換，贈与による取得は含まれない（273ページのコラム参照）。

なお，床面積の判定にあたっては，附属家屋(登記上1個の建物とされるものをいう）を含んだ面積により（地方税法の施行に関する取扱いについて（道府県税関係）5章第2・7），マンション，アパート，寄宿舎などの共同住宅等にあっては，独立的に使用される各区画の面積に，共同の用に供される部分の面積を，各区画の面積比によって按分して加算した面積によって判定する（地令37条の16・2号）。区分所有建物については，各専有部分の面積に，共用部分の面積を按分加算した面積によると考えればよい。

（例1）評価額1,500万円の住宅を建築したときは，

$$(15,000,000円-12,000,000円)\times\frac{3}{100}=90,000円$$

が税額になる。

（例2） 1棟が4区画で各区画の評価額が500万円のアパートを取得したときは，

$$(5,000,000円-12,000,000円)\times\frac{3}{100}\times 4室<0$$

となり，課税額はゼロとなる。

なお，**長期優良住宅**を**令和8年3月31日まで**に取得したときには，上記の1,200万円に代えて，**1,300万円が控除**される（地法附則11条⑧）（長期優良住宅に

ついては330ページのコラムに掲載)。

特定の既存住宅の軽減措置

中古の住宅(注1)を個人が自己の居住の用に供するものとして**取得**(注2)したときにも，1戸・1区画の床面積が50㎡〜240㎡のものであるとき，これを**既存住宅**といって，その価格(評価額)は，その家屋が建築された年に応じ，下表に掲げる金額を控除したものを課税標準とするようになっている。その要件は，

① 昭和57年1月1日以後に建築されたもの

または

② 上記の日前に建築された住宅で「耐震基準適合証明書」を受けたもの(注2)

のいずれかに適合する住宅である(地法73条の14③，地令37条の18，地則7条の6)。

既存住宅の控除額の表

控除される額は，その住宅が建築された年月日によって，つぎのようになっている。

新築年月日	控除額
昭和29年7月1日〜昭和38年12月31日	100万円
昭和39年1月1日〜昭和47年12月31日	150万円
昭和48年1月1日〜昭和50年12月31日	230万円
昭和51年1月1日〜昭和56年6月30日	350万円
昭和56年7月1日〜昭和60年6月30日	420万円
昭和60年7月1日〜平成元年3月31日	450万円
平成元年4月1日〜平成9年3月31日	1,000万円
平成9年4月1日以後	1,200万円

(注1) 別荘を除く。276，273ページのコラム参照。
(注2) 取得前に住宅以外であった家屋を住宅にリフォームする場合は，取得前に住宅とするリフォームが完了している必要がある。

耐震基準不適合住宅を耐震改修したときも軽減措置

上記の要件に該当しない場合でも，耐震基準不適合既存住宅を取得(平成26年4月1日以降の取得に限る。)して，6か月以内に耐震基準に適合するよう改修して，居住の用に供した場合にも，その家屋が建築された年に応じ，上表の額が，評価額から控除される(地法73条の27の2，地則7条の7)。

面積基準と共有の場合の判定

建物の一戸またマンション等の一区画が共有されている場合の面積基準は，持分割合によって分割計算した面積によるのではなく，全体の面積が面積基準に適合しているかどうかで判定するようになっている。たとえば，300㎡の新築住宅を2人で2分の1ずつの共有で取得した場合に，各人の持分面積は150㎡となるが，全体の面積が

240㎡を超えているので，特例の対象とならない。

新築住宅と既存住宅との適用要件との差で注意しておくこと

新築の特例適用住宅と既存住宅とでは控除額の違うこと，また，それぞれの適用要件については前述したとおりであるが，その結果として，つぎのような差が出てくることに注意しておきたい。

	新築住宅	既存住宅
取得する者	制限なし（個人・法人とも適用）	個人のみ（法人は不適用）
用　　途	制限なし（居住用・貸家用とも適用）	取得した者の自己の居住用のみ（貸家用不適用）（親子で共有で取得し，子のみが居住しているときは，子の持分のみが適用）
取得原因	新築と購入のみ（贈与・交換によるものは不適用）	制限なし（購入のほか，贈与・交換によるものも適用）

〈別荘と住宅〉

不動産取得税では**住宅**を，人の居住の用に供する家屋または家屋のうち人の居住の用に供する部分（たとえば店舗併用住宅のうち居住用部分）で，別荘以外のものとすると規定している（地法73条４号，地令36条①）。

そして，**別荘**とは，日常生活の用に供しない家屋（または，その一部）のうち，専ら保養の用に供するものと定義している（地令36条②）が，さらに，毎月１日以上，または，これと同程度の日数で居住の用に供しているもの（地則７条の２の16）なら，別荘でなく，住宅とするとしている。

その例として，都心居住者などが週末に居住するために郊外等で取得した家屋や，遠距離通勤者が平日に居住するために職場の近くで取得した家屋――いわゆるセカンドハウスなどがあげられている。

新築住宅・既存住宅に関する不動産取得税の特例は，別荘に該当するものには適用されない。

また，固定資産税などでも同様の取扱いがなされている。

なお，熱海市のように，固定資産税・都市計画税に加えて，さらに法定外普通税として**別荘等所有税**をもうけ，家屋の床面積１㎡につき650円（年）を課している市町村もある。

28 住宅用の土地の不動産取得税の税額軽減の特例

住宅用の土地については，一定の条件をそなえていれば，税額の軽減措置がある。

新築の特例適用住宅用地には軽減措置

新築の特例適用住宅(274ページ参照)の敷地には，税額の軽減措置がある（地法73条の24①，地法附則11条の２②)。この特例が受けられるのは，

① 土地を買ってから，３年以内(注)に特例適用住宅を新築した場合。土地を取得してから自宅や貸アパートなどを新築する場合がこれにあたる（地法73条の24①１号)。

② 特例適用住宅を新築してから１年以内にその敷地を買った場合。借地の上に住宅を新築してから底地を買い取った場合などがこれにあたる（地法73条の24①２号)。

③ 未使用の土地付建売住宅やマンションなどで，特例適用住宅にあたるものを新築後１年以内に購入した場合（地法73条の24①３号)

である。そういう場合には，住宅用土地について前項のようにして求めた通常の不動産取得税の税額から，

㋑ $1,500,000\text{円}\times\overset{(\text{税率})}{\dfrac{3}{100}}=45,000\text{円}$

㋺ $(1\text{㎡当りの土地評価額})\times\begin{pmatrix}\text{住宅の延床面積の2}\\\text{倍……200㎡を限度}\end{pmatrix}\times\overset{(\text{税率})}{\dfrac{3}{100}}$

のうち，多いほうの額が減額される（地法73条の24)。

（注） 原則は２年以内であるが，**令和８年３月31日**までの間に新築されるものについては，３年間とされている（地法附則10条の３②)。

なお，100戸以上ある共同住宅等で，建築期間が３年を超えると見込まれるやむを得ない事情があると認められる場合は４年間とされている（地令附則６条の18②)。

（例）

取得した土地の面積を250㎡，評価額を6,500万円（１㎡当り26万円)，新築住宅の延床面積85㎡とすると，

㋑ 45,000円

（1㎡当りの土地評価額）（経過措置）（住宅の延床面積の２倍）（税率）

㋺　260,000円 × $\frac{1}{2}$ ×（85㎡×２）× $\frac{3}{100}$ ＝663,000円

㋑＜㋺であるから，㋺の66万3,000円が軽減される。

この土地を取得したときに，

（評価額）（経過措置）

65,000,000円× $\frac{1}{2}$ × $\frac{3}{100}$ ＝975,000円

の不動産取得税を納付していれば，66万3,000円が還付され，最終的に税負担額は31万2,000円になる。

土地の取得後３年以内に住宅を新築した場合の敷地の軽減措置は，かつては土地を取得した者が新築する場合に限られていたが，現在では，土地を取得した者と住宅を取得した者とが異なっている場合にも適用されるようになった。たとえば，親の取得した土地に子が特例適用住宅を新築する場合，また，取得した土地を賃貸して借地人が特例適用住宅を新築する場合も適用されることとなる（地法73条の24①１号）。

（注）平成14年改正前は「土地を取得した者が，…特例適用住宅を新築した場合」に限定されていたが，現行法では，新築する「者」の限定が削除されている。

なお，土地を取得して，３年以内に特例適用住宅を新築する予定である場合には，所定の手続きをとって，上記の税額軽減分を猶予してもらい，申請どおりの建物を建築すれば減額され，建築しなければ猶予を取り消して課税するという制度もある（地法73条の25，26）。

特定の既存住宅用地についても軽減措置

特定の既存住宅の用地についても税額の軽減措置がある。特定の既存住宅というのは，275ページで記載した①②の要件をそなえている住宅で，この住宅用地を，

①　この既存住宅と同時に取得した場合（中古の土地付一戸建住宅やマンションなどを購入したときなどで，通常の場合は，これに該当する）

②　土地を取得してから１年以内に，この既存住宅を取得したとき

③　土地の取得前１年以内に，この既存住宅を取得していたとき

に，前ページの新築の特例適用住宅用地の場合と同様に計算した税額が軽減されるようになっている（地法73条の24②）。

29 不動産取得税の特例を受けるための手続き

これらの特例を受けるための手続きは。
——所定の期間内に所定の申告を

申告手続きと申告期限

これらの特例の適用を受けるためには，所定の期間内に，これらの特例を受けたいという申告をしなければならないことになっている（地法73条の18)。

そして，その申告書の様式，添付書類，申告期限等は，各都道府県の条例によって定められることになっている。ここでは，東京都の場合を例にとりながら，そのアウトラインの説明をしておくことにする。

不動産を取得したときの申告の内容と期限

家屋や土地を取得したときには，各都道府県の条例で定めるところによって，所定の期間内に申告しなければならないようになっている。

不動産取得の申告と特例適用の申告

東京都では，家屋や土地を取得したとき，図表２－31に掲げた申告書を，取得後30日以内に提出するよう定められている（東京都都税条例45条①)。

また，特例の適用を受ける場合には，取得後60日以内にこの申告書に適用を受ける特例に印をつけて，下記の関係書類(写)を添付して提出すればよいことになっている(東京都都税条例45条③)。なお，必要に応じて，下記の関係書類以外の提示や提出を求められることもある。

1　新築住宅を取得した場合
- □　売買契約書
- □　最終代金領収証
- □　登記事項証明書（全部事項証明書）（建物）
- □　平面図〔共同住宅（アパート・マンション)，店舗・事務所等との併用住宅を取得した場合〕（１戸当たりの床面積のわかるもの）
- □　長期優良住宅認定通知書〔取得した住宅が認定長期優良住宅である場合〕

2　土地を取得後３年以内にその土地の上に住宅を新築した場合
- □　売買契約書（土地）
- □　最終代金領収証（土地売買代金分）
- □　建物完成以後の登記事項証明書（建物）

図表２－31　不動産取得税申告書

東京都

都税条例施行規則
第41号様式(甲)（条例第45条・第48条等関係）
（提出用）

東京都　都税事務所長／支　庁　長　宛　　　　年　　月　　日

受付印

不動産取得者　〒
住　所
氏名（名称）
電話番号

不動産取得税申告書

（取得に係る申告 ／ 減額・課税標準の特例適用申告）

次のとおり別紙書類を添付して申告します。

受付番号	
納税通知書番号	

土地	所在・地番			地積
				㎡
	地目		取得年月日	取得原因
	□宅地　□雑種地 □その他 （　　　）		年　月　日	□売買 □交換　□贈与 □その他（　　　）
	土地の譲渡先が住宅を新築する場合、その譲渡先	住所		
		氏名（名称）		
家屋	所在地		家屋番号	床面積
				㎡
	用途	構造	取得（予定）年月日	取得原因
	住宅　□自己居住 □貸家　□その他 非住宅　□事務所　□店舗 □その他（　　）	□木造　□鉄骨 □鉄筋　□鉄骨鉄筋 □軽量鉄骨 □その他（　　）	年　月　日	□新築　□売買 □交換　□贈与 □その他（　　　）
	住宅部分の床面積	特例適用住宅の戸数	着工予定年月日	新築（完成予定）年月日
	㎡	戸	年　月　日	年　月　日
	住宅の新築（予定）者（□ 取得者に同じ）	住所		
		氏名（名称）		
摘要	当てはまる項目があればチェックを入れてください。補足がある場合には、余白に御記入ください。 □元々所有していた家屋の敷地を取得（建替え予定なし） □今回取得した家屋を取り壊す【取壊し完了（予定）:　　年　　月】			

受付印が押印された控が必要な方は、切手を貼った返信用封筒を添えて提出してください（2枚目（控）の裏面もご覧ください。）。

□　建築工事請負契約書
□　建築確認済証と確認申請書第３面
□　次のいずれか
　a 検査済証
　b 建物引渡書〔建築業者等の印鑑証明書（原本）添付〕
　c 登記事項証明書（全部事項証明書）（建物）
□　平面図〔共同住宅（アパート・マンション），店舗・事務所等との併用住宅を新築した場合〕（１戸当たりの床面積のわかるもの）
□　長期優良住宅認定通知書〔新築した住宅が認定長期優良住宅である場合〕

3　自己居住用の中古住宅を取得した場合
□　売買契約書
□　最終代金領収証
□　登記事項証明書（全部事項証明書）（建物）
□　平面図〔共同住宅（アパート・マンション），店舗・事務所等との併用住宅を新築した場合〕（１戸当たりの床面積のわかるもの）
□　昭和56年12月31日以前新築の場合，次のいずれか。
　a 耐震基準適合証明書（原本）（地方税法施行令第37条の18第２項に規定の基準）
　b 建設住宅性能評価書
　c 既存住宅売買瑕疵担保責任保険契約が締結されていることを証する書類（調査日等が取得日の前２年以内のものに限る）
□　住民票（マイナンバーの記載のないもの）など自己の居住の用に供することを証するもの

土地を取得してから，特例適用住宅を新築したときの，土地についての税額軽減措置を受ける場合

①　この場合で，住宅用土地を取得した時点で，所定期間内に特例適用住宅を新築することが確実である場合には，徴収猶予の手続きをとって，軽減される税額を控除した額を納めておくことができる。そして，所定期間内に特例適用住宅を新築すれば，それで終わりとなる（地法73条の25）。所定期間内に住宅を新築しなかったり，住宅を新築したが，それが特例適用住宅の要件を満たしていなかった場合には，その段階で，軽減分の税額が徴収されることになる（地法73条の26）。

徴収猶予の適用を受けるには，申告書に，

㈠　土地売買契約書

⑴　新築予定の住宅の見取図および住宅の敷地図

⑵　確認通知書または建築工事請負契約書

（これらの書類がない場合は，その土地の取得後３年以内に，その土地の上に住宅を新築することを証する状況書類等）

などを添付して申告することになっている。

② また，住宅用土地を取得した段階では，所定期間内に特例適用住宅を新築する予定がなかったため，徴収猶予の手続きをとらないで，軽減されない税額を納付していたが，その後，所定期間内に特例適用住宅を取得した場合には，減額申告をして，軽減される税額を還付してもらうことになる。

この手続きとして，申告書に上掲の必要書類を添付して提出することになっている。

〈不動産取得税の令和６年の改正〉

不動産取得税（本章関連部分）について，令和６年に，つぎのような改正がなされた。

１．長期優良住宅の課税標準の特例の適用期限の延長

長期優良住宅についての課税標準を，価格から1,300万円を控除する特例の適用期限が令和８年３月31日までに延長された（274ページ関連）。

２．住宅用土地の税額減額の特例の延長

住宅用土地の税額を減額する特例は，土地を取得してから，住宅を新築または取得するまでの期間は原則として２年以内とされているが，その特例措置として，取得後３年以内（やむを得ざる事情がある場合は４年以内）とされていたが，この期間が，令和８年３月31日までの土地の取得に延長された（277ページ関連）。

３．宅地建物取引業者等の課税時期の特例の適用期間の延長

宅地建物取引業者等が，建築業者に発注して建築させた建物を分譲したとき，その期間が新築後原則６か月以内なら課税されないとし，新築後１年以内という特例措置がとられていたが，この適用期限が令和８年３月31日までに新築されたものに延長された（269ページ関連）。

４．住宅および住宅用土地の課税標準の特例の適用期限の延長

住宅および住宅用土地の課税標準（本則４％）を３％とする特例の適用期限が令和９年３月31日の取得までに延長された（270ページ関連）。

５．宅地の課税標準を$\frac{1}{2}$とする特例の適用期限の延長

宅地および宅地比準土地の課税標準を評価額の$\frac{1}{2}$とする特例の適用期限が令和９年３月31日の取得までに延長された（270ページ関連）。

〈請負契約で建築された建物の所有権の帰属〉

建築工事請負契約で建物を建築したとき，その建物の所有権は，いったん請負業者に帰属し，その後，請負業者から建築主に移転するのか，あるいは，はじめから建築主が所有権を原始的に取得するのかということが問題となる。

かつては，前者の説が通説であったが，現在では，建築主が主要な工事材料を支給したり，工事の出来高相応の工事代金が支払われている場合には，その所有権は建築主に原始的に帰属するという説が判例でも定着している（最高裁・昭44．９．12）。

〈建物の課税時期〉

建物がどこまで出来上がってきたら固定資産税が賦課されるか。建物の登記ができるようになったときである。ビルディングであれば，主体工事が終了し，外壁の窓がはいった程度になれば登記ができる。１月１日にその程度になっていれば，現実に登記しているいないにかかわらず，固定資産税を賦課できると解されている。

しかし，不動産取得税は若干異なる。これについては268ページ以下を参照されたい。

30 固定資産税

不動産を所有していると，毎年，固定資産税が課税される。

固定資産税と不動産取得税との違い

土地・建物を取得すると，その翌年から毎年，固定資産税がかかってくる。不動産取得税は，土地・建物を取得したことによって課税される。固定資産税は，土地・建物を所有していることによって課税される。両者は，似ているようで，その性格はかなり違っている。むしろ対照的ともいえるかもしれない。この両者を比較しながら，固定資産税というものを明らかにしていく。

何に対して課税されだれが納税するのか

固定資産税は，固定資産に対して課せられる。固定資産とは，不動産（土地・家屋）だけでなく，償却資産を含めた言葉である。償却資産が入っているだけ不動産取得税より範囲が広くなっている。償却資産というのは，機械，設備，工具，器具，備品などのことで，事業用に使われているものを指している（地法341条①4号）。だから，一般の住宅については関係がない。ここでは，土地と家屋についてだけ説明する。

不動産取得税は，「不動産の取得」に対して課せられる。すなわち，土地・建物を買ったりして手に入れるという「人間の行為」に対して課せられるのが不動産取得税であり，土地・建物という「物」に課税するのが固定資産税である。これが根本的な相違点である。

だから，同じ年に同じ土地が，甲から乙へ，乙から丙へ，丙から丁へと転売されれば，不動産取得税は，乙が取得したときまず課税され，丙が取得したときつぎに課税され，丁が取得したときまた課税される。この場合，一つの土地について，同じ年に，3回も不動産取得税の課税が生じる。納税義務者は，乙，丙，丁のそれぞれである。そして，都道府県が課税する。

しかし，その土地の所有者が変わらなければ，すなわち新たな取得者があらわれなければ，不動産取得税の課税ということは起こらない。10年でも100年でも課税は生じない。

固定資産税は，土地とか家屋とかいう「物」に対して，毎年課税される税金である。「物」に対して課税されるとはいっても，土地や家屋が税金を払うわけにはいかない。したがって，土地や家屋を所有している人から徴収することになる。土地・家屋の固定資産税は，その年の１月１日に登記簿などに所有者として登記等されている人が納めることになっている。そして固定資産の所在地の市町村が毎年一度賦課し，それを４回(原則として４月，７月，12月と翌年２月)に分けて納めることになっている。その年の途中で所有者が変わっても関係ない（地法343条，362条)。

登記との関係

不動産取得税と登記は，本質的には関係がないことは前項で述べた。ただ，登記を手がかりに取得者をつかまえようとするなど，登記を利用しているにすぎない。だから，所有権移転登記をしていても，実際は，所有権の移転がなかったのなら不動産取得税は課税されない。登記簿に所有者として記載されている名義人が違っていて，真実の取得者が別にいるのなら，その真実の取得者が納税義務者となる（地法73条の２)。

しかし，固定資産税の納税義務者は，毎年の１月１日に登記簿に所有者として登記された人ということになっている。たとえば，その人が昨年の10月に土地の売買契約をし，代金も全部もらって引渡しもすんでいる。登記に必要な書類も全部買主にわたしてある。買主がぐずぐずしていて登記を移さなかっただけだ。本当の所有者は買主に変わっている。だから,買主に課税してくれといっても，その主張は，全く通らないことになっている。課税当局は，登記はあなたの名義になっているのだから，とにかく固定資産税を払いなさい。そして，あなたのいうとおりなら，買主のところへいって，あなたの払った税金を返してもらったらいかがですか。当局は一切関知しませんということになっている（地法343条①②)。

固定資産税の場合，市町村は，その地域にあるすべての土地・家屋に対して毎年，課税しなければならない。このすべての土地・家屋について，真実の所有者がだれであるかを調査して課税するなど，到底不可能だということが前提になっていると思う。

それから，家屋については，登記していない家屋がけっこうある。土地については，登記していない土地というのはあまりないが，ないこともない。これらの未登記の土地・家屋も，もらさずに把握し，納税義務者を確定するため，**土地（または家屋）補充課税台帳**というものをつくっている。この場合，この台帳に所有者として登録されている者が納税義務者となる（地法343条②)。

土地・建物の売買と固定資産税の負担

土地・建物の固定資産税は，上述したように，１月１日の登記簿に所有者として登記されていた者(未登記の場合は（補充）課税台帳に登録されていた者）に課税される。

それで，年の中途，たとえば９月に売買をする場合に，契約書で，「(売買物件）に係る公租公課は，第○条の引渡しの日をもって区分し，その日前の部分は売主，その日以後の部分は買主の負担とし，引渡しの日に精算をするものとする」と定めておくことが多い。

ところで，この場合，精算の段階になって，

①　賦課期日である１月１日から引渡日までとして計算するのか

②　地方公共団体の会計年度の始期である４月１日から引渡日までとして計算するのか

でもめることが多い。したがって，後日の紛争を避けるためには，上記の条項に続けて，「なお，固定資産税，都市計画税の負担の起算日は１月１日とする」または「……４月１日とする」というように，明確に定めておいたほうがよい。

共有者は連帯納税義務

共有の土地や建物にかかる固定資産税の通知書は，登記簿に記載されている共有者の最初に書かれている人あてに送られてきて，それを各共有者に割り当てて一括して納付するのが原則になっている。この場合，共有者全員が連帯して納税義務を負うようになっていて，その共有者の一人が納めなければ，その他の者が立て替えて納付しなければならないようになっている（地法10条の２①）。

マンションの敷地の納税には特例

しかし，いくら敷地が共有になっているからといっても，マンションのように今まで関係のなかった人が集まって住んでいるようなとき，そのなかの一人が敷地の固定資産税を納付しないとき，その分まで他の区分所有者が負担しなければならないというのでは，あまりにも不合理である。それで，一定の要件に該当するマンションの敷地については，敷地全体にかかる固定資産税額を各区分所有者の共有持分に応じて分割し，各人ごとに通知し，各人がこれを納付するようになっている。

その一定の要件というのは，

①　区分所有者全員によって共有されている土地で

②　区分所有者の所有する専有部分の床面積の割合と土地の持分との割合とが一致している区分所有建物の敷地である（地法352条の２①）。

なお，上記の②の要件に該当しない場合でも，区分所有者全員の合意に基づいた「按分の申出書」が提出された場合も，同様の扱いとなる（地法352条の２⑤）。

なお，建物の共用部分は，専有部分の価格に織り込まれて評価されている。

この取扱いは，都市計画税の場合も同じである。

31　固定資産税評価額，課税標準と税額

> 固定資産税の税額はどのように計算するか。評価額，負担調整率と課税標準の関係はどうなっているか。

固定資産税の税額の計算の仕方

固定資産税の税額は，課税標準額に税率を乗じて求める。税率は**標準税率1.4%**となっている(注)。具体的には，**図表２－25**(240ページ）の⑧の「固定課税標準額」という欄に記載してある金額に税率を掛けて計算する。税率は，市町村によって異なる。その市町村の税率が，標準税率と同じ1.4%だとすると，**図表２－25**の例については，

$$\underset{(1{,}000\text{円未満切捨て})}{\overset{(\text{課税標準})}{7{,}125{,}000\text{円}}} \times \overset{(\text{税率})}{\frac{1.4}{100}} = \underset{\left(\substack{\text{納税の場合は}100\\\text{円未満切捨て}}\right)}{99{,}750\text{円}}$$

が固定資産税額となる。

不動産取得税は，④の「価格」の欄に記載してある価格(注)に税率を乗じて求める。この差異も，もう一度つかんでおいてもらいたい。

（注）**令和９年３月31日**までに取得した土地の不動産取得税は，その価格の$\frac{1}{2}$を課税標準とする経過措置がある（270ページ以下参照）。

「××年度固定資産税課税標準額」の意味

固定資産税では，もともと「価格」をそのまま「課税標準」として税率を掛けて，税額を求めてきた。そして，土地や家屋の価格（評価額）は，３年ごとに地価や建築工事費（家屋は経年による減価を引いて）の変動に合わせて評価替えをすることになっているが，昭和20年代～30年代は地価の上昇が激しかったので土地の評価額の値上げをためらっているうちに，評価額は実際の地価にくらべて大幅に低くなってしまった。そこで，昭和39年度に固定資産税の評価額を実際の時価に近づけようということになった。そのとき，税率は変えなかった。だから，評価額が２倍になれば，市町村に入る税収も２倍になり，その分だけ市町村の財源はうるおうことになる。逆に，納税者のほうからいえば，それだけ税負担が過重になる。払える人はいいだろう。また，ムリすれば払えなくはないとしても，そう急激に上げられてはかなわない。また，課税する側でもあまり抵抗のない方法で，穏便に税収を上げていけばよいと思ったのだろう。

その結果，土地の評価額は引き上げるが，負担調整率というものを導入して，

課税標準（税率を掛けるもとになる金額）は徐々に上がるようにしておいて，何年かかけて評価額と一致させようという方式をとった。だから「評価額（価格）」と「固定課税標準額」とが違っているのである。

しかし，このように負担調整措置等のなされた「固定課税標準額」や「都市計画税課税標準額」で計算するのは固定資産税と都市計画税だけである。不動産取得税も登録免許税も，本来の評価額，すなわち「価格」という高いほうの価格を使う(注)。

（注）　前ページの（注）参照。

住宅用地の課税標準の特例——住宅用地は$\frac{1}{3}$，小規模住宅用地は$\frac{1}{6}$

住宅用地(注)については，課税標準を課税台帳に登録された価格（評価額）の$\frac{1}{3}$とする特例がもうけられている（地法349条の３の２①）。

（注）　住宅の床面積の10倍の面積を限度とする（地令52条の11②）。
また，共同住宅など数戸の住宅の建っている敷地は，敷地面積を住宅の数で割った面積で判定する。

また，住宅用地のうち，面積200㎡以下の部分は**小規模住宅用地**として，価格の$\frac{1}{6}$とされる（地法349条の３の２②）。

たとえば，土地面積260.00㎡，価格が78,000,000円（300,000円/㎡）の住宅用地の場合に，200㎡が価格の$\frac{1}{6}$，60㎡が価格の$\frac{1}{3}$として，つぎのように計算し，

300,000円 × 200㎡ × $\frac{1}{6}$ ＝ 10,000,000円……①

300,000円 × （260㎡－200㎡） × $\frac{1}{3}$ ＝ 6,000,000円 ……②

①＋②＝16,000,000円

が，下記の特例措置を受ける前の原則的な課税標準となり，⑤の「固定本則課税標準額」に記入される。

（注）　「特定空家等」にはこの住宅用地の軽減特例は適用されない（詳しくは292ページのコラム参照）。

なお，商業地など非住宅用地（宅地）には，このような特例はないので，「価格」がそのまま「本則課税標準額」となる。

住宅と非住宅に共用されている敷地の区分

その土地の上の建物が店舗併用のように，住宅と住宅以外の部分があるときは，次ページ表のようにして住宅用地と非住宅用地とを区分し，住宅用地についてのみ３分の１（200㎡まで$\frac{1}{6}$）にする（地法349条の３の２①，地令52条の11）。

家屋の種類	居住部分の割合*	敷地のうち，住宅用地とされる割合
下に掲げる家屋以外の家屋	１／４未満	0
	１／４以上１／２未満	0.5
	１／２以上	1.0
地上階数５以上を有する耐火建築物である家屋	１／４未満	0
	１／４以上１／２未満	0.5
	１／２以上３／４未満	0.75
	３／４以上	1.0

＊居住部分の割合＝居住部分の床面積／家屋の総床面積

住宅建替え中の敷地は

ここでいう住宅用地とは，賦課期日（１月１日）において現に住宅(別荘を除く(地令52条の11)。別荘については276ページのコラム参照)の存する土地とされており，年をまたがって住宅の建替えのなされる場合には，賦課期日現在には，建築中のものはあっても，住宅といえるものは存在しないので，原則としては，住宅用地に該当しないこととなる。

そのため，住宅用地としての課税標準の特例は適用されなくなり，市町村によっては，条例で減免をはかっていたところもあったが，つぎの要件のすべてを満たすものについては，固定資産税と都市計画税については，住宅用地として取り扱うものとされている（「住宅建替え中の土地に係る固定資産税及び都市計画税の課税について」自治省固定資産税課長通達・平成６年２月22日付・自治固第17号)。

①　その土地が，前年度の賦課期日において住宅用地であったこと
②　住宅の建設が当年度の賦課期日において着手されており，翌年度の賦課期日までに完成するものであること
③　住宅の建替えが，建替え前の敷地と同一の敷地において行われるものであること
④　前年度の賦課期日における土地の所有者と，当年度の賦課期日におけるその土地の所有者が原則として同一であること
⑤　前年度の賦課期日における住宅の所有者と当年度の住宅の所有者が原則として同一であること（土地または住宅の所有者の配偶者または直系血族が住宅を建て替える場合は含まれる）

図表２－32　固定資産税における負担調整率

区分		負担水準	課　税　標　準
宅地	住宅用地	100％以上	本則課税標準額
		100％未満	前年度課税標準額＋（本則課税標準額×５％） なお，上記により算出した額が本則課税標準額の20％を下回る場合には，20％とする。
	商業地その他の非住宅用地	70％超[注1]	価格×70％
		70％以下[注1] 60％以上	前年度課税標準額に据置き
		60％未満	前年度課税標準額＋（本則課税標準額×５％）[注2] なお，上記により算出した額が本則課税標準額の60％を上回る場合は60％，20％を下回る場合は20％とする。

（注１）　市町村の条例で，60％～70％の範囲内で定める割合まで引き下げることができる（地法附則21条）。東京都23区内では，65％を超えた場合は価格×65％とする。

また東京都（23区内）では，固定資産税額・都市計画税額が，前年度の税額の1.1倍を超える場合には，その超える額に相当する税額を減額する（東京都都税条例附則15条の３）。

（注２）　令和４年度分のみ2.5％（地法附則18①，25①）

※土地の利用状況が変わった場合，たとえば住宅用地が駐車場になると，その土地がすでに前年度に駐車場であったと仮定して，算出する。

負担調整措置による調整

土地の評価額の急上昇による固定資産税の負担の急激な増加を緩和するため，負担調整措置による調整を行ってきた。

「負担水準」はつぎの算式で求めた割合である。

$$\frac{\text{前年度の課税標準額}}{\text{本年度の本則課税標準額}}$$

そして，この割合によって，**図表２－32**「固定資産税における負担調整率」の表に掲げたようにして，本年度の課税標準額を算出し，これに税率を乗じて税額を求めるようになっている。

図表２－25の例の場合には，

$$\frac{\text{⑦固定前年度課標等}}{\text{⑤固定本則課税標準額}}=\frac{6{,}750{,}000\text{円}}{7{,}500{,}000\text{円}}=90\%$$

で住宅用地で100％未満であるので，

(前年度課税標準額)		(本則課税標準額)		(本年度課税標準額)
6,750,000円	＋	7,500,000円	×５％＝	7,125,000円

となる。これに税率を乗じて税額を求めるようになる。

今後の地価下落に対応して

地価は上昇したかと思うと，急に下落をしたりする。これに対処するため，基準年度以外の年でも，地価が下落し，課税上均衡を失すると認められる場合には，**簡易な方法によって評価額に修正**を加えることとしている。評価額を修正した場合には，その修正した評価額によって，「負担水準」や「評価の下落率」を判定して，負担調整率等と課税標準額を求めることになる（地法附則17条の２）。

免税点と非課税はどうなっているか

固定資産税の免税点は，

土地………30万円未満

家屋………20万円未満

である。これらの金額が固定資産税の課税標準，すなわち240ページの**図表２－25**の⑧の「固定課税標準額」の欄に記載された金額を，その市区町村内の納税者ごとに集計して，その合計額がこれ未満であるかどうかで判定する（地法351条）。

非課税については，不動産取得税とほぼ同じであるが，若干対象が違う点もある。地方税法348条に列挙されているので，必要に応じ参照してもらいたい。

〈放置された空家には固定資産税等の軽減特例は適用されない〉

近年，少子高齢化の流れとともに住宅の空家の増加が目立ち，その間，管理されずに放置され，倒壊の危険，保安上また衛生上の問題，地域の環境への影響が問題になっている。これに対処するため，「空家等対策の推進に関する特別措置法」が制定され，平成27年２月26日から施行されている。放置することが不適切な状態の空家を「特定空家等」といい，これらに対し，市町村が，除却，修繕，立木竹の伐採等の措置の助言，指導，勧告，命令をし，また，行政代執行で取壊し等をすることもできるようにされた。

また，空家として放置されている原因として，建物を取り壊して更地とすると，固定資産税および都市計画税の小規模住宅用地の軽減特例の適用が受けられなくなり，固定資産税と都市計画税の税負担が約５倍に急増することが挙げられ，平成27年の税制改正で，上記の法律に基づく「勧告」がなされた「特定空家等」の敷地に供されている土地は，この軽減特例の対象から除くこととされた（地法349条の３の２「地方税法第349条の３の２の規定における住宅用地の認定について」（総務省自治税務局固定資産税課長(平成27年５月26日))。

〈市街化区域農地の宅地並み課税〉

従来は，市街化区域農地であっても，長期営農継続農地については，農地並みの低い水準の評価に基づいて課税されてきた。

平成３年の改正により，三大都市圏の特定市の市街化区域の農地については，生産緑地法の生産緑地地区内の農地を「保全すべき農地」とし，従来どおりの農地並みの評価とするが，それ以外の農地を「宅地化すべき農地」として宅地並みの評価（近傍の宅地と比準して求めた額から宅地造成に必要な工事費を控除した価額）をし，これに基づいて課税することとされている。

なお，この場合の固定資産税の課税標準額を「宅地並み評価額」の$\frac{1}{3}$（都市計画税では$\frac{2}{3}$）とするとともに，負担調整措置も講じ，税額が漸増するようになっている。

また，宅地化に着手した土地についても経過措置による軽減措置がもうけられている。

32 固定資産税の税額軽減措置

新築住宅は一定期間だけ固定資産税が２分の１に減額される。

新築住宅用家屋の税額軽減措置

住宅を新築した場合，または新築の建売住宅やマンションを購入した場合，一定の条件の下に，一定の期間だけ，その家屋にかかる固定資産税について，**120㎡までの部分を２分の１に減額**するという制度がある。これも，住宅の建築を促進するための助成措置である。

その要約を示すと，つぎのとおりである（地法附則15条の６，地令附則12条②④）。

① 対象となる家屋
その家屋（区分所有建物は専有部分）の床面積の２分の１以上が居住の用に供されるもの。なお，別荘は対象にならない（注１）。

② 面積制限：その新築時期に応じて，居住用部分の面積が，
50㎡～280㎡（下記(イ)(ウ)で賃貸の場合40㎡～280㎡）
であるもの。
なお，面積の算定は下記による。
(ア) 一戸建住宅……建築床面積
(イ) アパート等の共同住宅……各戸（独立的に区画された部分）の床面積に共用部分の床面積を按分して加算した面積（注２）
(ウ) マンション等の区分所有建物……専有部分の床面積に共用部分の床面積を按分して加算した面積（注２）

（注１） 別荘については，276ページのコラム参照。
（注２） 具体的な計算方法については342ページのコラム参照。

③ 減額される期間
耐火造または準耐火造の中高層住宅（地上３階以上）……５年間
その他……………………………………………………………３年間

④ 特例適用期間
令和８年３月31日までに新築された家屋について適用される。

長期優良住宅の税額軽減の適用期間の特例

なお，上記の要件を備えた新築住宅で，かつ，長期優良住宅にあたる家屋を，**令和８年３月31日**までに取得した場合には，税額の軽減の適用期間がつぎのように

延長される（地法附則15条の７）。

耐火造または準耐火造の中高層住宅（地上３階以上）……７年間

その他……………………………………………………………５年間

なお，この減額の措置の適用を受けるには，長期優良住宅に該当する旨を証する書類を添付して，申告しなければならない。

長期優良住宅については，330ページのコラム参照。

面積制限の判定と対象面積

一般の木造住宅で面積が140㎡あった場合，50㎡～280㎡に該当するから，２分の１減額の適用になるが，減額の対象となるのは120㎡までの部分で，120㎡までが２分の１の税額で，残りの20㎡分については通常の計算をした税額で課税される。

耐震改修をした住宅に対する税の減額

昭和57年１月１日以前から存する住宅について，**令和８年３月31日**までに耐震基準に適合するよう耐震改修（注１）（１戸当りの工事費50万円超）をした場合，改修した翌年度分について，その家屋（注２）（居住用部分の120㎡まで）の固定資産税額が$\frac{1}{2}$に減額される（地法附則15条の９①，地令附則12⑱～㉑）。

この減額の措置を受けるためには，改修完了後，原則として３か月以内に「増改築等工事証明書」または「住宅耐震改修証明書」を添付して申告しなければならない（同15条の９②③）。

（注１）　国・地方公共団体からの補助金を除く金額

（注２）　東京都23区内では，耐震化のための建替え，改修について，固定資産税，都市計画税の全額を減免する制度がある。

要安全確認計画記載建築物等の耐震改修建物に対する税の減額

建築物の耐震改修の促進に関する法律に規定する要安全確認計画記載建築物または要緊急安全確認大規模建築物について，政府の補助を受けて，**令和８年３月31日**までの間に建築基準法にもとづく現行の耐震基準に適合させるよう改修工事を行った場合，改修工事が完了した年の翌年度から２年度分の当該家屋に係る固定資産税額（当該額が当該補助対象改修工事に係る工事費の５％に相当する金額を超える場合は，５％に相当する金額）の２分の１を減額する（地法附則15条の10）。

（注）　減額を受けるためには，改修が完了した日から３か月以内に申告が必要。

バリアフリー改修をした住宅に対する税の減額

新築されてから10年以上経過した住宅のうち，65歳以上の者，介護保険法の要介護もしくは要支援の認定を受けている者または障害者が居住するもの（賃貸住宅を除く）で，**令和８年３月31日**までの間に一定のバリアフリー改修工事（補助金等を除く自己負担が50万円超のもの）をした場合，その住宅の翌年度分の固定資産税額（1戸当り100㎡相当分までを限度）の3分の1が減額される（地法附則15条の9④⑤，地令附則12条㉓㉔）。

この適用を受けるためには，改修完了後原則として3か月以内に，バリアフリー改修が行われた証明書を添付して申告しなければならない。

省エネ改修をした住宅に対する税の減額

平成26年4月1日以前から存していた住宅（貸家部分は除く）について，**令和8年3月31日**までに，一定の省エネ改修工事（補助金を除く自己負担金が60万円超のもの）をした場合，その住宅の翌年度分の固定資産税（居住部分で1戸当り120㎡相当分までを限度）の3分の1が減額される（地法附則15条の9⑨⑩，地令附則12条㉝～㊱）。

この適用を受けるためには，改修完了後原則として，3か月以内に，省エネ基準に適合する旨の証明書を添付して申告しなければならない。

バリアフリー改修工事，省エネ改修工事については，335～338ページのコラム参照。

東京都23区内の小規模非住宅用地の税額減免の特例

東京都では，中小企業者を支援するため，独自の減免制度をもうけ，東京都23区内の事務所・店舗などの小規模非住宅用地（宅地に限る。雑種地・農地・山林等は含まれない）で，つぎの要件を満たしているものについて，令和6年度分の固定資産税の2割が減免される（注1）。

減免の対象となるのは，1画地の面積が400㎡以下の非住宅用地のうち，200㎡までの部分（注2）であり，個人または資本金1億円以下の法人の所有するものに限られる。

（注1）　小規模非住宅用地に対する固定資産税及び都市計画税の減免要綱（平成14年3月29日13主税税第509号知事決定）

（注2）　マンション等の敷地については，納税者の持分により按分した面積。

なお，令和5年度にこの適用を受けている者は，再度，申請の必要はないが，新たに適用を受ける者は，令和6年9月頃までに送られてくる「固定資産税減免手続のご案内」により申請する。

33 都市計画税

> 都市計画税とはどういう税金か。税額はどのように計算するのか。

都市計画税の概要——固定資産税との異同

都市計画税は，都市計画区域を有している市町村（東京都23区は都）が，市街化区域内に所在する土地・家屋に対して課する税金であり，登記簿または土地（家屋）（補充）課税台帳に所有者として登記または登録されている者が納税義務者となる。(注1)

都市計画税は，固定資産税の納税通知書に併記されて通知される。固定資産税とよく似ている。しかし，つぎのように，若干違うところがある。

① 課税されるのは，原則として市街化区域内の土地と家屋のみである。したがって，市街化調整区域や無指定の地域にある土地・家屋には，原則として課税されない。(注2)これは，都市計画税はその区域内の都市計画事業などの費用にあてるために徴収する税金であり，市街化調整区域とか無指定区域では，原則として都市計画事業を行わないからである。しかし，市街化調整区域であっても，都市計画税を課さないことが，著しく均衡を失すると認められる特別の事情がある場合には例外として課せられることもある。

② 課税対象は，土地と家屋のみで，償却資産は含まれていない。これも，都市計画事業により直接恩恵を受けるのは土地と家屋のみであり，そのなかにある償却資産との関係は間接的であるという理由からだと思われる。

その他については，固定資産税とほぼ同様に扱われる。

（注１） 都市計画税を課するかどうかは，市町村の任意とされているため，市街化区域を有している市町村であっても，都市計画税を課していない市町村もある。

（注２） 地域区分に関する都市計画の定められていない場合は，都市計画区域の全部または一部の区域で条例で定める区域で課税されることがある。

住宅用地の課税標準の特例——住宅用地は$\frac{2}{3}$，小規模住宅用地は$\frac{1}{3}$

住宅用地については，固定資産税の場合と同様に課税標準を軽減する特例がもうけられている。ただし，その軽減率は，固定資産税の場合と異なり，住宅用地のうち200㎡までの部分（小規模住宅用地）は土地（補充）課税台帳に登録されている価格（評価額）の$\frac{1}{3}$，200㎡を超える部分は$\frac{2}{3}$を課税標準とすることになっている（地法702条の３）。

（注）「特定空家等」には，この特例は適用されない（詳しくは292ページのコラム参照）。

負担調整措置について　土地の評価額の急上昇による税負担の急増を緩和するため，都市計画税においても，固定資産税の場合とほぼ同様の負担調整措置が講じられている。なお，具体的には，各市町村の条例によって定められている。

税額の計算の仕方　それぞれの市町村によって税率は異なっているが，最高限度（制限税率）は0.3％と定められている（地法702条の４）。

課税標準は上述のようにして求められ，具体的には，**図表２－25**（240ページ）の土地（補充）課税台帳の⑪の「都計課税標準額」に記載されている金額である。この表の例によって，都市計画税を求めれば，以下のようになる。

$$\underset{(1{,}000\text{円未満切捨て})}{\overset{(\text{課税標準})}{15{,}000{,}000\text{円}}} \times \overset{(\text{税率})}{\frac{0.3}{100}} = \underset{\left(\text{納税の場合は}100\text{円未満切捨て}\right)}{\overset{(\text{都市計画税額})}{45{,}000\text{円}}}$$

（注）東京都23区内の小規模住宅用地については，この税額の$\frac{1}{2}$を軽減する特例があり，この例では下記のとおりとなる（東京都都税条例附則20条）。

$$\overset{(\text{本税})}{45{,}000\text{円}} \times \overset{(\text{軽減率})}{\frac{1}{2}} = \overset{(\text{納付する税額})}{22{,}500\text{円}}$$

東京都23区内の小規模非住宅用地の税額減免の特例　東京都23区内の事務所・店舗などの小規模非住宅用地について，東京都独自の特例として，都市計画税の２割を減免する措置がもうけられている。その内容は，前項「**32　固定資産税の税額軽減措置**」の「東京都23区内の小規模非住宅用地の税額減免の特例」に記したものと同じであるので，これを参照されたい。

長寿命化に資する大規模修繕工事を行ったマンションに係る固定資産税の特例　老朽化したマンション(注)を，そのまま放置しておくと外壁剥落や廃墟化を招き，周辺の住環境にも悪影響を及ぼしかねない。そこで，一定の要件を満たすマンションについて長寿命化に資する大規模修繕工事（屋根防水工事，床防水工事，外壁塗装工事等）を実施した場合は，その工事が完了した翌年度分以降の建物に係る固定資産税額（建物部分100㎡まで）の$\frac{1}{3}$を参酌して，一定割合（$\frac{1}{6}$以上$\frac{1}{2}$以下の範囲内で市町村が条例で定める割合）を減額することとされた。

この特例は令和５年４月１日から令和７年３月31日までの間に行われた工事が対象となる（地法附則15条の９の３，地令附則12条㊼～㊾）。

一定の要件というのは，

①　築20年以上経過している総戸数10戸以上のマンションであること
②　過去に１回以上，長寿命化に資する大規模修繕工事を適切に実施していること
③　管理計画認定マンションまたは助言指導に係る管理者等の管理組合に係るマンションであること
④　専有部分で人の居住の用に供する部分の床面積の当該専有部分に対する割合が２分の１以上あること

この特例を受けるためには，工事完了日から３か月以内に必要書類を添付して市町村へ申告しなければならない。

なお，この特例の適用を受けた年度は，次の特例を併用することができない。

・耐震改修をした住宅に対する固定資産税の減額
・バリアフリー改修をした住宅に対する固定資産税の減額
・省エネ改修をした住宅に対する固定資産税の減額
・耐震改修をした認定長期優良住宅に対する固定資産税の減額

(注)　マンションの管理の適正化の推進に関する法律第２条第１項に規定するマンションでなければならない。

〈タワーマンションの固定資産税の評価〉

タワーマンションの分譲価額は周辺の中高層マンションに比べて著しく高額であり，また，上層階に行けば行く程，景観等に優れているため高額となる。しかし，相続税の評価額は，周辺のマンション並である。

それに目を付け，タワーマンションを購入し，相続税の軽減を図ろうとする税金対策が目立ってきた。令和６年１月１日からは，マンション評価についても個別通達が定められたが，固定資産税評価は，相続税評価より一足先に改正されている（地法352条②，地施行則15条の３の２，７条の３の２）。

＊　　＊　　＊

高さが60mを超える区分所有建物で複数階に住戸のあるものを「居住用超高層建築物」といい，建物全体の価額を各専有部分に配分するとき，居住用部分については(注)，下記の式により，１階から上階に行くに従って高額となるように配分される。

なお，天井の高さ，附帯設備の程度等について著しい差異がある場合には，その差異に応じた補正を行う。また，区分所有者全員の申し出があった場合には，その申し出の割合で配分する。

$$各住戸の税額 = １棟税額 \times \frac{各住戸の専有床面積 \times 階層別専有床面積補正率}{専有床面積（補正後）の合計}$$

$$N階の階層別専有床面積補正率 = 100 + (10/39) \times (N - 1)$$

なお，不動産取得税についても，同様の改正がなされている。

（注）　事務所や店舗などの居住用以外の部分については，その位置する階層とは関係なく建物の価額を床面積比で按分する。

この改正は，平成29年１月２日以後に新築されたタワーマンションに対して課する平成30年度以後の年度分の固定資産税等について適用される。ただし，平成29年４月１日前に売買契約が締結された住戸を含むものは除かれる。

＊　　＊　　＊

なお，この階層別の配分は，建物の価額についてのみ行い，土地の価額は，階層に関係なく，それぞれの持分の面積比で配分される。

ところで，建物の上層階に上るにつれて売買価額が高くなるのは，建築費が上昇するからというより，上層階など眺望，日照，通風などの住環境が優利になるからで，すなわち，土地の空間的位置に起因するものであるのに，建物の価額配分で片付けるのは，鑑定評価の理論からは，いささか奇異に感じるところである。

（注）　商業ビルの階層別効用比については，783ページ，904ページ参照。

〈生産緑地の固定資産税と相続税〉

⑴　**固定資産税等の軽減と30年間の営農義務**

市街地の住宅街の隣に農園があって**生産緑地**という看板が立てられている風景は珍しくなくなっている。

一般の農地の固定資産税の評価は，かなり低くなっている。

しかし，市街化区域内の農地となると，宅地並評価といって，周辺の宅地の評価額から宅地化するための費用を引いた価格で評価され（293ページのコラム参照），こんな高い税を払って農業をしても採算がとれない。それで，平成４年に，生産緑地法を制定し，生産緑地の指定を受けると，一般の農地並みの低い評価で課税される制度が創設された。しかし，この指定を受けると，その後30年間は営農を継続しなければならないとされている。そして，30年経過したら，市町村に買取りの申出をし，その市町村が買取らない場合には，自由に売買することができるとされている。

なお，当初の指定から25年たった平成29年に，その準備的なものとして，30年経過した時点で，「特定生産緑地」の指定を10年ごとに受けて，同様の税負担の軽減を受けられる制度が設けられた。

また，緑地内にその生産緑地や周辺の農作物を原料とする加工所，その直売所，それを主原料とするレストランを設置することも認められることとされた。

⑵　**相続税の猶予・免除と20年間の営農**

生産緑地の相続税について，上述した宅地並み課税で求めた税額と，農業投資価格（たとえば東京都内の田で900円/㎡，畑で840円/㎡）で求めた税額との差額の納税を猶予し，営農を20年継続した場合，また，その農業相続人が死亡した場合に免除される。

なお，上記の要件を満たす前に農業を中断した場合は，その時点で，猶予された税金に利子税を付して納税するようになっている（措法70条の６，措令40の７）。

〈地方税と標準税率・制限税率〉

地方税は，各地方自治体（都道府県・市町村）の財政需要と住民の税負担能力などに応じ，各自治体が定めるのが本来の姿であるが，自治体間のバランスを調整するため，地方税法で，各自治体の標準とすべき税率（**標準税率**）と，最高限度を示す税率（**制限税率**）とを定め，実際に課する税率は，その範囲内で，各自治体の議会で制定される条例で決めることにしている。

都道府県税である**不動産取得税**では，標準税率を４％(注)とし，制限税率はもうけていない（地法73条の15）。なお，標準税率を超える税率を採るときは，自治大臣に届け出ることになっていたが，地方自治権の拡大という方針から，平成10年の改正で，この届出制は廃止されている。

（注）令和９年３月31日までに取得された住宅と住宅用地は３％（270ページ参照）。

市町村税である**固定資産税**では，標準税率を1.4％，制限税率を2.1％と定めていたが，平成16年の改正で制限税率は廃止されている（地法350条）。

市町村税である**都市計画税**では，これを課税するかどうかは，自治体の任意とされ，制限税率のみを0.3％と定めている（地法702条の４）。

このように一定の範囲内で自治体が税率を自由に決められるようになっているにもかかわらず，財政的に富裕な自治体も貧困な自治体も，不思議なことに，不動産取得税については全部の都道府県が，固定資産税についてはほとんどすべての市町村が標準税率を採用している。

＊　　＊　　＊

なお，地方自治体の財源の多くが国から交付される**地方交付金**，**補助金**と**地方債**によっている。

そして，標準税率より高い税率を採用すると，これによる増収分だけ地方交付金を減らされる。また，標準税率より低い税率を採用すると，地方債の起債を制限されるようになっていることが影響しているといわれている。

〈固定資産税・都市計画税の令和６年の改正〉

固定資産税・都市計画税（本章関連部分）について令和６年に，つぎの改正がなされている。

◆長期優良住宅の税額軽減，耐震改修をした住宅に対する税額軽減，バリアフリー改修をした住宅に対する税額軽減，省エネ改修工事をした住宅に対する税額軽減の適用期間が令和８年３月31日まで２年延長された（294ページ以下関連）。

34 土地・建物を取得したときの消費税

土地や建物を取得したとき，どのような消費税が課税されるのか。

消費税の仕組み　この消費税の仕組みは，課税事業者が資産の譲渡等(貸付けも含まれる）をした場合に，消費税が課税され，事業者が納付し，その消費税相当額を譲渡等を受けた者に転嫁し，最終的に一般消費者が負担する仕組みになっている（消法４条，５条)。なお，消費税については536，564，821ページで解説する。

土地は非課税だが　土地等（借地権等が含まれる）の譲渡については，消費税は非課税となっている（消法６，別表二)。しかし，造成された宅地については，その造成工事は課税対象となっているので，その工事代金にかかる消費税相当額だけ土地の分譲代金に上積みされるという形で消費者に転嫁される。

建物には課税　建物の新築工事代金や購入代金については，工事請負業者，不動産業者に消費税が課税され，その消費税相当額が建築主や購入者に転嫁されることとなっている。

マンション等の場合は，一括売買代金を建物の対価と土地の対価に区分し，建物について上記の消費税が課税される。

なお，これらの業者が免税事業者である場合には，消費税は課税されないが，そういうケースは少ないであろう。

事業者以外の者――たとえばサラリーマンなどが譲渡した場合には，消費税の課税はない。

不動産仲介料も課税　不動産業者に仲介してもらった場合には，その仲介料等は，土地の仲介を含めて，消費税の課税対象となり，依頼者に転嫁されることとなる。

〈直接税と間接税・内税と外税〉

税は大きく分けて，直接税と間接税とに分類される。所得税・法人税・相続税などのように，税を負担する人と税を納める人とが同一人であるような場合を「直接税」，酒税や消費税のように，税を負担する人と納める人とが異なる場合を「間接税」と分類することが多い（この分類基準には異説もある）。

ところで，創設当時は政界に天変地異をひき起こすほどのもととなった「消費税」も，この間接税の一種であるが，その悪評の根源となったところは，物を買うたびにいくらの税金を払わされたかが，はっきりわかる方式にあったようである。

18世紀の中頃，すでに，モンテスキューは『法の精神』のなかで，このことについて鋭い警告を発しており，これが採用されなかったことがフランス革命の一因ともなっている。

「商品に対する課税は人民がその負担を感じること最も少ないものである。何となれば，彼らに対して明示的な請求が行われないから，この税は人民がほとんど支払っていることに気のつかぬほどに巧妙に按配しうる。それがためには商品を売る者が税を支払うようにすることが非常に大切である。商人は自分のためにそれを支払うのでないことをよく知っている。しかも，実質的には支払いをする買手はこの税を価格と混同する。……ヨーロッパには飲料に対してきわめて高い税金を課した王国が二つある（訳注：イギリスとフランス）。一方（イギリス）では醸造人だけが税を払う，他方（フランス）では消費する臣民のすべてに対して無差別にこの税を取る。前者（イギリス）においてはだれも税の苛酷に気がつかぬ。後者（フランス）においてはそれは重税と見なされている。……支払者の頭の中で物の価格と税金とが混同しうるためには，……価格の少ない貨物に対して過当な税を課さないこと。……（そうでないと）……君主はその臣民の持っていた錯覚をさえ奪うことになる。……」（根岸国孝訳）

＊　＊　＊

消費税の総額表示（内税）への義務付けも，この「錯覚」を意識しての税率アップの伏線であったともいわれているが。

第３節 住宅を新築したり，住宅を購入した場合には，「住宅ローン控除」の適用で，税額が安くなる。

35 住宅ローン控除

住宅ローン控除の仕組みと条件はどうなっているか。控除額はどのように計算するのか。
（措法41条～41条の３の２，措令26条～26条の４，措則18条の21～18条の23の２）

住宅ローン控除の仕組み

個人が住宅ローンなどを利用して，住宅を購入したり，住宅を新築したり，また，増改築などした場合，**住宅借入金特別控除**，いわゆる「住宅ローン控除」という制度があり，所得税額が安くなる。

給与所得者（サラリーマン）の場合，所得税は毎月の給料や賞与を支給されるときに，源泉徴収されて概算払いをしており，毎年12月の最後の給料（または賞与）の支給日に年末調整を行って精算し，その給与以外の所得がなければ，それでその人の所得税は終わりということになっている。

この人が住宅ローンなどを利用して，特定の新築住宅を購入したり，新築したり，特定の中古住宅（既存住宅）を購入したり，また，特定の増改築等をして，その後，６か月以内にその住宅に居住し，その年の12月31日まで居住し続けていた場合，その翌年に，この制度の適用を受けますということを確定申告書に記載して，所定の書類を添付して税務署に提出すると，つぎの算式で計算した金額が申告書に記載した銀行や郵便局などに振り込まれるようになっている。

控除される金額は

この制度によって還付される金額――正確にいえば税額控除される金額ということであるが――は，令和４年度の税制改正で，限度額や控除率等が**図表２－33**のようになっている。

図表２－33　住宅ローン控除の概要

(1)　新築住宅（買取再販住宅[注1]も含む）

<table>
<tr><th></th><th>入居年</th><th>住宅借入金等の
年末残高限度額</th><th>控除率</th><th>控除期間</th></tr>
<tr><td>認定長期優良住宅・認定低炭素住宅</td><td>令和６・７年</td><td>4,500万円[注3]</td><td rowspan="4">0.7%</td><td rowspan="3">13年</td></tr>
<tr><td>特定エネルギー消費性能向上住宅
（ZEH 水準省エネ住宅）</td><td>令和６・７年</td><td>3,500万円[注3]</td></tr>
<tr><td>エネルギー消費性能向上住宅
（省エネ基準適合住宅）</td><td>令和６・７年</td><td>3,000万円[注3]</td></tr>
<tr><td>一般の新築住宅
（上記以外の住宅）</td><td>令和６・７年</td><td>0円[注2]</td><td>—</td></tr>
</table>

（注１）　買取再販住宅とは，中古住宅を宅地建物取引業者が耐震工事等により一定の良質化した上で販売する住宅をいう。

（注２）　一般の新築住宅のうち，令和５年末までに建築確認を受けたものまたは令和６年６月30日までに建築されたものは，借入限度額を2,000万円，控除率0.7%で10年間の控除が受けられる。ただし，買取再販住宅は，これらの建築要件はなく適用できる。

（注３）　特例対象個人（40歳未満であって配偶者を有する者，40歳以上であって40歳未満の配偶者を有する者，又は19歳未満の扶養親族を有する者）は，令和６年１月１日から同年12月31日までの間に認定住宅等を新築若しくは取得した場合，住宅借入金等の年末残高の限度額（借入限度額）が，つぎのとおり緩和された。

なお，床面積要件も，合計所得金額1,000万円以下のものに限り40㎡に緩和されている。

<table>
<tr><th>住宅の区分</th><th>住宅借入金等の
年末残高限度額</th></tr>
<tr><td>認定長期優良住宅・認定低炭素住宅</td><td>5,000万円</td></tr>
<tr><td>特定エネルギー消費性能向上住宅
（ZEH 水準省エネ住宅）</td><td>4,500万円</td></tr>
<tr><td>エネルギー消費性能向上住宅
（省エネ基準適合住宅）</td><td>4,000万円</td></tr>
</table>

(2)　既存住宅

<table>
<tr><th></th><th>入居年</th><th>住宅借入金等の
年末残高限度額</th><th>控除率</th><th>控除期間</th></tr>
<tr><td>認定長期優良住宅・認定低炭素住宅・
特定エネルギー消費性能向上住宅・
エネルギー消費性能向上住宅</td><td rowspan="2">令和４～７年</td><td>3,000万円</td><td rowspan="2">0.7%</td><td rowspan="2">10年</td></tr>
<tr><td>一般の中古住宅
上記以外の住宅</td><td>2,000万円</td></tr>
</table>

この特例が受けられるのは

この特例を受けるためには，

① 取得した住宅用家屋が，所定の要件を満たした新築住宅や既存住宅とその敷地または特定の増改築等であること

② その住宅用家屋を取得するために，住宅ローン等を利用していて，それが所定の要件を満たした借入金であること

③ この特例を受けようとする年の**合計所得金額が年2,000万円以下**であること（特例居住用家屋，特例認定住宅等については，1,000万円以下）

（注）特例居住用家屋とは，床面積が40㎡以上50㎡未満で令和５年12月31日以前に建築基準法第６条第１項の規定による建築確認をうけた居住用家屋をいい，特例認定住宅等とは，同様に建築確認をうけた認定住宅等をいう。

④ その住宅用家屋を新築したり，購入したり，増改築等をしてから６か月以内に居住し，その後引き続いて，控除を受けようとする年の12月31日まで居住していること

（注）非居住者に対しても，平成28年４月１日以後に取得または増改築等をする場合について適用される。

に適合していなければならない。

つぎに，これらの適用要件の詳細を説明していくことにする。

新築住宅用家屋の適用要件

新築の住宅用家屋でこの特例の適用が受けられるのは，つぎの条件をすべて満たしている場合である。

① 自分が居住するための住宅を建築したか，新築後使用したことのない住宅を購入して入居しているものであること（別荘用住宅は対象にならない）。

② 家屋の２分の１以上が自分の専用住宅であること。店舗併用住宅，貸家併用住宅でも，自分の専用住宅の面積が２分の１以上であれば適用になる。

③ 家屋の床面積（店舗併用住宅等の場合も，店舗を含めた面積で計算する）が**50㎡以上**(注)であること。マンションなどの区分所有建物は，専有部分の登記面積（内矩計算）で判定する（措所通41－10，11，12）。

④ 新築したものであること。

（注）合計所得金額が1,000万円以下であれば，特例居住用家屋および特例認定住宅等も対象となる。

買取再販住宅の適用要件

宅地建物取引業者が，既存住宅を取得して，リフォーム工事により認定長期優良住宅や認定低炭素住宅等にしたうえで，エンドユーザーに販売した場合，本来であれば既存住宅であるところを，住宅ローン控除では，借入限度額や控除期間を新築住宅用家屋と同等に扱っている。買取再販住宅で，この特例の適用が受けられるのは，上記

新築住宅用家屋の②③の適用要件のほかに，つぎの要件をすべて満たしている場合である。

①　個人が既存住宅を取得する時点で，築後10年を経過したものであること
②　工事費用の総額が，売買価額（税込み）の20％（300万円を超える場合には300万円）以上であること
③　宅地建物取引業者が既存住宅を取得し，工事を行った後，宅地建物取引業者の取得の日から２年以内に取得していること

なお，これらの要件以外にも，工事内容などに細かな要件が定められている。詳細は国税庁のホームページを参照されたい。

https://www.nta.go.jp/taxes/shiraberu/taxanswer/shotoku/1211-2.htm

既存住宅用家屋の適用要件（その１）

既存の住宅（中古住宅）用家屋でもこの特例の適用が受けられるが，その適用要件は，新築住宅の場合よりかなり制限されている。

①　自分が居住するための既存住宅（建築後に使用されたことのあるもの）を購入して入居しているものであること（別荘用住宅は対象にならない）。
②　家屋の２分の１以上が自分の専用住宅であること。店舗併用住宅，貸家併用住宅でも，自分の専用住宅の面積が２分の１以上であれば適用になる。
③　家屋の床面積（店舗併用住宅等の場合も，店舗を含めた面積で計算する）が**50㎡以上**であること。マンションなどの区分所有建物は，専有部分の登記面積（内矩計算）で判定し，共用部分の持分は含まれない（措所通41－11）。
④　「耐震基準適合証明書」「建設住宅性能評価書」等により，一定の耐震基準等を満たしていることが確認できること
⑤　配偶者や取得時に生計を一にする親族等から取得した住宅でないこと

（注）　親族のほか，内縁の夫婦関係にある者，いわゆる妾・旦那の関係にある者等で生計を一にする者が含まれる（詳しくは449ページ参照）。

既存住宅用家屋の適用要件（その２）

上記の要件に合致しない既存住宅でも，上記（その１）の②③⑤の要件を満たしていれば同様の住宅ローン控除の適用を受けることができる（平成26年４月１日以後の取得から適用）。

①　現行の耐震基準に適合しない既存住宅の売買契約を締結し，
②　その家屋の取得の日までに，耐震改修の計画の認定の申請等をし，
③　耐震改修工事を行い，完成後に，
④　耐震基準適合証明書等を取得してから
⑤　入居した場合

認定長期優良住宅・認定低炭素住宅・特定エネルギー消費性能向上住宅・エネルギー消費性能向上住宅については

令和４年の税制改正で，認定長期優良住宅と認定低炭素住宅が新たに追加された。認定長期優良住宅，認定低炭素住宅，特定エネルギー消費性能向上住宅（ZEH 水準省エネ住宅）・エネルギー消費性能向上住宅（省エネ基準適合住宅）として所定の認定を受けた住宅を，新築または購入して，居住の用に供した場合には，**図表２－33**「住宅ローン控除の概要」に掲げる表のように，控除限度額が優遇される。

なお，その要件と認定の手続きについては，330～332ページのコラム「長期優良住宅に対する税制特例」「認定低炭素住宅に対する税制特例」を参照のこと。

特定の増改築等の適用要件

自己が所有し居住している住宅(注１)についての一定の増改築等で，**工事費が100万円**(注２)を超えるものも，この特例の対象となる（措法41条①㉒㉔㉕，措令26条㉟）。

（注１）　増改築後６か月以内に居住した場合も含まれる。

（注２）　平成23年６月30日以後にする増改築契約からは，国，地方公共団体からの補助金等を控除した金額。バリアフリー改修工事，省エネ改修工事の工事費の判定についても同じ。

一定の増改築等とは，次のいずれかの要件を満たしている必要がある。

①　増築，改築，建築基準法２条に規定する大規模の修繕または大規模の模様替えの工事

②　マンションなどの区分所有建物のうち，その人が区分所有する部分の床，階段または壁の過半について行う一定の修繕・模様替えの工事（①に該当するものを除く）

③　家屋（マンションなどの区分所有建物にあっては，その人が区分所有する部分に限る）のうち居室，調理室，浴室，便所，洗面所，納戸，玄関または廊下の一室の床または壁の全部について行う修繕・模様替えの工事（①および②に該当するものを除く）

なお，耐震改修工事，バリアフリー改修工事，省エネ改修工事についても，一定の要件を満たせば，増改築等に係る住宅ローン控除の特例対象(注)となる。

（注）　増改築等に対する住宅ローン控除は，自分が所有している住宅用家屋に自分で増改築等をした場合に適用されるので，親の所有する家屋に同居している子供が増改築しても，家屋の所有者と増改築した者とが異なるので，適用にならない。のみならず，増改築部分は附合によって，家屋の所有者の物となるので，家屋所有者である親子からの贈与ということになり，贈与税が課せられることもあるので注意を要する。

また，中古住宅を購入して入居前に増改築等をした場合は，「その者の居住の用

に供している家屋」の増改築には該当しないこととされていたが，平成21年の改正で「その者の居住の用にする」と改められたので，入居前の増改築も適用されるようになっている。

どういう住宅ローン等が対象となるのか

この特例の対象となる住宅ローン等にはつぎのようなものがある。

まず，一般の住宅ローンが，だいたいこれにあたる。

普通の住宅ローンを借りるのは，銀行，信用金庫，労働金庫，信用組合，農業協同組合，生命保険会社，損害保険会社，信託会社などの民間金融機関であろう。それから，住宅金融支援機構，地方公共団体，貸金業者，国家公務員等共済組合などからの住宅融資も対象になる（上記の金融機関を含めて，以下「金融機関等」という）。

これらの金融機関等からの住宅ローン，また，住宅ローンという名目でなくても住宅を新築したり購入したりするための借入金なら対象になる。

また，住宅を新築したり購入したりする場合，その建築業者や不動産業者（宅地建物取引業者）の割賦払も利用することがある。この残債も，この対象にあたる。また，これらの業者の独自のローンを利用した場合，その借入金も民間借入金等にあたる。また，都市再生機構や地方公共団体等が住宅を分譲する場合の割賦払の残債も，この対象になる。なお，都市再生機構，地方住宅供給公社等の分譲住宅の転売を受けて，その賦払金の残債を引き継いだときは，その残債も対象となる。それから，勤務先の住宅資金融資や勤務先で住宅を割賦払で分譲したときの，その残債も対象になる。

なお，これらの**借入期間や割賦払の償還期間が10年以上**のものでなければならない。

（注）住宅ローンの繰上返済や借替え等により契約上の償還期間が10年未満となった場合には，その年以後は適用されなくなることに注意。

対象とならない借入金は

勤務先からの融資等は，その利率が**年利0.2％未満**のもの(注)は対象とならないし，また，その会社の役員に対するものも対象にならない（措法41条㉓，措令26条⑯，措規18条の21⑳）。

（注）勤務先から利子補給金を受けている場合には，借入金の利子から利子補給金を差し引いた利子が年利0.2％未満となるものも対象にならない。

また，親，兄弟や親戚または知人等から借り入れたものも対象にならない。

土地の適用要件

上記の適用要件を満たした居住用家屋に入居した者については，その敷地である土地を取得するための借入金で，償還期限が10年以上のものも，この住宅ローンの対象となるようになっているが，土地の取得や借入金の状況に応じて，一般的には，下記の要件をそなえたものが住宅ローン控除の対象となる（措令26条⑨）。

(1)　建売住宅・分譲マンションなど，同時取得・一体借入れ

土地付建売住宅や分譲マンションを取得する資金として，金融機関等，勤務先または宅地建物取引業者（以下「宅建業者」という）から借り入れたもの。また，宅建業者または貸金業者から立替払いを受けたもの。また，宅建業者，都市再生機構，地方住宅供給公社，地方公共団体などから割賦条件などで取得した場合の負債など。

(2)　公的融資などによる土地の先行取得・一体借入れ

都市再生機構等から，土地取得と居住用家屋の新築資金を一体として借り入れた公的住宅融資で，建物の着工後に受領したもの。

(3)　売建住宅など土地の先行取得・分離借入れ

宅建業者から建築条件付で分譲を受けた土地で，土地分譲契約の締結後３か月以内に，その宅建業者またはその販売人との間で家屋の建築工事の請負契約が成立することが土地分譲契約の成立条件となっている場合に，先行して土地取得資金を民間金融機関等から借り入れたもの。

また，都市再生機構，地方公共団体，地方住宅供給公社などとの「建築条件付の公的宅地分譲契約」によって土地を先行して取得するために土地取得資金を先に借り入れたり，割賦返済などとするもので，その契約に，一定期間内に住宅を建築することを条件とし，期間内に建築しない場合には，土地の買戻しがなされる条項のついているもの。

(4)　その他の土地先行取得・分離借入れ

その他，居住用家屋の新築の日前２年以内に土地を取得するために金融機関等から借り入れたもので，その貸付資金を担保するために，その新築された家屋に，その金融機関等，または保証保険会社の抵当権が設定されているもの。

土地の住宅ローン控除は居住用家屋と一体

上記の要件に適合する土地を取得し，その借入金がある場合でも，土地の借入金が住宅ローン控除を受けられるのは，その上の家屋に入居してからで，かつ，家屋に対する借入金のある間だけである。

したがって，令和４年２月に土地を取得し，土地のローンを借り入れ，令和５年12月に家屋の建築が完成し，家屋のローンを借り入れ，令和６年１月に入居した場合は，住宅ローン控除を受けられるのは，令和６年分からであり，対象となる借入金の残高は，土地も家屋も令和６年12月末のものに対してである。

敷地が定期借地権であるとき

控除対象となる居住用建物の敷地が普通借地権である場合には，その対価として支払った権利金が，上記の土地の取得費となる。

定期借地権の場合も，権利金を支払った場合には同様であるが，定期借地権の場合には，権利金を支払わないで，保証金を差し入れていることが多い。この場合は，つぎの算式で求めた額が，控除対象の土地の取得価額とされる（措所通41－28）。

（保証金）－（保証金の返還請求権の現在価値）
＝（保証金）－｛（保証金）×（設定期間に応ずる基準年利率の複利現価率）｝
－｛（保証金）×（約定利率）×（設定期間に応ずる基準年利率の複利年金現価率）｝

基準年利率は，定期借地権を設定した月の基準年利率と定められたものをいい，令和６年３月の基準年利率・長期（７年以上）は1.00％とされている（**図表５－23**（656ページ）参照）。

たとえば，令和６年３月に定期借地権を設定し保証金1,500万円，設定期間50年で，無利息の場合は，基準年利率の1.00％の50年の複利現価率は0.608になるので，下記のようになる。

15,000,000円－（15,000,000円×0.608）＝5,880,000円

（注）　基準年利率は，国税庁の通達として，定期的に公表されており，「国税庁のホームページ」⇨「新着情報」⇨「これまでの新着情報」⇨「令和××年の基準年利率の一部改正について」で，基準年利率が掲載されており，そこの〔参考　複利表〕をクリックすると，最新の複利表も閲覧できるようになっている。

居住用部分と居住用以外の部分とがある家屋は

店舗併用住宅や一部貸家付の家屋などは，その延床面積の２分の１以上が居住用である場合には，この特例の対象となるが，その場合は，家屋全体の床面積に対する居住用部分の床面積の割合で，借入金残高を按分したものに対して上述の計算によって控除額を求めるようになっている。

配偶者等からの取得や贈与は対象外

住宅を配偶者から取得した場合には，この住宅ローン控除の適用は受けられない。また，住宅を取得したときに本人と生計を一にしており，取得後も引き続き生計を一にする親族等(注１)から取得した場合も適用されない。

また，贈与により取得した場合も適用にならない(注２)（措法41条①，措令26条②）。

（注１）　親族等の範囲は，449ページ記載の「特殊関係者」とほぼ同様である。

（注２）　住宅ローン付で住宅の贈与を受けたような場合などがこれにあたる。

控除を受けられる期間

この住宅ローンの特例の控除を受けられる年は，住宅を取得したり，増改築等をして６か月以内に入居し，その年の12月31日まで居住していた年から13年間(注)である（令和５年11月に取得し，令和６年１月に入居した場合は，令和６年分から令和18年分までということになる）。

いずれの年も継続してその年末まで居住した年だけが適用を受けられる。３年目の11月に転居して居住しなくなれば，控除を受けられるのは，１年目と２年目だけということになる。

（注）　入居が令和６年から令和７年で一般の新築住宅や一般の買取再販住宅を取得した場合と，入居が令和４年から令和７年の中古住宅を取得した場合は10年。

引き続き居住していること――転勤などで家族を残しているときは

この特例を受けられるのは，本人が入居後引き続いて居住の用に供している期間になっている。

しかし，転勤など(注)で本人だけが転居して居住しなくなった場合には，その配偶者，扶養親族その他の生計を一にする親族が居住しており，転勤などの事情が解消した後は，本人が再び居住すると認められる場合には，本人が居住の用に供しているとして，この適用を受けられるように扱われている（措所通41－２）。

（注）　転勤，転地療養その他のやむを得ない事情をいう。

しかし，家族全員を連れて転居した場合には，居住の用に供しているとはいえないので，その年から，この特例の適用は受けられなくなる。

転勤による転居で再入居したら

転勤により家族全員を連れて転居してしまうと，その後で再入居しても「引き続いて居住の用に供していた」とはいえないので，適用期間が残っていても，その残りの期間について再び控除を受けるということは，原則としてできない。しかし，その転居が勤務先からの転任命令その他これに準ずるやむを得ない事由によるものであったときは，再入居した年（その年に再入居まで賃貸していたときは，その翌年）から，残っていた期間だけ適用を受けることができる（措法41条㉘㉚）。

この適用を受けるためには，転居する日までに「転任の命令等により居住しないこととなる旨の届出書」を税務署に提出し，再入居して再適用を受ける年に「(特定増改築等）住宅借入金等特別控除額の計算明細書」と住民票（写）を添付した確定申告書を提出することとなっている（措法41条㉘～㉝，措則18条の21㉒，措所通41－３，41－４）。

所得制限と適用期間

また，控除を受ける年の合計所得金額が2,000万円以下（一定の場合は1,000万円以下）でなければならない。１年目と３年目とは，所得金額が2,000万円を超えていたが，２年目は2,000万円以下であったという場合には，２年目の分は控除を受けられるということになる。以下同様にして判定していく。要するに，入居後の13年（または10年）までの間で所得金額が2,000万円以下になった年だけ適用を受けられるということである。

居住用財産の特例等との重複適用は不可

また，住宅を取得して居住の用に供した年，その前年，前々年に，別の土地・建物の譲渡をして，つぎの特例を受けている場合には，この住宅ローン控除の特例を受けることはできない。

①　居住用財産の3,000万円の特別控除（措法35条，423ページ参照）
②　居住用財産の特別控除・軽課の特例（措法31条の３，425ページ参照）
③　特定の居住用財産の買換え・交換の特例（措法36条の２，措法36条の５，426ページ参照）
④　既存市街地等内にある土地等の中高層耐火建築物等の建設のための買換え及び交換の場合の譲渡所得の課税の特例（措法37の５）

また，住宅ローンの特例の適用を受けて居住した年以後３年以内に別の土地・建物を譲渡した場合にも上記の特例は受けられない。上記の特例を受けたい場合には，住宅ローン控除を受けた年分の所得税について修正申告をして，住宅ローン控除の適用を取り消して，控除額に相当する税額を納付しなければならない（措法41条㉕㉖㉗，措法41の３①）。

（注）　居住用財産の譲渡損失の繰越控除（措法41条の５，459ページ参照）の適用を受けた場合には，住宅ローン控除の適用は受けられるようになっている。

〈大規模な修繕と大規模な模様替〉

建築基準法では，つぎのように規定している。

大規模な修繕　建築物の主要構造部の一種以上について行う過半の修繕をいう（同法２条・14号）。

大規模な模様替　建築物の主要構造部の一種以上について行う過半の模様替をいう（同法２条・15号）。

主要構造部　壁，柱，床，はり，屋根または階段をいい，建築物の構造上重要でない間仕切壁，間柱，附け柱，揚げ床，最下階の床，廻り舞台の床，小ばり，ひさし，局部的な小階段，屋外階段その他これらに類する建築物の部分を除くものとする（同法２条・５号）。

36 住宅ローン控除の適用の手続き

> 住宅ローン控除による控除を受けるためには確定申告をしなければならない。その手続きを具体例で説明する。

サラリーマンが住宅ローンを利用してマンションを購入した例

年収1,200万円のサラリーマン（特例対象個人でないとする）が，新築の建売住宅（認定長期優良住宅）を5,000万円（土地165㎡，3,500万円，建物90㎡，1,500万円（消費税内税10％））で令和６年６月１日に契約し，銀行から4,000万円の住宅ローンを借りた。そして，同年９月10日から居住し，同年末まで居住していたとする。

この特例の適用を受ける要件はそなわっていたとする。

控除額の計算は

控除の対象となる借入金の年末残高は3,950万円であるとする。

307ページの**図表２－33**により，控除対象となる年末残高の限度額は4,500万円以内であるので，初年度の控除額は，

39,500,000円×0.7％＝276,500円（控除額）

すなわち，この特例により控除される金額は27万6,500円となる。

控除を受けるための手続きは

つぎに，このサラリーマンの収入と所得控除等が，次ページの**図表２－34**の源泉徴収票のとおりであったとする。すると，

給与年収	12,000,000円
給与所得控除後の金額	10,050,000円
所得控除	2,160,000円
差引課税所得	7,890,000円
所得税額	1,178,700円

となり，この人は，年末調整の段階で，**図表２－34**の「給与所得の源泉徴収票」に記載のように，60,000円の定額減税（30,000円×２人）を控除し，2.1％の復興特別所得税を加算した1,142,100円の源泉徴収税を，すでに納付している。

この所得税から，住宅ローンの控除額を引いて納める税金を再計算して，323ページの**図表２－36**の「給与所得者の所得税の確定申告書の記載例」のように記載して提出する。

図表２－34　給与所得の源泉徴収票

令和 6 年分　給与所得の源泉徴収票

支払を受ける者	住所又は居所	○○市○×町○○番○号	(受給者番号)
			(役職名)
			氏名 (フリガナ) イエ　タテオ
			伊江　建男

種別	支払金額	給与所得控除後の金額（調整控除後）	所得控除の額の合計額	源泉徴収税額
給与・賞与	内 12 千 000 円 000	10 千 050 円 000	2 千 160 円 000	内 1 千 142 円 100

(源泉)控除対象配偶者の有無等		老人	配偶者(特別)控除の額	控除対象扶養親族の数（配偶者を除く。）特定		老人			その他		16歳未満扶養親族の数	障害者の数（本人を除く。）特別		その他	非居住者である親族の数
有	従有		千　円	人	従人	内	人	従人	人	従人	人	内	人	人	人
									1						

社会保険料等の金額	生命保険料の控除額	地震保険料の控除額	住宅借入金等特別控除の額
内 1250 千 000 円	50 千 000 円	千　円	千　円

(摘要)

源泉徴収時所得税減税控除済額60,000円，控除外0円

生命保険料の金額の内訳	新生命保険料の金額	円	旧生命保険料の金額	50,000 円	介護医療保険料の金額	円	新個人年金保険料の金額	円	旧個人年金保険料の金額	円

住宅借入金等特別控除の額の内訳	住宅借入金等特別控除適用数		居住開始年月日(1回目)	年　月　日	住宅借入金等特別控除区分(1回目)	住宅借入金等年末残高(1回目)	円
	住宅借入金等特別控除可能額	円	居住開始年月日(2回目)	年　月　日	住宅借入金等特別控除区分(2回目)	住宅借入金等年末残高(2回目)	円

(源泉・特別)控除対象配偶者	(フリガナ) 氏名	区分	配偶者の合計所得	円	国民年金保険料等の金額	円	旧長期損害保険料の金額 円
					基礎控除の額	円	所得金額調整控除額 円

控除対象扶養親族	(フリガナ) 氏名	区分	16歳未満の扶養親族	(フリガナ) 氏名	区分
1	イエ　スミコ 伊江　澄子		1		
2			2		
3			3		
4			4		

未成年者	外国人	死亡退職	災害者	乙欄	本人が障害者 特別	その他	寡婦	ひとり親	勤労学生	中途就・退職 就職	退職	年	月	日	受給者生年月日 元号	年	月	日
															昭和	41	1	1

(受給者交付用) 支払者		
	住所(居所)又は所在地	○○市○○町○○番×号
	氏名又は名称	株式会社○○○○　(電話) ××××-××××

申告書の記載の方法は　**図表２－36㋐**の確定申告の記載では，まず，「課税される所得金額㉚」に「上の㉚に対する税額㉛」から「住宅借入金等特別控除㉞」を引いて，「差引所得税額㊶」を求め，ここから「特別税額控除㊹」を引いたものを「基準所得税額㊺」とし，これに2.1％の「復興特別所得税額㊻」を加えた「所得税及び復興特別所得税の額㊼」から，「源泉徴収税額㊿」を引いて「還付される税金54」を求めている。

この例では，住宅ローン控除額が27万6,500円なのに，54では還付される税金が，28万2,214円となっているが，これは定額減税と復興特別所得税が加減算されているからである。

そして，この特例のローン控除後の還付される税金を，右下の欄に記入した銀行や郵便局の口座に振り込んでくれるようになっている。

なお，令和４年分の確定申告から従前の申告書Ａは廃止され，従前の申告書Ｂに一本化されている。様式が変更されても，計算の考え方は，上記説明のとおりである。

（注）　この人の収入が少なく，所得税額，この例では，源泉徴収税額が，算定した住宅ローン控除分より少額であるとき，たとえば，この例ですでに納付した源泉徴収税額が18万円であったとすると，住宅ローン所得税からの控除額は18万円となる。

そして，**所得税から控除し切れなかった不足分**は，所得税の確定申告書を税務署に提出しておくと，市町村で計算してくれて，つぎの算式の①と②との低い金額を，翌年の住民税から控除してくれる。

①　（当年分の所得税の課税総所得金額）× ５％（最高97,500円）

②　所得税から控除し切れなかった残額

これは事業所得者の場合も同じ。

なお，前年分の所得税の課税総所得金額等の５％（97,500円を限度）を超えた場合には，控除額は５％（97,500円を限度）の金額となる。

この特例を受けるためには，初年度に，確定申告書に「令和××年分　住宅借入金等特別控除額の計算明細書」（**図表２－36㋑**）とつぎの書類を添付して税務署に提出する。

①　金融機関等から交付を受けた「住宅取得資金に係る借入金の年末残高等証明書」（**図表２－35**（次ページ））

令和４年度の税制改正により，これまでの年末残高証明書を用いる「証明書方式」から，金融機関等が税務署に「年末残高調書」を提出し，税務署から納税者に住宅ローンの「年末残高情報」を提供する方式（調書方式）に変更された。

図表２－35

住宅取得資金に係る借入金の年末残高等証明書

住宅取得資金の借入れ等をしている者	住所	○○市○×町○○番地
	氏名	伊江 建 男
住宅借入金等の内訳		1 住宅のみ　2 土地等のみ　（3 住宅及び土地等）
住宅借入金等の金額	年末残高	39,500,000 円
	当初金額	××年 6月 10日 40,000,000 円
償還期間又は賦払期間		××年 6月から ○○年 7月まで の 14年 11月間
居住用家屋の取得の対価等の額又は増改築等に要した費用の額		50,000,000 円
（摘要）		

租税特別措置法施行令第26条の３第１項の規定により、　△ 年 12 月 31 日における租税特別措置法第41条第１項に規定する住宅借入金等の金額、同法第41条の３の２第１項に規定する増改築等住宅借入金等の金額、同条第５項に規定する断熱改修住宅借入金等の金額又は同条第８項に規定する多世帯同居改修住宅借入金等の金額等について、上記のとおり証明します。

令和 △ 年 △ 月 △ 日

（住宅借入金等に係る債権者等）

所在地　○○市○町××番×号

名称　××銀行 ××××支店　㊞

（事業免許番号等　×××号　）

令和６年１月１日以降に居住を開始した者について，調書方式への対応が完了した金融機関等から，順次，移行することとなっている。

いわば,「住宅取得資金に係る借入金の年末残高証明書」が法定調書化されたことから，今後は当該証明書の提出が，順次，必要なくなる。このため，申告に際しては，借入先の金融機関等に調書方式に移行しているか否かを確認する必要がある。

２年目以降は，年末調整により適用を受ける際に，納税者の方に，税務署から，年末残高情報を，マイナポータル等を通じて通知し，その情報を基に，年末調整を行うこととされている。マイナポータルの利用に際しては，マイナンバーあるいはe-taxの利用者識別番号が必要となるため事前に用意しておいた方がよいであろう。

借入先の金融機関等が調書方式に移行している場合には，その金融機関等に「住宅ローン控除の適用申請書」を提出し，従来の年末残高証明書を確定申告書に添付する必要はない。

一方で，納税者から「住宅ローン控除の適用申請書」を受領した債権者である金融機関等は，国税庁の指定するファイル形式で「年末残高調書」を作成し，納税者が居住を開始した最初の年は翌年１月31日までに，２年目以降はその年の10月31日までにe-Taxまたは認定クラウド等を用いた方法で税務署へ提出する必要がある。

借入先の金融機関等が調書方式に移行していない場合は，従来どおり，金融機関等から年末残高証明書の交付を受け，勤務先に提出する必要がある。

ⓐ　国または地方公共団体等から補助金等の交付を受けた場合には，当該補助金の決定通知書等，その補助金等の額を証する書類

ⓑ　住宅取得等資金の贈与の特例（措法70の２，70の３）の適用を受けている場合には，贈与税の申告書など住宅取得等資金の額を証する書類の写し

②　住宅に関する書類

(ア)　新築住宅の場合……家屋の登記事項証明書，工事請負契約書または売買契約書等で，家屋の取得年月日，床面積，取得価額を明らかにする書類（写し）

(イ)　既存住宅の場合

ⓐ　家屋の登記事項証明書

ⓑ　売買契約書等で取得した年月日，床面積，売買代金の額を明らかにする書類（写し）

ⓒ　昭和57年１月１日以前に建築された家屋の場合は耐震基準適合証明書等

(ウ)　敷地等についても適用を受ける場合……敷地等の登記事項証明書，売買契約書などで取得価額，取得年月日等を明らかにする書類

（注）(1)　認定長期優良住宅の場合は，上記の他，長期優良住宅建築等計画の認定通知書の写し，認定長期優良住宅建築証明書等を添付。

(2)　低炭素建築物の場合は，上記の他，低炭素建築物新築等計画認定通知書の写し，認定低炭素住宅建築証明書等。

低炭素建築物とみなされる特定建築物の場合は，特定建築物用の住宅用家屋証明書。

(3)　特定エネルギー消費性能向上住宅（ZEH水準省エネ住宅）・エネルギー消費性能向上住宅（省エネ基準適合住宅）の場合は，住宅省エネルギー性能証

明書を添付。

(エ)　増改築等の場合

ⓐ　家屋の登記事項証明書，請負契約書の写しなどで増改築等の年月日，費用，床面積を明らかにする書類

ⓑ　建築確認済証の写し，検査済証の写し，または建築士等から交付を受けた増改築等工事証明書

ⓒ　特定増改築等に係る工事をした場合は，上記に加え，つぎの書類

・要介護認定等を受けている場合には，介護保険の被保険者証の写し

・補助金等，高齢者等居住改修工事費（バリアフリー改修工事費）がある場合には，その額を明らかにする書類

サラリーマンで給与以外の所得がある場合の確定申告書

サラリーマンでも不動産所得や事業所得，譲渡所得がある場合は，326ページの**図表２－37**のように申告するようになっている。記載方法等は，ほぼ同様である（**図表２－36，２－37**に所得税の確定申告書等の様式を掲げているが，様式が変更されることもあるので，実際の申告にあたっては，税務署で用紙とともに「記載例」をもらって記載すること）。

２年目からは

借入先の金融機関等が調書方式に移行している場合には，その金融機関等に「住宅ローン控除の適用申請書」を提出し，税務署から，年末残高情報を，マイナポータル等を通じて受け取り，その情報をもとに，確定申告を行うこととされている。

借入先の金融機関等が調書方式に移行していない場合は，従来どおり，金融機関等から年末残高証明書の交付を受け，確定申告書に添付して確定申告をすることになる。

（注）　ローンの繰上返済をして，借入期間が控除期間未満となると，ローン控除の適用が受けられなくなるので要注意。

給与所得者以外の人の場合の申告の手続き

給与所得者以外の人，つまり事業を営んでいる事業所得者，貸家をしている不動産所得者の場合は，源泉徴収という制度はない。しかし，予定納税という制度があって，５月15日の現況で見積もって計算した予定納税額の３分の１ずつを，７月（第１期）と11月（第２期）に納付しておき，翌年の３月15日までに１年分の所得と税額を計算して確定申告をし，精算をすることになっている。そのとき，住宅ローン控除分を控除することになる。

上例であげた人（伊江建男）の事業所得等がつぎのようだったとする。

収入金額		30,000,000円
必要経費		19,950,000円
差引所得金額		10,050,000円
予定納税額	第１期	204,200円
	第２期	204,200円

そして，配偶者控除，扶養控除，社会保険料控除，生命保険料控除等の合計額が216万円であったとすると，申告書の記載は326ページの**図表２－37**のとおりとなる。

この人が住宅ローン控除を受けない場合の所得税額は117万8,700円から，ローン控除の27万6,500円を引いた残額に定額減税と復興特別所得税を加減算した859,800円から，既に納めた予定納税額を引いた451,400円を納付することになる。

初年度の添付書類は，318，319ページ以下記載のとおりである。２年目以後については，確定申告書に「住宅取得資金に係る借入金の年末残高等証明書」を添付して提出する。

〈予定納税という制度〉

予定納税は，予定納税基準額が15万円以上の人が対象となる。予定納税をしなければならない人は，税務署から「予定納税額の通知書」というのが送られてくる。予定納税額は，確定申告した所得金額や納税額に応じて税務署が計算してくるが，予定納税の通知書を受け取って，そのまま知らん顔をして払わないでいると，あとから予定納税額に延滞税が付いてしまうので注意したい。もし，廃業や災害等で今年の年収が急に減少して予定納税が困難ということであれば，減額申請をすることもできる（所法104条～119条）。

図表2－36(ア) 給与所得者の所得税の確定申告書の記載例（第一表）

○○ 税務署長
令和××年×月×日

令和 06 年分の 所得税及び復興特別所得税の 確定 申告書

FA2204

第一表（令和六年分用）

納税地	〒×××－××××	個人番号（マイナンバー）	
生年月日	3 41.1.1		
現在の住所又は居所事業所等	○○市○×町○○番○号	フリガナ	イエ タテオ
		氏名	伊江建男
令和7年1月1日の住所		職業	屋号・雅号
世帯主の氏名	伊江建男	世帯主との続柄	本人
種類		電話番号	自宅・勤務先・携帯 ××－××××－××××

（単位は円）

収入金額等	事業 営業等	㋐	
	事業 農業	㋑	
	不動産	㋒	
	配当	㋓	
	給与	㋔	12000000
	雑 公的年金等	㋕	
	雑 業務	㋖	
	雑 その他	㋗	
	総合譲渡 短期	㋘	
	総合譲渡 長期	㋙	
	一時	㋚	
所得金額等	事業 営業等	①	
	事業 農業	②	
	不動産	③	
	利子	④	
	配当	⑤	
	給与	⑥	10050000
	雑 公的年金等	⑦	
	雑 業務	⑧	
	雑 その他	⑨	
	雑 ⑦から⑨までの計	⑩	
	総合譲渡・一時 ㋘＋{(㋙＋㋚)×½}	⑪	
	合計（①から⑥までの計＋⑩＋⑪）	⑫	10050000
所得から差し引かれる金額	社会保険料控除	⑬	1250000
	小規模企業共済等掛金控除	⑭	
	生命保険料控除	⑮	50000
	地震保険料控除	⑯	
	寡婦、ひとり親控除	⑰～⑱	0000
	勤労学生、障害者控除	⑲～⑳	0000
	配偶者（特別）控除	㉑～㉒	0000
	扶養控除	㉓	380000
	基礎控除	㉔	480000
	⑬から㉔までの計	㉕	2160000
	雑損控除	㉖	
	医療費控除	㉗	
	寄附金控除	㉘	
	合計（㉕＋㉖＋㉗＋㉘）	㉙	2160000

税金の計算	課税される所得金額（⑫－㉙）又は第三表	㉚	7890000
	上の㉚に対する税額又は第三表の㊺	㉛	1178700
	配当控除	㉜	
		㉝	
	（特定増改築等）住宅借入金等特別控除	㉞	276500
	政党等寄附金等特別控除	㉟～㊲	00
	住宅耐震改修特別控除等	㊳～㊵	
	差引所得税額（㉛－㉜－㉝－㉞－㉟－㊱－㊲－㊳－㊴－㊵）	㊶	902200
	災害減免額	㊷	
	再差引所得税額（㊶－㊷）	㊸	
	令和6年分特別税額控除（3万円×人数） 人数 2	㊹	60000
	再々差引所得税額（基準所得税額）（㊸－㊹）（赤字のときは0）	㊺	842200
	復興特別所得税額（㊺×2.1％）	㊻	17686
	所得税及び復興特別所得税の額（㊺＋㊻）	㊼	859886
	外国税額控除等	㊽～㊾	
	源泉徴収税額	㊿	1142100
	申告納税額（㊼－㊽－㊾－㊿）	51	△282214
	予定納税額（第1期分・第2期分）	52	
	第3期分の税額（51－52） 納める税金	53	00
	第3期分の税額（51－52） 還付される税金	54	△282214
修正申告	修正前の第3期分の税額（還付の場合は頭に△を記載）	55	
	第3期分の税額の増加額	56	00
その他	公的年金等以外の合計所得金額	57	
	配偶者の合計所得金額	58	
	専従者給与（控除）額の合計額	59	
	青色申告特別控除額	60	
	雑所得・一時所得等の源泉徴収税額の合計額	61	
	未納付の源泉徴収税額	62	
	本年分で差し引く繰越損失額	63	
	平均課税対象金額	64	
	変動・臨時所得金額	65	
延届納の出	申告期限までに納付する金額	66	00
	延納届出額	67	000

定額減税実施済額は、㊸と㊹のいずれか少ない方の金額です。

還付される税金の受取場所			
	銀行・金庫・組合・農協・漁協		本店・支店・出張所・本所・支所
郵便局名等		預金種類	普通・当座・納税準備・貯蓄
口座番号・記号番号			
公金受取口座登録の同意		公金受取口座の利用	

整理欄	異動	名簿	区分 A B C D E F G H I J K L	確認

（第二表省略）

図表２－36(ｲ)　（特定増改築等）住宅借入金等特別控除額の計算明細書の記載例

令和　０６　年分(特定増改築等)住宅借入金等特別控除額の計算明細書　FA4026

一面　提出用

○この明細書は、申告書と一緒に提出してください。

1 住所及び氏名

住所	〒 XXX－XXXX ○○市○×町○○番○号 電話番号　XX（XXXX）XXXX
フリガナ	イ　エ　タテ　オ
氏名	伊江建男

整理番号

（共有者の氏名）※共有の場合のみ書いてください。

フリガナ		フリガナ	
氏名		氏名	

2 新築又は購入した家屋等に係る事項

		家屋に関する事項		土地等に関する事項
居住開始年月日	㋐	平成 令和 06.09.10		（平成 令和 ..）
契約日 契約区分　区分	㋑	平成 令和 06.06.01		
補助金等控除前の取得対価の額	㋒	15000000	㋗	35000000 円
交付を受ける補助金等の額	㋓		㋘	円
取得対価の額（㋒－㋓（㋗－㋘））	㋔	15000000	㋙	15000000 円
総（床）面積 ※小数点以下第2位まで書きます。	㋕	90.00	㋚	165.00 ㎡
うち居住用部分の（床）面積	㋖	90.00	㋛	165.00 ㎡

不動産番号	家屋		土地	

3 増改築等をした部分に係る事項

居住開始年月日	㋜	平成 令和 ..
契約日	㋝	平成 令和 ..
補助金等控除前の増改築等の費用の額	㋞	円
交付を受ける補助金等の額	㋟	円
増改築等の費用の額（㋞－㋟）	㋠	円
㋠のうち居住用部分の金額	㋡	円
増改築等をした家屋の総床面積	㋢	㎡

4 家屋や土地等の取得対価の額

		Ⓐ 家屋	Ⓑ 土地等	Ⓒ 合計	Ⓓ 増改築等
あなたの共有持分 ※共有の場合のみ書いてください。	①	/	/		/
		㋔（㋔×Ⓐの①）	㋙（㋙×Ⓑの①）	（Ⓐの②＋Ⓑの②）又は（Ⓑの②＋Ⓓの②）	㋠（㋠×Ⓓの①）
（㋔，㋙，㋠）×① ※共有でない場合は、㋔,㋙,㋠を書いてください。	②	15000000	35000000	50000000	円
住宅取得等資金の贈与の特例を受けた金額等	③				円
あなたの持分に係る取得対価の額等（②－③）	④	15000000	35000000	50000000	円

5 家屋の取得対価の額又は増改築等の費用の額に課されるべき消費税額等に関する事項

なし又は5％	8％	10％	税率が10%の場合に㋒、㋞に含まれる消費税額及び地方消費税額の合計額（契約書等に記載された消費税額）	円

6 特例対象個人に係る事項等

夫婦のいずれかが40歳未満の場合又は19歳未満の扶養親族を有する場合で、認定住宅等である新築住宅又は買取再販住宅に入居したとき等は、右の欄に該当する数字を書いてください。詳しくは、控用の裏面を参照してください。	区分	

7 居住用部分の家屋又は土地等に係る住宅借入金等の年末残高

		Ⓔ 住宅のみ	Ⓕ 土地等のみ	Ⓖ住宅及び土地等	Ⓗ 増改築等
新築、購入及び増改築等に係る住宅借入金等の年末残高　区分	⑤			39500000	円
連帯債務に係るあなたの負担割合（（付表）の⑭の割合）※連帯債務がない場合には、100.00%と書きます。	⑥	.	.	100.00	％
住宅借入金等の年末残高（（付表）の⑯の金額）※連帯債務がない場合には、⑤の金額を書きます。	⑦			39500000	円
④と⑦のいずれか少ない方の金額	⑧			39500000	円
居住用割合 ※90%以上である場合には、100.0%と書きます。	⑨	㋖÷㋕ 100.	㋛÷㋚ 100.	100.0	㋡÷㋠ . ％
居住用部分に係る住宅借入金等の年末残高（⑧×⑨）	⑩			39500000	円
住宅借入金等の年末残高の合計額（Ⓔの⑩＋Ⓕの⑩＋Ⓖの⑩＋Ⓗの⑩） ※　⑪の金額を二面の「住宅借入金等の年末残高の合計額⑪」欄に転記します。				⑪	39500000 円

8 特定の増改築等に係る事項　（特定増改築等住宅借入金等特別控除の適用を受ける場合のみ書いてください。）

次の⑫欄から⑯欄に補助金等控除後の金額を書いてください。これらの金額が50万円を超えるときに特定増改築等住宅借入金等特別控除の適用を受けることができます。詳しくは、控用の裏面を参照してください。	⑫ 高齢者等居住改修工事等の費用の額	⑬ 断熱改修工事等の費用の額	⑭ 特定断熱改修工事等の費用の額	⑮ 特定多世帯同居改修工事等の費用の額
				円

⑯ 特定耐久性向上改修工事等の費用の額	⑰ 特定の増改築等工事の費用の合計額（⑫＋⑭＋⑮＋⑯）	⑱ あなたの持分に係る特定の増改築等工事の費用の額（⑰又は⑰×Ｄの①）	特定増改築等住宅借入金等、特定断熱改修住宅借入金等又は特定多世帯同居改修住宅借入金等の年末残高 （⑪と⑱のいずれか少ない方の金額で最高250万円。ただし、住宅の増改築等（特定多世帯同居改修工事等に係るものを除きます。）が特定取得（※二面参照）に該当しない場合は、最高200万円。）
			⑲　円

9 （特定増改築等）住宅借入金等特別控除額

（特定増改築等）住宅借入金等特別控除額　※　二面の該当する番号及び金額を転記します。	番号	1	⑳	276500 円

※次に該当する場合に、書いてください。

同一年中に８％及び10％の消費税率が含まれる家屋の取得等又は増改築等をした場合は、右の欄に○をした上で、10％に係る部分の金額等を書いてください。	8%・10% 同一年中取得	家屋:1 増改築等:2	㋒又は㋞の金額（10%に係る部分のみ）	㉑	円
			Ⓐの④又はⓓの④の金額（10%に係る部分のみ）	㉒	円

重複適用を受ける場合は、右の文字に○をした上で、二面の㉓の金額を転記してください。	重複適用
	㉓　00 円

10 控除証明書の交付を要しない場合

翌年分以後に年末調整でこの控除を受けるための、控除証明書の交付を要しない方は、右の「要しない」の文字を○で囲んでください。	要しない

整理欄		住民		台帳番号 一連番号	

○この明細書の書き方については、控用の裏面を参照してください。○住宅借入金等に連帯債務がある場合には、併せて付表を使用します。

図表２－36(ウ)　（特定増改築等）住宅借入金等特別控除額の計算の記載例

令和06年分（特定増改築等）住宅借入金等特別控除額の計算

次の該当する算式のうち、いずれか一の算式により計算します。

氏名　伊江建男

住宅借入金等の年末残高の合計額　※　一面の⑪の金額を転記します。	⑪	39,500,000

番号	居住の用に供した日等					算式等	（特定増改築等）住宅借入金等特別控除額（100円未満の端数切捨て）
1	認定住宅等の新築取得等に係る住宅借入金等特別控除の特例を選択	認定長期優良住宅又は認定低炭素住宅	令和４年１月１日から令和６年12月31日までの間に居住の用に供した場合	新築住宅又は買取再販住宅	令和６年中に特例対象個人以外が入居	⑪×0.007=	⑳（最高31万５千円）2765 00 円
					令和４年中若しくは令和５年中に入居又は令和６年中に特例対象個人が入居	⑪×0.007=	⑳（最高35万円）00 円
				中古住宅		⑪×0.007=	⑳（最高21万円）00 円
			平成27年１月１日から令和３年12月31日までの間に居住の用に供した場合	住宅の取得等が（特別）特定取得に該当するとき		⑪×0.01=	⑳（最高50万円）00 円
				住宅の取得等が（特別）特定取得に該当しないとき		⑪×0.01=	⑳（最高30万円）00 円
2			令和４年中に居住の用に供した場合	住宅の取得等が（特例）特別特例取得に該当するとき		⑪×0.01=	⑳（最高50万円）00 円
3		ZEH水準省エネ住宅（※５）	令和４年１月１日から令和６年12月31日までの間に居住の用に供した場合	新築住宅又は買取再販住宅	令和６年中に特例対象個人以外が入居	⑪×0.007=	⑳（最高24万５千円）00 円
					令和４年中若しくは令和５年中に入居又は令和６年中に特例対象個人が入居	⑪×0.007=	⑳（最高31万５千円）00 円
				中古住宅		⑪×0.007=	⑳（最高21万円）00 円
4		省エネ基準適合住宅（※５）	令和４年１月１日から令和６年12月31日までの間に居住の用に供した場合	新築住宅又は買取再販住宅	令和６年中に特例対象個人以外が入居	⑪×0.007=	⑳（最高21万円）00 円
					令和４年中若しくは令和５年中に入居又は令和６年中に特例対象個人が入居	⑪×0.007=	⑳（最高28万円）00 円
				中古住宅		⑪×0.007=	⑳（最高21万円）00 円
5	その他の住宅に係る住宅借入金等特別控除の適用（１から４又は７から11のいずれかを選択する場合を除きます。）		令和４年１月１日から令和６年12月31日までの間に居住の用に供した場合	新築住宅又は買取再販住宅	令和６年中に入居	⑪×0.007=	⑳（最高14万円）00 円
					令和４年中又は令和５年中に入居	⑪×0.007=	⑳（最高21万円）00 円
				中古住宅又は増改築等		⑪×0.007=	⑳（最高14万円）00 円
			平成27年１月１日から令和３年12月31日までの間に居住の用に供した場合	住宅の取得等が（特別）特定取得に該当するとき		⑪×0.01=	⑳（最高40万円）00 円
				住宅の取得等が（特別）特定取得に該当しないとき		⑪×0.01=	⑳（最高20万円）00 円
6			令和４年中に居住の用に供した場合	住宅の取得等が（特例）特別特例取得に該当するとき		⑪×0.01=	⑳（最高40万円）00 円

番号	居住の用に供した日等				算式等	（特定増改築等）住宅借入金等特別控除額（100円未満の端数切捨て）
7	高齢者等居住改修工事等に係る特定増改築等住宅借入金等特別控除を選択	令和２年１月１日から令和３年12月31日までの間に居住の用に供した場合	住宅の増改築等が特定取得に該当するとき ⑪の金額（最高1,000万円）……ⓐ（　　） ⑲の金額（　　）×0.02＋（ⓐ－⑲）×0.01＝			⑳（最高12万５千円）00 円
			住宅の増改築等が特定取得に該当しないとき ⑪の金額（最高1,000万円）……ⓐ（　　） ⑲の金額（　　）×0.02＋（ⓐ－⑲）×0.01＝			⑳（最高12万円）00 円
8	断熱改修工事等に係る特定増改築等住宅借入金等特別控除を選択	令和２年１月１日から令和３年12月31日までの間に居住の用に供した場合	住宅の増改築等が特定取得に該当するとき ⑪の金額（最高1,000万円）……ⓐ（　　） ⑲の金額（　　）×0.02＋（ⓐ－⑲）×0.01＝			⑳（最高12万５千円）00 円
			住宅の増改築等が特定取得に該当しないとき ⑪の金額（最高1,000万円）……ⓐ（　　） ⑲の金額（　　）×0.02＋（ⓐ－⑲）×0.01＝			⑳（最高12万円）00 円
9	多世帯同居改修工事等に係る特定増改築等住宅借入金等特別控除を選択	令和２年１月１日から令和３年12月31日までの間に居住の用に供した場合 ⑪の金額（最高1,000万円）……ⓐ（　　） ⑲の金額（　　）×0.02＋（ⓐ－⑲）×0.01＝				⑳（最高12万５千円）00 円
10	震災特例法（※６）の住宅の再取得等に係る住宅借入金等特別控除の控除額の特例を選択	令和４年１月１日から令和６年12月31日までの間に居住の用に供した場合	新築住宅又は買取再販住宅	令和６年中にその他の住宅に入居又は令和６年中に特例対象個人以外が認定住宅等に入居	⑪×0.009=	⑳（最高40万５千円）00 円
				令和４年中若しくは令和５年中に入居又は令和６年中に特例対象個人が認定住宅等に入居	⑪×0.009=	⑳（最高45万円）00 円
			中古住宅又は増改築等		⑪×0.009=	⑳（最高27万円）00 円
		平成27年１月１日から令和３年12月31日までの間に居住の用に供した場合			⑪×0.012=	⑳（最高60万円）00 円
11		令和４年中に居住の用に供した場合	住宅の取得等が（特例）特別特例取得に該当するとき		⑪×0.012=	⑳（最高60万円）00 円

（再び居住の用に供したことに係る事項）

転居年月日	平成・令和　年　月　日	再居住開始年月日	平成・令和　年　月　日
居住の用に供していない期間の家屋の用途	□ 賃貸の用 平成・令和　年　月　日～平成・令和　年　月　日 □ 空家　□ その他（　　）		
その家屋に係る（特定増改築等）住宅借入金等特別控除の適用	【再び居住の用に供した場合の再適用】 □ 再び居住の用に供したことにより、（特定増改築等）住宅借入金等特別控除の再適用を受ける	【再び居住の用に供した場合の適用】 □ 再び居住の用に供したことにより、初めてその家屋に係る（特定増改築等）住宅借入金等特別控除の適用を受ける	

二面　提出用　○二面は一面と一緒に提出してください。

※１　⑳欄の金額を一面の⑳欄に転記します。
※２　⑳欄の括弧内の金額は、居住の用に供した日の属する年における住宅の取得等又は住宅の増改築等に係る控除限度額となります。
※３　特例対象個人については、控用の裏面の「用語の説明」を参照してください。
※４　（特例）特別特例取得及び（特別）特定取得については、居住した年分の「住宅借入金等特別控除を受けられる方へ」を参照してください。
※５　「ZEH水準省エネ住宅」又は「省エネ基準適合住宅」に該当し、（特例）特別特例取得に該当する場合は、番号「６」の「住宅の取得等が（特例）特別特例取得に該当するとき」欄にて計算してください。
※６　「震災特例法」とは東日本大震災の被災者等に係る国税関係法律の臨時特例に関する法律のことをいいます。
※７　「（再び居住の用に供したことに係る事項）」欄は、再居住の特例の適用を受ける方が、転居年月日や再居住開始年月日などを記載します。

○　**重複適用を受ける場合**

二以上の住宅の取得等又は住宅の増改築等に係る住宅借入金等の金額がある場合（これらの住宅の取得等又は住宅の増改築等が同一の年に属するもので、上記の表で同一の欄を使用して計算する場合を除きます。）には、その住宅の取得等又は住宅の増改築等ごとに（特定増改築等）住宅借入金等特別控除額の計算明細書を作成し、その作成した各明細書の⑳欄の金額の合計額を最も新しい住宅の取得等又は住宅の増改築等に係る明細書の㉓欄に記載します。

重複適用を受ける場合	各明細書の控除額（⑳の金額）の合計額（住宅の取得等又は住宅の増改築等に係る控除限度額のうち最も高い控除限度額が限度となります。）を記載します。	㉓	00 円

※　㉓欄の金額を一面の㉓欄に転記します。

○　**不動産番号が一面に書ききれない場合**

(1)		(3)	
(2)		(4)	

※（特定増改築等）住宅借入金等特別控除の対象となる家屋や土地が複数ある場合で、一面の「不動産番号」欄に書ききれない家屋や土地の不動産番号を記載します。

図表２−37　事業所得者の所得税の確定申告書の記載例（第一表）

○○ 税務署長　令和××年×月×日

令和 06 年分の 所得税及び復興特別所得税 の 確定 申告書　FA2204　第一表（令和六年分用）

納税地	〒×××−××××
個人番号（マイナンバー）	××××××××××××
生年月日	3 41.01.01
現在の住所又は居所事業所等	○○市○×町○○番○号
フリガナ	イエ タテオ
氏名	伊江建男
令和7年1月1日の住所	
職業	食品小売業
屋号・雅号	美味屋
世帯主の氏名	同上
世帯主との続柄	本人
電話番号	自宅・勤務先・携帯　××−××××−××××
種類	青色・分離・国出・損失・修正・特農の表示・整理番号

（単位は円）

収入金額等	事業 営業等	ア	30000000
	事業 農業	イ	
	不動産	ウ	
	配当	エ	
	給与	オ	
	雑 公的年金等	カ	
	雑 業務	キ	
	雑 その他	ク	
	総合譲渡 短期	ケ	
	総合譲渡 長期	コ	
	一時	サ	
所得金額等	事業 営業等	①	10050000
	事業 農業	②	
	不動産	③	
	利子	④	
	配当	⑤	
	給与	⑥	
	雑 公的年金等	⑦	
	雑 業務	⑧	
	雑 その他	⑨	
	⑦から⑨までの計	⑩	
	総合譲渡・一時 ケ＋{(コ＋サ)×½}	⑪	
	合計（①から⑥までの計＋⑩＋⑪）	⑫	10050000
所得から差し引かれる金額	社会保険料控除	⑬	1250000
	小規模企業共済等掛金控除	⑭	
	生命保険料控除	⑮	50000
	地震保険料控除	⑯	
	寡婦、ひとり親控除	⑰〜⑱	0000
	勤労学生、障害者控除	⑲〜⑳	0000
	配偶者（特別）控除	㉑〜㉒	0000
	扶養控除	㉓	380000
	基礎控除	㉔	340000
	⑬から㉔までの計	㉕	2160000
	雑損控除	㉖	
	医療費控除	㉗	
	寄附金控除	㉘	
	合計（㉕＋㉖＋㉗＋㉘）	㉙	2160000

税金の計算	課税される所得金額（⑫−㉙）又は第三表	㉚	7890000
	上の㉚に対する税額又は第三表の㊾	㉛	1178700
	配当控除	㉜	
	（区分）	㉝	
	（特定増改築等）住宅借入金等特別控除	㉞	276500
	政党等寄附金等特別控除	㉟〜㊲	00
	住宅耐震改修特別控除等	㊳〜㊵	
	差引所得税額（㉛−㉜−㉝−㉞−㉟−㊱−㊲−㊳−㊴−㊵）	㊶	902200
	災害減免額	㊷	
	再差引所得税額（㊶−㊷）	㊸	902200
	令和６年分特別税額控除（3万円×人数）人数 2	㊹	60000
	再々差引所得税額（基準所得税額）（㊸−㊹）（赤字のときは0）	㊺	842200
	復興特別所得税額（㊺×2.1%）	㊻	17686
	所得税及び復興特別所得税の額（㊺＋㊻）	㊼	859886
	外国税額控除等	㊽〜㊾	
	源泉徴収税額	㊿	
	申告納税額（㊼−㊽−㊾−㊿）	51	859800
	予定納税額（第1期分・第2期分）	52	408400
	第3期分の税額（51−52） 納める税金	53	451400
	第3期分の税額（51−52） 還付される税金	54	△
修正申告	修正前の第3期分の税額（還付の場合は頭に△を記載）	55	
	第3期分の税額の増加額	56	00
その他	公的年金等以外の合計所得金額	57	
	配偶者の合計所得金額	58	
	専従者給与（控除）額の合計額	59	
	青色申告特別控除額	60	
	雑所得・一時所得等の源泉徴収税額の合計額	61	
	未納付の源泉徴収税額	62	
	本年分で差し引く繰越損失額	63	
	平均課税対象金額	64	
	変動・臨時所得金額	65	
延納の届出	申告期限までに納付する金額	66	00
	延納届出額	67	000

定額減税実施済額は、㊸と㊹のいずれか少ない方の金額です。

還付される税金の受取場所：銀行・金庫・組合・農協・漁協／本店・支店・出張所・本所・支所／郵便局名等／預金種類（普通・当座・納税準備・貯蓄）／口座番号・記号番号

公金受取口座登録の同意　　公金受取口座の利用

整理欄　異動　年　月　日　名簿　　整理欄　区分　A B C D E F G H I J K L　確認

（第二表省略）

37 住宅ローン控除の申告漏れ

翌年３月に住宅ローン控除の申告をしなかったときはどうなるか。

一般の給与所得者（サラリーマン）の場合

一般の給与所得者の税金は，年末調整でケリがつき，ほかに所得のない限りは，確定申告書を提出していないのが普通である。ここでは，まず確定申告を一切していなかった人を対象にして説明する。

住宅ローン控除に限らず，医療費控除でも，配当控除でもよいが，そういう控除があって税額の**還付**を受けるための申告書は，「還付を受けるための申告書」といって，申告してもいいし，しなくてもいいことになっている。申告をしなければ，還付を受けられないだけである。確定申告書のように，税金を納めるために申告する申告書を「納税申告書」といって，期限がある。確定申告書は，翌年の２月16日から３月15日（３月15日が休日のときは休日の翌日，以下同じ）までとなっている。しかし，「還付を受けるための申告書」の提出期限は翌年の１月１日から５年間提出することができる（所法122条①，同120条）。早目に提出すれば，早く還付される。

この期日が過ぎた後は，「期限後申告書」を提出する。提出期限はないが，還付金の請求権は５年で消滅してしまう（通法74条）ので，確定申告書の提出期限から５年以内に提出しなければ，還付金は受けられないことになる。住宅ローン控除についていえば，居住した年の翌年３月15日から５年以内ということになる。

事業所得者など確定申告をした人の場合

事業所得者などは毎年，確定申告をすることになっている。給与所得者でも，給与のほかに，貸家などして副収入があれば確定申告をしなければならない。そういう人が，その確定申告書に書き忘れたか，その制度を知らなかったかして，住宅ローン控除について記載せずに，したがって控除する計算もしないで確定申告書を提出して，後でしまったと気がついたときはどうするか。この場合は，後で書き直して提出すればよいということにはならない。(注)

（注）　申告期限内であれば，確定申告書を差し換える（実務的には，訂正分をもう１通出しておくと，前に出した分が無効となり，後で出した分だけ生きることにな

る）ことはできるが，申告期限が過ぎるとそれもできなくなる（所基120－４）。

住宅ローン控除は，確定申告書に記載して初めて適用を受けられるもの（措法41条㊱）で，その適用を受ける，受けないは，納税者の選択にまかせられている。確定申告書に記載しなかったということは，「私は住宅ローン控除の制度を知っています。そして，確定申告書に記載しなければ，その適用を受けられないということも知っています。しかし，住宅ローン控除の適用を受けないことにしましたので，住宅ローン控除の記載をせず，控除もせずに計算した税額を納付することに決めました。当年分については，今後とも，住宅ローン控除の適用を受けたいなど申し出たりしません」と書いて提出したのと同じ法律的効果を生ずることになる。

確定申告書で，所得や税額の計算を間違えていたり，税法の規定と違った計算をして，税金を多く納めてしまった場合は，申告期限から５年以内に「更正の請求」という手続きをとれば，訂正して払い過ぎの税金を戻してもらえる（通法23条）。しかし，住宅ローン控除について記載しなかった場合は，計算違いをしたわけでも，税法の規定と違った計算をしたわけでもないので，この「更正の請求」によって直してもらうわけにもいかない（これは，後述する「居住用財産の特別控除」「特定事業用資産の買換特例」についても，同じく取り扱われる。というより，もっとも厳しく取り扱われるので注意しなければならない）。

なお，申告書に住宅ローン控除を記載しなかったことについて，税務署長がやむを得ない事情があったと認めるときは，この規定の適用ができるという規定がある（措法41条㊲）。しかし，これまでの判例では，この「やむを得ない事情」というのは，非常に狭く解釈されており，単に知らなかった，うっかりしていたという理由では該当しない。とにかく，低姿勢でお願いすること以外にない。

〈当初申告要件〉

税法の特例のほとんどは，「…した年分の確定申告書に，その特例の適用を受けようとする旨の記載があり，かつ，…で定める書類の添付がある場合に限り適用する。」と規定されている。

これを**当初申告要件**といって，特例の適用の記載されない申告書を提出した後に，申告期限後に，適用を受けたいといって，修正申告書や更正の請求をしても，原則として，認められないことになっている(注1)。

なお，平成23年の改正で，一部の特例については，この要件が緩和され，当初の年分に特例適用の記載がなくても，その後に，更正の請求書を提出することにより，認められるようになり，平成23年12月２日後に申告期限が到来する分から適用されている。

しかし，その緩和が適用されるのは，本書関連の特例については，下掲のものに限定されており，ほとんどの特例は，当初申告要件が必要となっているので，記載もれのないよう注意してほしい(注2)。

〔当初申告要件の廃止された特例〕

【所得税関係】

・給与所得者の特定支出の控除の特例（所法57条の２）
・保証債務を履行するために資産を譲渡した場合の所得計算の特例（所法64条）
・純損失の繰越控除（所法70条）
・雑損失の繰越控除（所法71条）
・変動所得及び臨時所得の平均課税（所法90条）

【相続税・贈与税関係】

・配偶者に対する相続税額の軽減（相法19条の２）
・贈与税の配偶者控除（相法21条の６）
・相続税における特定贈与財産の控除（相令４条）

（注１）　関連する詳しい解説が327～328ページにあり併読されたい。
（注２）　居住用財産に関する裁決例：431ページのコラム（確定申告書不提出と特例適用）

〈長期優良住宅に対する税制特例〉 ―スクラップ・アンド・ビルドから，優良住宅の長期ストックへ

長期――100年，さらに200年にわたって，良好な状態で使用できる構造・設備で建設され，維持保全される住宅で，「長期優良住宅の普及の促進に関する法律」で定める基準で建築され，維持保全される住宅で，市町村長または都道府県知事の「建築・維持保全に関する計画」の認定を受けたもので，超長期住宅ローン（償還期間50年）等による供給促進のほか，下記の税制の特例がもうけられている。

1．登録免許税の特例

特定認定長期優良住宅を新築し，または売買により取得して，自己の居住の用に供する場合の所有権保存登記および所有権移転登記の税率が1,000分の１に軽減されている（259ページ関連）。

2．不動産取得税の特例

認定長期優良住宅を取得した場合の課税控除額（一般1,200万円）が，1,300万円に拡大されている（274ページ関連）。

3．固定資産税の特例

新築住宅に係る税額$\frac{1}{2}$の適用期間が，つぎのように延長する特例がもうけられている（294ページ以下関連）。

	一般	３階建以上の耐火・準耐火建築物
認定長期優良住宅	５年間	７年間
新築住宅	３年間	５年間

4．住宅ローン控除の特例（注）

住宅ローン控除の借入金残高の上限が，認定住宅，特定エネルギー消費性能向上住宅（ZEH 水準省エネ住宅）・エネルギー消費性能向上住宅（省エネ基準適合住宅）等に区分され，入居年度により，その上限額が異なることとなった（307ページ以下関連）。

5．所得税額控除の特例（注）

認定長期優良住宅を新築または取得し，６か月以内に居住の用に供した場合，その構造および設備に係る標準的な費用の額として定められる金額（最高650万円まで）の10％相当額を，居住の用に供した年分の所得税額から控除する。また，控除し切れなかった分は翌年の所得税額から控除する。なお，その年の合計所得金額が2,000万円を超える場合には適用しない（措法41条の19の４，措令26条の28の６）。

この特例の適用期限は**令和７年12月31日**までに居住の用に供した場合となっている。

(注)　住宅ローン控除の特例と所得税額控除の特例との重複適用はできない。

なお,「標準的な費用の額」は,下記のようにして算定され告示されている。

〈標準モデルを設定し,標準的な建築コストを算出〉

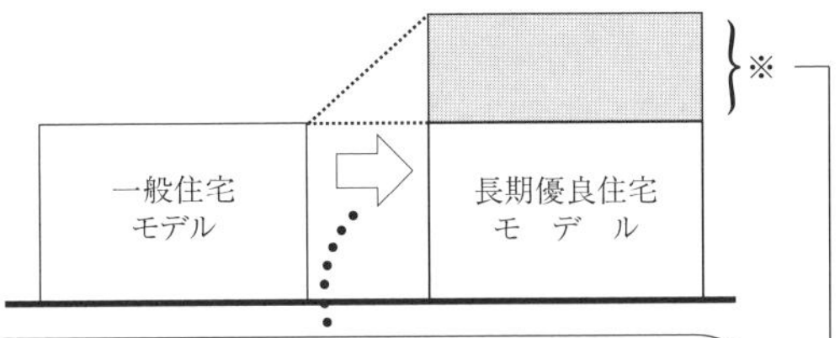

たとえば:耐久性の強化(床下換気,防蟻防腐対策　等)
耐震性の強化(壁量増加　等)
省エネ性能の強化(断熱材の厚さ増量　等)
可変性の強化(天井高の確保　等)

※

認定長期優良住宅の認定基準(耐久性,耐震性,省エネ性能等)に適合するために必要となる標準的な性能強化費用

・構造の区分ごとに床面積1㎡当たりの標準的な性能強化費用を告示で規定

〈現行の告示の例〉
構造の区分にかかわらず45,300円/㎡
(措令26の28の6①平成21年3月国土交通知385)

【改正後】標準的な性能強化費用を見直し[告示]

＊　＊　＊

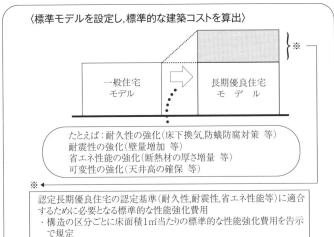

なお,認定長期優良住宅の**認定基準は**,つぎのようになっている。

① 長期に使用するための構造及び設備を有していること
② 居住環境等への配慮を行っていること
③ 一定面積以上の住戸面積を有していること
④ 維持保全の期間,方法を定めていること
⑤ 自然災害への配慮を行っていること

上記5つのすべての措置を講じていることが必要となる。

〈認定低炭素住宅に対する税制特例〉

都市の低炭素化の促進に関する法律による街づくりの一環として,

一定以上の天井，壁および床の断熱等の条件を備えたものとして，同法による認定低炭素系住宅について，下記の税制上の特例がもうけられている。

１．登録免許税の特例

低炭素住宅を新築し，または売買により取得して，自己の居住の用に供する場合の所有権保存登記および所有権移転登記の税率が1,000分の１に軽減されている（259ページ関連）。

２．住宅ローン控除の特例（注）

住宅ローン控除の借入金残高の上限が，認定住宅，特定エネルギー消費性能向上住宅（ZEH 水準省エネ住宅）・エネルギー消費性能向上住宅（省エネ基準適合住宅）等に区分され，入居年度により，その上限額が異なることとなった（307ページ以下関連）。

３．所得税額控除の特例（注）

低炭素住宅を新築または取得し，６か月以内に居住の用に供した場合，その構造および設備に係る標準的な費用の額として定められる金額（最高650万円まで）の10％相当額を，居住の用に供した年分の所得税額から控除する。また，控除し切れなかった分は翌年の所得税額から控除する。なお，その年の合計所得金額が2,000万円を超える場合には適用しない（措法41条の19の４，措令26条の28の６）。**令和７年12月31日**までの間に居住の用に供した場合に適用。

（注）　住宅ローン控除の特例と所得税額控除の特例との重複適用はできない。

〈特定エネルギー消費性能向上住宅（ZEH 水準省エネ住宅）に対する税制特例〉

ZEH（ネット・ゼロ・エネルギー・ハウス）とは，「快適な室内環境を保ちながら，住宅の高断熱化と高効率設備によりできる限りの省エネルギーに努め，太陽光発電等によりエネルギーを創ることで，１年間で消費する住宅のエネルギー量が正味（ネット）で概ねゼロ以下となる住宅」と定義されている（ZEH の普及促進に向けた政策動向と令和４年度の関連予算案　令和４年３月経済産業省資料）。

具体的には，断熱等性能等級（断熱等級）５かつ一次エネルギー消費量等級（一次エネ等級）６であることが必要である。

戸建住宅に対応するものが ZEH であるのに対し，ＺＥＢ（ネット・ゼロ・エネルギー・ビルディング）はビルを対象としている。

1．住宅ローン控除の特例

住宅ローン控除の借入金残高の上限が，令和４・５年入居であれば4,500万円，令和６・７年であれば3,500万円（特例対象個人を除く）となる。

2．所得税額控除の特例

特定エネルギー消費性能向上住宅を，令和７年12月31日までに新築または取得し６か月以内に居住の用に供した場合，その構造および設備に係る標準的な費用の額として定められる金額（最高650万円まで）の10％相当額を，居住の用に供した年分の所得税額から控除する。また，控除しきれなった分は翌年の所得税額から控除する。なお，その年の合計所得金額が2,000万円を超える場合には適用しない（措法41条の19の４）。

〈エネルギー消費性能向上住宅（省エネ基準適合住宅）に対する税制特例〉

省エネ住宅を実現するため，主に断熱性・日射遮蔽・気密性の３つが対策の柱とされている。省エネ基準は，「建築物のエネルギー消費性能の向上に関する法律」（建築物省エネ法）に定められており，具体的には，断熱等性能等級（断熱等級）４以上かつ一次エネルギー消費量等級（一次エネ等級）４以上であることが必要である。

省エネ住宅の最終目的は，ZEH 水準の省エネ住宅とされている。

住宅ローン控除の借入金残高の上限は，令和４・５年入居であれば4,000万円，令和６・７年であれば3,000万円（特例対象個人を除く）となる。

〈既存住宅の耐震改修に対する税制特例〉

阪神・淡路大地震，東日本大震災の手痛い経験から，少なくともそれと同規模の地震があっても耐えられる構造の建物をという関心が高まっており，社会的要請にもなっており，種々の政策もとられてきた。

平成16年の建築基準法の改正では，既存不適格の建築物について耐震構造緩和措置もとられた。

これらの流れを背景として，税法上の特例ももうけられている。

1．既存住宅の耐震改修をした場合の所得税額の特別控除

旧耐震基準（昭和56年５月31日以前の耐震基準）に建築された居住用家屋を**令和７年12月31日までに**，現行の耐震基準（昭和56年５月31日以後の耐震基準）に適合させる耐震改修工事を含む増改築等工事(注1)を行った場合には，次の⑴と⑵の合計額(注2)が所得税から控除される（措法41条の19の２，措令26条の28の４）。

⑴　耐震改修工事等の標準的な費用の額（上限：250万円）の10％

主な耐震改修工事等の標準的な費用の額	
木造住宅の基礎に係る耐震改修	15,400円/㎡
木造住宅の壁に係る耐震改修	22,500円/㎡
木造住宅の屋根に係る耐震改修	19,300円/㎡
木造住宅以外の住宅の壁に係る耐震改修	75,500円/㎡

他の標準的な費用の額について，詳しくは国土交通省告示第383号（平成21年３月31日）を参照のこと。

⑵　次の①と②の合計額（上記⑴と合計で1,000万円まで）

①　上記⑴の耐震改修工事等の標準的な費用の額のうち250万円を超える額の５％

②　上記⑴以外の増改築等に要した費用（⑴と同額を限度）の５％

なお，この⑵の主な適用要件は次のとおりである。

・自己の居住用家屋であること

・改修前の家屋が現行の耐震基準に適合していないこと

・住宅ローン控除との併用はできない

（注１）　増改築等工事とは，住宅ローン控除（増改築）の対象となる工事と同様である。

（注２）　上記⑴⑵とも補助金等の交付がある場合には，これら補助金等を控除した後の金額。

2．耐震改修が行われた住宅等に対する固定資産税の減額

昭和57年１月１日以前からある住宅のうち，**令和８年３月31日**までに，一定の耐震改修工事（１戸当たりの工事費50万円超）が行われたものについては，一定年度分の固定資産税額の$\frac{1}{2}$が減額される。さらに，この耐震改修工事で認定長期優良住宅になった場合には，固定資産税額の$\frac{2}{3}$が減額される（地法附則15条の９①〜③，15条の９の２①）（295ページ関連）。

なお，東京23区では全額免除とする等，市町村によって取り扱いが異なる。

（※１）　**既存不適格建築物**：建築時点では，都市計画法，建築基

準法等の建築関連法規に適合していたが，建築後に，これら建築関連法規が改正されたことにより，現時点での建築関連法規に不適合な部分が生じた場合の建物をいう。つまり違反建築物ではない。かつては，建物の改築や大規模修繕に際しては，不適合部分についても，現行法規に適合させなければならず，耐震改修を行う際に，単に耐震改修のみを行うことができなかった。しかし，平成16年の建築基準法改正により，とりあえず耐震改修のみを行うことも認められるようになった（建基法86の７）。

（※２）　昭和56年の建築基準法施行令改正（昭和56年６月１日施行）にともない，耐震基準が強化された。昭和56年の改正前に建築された建物を「旧耐震基準」，改正後に建築された建物を「新耐震基準」と言ったりする。昭和56年の改正前でも頑丈な建物は多く存在するが，改正前に建築された建物は，現行の耐震基準を満たしていないという前提で，このような取り扱いになっている。

〈バリアフリー改修工事に対する税制特例〉

高齢者が住み慣れた住宅で安心して自立的・健康的に暮らせるよう，バリアフリー化による既存住宅ストックの良質化を図る必要からもうけられた特例である。

1．バリアフリー改修工事に係る所得税額の特別控除

自己の居住用家屋に，バリアフリー改修工事(注1)を含む増改築等工事(注2)を**令和７年12月31日まで**に行った場合には，次の⑴と⑵の合計額(注3)が所得税から控除される（措法41条の19の３①⑦⑧，措令26条の28の５①～③）。

⑴　バリアフリー改修工事等の標準的な費用の額（上限：200万円）の10％

主なバリアフリー改修工事等の標準的な費用の額	
通路を拡張する工事	166,100円/㎡
浴室の床面積を増加させる工事	471,700円/㎡
便所の床面積を増加させる工事	260,600円/㎡
浴室段差解消等工事	96,000円/㎡

他の標準的な費用の額について，詳しくは国土交通省告示第407号（平成19年３月30日），第384号（平成21年３月31日）を参照のこ

と。

(2)　次の①と②の合計額（上記(1)と合計で1,000万円まで）

①　上記(1)の工事に係る標準的な費用額のうち200万円を超える額の５％

②　上記(1)以外の増改築等に要した費用（(1)と同額を限度）の５％

なお，主な適用要件は次のとおりである。

・自己の居住用家屋であること
・家屋の引き渡し又は工事完了から６か月以内に居住すること
・床面積（登記面積）が50㎡以上であること
・店舗併用住宅の場合には，床面積の$\frac{1}{2}$以上が居住用であること
・50歳以上の者，要介護又は要支援の認定を受けている者，障害者である者等一定の要件を満たす者（措法41条の３の２①）
・合計所得金額が2,000万円以下であること
・その年の前年以前３年以内にこの特例の適用を受けていないこと
・住宅ローン控除との併用はできない

（注１）　バリアフリー改修工事とは次の工事で一定の工事（補助金等を除いた標準的な工事費用相当額が50万円超のもの）をいう。

特定居住者が行う以下の工事のうち主なもの ①廊下の拡幅，②階段の勾配の緩和，③浴室改良，④便所改良，⑤手すりの設置，⑥屋内の段差の解消，⑦引き戸への取替え工事，⑧床表面の滑り止め化

（注２）　増改築等工事とは，住宅ローン控除（増改築）の対象となる工事と同様である。

（注３）　上記(1)(2)とも補助金等の交付がある場合には，これら補助金等を控除した後の金額。

２．バリアフリー改修工事が行われた住宅等に対する固定資産税の減額

新築されてから10年以上経過した居住用家屋について，**令和８年３月31日**までに，一定のバリアフリー改修工事（１戸当たりの工事費50万円超）が行われたものについては，１年度分に限り，固定資産税額の$\frac{1}{3}$が減額される（地法附則15条の９④～⑧）（295～296ページ関連）。

〈省エネ改修工事に対する税制特例〉

カーボンニュートラル（温室効果ガス排出ゼロを目指した脱炭素社会）を実現するため，住宅・建築分野でも，これに貢献できるような税制がもうけられている。

1．対象一般断熱改修工事等（省エネ改修工事）に係る所得税額の特別控除

自己の居住用家屋に，一般断熱改修工事（注1）を含む増改築等工事（注2）を**令和7年12月31日まで**に行った場合には，次の(1)と(2)の合計額（注3）が所得税から控除される（措法41条の19の3②⑧，措令26条の28の5④～⑥)。

(1)　一般断熱改修工事等の標準的な費用の額（上限250万円※）の10%

主な一般断熱改修工事等の標準的な費用の額	
窓の断熱性を高める工事	6,300円/㎡～
天井の断熱性を高める工事	2,700円/㎡
壁の断熱性を高める工事	19,400円/㎡
床等の断熱性を高める工事	4,600円/㎡～

他の標準的な費用の額について，詳しくは国土交通省告示379（平成21年3月31日)，経済産業省国土交通省告示第4号（平成21年3月31日）を参照のこと。

※　太陽光発電設備設置工事と併せて行う場合は上限350万円。

(2)　次の①と②の合計額（上記(1)と合計で1,000万円まで）

①　上記(1)の断熱改修標準的費用額のうち250万円（太陽光発電設備設置工事と併せて行った場合は350万円)を超える額の5%

②　上記(1)以外の増改築等に要した費用（(1)と同額を限度）の5%

なお，主な適用要件は次のとおりである。

・自己の居住用家屋であること
・工事完了から6か月以内に居住の用に供すること
・床面積（登記面積）が50㎡以上であること
・店舗併用住宅の場合は，床面積の$\frac{1}{2}$以上が居住用であること
・その年の前年以前3年以内にこの特例の適用を受けていないこと
・合計所得金額が2,000万円以下であること
・住宅ローン控除との併用はできない

（注１）　対象一般断熱改修工事等とは，次の工事で一定の工事（補助金等を除いた標準的な工事費用相当額が50万円超のもの）をいう。

①居室の窓の改修工事（必須），②床の断熱工事，③天井の断熱工事，④壁の断熱工事，⑤一定の太陽光発電装置設置工事，⑥一定の太陽熱利用冷温熱装置等の設置工事（①～④については，改修部位の省エネ性能がいずれも一定の基準以上となるもの）

（注２）　増改築等工事とは，住宅ローン控除（増改築）の対象となる工事と同様である。

（注３）　上記(1)(2)とも補助金等の交付がある場合には，これら補助金等を控除した後の金額。

２．省エネ改修工事が行われた住宅等に対する固定資産税の減額

平成26年１月１日以前から所在する居住用家屋（賃貸住宅を除く）について，一定の省エネ改修工事（１戸当たりの工事費50万円超，太陽光発電装置と高効率空調機等の設置に係る工事費と合わせれば60万円超）が行われたものについては，工事の翌年度分に限り，固定資産税額の$\frac{1}{3}$が減額される（地法附則15条の９⑨～⑫）（296ページ関連）。

〈多世帯同居改修工事等に対する税制特例〉

多世帯同居改修工事に係る所得税の特別控除

自己の居住用家屋に，多世帯同居改修工事（注１）を含む増改築等工事（注２）を**令和７年12月31日までに**行った場合には，次の(1)と(2)の合計額（注３）が所得税から控除される（措法41条の19の３③⑧，措令26条の28の５⑦～⑨）。

(1)　多世帯同居改修工事等の標準的な費用の額（上限：250万円）の10％

主な多世帯同居改修工事等の標準的な費用の額（箇所当たり）	
調理室を増設する工事	476,100円～
浴室を増設する工事	584,100円～
トイレを増設する工事	526,200円
玄関を増設する工事	658,700円～

他の標準的な費用の額について，詳しくは国土交通省告示第585号，第586号（平成28年3月31日）を参照のこと。

(2)　次の①と②の合計額（上記(1)と合計で1,000万円まで）

①　上記(1)の多世帯同居改修標準的費用額のうち250万円を超える額の10％

②　上記(1)以外の増改築等に要した費用（(1)と同額を限度）の5％

なお，主な適用要件は次のとおりである。

・自己の居住用家屋であること
・家屋の引き渡し又は工事完了から6か月以内に居住の用に供すること
・床面積（登記面積）が50㎡以上であること
・店舗併用住宅の場合は，床面積の$\frac{1}{2}$以上が居住用であること
・合計所得金額が2,000万円以下であること
・その年の前年以前3年以内にこの特例の適用を受けていないこと
・住宅ローン控除との併用はできない

（注1）　多世帯同居対応改修工事とは，次の工事で一定の工事（補助金等を除いた標準的な工事費用相当額が50万円超のもの）をいう。

①キッチン，②浴室，③トイレ，④玄関の増設工事（リフォーム後，調理室，浴室，トイレ又は玄関のうち，いずれか2以上の室がそれぞれ複数ある場合に限る）

（注2）　増改築等工事とは，住宅ローン控除（増改築）の対象となる工事と同様である。

（注3）　上記(1)(2)とも補助金等の交付がある場合には，これら補助金等を控除した後の金額。

〈子育て対応改修工事に対する税制特例〉

自己の居住の用に供する家屋に，令和6年1月1日から同年12月31日までに，子育て対応改修工事を行った場合又は子育て対応改修工事と併せて増改築等工事を行った場合について，以下の控除額(1)と(2)の合計額が所得税から控除される。

⑴　子育て対応改修に係る標準的な工事費用相当額（上限250万円）10％

主な子育て対応改修工事等の標準的な費用の額	
柱壁等の出隅等の衝突防止工事	11,000円～
クッションフロアへの交換工事	7,000円～
チャイルドフェンス設置工事	15,000円～
対面式キッチンへの交換工事	1,477,200円～

他の標準的な費用の額について，詳しくは国土交通省告示304号（令和６年３月３日）を参照のこと。

⑵　次の①と②の合計額（上記⑴と併せて1,000万円まで）

①　上記⑴の子育て対応改修に係る標準的な工事費用額のうち250万円を超える額の５％

②　上記⑴以外の増改築等に要した費用（⑴と同額を限度）の５％

なお，主な適用要件は次のとおりである。

・自己又は自己の配偶者が40歳未満であること，あるいは19歳未満の扶養親族を有している者
・自己の居住用家屋であること
・家屋の引渡し又は工事完了から６か月以内に居住の用に供すること
・床面積（登記面積）が50㎡以上であること
・店舗併用住宅の場合には，床面積の1/2以上が居住用であること
・合計所得金額が2,000万円以下であること
・住宅ローン控除との併用はできない

（注１）　子育て対応改修工事とは，次の工事等で一定の工事（補助金等を除いた標準的な工事費用相当額が50万円超のもの）をいう。

> ①住宅内における子どもの事故を防止するための工事，②対面式キッチンへの交換工事，③開口部の防犯性を高める工事，④収納設備を増設する工事，⑤防音性を高める工事，⑥間取り変更工事

（注２）　増改築工事等とは，住宅ローン控除（増改築）の対象となる工事と同様である。

（注３）　上記⑴⑵とも補助金等の交付がある場合には，これら補助金等を控除した後の金額

〈既存住宅の耐震改修，バリアフリー改修工事，省エネ改修工事，多世帯同居改修工事等をした場合の税制特例について〉

(1)　これらの特例を適用するための手続き

所得税，固定資産税ともに，これらの特例を適用するためには，一定の期間内に，増改築工事証明書，住宅耐震改修証明書等の必要書類を用意して，所得税に関しては税務署，固定資産税に関しては市町村等へ，申告あるいは申請しなければならない。

(2)　各所得税の税額控除の限度額と併用適用について

①　バリアフリー改修……………………………………200万円

②　多世代同居改修………………………………………250万円

③　省エネ改修……………………………………………250万円

④　耐震改修＋耐久性向上改修(注1)

………250万円（措法41条の19の３④）

⑤　省エネ改修＋耐久性向上改修

………250万円（措法41条の19の３⑤）

⑥　耐震改修＋省エネ改修＋耐久性向上改修

………500万円（措法41条の19の３⑥）

（注１）　耐久性向上改修工事とは，構造の腐食，腐朽及び摩損を防止し，又は維持保全を容易にするための改修工事で一定の工事をいう。この工事は，耐震改修工事又は省エネ改修工事と併せて行われる工事に限られる。

主な耐久性向上改修標準的な費用の額	
外壁を通気構造等とする工事	14,200円/㎡
土台に防腐処理又は防蟻処理をする工事	2,100円/㎡
床下をコンクリートで覆う工事	12,700円/㎡

他の標準的な費用の額について，詳しくは国土交通省告示第279号，第280号（平成29年３月31日）を参照のこと。

（注２）　③，⑤，⑥の場合（省エネ改修工事が含まれる場合）において太陽光発電設備設置工事を併せて行う場合は，上記税額控除の限度額に100万円を加算する。

（注３）　④は③と，⑤は③又は④と，⑥は③，④又は⑤との併用はできない。例えば⑥と③を併用して税額控除の限度額を750万円とすることはできない。

〈建物面積の測り方――税制特例では〉

税制のいろいろな軽減特例の適用要件に，建物の面積を制限しているものがある。

その場合，特例によって，建物の面積の測り方などが異っている場合があるので，これについて説明しておく。

(1)　建築基準法上の面積の測り方

建築基準法でいう**建築面積**というのは，１棟の建物のうち地階以外の階の一番外側の壁や柱での中心線で囲まれた範囲の面積をいう（建築基準法施行令２条２号)。この壁や柱より外側に１m以上突き出ている軒や庇やベランダなどがあるときは，その軒などの先端から１m後退した線で囲まれた範囲の面積で算定する。

建築確認通知書には，この面積が記載されている。

床面積というのは，各階の壁などの区画の中心線で囲まれた範囲の面積をいう。

一般には，１階の床面積と建築面積とがほぼ同じになるが，図(1)のように，１階より２階のほうが大きいときは，２階の面積とほぼ同じになる。各階の床面積を合計したものを**延べ面積**（いわゆる**延床面積**）という。

図(1)　建築面積の求め方

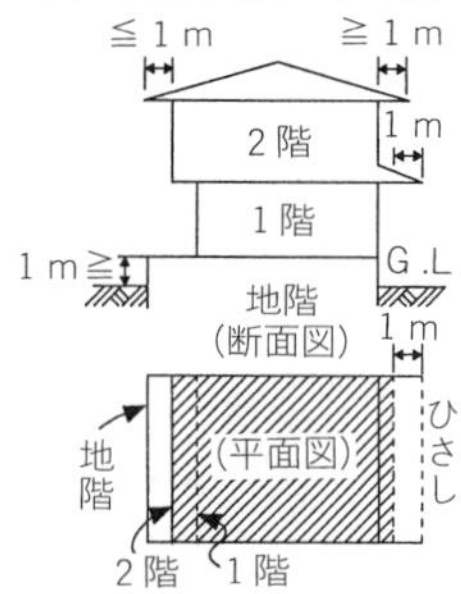

登記簿には，建物の建築面積は表示されず，各階の床面積と専有部分の床面積とだけが表示されている。各階の床面積の測り方は，建築基準法の場合と同様であるが，区分所有建物の専有部分の面積は，図(2)に示すように，壁などの区画の内側の線で囲まれた範囲で算定する。これを**内矩計算**（うちのり）といい，中心線で測る計算を**壁芯計算**（かべしん）といっている。

また，一戸建の建物でも，図(1)のような場合には，建築基準法の面積と，登記簿上の面積とでは，多少の差が出ることもある。

図(2)　壁芯計算と内矩計算

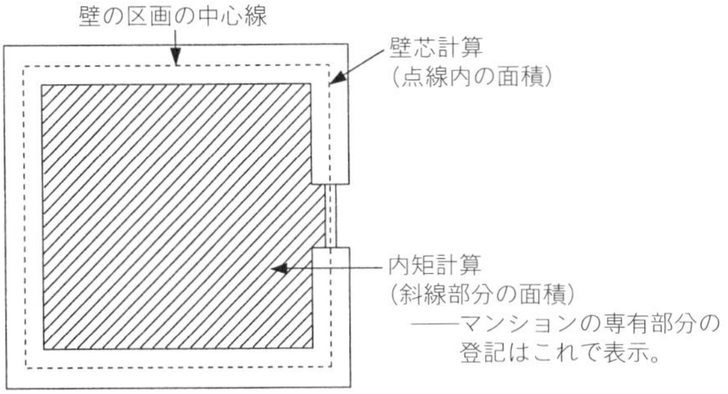

(2)　固定資産課税台帳では

固定資産税，都市計画税，不動産取得税などの課税の基礎となる面積は，登記簿に基づいて登録されるので，建物の面積は，原則として登記簿と一致するが，未登記であったり，また，登記後に増改築などして登記面積を変更していない場合には，現況を調査した「現況床面積」を登録する。区分所有建物については，共用部分を含めた建物全体の面積を，専有部分の面積比で按分した面積を「現況床面積」として，「登記床面積」と並べて登録する。区分所有されていない共同住宅などの各戸の面積についても同様である。

固定資産税，都市計画税，不動産取得税などの各種特例の面積要件は，この「課税面積」で判定され，価格要件の1㎡当りの価格というのも，各戸の評価額を，この面積で除して求めた価格で判定される。**登録免許税の特例**の場合の面積要件は，登記簿の面積により判定される。

住宅ローン控除や**住宅増改築資金の贈与特例**の場合は，登記簿上の面積による。なお，この特例のときは，区分所有建物の専有部分については，共用部分の面積を按分加算しない。したがって，登記簿の専有部分の用紙に記載された面積で判定すればよいことになっている（措所通41－10，11）。

特定の居住用財産の買換特例などの場合の面積についても，住宅取得等特別控除の場合と同様である。**特定事業用資産の買換特例**やその他の買換特例の面積判定の場合も同様と考えておいてよいであろう。**相続時精算課税制度の住宅取得等資金の贈与の特例**の場合の面積基準も，同様である。

なお，上記の説明は一般的なものであり，詳細については，必要に応じ，それぞれの特例要件の説明部分に記載してある。

〈住宅ローン控除および所得控除の令和６年および最近の改正〉

住宅ローン控除等について，令和６年に，つぎの改正がなされている。

◆住宅ローン控除

新築住宅・買取再販を取得し令和６・７年に入居した場合の借入限度額が縮小されるとともに，令和６年に限って，子育て世帯等に対する住宅借入金等特別控除が追加された（307ページ関連）。

◆子育て対応改修工事に対する特例

既存住宅に係る特定の改修工事をした場合の特別控除について，令和６年に限り子育て対応改修工事が追加された（339〜340ページ関連）。

第４節
非居住者や外国法人からの土地・建物の購入には源泉徴収

38　非居住者や外国法人から土地・建物を買ったときは源泉徴収して納付

外国人などの非居住者や外国法人から土地・建物を買い受けた場合には，買主は，売買代金から10.21％の源泉徴収をして納付しなければならないことに注意。

非居住者や外国法人でも，日本国内での土地・建物の譲渡には課税

外国人などの非居住者や外国法人が日本国内にある土地や建物を譲渡した場合には，その譲渡による所得は，国内源泉所得といって，この所得には所得税または法人税が課せられ，その本国での確定申告のときに，日本で課せられた税金を控除するようになっている。

非居住者・外国法人の土地・建物の譲渡には源泉徴収

この所得税または法人税は，申告時期において，申告して納付するようになっていたが，申告をしないで国外に退去する例が少なくなく，これを防止する意味から，外国人などの非居住者や外国法人から土地や建物の譲渡を受けた者は，個人であると法人であるとを問わず，譲渡代金からその10.21％の金額を源泉徴収して，翌月10日までに税務署に納付しなければならなくなっている(注)（所法212条，213条，161条①五，所令281条の３）。

（注）　非居住者や外国法人でも，日本国内の土地その他資産の譲渡また日本国内での事業によって所得が生じた場合には，日本国に所得税，法人税などを納付する義務がある。そして，確定申告において求めた税額から源泉徴収された金額を控除して，日本での最終的な税額を計算して納付する。その後，一般には，その本国における税法にしたがって税額の計算をし，その税額から日本で納付した税額を控除した差額を本国で納付または還付を受けることになる。

１億円以下の居住用は源泉徴収不要

この源泉徴収の義務は，不動産業者のみでなく，一般の法人，また，一般の個人を含めて，すべての買主にあるのであるが，例外として，個人が居住用に譲り受けた１億円以下の土地・建物については，源泉徴収する必要はないとされている。

（注）　非居住者の所有する土地・建物を賃借している場合も，自己または親族の居住用として借り受けている場合以外は，賃料の20.42％を源泉徴収して納付しなければならない（所法161条①７号，212条①，213条①，所令328条２号）。

非居住者・外国法人とは――日本人の非居住者もいることに注意

なお，**非居住者**というのは，居住者以外の個人をいうと規定されている。では，**居住者**とは…ということになるが，居住者とは，日本国内に住所を有し，または，現在まで引き続いて１年以上居所を有する個人とされている（所法２条３号，５号）。

したがって，外国人に限らず，日本人で海外に長期勤務をしている者や，海外留学をしている者で，非居住者になっている場合がある。これらの者から土地・建物を買い受けた場合も，源泉徴収をしなければならなくなっているので，注意を要する。

また，反面，外国人であっても，非居住者でなく，日本の居住者となっている者もいる。

なお，外国法人というのは，日本で法人の本店登記をしていない法人その他の法人をいう（所法２条６号，７号）。

〈大憲章（マグナカルタ）と租税法律主義〉

1214年，イギリス人民は，王の苛斂誅求（かれんちゅうきゅう）に反抗して立ち上がって王につめより，王は，これからは人民の代表が集まって議決した法律によらなければ課税をしないという文書に署名した。これが「大憲章（マグナカルタ）」といわれるものであり，国会，憲法の発祥であり，近代民主政治の幕はここで切って落された，という伝説が語りつづけられている。

そのなかに，「租税法律主義」というものがある。これは，租税を課するためには，国会で制定された法律によらなければならないというものであり，また，課税に関する重要事項は法律で定められていなければならず，それが明確で画一的でなければならないということなどを含んでいる。わが国の憲法30条，84条がこれを規定している。

第3章

土地・建物を売る人への税金のコンサルティング
――個人が売った場合

●第３章のねらい●

土地・建物を売るとびっくりするほど多額の税金をとられるという。本当にそうなのだろうか。そうだとしても，少しでも税金を安くする方法はないだろうか。
また，不動産ブームの頃に買った土地・建物を売って損をしたとき，なんとか，その損失を税金でカバーしてもらえないかという相談を受ける。

土地・建物を売ったときの節税対策のむずかしさ

住宅フェアとか不動産バザールなどで行っている税務相談に出ていると，その相談の大部分が土地・建物を売ったときの税金と相続が生じたときの税金の心配である。そして，感心するのは，相談に来る人が実によく，真剣に研究しているということである。自分のケースに関連する税法上の特例などは，こちらが教えてもらうぐらい細かいところまで詳しく調べている人もいる。しかし，それにもかかわらず，「そのとおりしたら大丈夫ですよ」と答えられる質問は少ない。

なぜだろうか。その一つの理由は，自分のこととなると，税法の特例を自分に有利なように，有利なようにと解釈したがり，そのために客観的な判断をする眼を曇らせてしまっていることである。しかし，もっと大きな理由は，細かいところに神経を集中しすぎて，全体を見失っていることである。いわゆる，「木をみて森を見ない」という状態になっていることである。所得税の世界というのは，まさに猛獣がうようよとさ迷い歩いているジャングルのようなものである。給料生活をしていたり，利益のさほどでもない商売をして，いわれるとおりの所得税を払っているときは，ジャングルも静まりかえっている。しかし，土地・建物の譲渡所得という大きな獲物があらわれ，そして特例を使って税金を安くして通り抜けようとすると，一見おだやかに見えたジャングルのなかの小道のわきのいたるところに猛獣が待ち伏せしているのに気づくであろう。特例という小道も絶対の安全地帯ではないのである。

常山の蛇と税法の組織

孫子の兵法の九地篇第十一に，有名な「常山の蛇」というのがでてくる。その蛇の名前は「率然（そつぜん）」というのだそうだが，まあ，名前はどうでもいい。中国の五つの代表的な山の一つに常山という山があって，その山に住んでいる大蛇である。その大蛇を退治しようとして首を叩くと尾が攻めてき，尾をうつと首が攻めてき，背中の真中あたりをおそうとすると首と尾とが同時に攻めてきて，どうにも始末におえない大蛇で，軍隊もこのように機能するようにしておかなければならないと，孫子が説いているのだが，税法，特に土地・建物をめぐる譲渡所得の構成はこのようになっている。

したがって，局部だけをみて，そこだけをいくら叩いても，首と尾が攻めてきて，せっかくの節税戦術もあえなくつぶれてしまうことが多い。

第３章の構成

それで，この**第３章**では，いささかまわりくどいと思われるかもしれないが，第１節で所得税というものの性質から説きおこし，そのなかで譲渡所得というものの理解をしてもらってから，第２節で土地・建物を譲渡したときの所得税の基礎と税務計算の基本を具体的に説明し，第３節では節税上の特例を解説し，この章を通読することによって，これらの特例を全体との有機的なつながりのなかで理解し，応用できるように配慮した。

第1節　所得税の構造を明らかにし，そのなかで，土地・建物の譲渡は，どのように取り扱われているかを把握する。

1　譲渡所得のあらまし

> 土地や建物を売ったときの税金は，利益に課せられる。

土地や建物を売って利益（譲渡所得）のあるときだけ，所得税が課せられる

土地や建物を売れば，必ず税金をとられると思っている人が多い。しかし，譲渡所得の税金は売ることについてかかってくるのではなく，売って利益がでてはじめて，その譲渡所得に対して課税されるのである。

土地や建物を売って，利益をあげたとき，その利益（譲渡所得）に課税する。だから，課税額の大小は，土地の売買代金の大小でなく，利益の大小による。したがって，土地を売っても，利益がなければ課税されない。

土地や建物を売って損したときは

では，土地や建物を売って損失（赤字）が出たら，そのときは，当然のことながら所得税は課税されない。

かつては，その損失（赤字）を他の所得から引いてくれたという制度があったが，その制度は居住用の建物とその敷地を売って損が出たときは別として，原則として，現在は無くなっている（詳しくは本章「**5　土地と建物の譲渡所得の損失と損益通算と繰越控除**」（382ページ）を参照されたい）。

2 所得税の構造と各種所得

所得税の構造はどうなっているのか。所得をどのようにとらえるのか。

所得税の構造と各種の所得

個人がなんらかの活動をして利益をあげると，それを「所得」と名づけて，税金を課する。これが「所得税」である（会社などの法人に課するのが法人税であり，課税される相手が違って，課税の仕方が違うだけで，利益に課税するという点では同じである。そして，この法人税と所得税との二本の柱が，わが国の税制の基本となっている）。

ところで，人間の活動というのは千差万別である。その所得の形態，源泉もさまざまである。会社に勤めて給料をもらう人もいれば，自分で独立して商売を営む人もいる。また，同じ人でも，会社勤めをしながら，アパートを貸して家賃をもらったり，銀行に預金して利子をもらったり，株式をもっていれば配当をもらったり，そして，勤め先を退職すれば退職金をもらう。たまたま土地を売る場合もあろう。

法人税では，特別の場合を除いて，所得の形態などを区別しないで，すべての利益をまとめて税金の計算をする。所得税の場合は，これらの所得を10種類に分類して，所得の種類ごとに集計して，その種類に応じた計算をして，その後でまとめて税額の計算をするようになっている。

10種類の所得と非課税所得

その10種類の所得は，**図表３－１**のとおりである。一つの整理ダンスがあって，10の「引出し」がついていると思えばよい。そして，収入や支出があれば所得の種類に応じて，それぞれの「引出し」に入れておく。たとえば，魚屋の商売をしていれば，毎日の売上げを書いて，その伝票を「事業所得の引出し」に入れる。魚の仕入れや，運搬のためのガソリン代，電気代などの光熱費，店を借りていれば支払った家賃なども書きとめておいて，伝票に領収書をつけて「事業所得の引出し」に入れる。銀行の定期預金の満期がきて，利子をもらったら「利子所得の引出し」，株式をもっていて配当をもらったら「配当所得の引出し」，たまたま商店街の福引で当選した賞金は「一時

図表３－１

利子所得
配当所得
不動産所得
事業所得
給与所得
退職所得
山林所得
譲渡所得
一時所得
雑所得

非課税所得

所得の引出し」，土地を売ったら「譲渡所得の引出し」というように分類してしまっておく。そして，年を越したら，前年の１年間の分を，「引出し」ごとに整理して計算する。その計算は，「引出し」ごとに，すなわち所得によって，それぞれに決められた計算の方法があって，その方法に従って行う。そして，「引出し（所得）」ごとの整理，計算が終わったら，その計算結果をまとめて，一定の方法で税額を算出するようになっている。

それから，所得には**非課税所得**というのがある。これは，利益があっても損失があっても，所得税の計算について一切，関係してこないという所得である。だから，この整理ダンスのほかに，非課税所得を捨てるクズかごが必要である。

たとえば，家庭用のテレビとか通勤用のマイカーなどのような生活に通常必要とされる動産を売って，儲けが出ても非課税ということになっていて，所得税の計算には関係ない。もっとも，非課税ということだから，損が出ても他の所得から差し引くわけにもいかない。したがって，この売買計算書は，「非課税所得用のクズかご」に捨てればよい。しかし，生活に通常必要とされない自動車，たとえばレジャー専用の自動車であれば，非課税にはならず，「譲渡所得の引出し」に入れる。事業用の自動車（たとえば電気店の配達用の自動車など）を売った場合も，「譲渡所得の引出し」に入れる。自動車の販売を事業としている個人営業者なら，「事業所得の引出し」に入れて整理しておく。

そして，この非課税所得は，所得税の計算に全く関係がないのだから，年に一度の整理をまたずに，ゴミを出す日がきたら出してしまってかまわない。

（注）　レジャー用の自動車を売って，利益が出たときは総合課税の譲渡所得として課税されるが，損が出たときは，その年に他の資産を売って利益があれば，その利益から引くことができるが，他の所得から引くことはできない。

所得の種類ごとの計算の方法

10種類の所得の内容と種類ごとの計算方法をまとめると，**図表３－２**のとおりとなる。右欄に**総合課税**と書いてあるのは，これらの所得を全部合計して，その合計額に税率を掛けて，税額を計算するようになっている。**分離課税**と書いてあるのは，それだけ別にとり出して，その分に特別の税率を掛けて，税額を計算するようになっている。そして，これらについては，特別の税率で計算したり（山林所得など），特別の計算方法（土地・建物などの譲渡所得など）で税額を計算することになっている。

なぜ，所得を10種類に分けるのか

所得税の税金の計算の仕方は累進課税といって，所得が大きくなれば，適用される税率も高くなる。その結果，所得の大きい人からは多くの税金をとり，所得の小さい人からは少なくとる。また，所得の大きい年には多くの税金を払わねばならないが，

図表３－２　所得の種類・内容と計算方法

所得の種類		その内容のあらまし	所得金額の計算方法	総合と分離の区分
利子所得		公社債および預貯金の利子など	収入金額＝所得金額	源泉分離課税
配当所得		株式の配当および証券投資信託の分配など	（収入金額） －（元本を取得するための負債利子）	源泉分離課税 （株式配当については総合課税との選択もできる）
不動産所得		土地・建物等を貸して得た地代，家賃，礼金など	（総収入金額） －（必要経費）	総合課税
事業所得		小売業，卸売業，不動産業（不動産の貸付業を除く），サービス業，製造業，農漁業，自由業等の事業活動で得た利益	（総収入金額） －（必要経費）	総合課税
給与所得		給料，賞与など	（収入金額） －（給与所得控除額）	総合課税
退職所得		退職手当等	｛（収入金額） －（退職所得控除額）｝× $\frac{1}{2}$	分離課税
山林所得		山林を伐採して木材を譲渡したときの所得。木の植わっている状態で山ごと譲渡した場合は，立木部分が山林所得，素地の部分は土地の譲渡所得となる。	（総収入金額） －（必要経費） －（特別控除）	分離課税
譲渡所得	土地・建物等	土地・建物や借地権などの譲渡による利益（不動産業者が売買したものは事業所得になる。また，業者でない人が小規模な宅造をして売ったときは，雑所得になる）	（総収入金額）－（取得費）－（譲渡費用） 長期と短期の区分については，その年１月１日において５年を超えているかどうかにより判定	分離課税
	株式等	株式等の譲渡による利益	（総収入金額）－（取得額）－（譲渡費用）	申告分離課税（特定口座での取引は源泉徴収の選択可）

	その他	土地・建物や株式など以外の資産の譲渡。ゴルフ会員権とか，機械設備，営業権，借家権などの譲渡による利益	〔長期譲渡所得〕 {(総収入金額)－(取得費)－(譲渡費用)－(特別控除)}×$\frac{1}{2}$ 〔短期譲渡所得〕 (総収入金額)－(取得費)－(譲渡費用)－(特別控除)	総合課税
一時所得		クイズや懸賞の賞金，競馬の払戻金（営利を目的とする継続的行為から生じたものは雑所得），自分で掛金を払った生命保険の満期による一時金，借家人の受け取った立退料など	{(総収入金額)－(収入を得るための支出金)－(特別控除)}×$\frac{1}{2}$	総合課税
雑所得		上記以外の所得		総合課税
		①　年金（公的年金等）	①　公的年金等 (収入金額)－(公的年金等控除額)	
		②　年金（①以外） ③　内職など事業といえない規模のもの。個人に対する貸金の利子など。	②および③ (総収入金額) －(必要経費)	

図表3－3　所得税等の税率表

(ア)　所得税の税率速算表

課税総所得金額等A		税額の速算式
195万円以下		A×5％
195万円超	330万円以下	A×10％－　97,500円
330万円超	695万円以下	A×20％－　427,500円
695万円超	900万円以下	A×23％－　636,000円
900万円超	1,800万円以下	A×33％－1,536,000円
1,800万円超	4,000万円以下	A×40％－2,796,000円
4,000万円超		A×45％－4,796,000円

＊復興特別所得税として，平成25年から**令和19年まで**の各年の基準所得税額に対して**2.1**％の所得税が追加して課税される。なお，以下，本文中で所得税額を算出する設例では，この復興特別税は省略している。

(イ)　住民税（個人）の税率表（標準税率）

	都道府県民税	市町村民税	合　計
所得割	4％	6％	10％
均等割	1,000円	3,000円	4,000円

＊令和6年度より，市町村民税均等割とあわせて，森林環境税（年額1,000円）が課税される。

(ウ)　事業税（個人）の税率表（標準税率）

｛（青色申告特別控除前の所得金額）－（事業主控除290万円)｝×税率（※）
※不動産所得の税率は5％（詳細は794ページ）

所得の小さい年には少しの税金ですむ。

いま，課税所得と税額の関係を表に示すと**図表3－3**のように所得が上がれば税率も上がるようになっている。

税負担能力に応じて課税し，実質的な公平が保たれる。なかなか，うまい方法である。しかし，そうとばかりいっていられないケースもある。たとえば**退職所得**である。年間給料800万円の人が退職して，退職金を2,000万円もらって，その人の所得控除が200万円だったとする。給料800万円の所得税は約39万円であるとする。退職金も給料と同じだと仮定して，合算してかりに計算すると，約682万円の税額になる。退職金の分は，682万円－39万円＝643万円となる。給料だけのときの税額が給料の約5％で，退職金は約32％となり，なんとなくおかしい感じがする。給料というのは毎年もらうものだから，少々税金をとられても，また来年も給料をもらえるからということがある。しかし，退職金は普通の人ならば一生に一度しかもらえない。それに，退職金をもらう場合は，翌年から給料が入らないのが普通である。他に勤めて給料をもらえるようになったとしても，その収入はガクッと下がることが多い。そう考えると，むしろ退職金の目減りを少なくしてやりたいというのが，国民感情にそうであろう。それに退職金というのは，給料の後払い的な性格をもっている。退職金を，勤めていた全期間に分割して，給料に加算してもらっていたら，それで増えた税額の合計は，はるかに低くなっているはずである。全所得を総合して累進税率で課税することの矛盾が，ここでは生じてくることになる。

そういうことで，退職所得を給与所得から分けてそれだけをとり出し，勤続年数1年についていくらというように特別控除をして，さらにそれを2分の1

にして，分離して税額計算するようになっている。いま，この人の勤続年数が25年だったと仮定し，「退職所得の受給に関する申告書」が出された場合の税額は約43万円となる。2,000万円の退職金の約2.2％であり，これくらいならなんとなく納得のいく数字である。

つぎに，**事業所得**と**給与所得**を比較してみよう。事業所得の計算は一般に，売上げから，その仕入代金やその他の諸経費を引いて求める。しかし，給与所得はそうでない。給与所得についても，必要経費を認めろという主張もある。しかし，現在は，給与所得についての必要経費というものは，一般には認めていない(注)。そのかわり，給与所得控除という制度がある。控除額は収入によって異なるが，収入が同じならば控除額は同額である。営業を担当していて，背広を年に何着も作らなければいけない人も，普段着にサンダルをはいて出勤すればいい人も同じなら，企画調査を担当していて自分で買う図書代に追われている人も，滅多に本など買わないで，家に帰ればテレビをみるくらいで，貯金が趣味という人も同じである。いかにも，おおまかな計算の仕方ともいえるが，サラリーマンの場合，どこまでが生計費で，どこからが職業費，すなわち給料を得るために直接必要な経費なのか区別しがたいところもあり，加えて，給与所得者の数はぼう大であるので，画一的に律しておかないと，手がかかってどうにもならなくなるということもあるのかもしれない。とにかく給与所得については，給与所得控除という大まかな枠をもうけておいて，年末調整のとき，その金額を引くという所得の計算の仕方をすることになっている。

（注）　給与所得者の特定支出控除という制度があるが，一般のサラリーマンにとっては，あまり利用されていないので，解説は省略する。

事業所得と譲渡所得　魚屋が商売として魚を売って利益をあげれば，それは**事業所得**となる。また，自動車販売業者が商売として自動車を販売して利益をあげれば，それも事業所得となる。では，魚屋が業務用のトラックを売って利益をあげれば，何の所得になるか。これは**譲渡所得**になる。

また，その魚屋が，銀行に預金して利子をもらえば**利子所得**になるが，取引先に貸したときの利子は**事業所得**，友人に貸したときの利子は**雑所得**となる。

ここらあたりが，所得税の難解なところである。その魚屋が会社組織であれば，業務用のトラックを売って利益が出ても，それは，魚を売って得た利益と単純に合計して税額の計算をすればいいように法人税はなっている。ところが，所得税では，個人営業をしている魚屋が魚を売れば事業所得，魚を運搬するトラックを売れば譲渡所得というように分類して，別の計算の仕方をするようになっている。

そのほか，所得をつかまえにくいからなどといって，**利子所得**，**配当所得**については，支払うときに源泉分離課税で取っておく(注)とか，また，生命保険が満期になって一時金を受け取るなどということはたまにしかないから，**一時所得**という枠をつくって，受け取った一時金から掛け金を引いたうえで，50万円の特別控除をしたものを所得金額，さらにそれを２分の１したものを課税所得金額とするなどの工夫をこらしている。

所得を10種類に分けるということは，このようにして，所得の種類による担税力の差などを考慮し，また，納税者が生きた人間であり，会社などと違って，必ずしも計画的・合理的な活動ばかりするのではないことの矛盾を調整しようということに起因している。

（注）　非上場の株式の配当については，総合課税。

〈日影補償と税金〉

ギリシャの哲人ディオゲネスは樽のなかで寝そべって日向ぼっこをしながら真理についての思索に耽るのを常としていた。ある日，アレキサンダ大王がコリント市に立ち寄り，その樽の前に立ち，哲人に「どうだ大臣にしてやろうか。それとも金のほうがいいならいくらでも欲しいだけ言いなさい」と言ったとき，哲人は「そんなにまで言ってくれるのなら，一つだけ頼みがある。そこをどいて下さい。あんたが立っているので，日陰になってしまった」と答えたという話は有名である。

その日照を奪われたことの補償金は,「心身に加えられた損害…に基因して取得する」損害賠償金（所法９条①18号）または「心身又は資産に加えられた損害につき支払を受ける相当の見舞金」に該当し非課税となる。とはいっても限度がある。ゴネるだけゴネて多額の補償金をとった場合，その正当な補償を超えたゴネ得部分は，実務上は一時所得として課税されているようである。

しかし，ここで支払われる対価を，建物の所有を目的とする地上権または日影の通行のための地役権を設定したと考えられないこともなく，その場合は譲渡所得または不動産所得となろう。これについて，はっきりとした通説も通達もまだないようである。

〈相続土地国庫帰属制度〉

実家の土地を相続したが，遠方に住んでいて，今後利用する予定もなく，固定資産税ばかりかかってしまうので，売却したいという人がいる。贅沢な悩みかと思えば，さにあらず。過疎化が進んでいる地域の土地は，売りたくても買い手がつかず，固定資産税ばかり払わなければならないことがある。こうなると，贅沢な悩みとも言い難くなってくる。

そして，このような土地をさらに相続した人は，相続手続きもせず，そのまま放置し，いずれ所有者不明土地となってしまう可能性がある。

そこで国は，相続によって取得した土地を国庫に帰属させようという制度を創設し，令和５年４月27日に施行した（相続等により取得した土地所有者の国庫への帰属に関する法律）。

しかし，このような処分に困っている土地を相続した人であれば誰でもいいというわけではなく，また相続した土地なら何でもいいというわけではない。国庫に帰属させるためには，以下のような条件がある。

【申請人となれる主な条件】

・相続や遺贈で土地の所有権を取得した相続人であること（法人は対象外）
・土地が共有の場合には，相続や遺贈により持分を取得した相続人を含む共有者全員で申請すること

【申請できない土地の主なもの】

・建物が存する土地
・担保権又は使用及び収益を目的とする権利が設定されている土地
・通路その他の他人の土地による使用が予定されている土地が含まれている土地
・土壌汚染対策法上の特定有害物質により汚染されている土地
・境界が明らかでない土地その他の所有権の存否，帰属または範囲について争いがある土地
・がけ（勾配30度以上，高さ５ｍ以上）がある土地のうち，その通常の管理に当たり過分の費用または労力を要するもの
・土地の通常の管理または処分を阻害する工作物，車両または樹木その他の有体物が地上に存する土地
・除去しなければ土地の通常の管理または処分をすることができない有体物が地下に存する土地

相続土地国庫帰属制度の手続きや要件などは，法務省のホームページに詳しく紹介されているので参考にするとよいであろう。
https://www.moj.go.jp/MINJI/minji05_00454.html
なお，国庫に帰属させるに際して，審査手数料や負担金が生じるため，あわせて確認する必要がある。

〈相続登記の申請義務化〉

不動産の売買では，必ず登記簿を見て誰が所有者かを確認する。ところが，この登記簿に記載されている所有者は，必ずしも真の所有者とは限らない。というのも，登記は必ずしなければならないというものではないからである。また，登記したくても登記の要件がそろっていなくて登記できない場合や，事情によって登記したくないという人もいるかもしれない。

そうすると，処分に困る土地を相続してしまった場合，登記せずにそのまま放置しておくというのもできてしまい，さらに，つぎからつぎへと相続が生じてしまうと，もはや誰が所有者なのか分からなくなってしまう。ここで，所有者不明土地というのが出てきてしまう。

処分に困るような土地の所有者なんか誰でもいいではなか，と思われるかもしれないが，そうもいかない。この所有者不明土地は，まちづくりや公共事業の妨げとなり，東日本大震災の復興が思うように進まない，という社会問題にまでなっている。

そこで，国は，不動産登記法を改正し，相続登記を義務化することにした（不登法76条の２）。この義務化は令和６年４月１日からであるが，それ以前の相続であっても義務化の対象となる。

【制度の主な内容】

・相続や遺贈により不動産を取得した相続人は，相続により所有権を取得したことを知った日（遺産分割協議の成立日等）から３年以内に相続登記の申請をしなければならない
・相続人が複数いても，特定の相続人が単独で申請することができる
・権利の取得を公示するものではないため，これまでの相続登記とは性質が異なり，持分までは登記されない。このため法定相続人の範囲及び法定相続分の割合が確定していなくとも申請できる

【罰則等】

正当な理由がないのに相続登記の申請をしなかった場合，10万円以下の過料が科せられることがある（不登法164条）。

（正当な理由の例）

・相続登記を放置したために相続人が多数になり，戸籍謄本等の必要な資料の収集や他の相続人の把握に時間を要する場合
・遺言の有効性や遺産の範囲等が争われている場合
・申請義務を負う相続人自身に重病等の諸事情がある場合

相続登記の申請義務化に関する手続き等の詳細については，法務省のホームページで確認することができる。

https://www.moj.go.jp/MINJI/minji05_00435.html

〈日本の所得税と土地・建物課税の起源と変遷〉

日本で所得税が創設されたのは，明治もかなりたった明治22年である。不動産業者が建物や土地を販売すれば，所得税の対象となったが，「営利の事業に属さない一時の所得」には課税しないとされていたので，資産として保有していた建物や土地を売っても，所得税は課税されなかった。

資産としての建物や土地の譲渡に所得税が課税されるようになったのは，第二次大戦中の軍事費調達のため，昭和17年に戦時利得税（大正７年創設）の対象に，不動産の譲渡が加えられるようになってからである。

なお，敗戦直後の昭和21年に同法は廃止されたが，同年改正された所得税法に恒久的な税制として取り入れられ，現行の一般資産の譲渡と同様な計算方法で課税されるようになった。

やがて，日本経済の高度成長期にはいり，地価の急上昇と供給不足が問題となったので，昭和44年に，土地と建物との譲渡所得を，他の一般資産の譲渡所得と切り離して，土地の供給促進を誘導するため長期保有の土地・建物について税率を軽くし，以後５年間にわたって，１年ごとに少しずつ税率を上げ，早く売れば，それだけ税負担が少なくて済む，そして５年経過後は高い税率にするという制度をつくった。一方，土地転がしによる地価上昇を抑えるため短期保有の土地と建物の譲渡には高率の税を課することとした。

その５年経過後も，長期譲渡，短期譲渡の分離課税制度は引き継がれ，それぞれの年の土地の情勢に応じて，計算方法と税率は，猫の目のように目まぐるしい改正，改正……を経てきたが，平成の初頭のバブルの崩壊後は，土地・建物を売れば，譲渡所得どころか譲渡損失ばかりが出る事態となった。当時の税制では，譲渡損失が出れば，他の所得から差し引けるという制度があった。

土地・建物を売って譲渡損ばかり出るのなら，譲渡所得の税率を引き下げて，譲渡損失を他の所得から引けないようにしたら，税収減に歯止めがかかるだろう――ということで，平成16年の税制改正で，譲渡所得の税率引下げと損益通算の廃止となって，現在に至っている。

やはり，税務官僚とのせめぎ合いか。

〈異議申立，審査請求と税務訴訟（通達との関連）〉

納税者が正しい申告をしたつもりで，明るい笑顔をしていたら，税務署がその計算等は間違っているといって**更正処分**をし，まだ税額が不足だから払えといってくることがある。しかし，どう考えても自分のほうが正しい，と思う場合もある。その場合，まず，処分のあった日から３か月以内にその税務署長に再調査請求をすることになる。おたくの署長がした処分は，どうも納得できないから，もう一度よく調べ直してくれという申立である。

これが却下されると，それから１か月以内に国税不服審判所に「**審査請求**」をすることになる（あるいは再調査請求をしないで，直接，国税不服審判所に「審査請求」をすることもできる。）。

審判所は，国税庁内の機関であるが，中立の立場に立ち，双方の言い分をよく聞いて，納税者が口下手で言い足らないところがあると思えば，自分でも積極的に調査して，公平な裁決を下すことになっている。異議申立の段階で，この事件に関連する「通達」（135ページのコラム参照）が間違っていると税務署長が思っても，通達にはさからえないが，審判所では通達と異なった裁決をしようとする場合に，その意見を国税庁長官に通知し，その意見を相当と認めない場合は，共同して国税審議会に諮問し，その議決に従って裁決されるようになっている（事案の90％ぐらいは１年以内に処理されている）。

ここでも却下されたならば，地方裁判所へ「**訴訟**」を提起（提訴）することになる。これは納税者を原告とし，税務署長を被告とする普通の民事裁判と同じである。裁判所は法律に基づいて裁判するところである。一官庁内での業務命令的な性格をもった一片の通達は，法律でもなんでもないのだから，通達にこう書いてあるなどと声を大にして主張しても，参考にはしてもらえても決め手にはならない。

しかし，裁判所は，原告・被告の言い分をじっと聞いて判決を下すのが原則となっている。原告である納税者がもたもたしていて，言うべきことを十分に主張しないとき，「こう言えば，あなたが勝つんだ」などとアドバイスしてくれない。これが審判所と違うところである。税務署のほうは専門家だからウンチクを傾けて言いたて，言いまかされて敗訴になることもある。そうなったら，捲土重来，作戦をよくねった上で，高等裁判所へ「**控訴**」し，場合によっては最高裁判所に「**上告**」することになるが，その判決が下れば，最終的に税が確定することになる。

〈期限までに申告しなかったとき―期限後申告には無申告加算税〉

◆所得税の申告期限と納付期限

所得税は翌年の２月16日から３月15日(注１)までに，確定申告書を提出して，税金を納付しなければならない。

◆期限後申告と加算税

この期限を過ぎて申告書を提出した場合を**期限後申告**といって，その状況に応じ，下記の**無申告加算税**が課せられる（通則法18条，66条）。

⑴　法定申告期限から１か月以内に自主的に申告し，かつ，法定納期限までに税額を納付している等の場合…無申告加算税は課せられない(注２)。

⑵　⑴の期間経過後，税務署の調査をする通知を受ける前に，自主的に申告したとき…納付する税額に対して，５％の無申告加算税(注３)

⑶　その通知を受けてから，調査結果説明などを受け「更正」されることを予知する前に申告したとき…税額に対し10％

⑷　その後に申告したとき…納付する税額に対し，50万円までは15％，50万円超300万円以下の部分は20％，300万円超の部分は30％の無申告加算税

⑸　なお，事実の全部又は一部を隠ぺい仮装して，申告期限までに申告しなかった場合は，一般的には無申告加算税に代えて40％の重加算税が賦課決定される。５年以内に再調査があった場合は50％の重加算税が賦課決定される。

（注１）　申告期限の日が休日である場合は，その翌日。
なお，消費税の法定申告・納付期限は，翌年３月31日。

（注２）　なおこのほか，つぎの要件も満たしていなければ，無申告加算税が課せられる。
その期限後申告を提出した日の前日から起算して５年前までの間に，無申告加算税または重加算税を課されたことがなく，かつ，期限内申告をする意思があったと認められる場合の無申告加算税の不適用を受けていないこと。

（注３）　平成29年１月１日以後に法定申告期限が到来するもの（平成28年分以後）については，50万円までは10％，50万円を超える部分は15％の割合を乗じた金額となる。

〈期限内に納税できないときでも〉

納税期限までに納税資金を調達できない場合には，その半額以上を納めて，所定の届出を確定申告書に記載して，残額を５月31日までに納付できる延納制度（延納額によっては利子税がかかる場合がある）がある（詳細は391ページ参照）。

それでも，納付できない場合には，申告書だけでも申告期限に提出しておけば，延滞税は課せられるが，無申告加算税は課せられないので，期限までに納税できない場合でも，確定申告書だけは提出しておこう。

◆利子税と延滞税

所定の届出をして延納した場合には**利子税**，所定の手続きによらずに納税の遅れた場合は**延滞税**が課せられるが，この詳細は366ページのコラム参照）。

〈申告した金額が少なかったとき――修正申告と過少申告加算税〉

◆修正申告と加算税

確定申告をしたが，申告期限後に，申告金額が少な過ぎたことがわかったときは，**修正申告書**を提出して，税額を訂正し，差額の税金を納付する。

修正申告書を提出した状況に応じ，つぎの**過少申告加算税**が課せられる（通則法19条，65条，68条）。

⑴　税務署から調査をする通知を受ける前に自主的に修正申告した場合…加算税は課せられない(注)。

⑵　その通知を受けてから，調査結果説明などを受け「更正」されることを予知する前に修正したとき…増加した税額に対し５％〔10％〕。

（注１）　平成29年１月１日以後に法定申告期限が到来するもの（平成28年分以後）については，50万円までは５％，50万円を超える部分は10％の割合を乗じた金額の過少申告加算税がかかる。

（注２）　〔　〕は加重される部分（期限内申告額と50万円のいずれか多い額を超える部分）に対する加算税割合を表す。

⑶　税務調査による更正を予知して調査による更正等予知以後に修正申告をしたとき…増加した税額に対し10％。ただし，その税額が，期限内の申告税額と50万円とのいずれか多い金額を超えている場合には，超える部分については15％の過少申告過算税。

⑷　なお，課税標準等または税額の基礎となるべき事実の全部または一部を隠ぺいし，または，仮装して申告書を提出していた

とき…その部分の増加税額に対し，過少申告加算税にかえて，35％の**重加算税**が課せられる。

(注)　過去５年以内に同じ税目に対して過少・無申告・重加算税等が課されていると，

重加算税 { 過少不納付…35％→45％
無申告…40％→50％ }

無申告加算税…15％（20％）→25％（30％）

が課せられる。

◆延滞税

修正申告で増額した税額に対して，延滞税が課せられるが，この詳細については，366ページのコラム参照)。

〈申告した税額が多過ぎたとき――更正の請求〉

確定申告をしたが，申告税額が多過ぎたとわかったとき，申告期限内であれば，訂正した申告書を書いて提出すればよい。申告期限後になったら，**更正の請求書**を提出する。税務署でその内容を検討し認めた場合に，**減額更正**をして，多過ぎた部分について還付してくれる（通則法23条)。

更正の請求ができるのは，その誤りが，課税標準もしくは税額等の計算が，

⑴　国税に関する法律の規定に従っていなかったこと

また，

⑵　計算に誤りがあったこと

による場合である。

であるから，選択して適用を受けられる特例を記載し忘れたというのは，更正の請求の対象にならない（328ページ参照)。

更正の請求書を提出できる**期限**は，法定申告期限から５年以内とされている。

(注)　「更正の請求」の場合は，請求が認められなかった場合は，税務署長に不服申立をして，それも却下されたときは，国税不服審査請求して争うことができる（詳細は362ページのコラム参照)。

◆還付加算金

還付金について，利子に相当する還付加算金が支払われるが，これについては366ページのコラム参照。

〈延滞税，利子税，還付加算金〉

◆延滞税

税金を納期限までに納めない場合には，納期限の翌日から完納する日までの日数に応じて，つぎの延滞税が課せられる（通則法60条，措法94条）。

⑴　納期限の翌日から２か月を経過する日まで，年率2.4%（注）

⑵　⑴の日以後，年率8.7%（注）

なお，納期限は，

⑴　期限内に申告した場合は，法定納期限（所得税は３月15日，消費税は３月31日）

⑵　期限後申告また修正申告の場合は，申告書を提出した日

⑶　更正，決定の場合は，更正通知書を発した日から１か月後

なお，平成25年の改正で，期限内申告書の提出後１年以上経過して修正申告または更正があった場合（重加算税が課された場合を除く）には法定納期限から１年を経過する日の翌日から修正申告書を提出した日または更正通知書を発した日までは延滞税の計算期間から控除される。

また，期限後申告書の提出後１年以上経過して修正申告または更正があった場合（重加算税が課された場合を除く）には，その申告書提出後１年を経過する日の翌日から修正申告書を提出した日または更正通知書を発した日までは延滞税の計算期間から控除される。

◆利子税

所得税を延納した場合は，延納期間について，年率0.9%（注）の利子税が課せられる（通則法64条，措法93条）（延納の条件・手続きについては391ページの(注)参照）。

◆還付加算金

所得税の確定申告によって確定した金額が，源泉徴収，予定納税などによって納めた税金より少なくなった場合には，納め過ぎた税額を還付してもらえるが，この還付金に対して，納付の日（この日が法定納期限前である場合は納期限）の翌日から，還付の支払決定日までの期間について，年利0.9%（注）の還付加算金が支払われる（通則法58条，措法95条）。

なお，更正の請求による還付金については，その請求のあった日の翌日から起算して３か月を経過する日から起算する。

また，還付加算金は，所得税で支払いを受けた年の雑所得として計上する。

（注）　延滞税，利子税，還付加算金の税率は，原則は，下表の「本則」の欄に掲載したようになっているが，令和６年１月１日以後の期間に対応する部分は「令和６年の適用利率」欄に記載された率となる。

【延滞税，利子税，還付加算金の税率表】

	本　則	特例利率の算出法	令和６年の適用利率
延 滞 税	14.6%	特例基準割合[注]＋7.3%（早期納付を促す）	8.7%
２か月以内等	7.3%	特例基準割合[注]＋１%（早期納付を促す）	2.4%
利 子 税（主なもの）	7.3%	特例基準割合[注] 相続税・贈与税の利子税については，218ページに掲載	0.9%
還付加算金	7.3%	特例基準割合[注]	0.9%

（注）　「特例基準割合」とは，各年の前々年の９月から前年の８月までの各月における銀行の新規の短期貸出約定平均金利の合計を12で除して得た割合として各年の前年の11月30日までに財務大臣が告示する割合に，年１%（利子税と還付加算金の特例基準割合は，年0.5%）の割合を加算した割合。

第2節
土地・建物の譲渡所得と税金の計算の仕方

3 土地や建物の譲渡所得の計算法

土地や建物の売買の譲渡所得はどのように計算するのか。

譲渡所得の計算の仕方

土地を売ったときの所得税の計算は，その土地を取得したときの価額と売ったときの価額の差益，つまり利益をもとにして計算する。

「譲渡所得」というのは，土地を売った代金，すなわち「譲渡収入」から，まず「取得費」を差し引く。取得費とは，その土地を買って入手するための費用，わかりやすくいえば，その土地を前の所有者から買った代金を主とし，そのときにあっせんした不動産屋がいれば，その不動産屋に払った手数料などが主な取得費になる。その後，その土地に下水道管を埋設したり，擁壁を造ったりすれば，その設備費・改良費も取得費となる。それから，その土地を売るために費用がかかる。売るために不動産屋に依頼すれば，手数料をとられる。では，自分で売ろうとして新聞広告を出せば，それなりの広告料をとられる。買おうとする人と電話すれば電話代がかかり，その土地を案内すれば電車賃がかかる。

これが，譲渡のための必要経費，すなわち「譲渡費用」となる。

式で示せば，**図表3－4**のとおりとなる。

一般的な形で具体的に例示すると，**図表3－5**のようになる。

取得費と譲渡費用の金額によっても譲渡所得の金額が変わる。取得費の範囲と譲渡費用の範囲がどこまで認められるかということが，つねに問題となる。

例示すると，**図表3－6**のようになる。

図表３－４　譲渡所得の算式図

譲渡所得＝［土地の譲渡収入（要するに売却代金）］－｛［土地の取得費（その土地を買った代金，そのときの仲介手数料，不動産取得税，登録免許税，買うために要した電車賃，調査料，電話代や買った後の設備費と改良費）］＋［その土地を譲渡するための費用（売るために頼んだ不動産屋の仲介手数料，売るための新聞広告料，その他）］｝

図表３－５　譲渡所得の算出例

譲渡所得＝［（譲渡収入）その土地の売却代金 100,000,000円］－｛［その土地の購入代金　30,000,000円／そのときの登録免許税，不動産取得税等　500,000円／不動産屋への仲介料等　1,000,000円／その他経費　100,000円／計　31,600,000円］＋［譲渡のための不動産屋への支払仲介料等 3,000,000円／交通費・連絡費その他 200,000円／計 3,200,000円］｝＝65,200,000円

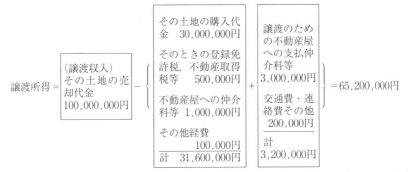

（注）　売買契約で，売主に課せられた固定資産税を期間按分した場合，買主からの受領金は収入金額に加算するものとされている。

建物の取得費とその計算例

建物付の土地を売った場合も，譲渡収入と譲渡費用については，基本的には，上述した土地を売った場合と同じである。

しかし，建物は年を経るにしたがって傷んだり，老朽化したりして,価値が下がってくるので,取得費はその減価分を差し引いたものとなる（所法38条)。つぎに，自用の木造２階建住宅を譲渡の日の10年前に新築していた場合の計算例を示す。

取得価額（設備費・改良費を含む）　2,000万円
耐用年数　22年

（取得価額）20,000,000円×｛（残存率）１－0.9×（法定耐用年数の1.5倍の償却率）×（経過年数）（注１）｝

＝20,000,000円×（１－0.9×0.031×10年）＝14,420,000円

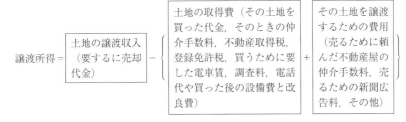

これが居住用その他非事業用の建物の計算である。耐用年数を1.5倍してある（1.5を乗じた数の１年未満の端数切捨て)。事業用，賃貸用の建物に比して，自用

図表3－6　土地・建物の取得費と譲渡費用の範囲

		算入できるもの	算入できないもの
土地	取得費	①購入代金，②仲介手数料，③売買契約書の印紙税，④登録免許税およびその他の登記費用，⑤不動産取得税，⑥購入のための測量費，⑦売買契約をするための電話代・交通費，⑧建物付土地を購入した場合の居住者の立退費用と建物の解体費用，⑨購入後，下水道を敷設するなどの設備費，⑩購入後，擁壁をつくるなどの土地改良費（事業用または貸付用の土地で，③④⑤⑥⑦等を事業所得・不動産所得の計算をするときに経費に算入したものは除く）	①固定資産税，都市計画税（購入時売主への支払分は手数料として算入可） ②借入金の利息については，380ページ以下参照 ③所有している間の雑草の草刈り費用などの維持管理費
	譲渡費用	①仲介手数料，②売買契約書の印紙税，③売却のための広告料，④測量費，⑤売却交渉のための電話代・交通費，⑥不動産鑑定料（譲渡に直接要したものに限る），⑦建物付土地を更地として引き渡す条件で契約し，建物を解体して引き渡したときは，解体費用および建物の残存簿価，また，その建物が貸家であった場合の借家人の立退料	・譲渡所得に対する所得税など ・税理士報酬（譲渡所得の申告書作成のもの）(注)
建物	取得費	土地とほぼ同様であるが，建物は時が経過すると価値が下がるので，その分の減価分＝減価償却費の累計を引く。自用の住宅の算式（具体的な計算）は，前ページの例による。 事業用，賃貸用の建物は，毎年の事業所得等の計算のとき，それぞれの方法で，減価償却費を計算して必要経費に算入している。その累計を差し引いて求める。 なお，建築した場合は，請負工事費，設計料，確認申請料，工事中の利息，近隣対策費が含まれる。	①上記土地の①②と同じ ②所有している間の保守管理費や通常の修繕費など
	譲渡費用	土地の場合と同様	土地の場合と同様

（注）　譲渡するための調査料・相談料等は，譲渡費用に算入可。

図表３－７

○非業務用建物（居住用）の法定耐用年数に1.5倍した年数に対する償却率は次のとおり。

区　分	木　造	木　骨 モルタル	（鉄骨）鉄筋 コンクリート	金属造①	金属造②
償却率	0.031	0.034	0.015	0.036	0.025

（注）「金属造①」……軽量鉄骨造のうち骨格材の肉厚が３㎜以下の建物
　　　「金属造②」……軽量鉄骨造のうち骨格材の肉厚が３㎜超４㎜以下の建物

などの一般の住宅は，店舗や貸家等よりもいたみもはげしくなく，長持ちするであろうということで，耐用年数を延ばしてある。（注２）

（注１）　経過年数の６月以上の端数は１年とし，６月未満の端数は切り捨て。

（注２）　非事業用資産の減価の額は，法定耐用年数に1.5を乗じた年数（１年未満の端数は切捨て）により，平成18年改正前の旧定額法に準じて計算した金額に経過年数を乗じて計算した金額とする（所令85条①）。

なお，事業用，賃貸用などの業務用の建物等は，毎年の事業所得等を計算するとき，その減価償却費を収入金額から差し引いて計上している。その控除すべき減価償却の累計額を引いて求めることになる。（注）

また，取得年度ごとの減価計算の耐用年数は802ページ，償却率は810，811ページに掲載してある。

（注）　所得税においては，減価償却費は強制償却（797ページ以下参照）となっているので，償却不足がある場合は，帳簿上の償却費の累計額でなく，法定どおりに計算した累計額となる（「……所得の金額の計算上必要経費に算入されるその資産の償却費の額の累計額」（所法38条②一））。

なお，一軒の建物を店舗と住宅とに併用している場合の減価の額は，上記の例にならって按分して計算して合計する。また，一軒の建物を貸家用にしていた期間と，自宅用にしていた期間があるときは，それぞれの期間を区分して，上記の計算をして合計することになる（所法38条，所令85条）。

なお，減価償却費の計算については，797ページ「**６　建物等の減価償却**」参照。

土地と建物とを一括して購入した場合は，376ページのコラム参照。

（注）　所有権の帰属に関して紛争が生じている土地などを購入し，その紛争解決のために要した訴訟費用，和解金などは弁護士報酬を含めて取得費に含まれる（すでに事業所得などの経費としているものは除かれる）ことになるが（所基38－２），取得した以後の紛争に係る訴訟費用などは，その維持管理のための費用であるので，取得費には含まれない（事業用・貸付用などの土地や建物に係るものは事業所得，不動産所得などの必要経費となる）。

取得費を引き継いで計算する場合もある

相続，遺贈，贈与により取得した土地・建物は，被相続人や贈与者が取得した価額を引き継いで取得費を算出する(注)。

また，買換・交換等の譲渡所得の特例を受けて取得した土地・建物も，従前の土地・建物を取得した価額を引き継いで取得費を算出する（457ページ，488ページ参照）。

なお，取得費は引き継ぐが，取得の日は引き継がない場合があり，これについては，〔**図表３－14　取得の日の引継ぎの例**〕（400ページ）と対照して確認してほしい。

（注）　相続のうち限定承認をした場合，負担付贈与を受けた場合，離婚に伴う財産分与を受けた場合，低額譲渡を受けた場合には，相続などにより取得した日の価額（時価）で取得したこととされる（詳しくは401ページのコラム）。
　なお，建物については，その価額を基にして，それ以後の減価償却計算を行う。

取得費の不明な場合（その１）

土地を買ったり，建物を建築して20年から30年も経過すると，土地を買ったときの代金や，建物建築の工事費についての記憶もおぼろげになっているし，たとえその取得費を想い出せたとしても，その取得費を証明する領収書などは，大事にしまいすぎて見つからなかったり，あまり気にしていなくて散逸してしまっていたりすることが多い。それで，長期譲渡の場合には，譲渡収入（売却代金(注)）の**５％を取得費**として計算すれば，その計算を認めるということになっている（措法31条の４，措所通31の４－１）。

（注）　ゴルフ会員権，絵画，株式などの一般資産（借家権を除く）を譲渡した場合も，この５％の概算取得費が認められている（所基38－16）。

取得費がわかっている場合も，実際の取得費がこの５％より低ければ，この５％を使って計算し，実際の取得費が５％より高ければ実額を使えばよい。

なお，土地を買った代金が不明であるが，その後にその土地に土盛りしたり擁壁を築造したりした費用は，はっきりとしていることがあるだろう。たとえば，

譲渡収入	１億円
購入代金	不明
土盛・擁壁工事費	400万円
譲渡費用	300万円

というような場合，譲渡収入の５％は500万円であるが，これに土盛・擁壁工事費の400万円を加えて，取得費を900万円と計算してよいということではない。実際支出金額のはっきりしている土盛・擁壁工事費の400万円と，譲渡収入の５％の500万円のいずれか一方を取得費にしなさいということである。

取得費が不明な場合（その2）

取得費が不明の場合，譲渡収入の５％を取得費として申告すれば認めるということは，５％としなければならないということではない（注）。

地価が下落したような時代では，土地の譲渡所得の計算で，長期譲渡でも，取得費が譲渡収入の５％どころか，譲渡収入を上回っていて，譲渡損失が出る場合さえ少なくない。しかし，取得時の売買契約書が見当らない。相続した土地を売るときなどに，たまたまあることである。

（注）　昭和27年12月31日以前から所有していた土地・建物を譲渡した場合には，原則として，収入金額の５％を取得費とし，実際の取得費が証明された場合は，実際の取得費によることとされ（措法31条の４），昭和28年１月１日以後に取得した土地・建物の取得費についても，これに準じて計算して差し支えないものとする（措所通31の４－１）。

このような場合には，その取得費を，その当時の地価水準から**推計して求めざるを得ない**であろう。

国税不服審判所の裁決で，「建物の取得費について，調査会（注１）が公表している統計的な数値である建築物単価を基に建築価格を算定し，その価額から譲渡時までの減価償却費相当額を控除しているものであり，実勢価額の近似値と認められる時価相当額を推定していること，また宅地の取得費については，本件物件の譲渡価額の総額から実勢価額の近似値と認められる当該建物の取得費を差し引いた額に，Mが調査し公表している六大都市を除く市街地価格指数（注２）（住宅地）の譲渡時に対する取得時の当該価格指数の割合を乗じて時価相当額を推定していること」を，「いずれも合理性があり，当審判所においても，これを不相当とする理由は認められない。」とした例（平成12年11月16日裁決）がある。

ところが，この推計方法を否定する裁決事例として「平成30年５月７日東京不服審判所裁決」「平成30年７月31日仙台国税不服審判所裁決」がある。

推計課税は，あくまで「税務署長が……推計して，これをすることができる」（所法156）となっている。したがって，我々納税者が推計しても，それは認めない，ということであろう。

（注１）　1955年に建設省管轄下で設立された財団法人建設物価調査会による統計。この他，国土交通省の建築統計年表に基づいて国税庁が作成した「建物の標準的な建築価額表」もある（377ページ参照）。

（注２）　一般財団法人不動産研究所が作成する指数。昭和11年９月から旧日本勧業銀行が宅地価格を調査し「市街地価格指数」としてまとめていたものを，昭和34年から日本不動産研究所が承継し，全国223都市で選定された宅地の調査時点について，不動産鑑定士などが年２回価格調査を行い，これらを基に指数化されている。

譲渡費用の範囲

譲渡費用とは，譲渡を実現するために直接必要な支出をいい，譲渡費用に該当する一般的な例は370ページの**図表３－６**に掲げておいた。

建物の引渡しに関し，補修費，清掃費，ゴミ処理などの費用は譲渡費用となるが，自宅など売却したときの引越費用（運送費など）は譲渡費用として認められていない。そのほか，いったん売買契約をした後に，さらに有利な条件で買いたいという相手があらわれ，違約金を支払って既契約を解除した場合などの違約金なども，譲渡費用に含まれる。

また，弁護士に売買の交渉を依頼したような場合の弁護士報酬は，仲介手数料と同様な性格のものであり，譲渡費用になるが，譲渡資産について第三者との権利の紛争解決などのために依頼したときの弁護士報酬などは，譲渡のために直接要した費用でないので譲渡費用に該当しない(注)。

税理士に譲渡所得の申告を依頼した場合の税理士報酬は，譲渡のための費用でないので譲渡費用とはならない。しかし，売買に先立って税務に関する相談をし，これを参考として売買することを決定したという場合の相談料は譲渡費用に該当する。もっとも，実務的には，申告の報酬と相談料の区別が曖昧になりがちなので，相談料は相談をしたときに支払うなどしておくほうがよいであろう。

（注）①　境界の確定を巡る紛争解決に要した弁護士費用および訴訟費用は，土地の保有に係る費用であるから，譲渡費用とは認められなかった判例（大阪高判・平3.1.30,『判例租税法』1978の９）。

②　土地所有権に係る紛争につき，裁判上の和解により土地を売却処分した場合の弁護士費用が譲渡費用に該当しないとされた判例（大阪高判・昭61.6.26,『判例租税法』1978の８）。

土地や建物以外の資産の譲渡は

事業や貸家などに使用していた機械や備品や自動車など(注１)の資産を譲渡した場合は，総合課税の譲渡所得となり，次の式で，譲渡所得金額を算出し（長期譲渡所得については，その２分の１の金額），これを他の所得と合算して，普通の所得税の税率で課税される。

総合譲渡所得の金額＝（譲渡価額－取得費(注２)－譲渡費用）－50万円

（注１）　通勤用の自動車や家具，什器，衣服などの生活用動産は非課税。なお，宝石，書画，骨とうなどで，１個また１組の価額が30万円を超えるものは課税（所法９①九，所令25）。

（注２）　減価償却資産は，償却後の金額。

〈低未利用土地等の譲渡と100万円の特別控除〉

(1)　都市計画区域内にある低未利用土地又はその上に存する権利（以下「低未利用土地等」という）であることについての市区町村長の確認がされたもので，その年１月１日において所有期間が５年を超えるものの譲渡（譲渡対価の額が500万円を超えるものを除く）を令和２年７月１日から令和７年12月31日までの間にした場合（譲渡後の低未利用土地等の利用についての市区町村長の確認がされた場合に限る）には，その年中の低未利用土地等の譲渡に係る長期譲渡所得の金額から100万円を控除することができる（措法35条の３，措令23の３）。

(2)　適用を受けようとする低未利用土地等と一筆の土地から分筆された土地またはその土地の上に存する権利について，その年の前年または前々年において上記(1)の適用を受けている場合には，その低未利用土地等については上記(1)の適用はできない。

(3)　令和５年の税制改正で，都市計画法第７条第１項の市街化区域や所有者不明土地の利用の円滑化等に関する特別措置法第45条第１項に規定する区域等の一定の区域内の低未利用地等で，令和５年１月１日から令和７年12月31までの間に譲渡された場合には，譲渡対価が800万円まで緩和された。

(注)　配偶者その他のその個人と一定の特別の関係がある者に対してする譲渡は除く。

〈一括取得した土地・建物の価額の区分〉

マンションや建売住宅また中古住宅などで，土地と建物を一体として購入した場合，建物については，減価償却をしなければならないので，購入代価を建物と土地に区分しなければならないが，その取扱いについては，おおむねつぎのとおりである。

⑴　取得時の契約書等に建物と土地の価額が区分して記載されている場合は，その価額によって区分する。

⑵　契約書等に建物と土地の価額が区分して記載されていない場合で，建物の消費税額がわかるときには，つぎの式によって建物の取得価額を算定する。

$$\text{その建物の消費税額} \times \frac{1+\text{消費税の税率}}{\text{消費税の税率}}$$

⑶　契約書等に建物と土地の価額が区分して記載されていないで，かつ，建物の消費税が不明または課税されていない場合は，その取得時の「時価の割合」によって区分するが，具体的な区分方法として，次ページの表の「建物の標準的な建築価額表」を基に算定して差し支えない。

⑴⑵の順で算定できない場合にだけ⑶によって算定することになっている。また，⑶では「時価の割合」によって区分するとしており，この表の標準的な建築価額から簡便的に算定しても差し支えないとしており，他の合理的な方法や指標があれば，それによって算定することも可能であるとしている。なお，この「建物の標準的な建築価額表」は，税務署に置いてある「譲渡所得の申告のしかた」（国税庁のホームページでも閲覧できる）に掲載されており，計算例も示されているので，参考にするとよい。その他の合理的な方法については言及していないが，不動産鑑定士による鑑定評価によることが考えられる。

また，マンションの場合の床面積は，専有部分の床面積に共有部分の持分で按分した床面積を加えた床面積にこの単価を乗じて算出するのが正しいと考えるが，この「譲渡所得の申告のしかた」では，専有部分の床面積によることも差し支えないとしている。

中古の建物を取得したときには，この表の建築年に対応する建築価額を基に，取得時までの経過年数に応じた償却費相当額を控除した残額を取得価額とするよう計算式が示されている。

●「建物の標準的な建築価額表」　（千円／㎡）

建築年＼構造	木造・木骨モルタル造	鉄骨鉄筋コンクリート造	鉄筋コンクリート造	鉄骨造
昭和40	16.8	45.0	30.3	17.9
41	18.2	42.4	30.6	17.8
42	19.9	43.6	33.7	19.6
43	22.2	48.6	36.2	21.7
44	24.9	50.9	39.0	23.6
45	28.0	54.3	42.9	26.1
46	31.2	61.2	47.2	30.3
47	34.2	61.6	50.2	32.4
48	45.3	77.6	64.3	42.2
49	61.8	113.0	90.1	55.7
50	67.7	126.4	97.4	60.5
51	70.3	114.6	98.2	62.1
52	74.1	121.8	102.0	65.3
53	77.9	122.4	105.9	70.1
54	82.5	128.9	114.3	75.4
55	92.5	149.4	129.7	84.1
56	98.3	161.8	138.7	91.7
57	101.3	170.9	143.0	93.9
58	102.2	168.0	143.8	94.3
59	102.8	161.2	141.7	95.3
60	104.2	172.2	144.5	96.9
61	106.2	181.9	149.5	102.6
62	110.0	191.8	156.6	108.4
63	116.5	203.6	175.0	117.3
平成元	123.1	237.3	193.3	128.4
2	131.7	286.7	222.9	147.4
3	137.6	329.8	246.8	158.7
4	143.5	333.7	245.6	162.4
5	150.9	300.3	227.5	159.2
6	156.6	262.9	212.8	148.4
7	158.3	228.8	199.0	143.2
8	161.0	229.7	198.0	143.6
9	160.5	223.0	201.0	141.0
10	158.6	225.6	203.8	138.7
11	159.3	220.9	197.9	139.4
12	159.0	204.3	182.6	132.3
13	157.2	186.1	177.8	136.4
14	153.6	195.2	180.5	135.0
15	152.7	187.3	179.5	131.4
16	152.1	190.1	176.1	130.6
17	151.9	185.7	171.5	132.8

18	152.9	170.5	178.6	133.7
19	153.6	182.5	185.8	135.6
20	156.0	229.1	206.1	158.3
21	156.6	265.2	219.0	169.5
22	156.5	226.4	205.9	163.0
23	156.8	238.4	197.0	158.9
24	157.6	223.3	193.9	155.6
25	159.9	256.0	203.8	164.3
26	163.0	276.2	228.0	176.4
27	165.4	262.2	240.2	197.3
28	165.9	308.3	254.2	204.1
29	166.7	350.4	265.5	214.6
30	168.5	304.2	263.1	214.1
令和元	170.1	363.3	285.6	228.8
2	172.0	279.2	276.9	230.2
3	172.2	338.4	288.2	227.3

この表は，「建築統計年報（国土交通省）」の「構造別：構築物の数，床面積の合計，工事費予定額」表の１㎡当りの工事費予定額を基に国税庁が算出し公表している。

なお，この表は，原則として，譲渡所得の計算を行う場合にのみ使用することを目的として作成したものであることに留意すると述べられている。

参考：木造･木骨モルタル造……木材を骨格とした建物。ツーバイフォー工法による建物も木造に該当する。
鉄骨鉄筋コンクリート造……主要構造部(骨組等)が鉄骨と鉄筋コンクリートを一体化した構造の建物。
鉄筋コンクリート造……主要構造部（骨組等）が型わくのなかに鉄筋を組み，コンクリートを打ち込んで一体化した構造の建物。
鉄骨造……主要な骨組が軽量鉄骨造の建物。ALC 版(いわゆるへーベルなど）を使用した建物は，通常，この鉄骨造に該当する。

〈所有権の移転と登記〉

土地・建物の税務上の譲渡の日・取得の日は，通達では，引渡しの日を原則とし，売買契約の効力発生の日を納税者が選択すればそれも認めるという取扱いになっている。しかし，判例では所有権移転の日という解釈が定着している（最高裁・昭40.9.24判決）。したがって，土地・建物の譲渡所得課税をめぐって裁判になったときは，この所有権移転の日を基準として裁かれることになる。

ところで，所有権移転の日と所有権移転登記の日とは違うことは，これまで何度か説明してきた。

日本の民法では，「では，所有権を移転しましょう」という売手の意思と，「はい，確かに所有権を受け取りましょう」という買手の意思が一致すれば，その瞬間に所有権は売手から買手へ移転することになる。その日が税務上でも譲渡・取得の日になるということである。もっとも，こういうことで所有権が移転したということは，外部の第三者にはわからない。それで，不動産については登記所に登記簿を備えつけ，これを公示し，これを閲覧すれば，その不動産がだれの所有であるかを一目瞭然にわかるようにしている。したがって，売手と買手とが登記所に所有権移転登記を申請して，登記簿の所有名義を書き替えてもらわなければ，買手は自分の所有権を第三者には主張（対抗）できない。しかし，登記をしなくても，売手と買手との間では所有権が移転していることは事実である。

この登記制度を，もっと徹底させているのがドイツやスイスなどの制度である。これらの国では，所有権移転についての売手と買手の意思の合致だけでは所有権は移転せず，登記されてから初めて移転するという法制をとっている。

なお，日本の民法では，いつ所有権を移転させるのかについての売主・買主の意思が曖昧なときは，売買契約の効力発生の日に移転したものとされている。

4 譲渡所得と借入金利子

譲渡所得の計算上，借入金の利息は差し引けるか。

借入金利息の取扱い

土地・建物を取得するための借入金の利息は，つぎに規定する日までの分を取得費に算入することにしている（所基38－8）。

① 土地・建物を購入して一度も使用しないで譲渡したときは，譲渡した日まで

② 土地・建物を購入して使用後に譲渡したときは，使用開始の日まで

居住用の土地・建物についての使用開始の日というのは，

(ア) 土地を購入してから建物を建築して居住したときは，その土地についても建物についても，居住を開始した日

(イ) 建売住宅やマンションを購入したときも同様に居住を開始した日

(ウ) 別荘などについては，建物を購入して引渡しを受けた日，自分で建築したときは完成して引渡しを受け，使用できるようになった日

なお，借入れのための公正証書作成費用，抵当権設定登記費用，その他借入れに通常必要な費用（信用保証保険料などがこれに該当すると思われる）も，取得費に算入されることになっている。

（注） 使用開始後の利子は「不動産の客観的価格を構成する金額には該当せず，まして家事上の借入金と同様，個人の日常的な生活費・家事費にすぎない。」（最高裁）

事業用・賃貸用の土地・建物の利息

事業用の土地・建物を買ったときの借入金の利息は，通常，各年分の事業所得を計算するとき，必要経費として算入して，事業上の収入から差し引くことができるようになっている。そうしていれば，毎年の事業所得に関する税金がそれだけ安くなっている。だから，そういうように毎年の事業所得の計算をするとき，利息を経費に計上して差し引いていれば，その土地・建物を売却したときの譲渡所得の計算をするときは，もう差し引けないのは当然である（所基37－27，38－8）。

貸家や貸アパートなどの，不動産所得をあげる土地・建物についても同様である。

抵当権抹消の費用について

抵当権の設定されている土地・建物を売却する場合は，抵当権を抹消してから引渡しをするというのが，通常の取引である。

この場合，抹消のために返済した借入金そのものは譲渡費用にならないのは当然であるが，抹消登記に係る登録免許税や司法書士への報酬は，譲渡費用に含まれるか，要するに譲渡に直接関係する費用であるかについては，微妙な問題が残る。これについて，東京国税局では，抵当権の抹消が売買のときの条件として明示されていれば譲渡費用に該当するという見解をとっていた（『納税通信』平成３年11月５日号）。

しかし，平成13年６月26日裁決（裁決事例集 No.61．190頁）では逆に抵当権抹消費用は譲渡費用に該当しない旨裁決している。

〈利子と所得税の扱い〉

古来，利子に対する世間の風当りは強いようである。ヴェニスの商人にしても，金色夜叉にしても，貸金と利子は悪役として登場してくる。

生物の特徴は，分裂繁殖にせよ，有性生殖にせよ，自己と同一の個性を生みだし，いわゆる自己増殖をするところにあり，これは生物だけの特権とされている。なのに，シャイロックが牡羊にたとえて宣言したように，金（かね）も利子を生み，利子もまた利子を生むという自己増殖を行う。生物でもないものが，生物に似たようなことをする。それが利子を異様な存在，魔性に近いものと感じさせるのかもしれない。

ところで，所得税では，同じ利子でも金融機関に預けた金の利子は利子所得，友人に貸した金の利息は雑所得に分類される。そして，利子所得に分類されると，銀行から受け取った利子が全額課税対象となる。銀行に預金しに行ったときのバス代などの必要経費は引いてくれない。銀行から金を借りて，歩積・両建等で預金させられたときの受取利子でも，これから借りたほうの支払利子を引くことはできない。しかし，雑所得に分類される利子は，必要経費を引くことが認められている。なんとなく，不思議な制度である。

5 土地と建物の譲渡所得の損失と損益通算と繰越控除

土地・建物を譲渡して赤字の出た場合に，その赤字は他の所得から差し引けるのか？　ゴルフ会員権やレジャークラブの会員権などはどうなのか？

土地・建物を譲渡して赤字が出たら――損益通算は？

土地・建物を譲渡して赤字が出る場合もある。こういう場合には，所得税では損益通算という制度があって，まず，譲渡所得間で通算を行い，それでも赤字が残った場合には，他の所得から差し引けることになっていた。また逆に，土地・建物の譲渡所得は黒字で，事業所得が赤字ということもあるが，この事業所得の赤字は，土地・建物の譲渡所得の黒字から差し引くことができるようになっていた。

しかし，平成16年の税制改正で，土地・建物の譲渡所得の黒字も赤字も他の所得と通算できないようになり，平成16年１月１日以後の譲渡から適用されている。

（注）　土地・建物以外の総合譲渡所得は，従来どおり，他の所得と損益通算されている（374ページ参照）。

土地・建物の譲渡損はまず，その譲渡所得の間でだけ

もっとも１年間に２件以上の土地・建物を譲渡して，どれかに譲渡損(赤字)のある場合には，土地・建物の譲渡所得の間でだけは通算することができる。

長期譲渡所得の譲渡損は，まず，他の長期譲渡所得から，そして，引ききれなければ，短期譲渡所得から差し引く。

短期譲渡所得の譲渡損も，まず，他の短期譲渡所得から，そして，引ききれなければ，長期譲渡所得から差し引く。

このように通算して，まだ譲渡損の残った場合には，それで打ち切りとなる。

特定の居住用財産の譲渡損には

ただし，特定の居住用財産の譲渡損についてだけ，その損失を他の所得の黒字から差し引き，それでも損失の残った場合には，翌年以後３年間にわたって，他の所得から引けることになっている。

この詳細については，居住用財産の特例として，459ページ「**18　特定の居住用財産の譲渡損の損益通算と繰越控除**」で解説している。

ゴルフ会員権の譲渡損は

ゴルフ会員権を譲渡したときの所得は，総合課税の譲渡所得に分類される。これは，その会員権の形態が，預託金タイプ（入会金タイプ），株式保有タイプなどにかかわらず，いずれも，総合課税の譲渡所得とされる（所基33－６の２，６の３）。

その譲渡損は，他の総合譲渡の所得からは差し引けるが，それでも赤字が残ってもそれで打切りとなり，他の種類の所得からは引けないこととなっている（所法69条②，所令198条①２号）。

ゴルフ会員権は，生活に通常必要でない資産ではあるが，上記の法令で「生活に通常必要でない資産」として限定列挙して規定されているものは，「動産」と「不動産」だけであり，通常のゴルフ会員権は，ゴルフ場の施設を利用する権利，すなわち，金銭債権以外の「債権」と考えられており，ゴルフ会員権を譲渡して生じた譲渡損は，他の一般の資産の譲渡所得と同様に，まず，他の総合課税の譲渡所得から差し引き，引ききれなかった残額があれば，その他の所得から引くこともできるとされていたが，平成26年の改正で，上記の「不動産」が「資産」と改められ，これにゴルフ会員権も含まれることになり，他の種類の所得と通算できなくなり，平成26年４月１日以後の譲渡から適用されている。

レジャークラブの会員権の譲渡損は

レジャークラブの会員権で，そのクラブの保有している別荘やホテル等の施設を利用する権利であるものは，それを譲渡して生じた譲渡損は，ゴルフ会員権の譲渡損で説明したところと同様の理由で，他の譲渡所得から差し引き，引ききれなかった残額があっても，それで打切りとなり，他の所得から差し引くことはできない。なお，たとえば，リゾートマンションやホテルの土地・建物の所有権の共有持分の一部を所有し，これに基づいて施設を利用する内容の会員権で，その土地・建物の共有持分を譲渡した場合には，土地・建物を譲渡した場合の譲渡損に該当し，他の土地・建物の譲渡所得から差し引けるのみで，引ききれない残額があっても，その他の所得から引くことはできないということになろう。

ゴルフ場が倒産した場合の損失

預託金タイプのゴルフ会員権の内容は，プレー権（施設優先的利用権）と預託金返還請求権とからなっている。

ゴルフ場が倒産し，プレーができなくなった場合には，プレー権は無くなってしまい，預託金の返還請求という金銭債権だけが残ることになる。これが返還される状態でなくなれば損失が生じるが，この損失は雑所得の損失であるので，他の雑所得があれば，これと通算できるだけで，他の所得とは通算することはできず，打ち切りとなる。[(注１)]

では，このような状態のゴルフ会員権を譲渡した場合に，譲渡所得になって，他の所得から引くことはできないのかという問題が生じる。

現在のところ，課税当局側の取扱いとしては，プレー権が消失して，金銭債権だけが残っており，金銭債権だけの譲渡になっており，金銭債権の譲渡は譲渡所得に該当しない(注２)(注３)ので，したがって，このような状態でのゴルフ会員権の譲渡による損失は，譲渡所得の損失に該当しないので，雑所得以外の所得から控除できないとされている。

なお，預託金タイプのレジャークラブが倒産した場合も，預託金タイプのゴルフ場の倒産の場合と同様に考えればよいであろう。

（注１）　金銭の貸付けによる所得は雑所得とされている（所基35－２(6)）。

（注２）　通達では，「譲渡所得の基因となる資産とは，法第33条第２項各号に規定する資産（筆者注：１号・たな卸資産など，２号・山林）及び金銭債権以外の一切の資産をいい」と規定している（所基33－１）。

なお，金銭債権の譲渡を含めないことについては，法律で明文的に定められていないことから，この解釈をめぐっての裁判がなされている。

（注３）　ゴルフ場の経営者が破産宣告を受けた後，破産管財人が，ゴルフ場の陳腐化を避ける趣旨で引き続きプレーを認めるケースや，和議などに移行してゴルフ場の再建が図られるケースもあるという。これに関して，プレー権とは，会員がゴルフ場の施設を優先的に利用できる事実上の権利をいうものであり，元会員にサービスとして，ビジター料金の半額でプレーさせていたとしても，これは会員としての権利に基づくものでなく，プレー権は消滅しており，譲渡所得に該当せず，損益通算は認められないという裁決がある（平成13年５月24日裁決，国税不服審判所ホームページ　https://www.kfs.go.jp/index.html ⇨「公表裁決事例」⇨「裁決事例集 No. 61」⇨「所得税法関係」⇨「損益通算／譲渡損失」）。

法人の場合の土地・建物の譲渡損は

法人が土地・建物を譲渡したときの損益の税務計算は，事業における損益計算と区別しないで，まとめて計算されている。したがって，法人の土地・建物の譲渡損は事業上の利益から自動的に差し引かれる計算のシステムになっている。そして，それでも損失（赤字）の残るとき，青色申告をしていれば，その後10年間にわたって繰り越して，その間の会社の利益から控除されるようになっている（詳しくは542ページ以下参照）。

〈農地転用と土地売買〉

農地を買い受けて宅地に転用して使う場合，一般的に農業委員会を通じて申請し，知事の許可を受けなければならない（4ヘクタール超は農林水産大臣の協議が必要）。許可を受けるまでは，所有権は移転できない（農地法5条）。一般に予約契約か，許可を停止条件とする契約が結ばれる。

〈総所得金額と合計所得金額〉

総所得金額とか合計所得金額とかいう用語が，所得税ではしばしば登場する。

たとえば，配偶者特別控除というのは，配偶者の合計所得金額によって定められた金額を，本人の総所得金額，退職所得金額または山林所得金額から控除する制度で，本人の合計所得金額が1,000万円を超える場合には適用されないとなっている。

では，総所得金額や，合計所得金額とは，具体的にどのような内容のものなのか，ということになって，頭を悩ますことがある。とくに,居住用財産を譲渡して3,000万円の特別控除を受けたような場合，

“3,000万円を引く前の金額を合計するのか,引いた後の金額を合計するのか,また,買換えの特例を受けた場合は，どうなのか……”

である。

総所得金額というのは，**図表3－2**（353ページ）に掲げた利子所得，配当所得，不動産所得，事業所得，給与所得，譲渡所得，一時所得と雑所得のうち，分離課税の対象とならないものを，この表の「所得金額の計算方法」で計算した各種の所得金額を，差し引き合計（合算・通算）して求めた金額である（なお，土地・建物の譲渡所得や雑所得がマイナスのときはゼロとして計算する）（所法22条，措法31条，32条）。

この計算にあたり，総合の譲渡所得（**図表3－2**の譲渡所得のその他）は，50万円の特別控除を引き，長期の場合には2分の1をした金額を加える（所法22条②2号[注1]）が，土地・建物の譲渡については,居住用財産の特別控除やその他の特例の控除を引く前の金額（譲渡益そのもの）で計算する（措法31条，35条など）。しかし，買換特

例を受けた場合には，買換計算後の金額で計算する（措法36条の２など）。

たとえば，居住用財産を4,000万円で譲渡し，譲渡資産の取得費と譲渡費用の合計が500万円であった場合，特別控除の適用を受けていれば，

$$\underset{（譲渡価額）}{40,000,000円} - \underset{（取得費・譲渡費用）}{5,000,000円} = \underset{（譲渡益＝差引金額）}{35,000,000円}$$

$$\underset{（差引金額）}{35,000,000円} - \underset{（居住用財産の特別控除）}{30,000,000円} = \underset{（譲渡所得金額）}{5,000,000円}$$

となるのが，総所得金額に加算されるのは，差引金額の3,500万円となる。

次に，上記と同様に居住用財産を4,000万円で譲渡して買換資産を3,000万円で取得し，買換特例を適用している場合には，

$$\underset{（譲渡価額）}{40,000,000円} - \underset{（買換資産の取得価額）}{30,000,000円} = \underset{（収入金額）}{10,000,000円}$$

$$\underset{（収入金額）}{10,000,000円} - \left\{ \underset{（取得費・譲渡費用）}{5,000,000円} \times \frac{(40,000,000円 - 30,000,000円)}{40,000,000円} \right\}$$

$$\underset{（譲渡所得金額）}{= 8,750,000円}$$

となり，総所得金額に加算されるのは，譲渡所得金額の875万円ということになる。(注２)

合計所得金額というのは，以上のようにして求めた総所得金額に，**図表３－２**に掲げた計算方法によって計算した退職所得金額と山林所得金額を合算・通算したものをいう（所法２条①30号イ⑵（　）書他）。

（注１）　一時所得も50万円を控除して２分の１をした金額を加える。

（注２）　たとえば，特定の居住用財産の買換特例については，「……当該譲渡資産の譲渡による収入金額が当該買換資産の取得価額以下である場合にあつては当該譲渡資産の譲渡がなかつたものとし，当該収入金額が当該取得価額を超える場合にあつては当該譲渡資産のうちその超える金額に相当するものとして政令で定める部分の譲渡があつたものとして，第31条の規定を適用する。」（措法36条の２①）

6 長期譲渡所得の税額計算

土地・建物等の長期譲渡所得の税額はどのように計算するのか。

長期譲渡の税額計算方法　長期譲渡に該当する場合には，まず，つぎのようにして，課税長期譲渡所得を求める。

（収入金額）－（取得費）－（譲渡費用）＝（譲渡益）＝（課税長期譲渡所得金額）

そして，他の所得とは関係なく，課税長期譲渡所得金額に，所得税は15%，住民税は５％を乗じて求めればよいようになっている。**図表３－８**に，その計算式と計算例を示しておいた。

図表３－８　長期譲渡の場合の所得税等の計算式と計算例

〈計算式〉	（課税長期譲渡所得金額）×15％＝所得税額 （課税長期譲渡所得金額）×５％＝住民税額
〈計算例〉	課税長期譲渡所得金額が3,000万円の場合 （所得税額） 30,000,000円×15％＝4,500,000円 （住民税額） 30,000,000円×５％＝1,500,000円

（注１）　平成25年から令和19年まで，上記の所得税額に2.1％を乗じた復興特別所得税が追加して課税される（住民税については355ページ参照）。

（注２）　居住用財産の特例などの特例の適用される場合には，譲渡益から特別の控除をする制度もあり，「第３節」（416ページ以下）を参照のこと。

図表３－９　譲渡所得の内訳書（計算明細書）［土地・建物用］の記載例

１ 面

【令和 ６ 年分】

名簿番号

提出 1 枚のうちの 1

譲渡所得の内訳書

（確定申告書付表兼計算明細書）【土地・建物用】

この内訳書は、土地や建物の譲渡（売却）による譲渡所得金額の計算用として使用するものです。「譲渡所得の申告のしかた」（国税庁ホームページ【https://www.nta.go.jp】からダウンロードできます。税務署にも用意してあります。）を参考に、契約書や領収書などに基づいて記載してください。

なお、国税庁ホームページでは、画面の案内に沿って収入金額などの必要項目を入力することにより、この内訳書や確定申告書などを作成することができます。

現住所 （前住所）	××市××町××番×号 （　同上　）	フリガナ 氏名	トチオウリタ 栃尾瓜太
電話番号 （連絡先）	××××－××××	職業	会社員

※ 譲渡（売却）した年の１月１日以後に転居された方は、前住所も記載してください。

関与税理士名
有能　数翁 （電話××××－××××）

記載上の注意事項

○　この内訳書は、一の契約ごとに１枚ずつ使用して記載し、「確定申告書」とともに提出してください。

また、譲渡所得の特例の適用を受けるために必要な書類（※）などは、この内訳書に添付して提出してください。

※　譲渡所得の特例の適用を受けるために必要な書類のうち、登記事項証明書については、その登記事項証明書に代えて「譲渡所得の特例の適用を受ける場合の不動産に係る不動産番号等の明細書」等を提出することもできます。

○　長期譲渡所得又は短期譲渡所得のそれぞれごとで、二つ以上の契約がある場合には、いずれか１枚の内訳書の譲渡所得金額の計算欄（３面の「4」各欄の上段）に、その合計額を二段書きで記載してください。

○　譲渡所得の計算に当たっては、適用を受ける特例により、記載する項目が異なります。

□　交換・買換え（代替）の特例、被相続人の居住用財産に係る譲渡所得の特別控除の特例の適用を受けない場合

……１面・２面・３面

□　交換・買換え（代替）の特例の適用を受ける場合

……１面・２面・３面（「４」を除く）・４面

□　被相続人の居住用財産に係る譲渡所得の特別控除の特例の適用を受ける場合

……１面・２面・３面・５面

（また、下記の 5面 ［　］ に○を付してください。）

○　土地建物等の譲渡による譲渡損失の金額については、一定の居住用財産の譲渡損失の金額を除き、他の所得と損益通算することはできません。

○　非業務用建物（居住用）の償却率は次のとおりです。

区　分	木　造	木　骨 モルタル	（鉄骨）鉄筋 コンクリート	金属造①	金属造②
償却率	0.031	0.034	0.015	0.036	0.025

（注）「金属造①」……軽量鉄骨造のうち骨格材の肉厚が3mm以下の建物

「金属造②」……軽量鉄骨造のうち骨格材の肉厚が3mm超4mm以下の建物

5面	

（令和5年分以降用）

R5.11

2 面　　名簿番号

1 譲渡（売却）された土地・建物について記載してください。

（1）どこの土地・建物を譲渡（売却）されましたか。

所在地	
所在地番	○○市○○町○○番
（住居表示）	○○市○○町△△番△号

（2）どのような土地・建物をいつ譲渡（売却）されましたか。

	種類	面積
土地	☑宅地　□田　□山林　□畑　□雑種地　□借地権　□その他（　　）	（実測）　㎡ （公簿等）　㎡
建物	☑居宅　□マンション　□店舗　□事務所　□その他（　　）	㎡

利用状況
□ 自己の居住用（居住期間　年　月～　年　月）
□ 自己の事業用
□ 貸付用
□ 未利用
☑ その他（ 親族に使用貸借 ）

売買契約日	引き渡した日
令和6年3月10日	6年4月1日

○ 次の欄は、譲渡（売却）された土地・建物が共有の場合に記載してください。

あなたの持分		共有者の住所・氏名	共有者の持分	
土地	建物		土地	建物
		（住所）　（氏名）		
		（住所）　（氏名）		

（3）どなたに譲渡（売却）されましたか。

買主			
住所（所在地）	△△市△△町××番		
氏名（名称）	家緒好太	職業（業種）	会社員

（4）いくらで譲渡（売却）されましたか。

① 譲渡価額
80,000,000円

【参考事項】

代金の受領状況	1回目	2回目	3回目	未収金
	令和6年3月10日	6年4月1日	年　月　日	年　月　日（予定）
	8,000,000円	72,000,000円	円	円

お売りになった理由
- □ 買主から頼まれたため
- ☑ 他の資産を購入するため
- □ 事業資金を捻出するため
- □ 借入金を返済するため
- □ その他（　　　　）

「相続税の取得費加算の特例」や「保証債務の特例」の適用を受ける場合などの記載方法

○ 「相続税の取得費加算の特例」の適用を受けるときは、「相続財産の取得費に加算される相続税の計算明細書」（※）で計算した金額を3面の「2」の「②取得費」欄の上段に「㊪×××円」と二段書きで記載してください。
○ 「保証債務の特例」の適用を受けるときは、「保証債務の履行のための資産の譲渡に関する計算明細書（確定申告書付表）」（※）で計算した金額を3面の「4」の「B必要経費」欄の上段に「㊭×××円」と二段書きで記載してください。
○ 4面を記載される方で、「相続税の取得費加算の特例」や「保証債務の特例」の適用を受ける場合には、税務署に記載方法をご確認ください。
○ 配偶者居住権の目的となっている建物又はその敷地の譲渡など一定の場合は、「配偶者居住権に関する譲渡所得に係る取得費の金額の計算明細書《確定申告書付表》」（※）で計算した金額を3面の「2」の「②取得費」欄に転記してください。
※ これらの様式は、国税庁ホームページ【https://www.nta.go.jp】からダウンロードできます。なお、税務署にも用意してあります。

3 面

2 譲渡（売却）された土地・建物の購入（建築）代金などについて記載してください。

(1) 譲渡（売却）された土地・建物は、どなたから、いつ、いくらで購入（建築）されましたか。

購入建築 価額の内訳	購入（建築）先・支払先 住所（所在地）	氏名（名称）	購入建築 年月日	購入・建築代金 又は譲渡価額の5%
土地	○○市○○町××番	地所有造	平成8・2・10	19,000,000円
仲介手数料	○○市○○町××番	深雪不動産㈱	平成8・2・10	630,000円
登記料他	（明細別紙）		・・	619,600円
			小計	(イ) 20,249,600円
建物	××市○○町△△番	左工務店	平成22・4・10	15,400,000円
登記料他	（明細別紙）		・・	600,000円
			・・	円
建物の構造	☑木造 □木骨モルタル □（鉄骨）鉄筋 □金属造 □その他		小計	(ロ) 16,000,000円

※ 土地や建物の取得の際に支払った仲介手数料や非業務用資産に係る登記費用などが含まれます。

(2) 建物の償却費相当額を計算します。

建物の購入・建築価額(ロ) □標準		償却率		経過年数		償却費相当額(ハ)
16,000,000円	×0.9×	0.031	×	14	＝	6,249,600円

(3) 取得費を計算します。

② 取得費	(イ)＋(ロ)－(ハ) 30,000,000円

※ 「譲渡所得の申告のしかた」を参照してください。なお、建物の標準的な建築価額による建物の取得価額の計算をしたものは、「□標準」に☑してください。

※ 非業務用建物（居住用）の（ハ）の額は、（ロ）の価額の95%を限度とします（償却率は1面をご覧ください。）。

3 譲渡（売却）するために支払った費用について記載してください。

費用の種類	支払先 住所（所在地）	氏名（名称）	支払年月日	支払金額
仲介手数料	○○市××町××番	㈲忠海不動産	令和6・4・1	2,460,000円
収入印紙代			・・	45,000円
交通費その他	（明細別紙）		・・	95,000円
			・・	円
			③ 譲渡費用	2,600,000円

※ 修繕費、固定資産税などは譲渡費用にはなりません。

4 譲渡所得金額の計算をします。

区分	特例適用条文	A 収入金額（①）	B 必要経費（②＋③）	C 差引金額（A－B）	D 特別控除額	E 譲渡所得金額（C－D）
短期・(長期)	所・措・震　条の	80,000,000円	32,600,000円	47,400,000円	円	47,400,000円
短期・長期	所・措・震　条の	円	円	円	円	円
短期・長期	所・措・震　条の	円	円	円	円	円

※ ここで計算した内容（交換・買換え（代替）の特例の適用を受ける場合は、4面の「6」で計算した内容）を「申告書第三表（分離課税用）」に転記します。

整理欄

確定申告書等の記載と申告の仕方

388ページの**図表３－９**の「譲渡所得の内訳書（計算明細書）」［土地・建物用］に記載した例の内容のような土地・建物の譲渡について説明する。この内訳書は，譲渡の内容を説明する書類として確定申告書に添付することになっている。記載の仕方は，この例にならって書けばよい。これに基づいて，393ページの**図表３－10(イ)**の「令和６年分の所得税及び復興特別所得税の確定申告書（分離課税用）」の（第三表）に，392ページの**図表３－10(ア)**の「所得税の確定申告書（第一表）の記載例」のように記載し，これに基づいて所得税額をつぎのように計算する。

47,400,000円×15％＝7,110,000円

そして，これを，**図表３－10(ア)(イ)**の記載例のように記載する。なお，この「所得から差し引かれる金額の合計」というのは，所得控除の合計であり，この例では，**図表３－10(ア)**のようであったとして記載してある。この金額は，総合課税の所得金額から差し引き，引ききれない場合は，その残額を分離課税の所得金額から引くことになっている（短期譲渡と長期譲渡とがある場合は，まず，短期譲渡から引くことになっている）。この確定申告書の提出と納税は，譲渡した年の翌年の３月15日（休日の場合は，その翌日。以下同じ）までに行わなければならない。なお，**振替納税**の手続きをしておけば，納期限の約１か月後に届け出た金融機関口座から税額が引き落としされる。

なお，譲渡分の住民税は，

47,400,000円×５％＝2,370,000円

となるが，所得税の申告書を税務署に提出しておけば，この写しが市役所（または区役所）に転送され，計算された納税通知書が送られてくるので，これによって納税することになる。したがって，住民税についての申告をする必要はない。

（注）　確定申告書の（第一表）の㊸の「納める税金」の２分の１以上を３月15日までに納めて，残額を納期限の５月31日までに延納する方法があり，その場合は，㊻㊼の「延納の届出」の欄に記載する。利子税の利率は366ページコラム参照。

税率軽減等の特例のある場合

土地や建物の長期譲渡に関して種々の特例があり，これらのなかに税率を軽減する特例がある。**図表３－10(イ)**の様式のなかの「分離課税」の「長期譲渡」の「特定分㉛」は，402ページの「**９　優良住宅地の造成・優良住宅の建設等のための土地譲渡の税率軽減**」の特例を受けたときに記入する欄であり，「軽課分㉜」は，425ページの「居住用財産の特別控除・軽課の特例」を受けたときに記入する欄である。

（注）　令和６年分の確定申告書の用紙は本書執筆時にはまだ配布されていないので，記載例は，令和６年分の所得税等の確定申告書（案）（国税庁ホームページより）によって記載している。

図表３－10㋐　所得税の確定申告書（第一表）の記載例

FA2204

○○ 税務署長
令和××年××月××日

令和 06 年分の 所得税及び復興特別所得税 の 確定 申告書

第一表（令和六年分用）

納税地	〒×××－××××
個人番号（マイナンバー）	××××××××××××
生年月日	3 36.09.09
現在の住所又は居所事業所等	××市××町××番×号
フリガナ	トチオ　ウリタ
氏名	栃尾　瓜太
令和７年１月１日の住所	同　上
職業	会社員
屋号・雅号	
世帯主の氏名	栃尾瓜太
世帯主との続柄	本人
電話番号（自宅・勤務先・携帯）	XX－XXXX－XXXX
種類	青色　分離　国出　損失　修正　特農の表示　特農
整理番号	

（単位は円）

収入金額等	事業　営業等	㋐	
	事業　農業	㋑	
	不動産	㋒	
	配当	㋓	
	給与	㋔	8000000
	雑　公的年金等	㋕	
	雑　業務	㋖	
	雑　その他	㋗	
	総合譲渡　短期	㋘	
	総合譲渡　長期	㋙	
	一時	㋚	
所得金額等	事業　営業等	①	
	事業　農業	②	
	不動産	③	
	利子	④	
	配当	⑤	
	給与	⑥	6100000
	雑　公的年金等	⑦	
	雑　業務	⑧	
	雑　その他	⑨	
	雑　⑦から⑨までの計	⑩	
	総合譲渡・一時　㋘＋{(㋙＋㋚)×½}	⑪	
	合計（①から⑥までの計＋⑩＋⑪）	⑫	6100000
所得から差し引かれる金額	社会保険料控除	⑬	700000
	小規模企業共済等掛金控除	⑭	
	生命保険料控除	⑮	120000
	地震保険料控除	⑯	50000
	寡婦、ひとり親控除	⑰～⑱	0000
	勤労学生、障害者控除	⑲～⑳	0000
	配偶者（特別）控除	㉑～㉒	0000
	扶養控除	㉓	760000
	基礎控除	㉔	0000
	⑬から㉔までの計	㉕	1630000
	雑損控除	㉖	
	医療費控除	㉗	
	寄附金控除	㉘	
	合計（㉕＋㉖＋㉗＋㉘）	㉙	1630000

税金の計算	課税される所得金額（⑫－㉙）又は第三表	㉚	000
	上の㉚に対する税額又は第三表の㊺	㉛	7576500
	配当控除	㉜	
	（区分）	㉝	
	(特定増改築等)住宅借入金等特別控除	㉞	00
	政党等寄附金等特別控除	㉟～㊲	00
	住宅耐震改修特別控除等	㊳～㊵	
	差引所得税額（㉛－㉜－㉝－㉞－㉟－㊱－㊲－㊳－㊴－㊵）	㊶	7576500
	災害減免額	㊷	
	再差引所得税額（㊶－㊷）	㊸	7576500
	令和６年分特別税額控除（3万円×人数）　人数 3	㊹	90000
	再々差引所得税額（基準所得税額）（㊸－㊹）（赤字のときは０）	㊺	7486500
	復興特別所得税額（㊺×2.1％）	㊻	157216
	所得税及び復興特別所得税の額（㊺＋㊻）	㊼	7643716
	外国税額控除等	㊽～㊾	
	源泉徴収税額	㊿	286300
	申告納税額（㊼－㊽－㊾－㊿）	51	7357400
	予定納税額（第１期分・第２期分）	52	
	第３期分の税額（51－52）　納める税金	53	7357400
	第３期分の税額（51－52）　還付される税金	54	△
修正申告	修正前の第３期分の税額（還付の場合は頭に△を記載）	55	
	第３期分の税額の増加額	56	00
その他	公的年金等以外の合計所得金額	57	
	配偶者の合計所得金額	58	
	専従者給与（控除）額の合計額	59	
	青色申告特別控除額	60	
	雑所得・一時所得等の源泉徴収税額の合計額	61	
	未納付の源泉徴収税額	62	
	本年分で差し引く繰越損失額	63	
	平均課税対象金額	64	
	変動・臨時所得金額	65	
延納の届出	申告期限までに納付する金額	66	00
	延納届出額	67	000

定額減税実施済額は、㊸と㊹のいずれか少ない方の金額です。

還付される税金の受取場所	銀行・金庫・組合・農協・漁協　本店・支店・出張所・本所・支所
郵便局名等	
預金種類	普通　当座　納税準備　貯蓄
口座番号・記号番号	
公金受取口座登録の同意	
公金受取口座の利用	

整理欄　異動　年　月　日　名簿　区分 A B C D E G H I K L　確認

図表3－10(イ)　所得税の確定申告書（分離課税用）（第三表）の記載例

FA2401

令和 06 年分の所得税及び復興特別所得税の確定申告書（分離課税用）

第三表（令和六年分以降用）

○第三表は、申告書の第一表・第二表と一緒に提出してください。

住所（屋号）　××市××町××番×号

フリガナ　トチオ　ウリタ

氏名　栃尾　瓜太

整理番号　　一連番号

特例適用条文			
法	条	項	号
所法　措法　震法	条の	項	号
所法　措法　震法	条の	項	号
所法　措法　震法	条の	項	号

（単位は円）

区分				番号	金額
収入金額	分離課税	短期譲渡	一般分	㋛	
			軽減分	㋜	
		長期譲渡	一般分	㋝	80000000
			特定分	㋞	
			軽課分	㋟	
		一般株式等の譲渡		㋠	
		上場株式等の譲渡		㋡	
		上場株式等の配当等		㋢	
		先物取引		㋣	
	山林			㋤	
	退職			㋥	
所得金額	分離課税	短期譲渡	一般分	68	
			軽減分	69	
		長期譲渡	一般分	70	47400000
			特定分	71	
			軽課分	72	
		一般株式等の譲渡		73	
		上場株式等の譲渡		74	
		上場株式等の配当等		75	
		先物取引		76	
	山林			77	
	退職			78	
税金の計算	総合課税の合計額（申告書第一表の⑫）			12	6100000
	所得から差し引かれる金額（申告書第一表の㉙）			29	1630000
	課税される所得金額	⑫対応分		79	4470000
		68 69対応分		80	000
		70 71 72対応分		81	47400000
		73 74対応分		82	000
		75対応分		83	000
		76対応分		84	000
		77対応分		85	000
		78対応分		86	000

区分		番号	金額
税金の計算（税額）	79対応分	87	466500
	80対応分	88	
	81対応分	89	7110000
	82対応分	90	
	83対応分	91	
	84対応分	92	
	85対応分	93	
	86対応分	94	
	87から94までの合計（申告書第一表の㉛に転記）	95	7576500
その他（株式等）	本年分の73、74から差し引く繰越損失額	96	
	翌年以後に繰り越される損失の金額	97	
その他（配当等）	本年分の75から差し引く繰越損失額	98	
その他（先物取引）	本年分の76から差し引く繰越損失額	99	
	翌年以後に繰り越される損失の金額	100	

○ 分離課税の短期・長期譲渡所得に関する事項

区分	所得の生ずる場所	必要経費	差引金額（収入金額－必要経費）	特別控除額
長期一般	○○市○○町××－××	32,600,000円	47,400,000円	円
差引金額の合計額		101	47,400,000	
特別控除額の合計額		102		

○ 上場株式等の譲渡所得等に関する事項

上場株式等の譲渡所得等の源泉徴収税額の合計額	103	

○ 退職所得に関する事項

区分	収入金額	退職所得控除額
一般	円	円
短期		
特定役員		

整理欄		
A　B　C	申告等年月日	
D　E　F	通算	
取得期限		特例期間
資産	入力	申告区分

7　短期譲渡所得の税額計算

土地・建物の短期譲渡所得の税額計算の仕方を理解する。

短期譲渡所得の所得税の計算の仕組み

短期所有の土地・建物を譲渡したときは，下記のように計算する。

（収入金額）－（取得費）－（譲渡費用）＝（譲渡益）
＝（課税短期譲渡所得金額）

そして，他の所得と関係なく，課税短期譲渡所得金額に，所得税は30％，住民税は９％を乗じて求めればよいようになっている。

図表３－11に，その計算式と計算例とを示しておいた。

図表３－11　短期譲渡の場合の所得税等の計算式と計算例

〈計算式〉（課税短期譲渡所得金額）×30％＝所得税額
（課税短期譲渡所得金額）×９％＝住民税額

〈計算例〉課税短期譲渡所得金額が3,000万円の場合

30,000,000円×30％＝9,000,000円（所得税額）

30,000,000円×９％＝2,700,000円（住民税額）

（注１）　平成25年から令和19年まで，上記の所得税額に2.1％を乗じた復興特別所得税が追加して課税される。

（注２）　長期譲渡と短期譲渡の区分については，397ページの「８　長期譲渡・短期譲渡の区分」を参照のこと。

設例による所得税の計算例

長期譲渡の場合の税額と比較してみるため，便宜上，前項の長期譲渡所得の税額計算で使った設例により，この土地が短期譲渡所得に該当するものとして計算する。これにより「譲渡所得の金額」を求めると，**図表３－12**のように，4,740万円となる。

これを，**図表３－13**の「令和６年分の所得税の確定申告書（分離課税用）」の（第三表）に移して課税される税額を算出し，（第一表）に移して納める税額を算出する（第一表は**図表３－10㋐**と同様であるので掲載は省略する）。なお，それ以後の

手続きは長期譲渡の場合と同様であるので前項を参照されたい。

図表３－12

区分	特例適用条文	A収入金額（①）	B必要経費（②＋③）	C差引金額（A－B）	D特別控除額	E譲渡所得金額（C－D）
(短期)・長期	所・措・震 条の	円 80,000,000	円 32,600,000	円 47,400,000	円	円 47,400,000
短期・長期	所・措・震 条の	円	円	円	円	円

短期譲渡で税率軽減の特例のある場合

土地の短期譲渡所得についても，国等への譲渡などについては，税率を軽減する特例がある（措法32条③，28条の4③）。

その対象となるのは，404ページの**図表３－15**に掲げたもののうち，

(1)　国等に対し，その他公共・公益のために土地等を譲渡した場合

①　国，地方公共団体等への譲渡（１号）

②　都市再生機構等への譲渡（２号）

③　収用・換地等による譲渡（３号）

に該当する場合であり，その適用要件の詳細は402ページ以下に記してあるのと同じである。

なお，税額はつぎの式によって計算する。

（課税短期譲渡所得）×15％（住民税は５％）

（注）　平成25年から令和19年まで，上記の所得税額に2.1％を乗じた復興特別所得税が追加して課税される。

なお，申告書の記載は，上記の式で計算した税額を，次ページの**図表３－13**の様式の「分離課税」の「短期譲渡」の「軽減分」の欄に記入する。

図表３－13　所得税の確定申告書（分離課税用）（第三表）の記載例

■　令和 06 年分の 所得税及び復興特別所得税 の 確定 申告書（分離課税用）　FA2401 ■

第三表（令和六年分以降用）

住所・屋号	××市××町××番×号
フリガナ	トチオ　ウリタ
氏名	栃尾　瓜太

整理番号		一連番号	

特例適用条文

法	条	項	号
所法　措法　震法	条の	項	号
所法　措法　震法	条の	項	号
所法　措法　震法	条の	項	号

（単位は円）

区分				番号	金額
収入金額	分離課税	短期譲渡	一般分	㋛	80000000
			軽減分	㋜	
		長期譲渡	一般分	㋝	
			特定分	㋞	
			軽課分	㋟	
		一般株式等の譲渡		㋠	
		上場株式等の譲渡		㋡	
		上場株式等の配当等		㋢	
		先物取引		㋣	
	山林			㋤	
	退職			㋥	
所得金額	分離課税	短期譲渡	一般分	68	47400000
			軽減分	69	
		長期譲渡	一般分	70	
			特定分	71	
			軽課分	72	
		一般株式等の譲渡		73	
		上場株式等の譲渡		74	
		上場株式等の配当等		75	
		先物取引		76	
	山林			77	
	退職			78	
税金の計算	総合課税の合計額（申告書第一表の⑫）			12	6100000
	所得から差し引かれる金額（申告書第一表の㉙）			29	1630000
	課税される所得金額	⑫対応分		79	4470000
		㊳㊴対応分		80	47400000
		⑦⑦⑦対応分（70・71・72）		81	000
		73 74対応分		82	000
		75対応分		83	000
		76対応分		84	000
		77対応分		85	000
		78対応分		86	000

区分			番号	金額
税金の計算	税額	79対応分	87	466500
		80対応分	88	14220000
		81対応分	89	
		82対応分	90	
		83対応分	91	
		84対応分	92	
		85対応分	93	
		86対応分	94	
	87から94までの合計（申告書第一表の㉛に転記）		95	14686500
その他	株式等	本年分の73、74から差し引く繰越損失額	96	
		翌年以後に繰り越される損失の金額	97	
	配当等	本年分の75から差し引く繰越損失額	98	
	先物取引	本年分の76から差し引く繰越損失額	99	
		翌年以後に繰り越される損失の金額	100	

○　分離課税の短期・長期譲渡所得に関する事項

区分	所得の生ずる場所	必要経費	差引金額（収入金額－必要経費）	特別控除額
長期一般	○○市○○町××－××	32,600,000円	47,400,000円	円
差引金額の合計額		101	47,400,000	
特別控除額の合計額		102		

○　上場株式等の譲渡所得等に関する事項

上場株式等の譲渡所得等の源泉徴収税額の合計額	103	

○　退職所得に関する事項

区分	収入金額	退職所得控除額
一般	円	円
短期		
特定役員		

整理欄			
A　B　C	申告等年月日		
D　E　F	通算		
取得期限		特例期間	
資産	入力	申告区分	

○第三表は、申告書の第一表・第二表と一緒に提出してください。

■

8 長期譲渡・短期譲渡の区分

長期譲渡所得と短期譲渡所得との分かれ道。
――取得の日の判定によって異なる

長期譲渡と短期譲渡とは所有期間５年で区分される

土地・建物を譲渡したとき，それが長期譲渡になるのか，短期譲渡になるのかで，税額に大きな違いがでてくるのを，これまでみてきた。

では，長期譲渡と短期譲渡とは，どのようにして区分されるか。

原則としては，譲渡した年の１月１日現在で所有期間が５年を超える土地・建物を譲渡した場合が長期譲渡で，所有期間が５年以下のものを譲渡した場合が短期譲渡となる。所有期間は，譲渡した土地と建物について，それぞれを取得（または建設）した日の翌日から起算して数えることになっている。なお，譲渡した日までではなく，譲渡した年の１月１日までに５年(注)を超えているかどうかということで判定することになっている点に注意してほしい。

（注）379ページのコラム参照。

譲渡した年とは

さて，令和５年10月に土地を譲渡する契約をし，令和６年２月に土地を引き渡したときの所有期間が上記の基準を超えるかどうかは，令和５年１月１日現在で判定するのだろうか，令和６年１月１日で判定するのだろうか。要するに，どちらが譲渡した年になるのだろうか。

譲渡した年というのは，譲渡した日の属する年である。だから，譲渡した日がどちらなのかをはっきりさせればよい。譲渡した日というのは，

① 原則として，土地・建物の引渡しをした日であり
② 売買契約の効力の発生した日(注１)（通常は売買契約締結日になる）を，譲渡の日として納税者が申告すれば，それも認める

という取扱いになっている（所基36－12）(注２)。

（注１） 停止条件付契約――たとえば借地権の譲渡契約で,「地主の譲渡承諾を得たときに（又は，譲渡承諾を得ることを条件として），本契約の効力は発生するものとする」というような契約の場合には，効力発生の日は，売買契約書作成の日ではなく，地主の承諾を得た日となるので注意を要する。

（注２） 農地（採草放牧地を含む。以下同じ）の所有権移転については，農地法に農地移転の許可（農地法３条），農地転用のための移転の許可（同法５条）や，市街化区域内の農地転用のための移転の届出（同法５条①６号）が必要とされて

いるので，引渡日ではなく，その許可のあった日，また届出の効力の発生した日を原則とし，契約が締結された日によることもできるとされていたが，平成３年の通達改正により，引渡日を原則とし，契約日によることもできるとされている。なお，この許可または届出の前に売買契約をし，または，引渡しをして，その契約日や引渡日に譲渡があったとして申告した後，許可を受ける前，または，届出の前に契約が解除された場合には，その２か月以内に更正の請求をすることができるとされている（所基36－12の(注)２）。

したがって，上の例では，原則によれば，引渡しをした年を基準として，すなわち令和６年１月１日現在で所有期間が上述の基準を超えるかどうかを判定して，令和７年３月15日までに確定申告をすればよいことになる。

また，税法が改正された場合に，契約効力発生の日を選択して旧法を適用したほうが有利な場合もある。このような場合には，契約効力発生の日を譲渡の日として選択して，その翌年の３月15日までに申告すればよい。

取得の日とは⑴——契約日か引渡しを受けた日か

では，土地を取得した日とは，売買契約をした日か，引渡しを受けた日かということになる。２年にわたる取引であるとき，このどちらを選ぶかによって，長期譲渡になったり，短期譲渡になったりすることも少なくないであろう。

取得の日については，通達では，資産の譲渡一般に関する場合の「取得の日」について,「他から取得した資産については,36－12に準じて判定した日とする」と規定している（所基33－９⑴）。「36－12」というのは上述した通達であり,「これに準じて判定」するという。これを解釈すると，原則として土地の引渡しを受けた日が「取得の日」となるが，納税者が売買契約をした日が「取得の日」だといって，その翌日から数えて長期譲渡か短期譲渡かを判定して，その区分によって申告をすれば，それは認めるということになる(注)。

なお，マンション，建売住宅，中古住宅などのように他人から購入した建物の取得の日についても，土地の場合と同じように判定すればよい。

（注）　短期譲渡になるかどうかの判定の基礎となる資産の『取得の日』は，次による（所基33－９）。
他から取得した資産の取得の日は，その資産の引渡しを受けた日となる。しかし，その譲渡契約の効力発生の日によってもさしつかえないことになっている。

取得の日とは⑵——所有権移転の日

この取得の日の判定は重要な問題であるので，もうちょっと掘り下げて法律的な面からも検討してみよう。

土地の取得というのは，土地の所有権を取得することであり，したがって，土地の取得の日というのは，土地の所有権を取得した日，すなわち，他から買い受けた場合には,「土地の所有権の移転を受けた日」ということになる。

では，所有権の移転の日とはいつであるのかということになる。それは，

① 売買契約で所有権移転の日が定められていれば，その日（具体的には，売買契約書に「○年○月○日に所有権を移転する」と記載されていれば，その日ということになる）

② 売買契約で所有権移転の日が定められていなければ，民法の原則によって，売買契約の効力発生の日（具体的には，通常は売買契約書作成の日）

ということになる。所有権移転の日というのは，所有権移転登記の日ではない。所有権そのものが移転した日である。一般に，売買契約書には所有権そのものの移転の日は記載されていず，したがって，民法の原則に従って売買契約書作成日に所有権そのものが移転し，後日最終残金を支払ったとき所有権移転登記申請がなされることが多いが，こういう場合は，売買契約書作成の日が，その土地の「取得の日」となる。

建物を建築した場合の取得の日

建売住宅とか，中古住宅のように，すでに建物として存在している建物を買った場合の取得の日は，土地と同じように判定されるが，建物を建築した場合の「取得の日」は，

① 請負工事契約によるものは，工事が竣工して引渡しを受けた日とされている。請負工事契約を締結して，その契約の効力の発生した日には，その建物はまだ存在しないのだから，請負契約の効力発生の日を取得の日とするわけにはいかない。

② 自営工事――すなわち，自分が直接，部分下請業者を使って建築した場合は，建物が竣工した日になる（所基33－9(2)）。

なお，建築中のマンションや建売住宅を購入したときも，その取得の日は，契約の日ではなく，その建物が完成した日となる。

特殊な場合の取得の日――取得の日の引継ぎ

土地・建物を取得する場合には，売買のほかに，相続，贈与だとか，交換とかいう形がある。また，売買の場合でも，課税上の種々の特例の適用がある。このそれぞれの形に応じて，取得の日について，取得の日の引継ぎといって，たとえば相続なら，被相続人（死亡した人）が土地を取得した日を相続人の取得の日とするとか，交換をして相手に渡した土地・建物をかつて取得した日を引き継ぐとかいうように，取得の日を特別扱いしている場合がある（所法58条①，所令168条①，所法60条①，措法31条②，措令20条①②）。これを表で示すと，およそ**図表３－14**のようになる（詳しくは難しい問題もあるので，取引の段階に至ったら専門家に確かめること）。

図表３－14　取得の日の引継ぎの例

取得の日の扱い／取得の形態	取得の日とされる日	
	引継ぎを認められる場合	引継ぎを認められない場合
(1) 相　続 (2) 遺　贈	（一般の相続・遺贈） 被相続人（死亡した人）遺贈者が取得した日を引き継ぐ （措令20条③２号・３号，所法60条①１号）	（例外） 相続人が相続について限定承認をした場合――相続によって本人が資産を取得した日，すなわち，被相続人の死亡の日 （措令20条③２号・３号，所法60条①１号）
(3) 贈　与	一般には贈与者が取得した日を引き継ぐ （措令20条③２号・３号，所法60条①１号）	（例外） 負担付贈与を受けた場合には，贈与を受けた日
(4) 離婚に伴う財産の分与		引き継がれない （財産分与の日に取得したとされる（所基38－６））
(5) 時価の２分の１より低い対価で取得した場合（低額譲渡）	その対価が，譲渡人の取得費，譲渡費用の合計より低い場合は譲渡人が取得した日を引き継ぐ （所法60条①２号，所令169）	左記以外
(6) 交換や買換えをして，特例の適用を受けた場合	所法58条の固定資産の交換の場合 （措令20条③１号） 収用等にともない代替資産を取得した場合 土地区画整理法による土地区画整理事業で換地処分を受けた場合 都市再開発法による市街地再開発事業で権利変換を受けた場合 （措所通31・32共－５） 買換・交換前の資産を取得した日を引き継ぐ	居住用財産の買換えや交換の場合 特定事業用資産の買換えや交換の場合 立体買換えや交換の場合 特定民間再開発事業の買換えや交換の場合 買換・交換による従後資産を取得した日
(7) 交換や買換えをして，特例の適用を受けなかった場合		すべて引き継がれない

〈所得税法でいう譲渡の範囲〉

譲渡といえば，売買による譲渡がまず思い浮かぶ。しかし，所得税で譲渡として取り扱われるのは，売買以外にもいろいろな形がある。主なものをつぎに掲げる。

① 交換による場合
② 共有の土地を分割する場合
③ 法人に対する現物出資をする場合
④ 土地収用法による権利の収用によって土地・建物またはその借地権や漁業権，水利権，鉱業権を消滅させた場合
⑤ 借地権を設定し，または消滅させた場合
⑥ 代物弁済や公売，競売による場合
⑦ 土地区画整理事業における換地処分
⑧ 都市再開発事業における権利変換

要するに，資産がある個人の手から離れて，その所有権が他人に移転する場合に譲渡があったとして，譲渡所得税の課税の対象とするようになっている。

もっとも，このなかには所得税法や租税特別措置法の規定や取扱通達によって，譲渡がなかったとして取り扱われているものもある。また，譲渡担保といって，所有権の移転が行われても，債務を担保するための目的でなされているものは，譲渡担保権が実行されるまでは譲渡があったとはされないようなものもある。

〈相続・贈与と譲渡，課税の先送り〉

相続によって被相続人から相続人に，贈与によって贈与者から受贈者に資産を移転したとき，相続税や贈与税に加えて，この移転を譲渡としてとらえ，被相続人や贈与者に譲渡所得の税金を課していた時代もあったが，国民感情にそぐわないとして廃止され，現在は一般的には，相続・贈与の段階では，相続税または贈与税のみを課税し，譲渡所得は，相続人や受贈者が売却等をしたときに課税し，被相続人等の取得費を引き継いで譲渡所得の計算をするようになっている（所法９条①十七）。

ただし，相続や遺贈で**限定承認**に係るものや**負担付贈与**，また，**法人に対する贈与**については，相続や贈与の段階で，そのときの価額で譲渡があったものとみなして，被相続人・贈与者に課税しているので（所法59条①１号ほか），その後に相続人等が売却等したときは，その相続や贈与のときに譲渡価額とした価額を取得費として計算するようになっている（負担付贈与，低額譲渡については詳しくは172ページ参照）。

9　優良住宅地の造成・優良住宅の建設等のための土地譲渡の税率軽減

優良住宅地の造成・優良住宅の建設等のための土地長期譲渡所得については税額計算の特例がある。
（措法31条の２，措令20条の２，措則13条の３）

この特例の概要　国や地方公共団体などへ，特定の法律に基づく宅地造成・住宅建設をするためにまた一定の優良住宅地の造成，優良建売住宅，優良マンション建設などのための用地供給を促進するため，一定の要件をそなえている住宅地，建売住宅，マンションを造成・建設する者に対して，**長期譲渡**にあたる土地を**令和７年12月31日**までに譲渡した場合について，課税所得2,000万円までの部分の税率が下掲のように軽減されるようになっている。

税額の計算方法　この場合の税額の計算は，次式のようにして計算することとなっている。

①　課税長期譲渡所得が2,000万円以下の場合
（課税長期譲渡所得）×10％（住民税は４％）

②　課税長期譲渡所得が2,000万円を超える場合
（課税長期譲渡所得）×15％－100万円＝所得税
（課税長期譲渡所得）×５％－ 20万円＝住民税

（注）　平成25年から令和19年まで，上記の所得税額に2.1％を乗じた復興特別所得税が追加して課税される。

この特例の適用になる場合　この特例が適用になるのは，長期譲渡にあたる土地（借地権その他土地の上に存する権利を含む。以下同じ）の譲渡で，404ページの**図表３－15**に掲げる要件をそなえたものである。

この特例が適用されない場合　なお，この特例は，その土地の譲渡について，下記の特例の適用を受けている場合には適用されない。要するに，この税率軽減の特例か下記の特例かのいずれかを選択して適用を受けることになる(注１)(注２)（措法31条の２④）。

(1)　居住用財産の特別控除，買換・交換の特例（措法35条①②，36条の２，36条の５）
(2)　相続空家の特別控除の特例（措法35条③）
(3)　特定期間に取得した土地等の特例（措法35条の２）
(4)　低未利用地の特例（措法35条の３）

⑸　特定事業用資産の買換・交換の特例（措法37条，37条の４）

⑹　立体買換えの特例（措法37条の５①２号）

⑺　特定民間再開発事業の特例（措法37条の５①１号）

⑻　収用等に係る買換え，交換処分，換地処分，特別控除の特例（措法33条，33条の２，33条の３，33条の４）

⑼　特定土地区画整理事業に係る特別控除（措法34条）等

（注１）　その他，この軽減税率の適用にならない譲渡として，下掲の特例を受けたものがある。

①特定住宅地造成事業に係る特別控除（措法34条の２），②農地保有合理化に係る特別控除（措法34の３），③特定の交換分合の特例（措法37条の６），④特定普通財産と隣接地との交換の特例（措法37条の８）。

（注２）　なお，譲渡した土地に居住用部分と非居住用部分とがあるとき，居住用部分について居住用財産の特例の適用を受け，非居住用部分について，この特例の適用を受けることはできる（文書照会事例：名古屋国税局平成23．３．３付）。

このうち，一般に多く利用される特例について，以下で説明する。

優良建築物の建築を行う者への譲渡（12号）

特定の要件をそなえた優良建築物の建築をする事業を行う者へ土地を譲渡した場合にも，この特例の対象になる。この適用要件は，つぎのとおりである。

①　その土地が下記のいずれかの地域内にあること（措令20条の２⑭）

㈠　市街化区域

㈡　都市計画区域内未線引区域で，用途地域の定められている区域[注１]

②　各建築物の一棟の建築面積[注２]が150㎡以上であること[注３]（措令20条の２⑫）

なお，建築物の用途・構造・階数などの制限はない。

③　その建築物の建築をする事業の施行される土地の区域（施行地区）の面積が500㎡以上であること[注４]（措令20条の２⑬１号）

④　つぎに掲げる要件のいずれかを満たしていること（措令20条の２⑬２号）

㈠　施行地区内において，都市計画施設用地または地区計画施設用地が確保されていること[注５]（施行地区が再開発等促進区内，開発整備促進区内また沿道再開発促進区内である場合については，同２号(　)書で規定される施設用地等が確保されていること）（同２号イ）

㈡　その建築物の建築面積の敷地面積[注６]に対する割合が次式で求めた割合以下であること（同２号ロ）

$$\begin{array}{l}\text{建築基準法53条に規定する}\\ \text{建ぺい率の最高限度}\end{array} - \frac{1}{10}$$

建築基準法53条に規定する建ぺい率の最高限度というのは，都市計画

図表３－15　優良住宅地の造成等のための土地長期譲渡の税率軽減の特例

措法31条の２②		措法31条の２③⑧〔予定地の特例〕
⑴　国等に対し，その他公共・公益のために土地等を譲渡した場合	①　国，地方公共団体等への譲渡（１号） ②　独立行政法人都市再生機構等への譲渡（２号） ③　収用・換地等による譲渡（３号）	
⑵　特定の法律に基づく宅地造成・住宅建設のために土地を譲渡した場合	④　都市再開発法の第１種市街地再開発事業の施行者への譲渡（４号） ⑤　密集市街地における防災街区整備促進法の防災街区整備事業の施行者への譲渡（５号） ⑥　密集市街地における防災街区の整備促進法の認定建替業者への譲渡（６号） ⑦　都市再生特別措置法の認定事業者への譲渡（７号） ⑧　国家戦略特別区域法による特定施設の整備事業者への譲渡（８号） ⑨　所有者不明土地の利用の円滑化等に関する特別措置法による裁定申請書に記載された事業者への譲渡（９号） ⑩　マンション建替円滑化法による建替事業の施行者への譲渡（10号） ⑪　マンション建替円滑化法による敷地売却事業者等への譲渡（11号）	
⑶　優良な住宅地の造成・住宅の建設等を行う者へ譲渡した場合	⑫　市街化区域等内で，面積500㎡以上の敷地上の建築面積150㎡以上の特定の建築物の建築の事業をする者への譲渡 **(12号)** ⑬　都市計画法の開発許可を受けて住宅地の造成を行う者への譲渡 **(13号)** ⑭　優良な一団の住宅地（都市計画区域内で1,000㎡以上，あるいは政令で定める面積以上）の認定を受けて都市計画法の開発許可を受けずに造成を行う者への譲渡 **(14号)** ⑮　優良な一団の住宅地（戸数25戸以上）または中高層の耐火共同住宅（住宅15戸以上，または床面積が1,000㎡以上）の認定を受けて建築を行う者への譲渡 **(15号)**	確定優良住宅地等予定地のために譲渡した場合 申告後，予定していた譲渡が優良住宅地等に該当しなくなった場合には修正申告が必要
⑷　土地区画整理法による土地区画整理事業施行地区内の土地の譲渡の特例	⑯　特定の住宅または中高層耐火共同住宅を建設する者へ仮換地指定の日から３年以内に譲渡されたもの（16号）	

＊上表中の**太字**の号数は本文中にて解説したもの。

で定められた建ぺい率(注7)（具体的には都市計画図に掲記されている）をいう。

(ウ)　施行地区内の土地の高度利用に寄与するものであること。すなわち，施行前の地区内の地権者の数が２以上であること（同２号ハ，措則13条の３⑥）。

（注１）　このような区域については，用途地域が定められていないのが通常であるが，例外的に用途地域が定められている場合もある。そのような区域が(イ)に該当する。

（注２）　**建築面積**：「建築物（……）の外壁又はこれに代わる柱の中心線（……）で囲まれた部分の水平投影面積」（建基令２条①２号）。いわゆる建坪（たてつぼ）とよばれるものである。

（注３）　この判定は，各建築物の一棟ごとの建築面積（附属建築物の面積は含めない）による（措所通31の２－７）。

（注４）　施行地区の面積とは，原則として，それぞれ一棟の建築物とその附属建築物の敷地の面積との合計で判定する（措所通31の２－８）。

（注５）　都市計画施設：都市計画において定められた都市計画法11条①各号に掲げる施設（道路，公園その他）をいう（都計法４条⑥）。

地区施設：地区計画が定められた場合に定められる「主として街区内の居住者等の利用に供される道路，公園その他の政令で定める施設」（都計法12条の５②）。

（注６）　**敷地面積**：「敷地の水平投影面積による。ただし，建築基準法（……）第42条第２項，第３項又は第５項の規定によって道路の境界線とみなされる線と道との間の部分の敷地は，算入しない。」（建基令２条①１号）

（注：同法42条２項の道路とは，いわゆる「みなし道路」（２項道路）であって，道路中心線から２ｍまでの部分は敷地面積に算入しないとされている。なお，同条３項および５項は特殊な場合の取扱いを定めている。）

（注７）　建ぺい率：この建ぺい率は，防火地域内の耐火建築物に対する建ぺい率の割増や角地加算（建基法53条③）を加味して算出したものである。また，施行区域が建ぺい率の異なる地域・区域にまたがる場合は，あん分計算をして求めた建ぺい率（同条②）である。

添付書類：(i)　国土交通大臣の下記事項を証する書類の写し

(ア)　その建築物が措法31条の２②12号に規定する建築物に該当するものである旨

(イ)　その建築事業が措令20条の２⑬各号に掲げる条件を満たすものである旨

(ii)　買取者の下記事項を証する書類

(ア)　譲渡に係る土地が措令20条の２⑭各号に掲げる区域内に所在し，

(イ)　その土地を措法31条の２②12号に規定する建築物の建築を

する事業の用に供する旨（措則13条の3①12号）

優良な住宅団地の造成を行う者への譲渡（13号，14号）

⑴　開発許可を受けて造成する場合（13号）

開発許可を受けて住宅建設の用に供される下記面積以上の一団の宅地造成[注1]を行う者へ土地を譲渡した場合も，この特例の対象となる。

面積要件は，開発造成を行う地域により，つぎのように定められている[注2]（措令20条の2⑯）。

①　一般の場合（下記②③以外の場合）は1,000㎡以上（都計令19条①）

②　既成市街地等（**図表3－29**（467ページ）参照）または近郊整備地帯等内では500㎡以上（都計令19条②）

③　都道府県は，その条例により，開発許可を要する面積を上記未満で300㎡以上と定めることができる（都計令19条①ただし書）が，この場合は，その規則で定められた面積以上

添付書類：(i)　開発許可申請書（写）と許可通知書（写），および事業概要書，設計説明書ならびに地形図

(ii)　その土地が開発区域内に所在し，一団の宅地の用に供する旨を買取者が証する書類（措則13条の3①13号）

⑵　優良宅地認定を受けて造成する場合（14号）

住宅団地の造成について，開発許可を要しない場合で，都市計画区域内で，住宅建設の用に供される下記面積以上の一団の宅地造成[注1]を行う者へ土地を譲渡した場合も，この特例の対象となる。面積要件は，開発造成を行う地域により，つぎのように定められている[注2]（措令20条の2⑰⑱）。

①　一般の場合（下記②以外の場合）は1,000㎡以上

②　既成市街地等および近郊整備地帯等（上記⑴参照）内では500㎡以上

なお，都道府県知事の優良宅地の認定を受けたものであること（措令20条の2⑲）。この認定は，国土交通省告示（優良宅地基準）に基づいて行われる。開発許可を要しない場合の開発造成について，実務的には都道府県または市町村と事前協議をしてすすめられているが，この協議の内容を満たしていれば，この認定は受けられるであろう。

添付書類：(i)　優良宅地認定申請書（写）および認定書（写），および事業概要書，設計説明書ならびに地形図

(ii)　その土地が開発区域内に所在し，一団の宅地の用に供する旨を買取者が証する書類（措則13条の3①14号）

（注１）「住宅建設の用に供される一団の宅地の造成」とは，公共施設（道路，公園，広場，緑地，下水道その他の公共の用に供する施設）および公益的施設（教育施設，医療施設，官公庁施設，購買施設その他の施設で居住者の共同の福祉または利便のために必要なもの）の敷地の用に供される土地が含まれるが，それ以外は，施行地域内の土地の全部を住宅建設の用に供する目的で行う一団の宅地の造成をいうとされている。したがって，その宅地の造成と工業団地の造成とである場合には，この特例の対象とならないとされている。また，その場合，その造成された住宅地に，「一団の住宅又は中高層の耐火共同住宅」が建設された場合であっても，この号の適用はないものとされている（措所通31の２－15）。

（注２）「一団の宅地の面積」の判定は，開発許可の申請時，または，優良住宅認定申請時の面積によるとされている。

なお，つぎのような場合についての取扱いは以下のように定められている（措所通31の２－16）。

⑴　２以上の施行者が，隣接する地域で施行された場合の面積判定は，各施行者ごとに行う。

なお，建設共同企業体が施行する場合で，㋐各構成員が資金，機材等を拠出して損益の合同計算により工事を施工するいわゆる「共同施工方式」によるものは，建設企業体を一の施行者として面積判定を行い，㋑各構成員が共通経費のみを拠出して損益の合同計算を行わずに造成工事を分割して施工するいわゆる「地域割等による分担施工方式」によるものは，各構成員ごとに面積判定を行うものとされている（国税庁資産税課・高橋一郎「所得税基本通達及び『租税特別措置法（山林所得・譲渡所得関係）の取扱いについて』通達の一部改正（上）」（『旬刊・速報税理』平成５年４月21日号））。

⑵　施行者が取得した土地と，他の者から造成を請け負った土地とを一括して造成する場合は，その施行者の所有する土地の面積のみで行う。

⑶　施行地域内に公共施設または公益的施設（この範囲は（注１）参照）を設置する場合には，これらの敷地の用に供される土地を含めて面積判定する。

⑷　施行する一団の土地のなかに，「法律の規定に基づかない区画形質の変更に伴う土地の交換分合」（所基33－６の６）または「宅地造成契約に基づく土地の交換等」（所基33－６の７）により，土地の譲渡がなかったものとして取り扱う土地（500ページ参照）のある場合は，これらの土地を除いた面積で判定する。

優良住宅または中高層耐火共同住宅の建築を行う者への譲渡（15号）

優良住宅の認定を受けた下記の住宅の建設を行う者に土地を譲渡した場合も，この特例の対象となる。

その対象となる住宅は，都市計画区域内で建設される，

①　25戸以上の一団の住宅

②　15戸以上または床面積1,000㎡以上の中高層の耐火共同住宅（耐火または準耐火建築物）で地上３階建以上で，床面積の４分の３以上を居住の用に供

するもの

③　知事（マンション用地で土地面積が1,000㎡未満の場合は市町村長）の優良住宅の認定を受けているもの（措令20条の２⑳㉑）

なお，この認定は，国土交通省告示（優良住宅基準(注)）に適合している場合に認定される。なお，3.3㎡当りの建築費（冷暖房設備，昇降機設備，特殊基礎等を除く）が，耐火構造で100万円以下，その他で95万円以下であることが要件とされている。

添付書類：(i)　優良住宅認定申請書（写）および認定通知書（写）

(ii)　その土地がその建設区域内に所在し，かつ，一団の住宅または中高層耐火共同住宅の用に供する旨を買取者が証する書類

(iii)　検査済証（写）（措則13条の３①15号）

（注）　租税特別措置法施行令第19条第15項の規定に基づく国土交通大臣の定める基準（租税特別措置法に基づく優良住宅認定申請の手引　令和５年４月　東京都）

優良住宅団地造成施行者への譲渡（13号，14号）と優良住宅建設施行者への譲渡（15号）との特例適用関係

優良住宅の建設を行う者への譲渡の特例（15号）の適用を受けるためには，優良宅地認定通知書を確定申告書に添付することが要件となっている。

そして，この認定は，「短期所有土地譲渡益重課制度の適用除外，長期譲渡所得の課税の特例及び一般土地譲渡益重課制度の適用除外に係る優良住宅認定事務の実施について」によって行われることになっているが，この「第２　認定手続について」で，「優良住宅認定の対象となる事業と優良宅地認定（……）の対象となる事業とは，当該事業を行う者が宅地の造成又は住宅の新築を行うか否かにより，つぎの表によって区分される」とされている。

		宅地の造成	
		有	無
住宅の新築	有	(1)優良宅地認定	(3)優良住宅認定
	無	(2)優良宅地認定	(4)認定対象外

要するに，譲渡した土地について，譲渡を受けた者が，

(1)　優良宅地の造成をして，かつ，その上に優良住宅の建設をした場合は…（優良宅地認定）

(2)　優良宅地の造成をしたが，優良住宅の建設をしなかった場合も…（優良宅地認定）

(3)　優良宅地の造成をしなかったが，優良住宅の建設をした場合は…（優良住宅認定）

の対象となるが，

(4)　優良宅地の造成もしないで，優良住宅の建設もしなかった場合は…（認定の対象外）

となる。

造成・建設等を行う者——譲渡先の要件

この一連の特例（措法31条の２）のうち，404ページの図表３−15の(1)(2)欄の特例については，譲渡の相手先は国，地方公共団体，都市再生機構その他特別法によって定められた事業者などというように特定の者に限定されているが，(3)の「優良な住宅地の造成・住宅の建設等を行う者へ譲渡した場合」の特例は，所定の要件をそなえた者（個人または法人）であれば，それが民間の開発業者，不動産業者，ハウスメーカー，マンション業者のみならず，一般の事業会社や個人に対するものでも対象となり，適用範囲は広い。

ただし，この特例は宅地なり，住宅・マンション建設を行うものに土地を譲渡する場合に限られている。したがって，譲渡を受けた者が自分で宅地造成なり建設をしないで，そのまま他に転売する場合には適用にならない。しかし，譲渡を受けた者が，自分で宅地造成や建設をした後で，他の分譲業者に一括転売した場合には適用になる。

開発許可の地位承継と13号の不適用

あらかじめ土地所有者が開発許可を受け，この開発許可に基づく地位を開発業者に承認させ，その開発業者にその土地を譲渡した場合には，上記の13号の適用は受けられないとして取り扱われている（措所通31の２−13）。（同趣旨判例・浦和地判・平成10年２月23日，国税庁訴資8244−8489）。土地所有者が開発許可の申請をしたほうが，許可が得やすいということもあって，このような手続きが採られることも多々見られるが，このように土地所有者が開発申請をしていても開発業者が改めて開発許可を取り直した後，その業者に譲渡することが，トラブルを避けるためにはよいであろう。

確定優良住宅地等予定地の手続き

上記の特例のうち，１号〜11号については，土地を譲渡した段階で，これらの要件に適合しているかどうかが確定しているので，譲渡した年分の確定申告書に，上述の各項の解説の末尾に記載した証明書を添付して提出すればよい。

しかし，12号〜16号については，その譲渡した年分の確定申告書の提出期限（翌年の３月15日）までに，これに関する開発許可や所定の認定を受けていれば，優良住宅地等であることの知事または市町村長の認定証明書等を確定申告書に添付して提出して，それで手続きは終りとなるが，こういうことはむしろ少なく，特に，地権者の多数いる場合には，大部分の買収を終えてから，開発許可の申請や協議に入ることのほうが多い。

そこで，まず，譲渡した土地が，譲渡の日から２年を経過する日の属する年の12月31日(注)まで（たとえば，令和４年７月16日に譲渡すれば，令和６年12月31日まで）に優良住宅地に該当することとなることが確実であるという証明書を添付し，この特例の適用が受けられるものとして税額を計算し，譲渡した翌年の３月15日までに確定申告をし，税金を納付する（措法31条の２③）。

（注）開発許可を得るための協議期間，造成工事，建設工事の規模内容からみて，通常２年以上になる場合は，税務署長の承認を得て，この期間をさらに延長することができる（開発面積が１ha以上なら２年を追加，10ha以上なら４年を追加）。また，災害等により延長せざるを得ない場合も，期間延長の特別手続きがある（上記の延長期間に加えて２年）（措令20条の２㉓㉔㉕㉖）。

そして，これらの宅地造成や住宅建設工事が要件どおり完成したときは，業者はその証明書を譲渡した人に交付し，その証明書を税務署に提出して，これで終りとなる。

優良住宅団地・優良住宅等の予定地の場合の手続き

404ページの**図表３－15**の「(3)優良な住宅地の造成・住宅の建設等を行う者へ譲渡した場合」の添付書類はつぎのとおりである（措則13条の３⑫～⑮）。

土地を買い取る者から受けたつぎの書類：

①　事業概要書および土地の所在地を明らかにする地形図

②　買い取った土地を，上記の所定の期限までに，上記の用に供することを約する書類

そして，所定の開発許可や認定などを受けたときに，402ページ以下の各号の説明のところに掲げた添付書類を提出して手続きは終了する（措法31条の２⑤⑥）。

特例要件に該当しなくなったときの手続き

しかし，予定期間内に宅地造成や住宅・マンションの建設ができないときは，この特例の適用を受けられなくなるので，土地を譲渡した人は，普通の長期譲渡所得の計算をしなおして，該当しなくなった日から４か月以内に修正申告書を提出して，その差額の税金を納付することになる。なお，上記の期間内に提出した修正申告書は期限内申告書とみなされるので，過少申告加算税と延滞税は課せられない（措法31条の２⑧～⑩）。

＊　　　＊　　　＊

上記の12～16号に関する届出書類の一覧表および申請書等は「国税庁ホームページ」⇒「申告手続・用紙」⇒「税務手続の案内（科目別一覧）」⇒「届出書・申請書等の様式を検索」の「譲渡所得税関係」で入手できる。

〈停止条件付契約と解除条件付契約〉

土地の売買契約をするとき，この土地にマンションを建てる建築確認申請を提出し，確認が得られたら，効力が発生するという契約をすることがある。「確認が得られたら」というのが停止条件であり，それまでは売買契約の効力が停止している。こういう契約を「停止条件付契約」という（民法127条）。これに対して，「解除条件付契約」というのがある。売買契約をして，契約締結の日に，契約の効力がいったんは発生した。しかし，何月何日までに建築確認が得られなかったら，契約を解除して，契約日に遡って白紙の状態に戻そうという契約である。結果的には同じようにもみえる。が，所得税の扱いなどでは微妙な差があるので注意。

〈譲渡担保〉

これは金融担保の一つの方法で，金を借りるのと引き換えに，①不動産の所有権を貸主に移転する，②しかし，借主は引き続いて，その不動産を使用し収益を上げている，③借主は貸主に対して，借入金の利息を支払う，という形をとり，借入金を返済したとき，その不動産の所有権の返還を受け，旧の状態に復するという制度である。

不動産は，いったん借主から貸主へ譲渡される形をとるが，これはあくまでも形式的なものであるから，この段階では，所得税の譲渡所得には該当しないし，不動産取得税でも特例がもうけられている。

10 税額計算方法からみた譲渡所得の分類――まとめ

税額計算方法の差異から譲渡所得を分類すると……。

譲渡所得の種類による税額計算の差異

資産を譲渡したとき，一般の人がたまたま譲渡したときは**譲渡所得**になり，商売として譲渡すれば**事業所得**，商売とまでいえないが商売に近いときは**雑所得**になること，そして譲渡所得のなかでも土地や建物を譲渡したときは，土地・建物の譲渡所得として別の取扱いになること，そして一般の譲渡所得も，土地・建物の譲渡所得もそれぞれ長期譲渡と短期譲渡に分かれること，その区分の仕方が一般の譲渡と土地・建物の譲渡とでは異なっていること，さらに土地の長期譲渡については，「優良住宅地の造成・優良住宅の建設等のための土地譲渡の税額計算」の特例があり，複雑多岐をきわめていることを説明してきた。そして，このなかのどの種類に分類されるかによって，税額の計算方法が違ってくることも説明してきた。

上述したように，個人の不動産業者が商売として土地・建物を譲渡したときには，譲渡所得でなく事業所得となり，業者とまでいかない人が内職程度に行った場合には雑所得となるのであるが，土地・建物の所有期間や規模などによっては譲渡所得に分類されることもある。

そこで，ここらあたりでこの複雑な関係を整理する必要があると思って作成したのが**図表３－16**（次ページ）である。これまでの説明を思い浮かべながら，この表によってひとまず整理しておいてもらいたい。

（注）　土地・建物の譲渡が事業所得または雑所得に該当する場合で，その譲渡した年の１月１日で所有期間が５年以下の土地であるときは,「土地等に係る課税事業所得等の金額」として短期譲渡所得の税額計算に似た特別の計算をすることになっているが（533ページ以下参照），この特別な計算は，平成10年１月１日から令和８年３月31日までの間の譲渡については適用されないことになっている（措法28条の４⑥）。また，所有期間２年以下のものは超短期譲渡として事業所得等の超重課税の取扱いがあったが，平成10年の税制改正で廃止されている。

図表３－16　税額計算方法からみた譲渡所得の分類――まとめ

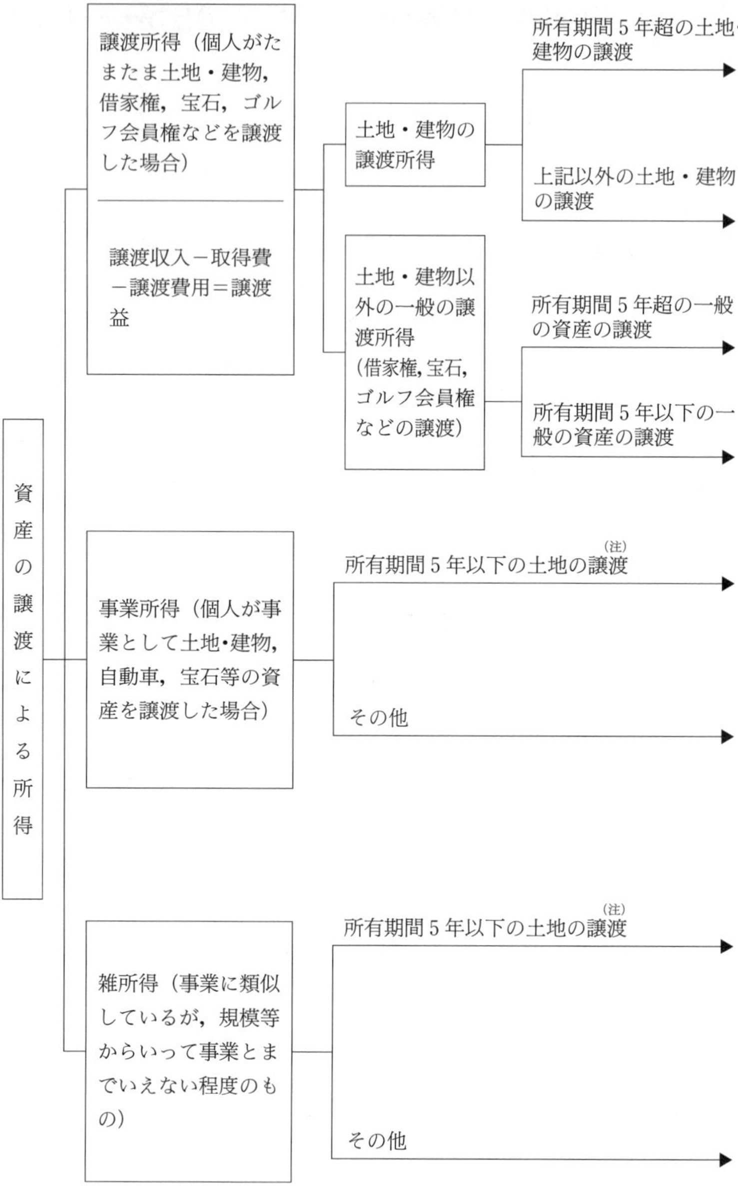

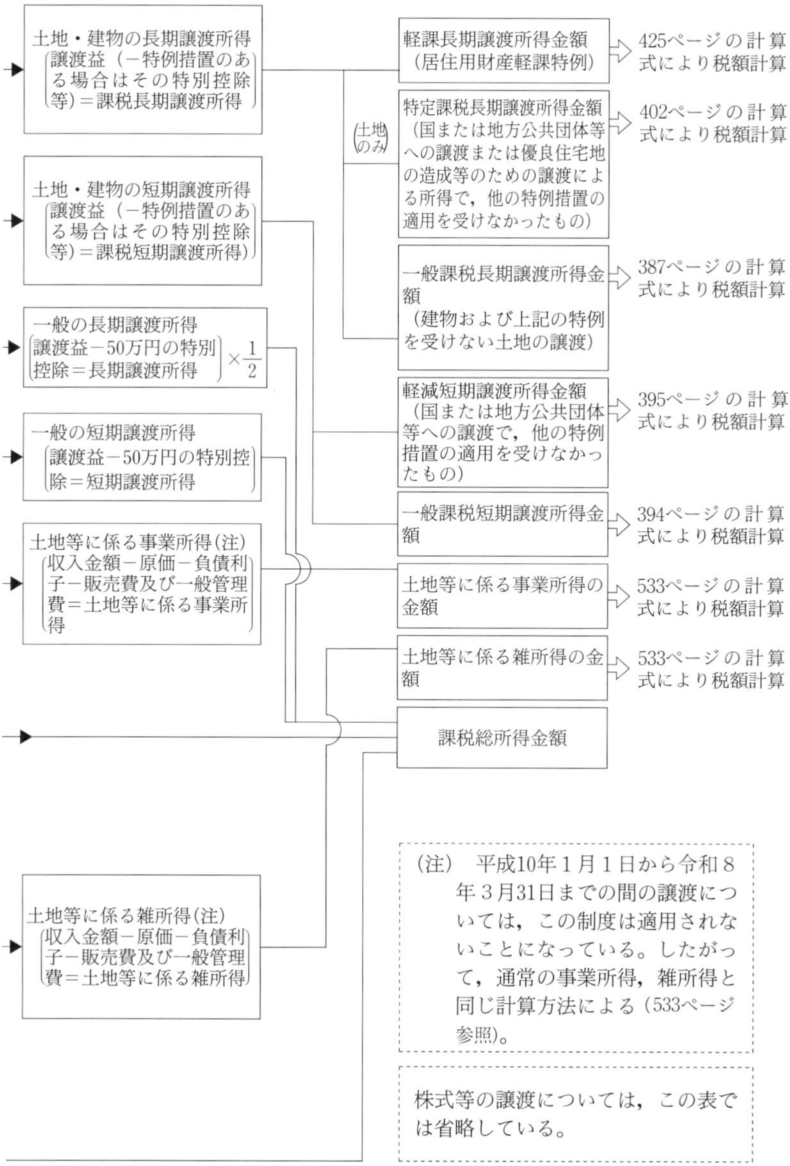

（注）　平成10年１月１日から令和８年３月31日までの間の譲渡については，この制度は適用されないことになっている。したがって，通常の事業所得，雑所得と同じ計算方法による（533ページ参照）。

株式等の譲渡については，この表では省略している。

第３節
特別の場合で土地・建物の譲渡に関する所得税が軽減される場合

11　譲渡所得の特例

土地・建物の譲渡所得について，特別の場合には特例措置がある。

譲渡所得計算の特例

土地・建物の譲渡所得の税額の計算は前節までで述べたとおりであるが，特別の場合には特例措置がある。それをまとめて表示すると，418ページ以下の**図表３－17**のようになる。

この全部について詳しい説明をするには，到底紙数が足りないので，この節では，居住用財産の特例，特定事業用資産の買換特例，固定資産の交換の特例など一般によく利用される特例に重点を置き，その他については概要の説明にとどめた。

等価交換でマンション等を建設するときに利用される特定事業用資産の買換特例と立体買換えの特例や特定民間再開発事業の特例については，**第３編第９章**の「等価交換方式による賃貸マンション，ビルの権利調整，評価と税務のコンサルティング」で詳説する。これは，買換え後の土地・建物の利用の仕方と密接な関連をもち，その利用方法を説明する前に，または，利用方法と関連づけないで解説しても，単に税務を知識として理解するにとどまり，実践のコンサルティングの場で応用するのに役立たせにくいと判断したからである。

ここでは，まず譲渡についての特例措置がこれだけあること，したがって，実践のコンサルティングに際して，この表をみて，どの特例を適用できるか，そのためにどうすることが必要かということがわかればよい。

所得計算の特例と税額計算の特例

なお，**図表３－17**をみてわかるように，この節でとりあげようとするのは，課税所得を求めるにあたっての特別の計算法である。たとえば，居住用財産の特別控除の場合は，土地・建物の譲渡益から3,000万円を控除して課税所得を求める。

また，特定の居住用財産の買換特例の適用を受けて，買換資産の金額が譲渡資産の金額より大きいときは，課税譲渡収入はゼロとなるが，小さいときは，その差額が課税譲渡収入となり，

$$(\text{課税譲渡収入}) - (\text{取得費} + \text{譲渡費用}) \times \frac{\text{課税譲渡収入}}{\text{譲渡収入}} = \text{課税譲渡所得}$$

という形で課税譲渡所得を求める。

このように，課税譲渡所得を求めるための特別の計算をすることが，**図表3－17**の特例制度の特徴である。

その後に，たとえば，居住用財産の3,000万円の特別控除をして課税所得を求めた後で，譲渡資産の所有期間が10年を超えていれば10％（6,000万円超の部分は15％）の軽課の税率，10年以下５年超えであれば15％の通常の長期譲渡の税率，５年以下であれば30％の短期譲渡の税率を適用して税額を算出することとなる。居住用財産の買換特例については，軽課の適用はないが，所有期間に応じて長期譲渡の15％の税率か短期譲渡の30％の税率かのどちらかの税率を適用して税額を算出することになる。

その他の所得控除・買換えの特例についても同様である。

なお，これらの特例の適用を受けるためには，**当初申告要件**（329ページのコラム参照）といって原則として，譲渡した年分の確定申告書に，特例の適用を受ける旨を記載し，必要書類を添付して申告しなければならない。

このように，課税所得を求めるまでの特例制度が本節で説明する特例制度であり，課税所得を求めた後で適用される「**9　優良住宅地の造成・優良住宅の建設等のための土地譲渡の税率軽減**」における税率の軽減特例とは，はっきり区別して理解しておいてもらいたい。

なお，課税所得の特例を受けて，さらに上記の税率の特例と受けられる制度も，かつてはあったが，現在はその併用適用が一般的には認められなくなっている。

図表３－17　譲渡所得の主な特例措置（個人の場合）

（⑴譲渡のみ，⑵買換え，および⑶交換を必要とするもので分類）

	特例の適用のある場合		所得の計算のしかた	適用手続き ㋑確定申告書記載要件 ㋺譲渡所得計算明細書等の必要 ㋩主な添付書類
⑴譲渡のみで適用を受けられる場合	①居住用財産の譲渡（その１）	自己の居住用家屋とその敷地を譲渡した場合 （所有期間に関係なし）	（譲渡益） －（3,000万円）	㋑措法35条② ㋺要
	②居住用財産の譲渡（その２）	自己の居住用家屋とその敷地の譲渡で，その所有期間が10年を超えるもの	（譲渡益） －（3,000万円） ＊特別の低い軽課税率（425ページ参照）で課税	㋑措法31条の３ ㋺要 ㋩譲渡資産の登記事項証明書
	③相続空家の譲渡（その３）	被相続人の居住用家屋とその敷地を譲渡した場合	（譲渡益） －（3,000万円）	㋑措法35条③ ㋺要 ㋩相続がわかる書類 ・被相続人居住用家屋等確認書 ・契約書の写し ・耐震基準適合証明書
	④土地収用法等により収用等された場合等	１　土地収用法等により収用された場合 ２　土地区画整理事業による清算金 ３　都市再開発法による補償金 ４　国，地方公共団体，都市再生機構または地方住宅供給公社等が50戸以上の一団地の賃貸住宅・分譲住宅を建設するための土地買取りの場合等	（譲渡益） －（5,000万円）	㋑措法33条の４ ㋺要 ㋩ １．収用証明書 ２．買取り等の申出証明書 ３．買取等証明書
	⑤特定土地区画整理事業等のための譲渡等	国，地方公共団体，都市再生機構等が土地区画整理事業，第１種市街地再開発事業として行う公共施設の整備改善，宅地造成，共同住宅の建設等に関する土地	（譲渡益） －（2,000万円）	㋑措法34条 ㋺要 ㋩買取証明書

		等の買取りの場合等			
	⑥特定住宅地造成事業等のための譲渡等	地方公共団体，都市再生機構，地方住宅供給公社等によって，住宅の建設または宅地の造成を目的とする事業用地として買い取られる場合		（譲渡益） －（1,500万円）	㋑措法34条の２ ㋺要 ㋩買取証明書
	⑦相続財産を３年以内に譲渡した場合	相続財産を，相続税の申告期限から３年以内に譲渡した場合		相続税のうち，その譲渡した資産に対応する部分を取得費に加算する	㋑措法39条 ㋺要
	⑧相続財産を相続税の物納にあてたとき	自分の相続税を納めるために，相続した財産を物納した場合		譲渡がなかったものとして，譲渡所得には課税されない	手続きを必要とせず（措法40条の３）
	⑨保証債務の履行のため譲渡した場合	保証債務の履行のため土地・建物を譲渡し，求償権の行使が不可能になった場合		求償権の行使が不可能となった部分について譲渡がなかったものとされる	㋑所法64条② ㋺保証債務の履行のための資産の譲渡に関する計算明細書
⑵買換等をすれば，適用を受けられる場合		譲渡資産等	買換資産等		
	①特定の居住用財産の買換え	居住期間が10年以上で，所有期間が10年超の家屋とその敷地を譲渡 （譲渡価額１億円以下のものに限る）	居住用家屋（50㎡以上）と敷地（500㎡以下）を取得 ㈱中古の耐火建築物は，築後25年以内のもの（一定の耐震基準を満たすもの）に限る	１　譲渡価額≦買換価額は課税されない ２　譲渡価額＞買換価額 $(\text{譲渡収入})-(\text{買換価額})-\{(\text{取得費})+(\text{譲渡費用})\}\times\frac{(\text{譲渡収入})-(\text{買換価額})}{(\text{譲渡収入})}$ ３　買換資産は譲渡資産の価額を引き継ぐ ４　取得日の引継ぎはなし	㋑措法36条の２ ㋺要 ㋩譲渡資産および買換資産の登記事項証明書
	②特定事業用資産の買換え（譲渡資産，買換資産とも事業用のものであること）	１　既成市街地等内にある特定施設の用に供されている土地・建物等	１　既成市街地等外の一定の地域にある土地・建物・機械・装置等	１　譲渡価額≦買換価額 （譲渡収入×20％）－{（取得費＋譲渡費用）×20％}＝（課税譲渡所得） ＊一定の場合，上記20％が40％，30％，25％あるいは10％となる。 ２　譲渡価額＞買換価額 {（譲渡収入－買換価額×80％）}－{（取得費＋譲渡費用）×（譲渡収入－買	㋑措法37条 ㋺要 ㋩買換資産の所在地などを証明する書類等

		２　所有期間10年超の土地・建物	２　特定施設の敷地の用に供する土地または建物，構築物	換価額×80%）÷譲渡収入｝ ＝(課税譲渡所得) ＊一定の場合，上記80%が90%，75%，70%，あるいは60%となる。 ３～４　(2)①と同様	
	③特定民間再開発事業の買換え特例	既成市街地等または高度利用地区内等にある土地・建物・構築物を右記の建築物を建設するために譲渡したもの（事業用を除く）	都道府県知事の認定を受けて左記の土地に建築された地上４階以上の建築物 （施行地区の面積1,000㎡以上） （従後資産は自己または親族の居住用に供すること）なお，転出者に対する特例もあり	１～３　(2)①と同様	㋑措法37条の５①１号 ㋺要 ㋩都道府県知事又は国土交通大臣の証明書等
	④中高層耐火共同住宅の建設事業の買換え特例	既成市街地等内にある土地・建物・構築物を右記の建物を建設するために譲渡したもの	左記の土地に建築された地上３階以上の共同住宅とその敷地等 （その建物の２分の１以上が住宅であること） （従後資産は自己または親族の居住用，事業用・貸付用に供すること）	１～３　(2)①と同様	㋑措法37条の５①２号 ㋺要 ㋩譲渡資産の所在地等を証明する書類および検査済証の写し等
	⑤土地収用法等により収用された場合等	(1)④と同じ場合で，収用等された土地・建物等	左記と同種の代替資産等	１，２　(2)①と同様 ４　取得日の引継ぎあり	㋑措法33条 ㋺要 ㋩(1)④と同じ代替資産の登記事項証明書等
(3)交換，換地等をすれば，適用を受けられる場合	①特定の居住用財産の交換	(2)①と同じ	(2)①と同じ	(2)①と同じ	㋑措法36条の５ ㋺要 ㋩(2)①と同じ
	②一般の土地・建物の交換	土地・建物等で， １　１年以上所有していること ２　固定資産であること （販売用資産でないこと） ３　交換のため	１～３　同左	１　従前資産≦取得資産は課税なし ２　従前資産＞取得資産 この場合，交換差金の受入れがある交換差金部分が課税対象となる。計	㋑所法58条 ㋺要

	に取得したものでないこと （土　地←→土　地 借地権←→借地権 建　物←→建　物） の交換であること 従前と同一用途に使用すること（相手方が同一用途に供さなくてもよい） 両資産の価額の差が高いほうの資産の20％以内であること		算式は(2)①と同様 3　取得資産は従前資産の取得価額を引き継ぐ 4　取得日の引継ぎあり	
③共有地の分割	分割前の共有地	分割された共有地	譲渡がなかったものとされる	手続きを必要とせず（所基33－1の7）
④都市再開発法による権利変換	従前の土地・建物	権利変換により取得した土地・建物	譲渡がなかったものとされる	手続きを必要とせず（措法33条の3）
⑤土地区画整理法による換地処分	従前の土地	換地処分により取得した換地	譲渡がなかったものとされる	手続きを必要とせず（措法33条の3）
⑥任意の区画整理（いわゆる共同造成）	従前の土地	交換分合によって取得した従後の土地	1　取得した従後の土地に対応する従前の土地の譲渡はなかったとされる 2　宅造工事費等にあてるため第三者に譲渡した部分は，全員がその割合に応じて譲渡したものとされる	1については手続きを必要とせず（所基33－6の6） 2については確定申告をして納税する
⑦開発業者に対して宅造協力した場合	提供した従前の土地	取得した造成後の土地	1　取得した従後の土地に対応する従前の土地の譲渡はなかったとされる 2　その他の部分は譲渡所得の対象となる	1については手続きを必要とせず（所基33－6の7） 2については確定申告をして納税する
⑧土地収用法等による交換処分	(1)④と同じ場合で交換処分を受けた土地・建物等	1　左の法律による交換処分により取得された土地等 2　交換処分とともに補償金等を取得したとき	1　交換については譲渡がなかったものとして課税されない 2　補償金等については(1)④の特別控除か(2)⑤の代替資産の取得のいずれかの適用を受けら	措法33の3

				れる	
	⑨特定事業用資産の交換	⑵②と同じ	⑵②と同じ	⑵②と同じ	㋑措法37条の4 ㋺要 ㋩⑵②と同じ
	⑩特定民間再開発事業の交換の特例	⑵③と同じ	⑵③と同じ	⑵③と同じ	⑵③と同じ
	⑪中高層耐火共同住宅の建設事業の交換の特例	⑵④と同じ	⑵④と同じ	⑵④と同じ	⑵④と同じ

12 居住用財産の特例――あらまし

居住用財産を譲渡したときには，3,000万円の特別控除・軽減税率や買換特例を利用して節税をする。

（措法35条，措令23条，措法31条の３，措令20条の３，措法36条の２～36条の５，措令24条の２～24条の３参照）

居住用財産の譲渡には優遇措置

居住していた家屋と敷地とを売るということは，普通は，よほどの事情があってのことである。土地も大分値上りしたようだから，いま売ったらかなりの儲けになる，といったような理由だけからで，生活の本拠である居住用の家屋を売り払ってしまう人はあまりないであろう。

転勤して引越さなければならないとか，家族がふえて家が手狭になったとか，もっと環境のいいところに移りたいとか，事情はさまざまであろうが，なんらかの事情があってのことである。

そして，生活の本拠である居住用の家屋を売ってしまったら，他に生活の本拠となる土地・建物を求めなければならなくなる。

そういう場合に，いままで居住していた土地・建物の譲渡について，通常の譲渡所得に対する課税をしていたのでは，とられた税金分だけ目減りしてしまって，従来の住居と同じ程度のものを手に入れることは困難になってしまう。

生活の本拠である居住用の土地・建物を売るというのは，よっぽどのことである。したがって，こういう場合には，譲渡所得課税について優遇措置をもうけてあげよう，こういう趣旨で，居住用財産を譲渡したときの特例制度がもうけられている。

居住用財産の特例は要件に応じて選択

居住用財産の特例には,つぎのような特例があり,自分の要件に応じた特例を選択して利用するようになっている。

① 3,000万円の特別控除の特例

② 3,000万円の特別控除をして軽課税率により税額を算定する特例（以下，「特別控除・軽課の特例」という）

③ 特定の居住用財産の買換特例

なお,所有期間との関係で,これを一覧表にまとめると,**図表３－18**のようになる。

図表3−18

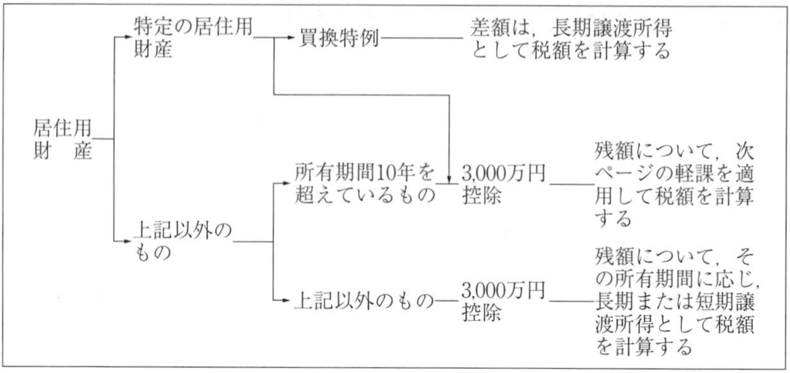

居住用財産の3,000万円の特別控除の概要

まず，居住用財産の3,000万円の特別控除から説明する。これを算式で示すと，

（収入金額）−（取得費）−（譲渡費用）＝（譲渡益）

（譲渡益）− 居住用財産の特別控除3,000万円 ＝（課税譲渡所得）

となる。

一般の住宅を売って，その譲渡益が3,000万円以下であれば，その場合は特別控除により申告することによって税金が課税されない。

3,000万円を引いて残額が出れば，これが課税譲渡所得になり，長期譲渡であるか，短期譲渡であるかによって，それぞれの計算方法によって税額を計算する。

居住用財産を売って，土地は長期譲渡に該当するが，家屋は短期譲渡に該当するという場合には，譲渡収入や取得費・譲渡費用を土地と家屋とに分けて計算することになるが，3,000万円の特別控除は，まず短期譲渡のほうから先に控除することになっている。

（計算例） 家屋が短期譲渡で，土地が長期譲渡の場合で，土地・家屋の売買代金と取得費と譲渡費用が下記のようであったとする。

① 短期譲渡所得の計算

（家屋の譲渡収入）　（家屋の取得費）　（家屋に係る譲渡費用）　（家屋の譲渡益）
10,000,000円 − 3,600,000円 − 400,000円 ＝ 6,000,000円

（家屋の譲渡益）　（居住用財産の特別控除の内）　（課税短期譲渡所得）
6,000,000円 − 6,000,000円 ＝ 0円

②　長期譲渡所得の計算

(土地の譲渡収入)　(土地の取得費)　(土地に係る譲渡費用)　(土地の譲渡益)
80,000,000円 － 4,000,000円 －2,500,000円＝73,500,000円

(土地の譲渡益)　(居住用財産の特別控除の残額)　(課税長期譲渡所得)
73,500,000円 － 24,000,000円 ＝49,500,000円

(注)　平成28年度税制改正で，被相続人の居住用財産の3,000万円特別控除の特例が創設された（430ページのコラム参照）。

居住用財産の特別控除・軽課の特例

上述の3,000万円の特別控除は，譲渡したのが居住用財産であれば，所有期間に関係なく適用が受けられる。

これに対して，この特別控除・軽課の特例は，譲渡した年の１月１日で，その家屋と土地との所有期間がともに10年を超えているもの，という要件がついている（措所通31の３－３)。

譲渡益から3,000万円の特別控除をした後，軽課の税率が適用され，つぎのようにして税額を求めるようになっている。

〈計算式〉

①　課税譲渡所得が6,000万円以下の場合
課税譲渡所得×10%（住民税は４%）＝所得税額（住民税額）

②　課税譲渡所得が6,000万円を超える場合
課税譲渡所得×15%－300万円（住民税は５%－60万円）
＝所得税額（住民税額）

計算例を示すと，つぎのとおりである。

〈計算例〉

譲渡収入２億円，取得費５%，譲渡費用600万円の場合

(譲渡収入)　(概算取得費)　(譲渡費用)　(譲渡益)
200,000,000円×（１－0.05）－6,000,000円＝184,000,000円

(譲渡益)　(特別控除)　(課税譲渡所得)
184,000,000円－30,000,000円＝154,000,000円

(所得税)　154,000,000円×0.15－3,000,000円＝20,100,000円

(住民税)　154,000,000円×0.05－　600,000円＝ 7,100,000円

(注)　平成25年から令和19年まで，上記の所得税額に2.1%を乗じた復興特別所得税が追加して課税される。

なお，相続した居住用財産の3,000万円控除については，430ページのコラムに掲載されているので参照されたい。

特定の居住用財産の買換特例の概要

つぎの要件をそなえているものを，**令和７年12月31日まで**に譲渡し，譲渡した年の前年１月１日から譲渡した年の12月31日までの間に，つぎの要件をそなえた居住用財産を取得し，取得した日から譲渡した年の翌年12月31日までに居住の用に供したときは，買換特例の適用が受けられることになっている。

その要件というのは，

① 譲渡した居住用財産については，居住期間が10年以上で，かつ，所有期間が10年を超えていて，売買価額が１億円以下のもの

② 買い換えた居住用財産については，建物の居住の用に供する部分の床面積が50㎡以上（中古の耐火建築物は，取得の日前25年以内に建築されたもの，または耐震構造適合証明書の添付されているもの）で，敷地面積が500㎡以下のもの

なお，適用要件の詳細については，「**13　特定の居住用財産の買換特例の適用要件**」（433ページ）を参照されたい。

買換特例を適用した場合の譲渡所得

特定の居住用財産の買換特例の場合の課税譲渡所得はつぎのようにして求める。

① 買換資産の価額≧譲渡価額のとき

譲渡価額の全額について譲渡所得の課税がされない。

② 買換資産の価額＜譲渡価額のとき

差額についてのみ譲渡があったとして，つぎの式で譲渡所得を計算して課税されることになる。

$$（譲渡価額）-（買換資産の価額）=（課税譲渡収入）$$

$$（課税譲渡収入）-\left\{（取得費）+（譲渡費用）\right\}\times\frac{（課税譲渡収入）}{（譲渡価額）}=（課税長期譲渡所得）$$

家屋と敷地との所有期間が10年を超えているとは

「居住用財産の特別控除の特例」は，居住用財産であれば，その所有期間に関係なく対象となるが，「居住用財産の特別控除・軽課の特例」と「特定の居住用財産の買換特例」については，その家屋と土地との所有期間がともに10年を超えていなければ対象とならない。

居住用の家屋の所有期間は10年以下であるが，その敷地のほうは10年を超えているというケースは，けっこう多いであろう。こういう場合に，家屋が対象にならないのは当然のことであるが，敷地のほうだけ対象にできないかというと，それもできない。家屋の所有期間が特例の条件に適合したときのみ，所有期間が10年を超えている敷地のほうも対象となるのである。

こういうことは，敷地を買ったのは12年前だが，その後５年ぐらいして，すなわち７年前に**家屋を建て替えて**居住したというようなときによく起きるが，もう何十年も前から家屋と敷地とを所有していて，居住もしていたが，家屋のほうを８年前に建て替えたという場合にも生じる。このように建替えをした場合には，実際に譲渡したのは建て替えた家屋であり，その所有期間は10年以下になるので，家屋も敷地もともに，これらの特例の対象外になるので注意しなければならない（措所通31の３－３(注２)）。

これらの場合には，3,000万円の特別控除のみを受けるしかなくなる。

なお，期間計算をするときの従前資産の「取得の日」「譲渡の日」の判定の詳細については，「**8　長期譲渡・短期譲渡の区分**」（397ページ以下）を参照されたい。

相続や贈与で取得したときの所有期間

居住用の家屋と敷地とを相続で取得していたときは，所有期間の判定は，被相続人（死亡した人）が取得した日から期間計算をすればよい。贈与を受けていたときも同様である。その他，固定資産の交換の特例を受けて交換をした場合などで取得の日が引き継がれる場合があるが，居住用財産の買換特例を適用して取得していた場合は取得日は引き継がれない。詳細は**図表３－14**（400ページ）を参照されたい。

借地をしていて底地を買い取って，底地が10年以内のとき

家屋の所有期間は10年を超えているが，敷地はその後に買い取ったので，その所有期間は10年以下ということもあるであろう。この場合も，家屋も敷地も「特別控除・軽課の特例」や「特定の居住用財産の買換特例」の対象にならない（措所通36の２－１）。3,000万円の特別控除だけが適用される。

しかし，借地をして家屋を建てて居住していて，最近，底地を買い取ったので，家屋と借地権の所有期間は10年を超えているが，底地の所有期間は10年以内であるという場合には，家屋と借地権だけは，これらの特例の対象になる（措所通31の３－４）。なお，底地の所有期間が５年以内である場合は，底地部分はこれらの特例の対象とならないだけでなく，短期譲渡の対象になってしまう。こういう場合は，売買金額を合理的に按分して，建物・借地権・底地に分けて計算しなければならないことになる。

この按分計算の仕方は，通達（所基33－11の３）によれば，譲渡収入のうちの建物に対する部分を適正に見積もって控除して，土地に係る譲渡収入を求めてから，底地の譲渡収入を，

$$（土地に係る譲渡収入）\times\frac{\left(\begin{array}{l}底地を取得したと\\きの底地の時価\end{array}\right)}{\left(\begin{array}{l}底地を取得したと\\きの更地の時価\end{array}\right)}=（底地に係る譲渡収入）$$

として求めるようになっている。

なお，底地の時価の評価は難しいが，取得したとき支払った対価が適正であれば，その金額を底地の時価としてもいいとされている。

また，譲渡直前に底地を買い取ったときは，底地についての値上り益はないと考えていいケースも多いであろうから，その場合は，底地の取得価額をそのまま底地部分の譲渡収入として，底地にかかる譲渡所得が差し引きゼロになるであろう。

なお，3,000万円の特別控除を受けるときは，短期譲渡にあたる底地の譲渡所得のほうから順次3,000万円を控除していけばよい。

居住用財産の交換の特例

上記の要件をそなえた特定の居住用財産を他人の所有している所定の要件をそなえた土地または建物（その他人の居住用でなくてもよい）と交換して居住の用に供したときも，居住用財産の買換えと同様に取り扱われるようになっている（措法36条の５）。

また，この場合に，上記の交換の特例ではなく，3,000万円の特別控除・軽課の特例を選択することもできる（措法31条の３）。

特別控除と買換え（交換）の特例はどちらか一つだけ

この特定の居住用財産の買換特例を受けられる場合には，特別控除・軽課の特例の適用要件もそなえていることになる。

この場合も，どちらか一つだけ有利なほうを選んで適用を受けることになる。しかし，買換資産の価額が譲渡価額より低いとき，まず買換特例を受けて，差額について特別控除の適用を受けるということはできないのはもちろん，家屋について買換えの特例を受けて，敷地について特別控除・軽課の特例の適用を受けるということもできない。買換特例か特別控除・軽課の特例か，どちらか一つを選択しなければならない。

また，居住用財産の買換特例の適用を受けて，譲渡価額より買換価額が小さいため差額が残ったとき，その差額は，通常の長期譲渡の税額計算の方法により計算する。この差額について425ページの軽減税率（軽課）を適用することはできない。

選択したら切り替えはできない

居住用財産を譲渡したが，買い換える予定はないので，翌年３月に3,000万円の特別控除・軽課の特例を受けて確定申告をした。その後，いい土地・建物を見つけたので，これを購入して居住することにした。そこで，3,000万円の特別控除および軽課税率の適用を取り消して，買換特例に切り替えたいといっても，それは認められない。

また，譲渡した翌年に買換資産を購入する予定で，翌年３月の確定申告書に買換特例を受けるというように記載して提出した。ところが，気に入る物件がなかなか見つからず，取得期限までに取得できそうもないので，いっそのこと3,000万円の特別控除・軽課の特例に切り替えたいといっても，それも認められない。

翌年に買い換える場合には，どちらの特例を選択するか慎重に考えなければならない。

なお，やむを得ない事情により買換予定の資産が期限内に取得できなかった場合の特例措置があり，これについては436ページ以下参照。

借地上の家屋と居住用財産の特例　借地の上に居住用の家屋を所有していて，借地権付家屋を譲渡したときは，この借地権を含めて居住用財産の特例の対象となる。

借家権と居住用財産の特例　借家に居住していて，立退料をもらって転居した場合には，居住用財産の特例の対象にはならない（詳しくは491ページ参照）。

〈被相続人の居住用財産の譲渡にも3,000万円控除
――空家対策の一環として――〉

被相続人が相続開始の直前まで居住の用に供していた(注)
⑴　家屋
⑵　その敷地である土地
⑶　家屋を取り壊して，その敷地であった土地
を相続人が譲渡した場合，特定居住用財産の3,000万円控除の特例の適用を受けられるようになっている（措法35条③）。

なお，令和５年の税制改正で，この特例を受ける相続人の数が３人以上の場合には，特別控除額が2,000万円までとされた。

その要件とは，
①　その家屋は，昭和56年５月31日以前に建築されたもの（マンションなどの区分所有建物を除く）。
②　被相続人が，
⑺　死亡の時まで一人で居住していた場合
または，
⑴　要介護認定等の認定を受け，老人ホーム等に入所していて死亡した場合（平成31年改正で追加）
で相続の時から譲渡の時まで，空家のままにされていたもの（なお，敷地とともに家屋も譲渡する場合には，譲渡の時からその譲渡の日の属する年の翌年２月15日までの間に耐震基準を満たす必要がある。敷地のみを譲渡する場合には，譲渡の時からその譲渡の日の属する年の翌年２月15日までの間に，家屋の全部を取りこわす必要がある）。
③　譲渡価額が１億円を超えないこと
④　相続後３年を経過する年の12月31日までで，平成28年４月１日から令和９年12月31日までに譲渡すること。
⑤　添付書類
⑺　売買契約書（写）
⑴　登記事項証明書
⑼　建物所在地の市町村の確認書（被相続人居住用家屋等確認書）申請書は国土交通省のホームページで取得できる。
⑴　耐震基準等に適合する旨の説明書
⑥　⑺　居住用財産の特別控除または買換特例と併用する場合に，その譲渡価額の合計額が１億円を超えないこと。
⑴　相続後３年以内の譲渡の取得費加算の特例（措法39条）（519ページ参照）との併用適用はできない。

(注)　老人ホーム等に入居していたこと等により，居住の用に供されていなかった場合を含む。

〈確定申告書不提出と特例適用〉

こういう裁判（大阪高裁・昭50．2．28判決）があった。わかりやすくするため，若干省略したり書きかえたりした。詳しく正確に知りたい人は，『シュトイエル』167号を読まれたい。

居住用財産を譲渡したら，税務署から呼出しがあり，出頭し，調査票に詳細を記入し，経過を説明したところ，係員からこの譲渡については税金はかからないといわれて安心して帰った。その翌年８月と９月にまた呼出しがあり，２回とも出頭して，譲渡の内訳明細書に記入，提出し，これで全部すんだと思っていた。このとき，確定申告書の用紙をくれなかったので，確定申告書は提出しなかった。

ところが，その翌年の４月になって突如として，あなたは不動産を譲渡して申告していない。けしからぬ。金何円の税金を払えという決定通知が舞い込んだ。まさに寝耳に水である。それで税務署に行って，これまでのいきさつを説明したが取り合ってくれない。そこで，いろいろの手続きをした後訴訟に及んだ。

納税者の言い分はこうである。税務署に３度まで足を運んで事情を全部説明して，税務署員も税金はかかりませんよと教えてくれた。自分はサラリーマンで毎年の税金は源泉徴収と年末調整で全部済んでしまう。確定申告書の用紙など見たこともない。それに申告書は提出しなかったとしても，それよりもっと詳しく書いた内訳書（確定申告書の添付書類）は提出し，特例の適用を受けたいということは口頭で説明している。それなのに，確定申告書という表題のついた用紙に記載しなかったというだけで，特例の適用は受けられず，税金をとられるのはどう考えても納得いかない。

しかし，法の裁きは冷たかった。この適用を受けるか受けないかは，納税者の選択にまかされており，適用を受けるときは，確定申告書に「措法何条」と書いて申告することが絶対条件になっている。ところが納税者は申告書を提出しなかった。だから適用は受けられない，と。（所得税の特例は申告書を提出しないと適用にならないものが多いので，注意しなければならない。）〈関連コラム「当初申告要件」・329ページ参照〉

〈居住用家屋の認定をめぐるトラブルの例〉

〔居住用家屋でないと判定された例〕

映画監督甲は，Ａ町のマンションを借家し妻子とともに居住していたが，同市Ｂ町に木造瓦葺２階建の家屋と敷地を有し，ときたま，その家屋の管理を兼ね，仕事を処理するための旅館・ホテルがわりに単身で使用していたが，このＢ町の家屋と敷地を売却し，居住用財産の特別控除を受ける旨の申告をしたところ，税務署はこれを居住用家屋に該当しないと認定し更正処分を行い，不服審判所にもち込まれた。

審判所は，Ａ町のマンションとＢ町の家屋とで使われた電気・ガス・水道の使用量，電話料金を調査比較し，またＢ町の家屋では新聞・牛乳等をとっていないこと，テレビの視聴料の支払いのないことを調査し，その結果，Ｂ町の家屋は「主として」居住の用に供していた家屋でないとして甲の請求を棄却した（昭54．9．20裁決）。

〔居住用家屋であると判定された例〕

乙は，昭和42年にＣ町に家屋を新築し，48年４月まで居住していたが，両親との不和を解消するため等の家庭の事情でＤ町の家屋に転居し，49年９月から50年４月まで丙社に一時貸付け，その後空家となったが，同年５月に改造工事を行い，51年７月になって子供の進学等の関係でＣ町の家屋に戻り，52年に売却するまで居住していた。この売却に関し居住用財産の特別控除の適用を税務署に否認されたため，不服審判所に審査請求した例である。

審判所は，電気・ガス・水道の使用量を調査し，また子供の就学状況も調査し，家庭の事情も考慮し，改造工事を行っていることも参考にし，本件家屋は，乙が永住する目的で新築し居住していたもので，Ｄ町に居住していたのは一時的仮住いであったと認定し，本件家屋は，「社会通念上，生活の拠点として利用していた」と認定し，税務署に処分の取消しを命じた（昭55．1．24裁決）。

13 特定の居住用財産の買換特例の適用要件

特定の居住用財産の買換特例の適用を受けるためには，どのような要件をそなえていなければならないか。　（措法36条の２，措令24条の２，措則18条の４）

特定の居住用財産の買換特例の適用要件は

この買換特例を受けるための適用要件の概要は，つぎのとおりである。

① 譲渡した居住用財産については，**居住期間が10年以上**で，かつ，**家屋と敷地の所有期間がともに10年を超えているも**の

家屋または敷地である土地のいずれか一方の所有期間が10年を超えていない場合には，家屋も土地も適用にならない（措所通36の２－１）。

なお，家屋を取り壊して譲渡したときは，取り壊した時点で10年を超えていたかどうかを判定する。また，**譲渡価額が１億円以下**のものに限られる(注)。

（注）譲渡価額のうちの１億円までが適用になるのではなく，譲渡価額が１億円を超えていれば，この特例は適用されないことに注意。

② 買い換えた居住用財産については，建物の居住用部分の床面積が50㎡以上で，この家屋の敷地の面積が500㎡(注１)以下のもの。

また，中古住宅で，耐火建築物(注２)である場合は，さらに，

(a) 取得の日以前25年以内に建築されたもの

または

(b) 耐震基準等に適合しているもの(注３)

または

(c) 譲渡した年の12月31日までに上記の基準に適合しているもの(注３)

の条件を満たしていなければならない(注４)。

（注１）区分所有建物の敷地面積は，つぎの式で算定する（措令24条の２③２号）。

$$\left(\begin{array}{c}\text{1棟の家屋}\\\text{(マンション全体)の敷地面積}\end{array}\right)\times\frac{\left(\begin{array}{c}\text{取得した独立部分}\\\text{の床面積}\end{array}\right)}{\left(\begin{array}{c}\text{1棟の家屋}\\\text{(マンション全体)の総床面積}\end{array}\right)}$$

（注２）耐火建築物：登記簿に記録された建物の主たる部分の構成材料が，石造，れんが造，コンクリートブロック造，鉄骨造，鉄筋コンクリート造または鉄骨鉄筋コンクリート造とする（措令24条の２③一ロ，措則18条の４①）

（注３）　建築基準法施行令第３章（構造強度）及び第５章の４（建築設備等）の規定もしくは国土交通大臣が財務大臣と協議して定める地震に対する安全性に係る基準に適合するものとし財務省の定めるところにより証明されたもの（耐震基準適合証明書又は住宅性能評価書の写し）

（注４）　従前は堅固造の建物についてのみの制限であったが，平成30年の税制改正で非堅固造の建物についても同じ制限を受けるようになり，同年４月１日以後に買換資産を取得した場合から適用されている。

つぎに，その要件について具体的に解説する。

譲渡・買換え・入居の期間は

①　譲渡期間：**令和７年12月31日まで**の間に譲渡し，

②　買換取得期間：譲渡した年の前年の１月１日から譲渡した年の12月31日までに取得するのが原則である。

なお，買換取得期限については，税務署長の承認を受けて，譲渡した年の翌年12月31日まで延長することができる（措法36条の２②）。

③　入居期限：譲渡した年の翌年12月31日までに居住の用に供しなければならない。なお，②の取得期限の延長の承認を受けている場合の入居期限は，譲渡した年の翌々年12月31日までとなる。

（注）　やむを得ない事情等で取得・入居の遅れる場合については，436ページ以下参照。

居住期間は10年以上

譲渡した資産の居住期間は10年以上となっているが，居住期間の計算にあたり，本人が居住していなかった期間は除いて，その前後の居住していた期間だけを合計して算定する（措所通36の２―２）。なお，転勤などで，配偶者等と離れて他に起居していて，転勤が終わったら戻ってくるような場合の期間は居住期間に算入される（詳しくは措所通31の３―２，31の３―６参照のこと）。

また，家屋の建替え期間中に一時的に他に起居していた期間は居住期間に含まれる（措所通36の２－５）。従前から居住していた借家を買い取った家屋を譲渡した場合には，借家時代の居住期間も居住期間に算入して計算してよいとされている（措所通36の２－４）。

譲渡価額は１億円以下

譲渡した居住用の建物とその敷地と一体として使用された土地の売買価額が１億円以下であること。

たとえば，居住用土地建物を1.5億円で売ったときに，このうち１億円部分が特例の対象となり，5,000万円部分が通常の課税対象になるということではなく，その全額が特例の対象にならないというものである。

また，居住用土地建物を何年かに分けて譲渡しているとき，前年，前々年に譲渡した価額を含めて，１億円以下であるかを判定する。

また，１億円以下の部分を譲渡して特例の適用を受けて，その翌年，翌々年に残りの部分を譲渡した場合は，特例適用年の譲渡とその前年，前々年分の譲渡の額と合計して計算し１億円を超えたら，先の譲渡についての適用は受けられなくなる（措法36条の２④）ので，その譲渡をした日から４か月内に修正申告をして，特例の適用を受けなかったとして税額を再計算して，差額の税金を納めることになっている（措所通36の３－１）。

なお，この場合の譲渡には，贈与（時価の$\frac{1}{2}$未満の譲渡を含む）も含まれている。また，その一部を贈与していたときは，贈与の時の時価を加えて，１億円以下であるかの判定をする（措令24条の２⑨，措所通36の２－６の４）。

買換取得資産の適用要件

買換取得資産の家屋については，面積要件が居住の用に供する部分の延床面積50㎡以上となっている。家屋の面積要件は，つぎのようにして判定することとなっている。

①　下記の②以外の建物の床面積は，各階ごとに壁その他の区画の中心線で囲まれた部分の水平投影面積（登記簿上表示される面積）による。

②　区分所有建物の独立部分の床面積は，壁その他の区画の内側線で囲まれた部分の水平投影面積（登記簿上表示される面積）による。したがって，その床面積には，数個の独立部分に通ずる階段，エレベーター室等共用部分の面積は含まれない（措所通36の２－14）。

また，戸建住宅について，

①　家屋の床面積には，一体として利用されている離れ屋，物置等の附属家屋の床面積を含めた面積で判定する（措所通36の２－13⑴）。

②　家屋または土地が共有の場合にも，家屋全体の床面積，土地の全体の床面積で判定する（同⑵）。

③　店舗併用住宅等である場合には，家屋は居住用部分の床面積で，土地は敷地全体の面積で判定する。なお，居住用部分が90％以上で，全部を居住用部分として取り扱っているとき（442ページ参照）は，家屋全体の面積で判定する（同⑶）。

④　家屋が床面積要件を満たさない場合は，敷地面積が500㎡以下でも，家屋のみならず土地も買換資産に該当しない（同⑸）。しかし，敷地面積が500㎡を超えているが，家屋が床面積要件を満たす場合には，家屋のみが買換資産に該当することになる。

（注）　買換適用要件の敷地面積が500㎡以下ということは，たとえば，敷地面積が600㎡である場合，その内の500㎡までが特例対象になり，500㎡を超える100㎡部分が特例対象外となるということではなく，その敷地の全部が特例対象とならない，と

いうことである。

このような土地を取得した場合，居住用家屋の敷地を500㎡以下となるよう分筆するとともに，塀などで区画し，500㎡を超える部分は別の用途に使用されていることを明確にしておかなければならない。

買換資産の範囲　買換資産の対象となるのは，居住用の家屋とその敷地である土地（借地権を含む）である。

では，家屋というのは，どこまでを家屋というのか，冷暖房設備は家屋に含まれるのか，では，応接セットはどうなのかという質問をよく受ける。

建物と一体となっているもの(むずかしくいうと建物に附合したもの)が家屋の範囲ということになる。ひらたくいえば，引越しするときに持っていけないものが家屋に含まれるのだと考えておいて，まず，いいであろう。そうすれば，応接セットなどは家屋には含まれないであろう。

なお，通達では，買換取得期限内に取得したつぎのものも，買換えの対象にできるとしている（措所通36の２－12)。

① 車庫，物置その他の附属建物（敷地内にあるものに限る）または建物附属設備(注)

② 石垣，門，塀その他これらに類するもの

(注)　財務省令で定めた耐用年数表では建物附属設備として，つぎのようなものを掲げているので参考にされたい。

電気設備（照明設備を含む)，給排水または衛生設備およびガス設備，冷房・暖房・通風またはボイラー設備，エレベーター，エスカレーター，消火・排煙または災害報知設備および格納式避難設備，アーケードまたは日よけ設備，店用簡易装備，可動間切り，前掲のもの以外のもの

取得期限内に買換資産の取得ができなかったとき　買換資産の取得期限は，譲渡した翌年末までである。土地は翌年取得したが，家屋の建築が完了したのは翌々年で，その年（土地を取得した年の翌年）に入居したという場合は，買換えの特例の対象となるのは土地だけであって，家屋は対象にならないということになるので，注意をしておかなければならない（措所通36の２－23)。

(注)　「当該個人の居住の用に供する家屋又は当該家屋の敷地の用に供する土地…の取得をし…」(措法36条の２①)。

しかし，家屋や土地を期限までに取得する契約をしていたところが，契約後に風水害や火事，地震などの災害が生じて，買い受けることになっていた家屋が損壊したり，建築工事が遅延した場合や，その他当人の責に帰せられないやむを得ない事情があって，期限までに取得できなかった場合には，譲渡した年

の翌々年の12月31日までに取得して，その日までに居住していれば，**例外的に買換えの特例を認める**ように取り扱われている（措所通36の２－16）。

（注）居住用財産の買換特例については，買換資産の取得を翌々々年まで延期する制度は法制上はないが，つぎの要件のいずれも満たす場合には，通達上の取扱いとして，取得期間内に取得されていたものとして取り扱うとされている（措所通36の２－16）。

①　買換資産に該当する家屋を買換資産の取得期間内に取得する契約を締結していたにもかかわらず，その契約の締結後に生じた災害その他その者の責めに帰せられないやむを得ない事情により当該契約に係る家屋を当該期間内に取得できなかったこと。

②　買換資産に該当する家屋を譲渡資産の譲渡の日の属する年の翌々年12月31日までに取得し，かつ，同日までに当該取得した家屋をその者の居住の用に供していること。

なお，上掲(注)①に該当する場合で，譲渡した年の翌々年４月30日までに修正申告書を提出すれば，買換えの特例の適用を受けられなくても，**長期所有の居住用財産譲渡の軽課の特例**の適用を受けることができるようになっている（措所通31の３－27）。

居住期限内に居住できなかったとき

買換資産を期限内に取得できても，譲渡した年の翌々年末までに居住しなかったときは，買換えの特例は受けられなくなる。

また，いったん居住しても，この期限内に居住することをやめたら適用を受けられないことになっている。

ただ，つぎのような場合に限って，居住しなくても，例外的に買換えの特例の適用を認めている（措所通36の３－２）。

①　買い換えた家屋や土地が土地収用の対象となり，収用され，または買い取られたとき

②　買い換えた家屋や土地が災害にあって滅失したり損壊したとき

③　当人が海外勤務をするようになったり，その他これに類する事情が生じたとき

④　当人が死亡したときは，その相続人が期限内に居住すればよいことになっているが，相続人にやむを得ない事情があって，上記の期限までに居住できないとき

いずれも非常に特殊なケースであり，これ以外の場合は特例の適用は受けられないし，その段階で特別控除・軽課税率の特例に切り替えるわけにもいかない。

事前に慎重に計画をたてておかなければならない。

共通的要件については

なお，譲渡した土地･建物が居住用でなければならないなど，特別控除の場合を含めた共通的要件については，「**14　居住用財産の特例の適用条件①——居住用とは**」（次ページ）以下を参照されたい。

14 居住用財産の特例の適用条件①――居住用とは

> 居住用財産の特例は，「居住の用に供している」ものでなければ適用されない。

対象となるのは居住用財産だけ

居住用財産の特例は，いずれの特例の場合も，その対象となるのは居住用財産に限られるのであるが，では居住用財産とはどういうものをいうのであろうか。

居住用財産とは，「居住の用に供している」家屋とその敷地である。「居住の用に供している」とはどういうことか。この解釈はきわめて厳格に解されており，そして，わずかの例外が，はっきりと規定されている。

微妙な「居住用」という意味

居住といっても，理屈をつければ，かなり広くなる。出張が長びいて３か月ぐらいになりそうだ。たまたま安い家屋の売りものがあったので，買って一時的に住んでいた。家族は，もちろん前の住居で生活している。この一時用に買った家屋も，居住の用に供しているといえばいえないこともないかもしれない。

また逆に，出張のつもりでいたら，転勤になってしまった。それで，一時住いのつもりで買った家に家族を呼びよせ，昔の家は空家にしておくのはもったいないから，人に賃貸した。いずれは帰るつもりで，帰ったら出てもらう契約である。帰るつもりが，いつの間にか10年もたち，あきらめて昔の家を売った。売ろうとするまでは，自分の本当の家は昔の家であると思っていた。ならば，この昔の家は居住用の財産になるのか。微妙な問題である。

生活の本拠と居住の意思

居住用財産とは，生活の本拠であり，そして居住の意思をもって，そこに居住している家と敷地である。

その家屋に家族とともに，毎晩寝とまりし，食事をし，風呂に入ったり，テレビを見たり，夫はそこから出勤し，子は学校へ通学し，妻はその家を掃除してそこで洗濯をする。これが，もっとも常識的な「居住の用に供している」姿であろう。家庭によっては，若干の変型はあろう。子供が別の都会の学校の寮に行っている場合もあろうし，夫婦共稼ぎの場合もあろう。夫が出張で不在がちの場合もある。しかし，さまざまの生活形態があっても，一つの家屋を本拠として，一つの家庭（１人の場合でも）の生活が営まれている。この生活の本拠となっている家屋とその敷地が，「居住用財産」となる。

そして，もう一つ，その家屋に永く「居住しようとする意思」をもって居住しているのが普通である。

本当は他にもっと住み心地のいい家屋をもっていて，その家屋に住もうと思えば，いつでも住めるのに，居住用財産の特例の適用を受けたいばかりに，あたかも居住しているかのようにみせかけて，あといくつ寝たら特例の適用を受けられると指折り数えているのは，居住の意思をもっていないから，幾晩そこに寝ていても，居住用財産にはならない。

しかし，人間の意思など主観的なもので，外から見えるものではないだろう。他人の目にどう映ろうが，自分は「居住の意思」をもって住んでいたのだと頑張る人もいるようである。しかし，「意思」があったかどうかは，客観的な行動から判断される。そして，法律（税法を含めて）の解釈というものは，きわめて常識的なものである。無駄な抵抗をするよりも，ダメだとわかったら，別の方策を考えたほうがよい。

（注）　居住の用に供するとは，真に居住の意思をもって客観的にもある程度の期間継続して譲渡資産を生活の拠点としていたものをいう（最高裁・昭和53．2．17）。
なお，譲渡直前に贈与を受けた場合について，146ページの（注２）を参照。

仮住い，一時住いの家屋の譲渡

仮に一時的に住んだとしても，ここでいう「居住の用に供している」にはならない。

従前空屋にしていた家屋に，住民登録を移して，主人だけが不自由をしのんで１か月ばかり住んで，売るという例も見受けられる。これで特例の適用を受けようと思うのは，やはり無理である。どうみても，居住の意思は認められない（措所通31の３－２(2)イ）。

しかし，家を新築して居住した。そして，この家屋で新しい生活を始めて１週間後に，会社の人事異動が発表され，新任地へ赴任しなければならなくなり，やむを得ず新築の家を売り払った。この場合は，たとえ１週間でも，その家屋に永住する意思をもって居住したのであるから，居住用財産であり，特例の適用は受けられる（同上通達(注)）。

それでは，建築中に転勤の辞令がでて，新居に居住する前に，新任地に赴任した場合はどうなるか。居住していないので，居住用財産にはならなかったかもしれない。しかし，新築後，家族を居住させておいて売れば，居住用財産として解釈されているようである（措所通31の３－２(1)）。

なお，転勤したが，転勤が終わったら，また前に居住していた家屋に戻って住むつもりでおり，家族を残しておいた。しかし，転勤も長びいたので，前の家屋を売った場合も，特例の適用が受けられる（同上通達）。

（注）　措法35条の「3,000万円の特別控除」以外は，所有期間・居住期間についての要件が定められているので，これらの要件等を満たしていなければ適用にならない。

転居後の譲渡　では，過去に居住していて，居住の用に供することをやめて，空家にして売りに出した場合は，どうなるか。これは，居住の用に供しなくなった，つまり空家にした日から３年経過する日の属する年の12月31日までに売ればよいことになっている。この期限を図で示すと，つぎのようになる。

図表３－19

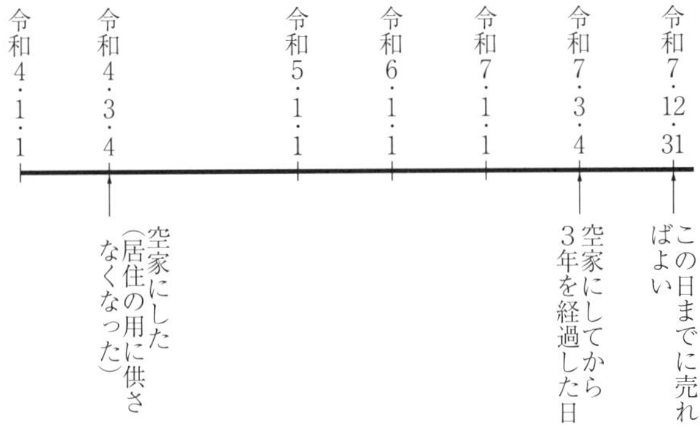

令和４年３月４日に居住の用に供さなくなったとすると，それから３年を経過した日というと，令和７年３月４日である。この日の属する年，すなわち令和７年の12月31日までに売ればよいことになっている。しかし，年が明けて令和８年になったら，もうこの特例を受けられないようになる。

なお，この期限内であれば，空家にしておこうが，その家を人に貸そうが，また自分の店舗や事務所にして使おうがかまわない。

しかし，建物を取りこわしてしまうと，取りこわしてから１年以内に売らなければならなくなる（詳細は444ページ参照）。そして，建物を取りこわしてから売買契約をする前に，駐車場として使ったりなどすると，その瞬間から居住用財産の特別控除の適用が受けられなくなる（詳細は446ページ参照）ので注意しなければならない(注)。

（注）　居住用の家屋を取りこわし，その後自分で区画割りをして分譲したり，建売住宅やマンションなどを建設して分譲したときは，その時点で居住用財産ではなくなっているので，上記の期限内に譲渡しても居住用財産の特例の適用を受けられなくなる（措所通35－２(　)書）。

15　居住用財産の特例の適用条件②――建物と敷地の関係

> 居住用財産の特例は，建物と敷地との関係で適用されないことがある。

居住用財産とは――家屋とその敷地の関係

この特例の適用の対象となる「居住用財産の譲渡」とは，まず第一に，「居住の用に供している家屋」を譲渡することである。

家屋というものは，一般に土地に定着している。だから，家屋の売買をするとき，建物だけ買って，建物を買主の土地にひっぱっていって――すなわち，曳家（ひきや）をしてもっていったり，その建物を解体してもっていって，買主の土地に建て替えるということは滅多に起こらない。一般には，家屋とともにその敷地も，一緒に売買される。だから，家屋とともにその敷地を譲渡したときは，その敷地も含めて特例の対象となるようになっている。

対象となる店舗併用住宅などの敷地の範囲

対象となる敷地とは，あくまでも居住用家屋の敷地でなければならない。貸家とか店舗の敷地は含まれない。

店舗併用住宅のように，一軒の家屋のなかに店舗と住居が併存している場合は，その面積割合で譲渡金額を按分する。

たとえば，**図表3－20**のように，

敷 地 面 積　150㎡
家屋の総面積　210㎡
（うち住居部分　120㎡
　　店舗部分　60㎡
　　共用部分　30㎡）

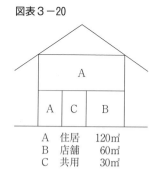

であれば，

家屋の住居部分の面積　$120㎡+30㎡\times\frac{120㎡}{120㎡+60㎡}$

$=140㎡$

家屋の住居部分の割合　$\frac{140㎡}{210㎡}=\frac{2}{3}$

敷地の住居部分の面積　$150㎡\times\frac{2}{3}=100㎡$

となる。

図表3－20

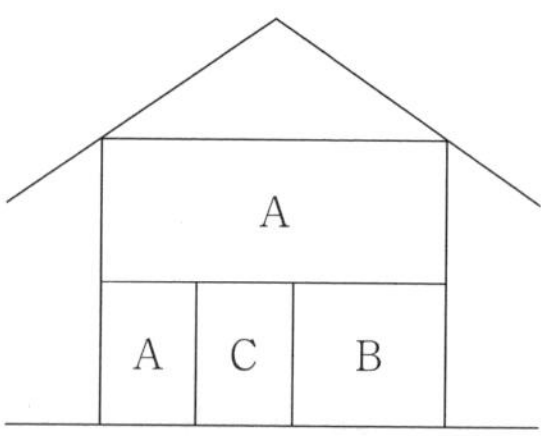

A　住居　120㎡
B　店舗　60㎡
C　共用　30㎡

この家屋と敷地を譲渡したときの譲渡益が3,750万円であれば，居住用財産に

かかる譲渡益は，

$$37,500,000円 \times \frac{2}{3} = 25,000,000円$$

となり，特別控除の適用を受けるとすれば，

$$25,000,000円 - \underset{\left(\substack{居住用財産\\の特別控除}\right)}{30,000,000円} < 0$$

で，住居部分の譲渡については無税となる。

買換えの特例の適用を受けるときも同様に按分計算をして対象となる金額を求める。

すなわち，店舗部分の家屋（210㎡－140㎡＝70㎡）と，その敷地50㎡にかかる譲渡益，すなわち（$3,750万円 \times \frac{1}{3} = 1,250万円$）は，居住用財産の譲渡でないから，この特例の対象外となる。もっとも，この店舗部分については，一定の条件をそなえていれば，後述（465ページ以下）の特定事業用資産の買換特例（措法37条）の適用を受けることができる。

これは，店舗併用住宅だけではなく，２階を貸家，１階を住居と併用している場合，またはアパートの一室を居住用にしている場合も同じように計算する（措所通31の３－７）。

図表３－21

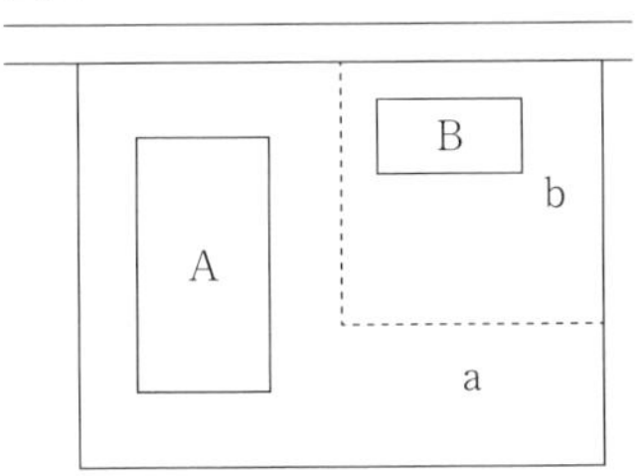

家屋　A　住居　120㎡
　　　B　店舗　 60㎡
敷地　a　住居部分　300㎡
　　　b　店舗部分　100㎡

つぎに，同一敷地内に住居と店舗とが一軒ずつある場合，それぞれの敷地を区分して按分計算する。たとえば**図表３－21**のように，点線の位置で住居部分と店舗部分とがはっきり分かれているときは，家屋の面積比だけで按分するわけにはいくまい。敷地の実際の使用面積で譲渡所得を按分計算することになる。

ほとんど居住用であるとき

一部を店舗等として使用している住宅で，上述のように計算したところ，全体の90％以上が居住用であれば，全部を居住用財産として特例の対象とすることも認められている（措所通31の３－８）。もっとも，店舗等の部分について，これを区別して上述の特定事業用資産の買換特例（措法37条）の適用を受けてもよい。

家屋と敷地を譲渡するときのつながり

敷地は家屋とともに譲渡するものでなければならないことが原則である。一つの家屋とその敷地全体を，一括して譲渡すれば問題ない。しかし，現実の取引は，必ずし

も，そううまくいくものではない。それで例外的状況について，特例の対象になるかどうかについて説明する。

(1)　家屋を取りこわして，更地にして譲渡した場合の期間制限

家屋をそのままにしていて，かつ，そこに居住している状態のものを譲渡してから引渡しをするのが原則であるが，それでは買うほうでは，代金を払ったが，本当に転居してくれるのか，転居してくれるにしても時間がかかるのではないかという心配もあり，売れるのに時間がかかったり，価格をたたかれたりすることもある。少なくとも，転居して空家にしてからのほうが売りやすい。または，家屋を取りこわして更地にしておいたほうがもっと売りやすいということもある。居住用の家屋と敷地を処分するとき，まず転居して家を取りこわして更地にしてから譲渡することが多いのが実態である。それで，そういう場合も，例外として特例の適用を認めるということになっている。ただし，その期間は，一定の期限がついている。もし更地にして，その期限が過ぎてから売れた場合は，この特例の適用は受けられなくなる。だから，更地にして売りに出すということは，売りやすいということと反対に，特例の適用を考えると，非常な危険がともなう。

その期限は，

① 居住用財産の特別控除の特例の適用を受ける場合……家屋を取りこわしてから１年以内に売買契約を締結すること（措所通31の３－５(2)）

② 特別控除・軽課の特例や買換特例の適用を受ける場合……家屋を取りこわしてから１年以内に売買契約をすることは特別控除の特例の場合と同じであるが，家屋は取りこわした年の１月１日で所有期間が10年を超えているものでなければならない（措所通31の３－５(1)）と定められている。

また，441ページで説明したように，転居後，空家にしてから３年を経過する日の属する年の12月31日までに譲渡をするという期限もある。この関係は，**図表３－22**(イ)のようになる。この図では，特例の適用を受けられる期限を家屋を取りこわした年の年末または１年後とすればB時点であるが，転居後３年を経過する日の属する年の12月31日のA時点のほうが早く到来する。この場合，特例の適用を受けられるのは，A時点までになる。

図表３－22

(イ)　３年を経過する日の属する年の12月31日まで

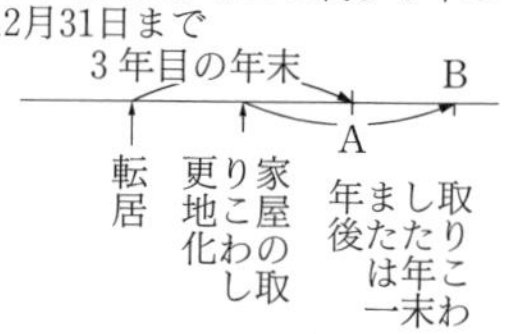

(ロ)　家屋の取りこわし１年後まで

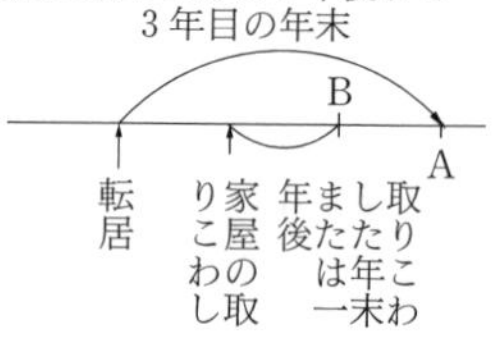

また，(ロ)のように，家屋を取りこわしてからその年末または１年後のＢ時点が，転居してから３年を経過する日の属する年の12月31日のＡ時点より早く到来する。この場合は，特例の適用を受けられるのは，Ｂ時点までである。

(2)　敷地の一部を譲渡した場合

居住用の家屋と敷地を譲渡する場合，その半分なり，一部だけを譲渡することもある。

家屋といっしょに敷地の一部を譲渡した場合には，その部分が，その家屋と一体として利用されていた土地であれば特例の適用対象となる（措所通31の３－18(1)，31の３－12）。

その形は，**図表３－23**(イ)～(ホ)まで，いろいろである。

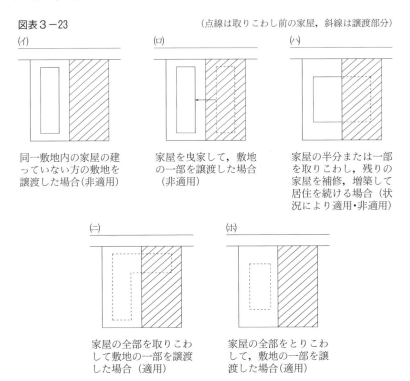

図表３－23　　（点線は取りこわし前の家屋，斜線は譲渡部分）

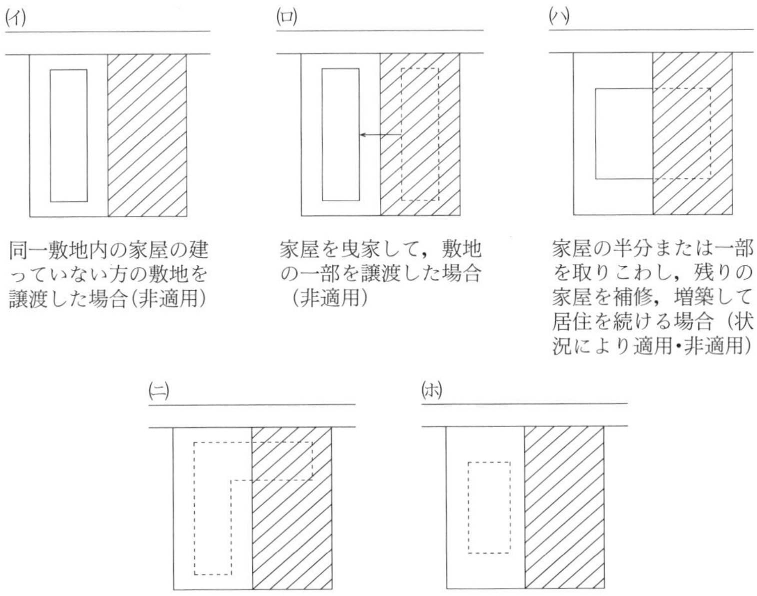

(イ)　同一敷地内の家屋の建っていない方の敷地を譲渡した場合（非適用）

(ロ)　家屋を曳家して，敷地の一部を譲渡した場合（非適用）

(ハ)　家屋の半分または一部を取りこわし，残りの家屋を補修，増築して居住を続ける場合（状況により適用･非適用）

(ニ)　家屋の全部を取りこわして敷地の一部を譲渡した場合（適用）

(ホ)　家屋の全部をとりこわして，敷地の一部を譲渡した場合（適用）

この特例は，前提として，生活の本拠である住居を明け渡し，その住居（家屋）では生活を続けられなくなった場合を想定し，その場合には特例の対象とする趣旨である。

だから，(イ)のように庭は狭くなったかもしれないが，家屋は無傷で残る場合，(ロ)のように，曳家して家屋の位置は移動したが，家屋そのものが残る場合は適用にならない。この場合，曳家をしないで，古い家屋を取りこわし，新しく建て替えれば適用になる。

(ハ)のように，家屋の半分を取りこわし，残りの半分を補修して住んでいる場合も，原則として適用にならない。しかし，台所，便所，風呂場，寝室などのように，生活に欠かせない部分を取りこわすなど，残りの部分だけでは，機能的にみて独立した居住用の家屋とは認められなくなった場合には適用になる（措所通31の３－10）。

では，(ニ)や(ホ)のように，建物の全部を取りこわして，その敷地の一部を分割して譲渡した場合は，どう判断するのであろうか。この場合は，譲渡した部分に旧家屋の全部または一部が建てられていたかどうかに関係なく，その建物の敷地として，たとえば庭などとして使用されていたものであれば，この特例は適用されることになっている（措所通31の３－18(2)(注)）。

（注）「…災害により滅失した当該家屋（31の３－５に定める取り壊した家屋を含む。以下この項において同じ）…。…(2)災害により滅失した当該家屋の敷地の用に供されていた土地等の一部の譲渡である場合，当該譲渡は，すべて措置法第31条の３第１項に規定する譲渡に該当する。」

(3)　家屋を取りこわして敷地を貸付等をして譲渡した場合

このように，建物を取りこわしてしまうと，さらに非常に厳しい制約がついてくることになっている。

もう一つの制約は，取りこわし後の用途制限である。建物の残っている限り，上記の期間内に譲渡したのなら，その間は，その建物を空家にしておこうが，自分の店舗，事務所として使おうが，人に賃貸しておこうが，一切かまわない。転居後の使い方によって，居住用財産の特例の適用が受けられなくなるということはない。

しかし，建物を取りこわして更地にした後で，よくうっかりやりがちなことだが，売れる間まで駐車場として貸しておこうとしたりする。

しかし，建物を取りこわして駐車場として貸してから売買契約をしたら，この特例の適用は受けられないことになっている（措法31条の３②２号，措所通31の３－５(3)）。

建物を取りこわして空地にしてしまうと，このようにいろいろとむずかしい問題が生じる。だから建物はなるべく取りこわさないようにして売るように心掛けたほうがよい。

⑷　災害で家屋が滅失した場合

なお，災害を受けて家屋が滅失してしまったとき，災害の日から３年目の12月31日までに敷地を譲渡した場合は，敷地だけの譲渡になるが，この特例の適用が受けられる。この場合，敷地の一部を譲渡しても，それが家屋の建っていた場所，いなかった場所とに関係なく，適用になる。

また，災害により家屋が滅失した場合には，災害後に敷地がどのような用途に供されていても特例の対象となる。

特別控除・軽課の特例や買換特例の場合は，その家屋が災害で滅失しなければ譲渡した年の１月１日で10年を超えることになるときは，その敷地の所有期間が10年を超えていれば，その敷地もこの対象となる（措法31条の３②４号，措所通31の３－13，14，15）。

家屋と敷地の所有者が違う場合など　家屋は居住者が所有しているものでなければならない。敷地については，居住者が所有しているか，借地権などの土地使用権を有しているものである必要がある。

図表３－24

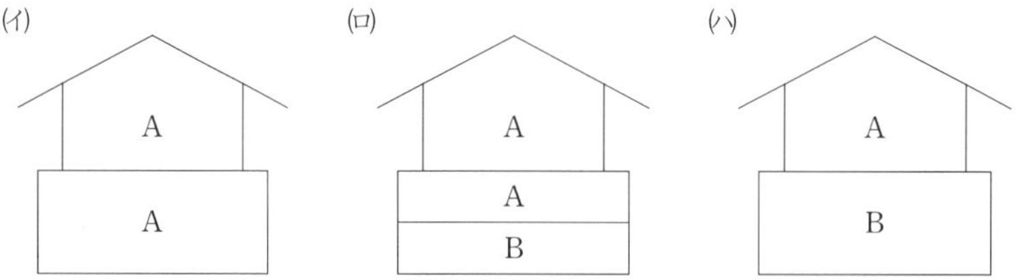

(イ) A：家屋と敷地の所有者

(ロ) A：家屋の所有者で敷地の借地権者
B：敷地の所有者(地主)

(ハ) A：家屋の所有者(敷地については無償使用)
B：敷地の所有者

図表３－24の(イ)については問題ない。(ハ)についても，Aが自分の家屋を売って，その家屋についてのみ適用を受けるのなら問題はないが，BがAの親であり，親の土地を無償で使用して家屋を建てており，親の敷地と一緒に子の家屋を売るケースも少なくない。この場合，親Bがその子Aの家屋に同居して生計を一にしている場合は，特別控除の適用について説明すると，まず，子の家の方から3,000万円引き，引ききれない場合は，その残額を親の敷地のほうから控除する。親Bが別居している場合は，Aは適用を受けられるが，Bは適用を受けられなくなる。すなわち，この場合は家屋についてだけ適用があり，敷地については全く適用が受けられない。

なお，このAとBとの関係は，夫婦，親子などの関係だけでなく，兄弟姉妹，夫と妻の親などの親族の範囲までなら認められる。ただし，同居して生計を一

図表３－25

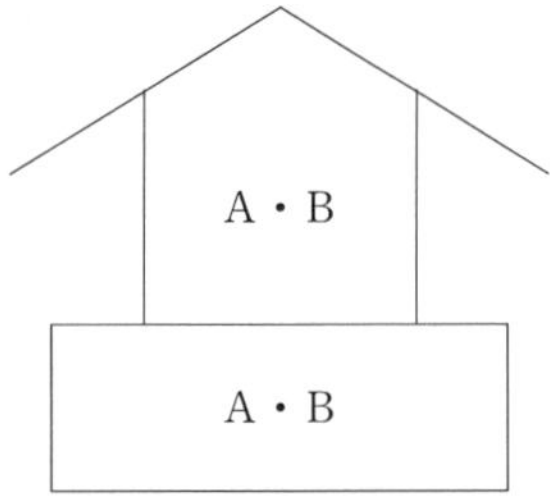

にしていなければならない（措所通35－４）。

(ロ)は，Ｂの土地に借地権の設定をしてある場合である。親子の場合，子Ａが親Ｂに権利金を払って借地権を設定することはまずない。しかし，過去に親の敷地を子が無償で使用した場合，親から子に借地権の贈与があったとして，子に贈与税を課するという税務上の取扱いをしていた時代があった。そういうケースには，こういう形での問題が生ずる。同居，別居による取扱いの差は(ハ)と同じである。しかし，別居していても，子Ａは，家屋だけでなく借地権についても，この特例の適用を受けられるので，有利である（措所通35－５）。

また，図表３－25のように，建物も敷地もＡとＢとの共有になっている場合もある。家・土地を相続して未分割の場合によくあるケースである。この場合，Ａ，Ｂともにその家屋に居住していて譲渡した場合，Ａも3,000万円，Ｂも3,000万円の控除の適用が受けられる（婚姻期間20年以上の妻に居住用の土地・家屋の２分の１の共有持分を相続税法21条の６の特例を受けて，かつて贈与していた場合も同様である）。Ａのみが居住していて，Ｂは居住していない場合は，適用を受けられるのはＡのみである。

家屋と敷地の所有者の軽課の適用

所有期間10年超えの居住用財産の譲渡で特別控除の適用を受けた後の譲渡所得の税率について，軽課税率が適用されるようになっている（425ページ参照）が，上述したように家屋の所有者と敷地の所有者が違っているとき，この両者がともに，この特別控除と軽課の特例の適用を受ける旨の申告をしたときに限り，その適用が認められるようになっている（措所通31の３－19）。

買換特例の適用

また，特定の居住用財産の買換特例（433ページ）についても，家屋の所有者と敷地の所有者とが，ともに，この特例の適用を受ける旨の申告をしたときに限り，その適用が認められることになっている（措所通36の２－19）。

16　居住用財産の特例の適用条件③――その他

> 居住用財産の特例の適用にあたって，その他どんなことに留意しなければならないか。

この特例を受けるためには，以上のほかに，つぎのような条件がある。

特例の適用は３年に一度

この特例の適用は３年に一度に限られている（措法35条②）。３年に一度とは，**図表３－26**で説明すると，令和４年の譲渡について特例の適用を受けて居住用の家屋と敷地とを譲渡し，その後で購入した新たな居住用財産を令和６年に譲渡したら，前々年に特例の適用を受けているので，この適用は受けられない。しかし，その譲渡を令和７年まで待てば，再び，この特例の適用を受けられるということである。

図表３－26

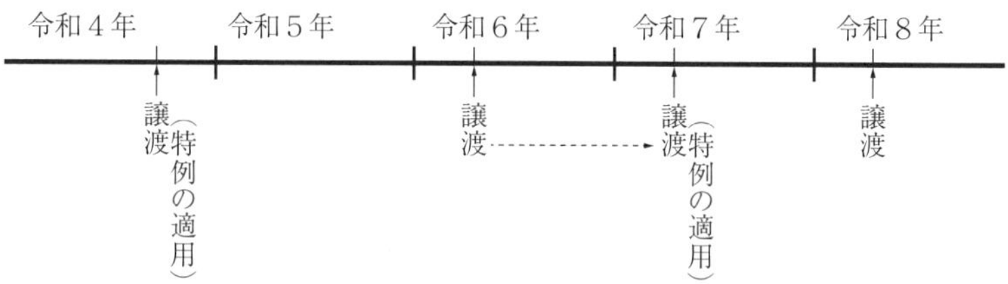

（注）　なお，特別控除の適用を受ける場合は，この控除は１年につき3,000万円であるから，同じ年に２回居住用財産を譲渡し，１回目の譲渡益は2,400万円，２回目の譲渡益が800万円，年間譲渡益の合計が3,200万円という場合，この合計から3,000万円の特別控除を引ける。しかし，こういう場合はまれであろう。

親族その他特殊関係者の譲渡に非適用

つぎのような親族，その他特殊関係者への譲渡については，適用にならない（措令20条の３①，措令23条の２①）。

①　配偶者および直系血族（祖父母，親，子，孫など）または生計を一にする親族および家屋の譲渡された後に譲渡した人とその家屋に一緒に居住する親族（なお，離婚の際に配偶者に居住用の土地・建物を譲渡した場合については147ページのコラム参照）。

すなわち，兄弟が生計を一にしている場合，兄から弟へ譲渡しても特例の適用はないが，兄弟がそれぞれ独立して生計を別にしている場合には適用される（売買したときは生計を別にしていたが，売った後で同居する親族に売ったときも適用にならない。たとえば，妹夫婦が別のところで生活をしていた。自分も年をとったり子供もないので，妹夫婦に自分の住んでいた家屋を売って，その後，妹夫婦と引き続いてその家屋に同居するという場合のことである。この居住用財産の特例というのは，売った人がその家屋を立退くということが前提になっているからである）。また，親子のように直系の血族については，生計を別にしていても適用にならないので注意しなければならない。

また，親族というのは，６親等内の血族，３親等内の姻族が含まれる。婿と生計を一にしている親が，婿に譲渡した場合も適用にならない。

② 内縁関係および内縁の親族で生計を一にしている人

③ 妾など（本人の親族等または使用人以外の者で，本人から受ける金銭等によって生計を維持している者）およびその者と生計を一にしている者

④ 譲渡者およびその配偶者，直系血族または生計を一にする親族が判定の基礎となっている同族会社など

（注）「生計を一にする」の判定については196ページのコラム参照。

買換えの相手先

なお，特定の居住用財産を買い換えるときの買換資産については，譲渡の場合の譲渡先のような制限はない。上記①～④に該当する者から買い取ったものでも，買換えの対象とすることができる。

17　居住用財産の特例の適用を受けるための手続き

居住用財産の特別控除や買換えの特例の適用を受けるためには確定申告をしなければならないが，その手続きは。　（措則13条の４，18条の４）

特別控除の特例の場合

居住用財産の特別控除の特例の適用を受けるためには，確定申告をして，申告書の所定欄（453ページの**図表３－27**の様式の末尾にある「特例適用条文」という欄）に「措法35条」と書くことが絶対条件になっている（他の特例についても同様）。申告をしないと，この特例の適用は受けられなくなる。よく，3,000万円の控除を受ければ，譲渡所得はゼロになるから申告しなくていいと思っている人が多い。申告をしないと，3,000万円を控除されないのだから，利益（譲渡所得）が出ていれば課税されることになる。

なお，添付する書類はつぎのとおりである。

①　譲渡した土地・建物の登記事項証明書

なお，その者の住民基本台帳に登載されていた住所が，その所在地と異なるときは，

(ア)　譲渡後２か月経過後に交付を受けた戸籍の附票または削除された戸籍の附票

(イ)　台帳の住所と資産の所在地とが異なった事情の詳細

(ウ)　その者がその資産に居住していた事実を明らかにする書類

を確定申告書に添付する（措則13条の４，措通31の3-26）。

②　譲渡所得の内訳書（この記載例は**図表３－27(ア)**参照）

特別控除・軽課税率の特例の場合

確定申告をし，申告書の「特例適用条文」の欄に「措法35条」，「措法31条の３」と記載し，つぎの書類を添付する。

①　譲渡した家屋や土地の登記事項証明書などで，本人の所有期間が10年超であることを明らかにするもの

②　住民基本台帳に登載されている住所と土地・建物の所在地と異なる場合は，前節①に準ずる

③　譲渡所得の内訳書（この記載例は**図表３－27(ア)**参照）

特定の居住用財産の買換特例(1)――譲渡した年，その前年に買い換えた場合

特定の居住用財産の買換特例の適用を受けるときにも，もちろん確定申告をしなければならない。申告書の所定欄

には「措法36条の２」と記載する。

添付する書類はつぎのとおりである。

① 譲渡した家屋や土地の登記事項証明書などで，その所有期間が10年超であることを明らかにするもの

② 対価の額(前３年以内に譲渡がある場合に，その合計額)が１億円以下であることを明らかにするもの

③ 住民基本台帳に登載されている住所と土地・建物の所在地とが異なる場合には，451ページ①(ア)～(ウ)に記した書類

④ 買い換えた家屋・土地の登記事項証明書などの写し，または，売買契約書等で，家屋の床面積，敷地の面積，中古耐火建築物については築後の年数を明らかにするもの

⑤ 買い換えた家屋・土地の市区町村長の発行した住民票の写し。なお，確定申告の日までにまだ居住していないときは，居住する予定年月日などを記載した書類（中古住宅で耐火建築物である場合には，取得の日前25年以内に建築されたものであることを明らかにする書類。なお，築後25年超の場合には，耐震基準適合証明書又は住宅性能評価書の写し）（措通36の２-22）他

⑥ 譲渡所得の内訳書（**図表３－27(ウ)参照**）なお，買換資産を取得する見込みである場合は，④～⑤に代えて「買換（代替）資産の明細書」

この場合の「譲渡所得の内訳書」の記載例によって計算の仕方を説明すると，つぎのとおりである。

まず，（４面）の「５」の各欄を記入する。これは特別控除の場合と同様である。

この例は，従来の居住用財産を令和６年４月１日に譲渡し，買換資産を同年11月10日に取得し，同年11月15日に居住用に供している。その内訳は，

(1)　譲渡資産	
譲渡価額	8,000万円
取得費	3,000万円
譲渡費用	260万円
(2)　買換資産の価額	6,000万円

である。

買換資産の価額が譲渡価額より低いので，

（譲渡価額）　（買換価額）　（譲渡収入）
80,000,000円－60,000,000円＝20,000,000円

が譲渡収入となって課税対象となる。

これを「６　譲渡所得金額の計算をします」のＦの「収入金額」の欄に記入

する。これから差し引く取得費と譲渡費用とは上記の金額そのままでなく，つぎのように按分計算をして求める。

$$\underset{\text{（取得費）}}{(30,000,000\text{円}}+\underset{\text{（譲渡費用）}}{2,600,000\text{円})}\times\frac{\overset{\text{（収入金額）}}{20,000,000\text{円}}}{\underset{\text{（譲渡価額）}}{80,000,000\text{円}}}=8,150,000\text{円}$$

これをGの「必要経費」欄に記入し，収入金額からこれを差し引いた1,185万円がHの「譲渡所得金額」になる。この収入金額と譲渡所得金額を**図表３－27(イ)**の申告書の「長期譲渡」の「一般分」の欄に転記して税額を計算する。

図表３－27　居住用財産の特例の譲渡所得の内訳書の記載例

(ア)　居住用財産の特別控除（措法35条，31条の３）の場合 ―― 譲渡所得の内訳書（**図表３－９**，様式は388ページ以下）の一部を掲載（**下掲記載欄以外**は**図表３－９**と同じ記載となる）

4　譲渡所得金額の計算をします。

区分	特例適用条文	A収入金額（①）	B必要経費（②＋③）	C差引金額（A－B）	D特別控除額	E譲渡所得金額（C－D）
短期・長期（長期に○）	所・措・震（措に○）31条の3	円 80,000,000	円 32,600,000	円 47,400,000	円 30,000,000	円 17,400,000
短期・長期	所・措・震 条の	円	円	円	円	円

(1)　措法35条（居住用財産の3,000万円控除）で，長期譲渡の場合は，この「Ａ収入金額」と「Ｅ譲渡所得金額」を，次ページ**図表３－27(イ)**の確定申告書の「分離課税」の「長期譲渡」の「軽課分」の欄に転記して，税額を計算する。

なお措法31条の３（居住用財産の長期譲渡の軽課の特例）を受けるために，「特例適用条文」欄に「措法31条の３」と併記し，申告書の「長期譲渡」の「軽課分」㉒の欄に転記して税額を計算する。

また，短期譲渡の場合には，「短期譲渡」の「一般分」の欄に記載して税額を計算する。

(2)　451～452ページの「措法36条の２」の場合は，**図表３－27(イ)**の㋝（長期譲渡・一般分），⑳欄（長期譲渡・一般分）の金額はそれぞれ「20,000,000」と「11,850,000」となる。

(3)　「長期譲渡」の「特定分」は，措法31条の２（優良住宅地のための税率軽減）の適用を受けるときに記入する欄である（402ページ参照）。

(4)　「短期譲渡」の「軽減分」というのは，国等への譲渡の軽減税率の適用を受けるとき記入する欄である（395ページ参照）。

(イ)　確定申告書（分離課税用）（図表３－10(イ)，様式は393ページ）の一部を掲載

（単位は円）

収入金額	分離課税	短期譲渡	一般分	㋛	
			軽減分	㋜	
		長期譲渡	一般分	㋝	
			特定分	㋞	
			軽課分	㋟	80000000
		一般株式等の譲渡		㋠	
		上場株式等の譲渡		㋡	
		上場株式等の配当等		㋢	
		先物取引		㋣	
	山林			㋤	
	退職			㋥	
所得金額	分離課税	短期譲渡	一般分	68	
			軽減分	69	
		長期譲渡	一般分	70	
			特定分	71	
			軽課分	72	17400000
		一般株式等の譲渡		73	
		上場株式等の譲渡		74	
		上場株式等の配当等		75	
		先物取引		76	
	山林			77	
	退職			78	

(ウ)　居住用財産の買換特例（措法36条の２）の場合 —— 譲渡所得の内訳書（**図表３－９**，様式は388ページ）の裏面を掲載（**下掲記載**と「４　譲渡所得金額を計算します」の欄以外は**図表３－９**と同じ記載となる）

４　面

「交換・買換え（代替）の特例の適用を受ける場合の譲渡所得の計算」
この面（4面）は、交換・買換え（代替）の特例の適用を受ける場合（※）にのみ記載します。

※　交換・買換え（代替）の特例の適用を受けた場合、交換・買換（代替）資産として取得された（される）資産を将来譲渡したときの取得費やその資産が業務用資産であるときの減価償却費の額の計算は、その資産の実際の取得価額ではなく、譲渡（売却）された資産から引き継がれた取得価額を基に一定の計算をすることになりますので、ご注意ください。

５　交換・買換（代替）資産として取得された（される）資産について記載してください。

物件の所在地	種類	面積	用途	契約(予定)年月日	取得(予定)年月日	使用開始(予定)年月日
△△市△△町△△番	土地	150㎡	居住用	令和 6・7・7	令和 6・7・7	令和 6・11・15
同　上	建物	100㎡	居住用	令和 6・11・10	令和 6・11・10	令和 6・11・15

※　「種類」欄は、宅地・田・畑・建物などと、「用途」欄は、貸付用・居住用・事務所などと記載してください。

取得された（される）資産の購入代金など（取得価額）について記載してください。

費用の内容	支払先住所（所在地）及び氏名（名称）	支払年月日	支払金額
土　地	△△市○○町××番　㈱干満不動産	令和 6・7・7	40,000,000円
仲介手数料	○○市△△町××番　㈱海山不動産	令和 6・7・7	1,300,000円
登記費用他	（明細別紙）	令和 ・ ・	300,000円
建　物	××市○○町××番　㈱安井建設	6・8・8 6・11・10	18,000,000円
登記費用	△△市○○町××番　文屋各造	令和 6・11・20	200,000円
交通費他	（明細別紙）	・ ・	200,000円
④　買換(代替)資産・交換取得資産の取得価額の合計額			60,000,000円

※　買換（代替）資産の取得の際に支払った仲介手数料や非業務用資産に係る登記費用などが含まれます。
※　買換（代替）資産をこれから取得される見込みのときは、「買換（代替）資産の明細書」（国税庁ホームページ【https://www.nta.go.jp】からダウンロードできます。なお、税務署にも用意してあります。）を提出し、その見込額を記載してください。

６　譲渡所得金額の計算をします。

「2面」・「3面」で計算した「①譲渡価額」、「②取得費」、「③譲渡費用」と上記「5」で計算した「④買換（代替）資産・交換取得資産の取得価額の合計額」により、譲渡所得金額の計算をします。

(1)　(2)以外の交換・買換え（代替）の場合［交換（所法58）・収用代替（措法33）・居住用買換え（措法36の２）・震災買換え（震法12）など］

区分	特例適用条文	F 収入金額	G 必要経費	H 譲渡所得金額（F－G）
収用代替		①－③－④	$② \times \frac{F}{①-③}$	
上記以外		①－④	$(②+③) \times \frac{F}{①}$	
短期・(長期)	所・(措)・震 36条の2	20,000,000円	8,150,000円	11,850,000円

(2)　特定の事業用資産の買換え・交換（措法37・37の４）などの場合

区分	特例適用条文	J 収入金額	K 必要経費	L 譲渡所得金額（J－K）
①≦④		①×20%(※)	(②＋③)×20%(※)	
①＞④		(①－④)＋④×20%(※)	$(②+③) \times \frac{J}{①}$	
短期・長期	措法　条の	円	円	円

※　上記算式の20%は、一定の場合は10%、25%、30%又は40%となります。

特定の居住用財産の買換特例(2)——譲渡した翌年に買い換える予定の場合

譲渡した年の翌年に買換資産を取得する場合でも，譲渡した年の翌年の３月15日までに，この買換えに関する確定申告書を提出しなければならない。買換資産を取得してから提出すればいいのではないのだから，この点よく注意しておかなければならない。もっとも，まだ買い換えたわけではないのであるから，買換資産の価額は確定しないであろう。しかし，それでもよいから，買換予定の金額をもとにしてとりあえず譲渡所得を計算しておいて，確定申告書を提出する。申告書の所定欄には「措法36条の２」と記載する。

そして，買換資産の取得予定年月日，取得価額の見積額その他の明細を記載した申請書を添付する。

また，この場合にも，**図表３－27**の「譲渡所得の内訳書」を添付するが，（４面）の「交換・買換え（代替）の特例の適用を受ける場合の譲渡所得の計算」の各欄は，いずれも予定を記入する。そして，この「５」の金額に基づいて，「６」の欄の金額を計算し，それで譲渡所得金額が生じれば，これに対する税額を計算して納付しておく。税額がなくても，確定申告書は提出しておかなければならない。

そして，その他に，前項で説明した，

①　譲渡した土地・建物の登記事項証明書

②　譲渡した土地・建物の売買契約書

と，買換予定資産の取得予定年月日と見積額を記載した明細書を添付する。

実際に買換資産を取得したら，取得してから（居住してからではない）４か月以内(注)に，前項で説明した，

③　取得した土地・建物の登記事項証明書または売買契約書（写し）
　なお，上記の提出期限までにまだ居住していないときは，居住の用に供する予定年月日などを記載した書類

を提出する。

実際に取得した買換資産の価額が予定価額と違っている場合は，実際の取得価額をもとにして譲渡所得金額の計算をしなおして税額を求め，すでに納めた税金との差額を求めて，つぎの方法によって精算する。

①　実際の取得価額が予定価額より大きかった場合……「更正の請求」という手続きをとって，その差額分の税金を還付してもらう。

②　実際の取得価額が予定価額より小さかった場合……「修正申告書」を提出し，その差額分の税金を納付する。この場合に，所定の期間(取得後４か

月以内）に修正申告書を提出し，追加分の税金を納付すれば，過少申告加算税と延滞税は課せられない。

また，譲渡した翌年の12月31日までに，買換予定資産を取得できなかったとき，取得しても居住の用に供さなかったときは，この買換えの特例は受けられなくなるのであるから，通常の譲渡所得税の計算をして，それから４か月以内，すなわち，その翌年の４月30日までに修正申告書を提出し，その税額を納付することになる。過少申告加算税と延滞税については，上記の②の修正申告の場合と同じく課せられない。

（注） 期限内に取得が遅れた場合，取得できなかった場合は436～437ページ参照。

（注） やむを得ない事情で期限内に取得できなかった場合の更正の請求，修正申告の期限については，436ページ以下の「取得期限内に買換資産の取得ができなかったとき」参照。

特定の居住用財産の交換の場合

特定の居住用財産の交換の場合も，その計算方法および手続きは，買換えの場合と同様である。なお，この場合は，申告書の所定欄に「措法36条の５」と記載する。

居住用財産の買換特例と特別控除のどちらがトクか

特定の居住用財産の買換特例を受けた場合，その後でその買い換えた家屋と土地とを譲渡するとき，その譲渡収入から差し引く取得費は，買い換えたとき実際かかった取得価額でなく，前回に譲渡した家屋と土地との取得費を引き継ぐようになっている。

そして，その譲渡が長期譲渡か短期譲渡かを判定するときの所有期間は，買換資産を実際に取得した日をもとにして起算して計算することになっている。

しかも，買い換えてから３年以内に譲渡したのであれば，居住用財産の特別控除の適用もなく，譲渡益がかなり大きな金額になってしまうこともあり，かつ，短期譲渡ということで高率の税金が課税されることになる。４年目であれば3,000万円の控除が受けられるが，それでもかなりの譲渡益が出るので，3,000万円の控除を受けてもかなりの残額が短期譲渡の対象となる。

今回の譲渡に際して，居住用財産の特別控除・軽課の特例の適用を受けていれば，この場合は，取得費の引継ぎということはないので，次回の譲渡のときの取得費は，買い換えた家屋や土地の実際の取得価額をもとにして計算すればいいということになり，買換特例を受けた場合にくらべて，譲渡益は小さくなっている。

したがって，今回の譲渡益が3,000万円以内であれば，買換特例より，特別控除・軽課の特例を受けておいたほうが明らかに有利であるし，3,000万円を超えているときでも，その差額について特別控除・軽課の特例による計算をして比較し，また，今回，買換特例のほうが多少有利であるぐらいなら，将来の予定も含めて検討することが必要である。

具体的に
税額引継価額を計算してみると

(1)　税額

①　買換特例適用がない場合（措法35条，措法31条の３）

453ページ（４　譲渡所得金額の計算をします。）の表で説明する。その表のＥの譲渡所得金額

17,400,000円×軽課税率※14.21％≒2,472,500円

（譲渡所得金額＝課税譲渡所得金額と仮定した。②も同様）

※　住民税率４％を含む。

②　買換特例適用を受ける場合（措法36条の２）

455ページ（６　譲渡所得金額の計算をします。）の表のＨの譲渡所得金額

11,850,000円×一般税率※20.315％≒2,407,300円

※　住民税率５％を含む。

③　税額差異　　①－②＝65,200円

(2)　買換資産への引継価額

①　買換特例適用がない場合……6,000万円そのもの

②　買換特例適用を受ける場合

$$\left(\begin{matrix}\text{譲渡資産の取得費} & \text{譲渡費用}\\ \text{3,000万円} & +\ \text{260万円}\end{matrix}\right)\times\frac{\text{買換資産}\quad\text{6,000万円}}{\text{譲渡価額}\quad\text{8,000万円}}=\text{2,445万円}$$

本件では税額が買換特例を適用した方が65,200円少なくなる。相続人等がこの物件を譲渡した場合に，うかつに取得費の引継ぎ価額を調べないで，買換取得金額を取得費（減価償却後）として申告すると，税務署から修正申告書を提出するよう連絡がくるので注意しておく必要がある。

18 特定の居住用財産の譲渡損の損益通算と繰越控除

特定の居住用財産を譲渡して損失が生じたときには他の所得と損益通算し，さらに赤字が残るときには３年間にわたって繰越控除ができる。
（措法41条の５，41条の５の２）

損益通算と土地建物の譲渡所得

所得税では，不動産所得，事業所得，山林所得と譲渡所得（土地・建物の譲渡所得を除く）のいずれかに損失（赤字）が生じた場合，この赤字を他の所得(注)の黒字から差し引き計算するようになっており，これを**損益通算**といっている（所法69条①）。

（注）上記所得のほか，給与所得，退職所得，一時所得，雑所得と源泉分離課税を適用しない配当所得と利子所得。これらの所得を合算・通算したものを**合計所得金額**という。385ページのコラム参照。

平成15年までは，土地・建物の譲渡所得も損益通算の対象となっていたが，平成16年の税制改正で外され，土地・建物の譲渡所得の赤字は他の所得から控除できなくなり，また，その他の上記の所得の赤字を土地・建物の譲渡所得の黒字から引くこともできなくなっている。

ただ，同じ年に土地・建物の譲渡が二つ以上あった場合に，その相互間だけでは通算はできるようになっている。

特定の居住用財産の譲渡損損益通算

しかし，土地・建物の譲渡所得についても，特定の居住用財産の譲渡損失に限って，他の所得との損益通算ができるようになっている。

特定の居住用財産の譲渡損の繰越控除

そして，他の所得と損益通算しても，なお赤字が残った場合には，**翌年から３年間**にわたって繰り越して，それぞれの年の合計所得金額から引くことができるようになっている。この制度を**繰越控除**といっている。

ただし，その繰越控除を受けようとする３年間のうち，その年の合計所得金額が3,000万円を超える年には適用されないこととなっている。たとえば，令和６年に土地・建物の譲渡損があって，他の所得と損益通算をした後の赤字が2,000万円残って，これを繰越控除の対象とする場合で，次年度以降の合計所得金額が，たとえば下掲のとおりであったとすると，

令和７年の合計所得金額　　600万円　控除金額　　600万円　残額　1,400万円

令和８年の合計所得金額　3,500万円　控除金額　　なし　　残額　1,400万円
令和９年の合計所得金額　1,000万円　控除金額　1,000万円　残額　　400万円
と計算し，未控除残高400万円は打ち切りとなる。

この特例の受けられる特定の居住用財産の譲渡損失には，つぎの二つがある。

居住用財産を住宅ローン付で買い換えた場合

その一つは，従前の居住用財産を譲渡(注４)して譲渡損があるとき，住宅ローン付で居住用財産を購入した場合である（措法41条の５，措令26条の７）。

① 居住用財産(注１)で，譲渡をした年の１月１日で所有期間が５年を超えるもの
② 平成10年１月１日から**令和７年12月31日まで**の間に譲渡すること(注２)
③ 譲渡した年の前年の１月１日から翌年の12月31日までの間に，下記の要件をそなえた居住用財産を取得すること
　家屋（区分所有建物の場合は専有部分）の居住用部分の床面積が50㎡以上であるもの
④ 買換資産を取得した日から翌年12月31日までに居住の用に供すること，また，見込みであること
⑤ 買換資産の取得に係る住宅ローンの残高(注３)があり，この特例による控除を受ける年の12月31日において有しているもの（繰越期間中に住宅ローンを繰上げ返済をしてしまうと，その年以後の控除は受けられなくなる）

である。

（注１）　居住用財産：「居住用財産の適用条件①」～「同③」（439～450ページ）で説明した条件をそなえた居住用財産をいう。なお，この適用を受ける前年また前年以前３年内に他の居住用財産の譲渡損失について，この特例の適用を受けていないこと。

（注２）　譲渡した居住用財産の敷地が500㎡を超えるときは，繰越控除の対象となる金額から，
$$（譲渡損失のうち土地に係る損失）\times \frac{土地面積-500㎡}{土地面積}$$
は，繰越控除の対象から除かれる。

（注３）　住宅ローン：311ページに掲げる住宅ローンをいう。なお，この譲渡損失の適用を受けた場合でも，買換資産についての住宅ローン控除の適用は受けられる。

（注４）　親子，夫婦，生計を一にする親族等の特殊な関係者への譲渡を除く。

この特例の適用を受けるための手続き

この居住用財産の譲渡損失の適用を受けるためには，つぎの手続きをとらなければならない。

繰越控除の対象となる譲渡損失が生じた年分の確定申告書（損失申告用）を提出期限（通常は翌年３月15日）までに提出し，その後，毎年連続して確定申告書を提出すること。確定申告書の特例適用欄に「措法41条の

5」と記載し，下記の書類を添付する（措則18条の25）。

(ア) 「居住用財産の譲渡損失の金額の計算明細書」および「居住用財産の譲渡損失の損益通算及び繰越控除の対象となる金額の計算書」

(イ) 譲渡資産の登記事項証明書，売買契約書などで，その所有期間が５年を超え，かつ，土地の面積を明らかにするもの

(ウ) 住民票に記載されている住所と譲渡した資産の住所が異なるときは，戸籍の附票の写しなどで居住の用に供していたことを明らかにするもの

(エ) 買換資産の登記事項証明書，売買契約書などで，その取得年月日，家屋の床面積を明らかにするもの

(オ) 買換資産に係る住宅借入金等の残高証明書

(カ) 確定申告書の提出日までに買換資産に居住していないときは，居住開始予定の年月日等を記載した書類

住宅ローン残高の残っている居住用財産を譲渡した場合

もう一つは，住宅ローンの残高のある従前の居住用財産を譲渡して譲渡損のある場合の特例であり（措法41条の５の２，措令26条の７の２），居住用財産を買い換えることは前提としていないもので，譲渡後に借家住いをする場合でも適用になる。その要件は，

① 居住用財産(注1)で，譲渡した年の１月１日で所有期間が５年を超えるもの

② 平成16年１月１日から**令和７年12月31日まで**に譲渡すること

③ 譲渡資産に係る譲渡契約を締結した日の前日において，住宅ローン(注2)の残高を有していること

である。

なお，この特例で繰越控除の対象となるのは，損益通算後の赤字そのものではなく，その赤字のうち，譲渡価額と住宅借入金等との差額までの範囲とされている。

たとえば，居住用財産を2,000万円で譲渡し，譲渡損が1,000万円生じており，他の所得との損益通算後の赤字が800万円であり，住宅ローンの残高が3,000万円であったとする。

譲渡代金とローン残高の差は1,000万円であるので，この800万円の金額が繰越控除の対象となる。

しかし，この例で，住宅ローンの残高が2,400万円であるとすると，譲渡代金との差は400万円であるので，損益通算後の赤字の800万円のうちの400万円だけが繰越控除の対象となる。

さらに，住宅ローン残高が1,800万円であったときは，譲渡代金のほうが高くなるので，譲渡損失が生じていても繰越控除はできないということになる。

要するに，この特例は，居住用財産を譲渡した代金では住宅ローンの残高を返済できないとき，その譲渡損失を他の所得と通算して引ききれなかった残高についてのみ，繰越控除を認める制度というふうに考えたほうがわかりやすいと思う。

（注１）　居住用財産：460ページの（注１）と同じ。
（注２）　住宅ローン：460ページの（注３）と同じ。

この特例の適用を受けるための手続き

この居住用財産の譲渡損失の適用を受けるためには，つぎの手続きをとらなければならない。

繰越控除の対象となる譲渡損失が生じた年分の確定申告書（損失申告用）を提出期限（通常は翌年３月15日）までに提出し，その後，毎年連続して確定申告書を提出すること。確定申告書の特例適用欄に「措法41条の５の２」と記載し，下記の書類を添付する（措則18条の26）。

(ア)　「特定居住用財産の譲渡損失の金額の明細書」および「特定居住用財産の譲渡損失の損益通算及び繰越控除の対象となる金額の計算書」
(イ)　譲渡資産の登記事項証明書，売買契約書などで，その所有期間が５年を超えることを明らかにするもの
(ウ)　譲渡資産に係る住宅借入金等の残高証明書

19 配偶者居住権・配偶者敷地利用権の譲渡

配偶者居住権等の消滅等によって対価を得る場合，譲渡所得の取得費はどのように計算するのか。
（所法33条，60条②～③，所令95条，169条の２，所基33－６の８，60－３～10）

配偶者居住権等の譲渡　配偶者居住権とは，夫婦の一方が亡くなった後に，残された配偶者が相続開始時に被相続人所有の建物に居住していた場合に，その建物に無償で居住し，敷地も利用できるという権利（以下，配偶者居住権の目的となっている建物とその建物の敷地利用権をまとめて「配偶者居住権等」という）である。おしどり夫婦でも，いずれは別れの時がくることを考えると，残された配偶者にはとてもありがたい権利といえる。

ところが，この配偶者居住権は，譲渡することができないし，残された配偶者が勝手に他人へ賃貸することもできない（民1032）。

しかし，配偶者居住権が不要になったときには消滅させ，子や孫等の建物所有者に返還することができる（民1035）。このとき，タダで返還したり，タダでなくとも「著しく低い対価」で返還すると，贈与税がとられる場合もあるため，注意が必要である（相法９，相基９－13の２）。

また，事情によって配偶者居住権等付きの不動産を売却しなければならなくなってしまったり，公共事業等により配偶者居住権等付きの不動産として収用されることもある。この場合には，必然的に譲渡所得ということになる。

配偶者居住権等の取得費　配偶者居住権等の消滅につき対価の支払いを受けた場合には，総合課税の譲渡所得として課税される（措所通31・32共－１）。

譲渡収入の５％を取得費にすることもできる（所基60－５）が，配偶者居住権の目的となっている建物や敷地に改良，改造等を行ってもその改良費や改造費は取得費に加算することはできない（所基60－６）。

また，配偶者居住権等の消滅のときに，対価を支払わないで消滅させた場合，その消滅後にその居住者が当該建物又は当該土地を譲渡したときは，配偶者居住権等は，最初にさかのぼって相続又は遺贈のときからなかったこととみなされる（所基60－８）。

（注）　配偶者居住権等を譲渡するときの取得費（所法60②）及び配偶者居住権等を消

減させるときの取得費（所法60③）については，国税庁ホームページ「配偶者居住権に関する譲渡所得に係る取得費の金額の計算明細書」等の記載例について（資産課税情報 第26号 令和２年12月16日 国税庁資産課税課）に，計算明細書の記載方法や参考となる情報が掲載されているので参考にされたい。

20 特定事業用資産の買換え（交換）にも特例

特定の事業用資産を譲渡し，一定の条件の下で買い換えたときも特例がある。

（措法37条～37条の4，措令25条～25条の3，措則18条の5，措所通37－1～30，37の2－1～2，37の3－1～5，37の4－1～2，法人は措法65条の7以下）

事業用・貸付用の土地・建物を売ったときの買換特例

商売をしていた人，貸家などしていた人が，店舗や貸家と敷地を売って別のところに土地を買って店舗や貸家を建て替えることがある。その場合，まず，買換特例が受けられるのかということが問題となる。こういうときに利用されるのが特定事業用資産の買換特例である。

特定事業用資産の買換特例とは

特定事業用資産の買換特例というのは，従前に事業用や貸付用に使用していた建物とその敷地である土地（借地権，底地を含む）等を**令和８年12月31日**までに譲渡して，別の建物や土地（借地権を含む）を取得して，事業用なり，貸付用に供した場合の特例である。

その場合，１億円で譲渡して，１億円かそれ以上の買換資産を取得すれば，１億円に買換割合を乗じた額に相当する部分を課税対象からはずし，差額を課税上の譲渡収入として，譲渡所得と税額を計算する。その買換割合は80％(注)になっているので，差額の2,000万円が譲渡収入となる。

１億円で譲渡して，買い換えたのが8,000万円であれば，買換差額の2,000万円に，買換価額8,000万円の20％の1,600万円を加えた3,600万円を課税対象となる譲渡収入とし，これから取得費と譲渡費用の$\frac{3,600万円}{8,000万円}$を引いた額を課税される譲渡所得金額として税額を算出する。

（注）長期所有資産の買換特例については，令和５年の税制改正でさらに細分化された（詳しくは469ページ**図表３－30**を参照）。

〔事例①：譲渡価額≦買換価額の場合〕

譲渡価額　100,000,000円

買換価額　100,000,000円

（譲渡価額）　　　　（課税譲渡収入）
100,000,000×0.2＝20,000,000円

〔事例②：譲渡価額＞買換価額の場合〕

譲渡価額　100,000,000円

買換価額　 80,000,000円

$$\underset{(譲渡価額)}{(100,000,000円}-\underset{(買換価額)}{80,000,000円)}+\underset{(買換価額)}{80,000,000円}\times 0.2$$

$$=20,000,000円+16,000,000円=\underset{(課税譲渡収入)}{36,000,000円}$$

（詳しくは，478ページ以下の計算例を参照）。

図表３－28　特定事業用資産の買換えの適用資産表(抄)（詳細は措法37条参照のこと）

	譲　渡　資　産	買　換　資　産
2号(注)	首都圏整備法に規定する既成市街地，近畿圏整備法に規定する既成都市区域等の既成市街地等で一定の区域内にある土地等，建物又は構築物	既成市街地等内にある土地等，建物，構築物又は機械及び装置で，土地の計画的かつ効率的な利用に資する施策の実施に伴い取得をされるもの
3号	国内にある土地等，建物または構築物で，その所有期間が10年を超えるもの	国内にある土地等で特定資産の敷地の用に供されるもので，面積300㎡以上のもの，または建物または構築物

（注）　２号の既成市街地等については，巻末資料を参照。

なお，「特定」の事業用資産の買換えといっているように，この特例の対象となるのは，従前(注)と従後とが事業用・貸付用ならなんでもいいというわけにはいかない。

土地や建物については，１号から４号の特例が定められているが，このうち，一般に利用されている主なものを**図表３－28**に掲げておいた。以下，これについて説明する。

（注）　従前資産の所有期間の要件……従前資産の所有期間の要件については，措法37条①の表の各号ごとに記載されている。なお，上記**図表３－28**に記載されていない号の所有期間については，土地の譲渡については，原則として譲渡した年の１月１日で５年を超えていることが要件とされている（同条⑤）が，平成13年の税制改正によって，平成10年１月１日から令和８年３月31日までの譲渡については，この所有期間制限を適用しないこととされている（同条⑫）。したがって，同表の各号に所有期間の要件が記されていない場合には，上記の期間内の譲渡について，一般的な所有期間の制限はないと考えておいてよい。

長期所有資産の買換特例（３号）

国内にある土地・建物や構築物で，譲渡した年の１月１日で所有期間が10年を超えるものを譲渡し，国内に所在する土地・建物，構築物に買い換えた場合の特例である。

図表３－29　既成市街地等の一覧表

	都・市名	既成市街地等に含まれる区域
首都圏整備法の既成市街地の区域	東京都23区	全域
	武蔵野市	全域
	三鷹市	一部を除いた区域
	横浜市	鶴見区，西区，中区，南区の全域 神奈川区，港南区，保土ヶ谷区，旭区，磯子区，金沢区，港北区，緑区，戸塚区，泉区，栄区，都筑区の一部を除いた区域 （青葉区，瀬谷区は全域が該当しない）
	川崎市	川崎区，中原区，幸区の全域 高津区，宮前区，多摩区の一部を除いた区域 （麻生区は全域が該当しない）
	川口市	一部を除いた区域
近畿圏整備法の既成都市区域	大阪市	全域
	京都市	一部を除いた区域
	守口市	一部を除いた区域
	東大阪市	一部を除いた区域
	堺市	JR 阪和線以西の区域（石津川左岸線以西の区域を除く）
	神戸市	一部を除いた区域
	尼崎市	京阪神急行電鉄神戸本線以南の区域
	西宮市	京阪神急行電鉄神戸本線以南の区域
	芦屋市	京阪神急行電鉄神戸本線以南の区域
名古屋市の区域	名古屋市	東区，中村区，中区，瑞穂区，熱田区，南区の全域 千種区，北区，西区，昭和区，中川区，港区，守山区，緑区の一部を除いた区域

（注）上記の区域のうちで，公有水面埋立法の規定による竣功認可があってから譲渡の年の12月31日までで10年を超えていない埋立地の区域は除かれる（措令25⑥）。

（この表の読み方）

1　この表に記載された区域のみが既成市街地等である。したがってこの表に記載されていない区域は既成市街地等ではない。たとえば，千葉市はここに記載されていないから，その全域が既成市街地等でない。既成市街地等に準ずる区域である。

2　横浜市についてみれば，鶴見区は全域が既成市街地等である。神奈川区は場所によって既成市街地等であり，場所によって既成市街地等ではない。その区別は，各市の都市計画課で調べればわかる。

3　詳細については**巻末資料**参照のこと。

なお，買換資産の土地については，下記の特定資産の施設の敷地の用に供されるもので，その面積が300㎡以上のものに限られる。

特定施設とは，事務所，工場，作業所，研究所，営業所，店舗，倉庫，住宅その他これに類する施設(福利厚生施設に該当するものを除く)をいい，上記の特定施設に係る事業の遂行上駐車場の用に供される土地を含む(注)。

(注)　なお，上記以外の駐車場の用に供される土地については，つぎの一定の事情があるものに限られる。

「一定の事情」は，つぎに掲げる手続きその他の行為が進行中であることにつき一定の書類により明らかにされた事情とされている。

イ　都市計画法29条１項または２項の規定による許可の手続き

ロ　建築基準法６条１項に規定する確認の手続き

ハ　文化財保護法93条２項に規定する発掘調査

ニ　建築物の建築に関する条例の規定に基づく手続き（建物または構築物の敷地の用に供されていないことがその手続きを理由とするものであることにつき国土交通大臣が証明したものに限る）

（措法37条①，措令25条⑪，措則18条の５④五号）

土地の所有期間が10年を超え，建物が10年以内というときには，特例適用の対象となる譲渡資産は土地だけであるが，買換資産には建物等も対象となる。

買換割合，つまり課税を繰り延べることができる割合（課税繰延割合）は，令和５年の改正で，これまで以上に細分化された。課税繰延割合が何割になるかは，譲渡資産と買換資産がどのような地域に存するのかにより異なる。これを表にすると次の**図表３－30**となる。

図表３－30　課税割合

<table>
<tr><td colspan="3" rowspan="3">買換資産
譲渡資産</td><td colspan="2" rowspan="2">集中地域以外の地域</td><td colspan="3">集中地域</td></tr>
<tr><td>東京都特別区以外</td><td colspan="2">東京都特別区</td></tr>
<tr><td>主たる事務所資産以外</td><td>主たる事務所資産</td><td>—</td><td>主たる事務所資産以外</td><td>主たる事務所資産</td></tr>
<tr><td colspan="2" rowspan="2">集中地域以外</td><td>主たる事務所資産以外</td><td colspan="2" rowspan="2"></td><td rowspan="2">25%
（措法37⑩二）</td><td colspan="2">30%（措法37⑩三）</td></tr>
<tr><td>主たる事務所資産</td><td></td><td>40%
（措法37⑩三）
（30%）</td></tr>
<tr><td rowspan="3">集中地域</td><td>東京都特別区以外</td><td>—</td><td colspan="5" rowspan="2">80%（措法37①）</td></tr>
<tr><td rowspan="2">東京都特別区</td><td>主たる事務所資産以外</td></tr>
<tr><td>主たる事務所資産</td><td></td><td>10%
（措法37⑩一）
（20%）</td><td colspan="3"></td></tr>
</table>

（注）　主たる事務所の移転を伴う買換えは，譲渡資産および買換資産がその個人の主たる事務所として使用される建物及び構築物並びにその敷地の用に供される土地等を譲渡および取得することにより判定する。

上記**図表３－30の**カッコ内は，令和５年３月31日以前に譲渡資産を譲渡した場合および同日後に譲渡資産を譲渡し同日以前に買換資産を取得している場合の課税割合となる。

なお，集中地域とは，地域再生法第５条第４項第五号イに規定する集中地域をいう。

（出典：国税庁ホームページ）

特定事業用資産の交換の特例

特定事業用資産を他人の所有している土地または建物（その他人の事業用でなくてもよい）と交換して事業用または貸付用に供したときも，特定事業用資産の買換えの場合とほぼ同様の特例が受けられるようになっている（措法37条の４）。

21 特定事業用資産の特例の適用条件①――事業用・貸付用とは

この特例を受けるためには，従前資産も買換資産も事業用か貸付用でなければならない。では，事業用・貸付用とは。

事業用・貸付用でなければ特例は受けられない

特定事業用資産の買換特例は，従前資産が事業用か貸付用に使用されていたものであり，かつ，買い換えた資産も事業用か貸付用に供さなければならない。

では，その資産がどういう状態であれば，事業の用に供されているとか，貸付けの用に供されているとかいえるのであろうかという問題になる。

自己の事業の用に供している場合

自分でその土地に建物を建てて，そこで商売をしている場合は，事業の用に供していることについて問題はない。(注)

(注)　本人所有の建物や土地を，生計を一にしている親族が事業の用に供している場合，たとえば，夫の所有する建物で妻が喫茶店を経営しているような場合は，本人の事業の用に供しているものとして取り扱われる（措所通37－22で準用する33－43）。なお，生計を一にする親族については，196ページのコラム参照。

倉庫を建てて商品倉庫として利用している，共同住宅を建てて従業員の社宅・宿舎として使用しているなど，とにもかくにも建物を建てて，事業に関連して何らかの用途に供している場合にも，まず事業の用に供していると認められる。しかし，建物を建てないで使用している場合には，その判定に微妙な問題が生じる。

商売などの事業をしている人が，その土地を更地のまま商品置場にしている，駐車場に使用しているというような場合である。商品によっては，なにも倉庫を建てて保管する必要のないものもある。ビールの空ビンなど，近所に自分の空地があれば，そこに野積みにしておけばよいし，守衛を置かなくても，いまどき盗難にあうこともあまりないであろう。駐車場にしても，自分の店舗の配達用などに使用するのならば，舗装したり，特別の施設をもうける必要もない。それこそ，青空駐車場で十分な場合も多いであろう。そういうように，その事業を遂行するために使用しており，それが常識的にみて事業のために必要であったと判断されるような使い方をしていれば，建物も建てず，特別の施設をもうけないで使っていても，事業の用に供していたことになる（措所通37－21⑵但書(注)(2))。

事業的規模で貸し付けている場合

土地や建物を貸し付けている場合，所得税法では，その規模によって事業と事業にあたらない業務とに区分している。そして，取扱い上，一応アパートでおおむね10室，独立貸家ならおおむね５棟以上ということになっている（所基26－９）。この程度以上ならば事業であり，ここまで至らない小規模なものは，外形的基準では，事業でないとしている。

ここで，事業と判定される規模のものを貸し付けている場合には，判定について特に難しい問題は生じないであろう。

なお，売却した建物や土地が上記の規模でなくても，たとえば独立貸家２棟を売却しても，その人の経営している貸家の戸数が，その他の貸家・アパートを含めて上記以上であれば，全体として事業というように取り扱われている。すなわち，売却した２棟も事業用資産ということになる。

事業に準ずる貸付け

そして，事業的規模とまで至らない小規模な不動産の貸付けは事業でないが，

①　相当の対価を得ていること

②　継続的に行っていること

の二つの条件が満たされていれば，「事業に準ずるもの」として，この特例の適用の対象としている（措所通37－３）。したがって，小規模な不動産の貸付けをしている場合には，この二つの要件を満たしているかどうかを検討しなければならない（事業と認められる規模の不動産の貸付けについては，この二要件の検討をするまでもなく，「事業の用に供されている」に該当する）。

①の「相当の対価」であるが，これは取扱い上は，その資産の減価償却費，固定資産税，その他の必要経費を差し引いても，なお相当な利益が出るかどうかにより判定することになっている（措所通37－３(2))。

ところで，昔から土地や建物を貸し付けている場合，借地法や借家法の制約があって，地代や家賃の値上げを抑制されていて，貸し付けた当初は世間並みの合理的な地代や家賃であったが，現在は新規に貸し付けるときの賃料にくらべて著しく低い賃料になっていることが多い。

この場合，貸付けの当初に，相当の対価を得ていたかどうかで判定したらよいであろう。また，似たような条件にある近隣の貸地の地代や貸家の家賃並みの賃料であるかどうかで判定すればよいであろう。

つぎに，②の「継続して行う」であるが，これについて上記の通達では貸付契約をしたとき，それが相当期間継続して行われることが予定されていたかど

うかにより判定しなさいといっている。もっとも，どういう予定であったか，人の心のなかを読みとることはむずかしい。しかし，相当期間継続して貸し付ける予定であれば，それなりの施設をもうけたり，借主がある程度の施設をつくることを許したりという外観でうかがわれる行為をするのが普通であろう。また，それは契約上の条件にも表われるであろう。

よく，開発業者のほうで，空地を事業用資産に転換するため，「じゃ，当社のほうで半年ぐらい地代を払って資材置場に使わせてもらいましょう」とか，「駐車場に使わせてもらいましょう」とか提案することがある。しかし，この程度で，継続して貸し付けたことと認めさせるのは，やはりムリであろう(注)。

（注）　この「規定の適用を受けるためのみの目的で一時的に事業の用に供したと認められる資産」は該当しないとされている（措所通37－21（注）(1)(2)）。

貸家・貸地と特例適用の判定

貸家について，特例適用要件を満たしているかどうかの判定基準をまとめてみると，**図表３－31**のようになる。

なお，下記の５棟・10室という基準は，あくまでも一つのメドであり，その棟・室未満であっても，賃料の収入の状況，管理の状況等からみて，これらの場合に準ずる事情があると認められる場合には，特に反証がない限り，事業として行われていたものとするとされている（所基26－９）。

図表３－31

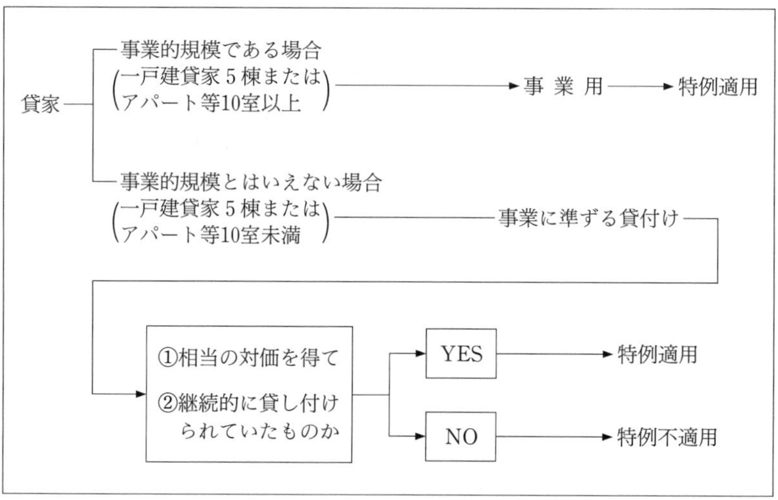

なお，貸地について，それが事業的規模であるかどうかについての所得税通

達における判定基準はないが，事業税では，貸付件数10以上，または，貸付面積2,000㎡以上を課税対象としており，これも一つの参考となるであろう。青空駐車場については，駐車台数10台以上のものが事業税の課税対象となっている（地方税法の施行に関する取扱いについて（道府県税関係）　第３章事業税２の１(3)(6)）。

同族会社での経営に注意

事業を経営している場合の所得課税は，個人事業として所得税を納めるより，これを法人化して，すなわち，法人を設立して法人で経営して法人税を納めるほうが，毎年の税金は軽減されることがある。(注)

（注）880ページ「個人の土地と同族会社の賃貸ビルの税務」参照。

それで，実質的には個人経営であるが，税務上は法人経営としている例も多く見受けられる。

この場合，通常は，その法人の主宰者である個人の土地にその個人の建物を建て，その建物を法人に貸し付けている。

このような状態の土地・建物を譲渡して，特定事業用資産の買換特例の適用を受けようとするとき，これは「事業の用に供していたもの」でなく，「事業に準ずる貸付けの用に供していたもの」として，相当の対価（家賃）を得ていたかどうか，という判定基準が加わる。

同族会社に建物を貸し付けていた場合に，かなり低額の家賃しか収受していなかったケース，すなわち，相当の対価を得ていなかったケースも目立つので注意をしなければならない。

「事業の用に供している」とは認められなかった具体例

「事業の用に供している」かどうかの判定は非常に微妙であり，これによって，この特例の適用を受けられるかどうかの分かれ目になる。具体例をあげて説明する。

これは，駐車場用地として貸し付けていた土地を譲渡し，特定事業用資産の買換特例の適用を受けようとしたが，税務署で否認され，国税不服審判所に審査請求をしたが，却下された例である（昭45.8.12裁決，国裁例4962）。審判所で，それが事業用資産，すなわち相当の対価を得て継続的に行われた貸付けに該当しないとした根拠はつぎのとおりであり，参考になることが多い。

① その土地（330㎡）はもともと田であったが，20年間なにも使わずに放置してあった。この土地を駐車場として賃貸した。

② その土地の時価は1,700万円であるが，その賃料は月額１万円（年利回り0.7%）と，きわめて低額であった（権利金等はない）。

③　駐車場としての施設は，何もなされていなかった。

④　賃貸借期間の定めがなく，地主側の要望があれば，即時明け渡すことの条件が付されていた。

⑤　賃貸契約後，わずか３か月後に，譲渡の交渉を開始し，その１年後に，譲渡契約を締結している。

以上により，空閑地をたまたま一時的に貸し付けているにすぎないと判断された。

農地についての適用の可否

「事業」というのは，当然農業も含まれる。東京23区内でも農地が残っており，ここで野菜の栽培や植木苗や芝の植栽などを続けている場合も多い。この程度で，「農業」すなわち「事業」として認められるかとなると，微妙な点は残るが，もともとの農家が農業経営の一環として行っているかぎり，事業としての「農業」に該当すると扱われることになろう。

なお，農地，すなわち農業の用に供している土地であるかの判断は，現に営利を目的として何らかの栽培等をして使っているかどうかで判定される。地目が田，畑などになっていても，空閑地として放置されているもの，または，家庭菜園的な使用程度であるものは農地ではなく，したがって事業用資産には該当しない。また，農家でないものが趣味と実益をかねて野菜の栽培などをしていても，それを農業と認めさせるのはまずムリであろう。

店舗併用住宅などの区分

従前資産が店舗併用住宅あるいは賃貸アパートの一部を居住用として使用しているなど，事業用・貸付用と居住用とに使用されていた場合には，譲渡収入をそれぞれの使用状況の比によって按分して区分して，この特例と居住用財産の特例とを適用することになるが，その区分の仕方は，442ページの「対象となる店舗併用住宅などの敷地の範囲」を参照されたい。

なお，この場合でも，全体の90％以上が事業用・貸付用であれば，全体を事業用資産として，特定事業用資産の買換特例を受けることも認められている（措所通37－４）。

22 特定事業用資産の特例の適用条件②――取得と使用の期間制限

この特例を受けるためには，買換資産を取得する期間と，使用を開始し，使用を続ける期間に制限がある。

買換資産の取得期間の制限

特定事業用資産の特例を受けるために買換資産を取得しなければならない期間に制限があり，その期間は，つぎのようになっている。

① 譲渡した年の前年中
② 譲渡した年
③ 譲渡した年の翌年

そして，建築しようとする建物の敷地の造成または建物の建築に要する期間が通常１年を超えると認められるやむを得ない事情がある場合は，

④ 譲渡した年の翌々々年
⑤ 譲渡した年の前々年

までの間で，通常その造成または建築に要する期間までの期間延長が認められる。

なお，建物の建築に要する期間が通常１年を超える場合であっても，敷地について特別の造成等を必要としない場合には，土地の取得時期については，この特別の延長は認められないので，上記の①②③のいずれかの期間に取得しておかなければならないので注意が必要である（措所通37－27）。

また，買換資産を探していたが適当な物件が見つからなかったということでは，④の特別の延長は認められない。

買換資産の取得期間を図で示すと，**図表３－32**のとおりである。

なお，土地・建物の取得の日の判定については397ページ以下を参照されたい。

翌々年以降に取得期間が延長される特別のケース

買換資産の取得期間が翌々年以降に特別に延長されるのは，敷地の造成や建物の建設に要する期間が通常１年を超えると認められる場合である（措法37条④，措令25条⑱）が，これに準ずる事情があって，やむを得ずその取得が遅延する場合も，この特別の期間延長を認めるとしている。

そして，通達（措所通37－27の２）では，その準ずる事情の例としてつぎのよ

図表３－32　特定事業用資産の買換えの取得日の期間制限

（建物の建設に要する期間が通常１年を超えると認められる等その他やむを得ない事情がある場合）	適用	原則	買換え承認申請書を提出して	下記の事情のある場合，税務署長の承認を得て適用（建物の建設に要する期間が通常１年を超えると認められる等その他やむを得ない事情がある場合）	
㋑ その前々年	㋺ その前年	㋩ 譲渡した年	㋥ その翌年	㋭ その翌々年	㋬ その翌々々年
				この期間内で，税務署長の認定を受けた期日までに取得すること	

うな場合を掲げている。

① 法令の規制等により，その取得に関する計画の変更を余儀なくされたこと

② 売主その他の関係者との交渉が長引き，容易にその取得ができないこと

③ ①または②に準ずる特別な事情があること

なお，これらの事情があっても延長されるのは最長で翌々々年までである。

また，建物の建設に要する期間が通常１年を超える場合であっても，その敷地については，造成の必要など特別の事情がない場合には，土地は翌年までに取得しなければならないことになっている（措所通37－27）ので注意しなければならない。

前々年に取得期間が延長される特別のケース

これは，従前の資産を譲渡する前に買換資産を取得していた，すなわち，先行取得の場合の特例である。

あらかじめ土地を取得して，それから敷地の造成や建物の建設にかかり，建物の建設を終えて，工場等を新建物に移転させてから，従前資産を売るとなると，土地の取得は前々年以前になってしまうことがある。そういう場合で，敷地の造成や建物の建設に要する期間が通常１年を超えると認められるときは，取得期間の延長を認めようというものである（措法37条③，措令25条⑮）。

ところで，この期間延長についても，これに準ずる事情があって，やむを得ず従前資産の譲渡が遅延した場合も，この特別の期間延長を認めることにして

いる。

そして，通達（措所通37－26の２）では，その例として，つぎのような場合を掲げている。

① 借地人または借家人が容易に立退きに応じないため譲渡ができなかったこと

② 譲渡するために必要な広告その他の行為をしたにもかかわらず容易に買手がつかなかったこと

③ ①または②に準ずる特別な事情があったこと

なお，これらの事情があっても延長されるのは最長で前々年までである。

買換資産の使用期間の制限

買換資産を取得したならば，取得の日から１年以内に，事業用または貸付用に供さなければならない。

また，１年以内に使用を開始しても，取得の日から１年以内にこれらの用に供することを取りやめたら，特例の適用は受けられなくなる。

なお，賃貸アパートを建設したとき，建設完了後１年たっても空室の場合もあろう。しかし，そのアパートの賃貸のあっ旋を不動産屋に依頼するなどして，入居者の募集活動を始めたときをもって，貸付けの用に供したと解されている。

（注）764ページ以下参照。

土地は期限内，建物は期限後取得の場合の特例適用は

既成市街地等内から外への買換えで，土地は取得期限内（譲渡した年の翌年内）に取得し，建物は土地を取得した年の翌年（譲渡年の翌々年）内に着工したが，建築完了は着工年の翌年（譲渡年の翌々々年）となる場合，原則としては，建物は期限後の取得となり適用対象外となるが，やむを得ざる事情による税務署長の特別の認定を受ければ，土地・建物とも適用となる。しかし，建物の完了が着工年の翌々年（譲渡年の翌々々々年）となると，この認定の最長期限を超えているので，建物は適用対象外となる。しかし，その場合でも，土地については，その上に建築される建物が，土地の取得後１年以内に着工され，着工後３年以内に建築が完了して事業の用に供されることが確実であると認められる場合は，土地だけは期限内に取得し，その翌年に事業の用に供したと認められるので，土地だけが買換特例の適用を受けられることとなっている（措所通37－23⑴イ）。

23　特定事業用資産の特例の適用を受けるための手続き

特定事業用資産の特例の適用を受けるためには確定申告をしなければならないが，その手続きは。

特例の適用を受けるには確定申告を

特定事業用資産の買換特例の適用を受けるためには，確定申告をし，申告書の所定欄に「措法37条」と記載しなければならない。また，申告書に「譲渡所得の内訳書」および所定の書類を添付する。

譲渡した年に買換資産を取得したとき

この場合は，すでに買換資産を取得しているので，取得した買換資産の金額その他の内容は確定している。これにより，481ページの**図表３－33**の記載例のようにして，課税譲渡所得を設例により説明する。

設例

所有期間15年の木造店舗とその敷地を譲渡した。

譲渡収入	３億円……①	
譲渡資産の取得価額		
土地　100㎡	1,500万円	
建物　200㎡	1,200万円	200万円
建物の減価償却費	1,000万円	
差引計	1,700万円……②	
譲渡費用		
仲介手数料その他	1,000万円……③	

適用譲渡収入のうちの２億9,000万円について買換特例を適用して，

土地　600㎡	１億3,800万円
建物　1,200㎡	１億5,200万円

を取得し，いずれも賃貸にした。

〔計算と記載例〕

まず，面積制限の枠を超えていないかをチェックする。

従前の土地の面積は100㎡であるので，その５倍は，

100㎡×５＝500㎡

となる。しかし，実際に取得しているのは，600㎡の１億3,800万円であるので，対象となる土地面積に対する価額は，

$$138{,}000{,}000円 \times \frac{500}{600} = 115{,}000{,}000円$$

となり，建物の取得費1億5,200万円と合わせて，

2億6,700万円……④

が買換えにあてた金額となる。これにより，譲渡所得の内訳書の（4面）を記載すれば，**図表3－33(ア)**のとおりとなる。なお，この（1面～3面）は**図表3－9**（388ページ）の記載例に準じて記載する。この場合，「利用状況」は，現況により事業用か貸付用をチェックする。

この例では，譲渡価額が買換資産の取得価額を超えているので，**図表3－33(ア)**の「6　譲渡所得金額の計算をします」の「(2)　特定の事業用資産の買換え・交換（措法37・37の4）などの場合」の「①＞④」の欄の計算式で，譲渡所得を計算する。

「J収入金額」は，

（譲渡価額①－買換取得価額④）＋買換取得価額④×20%※

＝（300,000,000円－267,000,000円）＋267,000,000円×0.2

＝33,000,000円+53,400,000円

＝86,400,000円……（J）

※繰延割合は，図表3－30のとおりであるが，ここでは繰延割合を80%として計算する。

となる。

これから差し引かれる「K必要経費」となる譲渡資産の取得費と譲渡費用は，つぎのような按分計算となる。

$$（②取得費＋③譲渡費用）\times \frac{J収入金額}{①譲渡価額}$$

$$＝（17{,}000{,}000円＋10{,}000{,}000円）\times \frac{86{,}400{,}000円}{300{,}000{,}000円} = 7{,}776{,}000円……（K）$$

このように，取得費と譲渡費用の全額が差し引かれるのではないことに留意しておかなければならない。

そして，「L譲渡所得金額」は，

J－K＝78,624,000円

となる。

これについて税額計算をすると，つぎのようになる。

所得税	78,624,000円×0.15＝11,793,600円
住民税	78,624,000円×0.05＝ 3,931,200円
合計	15,724,800円

添付書類：確定申告書に**図表3－33**のように記載(注)した上で，**図表3－34**以下の書類を添付するとともに，適用する特例に応じて，つぎの市区町村長の証明書を添付する（措則18条の5）。

（注）　**図表３－33**の記載例は，設例に合わせて簡略に記載している。買換資産について，仲介手数料等の諸経費があれば記載して，これを加算した計算をする。なお，登録免許税と不動産取得税は事業所得また不動産所得の必要経費となるので，取得費には加算しない（764ページ参照）。

⑴　届出書の提出時期

令和５年の税制改正で，この特例の適用を受ける場合は，譲渡資産の譲渡の日（買替資産を先行取得した場合には，その取得日）を含む三月期間（注）の末日から２か月以内に税務署長に届け出なければならないこととされた（措法37①，措令25③）。

（注）三月期間とは，１年を４つの期間に分けて，１月１日から３月31日まで，４月１日から６月30日まで，７月１日から９月30日まで，10月１日から12月31日までの期間とする。

なお，この改正は，令和６年４月１日以後に資産を譲渡し，かつ同日以後に買換資産を取得する場合に適用される（改正法附則32条⑦）。

⑵　長期所有資産の買換特例（３号）

㈠　買換資産について「やむを得ない事情」で駐車場の用に供するものは，それぞれ財務省令で定める書類（措令25条⑪，措規18条の５⑤）

㈡　譲渡資産または買換資産が下記の市にある場合は，その資産が集中地域内または外に所在することについての市長の証明書

熊谷市，飯能市，木更津市，成田市，市原市，君津市，富津市，袖ヶ浦市，相模原市，常総市，京都市，堺市，守口市，東大阪市，神戸市，尼崎市，西宮市，芦屋市または名古屋市の区域

翌年以降に取得する予定の場合

譲渡資産を譲渡した年の翌年以降に買換資産を取得するということも多いであろうが，こういう場合は譲渡した年分の確定申告書を提出するとき，**図表３－９**および**図表３－33**の「譲渡所得の内訳書」のほかに，**図表３－34**の「買換（代替）資産の明細書」を添付し，翌年以降に取得する予定の価額で取得したとして買換え適用の計算をしておく。

（注）　平成３年の税制改正により，平成４年１月１日以後の譲渡からは，買換予定資産が，表のどの号に該当するかの別を記載することとされている（措令25条⑱，措則18条の５②）。

翌々年以降に取得する予定の場合

翌々年以降に取得する予定であるときは，さらに延長した期日を認定してもらうためには，**図表３－35**の「やむを得ない事情がある場合の買換資産の取得期限承認申請書」を提出する。そのマンションなどの規模からみて，通常の建築期間がどれくらい

図表３－33

㈠　特定事業用資産の買換特例の記載例

４　面

「交換・買換え（代替）の特例の適用を受ける場合の譲渡所得の計算」
この面（4面）は、交換・買換え（代替）の特例の適用を受ける場合（※）にのみ記載します。

※　交換・買換え（代替）の特例の適用を受けた場合、交換・買換（代替）資産として取得された（される）資産を将来譲渡したときの取得費やその資産が業務用資産であるときの減価償却費の額の計算は、その資産の実際の取得価額ではなく、譲渡（売却）された資産から引き継がれた取得価額を基に一定の計算をすることになりますので、ご注意ください。

5　交換・買換（代替）資産として取得された（される）資産について記載してください。

物件の所在地	種類	面積	用途	契約(予定)年月日	取得(予定)年月日	使用開始(予定)年月日
△△市△△町△△番	土地	600㎡	貸付用	令和6・2・10	令和6・2・10	令和6・12・15
同上	建物	1,200㎡	貸付用	令和6・3・3	令和6・11・30	令和6・12・15

※　「種類」欄は、宅地・田・畑・建物などと、「用途」欄は、貸付用・居住用・事務所などと記載してください。

取得された（される）資産の購入代金など（取得価額）について記載してください。

費用の内容	支払先住所（所在地）及び氏名（名称）	支払年月日	支払金額
土地	△△市△△町△△番　別所譲	令和6・2・10	138,000,000円の内 115,000,000円
		・・	円
		・・	円
建物	△△市△△町△△番　近建設	6・11・30	152,200,000円
		・・	円
		・・	円
④　買換（代替）資産・交換取得資産の取得価額の合計額			267,000,000円

※　買換（代替）資産の取得の際に支払った仲介手数料や非業務用資産に係る登記費用などが含まれます。
※　買換（代替）資産をこれから取得される見込みのときは、「買換（代替）資産の明細書」（国税庁ホームページ【https://www.nta.go.jp】からダウンロードできます。なお、税務署にも用意してあります。）を提出し、その見込額を記載してください。

6　譲渡所得金額の計算をします。

「2面」・「3面」で計算した「①譲渡価額」、「②取得費」、「③譲渡費用」と上記「5」で計算した「④買換（代替）資産・交換取得資産の取得価額の合計額」により、譲渡所得金額の計算をします。

（1）（2）以外の交換・買換え（代替）の場合［交換（所法58）・収用代替（措法33）・居住用買換え（措法36の２）・震災買換え（震法12）など］

区分	特例適用条文	F 収入金額	G 必要経費	H 譲渡所得金額（F－G）
収用代替		①－③－④	$② \times \frac{F}{①-③}$	
上記以外		①－④	$(②+③) \times \frac{F}{①}$	
短期・長期	所・措・震 ＿条の＿	円	円	円

（2）特定の事業用資産の買換え・交換（措法37・37の４）などの場合

区分	特例適用条文	J 収入金額	K 必要経費	L 譲渡所得金額（J－K）
①≦④		①×20%(※)	（②＋③）×20%(※)	
①＞④		（①－④）＋④×20%(※)	$(②+③) \times \frac{J}{①}$	
短期・(長期)	措法 37条の＿	86,400,000円	7,776,000円	78,624,000円

※　上記算式の20%は、一定の場合は10%、25%、30%又は40%となります。

㈠　収用の場合の買換特例および特別控除の記載例

特定事業用資産の特例と対比して，相異点を明らかにするため，譲渡価額，取得費，譲渡費用，買換取得価額を，**図表３－33㈦**の設例と同額として計算・記載しておいた。

① **収用の場合の買換特例**（措法33条）

下掲の「６」の⑴の「収用代替」の欄の計算式により計算・記載してある。

6　譲渡所得金額の計算をします。

「2面」・「3面」で計算した「①譲渡価額」、「②取得費」、「③譲渡費用」と上記「5」で計算した「④買換（代替）資産・交換取得資産の取得価額の合計額」により、譲渡所得金額の計算をします。

(1)　(2)以外の交換・買換え（代替）の場合［交換（所法58）・収用代替（措法33）・居住用買換え（措法36の２）・震災買換え（震法12）など］

区　分	特例適用条文	F 収入金額	G 必要経費	H 譲渡所得金額（F－G）
収用代替		①－③－④	②×F/(①－③)	
上記以外		①－④	(②+③)×F/①	
短期・(長期)	所・(措)・震 33条の＿	円 23,000,000	円 1,348,275	円 21,651,725

（①譲渡価額）　（③譲渡費用）　（④買換取得価額）　（F収入金額）
300,000,000円－10,000,000円－ 267,000,000円 ＝23,000,000円

$$17,000,000円\times\frac{23,000,000円}{300,000,000円-10,000,000円}\fallingdotseq 1,348,275円$$

（②取得費）×（F収入金額）/（（①譲渡価額）－（③譲渡費用））≒（G必要経費）

（F収入金額）　（G必要経費）　（H譲渡所得金額）
23,000,000円－1,348,275円＝ 21,651,725円

② **収用の場合の特別控除**

譲渡所得の内訳書の（３面）の「４」に記載する。

4　譲渡所得金額の計算をします。

区分	特例適用条文	A 収入金額（①）	B 必要経費（②＋③）	C 差引金額（A－B）	D 特別控除額	E 譲渡所得金額（C－D）
短期・(長期)	所・(措)・震 33条の4	円 300,000,000	円 27,000,000	円 273,000,000	円 50,000,000	円 223,000,000
短期・長期	所・措・震 条の	円	円	円	円	円

図表３－34

○○税務署
令和６年３月　日提出

名簿番号	

買換（代替）資産の明細書

住所	○○市○○区○○町○○番		
フリガナ	カイ カエ タ ロウ	電話番号	（××） ××××－××××
氏名	甲斐代太郎		

交換・買換え（代替）の特例（租税特別措置法第33条、第36条の２、第37条、第37条の５又は震災特例法第12条）を受ける場合の、譲渡した資産の明細及び取得される予定の資産の明細について記載します。

１　特例適用条文

（租税特別措置法（○）・震災特例法）第37条　第　項

２　譲渡した資産の明細

所在地	△△市△△町××番		
資産の種類	土地及び建物	数量	土地100 建物200 ㎡
譲渡価額	300,000,000円	譲渡年月日	令和６年３月３日

３　買い換える（取得する）予定の資産の明細

資産の種類	土地及び建物	数量	土地600 建物1,200 ㎡
取得資産の該当条項	１　租税特別措置法 ⑴　第37条第１項の表の	第　号 第３号（23区・23区以外の集中地域・集中地域以外の地域） （主たる事務所資産）	
	⑵　第37条の５第１項の表の	第１号（中高層耐火建築物・中高層の耐火建築物） 第２号（中高層の耐火共同住宅）	
	２　震災特例法 ・　第12条第１項の表の	第　号（　）	
取得価額の見積額	267,000,000円	取得予定年月日	令和７年12月31日
付記事項			

㈲　３に記載した買換（取得）予定資産を取得しなかった場合や買換（代替）資産の取得価額が見積額を下回っている場合などには、修正申告が必要になります。

関与税理士		電話番号	

（資６－８－４－Ａ４統一）
R5.11

図表３－35
やむを得ない事情がある場合の買換資産の取得期限承認申請書

税務署受付印			
○○ 税務署長 令和 6 年 12 月 4 日提出	申請者 住所	〒 ×××－×××× ○○市○○町○○番	
	フリガナ	カイ カエ タ ロウ	電話 （××）
	氏名	甲斐代太郎	××××－××××

（租税特別措置法／震災特例法）第 37 条　　第　　項に規定する譲渡所得の課税の特例の適用における買換資産の取得期限について、下記の内容のとおり承認申請をします。

記

1　譲渡した資産の明細

所在地	△△市△△町××番		
資産の種類	土地及び建物	数量	土地 100 建物 200 ㎡
譲渡価額	300,000,000 円	譲渡年月日	令和 6 年 3 月 3 日

2　代わりに買い換える（取得する）予定の資産の明細

資産の種類	土地及び建物	数量	土地 600 建物 1,200 ㎡
取得資産の該当条項	1　租税特別措置法 ⑴ 第37条第１項の表の	第　号 第 3 号（23区・23区以外の集中地域・集中地域以外の地域） （主たる事務所資産）	
	⑵ 第37条の５第１項の表の	第 1 号（中高層耐火建築物・中高層の耐火建築物） 第 2 号（中高層の耐火共同住宅）	
	2　震災特例法 ・第12条第１項の表の	第　号（　）	
取得価額の見積額	267,000,000 円	取得予定年月日	令和 8 年 5 月 10 日
		認定を受けようとする年月日	令和 8 年 5 月 10 日
やむを得ない事情の詳細	取得予定の土地付住宅（マンション）の建設について，近隣住民の理解を得るための交渉が長引き，敷地の造成及び建築着工の日が遅れたため。なお，その詳細及び建築工事の工程表は別添の通り。		

関与税理士		電話番号	

（資６－80－１－Ａ４統一）
R5. 11

図表３－36

先行取得資産に係る買換えの特例の適用に関する届出書

(注)　この届出書が資産を取得した年の**翌年３月15日まで**に提出されない場合は、租税特別措置法第37条第３項・震災特例法第12条第３項の規定の適用は受けられません。

税務署受付印

○○　税務署長	届出者	住所	〒×××－×××× ○○市○○町○○番		
		フリガナ	カイカエタロウ	電話	（××）
令和７年３月15日提出		氏名	甲斐代太郎		××××－××××

私が昨年取得した下記の資産については、｛（租税特別措置法　第37条第３項）／震災特例法　第12条第３項｝の規定の適用を受けたいので届出します。

記

1　取得した資産（先行取得資産）

種類	土地		
規模	200㎡		
所在地	△△市△△町××番		
用途	貸家用建物の敷地		
取得年月日	令和６年10月３日	年　月　日	年　月　日
取得価額	200,000,000円	円	円

2　譲渡予定資産

種類	土地及び建物		

3　その他参考となる事項

関与税理士		電話番号	

（資６－73－１－Ａ４統一）
R5. 11

かかるかどうかなどを検討した上で承認されることとなるので，これらの事情を説明するための工事概要や工程表も添付したほうがいいだろう。

予定資産を取得したときの手続き

予定の買換資産を取得したとき，取得した日から４か月以内に登記事項証明書や取得を証明する書類その他の証明書を税務署へ提出し，実際の取得価額が予定価額より少なかったときは，買換えの適用に該当しなくなった部分を先に申告したときの譲渡収入に加えて譲渡所得と税額を計算し直して，**修正申告書**(注１)を提出して差額の税金を納付し，実際の取得価額が予定価額より大きくて，すなわち当初の申告より税額が少なくなるときは**更正の請求**(注２)という手続きをとって，税金を還付してもらうことになる（措法37条⑥，措令25条⑳）。

（注１）　実際の買換資産の取得価額が，申告した予定資産の価額より少額であった場合には，その差額について，修正申告をして，その差額について計算した税金を納めることになる。この修正申告によって増額した税額に対し，原則としては，過少申告加算税と延滞税が課せられることになっているが，この特例の場合には，取得した日から４か月以内に修正申告したときには，過少申告加算税・延滞税は課せられないようになっている（措法37条の２①④）。しかし，４か月を経過した後に修正申告をしたときには，過少申告加算税と延滞税が課せられるようになるので，この期限に遅れないように注意しなければならない。

（注２）　買換資産を取得して，買換資産の価額が買換予定資産の価額より大きく，還付される場合でも，買換資産の取得後４か月を経過すると，還付されなくなるので，この点注意しておかなければならない（措法37条の２②）。

なお，取得する予定であった**買換資産を変更して別の資産を買い換え取得したとき**に改めて所定の手続きをとって，譲渡資産を区分していた場合でも，買換えの特例は受けられることになっている（措所通37－28）（翌々年以降のときは税務署長の承認を取り直すことが必要）。

譲渡した年の前年以前に買換資産を先行取得した場合の手続き

譲渡した年の前年または前々年に買換資産を取得した場合，すなわち，先行取得をした場合には，取得した日の翌年３月15日までに，**図表３－36**「先行取得資産に係る買換えの特例の適用に関する届出書」（485ページ）を提出しなければならないこととなっている（措令25条⑯，措所通37－26(　)書）。

したがって，令和６年に先行取得した資産については，令和７年３月15日までに届出書を提出する必要がある。なお，この届出書を提出しなかった場合，また，提出していても，この届出書に記載されていない先行取得資産については，買換えの適用は受けられなくなるので注意を要する。

なお，その届出をした買換取得資産が，その後に譲渡した予定譲渡資産の譲渡価額を超えているときは，その超過部分について，譲渡資産の譲渡の年の翌年３月15日までに，この特例の適用を受ける旨の届出をすれば，その翌年以後に譲渡した譲渡資産の買換えの適用ができることとされている（措所通37－26）。

24　特定事業用資産の特例適用後の税務

> この特例の適用を受けると取得費の引継ぎがあり，課税の繰延べといわれている。また，取得日は引き継がれない。

特例の適用を受けた後の減価償却の計算

特定事業用資産の買換特例の適用を受けたとき，従前資産の取得費を引き継ぐことになる。

買い換えた土地・建物が，自己の事業の用に供する場合でも，貸付けに供する場合でも，所得計算をするときに，減価償却の計算をするが，その減価償却計算の基礎となる価額は，買換資産の実際の取得価額でなく，買換適用に対応した従前資産の取得費(注１)と譲渡費用(注２)の合計（以下「譲渡資産の取得価額等」という）に，買換適用を受けなかった分に相当する実際の取得価額を加えた金額となる。

（注１）　譲渡資産の取得費が不明であるときなど，譲渡所得の計算では概算取得費の５％を適用することができるとされている（372ページ参照）が，取得費の引継ぎの場合に，この５％を適用できるかについては，法令・通達では明らかではないが，この場合も，引き継ぐ取得価額は譲渡価額の５％でよいとする事務連絡が国税庁から都市部の国税局に対して発せられている（『納税通信』平成３年５月６日号）。

（注２）　措法37条の３①，措令25条の２③「…加算する…費用の金額は…譲渡所得の金額の計算上控除されなかつた部分の金額とする。」

これを課税繰延割合80％の算式で示すと，つぎのようになる（措法37条の３①，措令25条の２④⑤）。

(イ)　譲渡資産の譲渡による収入金額が買換資産の取得価額に満たない場合

$$\left\{\left(\begin{array}{c}\text{譲渡資産の}\\\text{取得価額等}\end{array}\right)\times\frac{80}{100}+\left(\begin{array}{c}\text{譲渡資産の譲渡}\\\text{による収入金額}\end{array}\right)\times\frac{20}{100}\right\}+\left\{\left(\begin{array}{c}\text{買換資産の}\\\text{取得価額}\end{array}\right)-\left(\begin{array}{c}\text{譲渡資産の譲渡}\\\text{による収入金額}\end{array}\right)\right\}$$

(ロ)　譲渡資産の譲渡による収入金額が買換資産の取得価額に等しい場合

$$\left(\begin{array}{c}\text{譲渡資産の}\\\text{取得価額等}\end{array}\right)\times\frac{80}{100}+\left(\begin{array}{c}\text{譲渡資産の譲渡}\\\text{による収入金額}\end{array}\right)\times\frac{20}{100}$$

(ハ)　譲渡資産の譲渡による収入金額が買換資産の取得価額を超える場合

$$\left\{\left(\begin{array}{c}\text{譲渡資産の}\\\text{取得価額等}\end{array}\right)\times\frac{\left(\begin{array}{c}\text{買換資産の}\\\text{取得価額}\end{array}\right)\times\frac{80}{100}}{\left(\begin{array}{c}\text{譲渡資産の譲渡}\\\text{による収入金額}\end{array}\right)}\right\}+\left(\begin{array}{c}\text{買換資産の}\\\text{取得価額}\end{array}\right)\times\frac{20}{100}$$

図表３－33（481ページ）の例でみると，

譲渡収入	300,000,000円
従前資産の取得費	17,000,000円
譲渡費用	10,000,000円
買換資産の取得価額等	267,000,000円

となっているので，

$$(17,000,000円+10,000,000円)\times\frac{267,000,000円\times\frac{80}{100}}{300,000,000円}+267,000,000円\times\frac{20}{100}=72,624,000円$$

となり，この金額を，

土地	500㎡（600㎡のうち買換対象とされた部分）	115,000,000円
建物	1,200㎡	152,000,000円
合　計		267,000,000円

の比で按分すると，

$$〈土地〉\ 72,624,000円\times\frac{115,000,000円}{267,000,000円}+(138,000,000円-115,000,000円)=54,280,000円$$

$$〈建物〉\ 72,624,000円\times\frac{152,000,000円}{267,000,000円}=41,344,000円$$

となり，4,134万4,000円が，この建物の減価償却の基礎となる金額となる。

これを取得費の引継ぎといっている。

取得費の引継ぎによる減価償却費の差

取得費を引き継ぐことによって減価償却が具体的にどのようになるか，上記の例について，買換特例の適用を受けず，すなわち，取得費を引き継がなかった場合と比較してみよう。買換えによって建築した建物が，鉄筋コンクリート造の賃貸用マンションであり，建物本体と建物附属設備との価格比が75：25であるとして定率法で計算する。

まず，一般の場合，すなわち，**買換特例の適用を受けなかった場合**には，マンションの建物を取得した実際価額の１億5,200万円が取得価額となり，鉄筋コンクリート造の住宅の耐用年数は47年で，定額法の償却率は0.022，建物附属設備を一括して償却するときの耐用年数は15年，定額法の償却率は0.067であるので，初年度の償却費はつぎのようになる。

	（償却の基礎となる価額）	（按分率）	（償却率）	（償却費）
〈建物本体〉	152,000,000円×	0.75	× 0.022	＝2,508,000円
〈附属設備〉	152,000,000円×	0.25	× 0.067	＝2,546,000円
			合計	5,054,000円

買換特例を適用した場合は，つぎのようになる。

〈建物本体〉	41,344,000円×0.75×0.022＝	682,176円
〈附属設備〉	41,344,000円×0.25×0.067＝	692,512円
	合計	1,374,688円

この二つを比較してみると，買換特例を適用した場合には，特例を適用しなかった場合にくらべて，減価償却費が大幅に減少している。

課税の繰延べ

特定事業用資産の買換特例の適用を受けると，従前資産を譲渡した時点では課税されないが，そのかわり，その後の減価償却費が少なく計上され，その結果，毎年の利益が多くなり，毎年の税額もそれだけ多くなるという仕組みを通じて，従前時点で課税しなかった税金を長期にわたって分割納付するようになっている。そのため，買換特例は，課税の免除でなく，課税の繰延べであるといわれている。

取得日は引き継がない

なお，特定事業用資産の買換特例の適用を受けた場合は，「取得の日」は引き継がないことになっている。

従前資産を取得したのが昭和54年であり，これを令和３年に３億円で譲渡し，３億円で買換資産を取得し，この特例の適用を受け，従前資産の取得費と買換差額との合計額――上記の設例では6,000万円を引き継いでいたとする。そして，この買換資産を令和６年に４億円で譲渡したとする。

この場合，取得の日を引き継いでいれば，その取得の日は昭和54年ということになり，長期譲渡になるので税額は比較的軽くてすむ。

しかし，この買換特例を適用していた場合には，取得の日の引継ぎはないので，令和６年の譲渡については取得の日は令和３年となり，所有期間が５年以内であるので短期譲渡となるので，他の特例の適用がないとすれば，短期譲渡として課税されることとなる。

なお，収用代替・固定資産の交換等は取得日を引継ぐ。

25 借家人と居住用財産・事業用資産の特例等

借家人は居住用財産や事業用資産の特例は受けられない。その立退料は一時所得または一般の譲渡所得になる。

借家人の立退料と居住用財産等の特例

借家人に立ち退いてもらうための立退料は，かなり高額なものが支払われる例も多い。それで，借家人から，この立退料について居住用財産の特例を受けられないかという相談を受けることも多くなっている。しかし，居住用財産や特定事業用資産の特例は，自己の所有する家屋（建物），その敷地である土地（借地権など土地の上に存する権利を含む）を譲渡したときの譲渡所得の特例である。

立退料は一時所得

借家人の受けた立退料は，一時所得に分類される（所基34－1(7)）。

居住用財産や特定事業用資産の特例は「譲渡所得」の特例であり，一時所得の特例でないから，これらの特例の適用は受けられない。

なお，立退料についての一時所得はつぎのようにして計算し，他の所得に合算して課税されることになる。

$$\{(\text{立退料})-(\text{必要経費})-500{,}000\text{円}\}\times\frac{1}{2}=(\text{一時所得})$$

なお，上記の必要経費とは，立退料の交渉のための弁護士費用や立退料算定のための鑑定料などがこれにあたり，立退先を借りるための権利金，そのための不動産業者への仲介手数料等は含まれない。

借家権の譲渡は譲渡所得だが

借家権が第三者に譲渡されることもある。居住用の借家にはまずないことだが，繁華な商業地の飲食・喫茶店などで，高額の権利金を支払っている場合にみられる。このような場合には，一般資産の譲渡所得に分類されることもある（所基33－6）。しかし，この場合も，建物そのものを譲渡したわけではないので，特定事業用資産の特例を受けることはできない。なお，この場合の譲渡所得の計算は，つぎのようにして計算する。

$$(\text{譲渡収入})-\left\{\begin{pmatrix}\text{当初に支払った権利金,}\\\text{仲介手数料などの取得費}\end{pmatrix}+\begin{pmatrix}\text{譲渡の仲介手数料}\\\text{などの譲渡費用}\end{pmatrix}\right\}=(\text{譲渡益})$$

賃貸借期間が５年以内のものは短期譲渡……(譲渡益)－500,000円＝（譲渡所得）

賃貸借期間が５年を超えるものは長期譲渡……$\{(\text{譲渡益})-500{,}000\text{円}\}\times\frac{1}{2}=(\text{譲渡所得})$

そして，他の所得と合算して課税されるようになっている。

26 固定資産の交換の特例

土地・建物を交換したとき，課税される場合と課税されない場合がある。
（所法58条，所基58－1～12，法人は法法50条，法基10－6－1～10）

交換は譲渡，原則として課税

土地と土地，土地と建物，建物と土地を交換したとき，交換によって相手に渡した従前の資産は，従来の所有者の手から離れてしまう。すなわち，譲渡されるということで，この時点で譲渡があったとして，譲渡所得に対して課税されることになっている。

課税されない特例の概要

しかし，一定の条件の固定資産を交換した場合は課税されない。一定の条件とは，**図表３－37**のとおりである。

図表３－37　固定資産の交換の特例の適用条件

	自分の所有していた資産	相手の所有していた資産
固定資産	固定資産であること（販売用資産は含まれない）	固定資産であること（販売用資産は含まれない）
取得時期等	１年以上所有しており，交換のために取得したものでないこと	１年以上所有しており，交換のために取得したものでないこと
同じ種類の資産の交換であること	土地（借地権，底地を含む） ←→	土地（借地権，底地を含む）
	建物 ←→	建物
	機械装置 ←→	機械装置
同一用途に供すること	交換前と同じ用途に供すること（原則として翌年の３月15日までに供すること） つぎの分類の中で判断する。 土地（宅地）（田畑または塩田）（山林・牧場または原野）（その他） 建物（居住用）（店舗または事務所用）（工場または倉庫用）（その他）	相手方が交換後，同じ用途に供したかどうかは関係ない。
価格制限	両物件の価格差が高いほうの20％を超えないこと	

この特例が適用になるためには，

① まず，交換する土地が両方とも**固定資産**であることが必須条件である。開発業者や不動産業者の有している分譲地，分譲予定地，その素地，建売住宅，分譲マンションと交換しても，この特例の適用は受けられない（549ページのコラム参照）。

② **１年以上所有**していたものでなければならない。当方のみでなく，相手方も１年以上所有していたものでなければならない。なお，１年以上であるかの判定にあたって，

(ア) 相続・贈与により取得した資産は，被相続人や贈与者が取得した日から，また，収用・交換の特例を受けて取得した資産は，その従前資産を取得した日から

(イ) かつて，この交換の特例の適用を受けて取得した資産は，その交換によって取得した日から

計算する（所基58－１の２，所法58条①，所令168条）。

居住用資産の買換・交換の特例や特定事業用資産の買換・交換の特例を受けて取得した資産については，従前資産の取得日を引き継がないこととなっているので，買換・交換により取得した日から計算する。

③ **交換するために取得**していたものは適用にならない。相手方が交換のために取得した資産と交換しても，自分のほうも適用にならない。

相手方が交換のために取得したものであるかどうかの認定基準で，旧通達（昭34年直法１－150「77」）では，つぎに掲げるような事実を総合的に勘案して判定するとしている(注)。

(ア) 相手方の取得のときから交換のときまでの期間

(イ) 相手方が固定資産として使用した事実の有無，ならびにその使用目的および使用期間

(ウ) その資産の用途と相手方の業種，業態との関係

（注） 現行通達では省かれているが，裁決例（昭61.11.29裁決）でも，この判定基準が援用されている。

図表３－38のように甲がＢ地を取得したい場合，乙は売らない，Ｃ地との交換なら認めるというとき，甲がＣ地を買って交換すると適用にならない。乙と丙がＢ地とＣ地を交換した後で，甲が丙からＢ地を買え

図表３－38

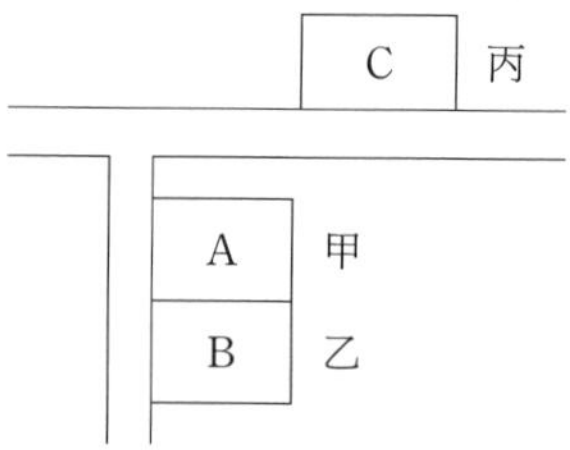

ば，乙は交換の特例の適用を受けられる（丙はいずれにしても適用はない）。一団の土地買収の際，よく起こることである。(注)

（注）　この場合，乙と丙とが実質的に交換したものでなければならない。形式的には乙と丙とが交換した契約書をととのえたが，乙と丙とが交換についての交渉をしたこともなく，互いに一度も会ったことがなく，甲の作成した契約書に捺印しただけで，登記も中間省略した例で，実質的には甲が丙からＣ地を買ってから甲と乙とが交換したものと認定され，この特例の適用を否認され，国税不服審判所に審査請求したが棄却された（特例の適用が認められなかった）例がある（国裁例4682）ので注意を要する。

なお，自分の資産も相手の資産も**１年以上所有**したものでなければならない。

④　**同じ種類の資産**を交換したのでなければならないが，同じ種類とは，更地と更地，更地と借地権，借地権と底地の交換はいずれも土地であるので適用になるが，土地と建物の交換は適用にならない。土地付建物と土地との交換は，土地付建物の土地部分のみが対象となる（この場合の建物は交換差金として取り扱われる(注)）。

（注）　この計算方法は次ページ「土地と土地付建物との交換では」参照。

同一の用途に供しなければならない

⑤　同一の用途に供するとは，交換したのが建物である場合は，以前が店舗ならば，交換した建物も店舗または事務所の用に供することである。自己の居住用の建物と居住用の貸家との交換も，同一用途ということになる。土地の場合は以前が宅地なら，交換した土地も宅地の用に供すればよい。店舗として使用していた宅地を，住宅用の宅地としても差し支えない。

また，交換によって店舗用建物を相手に渡し，倉庫用の建物を取得したとき，建物については，このままでは同一の用途に供したことにならないが，この倉庫を改造して翌年の３月15日までに店舗として使用すれば，同一用途に供したことになる。なお，翌年３月15日までに改造工事が完了していなくても，その時点で改造工事に着手しており，かつ，相当期間内にその改造工事が完了する見込みであれば適用を受けられるように取り扱われている。宅地を相手に渡して農地を取得して，その農地を造成・転用して宅地として使用しようというときも同様である（所基58－８）。

（注１）　土地の交換に際して，雑種地（**図表３－37**の「その他」）を渡して，取得した土地を住宅や店舗の敷地，すなわち宅地として使用すると，また，その逆の場合も，同一用途に供したことにならないので注意をしておかなければならない。ここで，ときどき問題になるのは駐車場用地である。駐車場用地は，その地目を雑種地として登記されていることが多い。税務申告で登記事項証明書を提出

したとき，問題になることがある。しかし，「市街地内にある駐車場などのように，周辺の土地の利用状況並びにその土地の状況からみて，いつでも建物の建てられる状態にある土地については，現に建物の敷地の用に供されていなくても宅地であるものとして取り扱われます」（国税庁審査室長・大西又裕編『問答式・土地建物等の譲渡をめぐる税務』大蔵財務協会）とされている。

（注２）　畑と畑とを交換し，交換により取得した畑を放置していた場合に，「同条の適用があるというためには，同一の用途に供する積極的行為を要し（したがって，たとえば譲り受けた農地を放置した場合において，しばらくの間その土地が農地性を失わなかったとしても，これをもって耕地の用に供したとはいえない。）」として，特例の適用を否認された裁判例（浦和地判・昭61.6.30,『判租法』1774－10）があるので注意を要する。

土地と土地付建物との交換では

なお，甲の所有する土地１億円，乙の所有する土地付建物（土地8,000万円，建物2,000万円）と交換したとき，

・甲の取得した建物2,000万円は交換差金として次ページの計算をする。

・乙は交換差金を受けていないので，土地については課税は生じないが，相手に渡した建物は譲渡したことになるので，建物価額の2,000万円を譲渡収入として所得税が課せられることになる。

等価または差額20%以内であること

図表３－39のような場合，甲のＣ地と乙のＢ地と交換する。

Ｂ地の適正価額　　1,200万円
Ｃ地の適正価額　　2,000万円

交換差金の授受はしない。

図表３－39

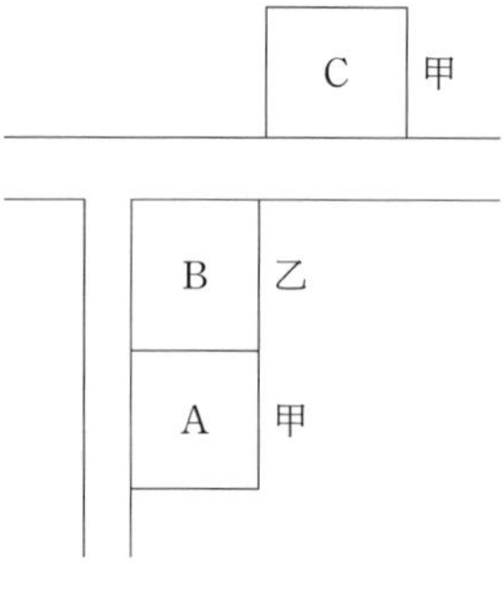

甲がどうしても隣接地が欲しい場合，こういうことがよく起こる。適正価額でいえば，Ｂ地は1,200万円で，Ｃ地の60%，その差は高いほうのＣ地の40%で，20%をはるかに超えている。しかし，Ｂ地に対する甲の主観的価値は2,000万円である。そうであるからこそ，2,000万円するＣ地と交換したのである。そして，Ｂ地を併合したことにより，Ａ地の価値が上がる。こういう場合のＢ地の評価額を，鑑定では**限定価格**といっている。

ところで，これは等価と認められるか。こういうケースで，納税者と税務署で争いがあって，国税不服審判所にもちこまれたケースがあった。その裁決では，こういう場合は等価と認めるという結論が出ており（47年分所得税，昭50.3.31裁決），その後，通達（所基58－12）で，このような客観的価値の異なる資

産の交換でも，「交換をするに至った事情等に照らし合理的に算定されている」と認められるときは，この特例の適用が受けられるとはっきり規定している。なお，これに似ている場合で，親族間，同族会社と社長間で，贈与の変形として，不等価交換をする場合がある。これは認められない。(注)

(注)　親子など親族間で等価でない土地の交換があり，その差額について差金の授受のない場合には，その差額については贈与があったものとされる。また，同族会社と社長等の間では，社長等への賞与，または同族会社への贈与とされる。

なお，土地付建物を交換する場合は，土地と土地，建物と建物で等価かどうかを判断する。

交換差金のある場合

交換差金が高いほうの土地の20％以内であれば，交換の特例は受けられる。そして，受け取った差金分だけ，譲渡所得があったものとされる。

受け取った土地の時価	1億8,000万円	①
受け取った交換差金	2,000万円	②
提供した土地の取得費	5,500万円	③
交換のための費用	100万円	④

この場合は，提供した土地のうち，$\frac{\text{②}}{\text{①}+\text{②}}=\frac{1}{10}$の部分だけ譲渡したことになる。それに対応する取得費等を按分して，交換差金から控除して，譲渡所得を計算すると，つぎのようになる。

$$\overset{\text{(交換差金②)}}{\text{20,000,000円}}-(\overset{\text{(取得費③)}}{\text{55,000,000円}}+\overset{\text{(費用④)}}{\text{1,000,000円}})\times\frac{\overset{\text{(交換差金②)}}{\text{20,000,000円}}}{\underset{\text{(取得資産①)}}{\text{180,000,000円}}+\underset{\text{(交換差金②)}}{\text{20,000,000円}}}=\overset{\text{(譲渡所得)}}{\text{14,400,000円}}$$

図表３－40

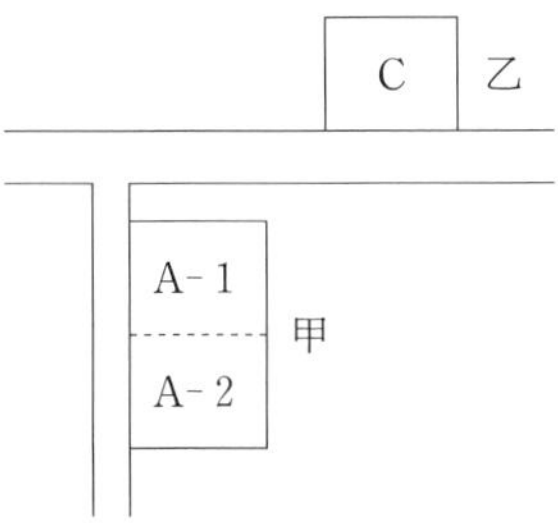

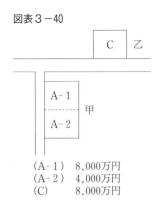

(A－1)　8,000万円
(A－2)　4,000万円
(C)　8,000万円

土地を分割して交換した場合

図表３－40のように，A地を（A－1）（A－2）に分割し，（A－1）と乙のC地と交換し，（A－2）を乙に売った場合，（A－2）は交換差金となり，この場合は，（A－1）＋（A－2）＝1億2,000万円の20％を超えるから，全部について交換の特例の適用が受けられなくなる（所基58－9）。

しかし，（A－1）を乙のC地と交換し，（A－2）を第三者である丙に売ったということであれば，（A－1）についてだけ交換の特例の適用を受けられる。

共有地を分割したとき　図表３－41(イ)のように土地を共有している甲と乙とが相談して，この土地を(ロ)のように二筆に分筆し，A地を甲の単独所有，B地を乙の単独所有というようにすっきりした形に分けることがある。この場合の取引は，厳密にいえば，A地にある乙の持分とB地にある甲の持分とを交換したのだと考えられている。したがって，**図表３－37**の固定資産の交換の特例の適用条件を満たしていれば，この特例を受ける旨の申告をすれば，課税は生じないが，この適用条件を満たしていなければ，原則としては，甲，乙とも持分の譲渡があったとして譲渡所得として課税されることになる。

図表３－41

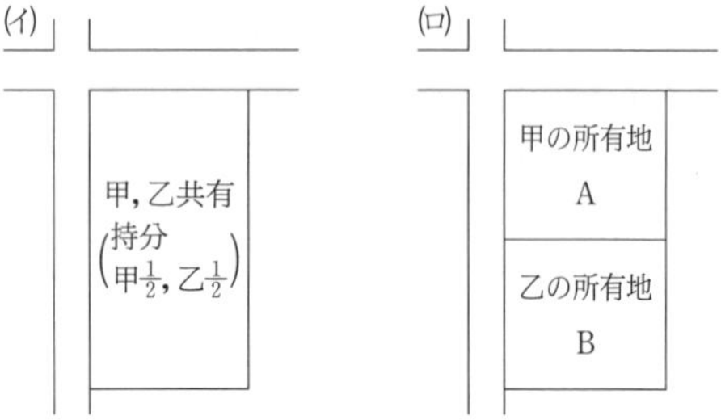

しかし，共有地をこのように分割したときには，通達（所基33－１の７）で，譲渡がなかったものとして取り扱われるよう定められている。したがって，**図表３－37**の適用条件を満たしていなくても課税されないようになっているし，申告をする必要もない。

ただ，このように取り扱われるのは，分割前の甲，乙の持分比と分割後の甲，乙の面積比または価額比がおおむね等しくなるように分割することが前提となっている。**図表３－41**(ロ)をみれば，A地は角地であり，B地より価格は高いのが普通である。このとき面積比が持分比($\frac{1}{2}:\frac{1}{2}$)に等しくなるように分割してもよいし，面積比が$\frac{1}{3}:\frac{2}{3}$でも価額比が$\frac{1}{2}:\frac{1}{2}$になっていれば，それでもよいということである。

三者交換は認められるか　**図表３－42**の(イ)のような場合に，甲のA地を乙，乙のB地を丙，丙のC地を甲というように，ぐるっと交換して，(ロ)のようにする場合は，これは交換ではないとされて，この特例の適用はない。

図表３－42

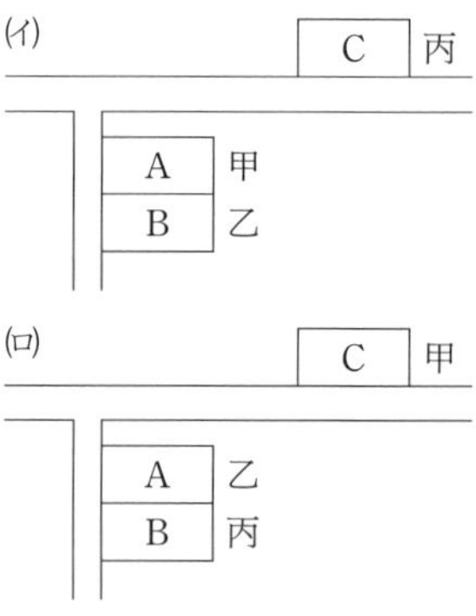

交換の特例の適用が受けられない場合は

交換したが特例の適用が受けられない場合は，はじめに述べたようにお互いに譲渡があったとして，譲渡所得に対する課税が行われる。このときは，金銭の代わりに土地または建物を受け取っているのであるから，相手から受け取った土地・建物の時価を，譲渡収入金額として計算する。相手に渡した土地・建物の時価でないことに留意しておかなければならない。そこで，時価とは何かということが問題になる。はっきりした規定があるわけではないが，土地ならば公示価格と均衡のとれた正常価格になると思う。その裏付けとして，鑑定評価書をとっておいたほうがよい。

なお，取得費となるのは，相手に渡した土地・建物の取得費である。

27 土地区画整理法による換地等の場合の税金

> 土地区画整理法による区画整理事業で換地されたときは課税されない。
> （措法33条の３①，33条①３号，法人は措法64条①３号）

区画整理とは　街中で狭い街路に接して店舗や住宅が密集しているような地域で，街路を広げて整然とした街区につくり替え，下水道や公園などの公共施設を整備するために，土地区画整理事業というものが行われることが多い。また，従前は農地や山林からなっている農村地帯で，やはり土地区画整理事業として大規模の造成工事を行い住宅団地などを開発することも，よく行われている。

区画整理の仕組み　このような土地区画整理事業は，土地区画整理法によって施行されるが，市町村などの地方公共団体や都市再生機構，地方住宅供給公社などが施行者となって行う場合と，地権者が土地区画整理組合をつくって施行者となって行う場合が多い。また地主が数人で個人施行者として行うケースもある。

この区画整理事業は地権者が土地を少しずつ出し合って，それで拡幅された街路や公園などの公共施設の用地を提供し，また**保留地**という土地を生み出し，この保留地を第三者に売却し，その売却代金で造成工事等の事業資金を捻出するところに特徴がある。そして，その他の土地を区割し，これを従前の土地と**換地**する。その結果，まず，従前の土地より換地される土地の面積が減少（**減歩**（げんぶ））している，また，位置的にも従前の土地と同じ位置に換地される場合もあるが，まったく離れた場所に換地されることもある。

また，この区画整理の考え方の基本として，各人の土地の面積は減少しているが，この事業の結果，街路は拡幅され，公共施設も整備され，街全体として整然と区画されるようになったので，地域全体の価値（地価）は上がったと考えられている。すなわち，土地面積は減少したが，土地単価は上がっているので従前の土地価額と従後の土地価額は同じであるということである。

しかし，そうはいっても，一つひとつの画地を細かく検討すれば，換地された従後の土地の位置や形状等によって，画地ごとにある程度のアンバランスは生じている。このアンバランスを調整するため，従前の価額より高い土地の換地を受けた人からは**清算金**をとり，従前の価額より低い土地の換地を受けた人に清算金を支払うようになっている。

換地処分によるものには所得税は課せられない

この区画整理の工事があらまし完了し，工事後の土地が使用できるような状態になったとき，まず，**仮換地の指定**がなされ，この指定以後その指定された仮換地を使用したり賃貸できるようになる。そして，工事が完全に完了したときに**換地処分**がなされ，この処分によって，従前の土地の権利(所有権など）が，換地された土地に完全に移行することになる。

この場合，従前の土地と換地された土地とが位置的に離れているような場合には，従前の土地を譲渡して，換地された土地を取得した，または少なくとも交換したと考えられないこともない。また，第三者に売却した保留地は，地権者全員が少しずつ供出したものであるから，これについては全員に譲渡所得があったのだとも考えられる。

しかし，この土地区画整理事業というものは，地域全体を整備するために特別の法律の規定のもとに行うものであり，また，その地権者のなかで一部の者が反対しても強制的に事業を遂行できるという性質のものであるため，従前の土地については譲渡がなかったものとして，課税されないようになっている(措法33条の３①)。

そして，換地された土地を将来売却したときの土地取得費は従前の土地の取得費が引き継がれるとともに，従前の土地の取得の日も引き継がれることになるので，従後の土地を譲渡したとき，譲渡した年の１月１日現在で従前の土地の所有期間と従後の土地の所有期間とを合計して５年を超えていれば，長期譲渡に該当することになる。

清算金を受け取ったとき

各画地間のアンバランスを調整するための清算金を受け取ったときは，

① その清算金から5,000万円までを特別控除として控除することができる(なお，同じ年に他の土地の譲渡もあって，これについて他の特別控除を受けることができるときは，他の土地の譲渡益とあわせて合計で5,000万円までとなる）(措法33条の４)。

② または，その清算金で別の土地（借地権を含む）を取得したとき，これを代替資産として買換えの適用を受ける旨の申告をすれば，それも認められる（措法33条の２①)。ただし，代替資産の取得に充てなかった部分は課税の対象となる。

なお，適用を受けられるのは，①と②のいずれかであり，この両方の適用をあわせて受けることはできない（措法33条の４①)。

また，従前の土地が過小宅地であるときなどで，換地が与えられないで，清算金が交付される。この清算金についても，上記の特例が適用されるが，任意に換地を受けなかった場合の清算金については，この特例の適用は受けられない。

賦課金を支払った場合の税務処理

土地区画整理事業で事業費が不足する場合には，組合が組合員から賦課金を徴収して，その不足額に充てることになる。

この賦課金を支出した組合員の税務処理は，

①　換地の工事費に係る部分は換地された土地の取得価額に加算

②　公共施設の工事費に係る部分は繰延資産として，それぞれ定められた期間で償却（換地を譲渡したときに未償却残高があれば譲渡費用）

③　その他の事務費や借入金利子に係る部分は支払ったときの必要経費として処理する（「土地区画整理事業のために支出する賦課金の課税上の取扱いについて」国土交通省からの照会に対する国税庁の回答・平成18.７.７）。

なお，清算金を徴収された場合も，同様に取り扱ってよいであろう。

また，区画整理事業施行後の宅地の総価額が施行前の総価額より減価した場合には，減価補償金が全員に交付されるが，これも清算金と同様に，上記の特例の適用を受けられる。

控除残や買換資産には課税

上記の特例を受けて，特別控除後の残額や買換差額が生じたときは，これを譲渡所得として課税されるが，それが長期譲渡であるか短期譲渡であるかに応じて税額を計算することになる。

〈土地区画整理と保留地の売却〉

土地区画整理事業にともなって，施行者が保留地を売却したときの利益についての施行者に対する課税関係はつぎのようになる。

① 施行者が都道府県・市町村のとき……公共法人であるので課税は関係ない。

② 施行者が土地区画整理組合であるとき……公共法人（法人税法別表第１）であるので課税は生じない。

③ 施行者が土地区画整理法第２章第１節の個人施行者であるとき……これが人格のない社団であれば法人税法６条の規定により非課税となり，単なる個人の集りであるとすれば，各個人の譲渡所得となるが，構成員13人からなる個人施行のケースについて，規約により，規約変更，事業計画，仮換地・換地に関する事項について，全員出席，全会一致で決することが定められていることから，運営の重要部分につき各個人の意思が色濃く作用し，多数決の原理に基づく一個の団体意思の働く余地がまったく認められないとし，人格なき社団の域に達しているというのは困難であるとして，各人の譲渡所得となり，すなわち，譲渡対象となるとした裁決例（平成元．３．28裁決，国裁例2617），これに関する判例(注)がある。

都市再開発法による市街地再開発事業についても，同様の問題が生じるので注意を要する。

このようなトラブルを避けるためには，面倒でも，土地区画整理組合や市街地再開発組合を設立して組合施行とすることがよいであろう。

なお，個人施行者による区画整理事業や都市再開発事業をスムースに促進しようとする法の趣旨からみて，このような場合に課税されないことを明確にする立法的措置を講ずることが望まれている。

（注）保留地譲渡に関し，個人の共同施行方式においては課税し，組合施行方式において課税しないことが憲法14条①に違反するという訴に対し，「仮に，本件のように７名以上の共同で施行するものである限り，組合施行，個人共同施行のいずれの方式も選択可能であったことなどを考慮するとき，課税関係上，本件のような個人共同施行の場合と組合施行の場合とを同列に扱わないことについて合理的理由を窺うことができ，右取扱に主張するような憲法違反は見出し難い」という判例（平成３．３．28福岡地裁，『判租法』1750の６の12）がある。

〈簡易な土地区画整理の方法――敷地整序型土地区画整理事業〉

土地区画整理事業によって土地の交換分合がなされた場合，多数者間の交換についても譲渡所得の課税はされず，清算金についても買換えの特例や5,000万円の控除がある（501ページ以下参照）。また，事業のための補助金を受けることもできる。

しかし，従来は，土地区画整理事業が**認可の要件として**，施行地区の面積が**5,000㎡以上**でなければならないとか，区画道路の幅員についても，住宅地で６m以上，商業地で８m以上であること，公園・緑地を居住者の人口一人当り３㎡以上で，施行面積の３％以上をもうけなければならないというような厳しい要件がつけられており，かなり大規模なものでなければ適用できないことになっていた。

それが，平成９年４月に，この運用方針が緩和され（建設省（現国土交通省）**「既成市街地の低未利用地に係る小規模な土地区画整理事業の技術的基準の運用方針について」**），市街地での民間レベルでの共同ビル・マンション建設のときの敷地の交換分合による整理，虫喰い状態となっている区域の整理などに利用できるようになった。

この制度は，個人施行，組合施行の区画整理事業に適用され，空地や駐車場などの低未利用地が散在している地区で，土地の入れ替え（交換），区画道路の付け替え，道路の角切り整備程度でも利用することができる。この制度の適用となる要件としては，

①　土地の交換分合があること
②　宅地としての利用増進が図られること
③　その地域の開発計画に合致していること

となっている。

なお，上記の区画道路の幅員も，住宅地で４m以上，商業地で６m以上と緩和されており，また，公園・緑地を設置するかわりに，同等のオープンスペースが確保されればよいとなっている。

新宿区富久町の地区は，バブル期の地上げによって，駐車場やマンションなどの入り組んでいる虫喰い状態の低未利用地で，施行面積は**4,400㎡**であったが，この制度の第一号として，再開発を行い，現在，超高層マンションが建てられている。

税の特例として，上記の譲渡所得課税の特例のほか，登記のときの登録免許税や不動産取得税も非課税となることは，従来の土地区画整理事業の場合と同様である。

28　土地区画整理法によらない換地の場合の税金

> 土地区画整理法によらない換地についても，一定の要件を満たせば課税されない場合もある。
> （所基33－6の6，法人は法基2－1－20）

法律によらない区画整理

住宅街などで錯綜した土地の区画を換地をして整理するための法律として，前項で紹介した土地区画整理法があるが，この法律により整理しようとすると，都道府県知事の認可を受けるなど煩瑣な手続きを踏まなければならず，また，認可の要件も厳しいことから，この法律によらないで，地権者間で換地を行って土地の区画整理をすることもある。

一定の交換分合には譲渡所得税を課さない

この場合，「**26　固定資産の交換の特例**」（所法58条）は，1対1の交換を前提としているので，複数の地権者間で行う交換分合（換地）について，この特例を適用することは難しい。

このような場合について，一定の要件をそなえている交換分合について，土地の譲渡はなかったものとして取り扱う，すなわち，譲渡所得に課税しないという取扱いがなされている。

一定の交換分合の要件とは

その要件というのは，所得税基本通達33－6の6で，

「一団の土地の区域内に土地(注)を有する2以上の者が，その一団の土地の利用の増進を図るために行う土地の区画形質の変更に際し，相互にその区域内に有する土地の交換分合を行った場合」

である。

さらに，この取扱いは，

・その交換分合が，一団の土地の区画形質の変更に伴い行われる
・道路その他の公共施設の整備
・不整形地の整理

等に基因して行われるもので，四囲の状況からみて必要最小限の範囲内であると認められるものについて適用できる，ことに留意する（同通達(注)2）とされる。

（注）　借地権を含む。

土地の区画形質の変更とは

土地の区画の変更というのは，土地の境界線を変更したりすることで，土地の形質の変更というのは，埋め立てたり，掘削したりして土地の物理的形状を変えるというのが，常識的な理解であろう。

では，この通達の適用を受けるためには，区画の変更のみならず，形質の変更もセットとして行わなければならないのか，それとも，区画の変更だけでもいいのかという問題が生じる。

これについて，土地の形質の変更を伴わなければならないとしてなされた税務署の更正処分について，国税不服審判所では，つぎの判断を下して，更正処分を取り消している（平13.12.20裁決，裁決事例集62集130ページ）。

「本通達にいう土地の区画形質の変更とは，土地の区画を整理し，又は土地の形状及び土質を変更し，利用しやすい土地にすることをいうと解され，必ずしも土地の形質の変更を伴わなければならないというものではない。」

費用に充てるために土地の一部を譲渡したときの譲渡所得

土地の区画形質の変更に要する費用に充てるために，区域内の土地の一部を譲渡したときは（この部分については所得税の対象となるが），地権者間で，それぞれ有していた土地の面積比その他合理的な基準で譲渡代金を配分し，それぞれの地権者が譲渡所得に係る所得税の申告をすることになる。

なお，上記のような土地の一部の譲渡がなく，かつ，地権者間でも差金の授受がない場合は，「譲渡がなかったものとして取り扱われる」ので，この部分について確定申告をする必要はない。

（注）この土地を将来譲渡したときの取得日と取得費用は，従前の土地の取得日と取得費用（区画形質の変更にかかる費用を含む）となる。

29 共同造成・宅造協力のときの税金

共同造成・宅造協力で，土地の交換分合や素地と造成地との交換をしたとき，税金はどうなるか。

法律によらない区画整理――共同造成

前々項では，土地区画整理法によって事業を行った場合の土地の換地処分，清算金などについて説明した。ところで，土地区画整理法によって区画整理事業を行おうとすると条件も厳しく，手続きも面倒くさいため，(注)数人の地主が集まって，この法律によらないで任意で区画整理をする例も多い。それぞれの地主が農地や山林を持ち寄り，共同で宅地造成をして団地開発をすることも多く，**共同造成**ともよばれている。

(注)　比較的簡易な手続きの区画整理の方法として，敷地整序型土地区画整理事業というのがある。504ページのコラム参照。

共同造成のときの土地の交換分合

こういうような共同造成を行う場合に，従前の境界をそのままにして単に土を盛ったり，切ったり，擁壁を築いたりということではなく，従来の入り込んだ敷地境界を整理し，道路を拡幅して付け直したり新設したりして，整然とした団地をつくりあげるのであり，従前の画地と従後の画地とが位置的にずれたり，全く別のところに移ってしまうことが通常である。

こういう場合に，従来は，従前の画地が別に移ってしまった場合はもちろん従前の画地の譲渡があったとして譲渡所得として課税し，**図表3－43**(イ)が(ロ)のようにかわった場合も，甲については，b，c，dについては譲渡があったとして課税し，eについては，乙の土地gと交換されたとして，固定資産の交換特例の適用条件にかなっていれば課税しないというように扱わ

図表3－43

(イ)

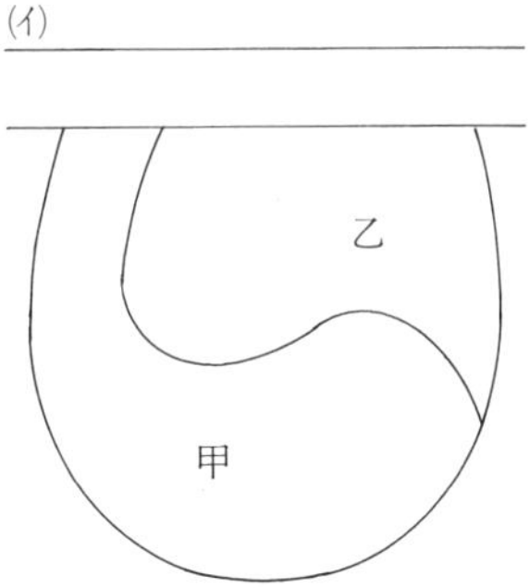

(ロ)

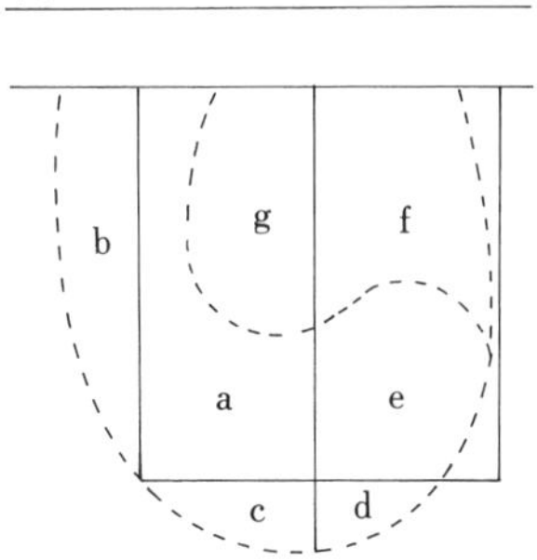

れていた。

しかし，このような考え方は理論的であるかもしれないが実情に適しているとはいえないため，一団の土地の利用を促進するために，このような交換分合を行い，それが「一団の土地の区画形質の変更に伴い行われる道路その他の公共施設の整備，不整形地の整理等に基因して行われるもので，四囲の状況からみて必要最小限の範囲内であると認められるもの」であれば，これらの土地の譲渡がなかったとして，課税しないように扱われるようになっている（所基33－6の6（注）2）（詳細は前項「**28**」参照）。

共同造成した土地の一部を売って造成工事費等にあてたとき

こういうような共同造成をするとき，その造成工事費などの事業費用を捻出するため，その団地の一部を第三者に分譲したり，建売業者に一括譲渡したりすることがある。こういう場合に，その譲渡される土地は，数人の地主がそれぞれの所有地をバラバラで譲渡するのでなく，あるまとまった区画を譲渡することが多い。

こういう場合に，数人の地主のなかの一人の従前の土地だけが譲渡されることもある。しかし，その譲渡によって収入した代金が共同造成の全体の工事費用にあてられるときは，その一人の人の譲渡所得としてとらえず，その収入金額を，この数人の地主が共同造成する区域内に有していた土地の面積比やその他の合理的な基準（価額比など）によって，全員の地主に配分し，その割合で全員の地主が譲渡したものとして譲渡所得の計算をし，課税することになっている。その場合の譲渡した土地の取得費は，造成工事費等の費用を全体の面積に占める譲渡部分の面積比などで割りふって，これに従前の土地の取得費を加算して求めることになる（所基33－6の7（注）2）。

このように造成工事等にあてるための一部の土地譲渡は，土地区画整理法による組合施行の区画整理事業の場合の保留地の処分と似た性格のものである。しかし，その場合の保留地の処分については，その区域内の地権者に譲渡所得があったとして課税されることはない（個人施行の場合は課税されることがあり，これについては503ページのコラム参照）。ここが，土地区画整理法による場合の区画整理と任意の区画整理との課税上の大きな相違点となるので留意しなければならない。

共同造成をした土地を将来譲渡したとき

共同造成が完了し，自主的な交換分合によって土地を取得した後で，将来，その土地を譲渡したとき，従前の画地の取得の日が引き継がれることになっているので，長期譲渡か短期譲渡かの判定は，交換分合前の土地を取得した日から起算して判断することになる。

また，譲渡収入から差し引くべき取得費は，共同造成の全体の工事費等を，全体の面積に占める譲渡部分の面積比等によって按分したものに，従前の土地の取得費を加えたものになる。

宅造協力とは

これまで説明したのは，地主が中心となって土地の交換分合をして宅地造成をする場合である。その際の宅造工事費を捻出するため，その区域内の土地を，宅造を請け負っている建設業者や開発業者に売却することがあることも説明した。しかし，この場合も事業の中心をなすのは従前の土地の地主グループである。

ところが，逆に，開発業者なり建設業者がその地域の一帯の土地を買収して宅造をしようとするとき，どうしても土地を売らない地主がいることである。こういう場合に，その地主の土地を含めて宅造し，造成工事費に見合う分の土地を差し引いて（減歩して），完成された宅地を地主に返すという約束をして，従前の土地をいったん開発業者等が買収することがある。こういうケースを宅造協力などとよんでいる。

宅造協力のときの税金

こういう宅造協力のとき，従前の土地の所有権はいったん開発業者等に移転しているので，この時点で従前の土地の譲渡があったとして，その譲渡所得に対して課税していた時代もあった。しかし，これも理論的にはそうかもしれないが，地主の心情としては割り切れないものが残らざるを得ないし，社会常識からいってもおかしな感じがする。それで，現在では，このようなとき，従前の土地のなかで，宅造後に返還された従後の土地の面積までの部分は，所得税を課税しないよう取り扱われるようになっている（所基33－6の7）。たとえば，従前の土地が2,000㎡で，宅造後返還された土地が1,200㎡であれば，従前の土地のうちの1,200㎡は譲渡がなかったとし，800㎡分だけが譲渡があったとして課税するということである。

宅造協力で提供した土地の課税所得

この場合の譲渡収入は，返還された1,200㎡の土地にかかる造成費用と同じ金額となる。800㎡の土地を開発業者等に売却し，その売却代金で1,200㎡の土地を造成したのだと考えれば，当然のことである。そして，1,200㎡の土地の宅造費用（取得した換地について行われる区画形質に要する費用の額）について，これより詳しくは規定していないが，単にその土地の土盛り，擁壁などの費用だけでなく，その団地全体を造成するための総費用を適正に割りふった金額とすればよいであろう。

しかし，団地造成というのは何年もかかるものであり，その間に当初見積もった造成工事費も変動するであろうというようなことから，当初の契約で返還を受けない土地の面積がはっきりしているときは，その契約時の土地（返還されない部分）の価額によってもよいと，通達（所基33－６の７）で定めている。

なお，譲渡収入から差し引く取得費は，その土地を過去に取得したときの購入代金等となるが，こういうケースで先祖から受け継いできたものは，譲渡収入の５％を取得費とすればよいのである。

※土地区画整理法に基づかないで，開発業者等が行う大規模な住宅地の造成事業に地主が協力した場合に，「大規模な住宅地造成にともなう土地の交換等の特例」があったが平成30年の税制改正で廃止された。

〈代物弁済〉

金銭の貸借をして，約束の期限までに借金を返済しなかったようなとき，金銭の代わりに，物（一般には土地・建物）で弁済する場合，これを「代物弁済」といっている。普通は，借金をする際，上記のような予約をしておく。これを「代物弁済」の予約という。そして代物弁済予約に基づいて所有権移転の仮登記をしておくことが多い。抵当権の設定と，この代物弁済予約を両方することもあるし，代物弁済予約だけのこともある。これは，所有権移転の仮登記で貸金を担保しようとするので，「仮登記担保権」ともいわれ，登記費用も安く，最後の手続きも簡単なので広く行われてきた。

借金を返さなくなった（債務不履行の）段階で，この権利を実行して，土地をとりあげてしまうのを，「予約完結権の行使」という。

昔は，その土地が貸金に比し高額であっても，とりっぱなしということが多かったが，現在では，精算をしてお釣を返さなければならないというようになっている。

30 土地収用法等の特例

土地収用法等で収用された場合や収用されそうな場合の譲渡にも特例がある。
（措法33条～33条の６，法人は措法64条～65条の２）

市街地を整備するときなどの公共事業を遂行するとき，土地収用法によって土地を収用することがある。この場合も，課税上の特例が用意されている。

土地収用法等の収用と譲渡所得の特例

収用問題でこじれて有名になったものに，成田の国際空港の問題などがある。そこまでいかなくとも，身近には道路施設のための収用の例がいくらでも見受けられる。

われわれ国民の私有財産は，一応は不可侵のものとして，憲法29条で保障されている。しかし，同じ29条で，公共の福祉のためには，正当な補償の下で，私有財産権を奪って，公共の用途に用いることができるとも規定されている。その是非，限度については，ここで論じることでない。しかし，そういう仕組みになっていて，そのために土地収用法などの法律があって，これに基づいて収用ということがなされていることは事実である。

しかし，公共の福祉のためとはいえ，私有財産を収用される側の身になって考えてみよう。正当な補償をもらったとはいえ，なにも好き好んで土地を売ったわけではない。しかし，一般には土地を売れば，所得税が課せられる。国家等が強制的に土地の収用（買上げ）をしておいて，そのほとぼりもさめぬうちに，課税当局がきて，「お前は土地を売って儲けたろう。税金を払え」というのでは，踏んだりけったりであろう。それで，収用で土地を譲渡せざるを得なくなったときは，その譲渡益から**5,000万円までの控除**をするか，その補償金で，同種の代替資産を取得した場合は，その価額の範囲内で，譲渡がなかったものとして課税しないようにし，そのいずれをとるか，収用された者（納税者）が有利なほうを選択してよいことにした。この特例を収用の特例という。

収用類似の場合の譲渡所得の特例

収用される側にとって，収用というのは，国家権力を背景に強引に攻め寄せてきて，自分の私有財産を取り上げてしまう怪物のようにみえるかもしれない。しかし，収用する側にとってみれば，それはそれで大変な労力と根気のいる仕事である。

まず，収用しようとする他人の土地に入って測量・調査をしなければならない。そのうえで，公用収用が必要であることについて，国土交通大臣か知事の認定を受ける。また，収用するについては，収用委員会の裁決を受けなければならない。また,裁決があっても,被収用者の側では，行政不服審査などを経て裁判で争う道がひらけている。だから,収用する側では，できるならば収用などという法的な手続きを経ないで，話し合いで円満に売買契約を締結したいと思う。

しかし，円満に話し合って売買契約を締結すれば，譲渡所得の特例の適用は受けられなくて，話し合いがこじれて強制収用になれば，特例の適用は受けられるというのでは，いかにもゴネ得風潮を助長するようでおかしい。それで，円満話し合いの買取りの申出を拒否したら収用されるような条件下で，話し合いで売買契約をしたら，収用と全く同じ特例の適用を受けられるようにしている。

5,000万円の特別控除

収用等による譲渡益から5,000万円（限度）を控除する制度がある（措法33条の４）。これを算式で示すと，つぎのようになる。

（補償金等の額）－（取得費）－（譲渡費用）－5,000万円＝課税譲渡所得

図表３－９（388～390ページ）・**図表３－33**（481ページ）②収用の場合の特別控除に具体的な計算例を掲げておいた。390ページの表の「４　譲渡所得金額の計算をします。」の「Ｄ　特別控除額」の欄に適用する控除額を記入することになる。

なお，この特別控除は公共事業を促進するためにもうけられた制度なので，公共事業の施行者から，最初の申出があった日から６か月以内に譲渡の契約のなされた場合，または，６か月以内に仲裁の申請がなされている場合に限られているので注意しなければならない（申出の日等については516ページのコラム参照）。

この特別控除の適用を受ける場合の計算の仕方と記載例は，**図表３－33**(イ)②に掲げてあるので参照されたい。なお，確定申告書に㋐譲渡所得計算明細書と，公共事業施行者から交付を受けた㋑収用等の証明書，㋒買取り等の申出証明書，㋓買取り等の証明書を添付して提出しなければならない。

代替資産を取得すれば買換特例も

収用等の補償金で，代替資産を取得した場合には，買換えの特例を受けることもできる（措法33条）。

（注）　令和２年の税制改正で，適用対象に，配偶者居住権および配偶者敷地利用権の消滅等に伴い補償金等を取得する場合が追加された。

この買換特例については，買取りの申出の日から６か月以内に譲渡しなければならないという制限はない。

なお，5,000万円の特別控除の適用も受けられる場合には，この買換特例か特別控除かのどちらかを選択することになる。買換特例を受けて残額のある場合に，さらに5,000万円を引くということはできない。

この計算式を示すと，つぎのようになる。

$$\Bigl[\overbrace{\{(\text{補償金等の額}-\text{譲渡費用の超過額})-(\text{代替資産の取得価額})\}}^{\text{(収入金額)}}$$

$$\overbrace{-\left\{\left(\begin{array}{l}\text{収用等をされた}\\\text{資産の取得費}\end{array}\right)\times\frac{(\text{補償金等の額}-\text{譲渡費用の超過額})-(\text{代替資産の取得価額})}{(\text{補償金等の額}-\text{譲渡費用の超過額})}\right\}}^{\text{(必要経費)}}\Bigr]$$

$$=\text{課税譲渡所得}$$

「譲渡費用の超過額」とは，譲渡費用の額からその費用に充てるべきものとして交付を受けた補償金等を控除した残額である。

具体的な計算例を**図表３－33**①収用の場合の買換特例（482ページ）に掲げておいた。居住用財産や事業用資産の買換特例の計算方法と違っているので，両者を対比して理解してほしい。

なお，確定申告書に，この㋐譲渡所得の内訳書（確定申告書付表兼計算明細書）と，㋑取得した資産の登記事項証明書など取得を証明する書類と，公共事業施行者から交付を受けた「収用等の証明書」を添付して提出しなければならない。

税率の特例　5,000万円の特別控除を引いて残額のある場合，または，買換特例を受けて差額のある場合は，これが課税譲渡所得となるが，この税率についても，それが長期譲渡であるか，短期譲渡であるかに応じて，387ページ以下の計算例にしたがって税額計算をすることになる。

収用等の補償金の種類　ところで，収用等の補償金として，つぎのようなものがある（措所通33－９）。

対価補償金：土地・建物その他の資産の対価に充てられるもので，譲渡所得となり，収用等の特例を受けられる。

借家人補償金：対価補償金として取り扱われ，収用等の特例を受けられる（措所通33－９の表の④）。なお，借家人補償金（立退料）について，このような特例が認められるのは，収用等の場合だけであり，民間の取引で授受されている立退料や借家権の譲渡には，このような特別控除や買換えの特例はない。

収益補償金：従前の事業を廃業または休止や規模縮小の補償として交付されるもので，その事業による収入を補償するものであるから，事業所得または不動産所得の総収入金額として計上する。

なお，建物の対価補償金が代替資産として取得した建物の価額以下であるとき，その不足額について，収益補償金をあてて，その部分を対価補償金として処理したときは，これを認める取扱いがある（措所通33－11）。

経費補償金：事業の廃業や休業にともなって生じる費用を補填するための補償であり，事業所得または不動産所得の総収入金額として計上する。

なお，廃業にともなう機械装置の売却による損失の補償金は，対価補償金として取り扱うことができる特別の取扱いがある（措所通33－13）。

移転補償金：資産の移転に要する費用に充てるための補償金であり，これを移転の費用に充てた部分は，所得に算入しないでよいことになっている（所法44条）。すなわち，この部分は課税されない。

どのような代替資産を取得すればよいか

収用等された土地・建物と取得できる代替資産について，つぎのような三つの方法が定められており，このいずれか有利な方法を選択できるようになっている。

個別法：収用等された土地等（借地権や底地を含む。以下同じ）の補償金では土地等のみを取得し，建物等（建物附属設備や門，塀，庭園などの構築物を含む。以下同じ）の補償金では建物等のみを取得し，それぞれについて差額が残れば，それが課税対象となるという方法である。この場合は，土地・建物の用途は従前の用途と違っていてもよい。

たとえば，土地等の補償金8,000万円，建物等の補償金2,000万円，合計１億円の補償金をもらって，代替資産として土地等を7,000万円，建物等を3,000万円，合計１億円を取得した場合，土地等の買換え不足1,000万円が課税対象となるという制度である。

一組法：従前の用途と同一用途であれば，それを一組として判定する方法である。同一用途というのは，つぎの分類によって判定される（措令22条⑤，措則14条③）。

①　居住の用
②　店舗や事務所の用
③　工場や発電所または変電所の用
④　倉庫の用
⑤　その他

上述の例の場合，収用等されたのが住居用で，取得した代替資産も住居用なら，補償金が１億円で代替資産も１億円だから，課税は生じないということになる。

事業継続法：収用された土地等や建物等が事業用である場合に，取得した代替資産が事業用であれば，一組法のような分類によらなくてもよいという方法である（措令22条⑥）。

（注）　事業用：相当の対価を得て継続的に行われている貸付けを含む（471ページ参照）。

収用の替地のために譲渡したとき――1,500万円控除

収用をされる者が，補償金ではなく，替地をほしいという場合がある。その場合，収用する側で，収用される者の満足のゆくしかるべき土地を物色して取得しておいて，これを収用される者に渡すことになる。

この替地を提供するために土地を譲渡した者については，収用の特例は適用されないが，その譲渡益から1,500万円の控除を受けることができる（措法34条の２②２号）。

この場合には，「収用の対償に充てるために土地等を買い取ったものである旨を証する書類」を添付して，確定申告をする。

なお，この控除の対象となるのは，土地だけであり，土地の上の建物をいっしょに譲渡しても，建物の譲渡益については，通常の分離の譲渡所得の課税がされることになる。

〈収用の特例と買取りの申出の日〉

収用等の5,000万円の特別控除は，最初に買取りの申出のあった日から６か月以内に売買しないと適用にならないとされていたが，平成13年の土地収用法の改正で，その補償額について合意が成立しないときには，当事者の双方から仲裁委員による仲裁を申請できることとされた（土地収用法15条の７）ので，申出のあった日から６か月以内にその申請がなされた場合には，同じく適用が認められることとなり，同改正法の施行日である平成14年７月１日以後に行う収用等に係る譲渡から適用されている（措法33条の４③一)。

なお，この仲裁による判断は確定判決と同一の効果をもっている。

それにしても，交渉をしている間に，６か月ぐらいすぐたってしまう。そこで，どういうことをしたときが申出があったのかということが，この特例の適用を受けられるかどうかの期間計算をするのに重要なポイントになる。

買取りの申出といえるのは，収用する側で買い取るというはっきりした意思があって，合理的な価格を提示して相手（売主）に伝えたときである。相手の家に行ったが会えなかったり，文書を郵送したが相手が開封もしないで受取拒絶で返送したという場合は，まだ申出があったとはいえない。その場合，公示送達という方法をとるだろう。そうしたら，そのときが申出の日になる（昭47．３．31裁決，国裁例4914)。

また，この買取り等の申出は事実上の行為で足りるから，正式文書による依頼が後日になされたことによって，事実上の申出の効力が左右されるものではないという判例（大阪地判昭61．６．26，『判租法』1774の７）もある。

31 特定住宅地造成事業等への譲渡の1,500万円控除

特定の住宅の建設や宅地の造成事業などのために土地を譲渡した場合に，譲渡益から1,500万円を控除する特例がある。
（措法34条の２，措令22条の８，措則17条の２，法人は措法65条の４）

特定の住宅建設・宅地造成の譲渡には1,500万円の特別控除

土地等(注)が特定の住宅の建設や宅地の造成などのために買い取られた場合には，その土地の譲渡益から1,500万円を控除する特例がある。なお，この特例は長期譲渡だけでなく，短期譲渡についても適用される。

（注）　借地権を含む。

この特別控除の対象となる譲渡とは

この特別控除の対象となる主なものは，下記の事業のために買い取られた場合である（措法34条の２②）。

① 地方公共団体，都市再生機構等が行う住宅の建設または宅地の造成を目的とする事業の用に供するために買い取られた場合（同１号）

② 土地収用の事業者またはこれに代わるべき者が，収用の対償に充てるために買い取られた場合（同２号）（詳細515ページ参照）

③ 特定の一団の宅地の造成に関する事業の用に供するために，**令和８年12月31日まで**に買い取られた場合（同３号イ・ロ・ハ）

④ 地方公共団体または中心市街地整備推進機構により，その事業のために認定市街地の区域内の土地を買い取られた場合（８号）

⑤ 地方公共団体または都市再生整備推進法人によりその事業のために，都市再生整備計画区域等内の土地が買い取られた場合（10号）

⑥ 土地区画整理法による土地区画整理事業で，土地の上の建物が既存不適格建築物であるため換地が定められなかったことにともない清算金を取得するとき（21号）（詳細501ページ参照）

⑦㋑ マンション建替円滑化法による建替事業においてやむを得ない事情により転出し補償金を取得するとき，または買い取られた場合（22号）（詳細928ページ参照）

㋺ マンション建替円滑化法の決議要除却認定マンションの敷地がマンシ

ョン敷地売却事業の実施による分配金を取得するとき，または，買い取られた場合（22号の２）

このうち，一般的である特定の一団の宅地造成に係る特例について説明する。

特定の一団の宅地造成事業（措法34条の２②３号）とは，

一団の宅地造成事業で，つぎの要件を満たすものとして国土交通大臣の認定を受けたもの

(ア) 一団の土地の造成が土地区画整理事業（施行区域全域が市街化区域内にあること）として行われるものであること

(イ) 一団の土地（その土地区画整理事業の施行地区内において，土地等の買取りをする個人又は法人の有する一団の土地に限る）の面積が５ヘクタール以上であること

(ウ) 造成宅地の分譲が公募の方法により行われること

(エ) 住宅用造成宅地の一区画面積が170㎡以上（形状その他特別の事情がある場合は150㎡以上）であること（措令22条の８⑥，措規17条の２③）

（注） 令和３年の税制改正で，都市計画区域内の市街化調整区域が除外され，市街化区域内のみで認められるようになった。

宅地造成・住宅建築の特例の手続等

この特例を受けるためには，事業主体や事業形態により添付書類が異なる（措則17条の２）が，たとえば，上記の一団の宅地造成事業（措法34条の２②三）だと，次の添付書類が必要となる（措規17条の２①三）。

① 買取りをした者が，その事業の用に供するために買い取った旨，買い取年の前年以前の年において，土地等が買い取られた者から，その事業の用に供するために土地等を買い取ったことがない旨及び当該土地等が当該買取りをする者の有する土地と併せて一団の土地に該当することとなる旨を証する書類

② 仮換地の指定がない旨又は最初に行われた仮換地の指定の効力発生の日の年月日を証する書類

③ 国土交通大臣が認定をした旨を証する書類（認可の申請書の受理年月日の記載のあるもの）の写し

（注） その区画整理会社の株主又は社員である者の有する土地等が，その区画整理会社に買い取られる場合には，本特例の適用対象外となる（措令22条の８⑤）。

その他の特例との関連

居住用財産の特例，特定事業用資産の特例の適用を受けられる場合も，この特例と上記の特例とのどちらか一つを選択することになる。

32 相続財産の譲渡と課税の特例

相続等（遺贈を含む）した土地・建物を譲渡したときの税金はどう計算するか。（措法39条）

相続した土地・建物を譲渡したときの譲渡所得の計算

相続等した土地・建物を譲渡して，譲渡所得を計算する場合の取得費については，被相続人（死亡した人）が取得したときの取得費が引き継がれる。この取得費がわかる場合は，この取得費，長期譲渡に該当するときは，この取得費と譲渡収入の５％のいずれか高いほうの金額を取得費とすればよい（措法31条の４，措所通31の４－１）。

相続税の申告期限後３年以内に土地・建物を譲渡したときの取得費の計算

相続した土地・建物などを，**相続開始の日（被相続人の死亡の日）後，その相続税の申告期限後３年以内に譲渡した場合**は，相続税のうち下記のようにして求めた金額を取得費に加算することができる（措法39条，措令25条の16）。

相続によって取得した財産とその評価額が，

土地Ａ	１億円
土地Ｂ	5,000万円
建物Ａ	300万円
建物Ｂ	700万円
預貯金その他	2,000万円
合計（課税価格）	１億8,000万円

で，負担した債務・葬式費用が500万円，相続税4,200万円を払った人が，土地Ａを１億3,000万円，建物Ａを500万円で譲渡した場合には，

(1)　土地（借地権を含む。以下同じ）については，

$$\underset{\text{（その人の相続税額）}}{42{,}000{,}000\text{円}} \times \frac{\overset{\text{（その人が取得して譲渡した土地の評価額）}}{100{,}000{,}000\text{円}}}{\underset{\text{（その人の相続税の課税価格）}}{180{,}000{,}000\text{円}}} \fallingdotseq 23{,}333{,}333\text{円}$$

(2)　建物については，

$$\underset{\text{(その人の相続税額)}}{42{,}000{,}000\text{円}} \times \frac{\overset{\text{(その人が取得して譲渡した建物の評価額)}}{3{,}000{,}000\text{円}}}{\underset{\text{(その人の相続税の課税価格)}}{180{,}000{,}000\text{円}}} \fallingdotseq 700{,}000\text{円}$$

を，土地・建物の取得費に加算し，その合計額を，譲渡収入から差し引いて譲渡所得を求めることになる。本来の取得費を700万円，譲渡費用を400万円として計算すると，

$$\underset{\text{(譲渡収入)}}{135{,}000{,}000\text{円}} - \underset{\text{(取得費)}}{7{,}000{,}000\text{円}} - \underset{\text{(加算される相続税)}}{(23{,}333{,}333\text{円} + 700{,}000\text{円})} - \underset{\text{(譲渡費用)}}{4{,}000{,}000\text{円}}$$

$$\underset{\text{(譲渡所得)}}{= 99{,}966{,}667\text{円}}$$

となる。なお，この特例の適用を受ける場合には，**図表３－44**の「相続財産の取得費に加算される相続税の計算明細書」を確定申告書に添付して提出する。

代償分割により代償金を支払って取得した財産を譲渡した場合

遺産分割において，合計１億8,000万円の相続財産を取得するに際し，他の相続人に2,000万円の代償金を支払っている場合(注)には，加算できる取得費が異なってくる（措所通39-７）。税理士でも，つい，うっかり失念してしまうこともあるので注意したい。

(注)　代償分割については，190ページコラム〈代償分割と取得費〉参照。

代償金を支払っている場合の，取得費加算の計算方法は，まず，**図表３－44**の「相続財産の取得費に加算される相続税の計算明細書」Ⓐ相続税評価額に記載する金額から算定する。

$$\underset{\text{(その人が取得して譲渡した土地の評価額の合計)}}{100{,}000{,}000\text{円}} - \underset{\text{(代償金)}}{20{,}000{,}000\text{円}} \times \frac{\overset{\text{(その人が取得して譲渡した土地の評価額)}}{100{,}000{,}000\text{円}}}{\underset{\text{(その人の相続税の課税価格)}}{180{,}000{,}000\text{円}} + \underset{\text{(代償金)}}{20{,}000{,}000\text{円}}}$$

$$= 90{,}000{,}000\text{円}$$

したがって，この90,000,000円をⒶ相続税評価額に記載することになるが，加算できる取得費は次のとおりである。

$$\underset{\text{(その人の相続税額)}}{42{,}000{,}000\text{円}} \times \frac{\overset{\text{(代償金を考慮した土地の評価額)}}{90{,}000{,}000\text{円}}}{\underset{\text{(その人の相続税の課税価格)}}{180{,}000{,}000\text{円}}} = 21{,}000{,}000\text{円}$$

建物についても，同様に計算することになる。

図表３－44

相続財産の取得費に加算される相続税の計算明細書

○ この特例は、相続財産を相続税の申告期限から３年以内に譲渡した場合に適用されます。特例の内容についての詳細は、税務署にお尋ねください。
なお、明細書の記載に当たっては、裏面を参照してください。

○ 令和五年一月一日以後相続開始用

譲渡者	住所	○○市○○町○○番○号		氏名	財尾　継男
被相続人	住所	○○市○○町○○番○号		氏名	財尾　為太
相続の開始があった日	令和５年１月10日	相続税の申告書を提出した日	令和５年９月５日	相続税の申告書の提出先	○○　税務署

1　譲渡した相続財産の取得費に加算される相続税額の計算

譲渡した相続財産	所在地		△△市△△町△△番		△△市△△町△△番		
	種類		土地		家屋		
	利用状況・数量		自用地	900㎡	自用家屋	800㎡	
	譲渡した年月日		令和６年６月６日		令和６年６月６日		年　月　日
	相続税評価額（裏面の計算が必要となる場合がありますので、ご注意ください。）	Ⓐ	100,000,000円		3,000,000円		円
相続税の課税価格（相続税の申告書第１表の①＋②＋⑤の金額を記載してください。）		Ⓑ	180,000,000円				
相続税額（相続税の申告書第１表の⑲の金額を記載してください。ただし、贈与税額控除又は相次相続控除を受けている方は、下の２又は３で計算した①又は⑤の金額を記載してください。）		Ⓒ	42,000,000円				
取得費に加算される相続税額（Ⓒ×Ⓐ/Ⓑ）		Ⓓ	23,333,333円		700,000円		円

【贈与税額控除又は相次相続控除を受けている場合のⒸの相続税額】

2　相続税の申告書第１表の⑲の小計の額がある場合

暦年課税分の贈与税額控除額（相続税の申告書第１表の⑫の金額）	Ⓔ	円
相次相続控除額（相続税の申告書第８の８表の１の③の金額）	Ⓕ	円
相続時精算課税分の贈与税額控除額（相続税の申告書第１表の⑰の金額）	Ⓖ	円
小計の額（相続税の申告書第１表の⑲の金額）	Ⓗ	円
相続税額（Ⓔ＋Ⓕ＋Ⓖ＋Ⓗ）	Ⓘ	円

※　相続税の申告において、贈与税額控除又は相次相続控除を受けていない場合は、「２　相続税の申告書第１表の⑲の小計の額がある場合」欄及び「３　相続税の申告書第１表の⑲の小計の額がない場合」欄の記載等は不要です。

関与税理士	電話番号

3　相続税の申告書第１表の⑲の小計の額がない場合

算出税額（相続税の申告書第１表の⑨又は⑩の金額）		Ⓙ	円
相続税額の２割加算が行われる場合の加算金額（相続税の申告書第１表の⑪の金額）		Ⓚ	円
合計（Ⓙ＋Ⓚ）		Ⓛ	円
税額控除等	配偶者の税額軽減額（相続税の申告書第５表の㋑又は㋠の金額）	Ⓜ	円
	未成年者控除額（相続税の申告書第６表の１の②又は⑥の金額）	Ⓝ	円
	障害者控除額（相続税の申告書第６表の２の②又は⑥の金額）	Ⓞ	円
	外国税額控除額	Ⓟ	円
	医療法人持分税額控除額	Ⓠ	円
	計（Ⓜ＋Ⓝ＋Ⓞ＋Ⓟ＋Ⓠ）	Ⓡ	円
相続税額（Ⓛ－Ⓡ）（赤字の場合は０と記載してください。）		Ⓢ	円

（資６－11－Ａ４統一）

$$\overset{\left(\substack{\text{その人が取得して譲渡した}\\ \text{建物の評価額の合計}}\right)}{3{,}000{,}000\text{円}} - \overset{(\text{代償金})}{20{,}000{,}000\text{円}} \times \frac{\overset{\left(\substack{\text{その人が取得して譲渡した}\\ \text{建物の評価額}}\right)}{3{,}000{,}000\text{円}}}{\underset{\left(\substack{\text{その人の相続}\\ \text{税の課税価格}}\right)}{180{,}000{,}000\text{円}}+\underset{(\text{代償金})}{20{,}000{,}000\text{円}}}$$

$$=2{,}700{,}000\text{円}$$

したがって，この2,700,000円を建物のⒶ相続税評価額に記載することになるが，加算できる取得費は次のとおりである。

$$\overset{(\text{その人の相続税額})}{42{,}000{,}000\text{円}} \times \frac{\overset{\left(\substack{\text{代償金を考慮した}\\ \text{建物の評価額}}\right)}{2{,}700{,}000\text{円}}}{\underset{\left(\substack{\text{その人の相続}\\ \text{税の課税価格}}\right)}{180{,}000{,}000\text{円}}} = 630{,}000\text{円}$$

したがって，代償金の支払いのある場合の譲渡所得は，次のとおりである。

$$\overset{(\text{譲渡収入})}{135{,}000{,}000\text{円}} - \overset{(\text{取得費})}{7{,}000{,}000\text{円}} - \overset{(\text{加算される取得費})}{(21{,}000{,}000\text{円}+630{,}000\text{円})} - \overset{(\text{譲渡費用})}{4{,}000{,}000\text{円}}$$

$$=\overset{(\text{譲渡所得})}{102{,}370{,}000\text{円}}$$

代償金の支払いの有無で，上記のように譲渡所得が200万円以上も増えてしまう。税務調査で指摘されると，この増差所得分に税率を乗じた所得税と，延滞税や加算税が追加でとられることもある。相続税の取得費加算は，相続税申告書の内容を確認することが欠かせないため，うっかりミスがないよう注意したい。

遺産分割のされていない土地・建物の譲渡

土地や建物を相続したが，遺産分割がなされていない状態で売却することとなり，そのときになって，相続人間で売買代金をどのように分けようかという話合いになることがある。

相続が開始すると，すなわち，被相続人が死亡すると，その瞬間から相続人の共有ということになり，遺産分割協議がととのって，この土地はだれのもの，または，この土地の各人の共有持分はだれが何割，だれが何割ということが確定する。

したがって，遺産分割がされていなければ，売買契約の直前に，遺産分割協議をし，その土地をだれが相続するのか，または，その土地の共有者はだれとだれで，持分はどれだけかということを決め，それに応じて売買代金を受け取ればよい。

この分割の割合は，別に法定相続分にこだわることはない。相続人間で納得できる割合で決めればよい。

遺産分割で共有となっている土地

すでに遺産分割協議がととのい，相続人ごとの共有持分が決められ，共有登記になっている場合もある。この場合に，持分を変更すると，持分の贈与があったということで，贈与税が課税されることになる。(注)

また，登記簿では被相続人の名義のままになっているが，相続税の申告の段階で遺産分割協議がととのい，遺産分割協議書を作成して税務署に提出している場合もある。この場合も，遺産分割協議書で定められた持分割合と異なる割合で登記すれば，贈与税の課税対象となることは，上述のケースと同様である。

（注）遺産分割について争いがあり，協議がととのわない段階で，相続人の一人の申請により，法定相続分による持分での共有登記がされていることがある。そして，遺産分割協議がまとまったとき，これと異なる持分割合で登記がなされることもあるが，この場合は，贈与税の問題は生じない。しかし，このようなケースは，一般には稀である。

相続税の物納にあてたとき

「物納」というのも，国に対する「譲渡」である。「譲渡」であるのなら，本来ならば所得税が課せられることになる。しかし，相続税を納付するために物納したときに限って，譲渡所得はなかったものとみなして，課税しないことになっている（措法40条の３）。土地や建物を物納した場合，その価額が納めるべき相続税額を超える場合がある。この場合には，その差額が過誤納金として国から還付されることになる。いわば，お釣りをくれるわけである。そして，この差額部分については上記の非課税の対象とならず，国への通常の譲渡ということになり，譲渡所得の対象となる。

（注）被相続人の居住用財産（空家）の3,000万円控除については，430ページのコラム参照。

〈相続開始による共有と分割による共有〉

土地・建物を譲渡して，居住用財産の特別控除の適用を受けようとするとき，土地・建物が母と子２人（Ａ，Ｂ）の共有になっていて，母と子Ａは居住していて，子Ｂは別居しているという例が多い。こういう例は，相続によってその土地・建物を取得した場合によく見られる。居住していない子Ｂについて居住用財産の特別控除の適用を受けられないことは，いうまでもない。であれば，この土地・建物を現に居住している母と子Ａだけの共有に変えたいという相談もよくある。

ところで，被相続人が死亡して相続が開始されると，その相続財産は相続人全員の共有になり，これを遺産分割協議によって分割する。どのように分割するかは，相続人の自由である。

しかし，いったん分割した後で，相続人が自分の相続した財産を他の相続人に譲ると，贈与ということで贈与税を課せられる。

上述の例の場合，遺産分割が未了で共有となっているのなら今回，相続人全員の協議によって遺産分割をすればいいし，遺産分割の結果として共有になったのなら，その持分を変えれば贈与税の対象ということになる。

33 保証債務の履行と譲渡の特例

借金の保証人になっていたところ，借主が返済不能になったため，肩代りして支払うために土地を売ったときにも課税されるか。（所法64条②）

保証債務の履行のための土地譲渡には特例

保証人になっていたところが，借主が支払う能力がなくなり，貸主に請求されて，借主に代わって借金を支払い（これを「保証債務の履行」という），その支払金を調達するため，自分の土地を売らねばならないことがある。この場合，保証人は借主本人に代わって払ったのだから，借主にその金を返せと請求することができる。この権利を「求償権」という。しかし，こういう事態になったときは，借主本人に返済能力がなくなっているのが普通だから，まず，この求償権の行使は不可能である。この場合，一定の手続きをとれば，土地の譲渡収入のうち，保証債務の履行にあてた部分について，譲渡所得がなかったものとして取り扱われる（所法64条②）。

保証債務の履行であること

この特例の適用要件は，まず，保証債務の履行であることである。

本人を信用していたので，保証人となっていたが，その後に本人が借入金を返済しないため，金融機関やその他の債権者から，保証人として保証債務を履行せよとせまられて，自分の土地・建物を売却して，本人に代わって借金を返したということでなければならない。

なお，保証人にはなっていなかったが，自分の土地・建物を担保として提供していた場合も，本人に代わって返済しなければ，その土地・建物を競売される等の状態になろう。すなわち，実質的に保証していたわけだから，その場合も，保証人になっていたのと同様に扱われることとされている（所基64－4(5)）。

なお，自分の主宰する法人の保証人となっていた場合，土地・建物の売却代金を法人に貸し付け，法人が金融機関等に返済することもよく行われている。しかし，これでは保証債務を履行したことにはならない。この場合は，法人は自主的に金融機関等に返済し，その資金を法人に貸し付けただけのこととなるので注意しなければならない。

借り入れた本人が個人で，親が保証人になっていた場合も同様である。

あくまでも，保証人自身が保証債務の履行として弁済しなければならず，後日の証拠に，その旨の文書をもらっておくことが必要である。

（注） 銀行等の金融機関の場合，不良貸付をしたという実績をつくらないため，融資先本人から回収したという形をとりたがるので留意しなければならない。

求償権の行使が不可能であること

保証債務を履行した保証人には，本人に対して，その金額を返済することを求める権利，すなわち，求償権が生じる。求償権を行使して，本人から返済を受ければ，保証人は損も得もしなかったということになり，単に，土地・建物を譲渡しただけということになる。

この特例が受けられるのは，求償権の行使ができない状態でなければならない。

強引に行使しようとすればできるのだが，かわいそうだからしなかったというのでは，この特例は適用にならない。

この場合，債務者本人が返済できない状態であるかどうか，という調査が行われる。

債務者本人が，夜逃げして行方不明になっているとか，破産宣告を受けたとか，法人であれば倒産をしてしまったという状態なら，求償権の行使はできないことは明らかである。しかし，細々ながら事業を継続しているとなると，求償権の全部の行使が不可能とはいえないかも知れない。また，法人が別法人に形を変えて営業を続けているが，資本・経営者との関係から，実質的に継続している法人とみられることもある。

一般的な判断基準として，債務者について，破産宣告，整理の開始等があり，また，事業閉鎖がなされたか，あるいは，このような状態に至らないまでも，債務超過の状態が相当期間継続し，金融機関や大口債権者の協力が得られないため事業の運営が衰微して再建の見通しもないこと，その他，これらに準ずる事情ということがあげられている。

保証人になったとき返済見込のあったこと

なお，保証人になった時点では，債務者本人が借入金を返済する見込のあったものでなければならない。

返済能力のない人の保証人になるということは，そのときから，借入金の肩代りをしてあげるということになる。この場合には，債務者本人に経済的援助をした，すなわち，贈与をしたということになり，この特例の適用の対象外となる。

この特例の適用を受ける手続きは

この特例適用を受けるためには，原則として，その譲渡の年分の確定申告書に適用を受ける旨を記載し，必要書類を添付することになる。また，その申告のときには，まだ借主から取り立てられそうな状態のこともある。その場合は求償権の行使が不可能になったわけでないから，譲渡所得について通常の税金を払わなければならない。そして，その後で，努力しても，どうしても取り立てられない状態になったら，すなわち，求償権の行使が不可能になったら，その日から２か月以内に，税務署長に対して，「更正の請求」(所得の計算をし直して税金を返してくれという請求)の手続きをとって，いったん納めた税金を返してもらうようになる（所法64条③，同152条，通法23条）。

法人が保証債務を履行したときは

法人が保証債務を履行して，土地・建物を譲渡したとき，その譲渡とともに，被保証人に対する求償権が生じ，つぎのような経理処理をする。

(借方)		(貸方)	
(被保証人に対する貸付金)	××円	(土地・建物の簿価)	○○円
		(譲渡益)	××円－○○円

そして，求償権の行使が不可能になったとき，

(借方)		(貸方)	
(貸倒損)	××円	(被保証人に対する貸付金)	××円

と処理し，履行した保証債務が譲渡した土地・建物より多額である場合には，結果として譲渡益に対する課税はないことになる。なお，貸倒れの判定については法基９－６－１以下参照。

34　保証債務の特例の具体的判断基準

保証債務の履行をして求償権の行使ができない場合の譲渡所得の特例の適否につき，具体的な例で説明する。

国税不服審判所の裁決例によってみると

経済の業種別の景気変動や構造的変化を背景として経営不振に陥る企業も少なくなく，社長個人が個人所有の土地を処分して，その尻ぬぐいをする例が目立っている。

この場合に，せめて譲渡所得の課税のほうは免除してもらいたいというのが人情であろう。

そういうことから，この保証債務の特例（所法64条②）の適用を申告する例が増えているが，この要件に対する理解不足から，適用の可否をめぐって，課税当局とのトラブルが多数生じており，これについての審査請求，裁決例も増えている。

ここでは，その裁決例のうち，一般的なものを紹介しておくので，この例を参考にして，適用にあたって細心の注意を払われたい。

事例①　――　保証債務の履行ではないとされた例

法人が経営不振に陥り，事業継続に必要な資金の不足を来たしたので，社長が私財を担保として提供するほか，法人に貸付けも行ってきたが，これ以上は社長個人の不動産を処分しないとできない状態になったので，土地を譲渡し，その大部分を法人に貸し付け，法人は債務の弁済にあてた。

ところで，保証債務の履行は保証人が直接債権者に支払うべきものであるが，本件では，法人の信用を失いたくないために，同法人を通じて支払ったものであり，また，債権者から保証人に保証債務の履行を求める督促は何ら受けていない。

また，保証人（社長）の同法人あての債権放棄確認書では，貸付金を放棄する旨記載されており，同法人はこれを債務免除益として計上している。

以上からみれば，本件土地の譲渡代金を同法人に貸し付けたものであり，保証債務の履行をしたものとは認められない（国裁例4363－13－33）。

事例②――求償権の行使ができなかったとはいえないとされた例（その１）

求償権を放棄した昭和52年末当時，法人（債務者）そのものは決算上過去２期連続して赤字決算の上，２億円余の債務超過の状態にあり，かつ，繰越欠損金の累積額も３億円余に達していたが，法人を整理することなく，人員整理，不要遊休資産の処分などによる経営の合理化と債権者の一人であった取引先の資金面および営業面にわたる支援によって引き続きその事業を継続していたこと，および営業成績をみても，昭和53年３月期には利益計上していることが認められる。

保証人が求償権を一時に行使することは困難であったことは，同法人が再建途上にあったことからすれば十分考えられるが，債権の回収は債務者の営業実績と支払能力に応じ，その再建を阻害しない範囲と方法とによってなしうるものであり，一般的にそのような手段をとるものであり，求償権を放棄したのは，行使できないためであったとは認められない（国裁例4361）。

（注）　保証債務の履行時に求償権の行使ができないことが明らかであった場合を除いては，できなくなったことが明らかとなったときに譲渡年に遡及して更正の請求により，この特例の適用を受け，税金の還付を受けることになる。

事例③――求償権の行使ができなかったとはいえないとされた例（その２）

債務者である法人が，設立以来現在まで事業を継続していること，および，ここ数事業年度の決算では毎期純利益を計上し，繰越欠損金は減少していること，さらに，保証人は求償権を放棄した翌事業年度に当法人に対し新たな貸付けを行っていること，また，保証人より借地している借地権の価額を加えて計算すると，債務超過の状態にあったとはいえないこと等からして，求償権の放棄は行使できないため行ったものとは認められない（国裁例4361－15）。

事例④――長男に対する求償権の放棄は利益供与（贈与）であるとされた例

保証人が債務保証をした際，すでに債務者が資力を喪失しており，かつ，保証人が債務者に弁済能力がないと知りながら，あえて債務保証をしたような場合には，実質的に債務者の債務を引き受けたか，あるいは，主たる債務者に対し利益供与または贈与をなしたとみなしうるところであり，保証債務の特例を適用する余地はないと解すべきである。

本件は，保証人の長男が中華料理（そば）店を経営していたが，昭和48年頃から商売に不熱心となり，競馬，競輪に凝り出し，借金を重ね，昭和52年には店の経営もできなくなったが，長男が無財産であったため，母親がその所有する山林を売却し，負債を整理したものであり，求償権を行使することはまったく不可能な状態である。

しかし，長男に対する異常とすべき態様による債務の弁済を４年間にわたり繰り返し行い，かつ，その求償権の放棄を行うことは，通常第三者間では到底なし得ないところであり，これは長男の更生を期待してなした利益供与（贈与）というほかはない（国裁例4363－13－18）。

事例⑤――他にも連帯保証人のいる場合には，その連帯保証人にも求償権の行使ができるとされた例

銀行が同族会社に融資する際に，オーナーである社長を連帯保証人とし，社長の土地に抵当権を設定するだけでなく，その一族のうちの有力者を連帯保証人に加えさせることが多く行われている。

このような情況で，法人が経営不振に陥り，債務超過の状態が継続し，事業を廃止し，社長がその土地を譲渡して，保証債務の履行として銀行に借入金の弁済を行った。

この状態で，債務者本人である法人に支払能力はなく，求償権の行使は不能である。

それで，全額について，特例の適用のあるものとして申告をした。

ところが，社長が保証債務の履行として債務を弁済した場合，銀行に代位して，他の連帯保証人に対する求償権を取得することとなり，他の連帯保証人に支払能力があれば，求償権の行使は可能であり，この部分を除いた部分だけが，この特例の適用対象となるとされた。たとえば，他に連帯保証人が２人いた場合には，求償権の行使が不能とされるのは，弁済した債務の３分の１だけであるということとなる（国裁例4363－13－137）。

うっかりしがちな点であるので，注意を要する。

〈法人の再建と求償権の放棄〉

法人の経営が行き詰まって，銀行借入れなどの返済ができなくなり，その連帯保証人となっていたオーナー社長が，その保証債務を履行するため個人の土地を売却して代位弁済をすれば，法人に対して求償権が生じる。その求償権の行使ができなくなれば，保証債務の特例の適用を受けられることになる。

債務超過の法人が破産して法人を解散してしまえば，求償権の行使ができなくなるのは明らかであるが，法人を再建しようというときは，どのように判定するのか。一般には，

(1)　会社更生法などの法的な整理手続きによる場合は，これらによる再生計画の認可の決定により切り捨てられる部分

(2)　法的な手続きによらない場合は，①関係者の協議決定または，②行政機関や金融機関などの斡旋による当事者間の協議により締結された契約で，「合理的な基準により債務者の負債整理を定めているもの」によって切り捨てられることとなった部分

は，求償権の行使ができないものと認められている（所基64－1，51－11～51－16準用）。

その合理的な基準というのは債権額の割合などをいうのであるが，オーナー社長の立場として，まず自分の求償権は放棄する，それでも，法人は債務超過の状況にあるので，他の債権者に債務の免除を求め，その結果として，売上高が増加し，他の債務者の債務額が減少し，法人が立ち直ることもある。

そうなると，求償権の行使が不可能ではなかったということになるのかも知れない。

これについて，国税庁課税部資産課長通知「保証債務の特例における求償権の行使不能に係る税務上の取扱いについて（通知）」（平成14年12月25日，課資３－14ほか）で，このような場合には，求償権の行使が不可能であったと取り扱い，この特例の適用を受けられることとしている。

35 競売・代物弁済等と譲渡

借金の担保に差し入れた土地が競売になったとき，代物弁済で取られたときの譲渡所得はどうなるか。
（所法９条①10号）

借金をするとき，自分の土地・建物に抵当権を設定しておくことがよくある。こういう場合に期日までに借金を返さなければ，その土地・建物は競売にされ，債権者はその競落代金のなかから貸付金･利息･違約金の弁済を受けることになる。

また，借金をするとき抵当権の設定だけでなく，代物弁済の予約の仮登記ということもよく行われている。この仮登記をしておけば，債権者は競売という手続きを経ないで，その土地・建物を自分のものにすることができる。

借主が資力を喪失して債務の弁済が著しく困難になった場合に，上記のような競売，代物弁済によって土地・建物を譲渡したときは，その譲渡については非課税とされている。

しかし，この非課税の扱いが受けられるのは，あくまでも，借主が「資力を喪失して債務を弁済することが著しく困難（注１）」であって，強制換価手続の敢行が避けられないと認められる場合に行われた譲渡で，その対価の全部がその債務の弁済に充てられる（注２）ものに限られる（注３）のであって（所令26条），資力を喪失していず，また，少しムリをすれば債務の弁済ができる状態であれば，また，他の不動産を所有しているという場合などは，競売，代物弁済という形式をとっていても非課税にならないのは当然である。

（注１）「資力を喪失して債務を弁済することが著しく困難」である場合とは，債務者の債務超過の状態が著しく，その者の信用，才能等を活用しても，現にその債務の全部を弁済するための資金を調達することができないのみならず，近い将来においても調達することができないと認められる場合をいい，これに該当するかどうかは，これらの規定に規定する資産を譲渡した時の現況により判定する」（所基９－12の２）。

（注２）所基９－12の４

（注３）債権者から清算金を取得しない代物弁済，また，清算金の全部をその債務の弁済に充てたものも含まれる（所基９－12の５）。

第４節　土地・建物の譲渡が事業所得・雑所得になる場合

36　事業所得・雑所得に該当する場合

個人が宅地造成をしたり，建売住宅やマンションを建設して譲渡した場合は，譲渡所得ではなく，事業所得や雑所得となる。

個人の不動産業者が土地・建物を販売すれば事業所得

個人事業として営業している不動産業者が，土地や建物を販売していれば，その所得は譲渡所得ではなく，事業所得となる。

したがって，これまで説明してきた譲渡所得の計算ではなく，個人営業の電気屋がテレビを販売したり，魚屋が魚を販売したりしたのと同様の事業所得の計算をすることになる。

事業に該当すれば事業税も

事業に該当する場合には，事業税の「物品販売業」に該当し**事業税**が課せられることになり，所得金額から290万円の事業主控除を引いた残額の５％が税額となる。

事業に準ずるものは雑所得

ところで，不動産業を営業しているのではないが，個人が不動産業に類似した形で土地や建物を販売することもある。

たとえば，農家が畑を整地して宅地とし，これに道路をつけて，いくつかの区画に分けて――すなわち，区画形質の変更を行って分譲したり，建売住宅を建築して分譲したりすることがある。また，サラリーマン等が，従来から所有していた宅地にマンションを建築して分譲したりすることもある。

このような場合は，事業に準ずるものとして雑所得に分類され，事業所得の計算に準ずる計算をすることになる（所基33－４）。

また，土地を相当期間にわたり継続して譲渡した場合――たとえば切り売りする等の場合も同様である（所基33－３）。

なお，その規模により，事業税も課せられることもある。

譲渡所得の特例との関係

このような場合には，従前の土地が事業の用，または，事業に準ずる貸付けの用に供されていた場合で，この分譲等による収入金額で，他の事業用資産を取得しても，特定事業用資産の買換特例の適用を受けることは，原則としてできない。

なぜなら，特定事業用資産の買換特例は，譲渡所得の特例であり，事業所得や雑所得の特例ではないからである。

その他の譲渡所得の特例についても同様である。

土地やマンション等の分譲で譲渡所得になる場合（例外）

しかし，上述したような場合でも，つぎのような場合には譲渡所得とすることができるとされている。

① 固定資産である土地について，区画形質の変更をし，また，水道等の施設の設置を行って譲渡した場合でも，その面積が小規模（おおむね3,000㎡以下）であるとき。なお，２名以上の土地所有者が共同でしたときは，その合計面積で判断する（所基33－４(注)(1)）。

② 上記の面積を超える土地であっても，その土地がきわめて長期間（おおむね10年以上）引き続き所有されていたものであったとき（所基33－３，33－５）。

③ 建売住宅やマンションを建築して分譲した場合でも，その敷地である土地がきわめて長期間（おおむね10年以上）引き続き所有されていたものであったとき（所基33－３，33－５）。

④ 土地を相当期間にわたり継続して譲渡した場合も，その土地が固定資産であったもので，きわめて長期間（おおむね10年以上）引き続き所有されていたものであったとき（所基33－３）。

譲渡所得に該当するときの計算

宅地造成等をした土地の分譲，建売住宅やマンションの分譲で，前項の要件に該当して譲渡所得に該当する場合でも，その分譲等による収入金額の全部が譲渡所得になるのではない。

宅地造成をしたり，建物を建設して分譲することによって生じた利益に対応する部分の収入金額は事業所得または雑所得となり，その工事に着手するときの土地の価額（時価）が譲渡所得となる（所基33－５）。

たとえば，宅地造成に着手するときの土地の時価――すなわち，宅地造成をしないで素地のまま譲渡したら売れたであろう価額が１億円，宅地造成のための費用が1,000万円，分譲に要した費用が600万円で，分譲価額が１億3,000万円であり，その土地をかつて取得したときの価額が500万円であったとすると，つぎのような計算となる。

郵便はがき

料金受取人払郵便

小石川局
承認
6246

差出有効期間
2025年8月27
日まで

（切手不要）

1 1 2 - 8 7 9 0

0 8 1

東京都文京区小石川1－3－25
小石川大国ビル9階

株式会社 清文社 行

ご住所　〒（　　　　　　　　）

ビル名　（　　階　　　号室）

貴社名

部　　課

お名前（ふりがな）

電話番号

ご職業

E－mail

※本カードにご記入の個人情報は小社の商品情報のご案内、またはアンケート等を送付する目的にのみ使用いたします。

愛読者カード

ご購読ありがとうございます。今後の出版企画の参考にさせていただきますので、ぜひ皆様のご意見をお聞かせください。

■本書のタイトル（ご購入いただいた書名をお書きください）

1. 本書をお求めの動機

1.書店でみて（　　　　　　　　　　）2.案内書をみて
3.新聞広告（　　　　　　　　　　）4.インターネット（　　　　　　）
5.書籍・新刊紹介（　　　　　　　　　　）6.人にすすめられて
7.その他（　　　　　　　　　　）

2. 本書に対するご感想（内容・装幀など）

3. どんな出版をご希望ですか（著者・企画・テーマなど）

■小社新刊案内（無料）を希望する　1. 郵送希望　2. メール希望

①　譲渡所得の計算（長期譲渡に該当する場合）

（譲渡収入──着手のときの時価）100,000,000円 －（取得費）5,000,000円 ＝（課税長期譲渡所得）95,000,000円

②　事業所得・雑所得の計算

（分譲価額）130,000,000円－（（着手のときの時価）100,000,000円＋（造成工事費）10,000,000円）－（分譲費用）6,000,000円＝（事業所得または雑所得）14,000,000円

譲渡所得に該当するときの特例の適用

そして，譲渡所得の収入金額とされた１億円については，適用要件をそなえていれば，特定事業用資産の買換特例等の適用を受けられることとなる。

なお，従前に居住用であった家屋を取りこわして，マンションを建設して分譲した場合には，分譲前においてすでに居住用財産である要件を失っているので，居住用財産の特例の適用を受けることはできない（措所通35－１（注）２）。

雑所得で赤字となった場合

事業所得について赤字が生じた場合，損益通算といって他の所得の黒字から差し引くことができる（詳細は「**5　土地と建物の譲渡所得の損失と損益通算と繰越控除**」（382ページ）参照）し，それでも赤字（純損失）の残ったとき，青色申告書であれば，繰り戻して前年の税金を還付してもらうことも，繰り越してその後の３年間の所得から控除されることもできる（所法140条，142条）。

しかし，雑所得の赤字は，他の雑所得の黒字から引くことはできるが，他の所得の黒字から引くことはできない。

たとえば，個人が長期に所有していた土地の上にマンションを建設して分譲し，譲渡所得に分類された土地の譲渡について黒字，雑所得に分類された建物の分譲について赤字が生じたとき，この赤字を土地の譲渡益（黒字）やその他の所得（黒字）から引くことはできず，雑所得はゼロとして計算することに留意しなければならない。

土地の所有期間が短期であるとき

宅地造成や建売住宅，マンションを建設して分譲するなどして，土地の譲渡が事業所得または雑所得に該当する場合で，その土地が短期所有土地（譲渡した年の１月１日で所有期間が５年以下のもの）である場合には，通常の事業所得や雑所得の計算と違って，一般の短期譲渡所得の課税に準ずる計算をする制度がもうけられているが，**平成10年１月１日から令和８年３月31日までの間の譲渡については適用されないことになっている**（措法28条の４⑥）。

37 土地・建物の譲渡と消費税

> 個人が，住宅やマンションを譲渡した場合の消費税はどのようになるか。

土地の譲渡は消費税非課税

土地の譲渡については，消費税は非課税とされているので，消費税を課せられることはない。

建物の譲渡については，課税事業者が譲渡した場合には課税対象となるが，一般のサラリーマンなどが，住宅や別荘などを譲渡しても，課税されることはない。

建物の譲渡は消費税の対象

課税事業者が建物を譲渡した場合には，消費税が課せられることになっている。なお，土地の譲渡は非課税となっており，建売住宅やマンションを分譲した場合には，そのうちの建物の譲渡対価のみが消費税の課税対象となる。

（注）　土地・建物を一括譲渡した場合には，この一括譲渡の対価を土地の譲渡対価と建物の譲渡対価に合理的に区分することとなる（措法通63⑵－３，消令45条③，消基10－１－５参照）。

課税事業者に該当するのは

個人で課税事業者となるのは，基準期間（この分譲等を行った年の前々年）の課税売上が1,000万円を超えている場合である（注）。したがって，一般のサラリーマンが，たまたまマンションを建設して分譲したような場合には，基準期間の課税売上（給料は含まれない）がゼロ円になるから，消費税が課せられないことになる。

不動産業，不動産貸付業，または，その他の事業を経営している個人で，基準期間の課税売上（注）が1,000万円を超えていれば，このマンションの分譲等に消費税が課税されることになる。

なお，令和５年10月からのインボイス制度により，適格請求書発行事業者の登録をした者は，個人・法人を問わず，このマンションの分譲等に消費税が課税されることになる。

（注）　基準期間の課税売上高については826ページ以下参照。

消費税の計算は

このようにして消費税が課税されることとなる場合の計算については，「貸家経営と消費税等」（821ページ以下）を参照されたい。

〈譲渡所得の令和６年および最近の改正〉

譲渡所得に関する第３章関連部分については，令和６年では大きな改正がなかったが，つぎの特例の適用期限が延長されている。

１．特定の居住用財産の買換えの場合の長期譲渡所得の課税の特例

適用期限が令和７年12月31日までの譲渡に２年間延長された（426ページ関連）。

２．特定の居住用財産を交換した場合の長期譲渡所得の課税の特例

適用期限が令和７年12月31日までの譲渡に２年間延長された。

３．居住用財産の買換え等の場合の譲渡損失の損益通算及び繰越控除

借入先に，住宅取得資金に係る借入金等の年末残高等調書制度の適用申請書を提出している場合には，確定申告書へ住宅借入金等の年末残高証明書の添付が不要とされる措置が講じられ，適用期限が令和７年12月31日までの譲渡に２年間延長された。

４．特定居住用財産の譲渡損失の損益通算及び繰越控除

適用期限が令和７年12月31日までの譲渡に２年間延長された（459ページ以下関連）。

なお，令和６年の所得税・個人住民税において，１人当たり３万円の定額減税（措法41の３の３）が実施されている。

第4章

土地を売る法人への税金のコンサルティング
——法人の場合

●第４章のねらい　法人が土地・建物を売ったときの税金とその特例のあらましを，この章で解説する。

法人と個人では税制が異なる

同じ土地・建物を売っても，売った者が法人である場合と個人である場合では，かかってくる税金がかなり違ってくる。法人に対しては法人税がかかってき，個人に対しては所得税がかかってくることになるが，この税金の差は，法人税と所得税との仕組みが違っているからである。そして，その差異の基礎に，法人は営利活動をすることを目的として人為的につくられた組織体であるが，個人は自然に生まれてきた生物の一種で，営利活動も営むこともあるが，営利活動とは関係のない生活も営んでいるということにある。特に，土地・建物を売却するとき，法人の場合は必ず事業の一環として行うのであるが，個人が売却するときは生活，事業その他さまざまの事情から行うということがある。したがって，そういう意味では，法人の場合のほうが単純で捉えやすいということもある。

所得税と比較しながら

しかし，そうはいっても，法人が土地・建物を売ったときの税務を本当に理解してもらおうと思ったら，到底この章にあてたページでは足りるはずがなく，それだけで一冊の本になるであろう。したがって，この章では，法人が土地・建物を売ったときの法人税とその特例のごく概要だけを説明している。そして，法人の税制が個人の場合と異なるといっても，土地・建物を売ったという点では個人の税制と類似している点もあり，この章では，個人の場合の相違点をまず説明し，類似点については個人の場合と比較しながら説明するにとどめた。

所得税をよりよく理解するためにも

なお，鳥をよりよく理解しようとするとき，魚と比較対照することも有益であるように，法人税と比較対照することで，所得税もよりよく理解できることになるので，所得税についての理解を深めるためにも，法人の土地・建物の譲渡そのものに関係ない方も，この章に目を通しておけば役立つであろう。

1　法人の土地・建物譲渡の課税

法人が土地・建物を譲渡したときの課税の仕組みはどうなっているか。

法人の損益計算――土地・建物の譲渡のある例

法人の損益計算を一般的な形で示すと，つぎのようになる。

図表４－１　法人の損益計算書の例

損益計算書
自　令和○○年○月○日
至　令和△△年△月△日

売上高　①	××円
売上原価　②	××円
売上総利益　③＝①－②	××円
販売費及び一般管理費　④	××円
営業損益　⑤＝③－④	××円
営業外収益　⑥（受取利息など）	××円
営業外費用　⑦（支払利息など）	××円
経常損益　⑧＝⑤＋⑥－⑦	××円
特別損益　⑨（固定資産である土地・建物の譲渡損益など(注)）	××円
税引前損益　⑩＝⑧±⑨	××円
法人税等充当額　⑪（⑩の税引前利益に対する法人税・住民税）	××円
当期純利益　⑪＝⑩－⑪	××円

（注）不動産会社などで，土地・建物の販売を事業としている場合の販売用の土地・建物の譲渡収入は「売上高①」，その取得費や譲渡費用は「売上原価②」に計上される。

法人の場合の譲渡の収入金額，取得原価，譲渡費用など

法人が土地・建物を譲渡したとき，収入金額は，個人の場合とほぼ同じである。取得原価も原則として個人の場合と同様であるが，法人が土地を取得した時期がどんなに昔であっても，その土地の取得価額は帳簿に記帳されているので，個人のように，取得価額がわからないということはあまりない。したがって，個人で認められているような，取得価額を譲渡収入の５％として計算してもよろしいという取扱いは，法人にはない。

なお，土地取得のための借入金の利子は，固定資産である土地については，使用開始後の利子については毎期の損金に算入し，使用開始前の利子については，原則は簿価に算入するが，法人の選択により支出期の損金に算入することもできるとされている（法基７－３－１の２）。

また，販売用資産である土地に係る利子については，簿価に算入するのが原則となっており，法人の選択により支出期の損金に算入できるとされている（法基５－１－１の２）。

譲渡費用については，個人の場合とほぼ同じである。

法人の損益と課税の仕組み

図表４－１に見られるように，法人の場合の土地や建物の譲渡益も譲渡損失も，事業による営業損益と差引計算され，その後に利益が残れば，これに対する法人税と住民税や事業税が課せられるようになっている。

個人の場合は，土地や建物の譲渡所得は，他の所得と完全に分離されて計算され，たとえば，譲渡損が出ても，他の所得から引けない点と対照的である。

また，差引計算後の税引前損益が赤字となったときは，法人税等が課税されないのは当然であるが，青色申告をしている法人については，青色欠損金の**繰越控除**という制度があって，赤字の年の翌年以後の10年間(注１)の事業年度に生じた利益から引くことができるようになっている(注２)（法法57条）。また，前年の黒字と相殺して，前年に納めた税金を還付してもらえる**繰戻還付**という制度（法法80条）もあるが，この制度は，**令和８年３月31日まで**に終了する事業年度までは適用が停止されている。ただし，資本金１億円以下の青色申告法人はこの特例の適用を受けることができるようになっている（措法66条の12）。

（注１）　純損失の更正の期限および更正の請求の期限も申告期限から10年。

（注２）　資本金１億円を超える法人または資本金５億円以上の法人の100％子法人については，平成28年の税制改正で，控除率が順次引き下げられている（法法57条①）。

㈠　平成27年４月１日から平成28年３月31日までに開始する事業年度については65％まで

㈡　平成28年４月１日から平成29年３月31日までに開始する年度については60％まで

㈢　平成29年４月１日から平成30年３月31日までに開始する年度については55％まで

(エ)　平成30年４月１日以後に開始する事業年度については50％までとなっている。

非居住者や外国法人からの土地・建物の買受けに源泉徴収

法人が，外国人などの非居住者や外国法人から土地・建物を買い受けた場合には，売買代金の10.21％を源泉徴収して，翌月10日までに納付しなければならなくなっている。

これは個人の場合と同じであり，詳しくは345ページを参照されたい。

〈法人成りと同族会社〉

現在，法人企業の数はおよそ301万社とされているが（財務省「法人企業統計調査（令和４年度）」），その大部分が，資本金１億円以下の同族会社であり，実質的な個人営業がその大部分を占めている。これは，個人営業の場合，所得税の累進税率が急カーブであること，家族労働者への給与とかその他の経費について個人のほうが法人よりシビアに取り扱われていることなどから，法人組織としたほうが税務上有利な点が多いからである。このように個人組織から法人組織にすることを**法人成り**といっている。また，法人のなかで株式数の50％超を上位３株主グループ（これらと特殊な関係のある個人や法人を含む）で占めているものを**同族会社**（法法２条⑩）といい，一般の法人に比し会社の経理を自由に操作できることから，法人税では厳しい制約をもうけている。

同族会社のうち，１株主グループで株式数の50％超を所有している法人を**被支配会社**といい，この判定基礎となる株主の中に被支配会社がいた場合に，その法人を判定した場合でも，なお，そのグループで50％超の株式数を所有している法人を**特定同族会社**といい，資本金が１億円を超える特定同族会社には，**留保金課税**（法法67条）といって，一定以上の利益を法人に留保しておくと，通常の法人税に加えて，その留保金に対しても課税される制度がある。

2 法人税等の課税

> 法人の利益にかかる法人税，住民税と事業税はどのようになっているか。

法人税は

法人の売上などの収入（益金）と経費（損金）は，それぞれ合計して，差引計算をし，税引前利益を求め，これに所定の税務上の調整をして，税務上の「事業年度の所得金額」を求める。そして，この「所得金額」に対して，税率を乗じて法人税額を求める。

税率は，法人の種類規模に応じて下表のようになっている。

法人税率一覧表　　（単位：％）

普通法人及び人格のない社団等			協同組合等	公益法人等
資本金１億円以下の普通法人，非営利型でない一般社団・財団法人及び人格のない社団等（注１）		資本金１億円超の普通法人（相互会社を含む）		
年800万円以下の所得（注２）	年800万円超の所得			
19(15)（注３）	23.2	23.2	15（注４）	15（注５）

（注１）　資本金５億円以上の大法人の完全支配下にある法人については，この軽減税率は適用されない。

（注２）　適用除外事業者（その事業年度開始の日前３年以内に終了した事業年度の12か月あたりの所得平均が15億円を超える法人）は，本則税率の19％が適用される。

（注３）　(15)％の税率は**令和７年３月31日までに**開始する事業年度に適用される特例で，本則税率は19％。

（注４）　年800万円超の部分は19％。

（注５）　年800万円超の部分は23.2％。

また，**資本金１億円を超える特定同族会社**（注１）が一定限度以上の利益を社内留保したときには，**特定同族会社の留保金課税**といって，通常の法人税に加えて，その留保金額に対して特別の法人税が課せられるようになっている（注２）（法法67条）。

一定限度というのは，

①　その事業年度の所得金額等の40％。

②　2,000万円（事業年度が１年未満のときは月数で按分）

③　期末資本金額の25%－（期末利益積立額－当期の所得等に係る部分）
のうち最も多い金額である。これを留保控除額といっている。

そして，留保金額から留保控除額を差し引いたものを課税留保金額といい，これに対して，

①　年3,000万円以下の部分……………………10%
②　年3,000万円を超え１億円以下の部分……15%
③　年１億円を超える部分………………………20%

の留保金課税がなされることになる。

（注１）　特定同族会社：543ページコラム参照。
（注２）　平成19年の改正で，資本金１億円以下の法人（資本金５億円以上の会社の完全支配関係のある法人は除く）は留保金課税の対象から除外され，平成19年４月１日以後に開始する事業年度から課税されていない（法法67条①（　）書）。

地方法人税　地方公共団体の税源の偏在性を是正するため，平成26年の改正で創設された国税で，平成26年10月１日以後に開始する事業年度から適用されている。

法人税の納税義務のある者が，税務署に法人税の申告と同時に申告，納付する。

地方法人税の税率

課税事業年度	税率
令和元年10月１日以後に開始した課税事業年度	10.3%

法人住民税　法人住民税は，法人税額に対して，下表の税率を乗じて法人税率を求めるようになっている（地方税法51条，52条，312条，314の４条）。

法人住民税の法人税割の税率表
（令和元年10月１日以後開始事業年度）

	標準税率	制限税率
道府県民税法人税割	1.0%	2.0%
市町村民税法人税割	6.0%	8.4%

（注）　制限税率：地方税は，原則として，各都道府県や市町村がそれぞれ税率を定めるようになっており，その標準となるのが**標準税率**であり，その上限が地方税法によって規定されており，これを**制限税率**という。

そして，これに法人の規模（資本金・従業員等）に応じて定められた均等割の法人住民税を加えたものが**法人住民税**となる。

法人住民税の均等割の標準税率　（単位：円）

区分		市町村民税	道府県民税
次に掲げる法人 イ　法人税法に規定する公共法人及び公益法人等のうち，均等割を課することができないもの以外のもの ロ　人格のない社団等 ハ　一般社団法人及び一般財団法人 ニ　保険業法に規定する相互会社以外の法人で資本金の額又は出資金の額を有しないもの		50,000円	20,000円
資本金等の額を有する法人で資本金等の額が１千万円以下であるもの	市町村内の事務所等の従業者数が50人以下のもの	50,000円	20,000円
	市町村内の事務所等の従業者数が50人を超えるもの	120,000円	
資本金等の額を有する法人で資本金等の額が１千万円を超え，１億円以下のもの	市町村内の事務所等の従業者数が50人以下のもの	130,000円	50,000円
	市町村内の事務所等の従業者数が50人を超えるもの	150,000円	
資本金等の額を有する法人で資本金等の額が１億円を超え，10億円以下のもの	市町村内の事務所等の従業者数が50人以下のもの	160,000円	130,000円
	市町村内の事務所等の従業者数が50人を超えるもの	400,000円	
資本金等の額を有する法人で資本金等の額が10億円を超え，50億円以下のもの	市町村内の事務所等の従業者数が50人以下のもの	410,000円	540,000円
	市町村内の事務所等の従業者数が50人を超えるもの	1,750,000円	
資本金等の額を有する法人で資本金等の額が50億円を超えるもの	市町村内の事務所等の従業者数が50人以下のもの	410,000円	800,000円
	市町村内の事務所等の従業者数が50人を超えるもの	3,000,000円	

法人の土地・建物の譲渡には事業税等も

法人には，個人の場合と異なり，事業規模と関係なく，**法人事業税**と**地方法人特別税**[注1]とが，「所得金額」に対して下表のとおり課税[注2][注3]される（地方税法72条の24の７）。

法人事業税の標準税率（普通法人，公益法人等，人格のない社団等）

<table>
<tr><th colspan="3" rowspan="3">事業税の区分</th><th colspan="4">税率（%）</th></tr>
<tr><th colspan="2">令和４年４月１日以降開始事業年度</th><th colspan="2">令和２年４月１日～令和４年３月31日開始事業年度</th></tr>
<tr><th>不均一課税適用法人の税率（標準税率）</th><th>超過税率</th><th>不均一課税適用法人の税率（標準税率）</th><th>超過税率</th></tr>
<tr><td rowspan="4">所得割</td><td rowspan="3">軽減税率適用法人</td><td>400万円以下</td><td>3.5</td><td>3.75</td><td>3.5</td><td>3.75</td></tr>
<tr><td>400万円超800万円以下</td><td>5.3</td><td>5.665</td><td>5.3</td><td>5.665</td></tr>
<tr><td>800万円超</td><td rowspan="2">7.0</td><td rowspan="2">7.48</td><td rowspan="2">7.0</td><td rowspan="2">7.48</td></tr>
<tr><td colspan="2">軽減税率不適用法人</td></tr>
</table>

（注１）　令和元年10月１日以後開始事業年度から地方法人特別税が廃止され，特別法人事業税が創設された。

（注２）　法人事業税の制限税率は上記の標準税率の1.2倍となっている。

（注３）　電気，ガス供給業，保険業を行う法人については，収入金額に対して課税され税率も異なる。

資本金１億円超の法人[注1]に対しては，たとえば東京都の場合，下記の外形標準課税が適用される。

所得割の標準税率，付加価値割および資本割に係る超過税率[注2]は，つぎのとおりである（地法72条の24の７，東京都都税条例33条，都税条例附則５条の２，５条の２の２）。

<table>
<tr><th colspan="3" rowspan="3">事業税の区分</th><th colspan="4">税率（%）</th></tr>
<tr><th colspan="2">令和４年４月１日以降開始事業年度</th><th colspan="2">令和２年４月１日～令和４年３月31日開始事業年度</th></tr>
<tr><th>不均一課税適用法人（標準税率）</th><th>超過税率</th><th>不均一課税適用法人（標準税率）</th><th>超過税率</th></tr>
<tr><td rowspan="4">所得割</td><td rowspan="3">軽減税率適用法人</td><td>400万円以下</td><td rowspan="4">1.0</td><td rowspan="4">1.18</td><td>0.4</td><td>0.495</td></tr>
<tr><td>400万円超800万円以下</td><td>0.7</td><td>0.835</td></tr>
<tr><td>800万円超</td><td rowspan="2">1.0</td><td rowspan="2">1.18</td></tr>
<tr><td colspan="2">軽減税率不適用法人[注3]</td></tr>
<tr><td colspan="3">付加価値割</td><td>－</td><td>1.26</td><td>－</td><td>1.26</td></tr>
<tr><td colspan="3">資本割</td><td>－</td><td>0.525</td><td>－</td><td>0.525</td></tr>
</table>

（注１）　令和７年４月１日以後開始事業年度から，資本金又は出資金（以下「資本金」）が１億円超の法人について，減資により資本金が１億円以下となっても，資本金と資本剰余金の合計額が10億円を超える法人は，外形標準課税の対象となる（地法附則８の３の３）。

（注２）　東京都において外形標準課税による法人事業税は，超過税率が適用になる。特別法人事業税及び地方法人特別税は，標準税率により算定した基準法人所得割額が課税標準額となる。

（注３）　軽減税率不適用法人とは，つぎの法人をいう。

①　令和４年４月１日以後に開始する事業年度では，外形標準課税法人に該当せず，資本金（又は出資金）が1,000万円以上で，事業所又は事業所がある都道府県の数が３以上の法人。

②　令和４年３月31日以前に開始する事業年度では，外形標準課税法人に該当するか否かにかかわらず，資本金（又は出資金）が1,000万円以上で，事業所又は事業所がある都道府県の数が３以上の法人。

なお，軽減税率適用法人の要件が，付加価値割・資本割等は各都道府県によって異なる場合がある。

特別法人事業税　法人事業税とあわせて申告納付する。
税額は，法人事業税の税額に，下記の税率を乗じて算出する。

特別法人事業税の税率表

課税標準	法人の種類	税率（%）	
		令和４年４月１日以降に開始する事業年度	令和２年４月１日から令和４年３月31日までに開始する事業年度
基準法人所得割額	外形標準課税法人・特別法人以外の法人	37	37
	外形標準課税法人	260	260
	特別法人	34.5	34.5

※電気，ガス供給業を行う法人については，収入金額に対して課税され税率も異なる。

特別法人事業税は法人事業税といっしょに都道府県に納付するが，都道府県間の税収の偏在を是正する国税であり，各都道府県に再分配して，その是正をしている。

（注）　「地方法人特別税」の廃止にともない創設され，令和元年10月１日以後に開始する事業年度から適用されている。

＊　　　　＊　　　　＊

普通法人とは，法人税法では，公共法人，公益法人等，協同組合等以外の法人をいう（法法２条）。普通法人には株式会社，合名会社，合資会社，合同会社，特例有限会社（会社法施行前の有限会社），特定目的会社がある（543ページコラム参照）が，本書で「法人」と記している場合は「株式会社」と「特例有限会社」を前提としている。

また，**資本金**と記している場合は，株式会社の資本金のほか特例有限会社の出資金を含めて用いている。

（注）資本金１億円以下の法人（中小企業等）であっても，資本金５億円以上の法人の100％子法人については，資本金１億円超の法人と同様に，⑴軽減税率，⑵特定同族会社の留保金課税の不適用，⑶交際費等の定額控除制，⑷欠損金の繰戻還付は，適用されない等の制約がある（本書において以下同じ）。

〈不動産売買業者の所有土地の固定資産の判定基準〉

固定資産の交換の特例，特定資産の買換え（交換）特例の対象となる従前資産は，**棚卸資産でない資産**，すなわち，固定資産に限られる。個人が法人の土地と交換して交換の特例の適用を受けようとする場合も，その法人の土地が固定資産でなければならない。

ところで，不動産売買業者が所有している土地のほとんどが棚卸資産（販売用資産）であるが，固定資産であるものもある。しかし，この区別はなかなか微妙である。

それで，通達では，不動産業者の有する土地・建物であっても，つぎのものは固定資産になるとしている（措法通65の７⑴－１）。

① その法人が使用し，または，他に貸し付けているもの（ただし，販売の目的で所有しているもので，一時的に使用し，または，一時的に貸し付けているものは棚卸資産となる）

② その法人が具体的な使用計画に基づいて使用することを予定し，相当の期間所有していることが明らかなもの

なお，不動産売買業者が貸ビル業等を兼営している場合，貸ビル建設用地として取得していた土地は，固定資産に該当することは当然であるが，後日の税務トラブルを避けるため，貸借対照表に固定資産として明確に区分して計上しておくことが肝要である。

3 法人の土地・建物の譲渡の特例措置

法人の土地・建物の譲渡についても，課税が軽減される特例がある。

法人の場合の特例は

法人の固定資産である土地建物の譲渡についても，個人の土地建物の譲渡の特例と対応する特例があり，**第３章**に掲げた個人の特例の表題欄に「法人の場合は……」として，付記しておいた。

なお，法人がこれらの特例を適用する場合の計算と申告手続きは，個人の場合と異なっており，最も一般的に適用される「特定資産の買換・交換の特例」について，次項以下で解説した。

また，法人がこれらの特例を受ける場合には，次ページに掲載した「適用額明細書」をも申告書に添付しなければならないようになっている。

〈法人の特例には「適用額明細書」の添付〉

法人が租税特別措置法を適用する場合には，確定申告書に，**図表４－５**以下に掲げた明細書の他に，**図表４－２**に掲げる「適用額明細書」を添付することが適用要件とされた。これは「租税特別措置の適用状況の透明化等に関する法律」で定められたもので,「適用額明細書を添付せず，又は虚偽の記載をした適用額明細書を添付して法人税申告書を提出した法人については……法人税関係特別措置の適用はないものとする。」（同法３条②(注)）とされており，平成23年４月１日以後に終了する事業年度から適用されている。この対象となる租税特別措置法には，法人の特別措置に掲げる特例のほか，法人税率の特例，中小法人の少額資産の経費算入の特例（818ページ）等も対象となるので，留意しなければならない。

（注）「税務署長は……（上記の適用額明細書の添付がなかった等の）……場合においても，（その後）誤りのない適用額明細書の提出があったときは，……適用することができる。ただし，故意に，適用額明細書を添付せず，又は虚偽の記載をした適用額明細書を添付して法人税申告書を提出したと認められる場合は，この限りでない。」（同法３条③）

図表4－2　適用額明細書

様式第一　　FB4011

令和　年　月　日 ××税務署長殿 収受印	自 平成/令和 6年 4月 1日 至 平成/令和 7年 3月 31日	事業年度分の適用額明細書 （当初提出分・再提出分）

納税地	○○市○○町○○番 電話（××）××××－××××	整理番号	00123456
（フリガナ）	カブシキガイシャ　チェンジ	提出枚数	1枚　うち　1枚目
法人名	株式会社 チェンジ	事業種目	総合建設業　業種番号 51
法人番号	5011002001105	※税務署処理欄	提出年月日　令和　年　月　日
期末現在の資本金の額又は出資金の額	兆　十億　百万　千　円 10000000		
所得金額又は欠損金額	十億　百万　千　円 1000000		

租税特別措置法の条項	区分番号	適用額（十億　百万　千　円）
第 65 条 の7 第 1 項 第 1 号	00359	73600000
第　条　第　項　第　号		
第　条　第　項　第　号		
第　条　第　項　第　号		

※上欄の「整理番号」は税務署から送付された申告書用紙に記載されている番号を，下欄の「事業種目」「業種番号」と「区分番号」は，税務署から『租特透明化法の制定に伴う適用額明細書の記載の手引』をもらってきて，これによって記入することになる。また，「国税庁のホームページ」⇒「パンフレット・手引き」⇒「法人税関係」⇒「適用額明細書関係」でも検索できる。

4 法人の特定資産の買換特例

> **法人が特定資産の買換え（交換）をした場合にも特例がある。**
> （措法65条の７～10，措令39条の７～８，措則22条の７～８）

法人にも特定資産の特例

法人が，特定の資産（棚卸資産，すなわち販売用の土地・建物等を除く。以下，この項では同じ）を**令和８年３月31日**までに譲渡し，特定の資産を取得して，これを事業の用に供したときには，特定資産の買換特例が受けられる。交換した場合も同様である。

この制度の骨組みは，個人の場合の特定事業用資産の買換（交換）制度とほぼ同様であるが，かなりの相違点もある。

ここでは，その相違点のみ説明するので，個人の場合の特定事業用資産の買換特例（465ページ）とあわせて読んでもらいたい。

特例の種類

個人の場合とほぼ同様であり，これを表で示すと**図表４－３**（次ページ）のとおりである。

従前資産と買換資産の用途について

個人の場合には，従前資産が事業用または事業に準ずる貸付けの用に供されているものでなければ，この特例の対象にならなかった（471ページ以下参照）が，法人の場合には，特別に規定されたものを除いては，その資産が棚卸資産，すなわち販売用の土地・建物でなければいいというようになっており，個人にくらべて，かなり緩くなっている。

なお，従後資産は事業の用に供さなければならないし，貸し付ける場合には，相当の対価を得て継続的に貸し付けるものでなければならない（注）という点では，個人の場合と同様である。

（注）　従業員社宅（役員社宅を除く），自社の商品等の加工・販売等のために下請工場，販売特約店等に貸し付けている場合は，相当の対価を得ていなくても認められる。なお，社長や役員に貸し付けている場合も，相当の対価を得ていれば認められるが，その社長や役員が使用していない等で専ら特例の適用を受ける目的で貸し付けられたと認められる場合には特例の適用にはならない（措法通65の７(2)－１(六)(七)）。

図表４－３　法人の特定資産の買換特例の種類(抄)（措法65条の７）

	譲　渡　資　産	買　換　資　産
２号(注)	首都圏整備法に規定する既成市街地，近畿圏整備法に規定する既成都市区域等の既成市街地等で一定の区域内にある土地等，建物又は構築物	既成市街地等内にある土地等，建物，構築物又は機械及び装置で，土地の計画的かつ効率的な利用に資する施策の実施に伴い取得をされるもの
３号	国内にある土地等，建物または構築物で，その所有期間が10年を超えるもの	国内にある土地等，建物，構築物。買換取得した土地等については，特定施設（466ページ参照）の用に供するもので，面積300㎡以上のものに限る。

（注）　２号の既成市街地等については，巻末資料を参照のこと。

（※）　取得した買換資産の土地等について，適用になるのは譲渡資産の面積の５倍まで（措令39条の７⑧）。

図表４－４　法人の特定資産の買換えの取得日の期間制限

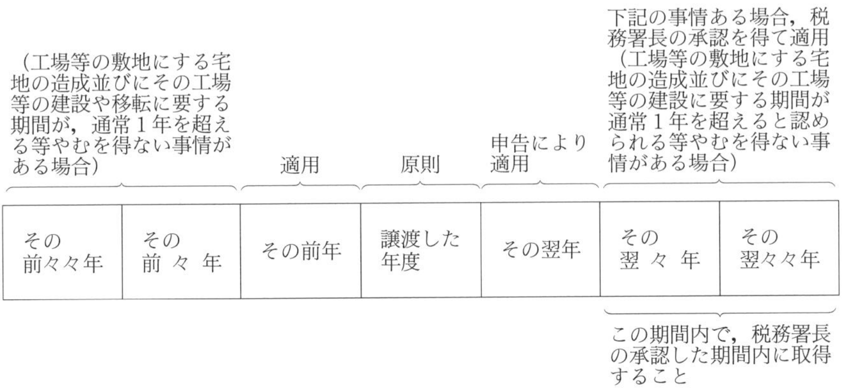

（注）「その翌年」というのは，譲渡をした事業年度の翌事業年度開始の日以後１年を経過する日までの期間を指す。その他も，これに準じて計算する。

取得期間と使用期間の制限

買換資産を取得しなければならない期間は，個人の特定事業用資産の特例の場合（475ページ）とほぼ同様であるが，先行取得の期間が法人の場合のほうがやや長期になっている。また，個人は暦年単位で定められているが，法人の場合は，事業年度を中心として定められている点が異なる。これを図で示すと**図表４－４**のとおりである。

なお，取得してから１年以内に事業の用に供すること，１年以内に事業の用に供することをやめてはならないことは個人の場合と同様である。

その会計処理と税務処理

法人が特定資産の買換特例を適用する場合には，圧縮記帳という方法で行われる。これを設例で示すと，つぎのようになる。

土地・建物の譲渡価額	13,000万円
土地の帳簿価額	940万円
建物の帳簿価額	60万円
譲渡費用	40万円
買換取得資産（建物）の時価	10,000万円

（特例適用の要件は満たしているものとする）

土地・建物を売却したとき，つぎのように仕訳されている。

（借方）	販売費及び一般管理費	40万円	（貸方）	現金預金	40万円
（借方）	現金預金	13,000万円	（貸方）	土地	940万円
				建物	60万円
				固定資産売却益	12,000万円

そして，買換取得資産である建物を購入したときの仕訳は，つぎのようになっている。

（借方）建物　10,000万円　（貸方）現金10,000万円

これをもとにして，圧縮限度額を求めるとつぎのようになる。

$$\text{差益割合} = \frac{\left(\begin{matrix}\text{土地・建物}\\\text{の売却高}\end{matrix}\right) - \left\{\left(\begin{matrix}\text{土地の帳}\\\text{簿価額}\end{matrix}\right) + \left(\begin{matrix}\text{建物の帳}\\\text{簿価額}\end{matrix}\right) + \left(\begin{matrix}\text{譲渡に要}\\\text{した経費}\end{matrix}\right)\right\}}{(\text{土地・建物の売却高})}$$

$$= \frac{130{,}000{,}000\text{円} - (9{,}400{,}000\text{円} + 600{,}000\text{円} + 400{,}000\text{円})}{130{,}000{,}000\text{円}}$$

$$= 0.92$$

$$\underset{(\text{圧縮基礎取得価額})}{100{,}000{,}000\text{円}} \times \underset{(\text{差益割合})}{0.92} \times \underset{(\text{圧縮限度割合})}{0.8} = \underset{(\text{圧縮限度額})}{73{,}600{,}000\text{円}}$$

圧縮損の損金算入

特例の適用を受けるための経理処理としては，つぎの三つの方法が認められている。

①　**直接減額方式**：買換資産の取得価額を直接減額する。すなわち，つぎのような仕訳となる。

（借方）買換資産圧縮損　7,360万円　（貸方）建物　7,360万円

②　**積立金方式**：確定した決算で積立金勘定をもうける。

（借方）買換資産圧縮損　7,360万円　（貸方）買換資産圧縮積立金　7,360万円

①，②の場合，本来の固定資産売却益１億2,000万円が損益計算書の特別損益に，この圧縮損7,360万円が特別損失に計上され，その差額の4,640万円が税引前利益に加えられて，課税所得の対象となる。

③　**剰余金方式**：確定決算日までに剰余金処分により積立金として積み立て

る方法も認められている。建物についての圧縮限度額が7,360万円あるとすると，決算上の当期利益は，これだけふくらんでいるので，剰余金処分のとき，

（借方）未処分利益金　7,360万円　　（貸方）買換資産圧縮剰余金　7,360万円

と処理する。税務申告にあたっては，〔別表四〕で調整することになる。

届出書の提出時期　令和５年の税制改正で，交換以外で譲渡資産を譲渡した日と買替資産を取得した日が同一事業年度内の場合に，この特例を受ける場合，一定の期間内に税務署に届出書を提出しなければならないこととされた（措法65条の７①⑨⑪，65条の８⑦⑧，65条の９ニ，措令39条の７②）。

例えば，事業年度が第１四半期から第４四半期まである法人で，第２四半期に資産を譲渡し，第４四半期に買替資産を取得した場合，第２四半期末の翌日から２か月以内に，税務署へ**図表４－５**「特定の資産の買換えの場合の課税の特例の適用に関する届出書」を提出しなければならないこととされた。

なお，この改正は，令和６年４月１日以後に資産を譲渡し，かつ同日以後に買換資産を取得する場合に適用される（改正附則46条③）。

明細書の作成　上記のように経理処理をした後，圧縮限度額の計算の内容を**図表４－６㋐**「譲渡した年度内に買換資産を取得した場合の記載例」のように記載し，確定申告書に添付して申告する。

さらに，**図表４－２**に掲げる「事業年度分の適用額明細書」に，適用条項，区分番号，適用額を記載して，申告書に添付して提出しなければならない。（注）

（注）　この明細書は，平成23年４月１日以後に終了する事業年度から添付することが特例適用の条件となっている（租税特別措置の適用状況の透明化等に関する法律３条①）。

圧縮記帳と圧縮限度　上記でみたように，特定資産の買換特例を適用するとき，法人の経理処理で建物の実際の取得価額を圧縮している。このため，こういう経理処理を圧縮記帳といっている。

また，この圧縮できる限度は，買換資産の８割（注）までと定められている。

そのため，売却代金の全額を買換資産の取得にあてても，課税所得が生じることとなる。

（注）　**図表４－３**の３号を適用する際の圧縮割合は，**図表３－30**を参照のこと。

この設例で，譲渡価額の金額の１億3,000万円と同額の買換資産を取得した場合でも，つぎのような計算で2,432万円の課税所得が生じる。

$$\underset{\text{(圧縮基礎取得価額)}}{130{,}000{,}000\text{円}} \times \underset{\text{(差益割合)}}{0.92} \times \underset{\text{(圧縮限度割合)}^{※}}{0.8} = \underset{\text{(圧縮限度額)}}{95{,}680{,}000\text{円}}$$

となるため，

（固定資産売却益）　（買換圧縮損）　（差引課税所得）
120,000,000円 － 95,680,000円 ＝ 24,320,000円

※ここでは圧縮限度割合80％として計算する。

翌年または翌々年以降に買換えの場合

譲渡した翌年[注1]に1億円で買換資産を取得する予定であるときには，買換引当特別勘定を決算で計上し，**図表4－6**(イ)「譲渡した翌年度以降に買換資産を取得する予定の場合の記載例」のように記載をするとともに，**図表4－7**の「特定の資産の譲渡に伴う特別勘定を設けた場合の取得予定資産の明細書」を添付することとなっている（措法65条の8①）。

そして，この特例の適用となる取得資産は，この明細書に記載された予定資産に限られることになっている。したがって，実務的には，この明細書を提出する日（確定申告書の提出期限）までに，買換予定の取得資産を具体的に確定しておかなければならない。なお，その後に，やむを得ない事情により，取得予定資産の全部または一部を取得することが困難になったときには，その事業年度終了の日の前日までに税務署長に申し出て，その確認を受けたときは，取得予定資産以外の資産を買換資産として，買換特例の適用を受けることができるようになっている[注2]（措法通65の7(4)－7，－8）。

（注1）　翌事業年度開始の日から1年以内。
（注2）　個人の場合に買換取得予定資産と異なる資産を取得した場合の取扱いについては，法人の場合とかなり異なった取扱いがなされている（486ページ参照）。

翌々年以降になる場合には，さらに，**図表4－8**の「特定の資産の買換えの場合における特別勘定の設定期間延長承認申請書」を提出[注1][注2]する（措法65条の8①，措令39条の7㉘）。

（注1）　この延長特例は，買換資産を譲渡した事業年度の翌事業年度開始の日から1年以内に取得することが，やむを得ない事情によって困難な場合に，税務署長に申請して，翌々事業年度開始の日から2年以内で税務署長の認定した日まで延長できるものである（措法65条の8①(　)書，措令39条の7㉘，措法通65の7(4)－1，2および3）。
（注2）　申請書の提出期限はつぎのようになっている。
　(ア)　翌事業年度開始の日から2月以内。
　(イ)　翌事業年度内に買換予定で特別勘定をもうけている場合には，やむを得ない事情が生じた日から2月以内。

そして，買換資産を取得したら，その事業年度で，特別勘定を取り崩して，その金額を益金に算入する。

図表４－５

特定の資産の買換えの場合の課税の特例の適用に関する届出書

※整理番号		
税務署受付印	納税地	〒×××－×××× ○○市○○町○○番 電話（ ×× ）××××－××××
令和 6 年 7 月 30 日	（フリガナ）	チェンジ
	法人名等	株式会社 チェンジ
	法人番号	5011002001105
	（フリガナ）	カイ カエ
	代表者氏名	甲斐 香恵
	代表者住所	〒×××－×××× ○○市△△町△△番
○○ 税務署長殿	事業種目	自動車整備 業

自 令和 6 年 4 月 1 日
至 令和 7 年 3 月 31 日　事業年度において取得をする下記の資産につき、

☑ 租税特別措置法第65条の7第1項又は9項
☐ 租税特別措置法第65条の7第3項（同条第10項において準用する場合を含む）
の規定の適用を受けたいので、下記のとおり届け出ます。

記

譲渡日又は取得日を含む3月期間		令和 6 年 4 月 1 日　から　令和 6 年 6 月 30 日		
☐譲渡見込資産 ☑譲渡資産	種類	土地		
	構造又は用途			
	規模	500㎡		
	所在地	××市××町××番		
	譲渡（予定）年月日	令和6年 5 月 3 日	年 月 日	年 月 日
	譲渡価額	130,000,000 円	円	円
	帳簿価額	10,000,000 円	円	円
☑取得見込資産 ☐取得資産	種類	建物		
	構造又は用途	鉄筋コンクリート造		
	規模	600㎡		
	所在地	△△市△△町△△番		
	取得（予定）年月日	令和6年 11 月 11 日	年 月 日	年 月 日
	取得価額	100,000,000 円	円	円
	租税特別措置法第65条の7第1項の表の各号の区分	3 号	号	号
その他参考となるべき事項				
税理士署名				

※税務署処理欄	部門		決算期		業種番号		番号		整理簿		備考		通信日付印	年月日	確認

05.06改正

（規格A4）

図表4－6(ア)　譲渡した年度内に買換資産を取得した場合の記載例

特定の資産の買換えにより取得した資産の圧縮額等の損金算入に関する明細書（3号該当）	事業年度	令和6・4・1 7・3・31	法人名	株式会社チェンジ	別表十三(五)　令五・四・一以後終了事業年度分

		番号					譲渡の日を含む事業年度
譲渡資産の明細	譲渡した資産の種類	1					
	同上の資産の取得年月日	2	平15・5・5	・・	・・	・・	・・
	譲渡した資産の所在地	3	XX市XX町XX番				計
	譲渡した土地等の面積	4	平方メートル 500	平方メートル	平方メートル	平方メートル	平方メートル
	譲渡年月日	5	令6・5・3	・・	・・	・・	
	対価の額	6	円 130,000,000	円	円	円	円 130,000,000
	譲渡直前の帳簿価額　帳簿価額	7	10,000,000				10,000,000
	譲渡に要した経費の額	8	400,000				400,000
	計 (7)＋(8)	9	10,400,000				10,400,000
差益割合		10	0.92				
取得資産の明細	取得した買換資産の種類	11	建物				
	取得した買換資産の所在地	12	△△市△△町△△番				
	取得年月日	13	令6・9・10	・・	・・	・・	
	買換資産の取得価額	14	円 100,000,000	円	円	円	100,000,000
	事業の用に供した又は供する見込みの年月日	15	・・	・・	・・	・・	
	買換資産が土地等である場合　買換資産が土地等であり敷地の用に供される場合の建物、構築物等の事業供用予定年月日	16	・・	・・	・・	・・	
	(16)の建物、構築物等を実際に事業の用に供した年月日	17	・・	・・	・・	・・	
	取得した土地等の面積	18	平方メートル	平方メートル	平方メートル	平方メートル	平方メートル
	同上のうち買換えの特例の対象とならない面積	19					
	取得価額 $(14)\times\frac{(18)-(19)}{(18)}$	20	円	円	円	円	円
帳簿価額の減額等をした場合	買換資産の帳簿価額を減額し、又は積立金として積み立てた金額	21	73,600,000				
	圧縮限度額の計算　買換資産の取得のため（6の計）又は（6の計）のうち特別勘定残額に対応するものから支出した金額	22	100,000,000				
	圧縮基礎取得価額（((14)又は(20))と(22)のうち少ない金額）	23	100,000,000				
	買換資産が前期以前に取得をした減価償却資産である場合　前期末の取得価額	24					
	前期末の帳簿価額	25					
	圧縮基礎取得価額 $(23)\times\frac{(25)}{(24)}$	26					
	圧縮限度額 $((23)又は(26))\times(10)\times\frac{80}{100}$	27	73,600,000				
	圧縮限度超過額 (21)－(27)	28	0				
	取得価額に算入しない金額（((21)と(27)のうち少ない金額)又は(((21)と(27)のうち少ない金額)×$\frac{(25)}{(23)}$)）	29					

対価の額の残額の計算		番号		特別勘定を設けた場合		番号	
対価の額の合計額（6の計）		30	円	特別勘定に経理した金額		37	円
同上のうち譲渡の日を含む事業年度において使用した額		31		繰入限度額の計算	(32)のうち買換資産の取得に充てようとする金額	38	
特別勘定の対象となり得る金額 (30)－(31)		32			繰入限度額 $(38)\times(10)\times\frac{}{100}$	39	
翌期繰越額の計算	特別勘定の金額の計算の基礎となった買換資産の取得に充てようとする金額（(繰入事業年度の(37)と(39)のうち少ない金額)÷$\frac{}{100}$÷(10)）	33		繰入限度超過額 (37)－(39)		40	
	同上のうち前期末までに買換資産の取得に充てた金額	34		翌期繰越額の計算	当初の特別勘定の金額（繰入事業年度の(37)－(40)）	41	
	当期中において買換資産の取得に充てた金額	35			同上のうち前期末までに益金の額に算入された金額	42	
	翌期へ繰り越す対価の額の合計額 (33)－(34)－(35)	36			当期中に益金の額に算入すべき金額	43	
					期末特別勘定残額 (41)－(42)－(43)	44	

その他参考となる事項

図表4－6(イ)　譲渡した翌年度以降に買換資産を取得する予定の場合の記載例

特定の資産の買換えにより取得した資産の圧縮額等の損金算入に関する明細書（　3号該当）

事業年度　令和6・4・1～7・3・31　法人名　株式会社チェンジ

別表十三(五)　令五・四・一以後終了事業年度分

		番号					譲渡の日を含む事業年度
譲渡資産の明細	譲渡した資産の種類	1	土地				
	同上の資産の取得年月日	2	平15・5・5	・　・	・　・	・　・	・　・
	譲渡した資産の所在地	3	XX市XX町XX番				計
	譲渡した土地等の面積	4	平方メートル 500	平方メートル	平方メートル	平方メートル	平方メートル 500
	譲渡年月日	5	令6・5・3	・　・	・　・	・　・	
	対価の額	6	円 130,000,000	円	円	円	円 130,000,000
	譲渡直前の帳簿価額　帳簿価額	7	10,000,000				10,000,000
	譲渡に要した経費の額	8	400,000				400,000
	計 (7)＋(8)	9	10,400,000				10,400,000
差益割合		10	0.920				
取得資産の明細	取得した買換資産の種類	11					
	取得した買換資産の所在地	12					
	取得年月日	13	・　・	・　・	・　・	・　・	
	買換資産の取得価額	14	円	円	円	円	
	事業の用に供した又は供する見込みの年月日	15	・　・	・　・	・　・	・　・	
	買換資産が土地等である場合　買換資産が土地等であり敷地の用に供される場合の建物、構築物等の事業供用予定年月日	16	・　・	・　・	・　・	・　・	
	(16)の建物、構築物等を実際に事業の用に供した年月日	17	・　・	・　・	・　・	・　・	
	取得した土地等の面積	18	平方メートル	平方メートル	平方メートル	平方メートル	平方メートル
	同上のうち買換えの特例の対象とならない面積	19					
	取得価額 $(14)\times\frac{(18)-(19)}{(18)}$	20	円	円	円	円	円
帳簿価額の減額等をした場合	買換資産の帳簿価額を減額し、又は積立金として積み立てた金額	21					
	圧縮限度額の計算　買換資産の取得のため(6の計)又は(6の計)のうち特別勘定残額に対応するものから支出した金額	22					
	圧縮基礎取得価額（((14)又は(20))と(22)のうち少ない金額）	23					
	償却資産である買換資産が前期以前に取得をした場合　前期末の取得価額	24					
	前期末の帳簿価額	25					
	圧縮基礎取得価額 $(23)\times\frac{(25)}{(24)}$	26					
	圧縮限度額 $((23)又は(26))\times(10)\times\frac{\quad}{100}$	27					
	圧縮限度超過額 (21)－(27)	28					
	取得価額に算入しない金額（(21)と(27)のうち少ない金額）又は（((21)と(27)のうち少ない金額)×$\frac{(24)}{(25)}$）	29					

対価の額の残額の計算		番号	金額	特別勘定を設けた場合		番号	金額
	対価の額の合計額（6の計）	30	円 130,000,000		特別勘定に経理した金額	37	円 100,000,000
	同上のうち譲渡の日を含む事業年度において使用した額	31	0	繰入限度額の計算	(32)のうち買換資産の取得に充てようとする金額	38	100,000,000
	特別勘定の対象となり得る金額 (30)－(31)	32	130,000,000		繰入限度額 $(38)\times(10)\times\frac{80}{100}$	39	73,600,000
翌期繰越額の計算	特別勘定の金額の計算の基礎となった買換資産の取得に充てようとする金額（繰入事業年度の(37)と(39)のうち少ない金額）÷ $\frac{80}{100}$ ÷(10)	33	100,000,000		繰入限度超過額 (37)－(39)	40	26,400,000
	同上のうち前期末までに買換資産の取得に充てた金額	34	0	翌期繰越額の計算	当初の特別勘定の金額（繰入事業年度の(37)－(40)）	41	73,600,000
	当期中において買換資産の取得に充てた金額	35	0		同上のうち前期末までに益金の額に算入された金額	42	0
	翌期へ繰り越す対価の額の合計額 (33)－(34)－(35)	36	100,000,000		当期中に益金の額に算入すべき金額	43	26,400,000
					期末特別勘定残額 (41)－(42)－(43)	44	47,200,000

その他参考となる事項

（注）　なお，買換取得した土地の面積が，譲渡した土地の面積の５倍以上であって，買換えの特例の対象とならない面積がある場合には，前掲の別表の19欄に記載するとともに，下掲の明細書を添付する（「別表十三（五）の記載の仕方」を参照のこと）。

買換資産とならない土地等の面積の明細書

前期までに取得した買換資産である土地等の面積	(イ)　平方メートル	譲渡した土地等の面積	(ハ)　平方メートル
		同上の５倍又は10倍相当の面積 ((ハ)×５又は10)	(ニ)
当期において取得した土地等の面積	(ロ)	買換資産とならない土地等の面積 ((イ)＋(ロ)－(ニ))	

図表４－７

特定の資産の譲渡に伴う特別勘定を設けた場合の取得予定資産の明細書

事業年度	令和 6・4・1 ～ 7・3・31	法人名	株式会社チェンジ

譲渡資産の明細	種類	1	土地	特別勘定金額の計算	特別勘定として経理した金額	6	円 73,600,000
	構造又は用途	2			繰入限度超過額	7	26,400,000
	規模	3	500㎡				
	所在地	4	××市××町××番		特別勘定金額 (6)－(7)	8	47,200,000
	譲渡年月日	5	令和 6年5月3日				

取得予定資産の明細	種類	9	建物（営業所）		
	構造	10	鉄筋コンクリート造		
	規模	11	600㎡		
	所在地	12	△△市△△町△△番		
	取得予定年月日	13	令和 7年8月10日	年　月　日	年　月　日
	措置法第65条の７第１項の表の該当号	14	措置法第3号該当	措置法第　号該当	措置法第　号該当

その他参考となるべき事項

図表4－8

特定の資産の買換えの場合における特別勘定の設定期間延長承認申請書

※整理番号	

税務署受付印

令和 7 年 5 月 31 日

○○ 税務署長殿

納税地	〒×××－×××× ○○市○○町○○番 電話(××) ×××× － ××××
(フリガナ)	チェンジ
法人名等	株式会社 チェンジ
法人番号	5011002001105
(フリガナ)	カイ　カエ
代表者氏名	甲斐　香恵
代表者住所	〒×××－×××× ○○市△△町△△番
事業種目	自動車整備　業

租税特別措置法（以下「措置法」といいます。）第65条の 8 第1項 の規定による特定の資産の買換えの場合における特別勘定の設定期間を下記により延長したいので申請します。

記

申請時の措置法第65条の8第4項第1号に規定する特別勘定の金額		73,600,000円		
取得しようとする買換資産の内容	種類	建物		
	構造	鉄筋コンクリート造		
	規模	600㎡		
	価額	100,000,000円	円	円
	所在地	△△市△△町△△番		
買換資産の取得予定年月日		令和8・12・10	・　・	・　・
認定を受けようとする年月日		令和8・12・10	・　・	・　・

(設定期間の延長を必要とする理由)
取得予定の建物の概要と竣工予定日は添付図面及び工事工程表のとおりで，翌事業年度開始の日から1年以内に取得することが困難であるため

(その他参考となるべき事項)　添付書類(1)　設計図書(2)　工事工程表

税理士署名	

※税務署処理欄	部門		決算期		業種番号		番号		整理簿		備考		通信日付印	年月日	確認

06.06 改正

（規格A4）

図表4－9

先行取得資産に係る買換えの特例の適用に関する届出書

※整理番号

税務署受付印

令和 7 年 5 月 31 日

○○ 税務署長殿

納税地	〒xxx－xxxx ○○市○○町○○番 電話(xx) xxxx － xxxx
(フリガナ)	チェンジ
法人名等	株式会社 チェンジ
法人番号	5011002001105
(フリガナ)	カイ カエ
代表者氏名	甲斐 香恵
代表者住所	〒xxx－xxxx ○○市△△町△△番
事業種目	自動車整備 業

連結子法人(届出の対象が連結子法人である場合に限り記載)	
(フリガナ)	
法人名等	
本店又は主たる事務所の所在地	〒 (局 署) 電話( ) －
(フリガナ)	
代表者氏名	
代表者住所	〒
事業種目	業

※税務署処理欄	
整理番号	
部門	
決算期	
業種番号	
整理簿	
回付先	□ 親署 ⇒ 子署 □ 子署 ⇒ 調査課

自 令和 5 年 4 月 1 日
至 令和 6 年 3 月 31 日　事業年度において取得をした下記の資産につき、

租税特別措置法第65条の7第3項(先行取得資産がある場合の買換えの特例の適用)の規定の適用を

受けたいので、下記のとおり届け出ます。

記

先行取得資産			
種類	建物		
規模	600㎡		
所在地	△△市△△町△△番		
用途	営業所		
取得年月日	令和5 年 11 月 11 日	年 月 日	年 月 日
取得価額	100,000,000 円	円	円
譲渡予定資産の種類	土地		
その他参考となるべき事項			

税理士署名	

※税務署処理欄	部門		決算期		業種番号		番号		整理簿		備考		通信日付印	年月日	確認

04.03 改正

(規格A4)

そして，あらためて，実際の取得資産の金額を基礎として圧縮損を算出し，これについて前ページ以下に説明したところと同様にして，経理処理と税務申告を行うことになる。

その結果，実際の買換資産の価額が予定価額より低かった場合には，その差額に対応する部分だけ，買換資産を取得した事業年度の課税所得が増加することとなる。予定価額より高かった場合には，その逆となる。

買換資産を取得しなかったとき，また，その用に供しなかったときは，それが確定した事業年度の課税所得が，取り崩した特別勘定の金額だけ増加することになる。

なお，個人の場合は，実際の取得価額が予定価額より低い場合，高い場合，また，取得しなかった場合は，譲渡した年分の所得税について修正申告または更正の請求をして調整することになっている（486ページ参照）が，法人の場合は，上述のように買換資産の確定した事業年度の法人税で調整するようになっている（措法65条の８⑫）。

先行取得に事前届出

この特定資産の買換特例の買換資産の取得期間は，**図表４－４**に示した範囲内であり，先行取得をした場合には，先行取得をした日を含む事業年度終了の日から２か月以内に，**図表４－９**に掲げる「先行取得資産に係る買換えの特例の適用に関する届出書」を提出することとなっており（措法65条の７③，措令39条の７⑩），この届出書に記載しなかった資産については適用が受けられないので注意を要する。

〈法人税の令和６年および最近の改正〉

法人税の本書関連部分について，令和６年に，つぎの改正があった。

◆外形標準課税の適用対象法人の改正

(1)　減資への対応（令和７年４月１日以後開始事業年度から適用）

資本金又は出資金（以下「資本金」）が１億円超の法人について，減資により資本金が１億円以下となっても，資本金と資本剰余金の合計額が10億円を超える法人は，外形標準課税の対象となる（地法附則８条の３の３）。

(2)　100％子会社への対応（令和８年４月１日以後開始事業年度から適用）

資本金と資本剰余金の合計額が50億円を超える法人の100％子会社で，当該100％子会社の資本金が１億円以下であっても，資本金と資本剰余金の合計額が２億円を超える場合には，外形標準課税の対象となる（地法72条の２）。

5 法人の土地・建物の譲渡と消費税等

> 法人が土地・建物を譲渡した場合の消費税等は，どのように計算して納付することになるのか。

建物の譲渡は消費税等の対象

課税事業者が建物を譲渡した場合には，消費税と地方消費税（以下，本項では「消費税等」という）が課せられることとなっている。なお，土地の譲渡は非課税となっている。消費税の課税事業者である法人が，戸建住宅やマンションを譲渡したような場合には，そのうち建物の譲渡対価のみが消費税等の課税対象となる。

（注）土地・建物を一括譲渡した場合には，この一括譲渡の対価を土地の譲渡対価と建物の譲渡対価に合理的に区分することになっている（消通10－１－５）。

図表４－10　納付する消費税額の計算式（詳細は，821ページ「貸家経営と消費税等」に掲載）

課税売上(税抜)		課税仕入(税抜)		
建物の譲渡代金 家賃収入（住宅用を除く） その他の一般の営業収入等	×10％－	建物の購入代金 建物の建築工事費 支払家賃(住宅用を除く) その他の一般の仕入 販売費及び一般管理費 (給料を除く)等(注)	×10％＝	納付する消費税額

非課税売上	非課税仕入
土地の譲渡代金 地代収入 利子収入 保険料収入等	土地の購入代金 支払地代 支払利息 支払保険料等
⇩ （消費税等に関係なし）	⇩ （消費税等に関係なし）

（注）共通経費については，課税売上と非課税売上との比等により配分する。
　また，仕入全体を課税売上と非課税売上との比により区分することも認められている。

6 法人の種類と税務の取扱い――会社，公益法人等その他

法人にはどのような種類があり，税務上の取扱いはどう違うのか。

法人の種類と法人税

①　法人とは

法人というのは，特定の法律によって**法人格**を与えられ，生まれながらの「人」に準じた法律行為をすることのできる存在である。

株式会社など営利法人は

法人の中で最もなじみ深いものとして，会社法で設立された**株式会社**[注1]などの**営利法人**があり，法人税法では**普通法人**に分類され，その活動によって生んだ純利益のすべてが，原則として法人税の課税対象とされている。

②　公益法人等とは

これに対して，**公益法人等**に分類される法人があり，学校法人，宗教法人，医療法人や社団法人また財団法人など，法人税法別表第２に限定列挙されている法人で，これらの法人は収益事業を営んだ場合だけ，その利益に課税されるようになっている。

このうち，**社団法人**というのは，一定の目的で集まった複数の会員（社員）で構成された団体であり，**財団法人**というのは，特定の財産を特定の目的のために運営する団体である。

平成18年の公益法人制度改革により平成20年12月１日以後は，つぎのように分類されている。

公益社団法人・公益財団法人 ⇨ 公益法人等
一般社団法人・一般財団法人 ─┬ 非営利型 ⇨ 公益法人等
　　　　　　　　　　　　　　　└ その他

（詳しくは567～568ページのコラム参照）

法人税での取扱いは，公益社団法人と公益財団法人は，すべて「公益法人等」に分類されるが，一般社団・財団法人で公益法人等に分類されるのは，そのうち，「非営利型」[注2]に該当するものに限られている。

なお，「非営利型」にも該当しない一般社団・財団法人は，会社などの一般法人と同じ取扱いとなる。

公益法人等についても，収益事業については法人税が課税される（544ページ

の法人税率一覧表参照。以下同様)。

収益事業とは　収益事業は，法人税法施行令５条に限定列挙してあり(注３)，継続して，事業場をもうけて行うものとされている（法法２条13号)。

例えば，宗教法人××神社のお賽銭やお守りや破魔矢の売上や祈禱料などは非課税である。しかし，まんじゅうやジュースなどを一般の市価で売れば収益事業，駐車場などを副業で経営しても収益事業として課税対象になる。

協同組合等とは　共通する目的のために個人または中小企業者等が集まって共同で運営する相互扶助的な非営利組織として協同組合等という。

農業協同組合，商工組合，消費生活協同組合，信用金庫などが，法人税法別表第３に掲げられている。

公共法人は非課税　地方公共団体，地方住宅供給公社，㈱日本政策金融公庫，独立行政法人，国立大学法人，土地区画整理組合など，法人税法別表第１に掲げられている法人で，利益がいくらあっても法人税は非課税ということになっている。

（注１）　会社法による会社にはその他，合同会社，合資会社，合名会社がある。なお，有限会社は，平成17年の会社法の制定・施行（平成18年）により，株式会社に統合された。なお，同法施行前に設立した有限会社は特例有限会社として存続することが認められている。

（注２）　非営利型法人として，つぎの二つの類型がもうけられている。

⑴　その行う事業により利益を得ることまたはその得た利益を分配することを目的としない法人であってその事業を運営するための組織が適正であるもの（法法２条９号の２イ，法令３条①)。

⑵　その会員から受け入れる会費により当該会員に共通する利益を図るための事業を行う法人であってその事業を運営するための組織が適正であるもの（法法２条９号の２ロ，法令３条②)，会員の相互の支援等を目的とするもので，主たる事業として収益事業を行っていない（その割合が50％以内）ことが条件となっている（法基通１－１－10)。

⑴⑵のいずれも理事および特殊関係のある者の合計数が理事総数の$\frac{1}{3}$以下であること等の制限がある（法令３条①四，３条②七)。

（注３）収益事業の範囲（法令５条）のうち，不動産に関する事業（抄）

２号不動産販売業，５号不動産貸付業

９号倉庫業　10号請負業　14号貸席業

18号代理業　19号仲立業　27号遊技所業

28号遊覧所業　31号駐車場業

〈一般社団・財団法人と公益社団・財団法人〉

公益法人制度改革が平成18年になされ，関連３法「一般社団・財団法」「公益法人認定法」「同整備法」が平成20年12月１日から施行されている。

この改革により，従来の民法に基づき各主務官庁の許可により設立されていた社団法人と財団法人は，一般社団・財団法に定める基準により登記をすれば設立し，**一般社団法人**または**一般財団法人**となる。

その一般社団・財団法人の申請に基づき，内閣総理大臣または都道府県知事が民間有識者による委員会の意見に基づき，公益性の高いもの（公益目的事業の比率が50％以上，収益事業等の収益の50％以上が公益目的事業に使用されること等）が**公益社団法人**または**公益財団法人**として認定された（法令５条②）。

〈公益法人等と土地譲渡課税〉

お寺の境内地の一部を利用して，マンションを建設することも多くみられる。この場合，宗教法人などの公益法人等が開発業者に土地を譲渡しても，原則として課税されない。なお，その宗教法人等がマンション事業の共同事業者として参加するなどして自分で分譲すれば，不動産販売業として収益事業に該当することになり原則として課税される。

しかし，その土地が最低10年以上所有されていたものであって，分譲事業を主な目的とするより，土地をより有利に売るために分譲という形式をとったということであれば，建築着工時の時価までの土地値上り益までは課税されず，分譲事業によって生じた販売益だけが課税対象となる。借地権付分譲で借地権の権利金が更地の時価の２分の１以上のときも同様である。地代は収益事業として課税対象となる。ただ，マンションの２分の１以上が住宅で，敷地面積が床面積の10倍以内で，かつ地代がその土地の固定資産税と都市計画税の合計の３倍以下であれば，収益事業から除外され，課税の対象外となる（法令５条①５号へ，法則４条，法基15－１－12，15－１－20，15－２－10，15－２－11）。

〈人格のない社団等と法人税〉

同窓会や町内会また研究会など団体も，一般社団法人および一般財団法人に関する法律の定める基準を備えて登記すれば，一般社団法人または一般財団法人という「法人」になる。しかし，そういう登記をしなくても，代表者または管理人の定めのある社団または財団は，**人格のない社団等**といって，法人とみなして法人税が課せられるが，課税されるのは，一般公益法人等と同様に収益事業に係る利益についてだけである。課税される収益事業に対する税率は普通法人と同じである（法法２条８号，同３条，同４条）。

〈法人税と所得税〉

法人税と所得税とは，法人と個人の差はあれ，その各々が経済活動をして得た利益（所得）に対して課税されるものであるから，同じような性格のものだと思っている人が多いが，これは違う。

法人とは何か。それは株主を離れて実在するのか，あるいは単なる株主という個人の集りであるのか，はたまた擬制された一つのフィクションであるのか。ここまで考えると，簡単には解けない謎である。しかし，法人税法は法人というものが実在していないとしても，法人税法の対象としては存在しているとして擬制する。そして，営利法人（株式会社など）は営利を目的として行動すると割り切ってしまう。これは，ユークリッド幾何学が「同一平面上に並行に引かれた二直線は交わらない」等のいくつかの公理（仮説）を前提とし，その上に精細にしてぼう大な論理大系を組みたて，それにより現実を処理しているのに似ている。法人税法もユークリッド幾何学も，並行線は本当に交わらないのかという疑問をさしはさむことなく，またさしはさむことを許さない。所得税法は，非ユークリッド幾何学のえがく世界までを包括して律しようという法律であり，カミュが「シーシュポスの神話」でいみじくも言った人間の不条理性を認め，人間は必ずしも合理的な行動をするとは限らないという前提に立って構築されている。

第2編

借地に関する種々の権利と
その評価と税務

●第２編のねらい● 第１編では，土地や建物の所有権を売買するときの評価と税務について説明してきた。ところで，土地を使用する形態として，自分で土地を所有して使用するほか，他人の土地を借りて利用する形態がある。その権利はわかりにくい権利であり，貸主と借主との利害関係は錯綜し，また，微妙な対立関係になってくる。ここらあたりを調整し，双方を納得させることがコンサルタントの真骨頂である。また，借地に関する税務も複雑であり，これをよく理解して，対応できるようにならなければならない。

借地をめぐるさまざまの権利とその評価の必要性

建物を所有するために土地を借りていると，借地借家法で保護された**借地権**なる権利が生じてくる。借地期間が満了しても，地主側に特別の事情がない限り返還しなくてもいいという強い権利である。地代の値上げも制限されている。なぜ，そのような権利が生じるのか。そして，その権利の価値をどのように評価したらよいのか。

しかし，借地権というのは強い権利であるとはいいながら，借地上の建物を増改築しようとすると，地主から**増改築承諾料**なるものを要求される。木造建物を鉄筋コンクリート造の建物に変更しようとすると**条件変更承諾料**を支払わなければならない。また，借地上の建物を第三者に譲渡しようとすると，地主の承諾を得なければならないし，そのとき**譲渡承諾料**を支払わなければならない。

これらの承諾料はどういう性質のもので，そしていくらぐらい支払ったらいいものなのか。ここらについて，貸主も借主も確かな情報をもっていない。そして，頭を悩ます問題である。

それから借地期限がやってくると，**更新料**というわけのわからない問題が訪れてくる。更新料を支払わなくても，法律上は借地期間は更新される。これを法定更新といっている。しかし，それなのに一般には更新料が授受されている。これはどういうわけなのか。そして支払うとすると，いくらぐらい支払ったらよいのか。

以上は，**普通借地権**といわれているものだが，借地期間が満了したら必ず土地を返還しなければならない**定期借地権**というものが，平成３年の借地借家法の改正で創設され，平成４年８月１日から施行されており，かなり普及してきている。

また，展覧会とか建設工事のためなど短期の目的で土地を借りる**一時使用の賃借権**とか，無償で土地を借りる**使用借権**というものがある。

さらに，**地役権**とか**空中権**という権利などもある。

第５章では，これらの権利や承諾料などの性質を検討し，支払うべき妥当な金額（評価）について解説する。

借地をめぐる税務は複雑だが

借地をしたとき**地代**が授受される。個人の地主が地代を受け取れば，それは**不動産所得**として課税されるのは常識的なことである。また，都市部では土地を貸すとき多額の権利金を取るのが普通になっている。この**権利金**が更地価格の$\frac{1}{2}$を超えると**譲渡所得**に分類され，地代と違った税務計算をすることになっている。そこで権利金を取ると多額の税金を取られるので，それに見合う金額を**保証金**なり**敷金**として預ったらどうなるか。預ったものは後で返すのだから所得ではなく，税金はかからないと思いきや天網恢々疎にして漏らさずとはよくいったもので，そういう場合にもそれ相当の税金が取られるようになっている。

また，$\frac{1}{2}$を超えない権利金や増改築承諾料や条件変更承諾料，譲渡承諾料，また，更新料をもらったときはどうなるのか。これらは不動産所得となる。しかし，**臨時所得**ということになり，**平均課税**という税務計算をするので，同額の地代をもらったときより税金は安くなるようになっている。

また，定期借地権の場合はどうなるのか，という質問も多く寄せられている。

ここらを**第６章**で詳細に解説した。

近親者間や同族会社対社長の借地をめぐる税務は特別扱い

親子兄弟というような間で，家を建てるとき土地を無償で貸す，すなわち，**使用貸借**ということがよく行われている。これについて，税務上，現在はこういう貸借に対して，借主に贈与税をかけたり，譲渡とみなして貸主に所得税をかけたりすることはしない。

しかし，社長が自分で経営している同族会社に無償で土地を貸すと，会社は社長から借地権の贈与を受けて利益を生じたといって法人税をがっぽりと取られることになっている。それがいやなら，会社は社長に「**相当の地代**」という高額な地代を支払わなければならない。これは社長の不動産所得として課税対象となる。

この関係は，会社の土地を社長が借りる場合もあるし，親会社と子会社との間での土地貸借という場合もある。

これに対する有効な節税策はないのか。

これらの税務についても**第6章**で触れるとともに，**第3編**の**第7章**，**第8章**の関連項目で解説した。

借地問題にあたってのコンサルタントの役割

借地人が建物を建て替えるときの建物増改築許可の承諾料，ビルを建築するときの借地条件変更承諾料，借地人が底地を買い取るときの適正価額，借地人と地主とが共同ビルを建築するときの権利調整など，借地に関連するコンサルティングは複雑な問題が多い。しかし，これは現在の都市の複雑さの反映であり，これを避けては通れず，また，地主にしろ，借地人にしろ，複雑でわかりにくいからこそ，コンサルタントに相談するのである。

そのために，**第2編**において，それらのさまざまの権利と，その価値（価格）の要点を説明するが，これらを本当に理解するためには，借地権と所有権との本質的な関係と推移というものを頭に入れておかなければならない。それで，本編は**第5章**の「1　借地権の成立とその変化」という，やや実務と離れたような解説から始めている。これから読んでいただきたい。

それから，コンサルタントとして，地主か借地人か，どちらか一方から相談を受け，一方の話だけを聞くことが多いだろう。しかし，地主と借地人とは利害が対立しており，また，感情的になっていることも多く，自分の都合のいいことだけしかいわない傾向も強い。足りないところ，不審なところは質問で補い，全体の姿を十分にとらえて，冷静な判断をしないと，誤ったリードをすることになるから注意をしなければならない。

また，コンサルタントは弁護士でないのだから，片々たる法律知識をひけらかしたり，まして，トラブル（火）に油をそそぐようなことはしないほうがよい。常識的な線で判断し，主張することは主張させても，譲れるところは譲らせて，早期に円満な解決をさせ，所期の目的，たとえばビル建築を早く実現させることが，借地人にとっても地主にとっても利益になることなのである。

なお，**第５章**では，借地に関する基本的な形のみについて説明し，建物との関係で複雑な関係になるものについては（たとえば共同ビルの場合），**第３編**のそれぞれの章で説明した。

〈動く不動産（その１）――フランスでは鳩や兎も不動産〉

フランスでは，鳩や兎も不動産である。少なくとも，ナポレオンが制定し，なおかつ，連綿として今日まで現行法として効力を有しているフランス民法典の524条には，そう規定されている。

もちろん，野鳩は不動産ではない。不動産となる鳩とは，鳩小屋に飼育されている鳩である。昼，日中は，どこを飛び遊んでいても，必ず塒（ねぐら）である一定の鳩舎に帰ってくるから，それは土地に定着されたものと認識されたのであろう。

ちなみに，同条をひもといてみると，開放飼育場の兎とか，巣箱の蜜蜂とか，池沼の魚なども，不動産とされている。

もっとも，土地の所有者が，その土地の用役・経営のために設置したものに限られてはいるが。

フランス民法典では，性質による不動産（土地と建物）のほか，上述の鳩や兎のように用途による不動産，さらに地役による不動産など，三種類の不動産を規定している。

このフランス民法典を手本として制定された日本の旧民法典（578ページ参照）では，「養蠶場ニ備ヘタル蠶種」，すなわち，「かいこ」なども不動産に含めていた。もっとも，現行の民法典では，「土地及びその定着物」という，文字どおり動かない物だけを不動産としている。

第5章

借地権とはどういうものか。借地に関して，どういう権利関係があり，それらの価格はどうなっているか

第１節
借地権とこれをめぐる権利調整

1 借地権の成立とその変化

借地権はどのようにして成立し，変化し，借地人の権利が強化されてきたのか。

土地賃貸借のはじめは

さて，土地の貸し借りというものは，当初は，どのようにして成立するものなのだろうか，というところからみていくことにする。

貸す側にとっては，土地を貸しても，土地は財産として残っている。貸している間は，地代という形で，毎年継続して収益を受け取ることができる。その土地に自分の建物を建てたりして自分で利用するのにくらべて，手数や労力もかからず，また，事業上のリスクもない。そして，自分で使う必要が生じたときには返してもらえばよい。これが，土地を貸すメリットであり，また，貸すという行為を支える基礎になっていた。

借りる側にとっても，土地を買うだけの資力はない。あっても，その資金は他の用途に充当したい。毎年地代を払わなければならないが，一時に多額の資金が出るよりも，そのほうが楽である。借地期間が満了したときは，返すか，もう一度借りかえるかしなければならないが，それは一般に，30年か50年ぐらい先のことである。それはそれでそのとき考えればいいじゃないか。また，借地であるから，建物を増改築したり，用途を変更したりするのにうるさい制約がある。しかし，土地の代価を払わないで，その土地を利用しているのだから，それぐらいはがまんしなければならない。

これが，借りる側の，土地を借りるにあたっての，当初の基本的な考え方であり，心構えであったろう。

借地期間中に変化する賃貸借人の心情

このようにして，土地の賃貸借というものが成立するのだが，**借地人**がそこに建物を建てて居住し，または，事業を営んで長年使用していくうちに，何といっても，その土地を現実に占有し，利用しているのだから，自分のものだとまではいかなくても，だんだんそれに近い感情を持ち始めてくる。当初に契約した地代の値上げを要求されると抵抗を感じる。建物を増改築しようとするとき，制約があるのが煩わしくなる。そして，期間が満了しても，土地を明け渡して返還するなどは絶対にいやだ，という心情になる。もっとも，返還については，したくないだけでなく，20年，30年と住みつき，そこで営業していれば，返還したくとも実際上はできない。なぜなら，返還してしまえば，いままでの生活をご破算にして，新しい土地で新規巻き直しでやらなければならないという，生活事実からの必要性の裏づけもあるからである。特に，その土地で商売をしており，その地域の顧客をあてにしている場合，土地を返還して，近くに同じような条件で土地を借りられればまだいいが，そういうことは，現在ではまず不可能であるから，土地を返還するということは，借主にとって生活の危機存亡にかかわることになる。それに，地主の所有している土地が繁栄し，地価が上がったのも，われわれ借地人が建物を建て，営業していたからではないかという自負もある。

一方，**地主**にとって，当初は手間もかからず地代が入ってくるから，よかったなどとのんびりとしている。しかし，物価も上がったし，固定資産税も高くなった。そこで，地代も値上げしようと交渉しに行くと，いやな顔をされる。そして，値上げ幅をけずられる。ときには，値上げに全く応じてくれない。ああ，こんなことなら貸すんじゃなかったと後悔する。それなら土地を返せといっても，絶対に返しっこない。仕方がないから，借地期間が満了するまで待つ。そして，契約期間が満了したのだから返してくれという。しかし，そのとき，まだ建物が残っているから返せないと主張される。

土地の賃貸借の関係というものは，このように，名義上の所有者から土地を現実に占有し，直接的に利用し，支配するものへと，力関係が移っていくものなのである。そして，それは単に賃貸借人間の個人的な心情ということだけではなく，歴史的な流れとしても，そういうようになっているのである。

歴史からみた貸借関係の変化

日本史をふりかえってみても，**大化の改新**で**「公地公民」制**（土地と人民とは，中央政府たる大和朝廷の所有と直接支配に属し，一定期間を公民（農民）に給付して耕作させ，その後収受して再給付をする斑田収受という制度）を樹立したが，まもなく，農地が不足してきたので，新規開墾地について，「三世一身法」（いままであった灌漑設備を使って耕地開発をしたものは，その個人一代限り，また新しい灌漑設備までつくって耕地開発したものには，その本人，子，孫，曾孫の三世までその土地の私的支配を認め，その後は大和朝廷に移譲し，朝廷が直接管理して，斑田収受をする制度）を定めるなどして，開発者にそれなりの利益と権利とを与える制度などをつくらないと，新規の土地開発と利用が進まなくなった。この「三世一身法」で土地の私的支配権を認めたといっても，本質的には，大和朝廷に所有権は留保されており，期限付の地上権が耕地開発者に与えられていたに過ぎない。しかし，これらの耕地は，期限が到来しても朝廷に返還されないケースが多くなり，「公地公民制」が崩壊し，土地の私有制度が拡がっていった。

このようにして，土地を私有できた者は，それなりの権力のある者，資力のある者であり，当初は，自分で計画や管理をし，支配下の者を使役して，田畑を開発して拡げ，また農耕を続けてきた。しかし，農業の生産性が上がってきて，余剰生産物が生み出されるような段階になると，土地を分けて，支配下の者に預け，その者の自主的な創意と努力によって農耕させ，余剰生産物のピンハネをしたほうが効率的だと思うようになってきた。このようにして，中世を通じて，**地主と小作人**という関係が拡がってきた。

しかし，豊臣秀吉が天下を統一すると，大名（政府）と耕作民との間に中間ピンハネをする地主がいるということが邪魔になっているということがはっきり意識されるようになってきた。地主がいなければ，その分だけよけいに租税がとれるわけである。それで，地主を廃止して，全部を自作農にしてしまった。これが**太閤検地**といわれるものである（247ページのコラム参照）。

この制度は，江戸幕府にうけつがれ，さらに推進され，そして，それを維持するため，田畑永代売禁止の令などが出されている。

江戸時代の初期の頃は，「百姓は生かさず，殺さず」という程度の租税負担率（たとえば，五公五民）の政策がとられていたが，農業生産性の向上とともに，農民のもとに余剰生産物が残されるようになり，しかも，各農民のもともとの田畑の広狭，地味などに差があったことと，才覚の差などもあって，貧富の差が生じ，富める自作農は貧しい自作農の田畑を抵当で取るなどして，地主と小作人との関係が復活し，この関係は拡がり，大地主も生まれ，投資家的な不在地主も生ずるようになり，幕末には，**地主制度が定着**し，この地主階層が王制復古・明治維新を支える原動力となっており，後述する民法制定が，地主側に有利につくられた原因にもなっている。

ところで，田畑の農耕というものは，位置または空間としての土地が存在しているというだけでは成り立つものではなく，つねに土壌を改良し，肥料を入れて初めて可能になるものである。したがって，田畑の土壌を支えている基盤（底地）は地主のものであったとしても，その上の土（上土）は自分のものだという意識が根づいていたとしても当然のことであろう。

また，江戸時代においても，新田開発にあたって，灌漑設備の開発設置者である資本家に，その灌漑設備からの水を支配する範囲の土地の所有権を与え，その水を利用する農民（割りあてられた荒地へ肥沃な土を運び込んで水田の開発を自分で行い，以後もその土地で耕作する）は，一種の賃借人的な関係になるような制度があった。このような場合の農民の権利が，**上土権**などといわれていた。

土地の賃貸借に関する法律上の変化

そういう土地賃貸借関係の社会的な変化を，人工的に逆行させ，または追認し，あるいは推し進めるものが，「法律」である。

現在の「民法典」が明治29年に編纂され，制定，公布されたときは，「所有権の絶対性」が強く打ち出され，江戸時代において芽ばえ，生育し，そして保護されてきた借地人の権利を著しく弱いものとした。

その第一の理由は，先進西欧諸国に追いつくための，軍備を含めての社会，経済上の膨大化する財政需要をまかなう裏付けとしての租税徴収技術上の要請（税負担力の大きい者を納税義務者とし，かつ，その者を明確化する）であったが，一方，江戸時代のあまりにも複雑化し（たとえば，所有権の上に賃小作権あり，永小作権あり，上土（うわつち）権あり，鍬先（くわさき）権あり(注)，しかも権利強弱のまったく違う権利があり），重なり合い，からみ合った土地の権利関係を，そのまま民法典に盛り込むことが不可能であったということ，そして民法典そのものが一つの理論体系として整っていなければならなかったという要請もあった。

（注）　これらの権利については581ページのコラム参照。

それで，ある意味では，そういう複雑な権利を強引に切り捨て，「所有権の絶対性」を中心として，一応すっきりとした土地の権利関係の秩序を法制化した。しかし，民法典がすっきりしたからといって，それをもってただちに，現実の複雑な権利関係がすっきりするわけではなく，判例によって徐々に補われ，手直しされて，複雑な現実との調和がはかられてきた。

それはそれとして，近代における都市の発展のなかで，所有権者（地主）と借地人との間で，種々の問題が生じてきた。「所有権の絶対性」ということを強調すれば，借地に建物を建てて利用している借地人の生活はいつでも，一瞬のうちに破壊されてしまう危険にさらされる。都市社会において借地人の占める比重が増え，借地人をそのような状態におくことは都市の健全な発展にとって好ましいことではない（民法では，借地人の保護のため，地上権とか賃借権の登記という制度をもうけていたが，借地契約時における貸主，借主の力関係から利用されることはほとんどなかった）。

そういうことから，判例において借地人の権利を補強するとともに，「建物保護ニ関スル法律」（明治42年）が早くから制定され，また，都市における借家人の増大とその保護の必要とあわせて，「借地法」（大正10年），「借家法」（大正10年）が制定され，借地権の保護が著しく強化され，そして近年の地主，借地人間のトラブルの増大を背景に「借地法の大幅改正」（昭和41年）があり，借地上の建物の増改築，木造の鉄筋コンクリートへの建替え，借地権の譲渡などに関する地主と借地人の権利調整について，能率的な解決法がとられることになっている。

また，近年，借地法の過保護ということがいわれ，その一部の手直しとともに，新しいタイプの借地方式――定期借地権の創設を含めた借地借家法が成立し，平成４年８月１日から施行されている。

〈江戸と浪花の借地権と相続税路線価〉

「もともと江戸では財政に窮した大名家老が幕府の目を恐れつつ，権利金を受領して貸地をする妙案が案出されたようであるし，浪花では商都形成をねらいとしてお上が安い地価で全国の力のある商人に土地を渡して繁栄を図り，その土地を商人が小貸しをせずに信頼できる家作持に一括して貸したという事情から異なる慣行が生れたように聞いている。大正になってからは，東京の慣行が借地法，借家法制定の基礎となり，その際佃氏らが司法省にまで陳情に及んでむなしかったことを何度も聞かされた。それ以上に路線価評価方式の全国適用や権利金の額の多寡による借地権認定方式の採用を通じ，つまり税務を通じ，土地柄の慣行が崩されていくのは東西交流の結果であって，時代の勢いだといえばそれまでだが，やはり残念に思われてならない。」（高木文雄『法人・個人をめぐる借地権の税務』（清文社刊）より）

〈上土権（うわつちけん），鍬先権（くわさきけん）〉

江戸時代の中期には新田開発が盛んであった。その場合，現在の開発業者の役割をになったのが豪商であり，幕府に願い出て，たとえば海岸先を埋立てて新田を造成する許可をもらう。そのとき豪商のする仕事は，遠浅の海に堤塘（ていとう）を築いてこれを切り，灌漑用水路などを設置し，竣工認可を得てその土地の地主となる。そして，これを農民に小作料をとって賃貸する。しかし農民の方では，賃借したもののそのままでは使いものにならない。そこで農民は自力で肥沃な土をどこからか買ってきて，その農地に運び入れ耕作をする。そうすると農民の運んできた土は農民のものである。しかし，その土を置いた地盤，その土地を潤す水，海水から守る堤塘は地主のものである。そういう状態における農民の，その土地に対する権利を**上土権**といった。その状態を実によく表現している言葉ではなかろうか。それとの関係で，地主の権利を**底地**と名づけたのであろう。

また，山にトンネルを掘り，草木も生い育たぬ荒蕪（こうぶ）の地に遠くのほうから，たとえていえば愛知用水のように灌漑施設をつくる場合もあった。その場合も，その用水を使って開墾すれば農地になるが，そのままでは作物はできない。そこで，これを借りた農民は，その荒蕪の地に鍬を入れ，心血をそそいで耕し肥沃の土地とした。このような状態の農民の権利を**鍬先権**と呼ぶこともあった。

いずれにせよ，これは地主と農民との協力によりつくられた農地であり，江戸時代を通じて，一般の小作関係とは違ったより強い権利が農民に認められてきた。

しかし，明治民法で所有権者を一人にしようとしたとき，どちらに地券を交付しようかという段になって，政府もほとほと困惑したようである。結局，地券は地主に交付され，開墾に協力した農民の権利は著しく弱体化した。その権利を回復するため，百姓一揆や訴訟が多発したが，真に回復するのは，２・26事件を契機として突入していった第二次世界大戦における食料増産の要請と，その前後から検討されていた自作農創設の準備，その準備を背景として行われた戦後の農地解放まで待たなければならなかった。

2 借地権と借地法制の変遷

借地権とは，どういう内容の権利であるか。借地法制の変遷により，借地権がどのように変化して，現在に至っているかを見る。

前項で，借地関係の法律の変遷を，ごく大雑把に見てきたが，この項では，借地権というものが，どのような変化をしながら，現在，どのような内容になってきたのかを，具体的に検討していくことにする。

民法典の成立

まず，現在の民法典が制定される以前に制定されながら施行されなかった旧民法（ボアソナード民法）という法律があった。これは，フランスの学者ボアソナードの指導の下で，フランス民法を下敷きとして作られたものであったが，特にそのなかの親族編が，旧来の日本の家族制度と異和感があったため，「民法出でて，忠孝亡ぶ。」という論議が起こり，これを手直して，明治29年に民法典が制定され，施行され，いくつかの改正をへつつ現在に至っている。

立法者は地上権による借地を予定していたが——地上権と賃借権

ところで，この民法典には，建物を建てて所有するために他人の土地を借りる権利として，当初から地上権と賃借権とが用意されていた。

地上権というのは，「他人の土地において工作物又は竹木を所有するため，その土地を使用する権利を有する」（民法265条）と規定されており，この工作物の代表的なものは，建物であることはいうまでもないであろう。

また，一方，賃借権については，「賃貸借は，当事者の一方がある物の使用及び収益を相手方にさせることを約し，相手方がこれに対してその賃料を支払うことおよび引渡しを受けた物を契約が終了したときに返還することを約することによって，その効力を生ずる」（民法601条）と規定されており，その存続期間は「50年を超えることができない」とされ，また，更新をした場合も，更新後の存続期間も50年までと制限されている（民法604条）。

なお，期間を定めていない場合土地については，１年の猶予期間をおいておけば，いつでも解約できるようになっている（民法617条①）。

ここでいっている「ある物」というのは，日用品，家具などの動産から，車馬・船舶，建物から土地まで，この世のありとあらゆる物を含んだものであり，したがって，この賃貸借によって他人の土地を借りて建物を建てて所有することも可能である。

なお，民法制定時の建物といえば，ほとんどが木造の建物であったが，裏長屋の粗末な建物でも，その寿命は30年以上はあったし，本格的な建物となれば，50年，60年ぐらいは充分に長もちするというのが常識であった。

したがって，建物を建てて所有するために土地を借りるのなら，存続期間が20年と制限されている賃借権でなく，その建物の予想寿命に合わせて自由に貸主・借主の話し合いで存続期間のきめられ，かつ，その権利も安定している地上権を利用するだろう。

そういうように立法者は予定していた，といわれている。

しかし，予想に反して，土地を貸すほう（地主）は，借地人に強い権利を与えるのを嫌って，地上権の設定に応ぜず，借地のほとんどは賃貸借によってなされていった。

（注）　上記の旧民法では，土地の賃借権は物権として規定されていた。

地震売買と建物保護法

ところで，このようにして出発した土地賃借権も，法的保護は不安定なものであっても，地主と借地人との間が円満にいっているような場合には，それなりに円滑に機能していたが，この法的不備が表面化したのは，日露戦争（明治37～38年）の直後に起った地震売買である。

この戦争を契機としての産業の発展にともなって，都会地の地価や物価が急上昇した。しかし，地価は急上昇したが，地代はそれに比例して値上げできるものではない。地主が地代の値上げを交渉しても，借地人はなかなかこれに応じない。

それに当時は，現在の借地借家法11条に規定しているような契約期間中の地代増額請求権のような規定もなく，地代値上げの要求を法的に解決することもむずかしかった。

それで地主は，借地権の登記していない賃借権が新土地所有者に対抗できないことに目をつけ，仮装的売買をして土地の名義を他人のものとし，その他人（新土地所有者）をして，土地の明渡しを迫り，それがいやなら，言うがままに借地の年限も定むべし，地代の値上げもすべしと脅かした。（注1）

これは，土地の所有権が動揺して，地上のあらゆる建物を震い落とす効力を生ずるというところから，地震売買と呼ばれ，東京地方裁判所に明治39年からの３年間に訴えられた地所明渡事件は計392件にのぼり，その大部分が地震売買によるものであった。

そして，このような事態から，借地権の登記をしていない借地人を保護するため，明治42年に「建物保護ニ関スル法律」が制定・施行され，建物の所有を目的とする地上権と賃借権（借地権）については，土地について地上権または賃借権の登記をしていなくても，その土地の上に登記した建物を所有するときは，土地所有者が変わっても，新土地所有者に対抗できるものとされた。(注２)

（注１）　土地について地上権または賃借権の登記がしてあれば，地主が変わっても，従前の権利を新地主に引き継がせることができる（借地権の対抗力）。そして，地上権については，地主の同意なしに登記することができるが，賃借権については地主の同意を得た場合のみ登記することができるとなっている。地主の多くは，借地人に強い権利を与えることを嫌って賃貸借による借地を選択したのであるから，ほとんどの土地の賃借権は登記されていなかった。

（注２）　この規定は，平成４年の改正で借地借家法10条①に組み入れられ，「建物保護ニ関スル法律」は廃止された。

借地法の制定　建物保護法の制定によって，登記のない賃借権であっても，借地上の建物を登記することによって，新地主に対する対抗力をそなえ，土地所有者の交替によって，その存続をおびやかされることはなくなった。しかし，それだけで，賃借権に対する保護が充分になったわけではない。一つは，賃借権の存続期間の問題であり，さらに，存続期間終了後の更新の問題がある。

これらの問題を解決するために，大正10年に借地法が制定され，建物の所有を目的とする地上権および賃借権（借地権）に対して，特別の保護を与えるようになった。

借地権の存続期間　まず，借地権の**法定存続期間**について，制定された借地法は，

①　堅固（鉄筋コンクリート造などがこれにあたる）の建物の所有目的のものは60年

②　非堅固（木造など）の建物の所有目的のものは30年

とし，この期間満了前に，建物が**朽廃**したときは，借地権は消滅するという原則をもうけた（旧借地法２条①）。

これにより，期間の定めのない賃借権は，上記の期間中は，まず安定することになった。

また，**賃貸借契約で期間を定める場合には**，

①　堅固の建物の場合は，30年以上

②　非堅固の建物の場合は，20年以上

の存続期間を定めたときは，上記の原則にかかわらず，約定期間の満了によっ

て消滅するとした（旧借地法２条②）。契約で期間を定める場合は，通常は堅固な建物の場合で30年，非堅固な建物の場合で20年と定められる例がほとんどであった。なお，契約で期間を定めた場合には，建物が朽廃しても，約定期間満了までは借地権が存続しているので，建物を建て替えて使用できることになる。

（注）　現行の借地借家法では，借地権の存続期間について，建物の構造による区別をなくし，一律に30年としている（借地借家法３条）。また，朽廃による借地権の消滅という規定を廃している。なお，この規定は，法施行日（平成４年８月１日）前に設定された借地権（以下，**旧借地権**という）には適用されないとしているので，旧借地権については，現在でも，本文記載の上述の存続期間の規定が適用されている。

借地期間満了後の更新——更新の請求と法定更新

このように，借地権が設定されたときの存続期間が確保されたが，この期間が満了しても，まだ建物が残存しているのが通常であり，そこで更新の問題が生じる。これについても，借地法は，つぎの二つの方法を用意した。

一つは，借地権者に，更新の請求をする法律上の権利を与えたもので，**更新の請求**という制度である。それは，借地期間が満了して借地権が消滅したとき，建物が残存していれば，借地権者が更新の請求をすれば，従前の契約と同一の条件で再び借地権を設定したものとみなすという規定である。

もっとも，土地所有者がこれについて異議を述べ，すなわち，更新の拒絶をすれば，その限りにあらずとしている。しかし，借地契約の更新がされなかった場合には，借地権者は，建物その他土地に附属させた物を買い取るように，土地所有者に請求できるという，いわゆる**建物買取請求権**を与えた（旧借地法４条）。

この借地法制定時においては，建物の価額の土地価額に対する比は，現在と比較してかなり高く，この建物買取請求権によって，土地所有者の更新拒絶に対して，それなりの歯止めをかける機能を有していたし，また更新拒絶をされても，建物等に投下された資本は回収できるという考え方であった。

さらに，**法定更新**という制度もつくられた。

また，借地期間というものは長期であることが多く，期間の起算点も不明瞭であり，したがって，期間の満了時も不明確であることが少なくないこと，また，それがはっきりしていたとしても，当事者が期間満了に気づかず，土地を継続して使用している場合が少なからずあることから，一般の賃貸借における黙示の更新（民法619条）を，さらに進めて，借地期間満了により借地権が消滅した後，土地を継続して使用している場合で，土地所有者が遅滞なく異議を述べないときは，従前の契約と同一の条件で再び借地権を設定したるものとみなすという規定ももうけた（旧借地法６条）。法定更新といわれるものである。

この場合，地主が異議を述べて更新されなかった場合，上記のような建物買取請求権についての規定は条文にはもうけられていないが，この場合も建物買取請求権があるというのが通説となっている。

更新拒絶と正当事由

さて，このように，当初の借地法では，借地権者に更新の請求権と法定更新という保護を与えたが，借地法制定時は，土地所有者が建物を買い取るという気持ちがあって，異議を述べて，更新の拒絶をすれば，更新されず，土地を返還しなければならないという構造になっていた。

その後，昭和に入って，満州事変，日中戦争が起こり，これに基づく軍需景気が勃興し，都市への工場と勤労者の流入が激しくなり，土地の不足と相まって，建築資材も不足してくると，建物買取請求権を行使しても，かえって地主をよろこばせるだけで，これが更新拒絶の歯止めとなる機能も失われてきた。そのような社会情勢と都市勤労者の住居の場を確保して戦争協力に専念させる意味もあって，第二次世界大戦直前の昭和16年に借地法を改正し，土地所有者の更新拒絶のための異議申立ては，「自ラ土地ヲ使用スルコトヲ必要トスル場合其ノ他正当ノ事由アル場合」に限るという改正がされた（この改正は旧借地法４条，６条とも共通）。

なお，この条項について，改正法施行当時の裁判所の解釈は，「自ラ土地ヲ使用スルコトヲ必要トスル場合」であれば，ほぼ土地所有者の更新拒絶を認めていたが，第二次大戦中の空襲による建物の焼失と戦後の住宅難を背景として，「自ラ土地ヲ使用スルコトヲ必要トスル場合」であっても，その土地を使用する必要性が土地所有者と借地権者とでは，どちらが強いのかということを比較衡量して定められるようになり，現状を変更する判決を嫌う裁判官の心情と相まって，よほどの場合でなければ，土地所有者の正当事由が認められず，その結果，借地権は建物が朽廃しない限り存続するということになっている。

正当事由の判断基準

この正当事由の判断基準について，条文上の判断基準は上述したとおりで，きわめて抽象的で理解しにくい表現になっていたが，判例の積み重ねによって，その判断基準もかなりはっきりしてきた。

それで，平成３年の借地借家法の創設にあたって，これまでの判例の積み重ねによってはっきりしていた部分を条文化し，判断基準を明確化しようという動きが出てきて，つぎに述べるように規定されている（借地借家法６条）。

すなわち，まず，

① 地主と借地人とが土地の使用を必要とする事情が主たる要素として考慮される……すなわち，地主が土地の返還を受けて建物を建てる必要性（地主が土地を売却する必要性），借地人がその建物を継続して使用することの必要性，また，他に土地を利用できる可能性が比較考慮される。

② 借地に関する従前の経緯……土地をどういう事情で貸借したのか（恩恵的に貸したのか，純然たる経済行為として貸したのかなど），権利金，更新料の支払いの有無やその額，地代の額や支払状況など。

③ 土地の利用状況……借地人がどういう建物を建てて利用しているか，建物の老朽化の程度，また，周辺の地域の状況など。

④ 地主が財産上の給付をするという申し出をしたときは，その申し出の内容……地主が立退料や代替土地の提供を申し出た場合は，その金額など。これは，上記の①～③までの事情だけでは，まだ，地主側に正当事由があるとまで判定されないが，申し出た立退料を加味すれば地主に正当事由があると判断できるというような場合に考慮される。立退料を考慮しなくても，①～③だけで正当事由があると判断される場合も当然ある。

なお，この条項は，従来の判例の判断基準を明文化しただけのものであり，実質的には借地法判例と変わらないものであるが，従来からの借地人の危惧を考慮して，旧借地権には適用しないとされている。が，そういう性格のものであるから，今後の裁判において，旧借地権についても，この条文と同じ基準で判断されるといわれている。

更新後の借地権の存続期間は

さて，上記のようにして更新された後の借地権の存続期間は，旧借地法によって，更新後の存続期間が約定されなかったときは，

① 堅固の建物の場合は，30年

② 非堅固の建物の場合は，20年

と法定されており，この期間内に建物が朽廃すれば借地権は最終的に消滅することとなる（旧借地法５条①，４条③，６条①）。

また，更新後の存続期間を前記以上の期間に約定したときは，その約定期間によることとなる（旧借地法５条②）。通常は堅固の建物の場合で30年，非堅固の建物の場合で20年と約定される。なお，存続期間を約定した場合には，その期間内に建物が朽廃しても，その約定期間内は借地権が存続する。

（注） 現行の借地借家法では，建物の構造に関係なく，法定更新の場合は，第１回目の更新後は20年，第２回目の更新からは10年，合意更新の場合は上記以上と改められ（同法４条），また，法定更新後の建物の朽廃による借地権の消滅の条項は削

除されている。なお，この改正条項は，旧借地権には適用されない。

建物の増改築・借地条件変更，借地権の譲渡・転貸の許可

借地上の建物の増改築，非堅固造建物から堅固造建物への建替え（借地条件変更），借地権の第三者への譲渡・転貸について，借地契約によって制限されている場合，地主の承諾を得なければならないが，この承諾を得ないでなされた場合に，種々のトラブルが多発していた。しかし，昭和41年の借地法の改正で，借地非訟手続により，一定要件を満たす場合には，地主の承諾に代わる裁判所の許可を得て，これらの行為をすることのできる制度がもうけられた（これについては，「**8　借地上の建物増改築，借地条件変更と承諾料**」（618ページ）で詳しく解説してあるので参照されたい）。

借地借家法の制定と新しいタイプの借地権の創設

ところで，これまで述べてきたように借地権の保護が次々にはかられてきて，借地人の地位は非常に確固たるものになったのであるが，一方，地主のほうは，地代も低くおさえられ，また，いったん土地を貸したら半永久的に返してもらえないという認識が定着し，特に大都市およびその周辺部では，新たに土地を貸そうという地主はいなくなり，あっても莫大な権利金を要求することとなった。

こういう状況の下で，宅地の供給を増やすという政策的意味もあって，借地期間が満了したら，必ず返還してもらえるタイプの借地権を創設したらどうかという気運が盛り上って，平成4年に従来の借地法と借家法とを統一して制定された借地借家法で，つぎのような定期借地権が創設された。

① 一般定期借地権（いわゆる長期型定期借地権）……借地期間を50年以上とし，期間満了後，建物を収去して更地として返還するタイプ

② 事業用借地権（いわゆる中・短期型定期借地権）……借地期間を10年以上50年未満とし，事業用建物の所有のみを目的とし期間満了後，建物を収去して更地として返還するタイプ（**図表5－1**（注2）参照）

③ 建物譲渡特約付借地権（いわゆる建物買取型定期借地権）……借地期間を30年以上とし，期間満了後，建物を地主が買い取るタイプ

なお，定期借地権創設の検討段階では，終身型定期借地権（借地期間を本人および配偶者の死亡のときまでとするタイプ）も検討されていたが，定期借地権には組み入れられなかった。なお，平成13年に高齢者向けの終身借家制度として「高齢者の居住の安定確保に関する法律」が創設されている（853ページ参照）。

図表５－１　借地権の分類表

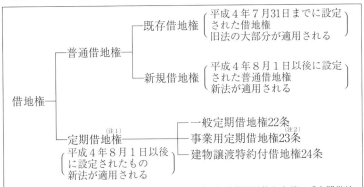

- 借地権
  - 普通借地権
    - 既存借地権（平成４年７月31日までに設定された借地権　旧法の大部分が適用される）
    - 新規借地権（平成４年８月１日以後に設定された普通借地権　新法が適用される）
  - 定期借地権（注１）（平成４年８月１日以後に設定されたもの　新法が適用される）
    - 一般定期借地権22条
    - 事業用定期借地権23条（注２）
    - 建物譲渡特約付借地権24条

（注１）　借地借家法の条文では，この図表の「一般定期借地権」を単に「定期借地権」とし，「定期借地権」を三つのタイプを含めているという意味で「定期借地権等」という用語を用いている。しかし，一般には，この図表に掲げた用語を用いて分類し，使用していることが多くなっているので，本書では，以下，この図表の用語と分類を用いている。

（注２）　事業用定期借地権については，借地期間を「10年以上20年以下」から「10年以上50年未満」とする改正が平成19年12月31日に制定され，平成20年１月１日以後に設定される定期借地権から適用されている。なお，条文では，「30年以上50年未満」（23条①）「10年以上30年未満」（23条②）という構成をとっている。

※合意によって，従前の借地契約を解除し，新たに新規の普通借地権や定期借地権を設定することは可能であるが，その場合，従前の借地契約の解除について相当の補償などしておかなければ，借地人に不利な契約として無効とされることになろう。

普通借地権と定期借地権

平成３年に創設された借地借家法における借地権を分類すると，**図表５－１**のようになる。

そして，既存借地権が期間満了して，更新した後も，新規借地権となるのではなく，既存借地権のままである。また，既存借地権が第三者に譲渡された場合も，既存借地権のままである。

定期借地権は，徐々に普及してきているが，一般に問題になっているのは，**図表５－１**の普通借地権のうちの既存借地権であるので，本書では，新規借地権については，これに付属してその差異を説明するにとどめている。また，定期借地権については，634ページ「**12　定期借地権とは**」以下で解説している。

3 新規地代の決定

借地権の設定にあたって，当初の地代は，どのように評価し，そして，どのように決められるのか。

新規地代は当事者の合意で

借地については，通常は地代(注1)が支払われる(注2)。

この地代は，借地権を設定する際に，地主と借地人とが合意した値段で定められるものであるので，当初の地代の額について，当事者の合意で決められているので，法律上の問題となることは，一般には少ない(注3)。

（注１） 民法では，地上権については「地代」，賃借権については「賃料」（平成16年改正前は「借賃」）と表現し，借地借家法では，これらを総称して「地代等」といっている。不動産鑑定評価基準では，「宅地賃料」といっている。本書では，「家賃」と区別する意味で「**地代**」また，明らかに宅地の賃料とわかる部分については「**賃料**」という用語を用いることにする。

（注２） 地上権について，地上権設定時に一時金を支払い，以後の地代を支払わないという例も，稀には見受けられる。この場合の一時金は，地代の一括前払的性格のものとみてよいであろう。

（注３） 地代を明確に定めないで借地をした後に，地代についての合意が得られずに裁判になることもある。

新規地代の評価方法（その１）——実質賃料と支払賃料

新規地代は，地主と借地人との話し合いで決まるといっても，そこは一応の合理的な基準はあるだろうということになる。

これを不動産鑑定評価基準（以下，「鑑定評価基準」という）では，新規賃料について，つぎのように評価の方法を定めている。

鑑定評価基準では，まず，賃料を実質賃料と支払賃料とに分けて考えている。実質賃料と支払賃料との区別は，867ページのコラムで家賃を例として説明しているので参照してもらいたいが，簡単に説明すれば，**実質賃料**とは，毎期の家賃・地代として支払われるものだけでなく，権利金，保証金，敷金などがあれば，その償却額や運用益などを加えた「すべての経済的対価」を含めたものを指す用語であり，**支払賃料**とは，その毎期に実際に支払われている地代・家賃などを指す用語である。

そして，鑑定評価基準は，まず，実質賃料を決め，そして，権利金，保証金，敷金などがあれば，実質賃料を基礎として，権利金，保証金，敷金などの金額その他の条件を加味して，その後の毎期に支払われる家賃・地代などの支払賃料を決めることとしている。

新規地代の評価方法（その２）——実質賃料の求め方

まず，実質賃料の求め方であるが，新規地代については，鑑定評価基準では，積算賃料，賃貸事例比較法による比準賃料，収益賃料の，三つの試算賃料を求め，さらに，賃貸事業分析法に基づく賃料を関連づけて決定するとしている。

積算賃料は，つぎの式により求める。

（基礎価格）×（期待利回り）＋（必要諸経費等）＝積算賃料

ここでいう基礎価格とは，ひとまず，土地の価額と理解してもらおう。

仮に４億円の現金があって，これを投資したりして，その利回りが年４％とすると(注)，１年間に1,600万円を受け取ることができる。では，時価４億円の土地があって，これを年４％の利回りになるように貸すと，同じく1,600万円となる。もっとも，土地を所有していると必要経費等（主として固定資産税等の公租公課）を負担しなければならないので，これを借地人に肩代りしてもらわないと純収益は1,600万円にならない。

この例で，必要諸経費等を300万円として，積算賃料を計算してみると，

（基礎価格）		（期待利回り）		（必要諸経費等）	（積算賃料）
400,000,000円	×	0.04	＋	3,000,000円	＝19,000,000円

となる。

なお，この**基礎価格**というのは，必ずしも土地の更地価格を意味しない。たとえば，借地契約で建物の構造や用途を制限していて，その土地の最有効使用が制約されている場合には，それだけ土地の使用価値が減じていることになっているので，その減価分を控除した価格（通常，「契約減価」という）ということになる。

また，**期待利回り**について，不動産利回り（土地利回り）は，銀行預金などの金融利回りと関連するものではあるが，両者は同じ利回りにはならない。たとえば，地価の上昇期にあっては，土地は長期的にみれば，その価額（元本）が値上りしていくものだから，利回りは，金融利回りより低くてもよいという考え方も強かった。

一方，地価の下落期には，逆に元本の値下りなど土地保有の危険性が大きくなるので利回りは高くなるという傾向にある。

一般的には，土地は金融資産より管理の困難性などの要素が加わるので，金

融利回りより高くなる性格を帯びている。

また，借地関係は長期にわたるものであるから，これと比較する金融利回りも今後の長期にわたる利回りの動向を推定しなければならない。

突っ込んでいくといろいろ難しい問題が出てくるが，ここではとりあえず，積算賃料の基本的な考え方を理解してもらえばいい。

（注）「基準割引率および基準貸付利率」（旧・公定歩合）は，現在（令和６年８月）0.5％であり，まだまだ超低金利の時代は続くと見られている。現在の銀行の定期預金（期間５年）の利率は0.2％前後であり，５年長期国債（固定型個人向け）で0.51％程度であり，また住宅ローン（固定金利選択型・20年）で1.85％前後であるが，いつまでこの金利水準が続くかはわからない。とりあえず，本文の４％の利率は，説明上の仮定の数値と理解しておいてほしい。下記の計算例のなかの利率についても同様である。

賃貸事例比較法による比準賃料は，近隣地域または同一需給圏の類似地域（これについては44ページ以降参照）にある類似の条件で設定された借地権の新規地代と比較して求める賃料である。

収益賃料は，売上から不動産以外に帰属する部分を控除した収益純賃料に必要諸経費等を加算して求める賃料である。

賃貸事業分析法に基づく賃料は，収益不動産に係る賃貸事業に基づく純収益をもとに土地に帰属する部分を査定して求めた宅地の実質賃料であり，配分法に準じたものである。

このようにして試算賃料を求め，これらを比較検討して，不動産鑑定士は実質賃料を決定する。

新規地代の評価方法（その３）――支払賃料の求め方

都市部において借地権を設定する場合，上述したように多額の権利金が支払われるのが一般化している。

このような場合に，支払われる権利金に応じて，以下で求めた実質賃料を調整して支払賃料を決定することとなる。

すなわち，権利金を多額にとれば，その額に応じて，支払賃料は低くなる。

実務における新規地代の決定の仕方

鑑定評価における新規地代の評価の方法は理論的には上述のとおりであるが，権利金の授受の慣行の成熟した都市部において，実際に新規に借地権を設定する場合（このような例というのはあまりないが）には，権利金のウェイトが高いため，実質賃料を評価してから，権利金と支払地代を決定するというより，近隣地域および同一需給圏内の類似地域における類似の借地条件（木造低層建物所有また鉄筋コンクリート造中高層建物所有などの条件）における標準的な借地権割合を土地価額に乗じて，まず権利金を決定し，地代については近隣の継続地代を参考にしながら決定するということが実務的には行われている。

（注）継続地代の相場については，次項を参照のこと。

〈土地の類型〉

土地の用途に関して区分したものを，土地の「種別」というのがあって，宅地，農地，林地などに区分されている。そのうちの**宅地**というのは，居住や商工業などの建物の敷地として利用される土地であるが，これをもう一つの角度から見て，土地に関する利用形態や権利の状態から区分したものを，土地の「類型」といって，鑑定評価基準では，宅地の類型として，つぎのようなものをあげている。

更地（さらち）――土地の上に建物や構築物などの定着物がなく，また借地権とか地役権など，その土地を使用したり収益をあげることを制約する他人の権利がついていない土地をいう。いわゆる空地（あきち）というのとは違う。なお抵当権がついているいないは，関係がない。抵当権というものは，土地の使用，収益を制約するものでないからである。また，公法上の制約があるかどうかも関係ない。

建付地（たてつけち）――土地の上に，その土地の所有者の建物などが建っており，その建物を自分で使っている場合の土地をいう（なお，相続税等の財産評価基本通達では，その建物を賃貸している場合の土地は，**貸家建付地**という）。

借地権――借地法でいう建物の所有を目的とする地上権または賃借権である。したがって，借地借家法の適用を受けない使用貸借や，一時使用の賃貸借や，建物以外――たとえばゴルフ場の所有を目的とする賃貸借などは，これに含まれない。

底地（そこち）――借地権の設定してある土地の所有権，すなわち地主の権利分をいう。

以上は，鑑定評価基準での定義づけであり，税法での定義とは若干異なるところもあることに注意。

4　継続地代の改定

借地権を設定した後の地代の改定はどのようにするのか。また，借地法制でどのような制限を受けているか。そして，どのように評価し，どのように決められるのか。

借地期間中の地代改定

借地期間というものは長期にわたるものであるから，借地権設定後の社会・経済情勢の変化によって，当初に定めた地代が不相当になることが一般的である。こういう場合の地代の改定方法について，最近の借地契約書では，地代改定のできる条項をもうけているが，その改定条項がない場合には，どうなるだろうか。

借地法の制定（大正10年）前においては，民法において，これに関する規定はなく，判例では，「事情変更の原則」を適用して地代改定を認めてきた。

その後，借地法の制定時に地代改定の条項がもうけられ，その後の改正を経て，現行の借地借家法では，つぎの場合には，地代の改定ができるよう規定されている。

①　土地に対する租税その他の公課の増減
②　土地の価格の上昇もしくは低下
③　その他の経済事情の変動
（①～③）により
④　近傍類似の土地の地代に比較して
（①～④）不相当となったとき

（注）　③の要件は，平成３年の借地借家法の創設で規定されたものである。また，この条項は既存借地権についても適用される。

地価と地代

地価と地代との間には，**元本と果実**との間に認められる相関関係を認めることができるといわれている[注]。ここでいう元本とは土地のことであり，果実とは地代のことである。

そして，地価が上昇する過程では地代も上昇し，地価が下落傾向にあれば，地代も低落する。両者の間には相関関係がある。

しかし，地価と地代とは正比例して変動しているものではないことは，経験的に認められているところである。

これは，土地売買により地価を形成する市場と，土地賃貸により地代を形成する市場とが相関関係にありながら，異なる市場にあることに起因している。

上述した借地借家法での地代の改定の事由の一つに，「土地の価格の上昇もしくは低下」というのがあげられているが，そのほか，租税公課の増減，経済事情の変動が掲げられ，それらによって，「近隣類似の土地の地代に比較して不相当になったとき」とされているのは，地価と地代とが正比例の関係で上下するものではないことを踏まえたものである。

（注）　鑑定評価基準総論第1章第2節後段(1)

継続地代の改定基準は

地代の改定――バブル崩壊時までの地価上昇期で問題となったのは，地代の値上げであったが，当事者間で話し合いがまとまらないときは，借地非訟事件として簡易裁判所の調停委員会に持ち込まれ，さらに，不調のときには裁判ということになるが，この場合，鑑定評価を参考として，地代改定額が決定されることとなる。

なお，このように借地期間中の地代を**継続地代**といっているが，継続地代を改定する場合の鑑定評価について，鑑定評価基準では，

① 差額配分法による賃料
② 利回り法による賃料
③ スライド法による賃料
④ 賃貸事例比較法による賃料（比準賃料）

を関連づけて決定するものとすると規定している。

鑑定評価のかなり専門的な用語が出てきたし，これらの方法についても，いろいろと議論されているところだが，以下，これらをごく簡単に説明しておく。

これらの評価の方法は，いずれも，地価上昇期に，地価上昇を前提として考えられたもので，地価下落時には矛盾が露呈して，問題となっているが，それは後述するとして，まず，現行の鑑定評価基準での評価方法と考え方を説明しておく。

さて，借地権設定時には，経済的合理性をもった地代が決められて出発したが，その後，借地借家法により地代増額に対する制約などがあって，現在の地代が，経済合理性から見ると低い水準となっている。これらの方法は，このような地代をどの程度まで増額するのが妥当であるか，また，そのために，どういう理論付けをしたらよいかということの多角度からのアプローチである。

差額配分法というのは，まず，現在の状況で，その土地の経済価値に即応する地代（新規賃料）を決めるとするといくらになるかを求める。これは，前項の新規地代の評価方法のなかの積算法と賃貸事例比較法等を併用して求める。

そして，現在，実際に支払われている地代（実際支払地代）との差額を求める。この差額の生じる主な原因として，借地後の地代の上昇率が，地価の上昇率に追いつかなかったことがあげられる。しかし，地価の上昇は，地主の努力によ

るというより，一般的な経済現象といえようし，また，借地人が土地を使用していた貢献からという要素もあろう。これらを分析して，この差額のうち地主に帰属する部分（一般には差額の$\frac{1}{2}$とか$\frac{1}{3}$とかが採用されている）を，実際支払賃料に加えて，改定地代を求める方法である。これを簡単な式で表わすと，つぎのようになる。

実際支払賃料 ＋（正常支払賃料－実際支払賃料）× 配分率
＝実際支払賃料 ＋（差額×配分率）

利回り法は，現在の純地代（前回改定時の地代から前回改定時の必要諸経費等を控除した額）が，当時の地価（基礎価格）に対して何％の利回りになっていたかを調べ，この利回り（継続賃料利回り）が，地主・借地人間で成立した合意による利回りであるとし，現在の地価（基礎価格）に，前回改定時の利回りを乗じて，改定すべき純地代を求め，これに現在の必要諸経費等を加えて，改定地代を求める方法であり，これを簡単な式で表わすと，つぎのようになる。

$$\text{継続賃料利回り（前回改定時に合意した利回り）} = \frac{\text{純賃料（前回改定時の）}}{\text{地　価（前回改定時の）}}$$

現在の地価（基礎価格）× 継続賃料利回り ＋ 固定資産税等 ＝ 改定地代

この方式は，一度地主と借地人とが合意して決めた純賃料の土地価額に対する割合（利回り）を尊重し，土地価格が変動すれば，変動後の価格にこの利回りを乗じて，改定賃料を算出すれば，両者とも納得するであろうという考え方によっている。

しかし，地代は，土地の価格に連動して上下するが，これに正比例するものではないことに留意して適用しなければならない。

（注） 鑑定評価基準では，「継続賃料利回りは，直近合意時点における基礎価格に対する純賃料の割合を踏まえ，継続賃料固有の価格形成要因に留意しつつ，期待利回り，契約締結時及びその後の各賃料改定時の利回り，基礎価格の変動の程度，近隣地域若しくは同一需給圏内の類似地域等における対象不動産と類似の不動産の賃貸借等の事例又は同一需給圏内の代替競争不動産の賃貸借等の事例における利回りを総合的に比較考量して求めるものとする。」（総論第７章第２節Ⅲ２）と規定している。

スライド法は，現行の純地代に，前回改定時から現在までの各種の変動率（地価，諸物価，所得水準などの変動率）を示す各種指数を総合的に勘案して求めた変動率を乗じ，これに現在の必要諸経費等を加えて，改定地代を求める方法であり，これを式で表わすと，つぎのようになる。

（実際支払賃料 － 前回改定時の必要諸経費等）× 変動率 ＋ 現在の必要諸経費等
＝純賃料 × 変動率 ＋ 現在の固定資産税等

賃貸事例比較法は，近隣地域または同一需給圏内の類似地域における類似の借地条件における適正な水準にある地代と比較して，改定地代を求めるものであり，その比較の方法は新規地代を求める場合と同様である。

（注）「基礎価格」「必要諸経費等」については，前項「３」（590ページ以下）参照。

なお，鑑定評価基準には掲げられていないが，実務において採用されている補助的な手法として，公租公課倍率法と平均的活用利子率法とがある。

公租公課倍率法とは，対象地に課税される固定資産税と都市計画税との合計額（以下「固定資産税等」という）に，一定倍率を乗じた額を改定地代とする方法である。

この手法は，継続地代の推移と固定資産税等との推移とがほぼ平行して変動していること，および，継続地代の固定資産税等に対する倍率がほぼ一定水準にあることに着目し，昭和40年代頃から調停においても多く採用され，算出方法も簡単であり，またわかりやすいという面から，実務面において普及し，土地の賃貸借契約書の地代改定条項にも，「改定地代を固定資産税・都市計画税の○倍とする。」とする契約も多く見られるようになっていた。

なお，昭和40年代後半の調停では，改定地代を固定資産税等の２倍～３倍（おおむね2.5倍，住宅地では相対的に倍率が低く，商業地では相対的に高い）をもって，適正地代とする例が多く見られた。

その後，平成６年の固定資産税の評価額の引上げと負担調整率による税額の漸増という政策がとられ，地価が下落していくのに固定資産税等は増額されるという現象が生じ，継続地代と固定資産税との相関関係は絶たれた。

しかし，平成９年以後，地価の下落率が固定資産税等の税額に反映される改正がなされ，継続地代と固定資産税等との相関関係が取り戻されつつあるともいえる。

平均的活用利子率法は，継続地代の地価に対する百分比（利子率）の実態を調査し，統計的に把握し，対象地の地価にこの利子率を乗じて，対象地に係る改定地代の水準を求めようとする方法である。

図表５－２は，（公社）東京都不動産鑑定士協会の調査に基づく，東京都23区内を中心にした継続地代の実態調査をもとに，調査対象地の継続地代を対象地の地価（公示価格水準）で除して求めた比率を統計的にまとめたものである。

図表５－２　更地価格に対する年額地代の割合・用途的地域別

	区部				市部				全体			
	商業地域		住宅地域		商業地域		住宅地域		商業地域		住宅地域	
	平均値	データ数	平均値	データ数	平均値	データ数	平均値	データ数	平均値	データ数	平均値	データ数
第１回(H22年)調査	1.2%	109	0.8%	438	1.0%	13	0.9%	57	1.1%	122	0.8%	495
第２回(H24年)調査	1.0%	286	0.8%	1,232	1.0%	20	0.9%	146	1.0%	306	0.9%	1,378
第３回(H26年)調査	1.2%	318	0.8%	1,457	0.9%	23	0.8%	150	1.1%	341	0.8%	1,607
第４回(H28年)調査	1.1%	281	0.8%	1,125	1.1%	18	0.7%	133	1.1%	299	0.8%	1,258
第５回(H30年)調査	1.1%	238	0.8%	929	2.0%	19	0.9%	114	1.6%	257	0.9%	1,043
第６回(R２年)調査	1.0%	183	0.8%	751	1.0%	9	1.2%	103	1.0%	192	1.0%	854
第７回(R４年)調査	1.0%	149	0.7%	698	2.3%	10	1.4%	87	1.7%	159	1.1%	785

東京都区部商業地域では0.4％超～0.9％以下の範囲でデータが107件あったほか，2.0％超でデータが４件以上あり，総数で約149件のデータが得られ，平均値は1.0％になった。

また，住宅地域では0.5％～0.7％の間でデータが552件あったが，平均値は0.7％となった。

（注）　更地価格は，取引が行われた年の相続税路線価を0.8で割り戻し，公示価格相当の水準額に補正して求めた。時点修正，標準化補正は行っていない。接面街路に相続税路線価が付されていない場合には，周辺の相続税路線価を採用している。

なお，**図表５－３**（次ページ）と**図表５－４**（600ページ）には，区別・市別の平均値とデータ数をあげてある（令和４年調査）。

継続地代紛争の解決には

地代改定について地主と借地人との合意が成立しないとき，従来でも調停という制度があったが，調停で解決しない場合が多く，その場合は裁判で解決せざるを得ず，裁判ともなると判決までに長い期間と過重な労力と費用（弁護士費用等）がかかることとなっていた。

この弊を改めるため，簡易迅速な解決方法が種々検討されてきたが，改正借地借家法と同時に成立した「民事調停法の一部を改正する法律」では，調停に実質的拘束力を置いた解決方法をとっている。地代についての紛争について訴えを提起しようとする人は，まず，調停の申立をしなければならないとしている（旧借地法では調停を経ないで直ちに訴えを提起できることになっていた）。

調停によって両者が歩み寄って相当の合意に達すればよいが，合意に達しないときは，両当事者が調停委員会の定める調停条項に服する旨の書面による合意があれば，調停条項を定めてこれに服せしめることとしている。なお，この

図表５－３　更地価格に対する年額地代の割合の平均値及びデータ数（用途的地域別　区部）

	商業地域		住宅地域	
	平均値	データ数	平均値	データ数
千代田区	0.7%	1	—	0
中央区	1.1%	2	—	0
港区	—	0	0.3%	1
新宿区	1.1%	2	0.5%	5
文京区	2.2%	4	0.4%	13
台東区	0.8%	19	0.8%	8
墨田区	0.9%	9	0.7%	36
江東区	0.8%	7	0.8%	54
品川区	1.3%	5	0.6%	41
目黒区	1.0%	6	0.6%	17
大田区	1.3%	14	0.7%	98
世田谷区	0.5%	5	0.6%	43
渋谷区	0.6%	1	0.5%	13
中野区	—	0	0.6%	18
杉並区	1.1%	9	0.6%	40
豊島区	1.5%	3	0.6%	17
北区	0.8%	7	0.6%	49
荒川区	0.7%	8	0.7%	49
板橋区	0.7%	9	0.7%	50
練馬区	0.9%	3	0.7%	12
足立区	0.8%	16	0.9%	44
葛飾区	0.7%	10	0.7%	70
江戸川区	1.3%	9	1.0%	20
平均（データ数合計）	1.0%	149	0.7%	698

書面による合意は，調停の申立後になされたものに限るとされている。

そして，このような形で調停委員会の調停が成立する見込みがない場合には，現行法（民事調停法）の手続きによって，それが不相当であると認めるときでない限り，裁判所は調停委員の意見を聴いた上で，職権で決定（審判）をすることとなる。

図表５－４　更地価格に対する年額地代の割合の平均値及びデータ数（用途的地域別　市部）

	商業地域		住宅地域	
	平均値	データ数	平均値	データ数
八王子市	—	0	1.3%	20
立川市	—	0	0.5%	8
武蔵野市	1.4%	1	0.6%	7
三鷹市	0.6%	2	0.5%	5
青梅市	—	0	1.1%	5
府中市	—	0	0.9%	5
昭島市	—	0	1.8%	2
調布市	0.9%	1	1.0%	2
町田市	2.1%	2	1.5%	11
小金井市	—	0	0.3%	1
小平市	—	0	2.0%	4
日野市	—	0	0.7%	2
東村山市	6.5%	1	—	0
国分寺市	0.9%	1	2.0%	2
国立市	—	0	—	0
福生市	—	0	0.9%	2
狛江市	—	0	—	0
東大和市	—	0	3.7%	2
清瀬市	—	0	—	0
東久留米市	—	0	—	0
武蔵村山市	3.5%	1	2.6%	2
多摩市	—	0	1.7%	2
稲城市	—	0	—	0
羽村市	—	0	—	0
あきる野市	—	0	0.9%	2
西東京市	2.8%	1	3.3%	3
西多摩郡瑞穂町	—	0	—	0
西多摩郡日の出町	—	0	—	0
西多摩郡奥多摩町	—	0	—	0
平均（データ数合計）	2.3%	10	1.4%	87

図表５－５　地代・家賃に関する紛争処理

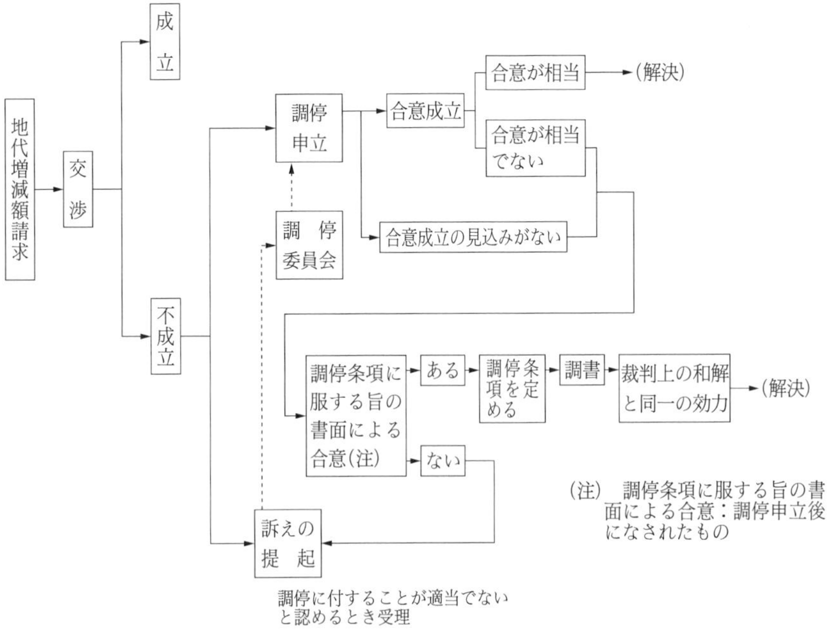

当事者がこの決定に不服で異議の申立をすれば，その決定は効力を失って白紙に戻って，裁判ということになるが，いったん決定が出ている以上，裁判にもっていっても，これと同様の判決が出ることも予想され，よくよくのことでなければ裁判にはもっていかず，その決定に従うであろうという仕組みである。

この手続きの流れの概要を図で示すと，**図表５－５**のとおりである。

地代改定の予約は　将来の地代改定の場合の紛争を事前に回避するために，予め地代改定の基準（計算式）などを契約しておくことも行われている。このような特約について，それが相当のものであれば（借地人に対し特に不利でないものであれば），裁判になった場合でも，この基準にそって判決が出されている。これに対応するため，地代改定は３年ごとに行うとして，その間，３年間は改定時の純賃料を物価変動率等で調整した額に毎年の固定資産税等を加えた額を当年の地代とするというような地代改定特約をつけることも，円滑化のために有効であろうと思われる。

なお，定期借地権の地代改定条項例を645ページの「地代改定は」に掲げておいたので参考にされたい。

5　借地権と借地権価格

借地権とはどういうものか。そして，借地権価格はどのようにして成立するか。

借地権と借地権価格

大都市部では，借地権が多額の対価をともなって取引されている。また，地主が借地の返還を受ける場合には，多額の立退料が支払われている。そして，新たに借地権を設定する場合には，多額の権利金が授受されている。

これらは，借地権が，それだけの経済的価値をもっていることに基因しており，この経済的価値が借地権価格を構成している。

もっとも，地方都市では，借地権の取引もなく，新規に借地権を設定する場合に権利金も，ほとんど授受されない地域もある。こういう地域では，借地権はあるが，借地権価格はないということになる(注)。

(注)　借地権を設定していれば，借地期間の保護，期間満了時の更新請求権，また，地代値上げの制限などの法律上の権利を有しているが，その権利を譲渡しようとしても，対価を支払ってまで買う者がいない地域では，権利はあるが，価格はないということになる。

借地権価格の成り立ち

借地権の取引や設定にあたっての権利金の授受は，法制により借地権の保護の強化につれて発生し，増加していき，大正10年の借地法制定以後，その傾向は強まり，一般化していった。

(注)　「権利金の授受ないし借地権の売買が最初に行なわれるようになったのは東京地方で，明治の中頃からであるといわれている。しかし，……（これは）……個別特殊な場合であったろう。……借地権の売買が一般化していくのは大正末期以降のようである。但し借地法制定以前においても土地に対する需要の強い東京地方では，借地権が財産的価値を有するものとして取引される例は相当あった。」(白石満彦著『借地権課税百年史』清文社刊)

大正12年の関東大震災の復興整理に用いられた借地権割合があるが，これはつぎのようになっている。

最上級の商業地……………………………………………………50％
上級の商業地………………………………………………35～40％
中級の商業地………………………………………………25～30％
中級の商業地に次ぐ商業地，住宅地，工業地……………20～25％

その後，昭和14年の地代家賃統制令の制定によって地代が統制されたため，地代の不足分を補うものとして，権利金を要求する例が増え，借地権利金が全国的に普及していく。

（注）　地代家賃統制令によって，昭和23年には権利金の授受が一切禁止されたが，２年後の昭和25年には，新規の借地権設定については，全面的に解除されている。

そして，このように地代が低水準に押さえられたことと，戦後の住宅難を背景として，借地権の更新拒絶における「正当事由」が借地権保護を強め（586ページ参照），いったん土地を貸したら半永久的に返還されないことの認識が一般化したこと，そして，借地権取引の保護が強められたことなどにより，借地権利金がさらに高額化し，一般化していった。

昭和34年の所得税制の改正により，収受した権利金が更地価格の２分の１を超える場合に譲渡所得に分類され，２分の１以下の権利金を収受する場合より所得税が軽減されることとなったことも，高額な権利金の授受の慣行を広めたといえよう。

また，一方，相続税においても，地上権である借地権については，その評価方法が明治38年の制定当初から法定されており，賃借権である借地権についても，高額な権利金が授受される場合について，大正時代に入って順次課税対象とされるに至ったが，これが一般化したのは，戦後の財産税（昭和21年）で，東京および横浜地方における借地権の評価が，評価基準をもうけて広く評価され，その後，昭和22年の相続税から，全国的に課税されるに至っていく。

その当初においては，借地権の設定されている宅地の賃貸価格（注）に存続期間に応じて定めた一定倍数を乗ずる評価方法を採用していたが，昭和22年の改正で，現行法のように土地の更地価格に一定割合を乗ずる計算方法に改められるとともに，借地法の適用を受ける借地権を，この評価方法の対象外とした。その後，富裕税（昭和26年）の評価において，東京・大阪，大都市，中都市，小都市，町，村という大雑把な区分であるが，その区分ごとの商業地帯（繁華街，その他），住宅地帯，工業地帯，村落地帯別の借地権割合による評価基準が示され，その後の路線価方式による評価方法とともに，この割合方法による評価が定着し，全国に普及していくこととなる。

（注）　「土地ノ賃貸価格ト称スルハ貸主カ公課，修繕費，保険料其ノ他土地ノ維持ニ必要ナル経費ヲ負担スル条件ヲ以テ之ヲ賃貸スル場合ニ於テ貸主ノ収得スヘキ金額ヲ謂フ」（旧相続税法（明治38年１月法律第10号）４条③）

相続税等における借地権の評価方法として，**借地権割合による評価方法**が採用され，定着していった背景として，借地権が売買される場合の取引価額の決定，また，新規の借地権を設定する場合の権利金の決定において，更地価格に対する一定割合を基準として話し合い，決定していたという事例があってのことであるが，この相続税の評価方法の定着が，借地権取引にあたって，割合法を基準とすること，そして，さらに，相続税評価基準書に示された地域ごとの借地権割合を基準とすることを推し進めたという影響を与えている。

特に，路線価の設定されている地域においては，その割合を把握しやすいため，相続税の評価における借地権割合が，逆に，その地域の取引上の借地権割合をリードしていったことも認められているところである(注)。

（注） 580ページのコラム参照。

また，公共事業における買収・収用，また，都市再開発事業における権利変換の際の借地権の評価に，この相続税の借地権割合が参考とされることなども，この借地権割合の定着と普及を助けていったともいえる。

〈建物は土地から独立しているか〉

わが国の民法では，土地と建物とは別の物として，独立した権利を認められている。それで，われわれは，それがあたり前だ，世界中どこにいっても，そうだと思っている。しかし，外国にいくとこの逆の場合，建物は土地と一体であり，土地の附属物だというように扱われていることが多い。うっかり，他人の土地に建物を建てると，その建物は地主の所有物になってしまうという制度である。ローマ法に「地上物は土地に従う」という原則があり，これが世界の主流の考え方である。これは，日本の古来からの木造住宅は一種の移動性組立ハウスのようなもので，いつでも土地から撤去して別の土地に移築できるのに対し，ヨーロッパの石造りの建物は移動させるなど考えられなかったからであろうか。

海外で借地権付別荘などを買って，借地期限が到来しても，のほほんとしていると，その建物は地主の所有物になってしまう。その場合，補償はしてもらえるかもしれないが，どれだけしてもらえるかはわからない。注意しておいたほうがよい。

6 借地権価格の評価

> 借地権価格は，取引事例比較法，土地残余法，賃料差額還元法，割合方式によって評価する。

借地権の価格の形成

借地権というものが，どのようにして発生し，形成され，かなり高い代価を払って売買されたり，新たに借地権を設定するとき高額の権利金が授受されるようになったことを，見てきた。

では，なぜ，そのような高額な権利金で取引されるようになったのか。それは借地人に帰属する経済的利益があったからである。

平成初頭のバブルの崩壊まで，日本の地価は，一時的な停滞や下落の時代もあったものの長期的には上昇を続けていた。

しかし，借地の当初に設定された地代は，旧借地法の規制の下で，その値上げは抑制され，土地を使用することによる経済価値が高まって，地価が上昇しても，継続して借りている借地の地代（継続地代）は据え置かれるか，または，小幅な値上げに抑えられていた。したがって，そういう低い水準の地代で借りていられるという**借り得部分**が借地人に生じていった。

この借り得部分を，鑑定評価基準では**賃料差額**といっている。

そして，この借地人の地位も継続地代の抑制も法律で保証されているので，借地している限り，その**経済的利益**を安定して，継続して，半永久的に享受することができる。

その借地権を第三者に売るとき，買手も引き続いて，それと同じ低い地代を支払えばよいということであれば，かなりの対価（権利金）を支払っても経済的に引き合うということになり，そのようにして，借地権の価格というものが成立し，普及し，慣行化されていった。

そのようにして慣行化された借地権価格が，新規に借地権を設定するときの権利金の額の参考とされ，また，地主が借地人に立ち退いてもらって土地を返還してもらうときの立退料の参考とされ，借地権価格なるものが定着していった。

しかし，これは大都市や近郊都市において生じた現象である。

借地権があっても，借地権価格のある地域と無い地域

物の価格というものは，需要と供給との関係で決まるということは，いまさら言うまでもないことだが，それは土地の価格についても，借地権の価格についてもあてはまる。

大都市やその近郊都市のように土地の供給が足りなければ，借地でもということになり，高額な権利金を払ってでも，ということになる。

一方，地方都市やその郊外地域では，土地が余っている。しかし，売却してしまうのは，まあ，貸すぐらいならいいかな，というようなことで借地の供給の潜在力の多い地域もある。

このような地域では，新たな借地をしても，高額の権利金なしで，その土地の経済価値に見合った地代で借りられる。継続して借りていれば，地代の値上げがそれほどではなく，多少の借り得部分（賃料差額）が生じていたとしても，だからといって，高額の権利金を払ってまで，その借地権を買い取ろうという奇特な人は現われない。

で，このような地域で，借地権はあるが，借地権価格は無い，といわれている。

しかし，このような地域でも，借地権価格が問題となることがある。

鑑定評価基準による借地権の評価方法

借地権の評価について，鑑定評価基準では，大都市圏の市街地のように，「借地権の取引慣行の成熟の程度の高い地域」，すなわち，借地権の譲渡が多く見られ，その譲渡にあたって，その対価として多額の権利金が授受され，これに関連して，新規の借地権の設定や地主への借地の返還に際して多額の権利金や立退料が授受されるのが一般化している地域と，地方の市町村のように，「借地権の取引慣行の成熟の程度の低い地域」，すなわち，借地権の譲渡がほとんど見られず，新規の借地権の設定にあたっても権利金の授受のなされることのないような地域に分けて，それぞれに評価の方法を定めている。

成熟度の高い地域における借地権の評価

「借地権の取引慣行の成熟の程度の高い地域」における借地権の評価は，つぎのようにして求めるとされている。まず，**取引事例比較法**がある。

評価対象とする借地権と，同じ近隣地域または比較可能な類似地域で，借地権の売買が行われていたり，あらたに借地権を設定して権利金を授受している事例のある場合，これらと比準（比較）して対象借地権の比準価格を求める。

つぎに，対象借地権の上にある建物を賃貸するなどして得られる総収入から，地代その他の必要経費を差し引きして，その不動産から得られる純収益を算定する。この純収益から建物が稼いだ部分を差し引くと，土地（借地権）が毎年生み出す純収益が得られる。この純収益は，借地存続期間中，毎年生ずるものとし，それを現在の価値に直したものの総計を求める。これを**土地残余法（借地権残余法）**による収益価格という。

さらに，継続して借地している場合，地代が地価の上昇に追いつかないため，新規に借地した場合に比して安くなっている――すなわち，借地人の「**借り得部分**」がある。借地期間中の「**借り得部分**」の現在価値を総計してその収益価格を求める。これを**賃料差額還元法**という。

また，その土地の更地価格を，**第１編第１章**で述べた取引事例比較法で求め，一方，近隣地域や周辺地域での借地権の取引から，その地域での借地権割合を求め，更地価格に，この借地権割合を乗じて借地権価格を求める。これを**借地権割合方式**といっている。

そして，以上のようにして求めた比準価格と土地残余法（借地権残余法）による収益価格とを関連づけて求めた価格を標準とし，賃料差額還元法により求めた価格と割合方式で求めた価格を比較考量して，その借地権の契約条件や，その地域の借地権の取引慣行などを仔細に検討して，最終的に評価額を求める。文章だけでは理解しづらいと思うので，参考までにこれを簡略化した例（**図表５－６**）で示しておいた。

正式には，このようにして借地権の鑑定評価をすることになっているのであるが，これは大変な作業であり，専門家でなければ，ちょっと説明をきいただけで，できるものではない。したがって，借地権の価格を正式に求めるのは，不動産鑑定士にまかせておくとして，コンサルタントとしては，ここでは，とりあえず，鑑定評価というものがどのようにして行われるのかということを理解しておけばいいだろう（借地権の評価方法についてより詳しくは，鵜野和夫著『［最新増補版］例解・不動産鑑定評価書の読み方』（清文社刊）を参照されたい）。

成熟度の低い地域における借地権の評価

「借地権の取引慣行の成熟の程度の低い地域」というのは，借地権の売買の例がほとんどなく，また，新規に借地権を設定するにあたっても，権利金といえるほどの一時金の授受がされていない地域をいうのであるから，その評価にあたって，上述した**取引事例比較法**や**割合方式**を適用することは不可能である。

そもそも，こういう地域では，上述したように，借地権の売買とか，設定にあたっての権利金の授受などが滅多になされないのであるから，日常的には借地権の評価などは必要ないのである。

しかし，借地の立退請求に借地人が応じないで裁判になったとき，また，収

図表5－6　借地権の鑑定評価の簡略化した例

〈借地面積180㎡で，中層建物の所有を目的とする借地権の評価例〉

(1)　取引事例比較法による比準価格

近隣の借地権売買の例がつぎのようであったとする。

1㎡当り128万円，これと地域要因，個別的要因，借地条件等を比準して1,280,000円×$\frac{95}{100}$＝1,216,000円が得られた。

その他いくつかの売買例による比準を行い，1,216,000円が妥当と試算した。

(2)　土地残余法（借地権残余法）による収益価格(注1)

対象借地上の建物を賃貸した場合の収入，諸経費等がつぎのようであったとする。

年間家賃　　　　60,500,000円……㋑

諸　経　費　　　19,500,000円……㋺（うち地代1,400,000円）

純収益㋑－㋺　　41,000,000円……㋩

建物の積算価格340,000,000円とする。

建物に帰属する純収益（建物価格×期待利回り8％とする）

27,200,000円……㋥

借地に帰属する純収益㋩－㋥　　13,800,000円……㋭

その1㎡当りの純収益　　76,666円……㋬

純収益㋬の借地期間中の現在価値の総計（還元利回り6％とする）

76,666円÷0.06≒1,277,700円……㋣

(3)　賃料差額還元法による収益価格(注2)(注3)

その借地に対して実際支払っている地代（年）　　1,400,000円……㋑

合理的な経済的地代　　14,400,000円……㋺

借り得部分㋺－㋑　　13,000,000円（1㎡当り72,200円）……㋩

借り得部分㋩の借地期間中の現在価値の総計（還元利回り6％とする）

72,200円÷0.06=1,203,333円……㋥

(4)　割合方式

対象借地の更地としての価格　　1,750,000円……㋑

近隣地域で一般に授受されている借地権割合　　70%……㋺

㋑×㋺＝1,225,000円……㋩

(5)　借地条件その他の条件を検討する。

(6)　試算価格の調整と決定

(1)～(4)までで求めた価格を検討し，(1)(2)によって求めた試算価格を関連づけた価格を1,250,000円と判断し，(3)(4)により求めた価格を比較考量し，鑑定評価額を216,000,000円（1㎡当り1,200,000円）と決定した。

（注1）　土地所有者がその土地の上の建物も所有して自己所有している場合の建付地の評価にあたって，やはり，その建物を賃貸するなどして得られる総収入から，同様の手続きをとって，土地残余法による収益価格を求めることがある。

借地権の評価の場合との相違は，総収入から差し引く必要経費のうち，借地権の場合は地代，建付地の場合は固定資産税等ということになる。

そして，固定資産税を年額70万円として，その他の条件をこの**図表5－6**

の(2)の例と同じとして，この方式で建付地（所有権）の純収益を求めると，

（借地の場合の1㎡当り純収益）76,666円 ＋（1㎡当り地代）7,777円 －（1㎡当り固定資産税）3,888円 ＝（建付地の場合の純収益）80,555円

所有権の場合は，借地権の場合より権利の安定性による収益の安定性が高いので還元利回りは低くなる傾向にあるので，還元利回りを５％として求めると，

（1㎡当り純収益）80,555円 ÷（還元利回り）0.05 ≒（建付地の場合の収益価格）1,611,100円

借地権の場合の収益価格は，建付地の場合の収益価格の約80％になっている。

（注２）　この借り得部分の全部が借地権価格になるわけではない。借地権価格となるのは，このうち，取引の対象となっている部分だけである。たとえば，借り得部分の計算をしたところ，8,000万円という価額がでたとしても，実際に取引されるとしたら，7,000万円ぐらいが標準だということなら，市場価値は7,000万円しかないということになる。また，上記の例で，逆に借り得部分が6,000万円ということなら，その借地権の市場価値は6,000万円しかないということになる。

（注３）　鑑定評価基準では，「……賃料差額のうち取引の対象となっている部分を還元して得た価格」と記述している。

これを文字どおり解すると，この図表５－６の借り得部分㋩のうちのどれだけの部分が，借地権の取引において対象となるかということになるが，このようなことを考えて取引する例はない。

実際支払地代が，その地域の継続賃料の水準を下回っている場合には，借地権の譲渡承諾（地主の承諾を得られない場合には非訟事件の裁決）のとき，その地域の標準的な地代水準に改定されることが一般化している。

用や都市再開発などで，土地の価額を地主と借地人に配分しなければならないというような特別の場合に，評価が求められることがある。

それで，鑑定評価基準では，

①　土地残余法（借地権残余法）による収益価格を標準とし，

②(ア)　借地権の設定契約に基づく賃料差額のうち取引の対象となっている部分を還元して得た価格と，

(イ)　土地に係る更地または建付地としての価格から底地価格を控除した価格

を比較考量して決定する

としている。筆者としては，納得しがたいというか，理解しがたい方式であるが，ともかく，そのまま掲げておくことにする。

筆者の感じとしては，いささか乱暴ないい方ではあるが，そして，別に実地調査に基づくものでもないが，このような借地権の取引慣行の成熟の程度の低い地域での借地権価格は，更地価格の２割を標準として，その個別的な事情に応じて±αを加味すればよいのではないかと思っている。

借地権の簡便評価法と借地権割合

借地権の正式な鑑定評価は不動産鑑定士に依頼するとしても，話の煮つまらないうちに不動産鑑定士に依頼するのでは，費用もかかるし時間もかかる。

また，ビル建設などの基本計画，概略プランを立てるために，事前に大体のメドをつけておけばいいということもあるであろう。その簡便法として相続税の路線価図を利用する割合方式を説明しておく。

図表５－７

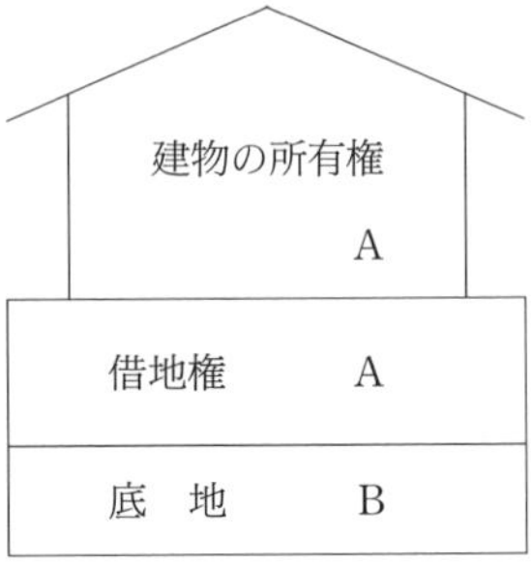

各路線価を表示してあるところに，A，B，C，D，E，F，Gという符号が付してある。たとえば，74ページの**図表１－28**の路線価図をみると，渋谷駅前広場のバスターミナル寄りの「③道玄坂１丁目」の街区の駅寄りの前に 20,960A と書いてある。このAなどの符号が借地権割合である。

借地権割合とは，**図表５－７**のように，土地の権利割合を借地権者と地主とに分けて，それぞれの権利割合を区分して考えようというものである。地主の権利は，借地権に制約された所有権であり，これを底地といっている。

また，A～Gについて，借地権割合を，相続税の路線価図では**図表５－８**のように定めている。つまり，借地権価格はつぎのようにして求められる。

図表５－８　相続税路線価による借地権割合

記　　号	A	B	C	D	E	F	G
借地権割合	90%	80%	70%	60%	50%	40%	30%

（注）100%から借地権割合を引いたものが底地割合とされる。

図表５－９

借　地　権　の　割　合		
	木造の場合	鉄筋コンクリート造の場合
A	80～85%	90～95%
B	75～80%	80～85%
C	60～70%	70～75%

（D 以下は，**図表５－８**と同じ）

（更地価格）×（借地権割合）

＝（借地権価格）

たとえば，更地価格が１㎡当り300万円でＢであれば，

（更地価格）	（借地権割合）	（借地権価格）
3,000,000円×	0.8	＝2,400,000円

Ｃであれば，

3,000,000円×　0.7　＝2,100,000円

となる。

この割合は，相続税額算出のためにもうけられたものであるが，借地権を設定したり，売買したりするときの一応のメドをつけるためには，非常に便利である。ただ難点といえば，路線によって一律に付されているので，借地契約条件による差は無視されているということである。同じ路線上の借地でも，木造２階建の場合より，鉄筋コンクリート造の５階建のほうが，借地権の価値は高いはずである。なぜなら，後者のほうが，敷地の利用効率は高く，借地期間も長い。木造を鉄筋コンクリート造に建て替えるためには，地主に条件変更承諾料（618ページ参照）を払わなければならない。

それで，筆者は，**図表５－８**を**図表５－９**のようにアレンジして使っている。このアレンジの仕方に，理論的根拠や統計的根拠を求められても困る。

筆者の調査した範囲での借地権の実際の売買例と，相続税路線価での割合との関係，そして経験と勘からいって，大体のメドをつけるのに，このようにして求めておけば，それほど大きくは狂わなかったというだけである（なお，都心にいくにしたがって，この表の上限の%に近づく傾向がある）。

いずれにしても簡便評価法であるから，それなりの精度以上のものを期待してもらっても困るが，計画初期の段階では，これによって基礎的な計画は立てられると思う。

また，路線価図のない地域もある。それについては，固定資産税評価額に一定倍率を乗じて，相続税の評価額を求める「倍率表」（117ページの**図表１－42**参照）というものがあり，これに地域ごとの借地権割合も記載されているので，

参考にするとよい。

たとえば，**図表１－42**の「倍率表」によると，青砥町の市街化区域など「路線」と記載された地域については路線価図が作成されているので，この路線価図の各路線に付せられたＡ～Ｇの符号によって借地権割合を調べることになるが，青砥町のうち市街化調整区域の「２　上記以外の地域」の宅地については路線価図が作成されていないので，この表の借地権割合の欄により調べる。その借地権割合は50％となっている。

相続税路線価図の借地権割合と実態

借地権割合は，地価水準の高い地域ほど借地権割合も大きくなるという傾向がある。その理由として，地価が上昇しても地代の上昇は遅れ，また，上昇率も低いため，借地人の借り得部分が大きくなるからといわれている。反面，地価が下落しても，地代は当分の間横這い，ないしは低下幅が少なく，借地人の借り得部分が相対的に小さくなり，借地権割合も小さくなる。

㈳日本不動産鑑定協会（現(公社)日本不動産鑑定士協会連合会）の国税評価対応小委員会が，会員に対するアンケート方式で借地権割合の実態調査を行い，この調査結果と相続税路線価図・倍率表による借地権割合とを対比した結果を表示して平成15年10月に発表しているが，**図表５－10**のようになっている（旧㈳日本不動産鑑定協会・公的土地評価委員会・国税評価対応小委員会『借地権取引の実態調査・平成15年10月』平成15年３月調査，収集事例集103件）。

なお，同調査書には，市（東京都23区は区）別の資料が掲載されているので参考になる。

図表５－10からみると，東京と神奈川地域においては，相続税の路線価・倍率表に示されている借地権割合は，ほぼ実態を反映しているが，その他の地域では，実態とかなり乖離していることが見られる。路線価図等の借地権割合を利用するとき，この点について留意しなければならない。

（注）　最近では，首都圏内の都市や札幌市などの地方の大都市においても，使用しなくなった借地を地主に無償で返還する動きが目立つようになっている。

図表５－10　借地権割合の実態調査

㈠　地域別にみた第三者取引の借地権割合（取引価格／更地価格）の平均

	関東甲信	東京	神奈川	近畿	九州・沖縄	その他
イ．平均借地権の割合	16.2%	63.4%	54.7%	31.9%	24.5%	28.9%
ロ．事例地の国税借地権割合の平均	52.5%	66.5%	60.0%	57.1%	43.3%	45.0%
$\frac{イ}{ロ}$ ×100	30.9%	95.3%	91.2%	55.9%	56.6%	64.2%

㈡　借地権の当事者間取引の借地権割合の概要

（一般取引の場合）	
イ．実態による当事者間の平均的借地権割合	44.7%
ロ．事例地の国税借地権割合の平均	56.5%
イ／ロ×100	79.1%
（競売・訴訟・調停の場合）	
イ．実態による当事者間の平均的借地権割合	34.0%
ロ．事例地の国税借地権割合の平均	60.0%
イ／ロ×100	56.7%
（その他の場合）	
イ．実態による当事者間の平均的借地権割合	31.3%
ロ．事例地の国税借地権割合の平均	45.0%
イ／ロ×100	69.6%

※実態による平均的借地権割合とは，借地権取引価格÷更地価格の平均である。

7 借地権の譲渡・転貸と承諾料

借地権を譲渡・転貸するにはどうすればよいか。その場合の承諾料はどれくらいか。

譲渡・転貸には地主の承諾が必要

借地上の建物を譲渡しようとするとき，当然借地権の譲渡か，転貸がともなうことになるが，借地権の譲渡等については，それが地上権であれば，譲渡・転貸は自由であり，賃借権の場合でも，借地契約書であらかじめ第三者に譲渡すること等を無条件に認めるようになっていれば，問題はない。しかし，建物の所有を目的とする地上権を設定して借地することは，一般にはまず行われていないし，賃借権の場合に第三者に自由に譲渡・転貸できるような特約がつけられていることも，まずないであろう。したがって，借地権を譲渡したり，転貸したりするときには，通常は地主の承諾が必要となっている。地主の承諾を得ないで，借地権を譲渡したりすると，契約違反で解約される場合がある（民法612条）。特に借地権の譲渡をするときは，あらかじめ「地主の承諾を条件とする譲渡予約契約」を締結して，地主の承諾を得てから履行するように注意しなければならない（631ページの（注２）参照）。

それはともかく，借地権の譲渡等をする場合に，地主は承諾料を取るのが慣習化している。

地主の承諾が得られない場合

借地上の建物とともに借地権の譲渡等をしたいが，地主の承諾が得られない場合，また承諾料の折合いがつかない場合がある。その場合，借地人は裁判所に申し立てて，「地主の承諾に代わる裁判所の許可」（代諾許可）を得ればよいことになっている。

これは，**非訟事件**といって，一般の訴訟事件にくらべて手続きも簡単であり早い期間に結論が出る。この場合，地主に一時金をいくら，場合によっては地代の増額をあわせていくら支払え，それを条件として譲渡等を許可するという決定となって出てくる（借地借家法19条①・旧借地法９条ノ２①）。

なお地主は，この申立てのあった場合に，適正な価額でその借地権を自分に売ってくれと要求することができる（借地借家法19条③・旧借地法９条ノ２③）。この場合，借地人にとっては，第三者に売ろうが，地主に売ろうが，建物の残存価額と借地権相当額は回収できるわけであるから，一応は損得はないだろうといえ

る。(注)

しかし，借地人が親族とか特殊な関係の人に安く売ってあげようと思っていた場合は，地主に買われてしまう結果になることもあり，注意しなければならない。

（注） 非訟事件を通じて地主が買い取る場合の価額は，裁判所が適正な価額を定める。第三者に譲渡する価額が適正な価額より高く予定されている場合には，予定より安い価額で地主に買い取られるということになる。

借地権譲渡の承諾料とは

借地期間中に借地人が変わっても建物は同じである。借地人が変わるだけなのに，なぜ承諾料が支払われるのかというと，これも明確な理論的根拠があるわけではない。

地価の上昇期について見てみると，地価が上昇しても，地代の値上げは借地借家法の規制で抑えられているため，借地人の借り得部分が増えていき，借地権価格が発生し，借地権が市場で高く売れるようになる。

そうなると，借地人は，借地を譲渡したとき，土地の値上り益を享受することになる。一方，地主は，あいかわらず低い地代しか受け取ることができない。借地人はそうとう儲けるのだから，その一部を地主に配分してもよいのではないか，というわけだといわれている。

譲渡についての地主の承諾を求めるのは，譲渡をしようとする旧借地人であるから，譲渡承諾料（名義書替料）は，旧借地人が負担することが理論的であるが，これも譲渡人，譲受人の力関係で決まるのであるから，どちらが負担するかを契約書できちんと決めておいたほうがよい。

譲渡承諾料の相場は

では，譲渡承諾料として，どれくらいの金額を支払えばいいのだろうか。

『借地非訟事件便覧』（借地非訟実務研究会編，新日本法規出版刊）に掲載されている土地賃借権譲渡許可申立事件の東京および大阪地裁等の決定の例（昭和60年４月12日～令和３年12月20日）をまとめてみると，次ページ**図表５－11**のようになっており，借地権価格の10%前後をメドとし，それまでの地代，更新料を加味して上下させるのがいいのではないかと思う。

図表５－11　借地権譲渡許可に際しての一時金の例

	借地権価格に対して							
	５％以上 ７％未満	７％以上 ９％未満	９％以上 11％未満	11％以上 13％未満	13％以上 15％未満	15％以上 17％未満	17％以上	合　計
件　数	6	7	258	6	9	1	1	288
百分比（％）	2.1	2.4	89.6	2.1	3.1	0.3	0.3	100.0

（注）　特殊なケースを除く。

ただし，上記の統計は，長期にわたる借地関係のものがほとんどを占めており，多額の権利金を支払って借地をし，かつ，短期間に譲渡する場合の承諾料まで，借地権価格（取引価額）の10％程度というのは合理的でない。

（注）　借地権譲渡の許可についての裁決例で，今回の譲渡の約２年前に譲渡を受けたもので，そのとき更地価格の約15％の譲渡承諾料と約12％の増改築承諾料を支払っていたケースで，借地権譲渡に係る一時金を借地権価額の３％とした例（東京地決平成14．５．７，前掲『借地非訟事件便覧』1500～1220）があり，参考となる。

譲渡承諾料というものが，上述したように，借地人の借り得部分の実現利益の一部を地主に配分するという性質であるとして，つぎの式で求めるのも，妥当な方法と思われる。

（借地権譲渡価額 － 借地権設定時に支払われた権利金）× 10％

または，

（借地権譲渡時の借地権価格(注) － 借地権設定時の借地権価格(注)）× 10％

（注）　この簡便評価方法として，公示価格，相続税路線価と借地権割合を利用して，**第１章**第３節（73ページ以下）の簡便評価方法によるのもよいであろう。

なお，昨今経験したような地価下落時で，設定または譲渡を受けてから短期間で譲渡するケースで，今回の譲渡価額が先に支払った設定権利金や譲渡代金より低くなっている場合もある。だからといって，この場合の承諾料をマイナスとするのもおかしい話である。名義書替えの手数料的な金額とするのが妥当であろう。

相続・贈与の場合は

なお，相続のときも，名義書替えの問題が起こる。しかし，これは第三者に譲渡するわけではなく，被相続人（死亡者）が土地値上り益を享受するものでもなく，代がかわっただけであり，上記でいう名義書替えとは全く異なる性質である。しかし，この場合でも，地主が名義書替料を請求する場合がある。

この場合は，相続によって被相続人（死亡した借地人）の借地人としての地位は，法律上は相続人に自動的に引き継がれているものであり，単なる契約書の形式的な書替えだけのことであるから，名義書替料は，法律上は全く支払う必要はないのであるが，払うとしても，「代がかわりましたが今後ともよろしく」といった程度の儀礼的なものでいいであろう。

なお，この機会に建物を建て替えたり，借地期間を延長することもあるが，そういう場合，次ページで説明する増改築承諾料や，622ページで説明する更新料があわせて支払われる。これは，相続による名義書替料とは別の性格のものである。

しかし，相続をまたずに生前に贈与しようとするときには，法律上で自動的に引き継がれるというものでないので，それなりの承諾料をとられることとなる。

借地権の転貸と承諾料

借地権の転貸の場合は，借主は同一のままである。しかし，転貸によっては借主は借地権を譲渡したときとそれほどかわらない対価を得ているであろうから，転貸の承諾料も譲渡承諾料より若干低いぐらいの金額と思っておいてよいであろう。

8 借地上の建物増改築，借地条件変更と承諾料

借地上の建物を増改築するのに，どのようにすればよいか。建物を非堅固造から堅固造へ変えるのにどうすればよいか。その承諾料は。

借地上の建物を増改築するには

借地期間中は，借地契約の制限内で，借地を使用するのは自由である。たとえば，単に木造の建物の所有を目的とするという借地契約であれば，建物の構造を変化させなければ，増改築することは，原則として，自由である(注)。しかし，借地契約をするとき，増改築を禁止する旨の特約がつけられていることが多い。こういう場合は，増改築するにあたって，あらかじめ地主の許可を得なければならないことになる。

（注） 借地期間については別の問題が生じる。

増改築の承諾料

増改築といっても，木造平家建の建物を同じ規模で建て替える場合や，木造２階建に建て替える場合，または従来の建物はそのままにしておいて増築するなどのケースがある。

この場合，借地人にとっては，建物をのせる敷地をそれだけ広く，有効に使用することができるようになるという効用がある。すなわち，従来使用できなかった敷地部分の利用が可能になる。地主にとっては，敷地内のいままで使用させなかった部分を使用させるということになる。

図表５−12のような場合，建物Ａだけあったとき，建築予定の土地Ｂ′については，借地契約の対象になっていても，従来は庭としての利用しかできなかった。もちろん地主も利用できない。しかし，建物Ｂをつくることによって，借地人はＢ′の部分もより有効に使用することになる。すなわち，それだけ借地権の価値が増加することになる。

また，**図表５−13**のように平家建を２階建に増築する場合，平家建のときは土地のＡ′の部分しか利用していなかったといえる。ところが，２階建にすることで，その敷地を２倍に利用できることになる。土地についていってみれば，借地権によって利用できる部分がＡ′からＡ′Ｂ′へ広がって，それだけ借地権の価値が増加したことになる。

改築については，まず時間的に価値が増加するといえる。つまり，建物が新しくなって，その耐用年数が延長すれば，借地期間もそれだけ長くなるというわけである。また，建物自体も使いよく，快適になり，質の増加がある。

図表５－12　借地上の建物の増築

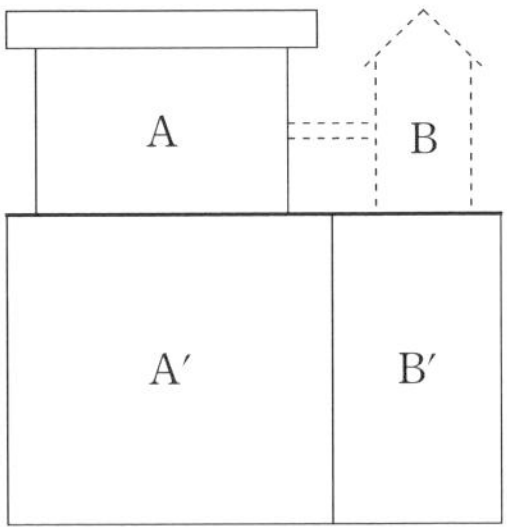

図表５－13

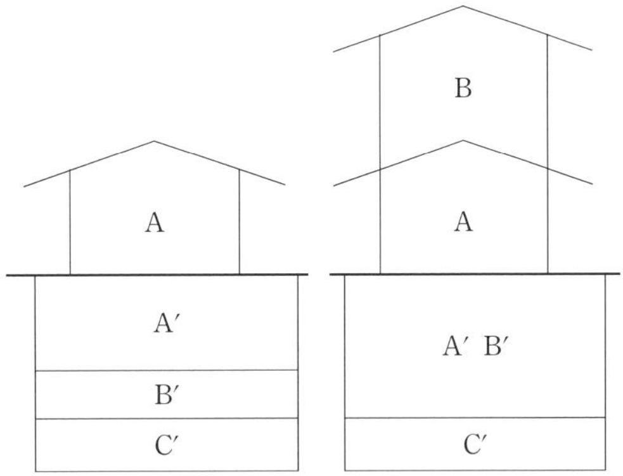

図表５－12，５－13でみれば，B′の部分は，地主は使用できないが，借地人も当初の借地契約で制約されて使えなかった権利である。その制約が解除されて借地権の価値を増す。設定当初の権利金や地代は，そういう使用制限を前提として定められていたので，その使用効率が増加することによる，その価値の増加分の一部について，地主に対価として支払われるのが増改築許可の承諾料である。従前の建物に対してどれだけ増築するかによって，また，従来の地代や借地期間によっても，承諾料はさまざまである。増改築について地主の承諾が得られないときは「地主の承諾に代わる裁判所の許可」を得て増改築できることになる。これは，その敷地を通常に利用するのに相当と判断されるものであれば，一定の対価（承諾料）を支払うことと引き換えに，許可が得られるようになっている。この場合の増改築許可の承諾料についての東京地裁の鑑定委員会の算定例によると，

〔増築の場合〕

$$(\text{借地権価格})\times(\text{一定率})\times\frac{(\text{増築面積})}{(\text{従前の建物面積})+(\text{増築面積})}$$

〔改築の場合〕

$$(\text{借地権価格})\times(\text{一定率})\times\frac{(\text{改築後の借地期間})-(\text{改築前の残存期間})}{(\text{改築後の借地期間})}$$

〔木造家屋の改築で，改築前の借地期間が８年残っている場合〕

$$(\text{借地権価格})\times(\text{一定率})\times\frac{20\text{年}-8\text{年}}{20\text{年}}$$

となっている。（一定率）についてもまちまちであるが，５～10％の間が多く，どちらかというと10％に近い率が採用されている。なお，同時に地代の増額をともなう場合が多い。

また，前掲（615ページ）の『借地非訟事件便覧』における東京地裁の決定例によると，承諾料は増改築の程度によってまちまちであるが，更地価格の１～３％の範囲内のものが多く，期間延長をともなうもので，５～６％というのも目につく。

建物の構造などを変更するには

建物の所有を目的とする借地契約を締結するとき，契約で建築される建物の種類・構造・規模・用途などに制限がつけられていることが多い。

したがって，木造の建物の所有を目的とする借地条件であったとき，鉄筋コンクリート造の建物に建て替えようとするときは，地主の承諾を得なければならない。

しかし，地主の承諾がつねに得られるとは限らない。その場合，

①　借地後に都市計画法の用途地域の変更があって，木造建物が建てられなくなった場合などのように，土地利用の規制の変更のあった場合

②　借地当初の時代は，周辺も木造建物が普通であったが，その後，鉄筋コンクリート造の建物が建ち並ぶようになったなど付近の土地の状況が変化した場合

などで，現在新たに借地契約をするとすると，鉄筋コンクリート造等の建物の所有目的で借地契約をするのが相当であるようになっているとき，前記と同様に裁判所に申し立てて,「地主の承諾に代わる裁判所の許可」を得て建て替えることができるようになっている（借地借家法17条・旧借地法８条ノ２①)。

なお，増改築について，裁判所に申し立てることのできるのは借地権者（転借地権者を含む）だけであるが，この借地条件変更の申立ては，借地権者だけでなく，地主もできるようになっている。

借地条件変更の承諾料は

木造の建物を鉄筋コンクリート造にする場合は，増改築以上に借地権の価値は増加する。非堅固な建物から堅固な建物に変わることによって，借地期間が延長する。また，木造２階建を鉄筋コンクリート造10階建に変更すれば，使用できる面積も５倍になる。地主にとっては，この機会に承諾料をもらっておかねばということになる。

条件変更承諾料の相場は

前掲の『借地非訟事件便覧』に掲載されている「建物の構造に関する借地条件変更申立事件の東京および大阪地裁等の決定の例」（昭和60年２月21日～令和２年９月30日）をまとめてみると，**図表５－14**のようになっており，349件中の260件（74.5％）が，更地価格の９％以上11％未満の一時金（承諾料）の支払いを条件としている。

この表から，承諾料の相場としては，10％を基準とし，従来の借地関係の経

図表５－14　借地条件変更許可に際しての一時金の例

	更地価格に対して							
	３％以上 ７％未満	７％以上 ９％未満	９％以上 11％未満	11％以上 13％未満	13％以上 15％未満	15％以上 17％未満	17％以上	合　計
件　数	10	32	260	34	7	6	0	349
百分比（％）	2.9	9.2	74.5	9.7	2.0	1.7	0.0	100.0

（注）特殊なケースを除く。

緯などを加味して，更地価格の７％から13％の範囲が一応の水準と考えていいであろう。

以上の例は一定の条件がそろっていて裁判所の許可が得られた場合である。そうでない場合は，地主と借地人との話し合いで承諾料の額が決まることになろうが，上記の率をある程度上回ることはやむを得ないであろう。

〈不動産質〉

土地や建物も質に入れることができる。これは「不動産質」という。質をとった人（質権者）が，この土地・建物を自分で使用したり，他に貸して利益をあげる代わりに貸金には利息をつけない。抵当権の場合は，抵当に入れた人が使用収益を続けるのと比べて対照的である。手間がかかって不便なので，現在ではあまり利用されていない。

しかし，江戸時代では，農民の担保手段として広く利用されていた。金を借りた担保として，田畑を質に入れる。質権者は，これを借主や別の人に貸して小作させて小作料をとる。これを「質地小作」（しっちこさく）とよんでいた。

なお，田畑を質に入れるようになったのは，農業生産性がかなり高まって余剰生産物が出るようになってからである。それ以前は，人間 —— 子供や女房を質に入れた。債権者のもとで，下男，下女として働いて亭主が質受けするのを待つわけである。しかし，最後には本人まで質に入って，とうとう家族ともども質流れになることも少なくなかった。

9　更新料の性格とその価格

> 更新料とはどういうものか。支払わなければならないものなのか。支払う場合は，どれくらいの金額になるのか。

借地期間と更新

平成４年７月31日までに設定された借地権（既存借地権）については，その期間は，堅固造建物で60年（契約で約定する場合は30年以上），非堅固造建物で30年（約定20年以上）となっており（旧借地法２条），期間が満了した場合に，地主が更新を拒絶しても，正当の事由がなければ（627ページのコラム参照）更新され，堅固造建物で30年（約定30年以上），非堅固造建物で20年（約定20年以上）が期間延長され，更新後の期間が満了したときも同様に延長され，その後も同様に延長されることとなっている（旧借地法５条）。

また，平成４年８月１日以後に設定された普通借地権の期間は，堅固造・非堅固造と区別することなく，一律に30年（約定30年以上）となっており，当初の借地期間が満了して更新されたときは20年（約定20年以上）延長され，つぎの更新からは10年（約定10年以上）となり，その後はこれを繰り返すこととなる（借地借家法３条，４条）。

法定更新と更新料

地主が更新についての合意をしない場合で，地主側に正当な事由がなくても，自動的に更新されたものとされる。これを法定更新という。法定更新の場合には，更新料のはいってくる余地はない。更新料を支払えと請求し，訴訟にもち込んでも，裁判所が更新料を支払えと命じた例はなく，今後とも当分は期待できないであろう[注]。

（注）　更新料について，最高裁（昭51．10．1）は，「宅地賃貸借契約における賃貸期間の満了にあたり，賃貸人の請求があれば，当然賃貸人に対する賃借人の更新料支払い義務が生ずる旨の商慣習ないし事実たる慣習が存在するものとは認められない」と判示している（『判例時報』835号）。

なお，借地期間が満了して，借地人が更新の請求をし，地主が更新拒絶をして裁判となったとき，地主に正当事由があるかどうかが判断の基準となるのであるが，更新料の支払いを条件として和解すること，また，和解の勧告をされる例も少なくない。

更新料の支払われる場合

しかし，それにもかかわらず更新料を支払い，契約書を書き替えて更新することも多く行われている。これを合意更新という。なぜ，法律上支払う義務もない更新料を支払うのか。不可解な現象であるといえば，そうである。これについていろいろな説があるが，まだ明解な理論づけといえるものは見あたらない。一応つぎのような説がある。

①　不足地代の後払い的な一時金

いままでの地代が安すぎたから，その不足分を補うためのものという考え方

②　地代の前払い的な一時金

将来の地代の増額が難しいので，前払いしてもらうという考え方

③　借地権消滅のリスクに対する安心料

地主が更新拒絶をして裁判にもち込んだ際，99％は継続できるとしても１％ぐらいは更新できないという危険性があるかもしれない。その間の裁判の時間と費用と心労とを考えると，多少のものは払っても，合意の上で更新しておけば，少なくともその期間は煩わしいことが避けられるし，それに，今後増改築をしたり，木造から鉄筋コンクリート造に変更したりすることもあるので，地主との関係を円満にしておこうという考え方

いずれも一理あるようでもあり，ないようでもある。ふつうこれらの考え方の組合せの上にたって，更新料の支払われる場合が多い。

④　なお，旧借地権についてみれば，法定更新の場合に延長される借地期間は堅固造30年，非堅固造20年とされており，その期間満了前に建物が朽廃すれば，その時点で借地権は消滅するようになっている（旧借地法５条①）。合意更新の場合には，上記の期間またはより長い期間であれば当事者で自由に定めればよい（旧借地法５条②）。

そして，合意更新で更新期間を定めた場合には，その期間の中途で建物が朽廃しても借地権は消滅せずに，その更新された期間が満了するまで借地権が存続する。こういう場合は，法定更新の場合より，明らかに有利な条件で更新されることになるのであるから，更新料を授受する実質的な意味があるということができるであろう。

なお，日税不動産鑑定士会調査の「更新料の実態調べ」（不動産鑑定士が収集した昭和48～52年の都内の借地更新例299件の分析）によると，借地更新にあたって，更新料を受け取った場合の地主の言い分と，支払った側の借地人の理由について，**図表５－15，５－16**のような結果が出ている。

この結果をみると，借地人の側には，少なくとも基本的に，借地することについて経済的な利益を受けているという認識が潜在的に存在しているようである。また，裁判所の姿勢はともかくとして，所有権にくらべ相対的に弱い立場にあるという気持ちが根底にあり，そういう権利を，ことを荒立てることなく

図表５－15 更新料を受け取った地主の理由

受け取った理由	回答数	割合
① 地代が安いので，その対価としてもらった。	29	27.4
② もらえるならもらったほうがよいと思ってもらった。	5	4.7
③ 借地契約存続について，異議はあったけれども，これを行使しなかったから，その対価としてもらった。	2	1.9
④ もらうことが当然だと認識してもらった。	67	63.2
⑤ その他	3	2.8
合計	106件	100%

図表５－16 更新料を支払った借地人の理由

支払った理由	回答数	割合
① 地代が安いから支払った。	1	0.9
② 再三再四請求されたから支払った。	9	8.2
③ 借地権を確立しておきたいから支払った。	10	9.1
④ 借地権の消滅をおそれたから支払った。	8	7.3
⑤ 支払う必要はないと認識していたが，訴訟するにはお金もかかるし，訴訟費用程度だったので支払った。	5	4.5
⑥ 近所の人が払っているので，近所の付合いと思って支払った。	15	13.6
⑦ 支払うことが慣行だと思って支払った。	35	31.8
⑧ 支払い得る額だったので，抵抗なく支払った。	2	1.8
⑨ 地主と争うのはいやだから支払った。	22	20.0
⑩ その他	3	2.7
合計	110件	100%

確保し（図表５－16），いずれ増改築とか木造を耐火構造に変更するときに円満に交渉したいという気持ちがある。それが，更新料の成立する基盤になっているようである。

更新料の妥当な額 更新料は，このように，法的根拠がなく支払うものであり，その額もマチマチである。

昭和60年に，日税不動産鑑定士会で「更新料の実態調べ」を行ったときには，更地価格（公示価格）に対する更新料の割合は，約５％弱という結果が得られた。この当時は，公示価格が，いわゆる実勢価格の７割前後ぐらいの水準で公示されていたから，実勢価格に対して3.5％というところになっていたといえよう。このことから，地価の３％くらいが更新料の相場という見方が一般に広まった。

図表5－17　東京都区部における更新料の実態調査――平成9年～平成11年の3か年間に授受された更新料と地代月額（更新直前）との関係

更新料／地代月額（更新直前）	商業地の場合		住宅地の場合		併用地の場合	
12倍（1年）未満						
12倍（1年）～ 36倍（3年）未満	1件		1件			
36倍（3年）～ 60倍（5年）未満	2件		9件			
60倍（5年）～ 84倍（7年）未満	6件	12件（86%）	8件	24件（67%）		6件（75%）
84倍（7年）～120倍（10年）未満	2件	10件（71%）	7件			
120倍（10年）～156倍（13年）未満	2件		3件			
156倍（13年）～180倍（15年）未満	1件		2件		1件	
180倍（15年）～240倍（20年）未満			6件		1件	
240倍（20年）～300倍（25年）未満						
300倍（25年）～360倍（30年）未満						
360倍（30年）～						
合　計	14件（注1）		36件（注2）		8件（注2）	

（注1）　最低は14か月（1.2年）分～最高は164か月（13.7年）分。比較的58か月（4.8年）～100か月（8.3年）が多い。
（注2）　最低は25か月（2.1年）分～最高は213か月（17.8年）分。比較的50か月（4.2年）～95か月（7.9年）が多い。
（注3）　最低は65か月（5.4年）分～最高は200か月（16.7年）分。比較的60か月（5.0年）～84か月（7.0年）が多い。

しかし，このことは，更地価格（実勢価格）の3％が妥当な更新料の額であることを理論づけるものではなく，当時の地価水準に対する更新料の割合を調べたら，たまたま，そういう統計的結果が得られたということである。

したがって，地価が高騰して倍になれば更新料も倍になるというものではない。また，地価が下落して$\frac{1}{2}$になれば，更新料も$\frac{1}{2}$になるというものでもない。

日税不動産鑑定士会で，昭和59年～平成6年間に東京都区部において支払われた更新料の実態調査を行ったところ，地価の何％というような数字では把握できなくなっていることから，地代（更新直前の地代月額）の倍率という形で統計をとることにして，3年ごとに結果を発表してきた。

更新料の水準

日税不動産鑑定士会の「継続地代の実態調べ（平成12年版）」では，平成9年～11年の間に授受された更新料と地価，また，更新料と地代との関係について，**図表5－17**のようにまとめている。

これによると，地代（更新直前の月額）に対しては，商業地，住宅地とも36か月～120か月が多数を占めていた。

また，バブル崩壊後の地価下落により，地価水準が急騰前の水準に戻ったことから考えると，地価の２％前後の更新料も妥当な水準と考えられるようになってきている。

承諾料が含まれている場合

いくらの更新料を支払ったという場合に，増改築承諾料（618ページ参照）が含まれた金額である場合が少なくない。単に借地期間を更新する場合とは条件が異なるので，単純な比較はできないことに留意しなければならない。

更新料の法的性格については，次ページのコラム「更新料と裁判所の姿勢」を参照されたい。

〈更新料と裁判所の姿勢〉

更新料についての最高裁の判例は，622ページの(注)に掲げておいたが，最高裁の判決（昭51.10.１）で，更新料についての考え方をわかりやすく判示したものがあるのでつぎに掲げておく。

なお，この判決を要約すると，合意更新の場合や裁判上の和解や調停においても，更新料の授受される例は少なくないことは認めている。しかし，それは**慣行**といえるとしても**慣習**といえるまでには至っていない。そういう状態において，合意更新の場合に更新料を授受する例が少なくないからといって，法定更新の場合にも更新料を支払えと命令することはできない，というようなことである。

「原告は，東京都区内においては土地賃貸借契約の合意更新が行われる場合，借地権価格の５ないし10％の更新料が借地権の継続的保有の対価として……支払われるという事実たる慣習が存在すると主張するが，本件全証拠によってもかかる慣習の存在を認めることはできない……し，もとよりかかる更新料の支払が社会の法的確信に支えられた**慣習法**であるなどとする理由はない。……蓋し合意更新と法定更新とは借地法上も区別された存在であって，……借地法（旧借地法）第４条第１項本文，第６条第１項本文等の規定が適用される場合には，賃借人に何らの金銭的負担を負わせることなくして，即ち原告が主張するような更新の対価を問題とすることなくして更新の効果を賃借人に享受させるのが右各法条の趣旨である……近年東京都区内において借地契約が更新される場合や裁判所の和解・調停において借地に関する紛争が解決される場合において，一定の金員が『更新料』の名の下に授受される事例が少なくないこと自体は当裁判所に顕著であるが，これらにはそれぞれ，或いは賃貸人の更新拒絶に対する異議権放棄の代償の意義を有しているとか……（適正地代と現実の地代の－筆者）差額分を回収している等の個別具体的な状況に応じてその支払が約されているのであって，その効力はここでは一応別箇のものとすべきである。」(『判例時報』858号)

しかし，実際の裁判においては，裁判官が，更新料を支払って和解するよう勧告をすることが多く行われ，これによって妥結することが多いのも事実である。

10 地上権と賃借権

建物の所有を目的とする地上権と賃借権とは，どう違うか。それぞれの評価の差。

地上権と賃借権

借地権を設定するときのタイプとして，民法では地上権と賃借権とが用意されているが，地主は強い権利である地上権を選択することを嫌い，借地権のほとんどは賃借権として設定されていること，そして，その後賃借権である借地権について，いろいろな保護が加えられて，地上権である借地権に近づいてきたことは，「**2 借地権と借地法制の変遷**」（582ページ）で詳しく述べた。このように，賃借権である借地権が地上権である借地権に近づいてきたといっても，地上権である借地権とまったく同じになったわけではない。

その差を理解するため，まず，地上権と賃借権との違いをここでもう一度ふり返ってみてみる。

物権と債権

民法では権利を大きく分けて，物権と債権とに分類している。**物権**の一番典型的なものは，所有権であり，物を直接支配し，また処分できる権利であるといわれている。所有権以外にもいろいろの物権があるが，これらは用益物権と担保物権とに分けられる。**用益物権**というのは，物を直接支配して利用できる権利であり，地上権，永小作権，地役権，入会権などがある。**担保物権**というのは，金銭を貸し付けたときなど，その担保として物を直接おさえておこうとする権利であり，留置権，先取特権，質権，抵当権がある（このほかに占有権という現状の物の支配状態を認めようという物権もある）。

債権というのは，他人に何かをさせることのできる権利である。歌手と契約して，舞台で歌わせる権利などが，もっとも債権らしい債権といえよう。土地の売買契約をすると，買主は売主に対してその土地の所有権を自分に移転させる権利，その土地の占有権を自分に引き渡すようにさせる権利が生じる。この権利が債権である。そして，その内容をなしている所有権や占有権というのは物権であり，所有権の移転や占有権の引渡しを受ければ，もう売主と関係なく，その土地を直接支配できるようになる。

地上権と土地賃借権

地上権の設定契約をしたとき，それは土地所有者に対し地上権を設定するよう要求できる債権が生じたことになり，設定された地上権そのものは物権である。その後，地上権設定の条件の範囲内で，その土地を直接支配して利用することができる。地上権の設定登記をしておけば地主が変わっても関係ないし，地主に無断で地上権を譲渡することも自由である。

土地賃借権というのは，契約条件に従って，借地期間中，地主に対して土地を使用させることを要求できる権利である。地上権が，土地と地上権者との関係であるのに対して，土地賃借権というのは，あくまでも，地主と借主との人間関係である。したがって，地主に無断で借地権を譲渡したり，転売したりすることはできない（民法612条)。そして本来的には，地主が変わってしまったとき，新しい地主と賃貸借契約をやり直さないと，その土地を使用することができないという関係にある。また，その期間は最長でも50年に限定されている（民法604条)。

賃借権の物権化

地主が変われば，新地主に対抗できない点については建物保護法による保護が加えられ（584ページ参照，なお，借地借家法では10条)，借地期間については，旧借地法の創設により延長され（584ページ参照)，更新についても旧借地法の改正で保護され（585ページ参照)，また，第三者への譲渡について，地主の承諾が得られない場合には，これに代わる裁判所の許可を得れば譲渡できるようになっている（614ページ参照)。

これを賃借権の**物権化**といっている。

地上権と賃借権の価格の差

しかし，賃借権の物権化といっても，物権そのものになったわけではない。依然として，両者の差は残っている。

そのもっとも主なものは，賃借権である借地権を譲渡する場合である。この場合，地主の承諾が得られなければ，これに代わる裁判所の許可を得れば譲渡できるといっても，その場合も，承諾料相当の一時金の給付と地代改定が条件とされる。その一時金は，一般の場合で，借地権価格の10％程度である（615ページ参照)。これにくらべて，地上権の譲渡は自由であり，承諾料などの一時金の支払いは不要である。

賃借権である場合には，その**流動性**が劣るといえる。

これを比較すると，賃借権である借地権の価格は，地上権である借地権の価格より10％程度低いといってよいであろう。

また，地上権については，抵当権その他の担保権が設定できるが，賃借権については，これらの担保権を設定できない。すなわち，**担保力**が劣るということである。

もっとも，建物に抵当権を設定しておけば，その敷地である借地権には，それが賃借権であっても，その抵当権の効力が及ぶという判例があり，この解釈が定着しているので，心配はないといえるが，それにしても，金融機関としては，土地に直接に抵当権が設定できるほうが安心できる。こういうことからも，賃借権である借地権の価格のほうが低くなる。この分を５％ぐらいと考えると，総合して，地上権である借地権の価格より15％前後ぐらい低くなると見てもよいであろう。

〈動く不動産（その２）――移動しながら沈下していくハワイ〉

土地の自然的特性として，地理的位置の固定性，不動性（非移動性），永続性（不変性）が，不動産鑑定評価基準の冒頭に掲げられている。我々の日常的感覚からすれば，毛ほどに疑問をはさむ余地はなさそうである。

しかし，ハワイの観光で，七島巡りの遊覧飛行から帰って，オアフ島ホノルルのワイキキ・ビーチで寝そべりながら，この島が，かつては今みてきたハワイ島の位置にあったといわれたことを想い浮かべると，この島ごと，太平洋を漂流しているような錯覚にすら陥って夢見心地になる。

1912年にウェーゲナーが**大陸移動説**を唱えたとき，それはかつての地動説以上に荒唐無稽な世迷い言として耳を傾ける人も少なかったが，今では，大陸と島々とそして海底を乗せたプレートが移動することを否定する学者はいないし，教科書にものっている。

ハワイ島は北太平洋の真中でスポット的に活動している火山の噴出物によって生成した島であり，標高4,206mという富士山より高い山が聳えている。

しかし，北太平洋プレートは，この島を乗せながら，日本列島の方へ移動しており，そして，日本海溝あたりで，地底へと吸い込まれていく。

過去のハワイ島は，沈みつつ島の面積を縮小して現在のオアフ島になっており，やがてミッドウェー島の位置にやって来て，島の本体は海中に没し，珊瑚礁だけが海面に出ている礁島になってしまう。

その移動の速度は年に数センチメートルというから，100年で数メートル，かなりの速度といえよう。

ひと頃，ハワイへの土地投資ブームが盛んであったが，子々孫々のことを考えれば，島の西海岸より，東海岸の土地を買っておいたほうが，相対的に長持ちするであろう。

11 借地権のつかない建物の評価

建物の買取請求権を行使したときの建物の時価はどう評価するか。（場所的利益）

借地権の返還義務

定期借地権等を除いて，借地権を地主に返還しなければならない法律上の義務が生じるということは，滅多には起こらない。ほとんどないといってよいだろう。しかし，ないこともない。その主な場合というのは，つぎの二つのケースである。

建物の買取請求権

借地期間が満了したとき，地主が自分で土地を使用する等の「正当事由」があれば，遅滞なく異議を申し述べて，借地を返還してもらえる場合がある（借地借家法６条・旧借地法４条，６条）。

この場合の「正当事由」というのが認められる例というのはきわめて少ないが，ないこともない。この場合に借地人は，借地上の建物を買い取るように地主に請求することができる。これが，借地人の買取請求権である（借地借家法13条・旧借地法４条②）[注１]。もう一つ，旧借地人から第三者が借地権付建物の譲渡を受けて，借地権の譲渡や転貸について地主の承諾も裁判所の許可ももらえなかった場合，建物の譲受人は建物を買い取ることを地主に請求することができる。これが，建物の譲受人の買取請求権である[注２]（旧借地法10条）。

この二つの場合に買い取れと請求できるのは建物だけであって，それに借地権の価額は含まれていない。

（注１）　最近の判例を見ると，地主側に正当事由があると判決されるケースの多くは，地主が立退料相当額を提供している場合が多い。この場合には，建物買取請求権はつかない。

（注２）　後者の場合に，借地権の譲渡，転貸についての地主の承諾も裁判所の許可ももらえなければ，建物だけ買い取ってもらっても仕方がないから，その借地権付建物の譲渡等を取りやめるであろう。こういうことが起こるのは，借地権の無断譲渡，転貸をして，地主の承諾も裁判所の許可も得られず，そのうえ無断譲渡，転貸を理由に，契約違反として借地契約が解約されたときに生ずる。

借地権のつかない建物の評価

この場合の建物の価額は，取りこわし後の廃材の価額ではなく，そのあるがままの建物として使用することを前提としての価額である。

一般には，現在その建物を新築したらいくらかかるかという価額（建物の再調達原価）から，時の経過やその他の原因によって，価値の減じた分を差し引いて（減価修正をして）求めればよいであろう。

問題は，これだけでいいのかということである。この価額について，借地権価額は加えないが，「場所的利益」は参酌することが判例では定着している。

場所的利益とは

ところで，この「場所的利益」とは一体なんであるのか，ということになると，諸説紛々とし，その諸説の内容もさまざまのことがいわれている。建物の再調達原価から減価分を差し引いただけで，「場所的利益」を参酌して織り込み済みだというわけのわからない判例もあるようであるし，「場所的利益」を参酌するということは，交通の便宜や環境の良否を考慮し，これを建物だけの価額に加えたものだという判例もある。しかし，更地であれ，借地権であれ，土地の価額というものは，交通の便宜や環境の良否をそのなかの大きな要因として形成されているのであるから，交通の便宜や環境の良否を考慮して加算するということになると，それは借地権価額の一部を加算していることになるであろう。そうなると，借地権価額は加算しないといっておきながら，実際には借地権価額の一部を加算していることになって，理論的にはどうもすっきりしない。

私が考えるには，地主側に借地更新を拒絶する「正当事由」があったにせよ，また借地権の無断譲渡，転貸ということがあったにせよ，建物だけの価額を支払っただけで，経済的価値の相当に大きい借地権を無償で取り上げてしまうのは，やはりあまりに残酷でないか，ある程度のものは補償してあげるのが世間の常識であろうし，人情としてももっともなところではないかという，いわば苦しまぎれに考え出したのが，この「場所的利益」というものではないかということである。

場所的利益の評価

「場所的利益」の内容そのものが，すっきりしないので，これをどのように評価したらよいかということは，非常に困難なことになる。しかし，判例をみると，建物付宅地価格なり，建付地としての価格なりの15％程度で定められているケースが見受けられる（不動産判例研究会『判例不動産法』2896－１頁，新日本法規）。一応これをメドとして，ケースバイケースで考えていくことになろう。なお，この建物買取請求権の行使されるケースというのは，一般にはあまり多くないであろうが，後で説明する使用借権の評価に関して，ある程度の参考になると思う。

建物買取請求権のない場合

なお，借地権の無断譲渡，転貸以外の契約違反で借地契約が解約された場合は，建物買取請求権を行使することはできない。この場合は，自分で建物を収去して，どこかに移築するか，廃材として処理することになろう。

借主が建物を収去しないで借地を返還した場合には，その建物になんらかの価値が残っていれば，費用の償還請求をすることができるであろう。この場合に「場所的利益」というものが加算される余地は全くない。

また，その建物が無価値に近く，その土地の通常の使用収益を妨げるような場合，借主は収去して返還する義務（原状回復義務）を負うことになる（民法616条，594条等準用）。

〈欧米の借地制度と日本の借地制度――フランスでは〉

日本の借地制度のように，都市の土地だけを貸して，借りた人が自分で建物を建てて，そこで住んだり，商売したり，貸したりする制度は，世界では，少なくとも欧米の先進国では珍らしい存在であるようだ。

というのは，1986年にヨーロッパの借地借家制度を調査する調査団に同行して，フランス，ドイツ，オランダに行ったことがあるが，参考となる都市，すなわち，日本のような借地制度の都市を探すのに，大変苦労したといわれた。

当時，フランスでは，リヨン市とストラスブール市とパリのセーヌ川左岸の一部しかなかったようである。

リヨン市というのは，フランス第三の都市であるが，ここにかつて，教会の経営する施療院と慈善院とがあって，財産を教会に寄進すれば，死後は往生安楽，天国に招かれると信じていた信者が，田畑を寄進した。一方，寄進されたほうも，善良な管理者の管理で管理しなければならないので，売るわけにはいかない。

これらの田畑は，ローヌ河左岸の低湿地帯にあったが，都市化によって土地改良が進み，建物を建築することができるようになり，そのために貸すようになったという。売るわけにいかないから貸地したのだという。なお，借地期間が満了しても，明渡し返還する例は少ないという。

ストラスブール市というのは，戦争ごとに，フランス領になったり，ドイツ領になったりしてきた市であり，そのため市有地が多く，これが貸し出されている。

パリのセーヌ川左岸というのは，当時の開発の波に応じた新しい借地制度であり，日本からの観光客でお馴染みのニッコー・ド・パリ（現ノボテル・パリ・ツール・エッフェル）のホテルも，この制度，しかも，空中権的な制度で建設されていることは興味深かった。

12 定期借地権とは

> 定期借地権とは，どういう内容のものであるか。また，どのようにして設定したらよいのか。

平成３年の借地借家法の創設によって，借地期間が満了したら，必ず土地を返還してもらえる借地権として，つぎのタイプの借地権が創設され，平成４年８月１日以後に設定されたものから適用されている。

①　一般定期借地権

②　事業用定期借地権

③　建物譲渡特約付借地権

そして，これらをまとめて，本書では，「定期借地権」ということにする。(注)

（注）借地借家法の条文では，①を定期借地権，①②③をまとめたものを定期借地権等と表示している。589ページの**図表５－１**参照。

つぎに，これらの定期借地権の内容をタイプ別に説明していく。

一般定期借地権　借地期間を50年以上とし，借地期間が満了したときには更新しない旨の定めをすることができるもので，借地人の建物買取請求権も排除する定めをすることができるタイプの定期借地権である（借地借家法22条）。この場合に，借地期間が満了したとき，借地人は建物を収去して，更地として地主に返還することになる。

これは，50年以上の期間について存続期間を定めていれば，更新しない特約を認めても，その頃は建物の経済的効用もほぼ全うしているだろうし，借地関係の安定の見地からみても不合理でないという考え方に基づくものである。

借地上の建物が貸家であった場合には，借家人はただちに退去して，建物を建物所有者に明け渡さなければならない状態となる。(注)

（注）「借地の上に建てられた建物が賃貸されている場合，その建物の賃借人は，建物を利用するだけでなく，その建物の敷地も利用していることになる。しかし，土地所有者と直接土地利用についての契約を締結しているのではなく，借地権者すなわち建物の賃貸人の有する借地権に基づいて土地を利用しているのである。そこで，借地権が消滅した場合には，建物の賃貸人も土地を利用する権原を失い，土地所有者に土地を明け渡さなければならない。」（稲本洋之助・澤野順彦編著『コンメンタール・借地借家法』日本評論社，第35条〔1〕上原由起夫）

なお，借家人に不測の損害を与えないために，借地権の存続期間にあわせて確定的に終了する借家契約のタイプが創設されている。

すなわち，借地上に建てた建物を賃貸するとき，この建物の敷地が定期借地権により借地したものであって，「○年○月○日に建物を取り壊して返還しなければならないので，同日に借家契約を終了する」旨を定めた契約を文書でしておけば，同日に借家人は立退いて建物を返還しなければならないとされている（同法39条）。**期限付建物賃貸借**のうち，**取壊し予定の建物の賃貸借**といわれているものである。

また，平成12年３月より**定期借家権**という制度が実施されており，これを定期借地権と組み合わせて利用すれば，よりわかりやすく便利である（定期借家権については，850ページ以下を参照されたい）。

なお，家主（借地人）が，このような契約をせず，かつ，同日に期間が満了することを，借家人がその１年前までに知らなかった場合には，裁判所に請求すると，裁判所は，借家人がそのことを知った日から１年以内の一定の日まで，土地の明渡しを猶予することを許可し，借家人はその日まで借りられ，その日に建物を明け渡せばよいことになっている（同法35条）。これを期限の許与という。

もっとも，家主であった借地人は，土地の返還が遅れたことによる損害を地主に賠償しなければならなくなる。

なお，この契約は，公正証書による等書面によってしなければならないとされている。

事業用定期借地権　もっぱら事業の用に供する建物の所有を目的とするものに限定された定期借地権で，従来は借地期間が10年以上20年以下であるものに適用されていたが，平成19年12月21日につぎのように改正され，平成20年１月１日以後に設定されるものから適用されている（同法23条）。

㈠　借地期間を30年以上50年未満とするもの

㈡　借地期間を10年以上30年未満とするもの

（注）　事業用定期借地権については，借地期間を10年以上50年未満の間を自由に選択することができるようになったのであるが，

㈠の30年以上50年未満のタイプでは，一般定期借地権のように，契約で更新の請求や建物の買取請求などをしないことを定めることによって，契約期間満了時に借地権が消滅する法制をとっているのに対し，

㈡の10年以上30年未満のタイプでは，上記のような定めをしなくても，契約期間が満了すれば当然に借地権が消滅するという法制をとっている。

要は，借地契約書の書き方が違うだけであるともいえるが，契約書の作成において留意しておかなければならない。

なお，借地人の事業には建物の賃貸も含まれているが，貸マンションなど居住のための賃貸は除くとされている。

従来は，借地期間が20年以下と短いことから，主として大規模小売店，外食産業その他の飲食店，遊戯場などの現代型企業を中心とした第三次産業が利用する店舗設営のための借地で，店舗の展開，陳腐化の速さから，建物の経済的耐用年数がきわめて短くなっているものなどに利用されていたが，この改正により，長期的な店舗，事務所の用に活用することも期待されている。なお，借地期間満了後，借地人は建物を収去して更地として地主に返還することとなるが，その建物が賃貸借されている場合は一般定期借地権の場合と同様である。

なお，この契約は公正証書によってしなければならないとされている。私製の契約書などで作成されたものは無効とされ，普通借地権を設定したものとされることになるので，特に注意しなければならない。

建物譲渡特約付借地権 借地期間を30年以上とし，借地期間が満了したとき，その建物を地主が相当の対価で買い取る契約（予約など）をし，借地期間満了時に地主が建物を買い取ることにより借地関係が終了することになるタイプの定期借地権である（同法24条）。

具体的には，借地契約で借地期間を30年（または30年以上の約定期間）と定め，その期限経過の日に建物を譲渡する旨の特約をつける。

建物の譲渡の契約については，上記の日に建物の所有権が地主に移転する売買契約を締結する（確定期限付売買契約）か，上記の日以後に地主からの予約完結権の行使がなされたときに売買が成立する旨の特約（売買予約）がなされることになる。

この建物譲渡特約付借地権は，文書によることは要件とされていないが，将来のトラブルを予防するために公正証書を作成しておくことがよい。また，建物の売買予約などに関し，仮登記をつけておくことがのぞましい。

また，買取価格は「相当の対価」であることが要求される。

借地期間満了後，建物が賃貸用である場合で，借家人が使用している場合，建物所有者（家主）が変わっても，一般には，借家契約は引き継がれるので，借家人は従来の家賃その他の条件で建物を使用し続ければよいことになる。地主側からみれば，借家人付きの貸家を買い取ったのと同じことになる。

しかし，借地人が建物を貸す前に，上述のように，売買予約の仮登記などを付けていた場合には，それ以後に建物の引渡しを受けた借家人は，その仮登記を本登記に移した建物所有者には対抗できなくなるので，それまでの借家権は消えてしまって，建物を買い取った地主と，あらためて建物賃貸借契約を締結しなければならなくなる。

そして，その契約条件がととのわず，契約が締結されない場合もあろうが，そういう場合には，借家人が建物所有者になった地主に請求すれば，その請求によって，期間の定めのない借家契約がなされたものとみなされることになっている。その場合の家賃について合意されない場合は，当事者の請求によって裁判所が定めることになる（同法24条②）。

また，借地人が自分で使用していた場合にも，その請求によって，その後，借家人となることができるが，その手続きと家賃については，上記の借家人の場合と同様である（同条同項）。

13 定期借地権の利用の状況

定期借地権は，現在，どのような用途に，どのように利用されているか。

どのタイプの定期借地権がどのくらい，そして，どのように利用されているのか

定期借地権が平成４年８月に施行されて以来，30年近くになる。

この間，最も利用されてきたのが，戸建住宅用，それに次いでマンション用一般定期借地権であり，つぎに，事業用借地権が徐々にではあるが増えてきている。譲渡特約付定期借地権はあまり利用されていない。

以下，それぞれのタイプ別に，その利用状況と普及の状況を見ていく。

一般定期借地権の利用の状況

一般定期借地権については，都市近郊の市街化区域内農地地域での小規模な分譲戸建住宅団地の敷地としての利用が普及してきた。

その背景としては，供給側については，平成３年の税制改正による三大都市圏の市街化区域内農地の固定資産税の宅地並み課税と，賃貸アパートの供給過剰とがある。この税制改正により，30年間宅地転用のできなくなる生産緑地の指定を受けるか，宅地並みの税負担を甘受するかの選択を迫られたが，その時点では，農地の一部を宅造して賃貸アパートを建設するか，貸駐車場として運用すれば，少なくとも，その一部を売却すれば，固定資産税の負担増分ぐらいなんとかなるだろうから，将来の地価上昇を期待しようという思惑があって，生産緑地の指定を受けなかった農家が多かった。ところが，バブル時代の賃貸アパートの建設ラッシュの結果が，バブル崩壊後の不況に入って露呈して供給過剰の状態となり，駐車場の利用も減り，さりとて，土地を売却しようとしてもままならない状態となった。

そして，一方で，不動産不況のなかで販路を見い出そうというハウスメーカーが，ここに目をつけ，経営リスクがなく，地価の２～３割程度の一時金収入があり，地価の２％前後の安定的収入が得られ，かつ，50年後に確実に土地の返還を受けられる一般定期借地権を農家にすすめたところ，一部でこれを選択する農家が現われ，この方式の住宅分譲が増えていった。

また，需要者側も，50年後には建物を取り壊して返還しなければならないも

図表５－18　日本住宅総合センター「定期借地権事例調査」

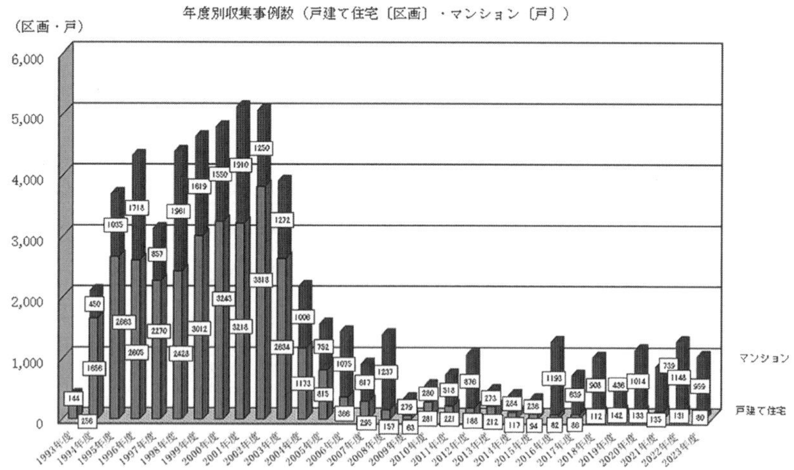

（出典：（公財）日本住宅総合センター「定期借地権事例調査（2023年度）」より）

のの，所有権付分譲住宅の約50～60％の価格で庭付一戸建住宅が取得できるということであり，孫子にまで残す財産形成という考え方を脱して，ゆとりのある豊かな生活を送れればよいと割り切れば，なかなか魅力的なものであり，売れ行きはなかなかの好調であった。

そういう状況を見て，ハウスメーカーのみならず，大手開発業者も参入し，かなりの活況を呈していた。

一般定借付住宅の普及の現況

一般定期借地権付住宅（以下「定借住宅」と記す）の普及の状況を，日本住宅総合センター「定期借地権事例調査（2023年度）」で見ると，その概要は，**図表５－18**のとおりとなっている。

定借住宅は，当初はほとんどが一戸建の持家住宅であったが，徐々にマンションの比率も高まっていったが，平成13年（2001年）の戸建住宅用3,218区画，マンション1,910戸用をピークとして減少に転じ，令和５年（2023年）には，戸建住宅用80区画，マンション959戸と減少している。

なお，地域別にみると，戸建住宅用については，愛知県が首位で55区画（全体の約69％），２位が京都府の８区画，３位が埼玉県の５区画となっている。

マンションについては，第１位が大阪府の565戸，第２位が東京都の263戸，第３位が愛知県の46戸となっており，大阪府だけで約50％を占める。

定期借地権の種類と用途別

定期借地権の種類と用途別プロジェクトについて，国土交通省が，地方公共団体（公的主体）が貸主として，令和３年１月１日から令和３年12月31日までの間に，供給した住宅以外の施設として公表したものは，**図表５－19**（借地権の種類）のとおりである。

図表５－19　借地権の種類

（上段：プロジェクト数，下段：%）

	合計	工場	オフィス	小売	飲食	医療福祉	教育	庁舎	その他	無回答
合計	42	4	7	7	0	14	0	1	2	7
一般 定期借地権	10 23.8%	0 0.0%	1 14.3%	0 0.0%	0 0.0%	8 57.1%	0 0.0%	0 0.0%	1 50.0%	0 0.0%
建物譲渡特約付 借地権	0 0.0%	0 0.0%	0 0.0%	0 0.0%	0 0.0%	0 0.0%	0 0.0%	0 0.0%	0 0.0%	0 0.0%
事業用 定期借地権	32 76.2%	4 100.0%	6 85.7%	7 100.0%	0 0.0%	6 42.9%	0 0.0%	1 100.0%	1 50.0%	7 100.0%
無回答	0	0	0	0	0	0	0	0	0	0

注：下段の%は無回答を除いた数値である。

（国土交通省「公的主体における定期借地権の活用実態調査報告書」令和４年３月）

※　平成21年までは，全国の主な事業者中地方公共団体等を対象にして調査していたが，平成22年度以降は，地方公共団体等の新規供給した実態などを調査している。

公的主体が貸主になる場合の施設数の推移をみると，昨年に続き，医療福祉の施設整備が多い。

14 一般定期借地権の地代，権利金と保証金

定期借地権を設定するときの標準的な地代の水準は？　また，権利金や保証金の授受は，どのようになっているのだろうか。そして，継続地代は？

定期借地権が創設されて30年以上経過している。その間に，前項で記述したように，かなりの設定例がみられ，それらの実例が互いに影響を及ぼしつつ，ある程度の標準的な地代水準，権利金や保証金の授受の慣行も形成されてきている。

関東甲信不動産鑑定士協会連合会がNPO首都圏定期借地借家推進機構から，発生地点と支払地代，一時金等に関する事例の提供を受け，上記連合会が事例地の実施調査等に基づいた推定更地価格等の情報を付加し地代利回りを求めた資料により，「第３回・定期借地権の地代利回りに関する実態報告書」を平成28年３月に発表した。この中の「Ⅲ今回（第３回）実態調査の結果」の「⑷調査項目別平均一覧表」を抄約して掲載させていただいた表を「**図表５－20　定期借地権の種類別地代・一時金等平均一覧表**」（643ページ参照）に掲載した。

以下この表によって解説する。

なお，一般定期借地権についての前回調査（平成16年公表），前々回調査（平成７年公表）を「**図表５－21　一般定期借地権の新規地代の実質地代利回りの変遷**」（644ページ参照）に掲げておいたので，対比しながら見ていただきたい。

一般定期借地権について　一般定期借地権について，

⑴　住宅系一般定借……民間提供の戸建住宅の敷地

⑵　自治体系一般定借……国や自治体提供の一般定借の敷地

⑶　定借マンション……デベロッパーが地主の土地にマンションを建設し，各戸を定期借地権付マンションとして分譲したもの（このタイプは，**図表５－20**には掲載していないが，下記で説明する）

住宅系一般定借について　民間の地主による一般定期借地権である。採用した事例は，228件である。

⑴　**敷地面積**の平均は，201.83㎡で，首都圏分譲住宅地の平均面積120㎡を大きく上回っており，住宅用定借が良環境の住宅地の供給に資しているといえよう。

⑵　**借地期間**の平均は51年であり，ほとんど法定の下限の50年となっている。

⑶　**賃借権**によるものがほとんどで，地上権によるものは3.5％に過ぎなかった。

⑷　**支払地代（月）**の平均は22,096円・１㎡当たりの単価は123円で，前回の調査の121円/㎡とほぼ変わっていない。

⑸　**権利金**の支払われた比率は7.27％に過ぎない。その実地価格に対する平均倍率は67.6月である。

⑹　**保証金**の支払われた比率は88％であり，保証金のある事例での平均単価は12,082円/㎡，支払地代に対する倍率は平均96月，実地価格に対する比率は12.43％で，前回調査および前々回調査の約20％より低下しており，保証金の縮少傾向が顕著である。

⑺　**敷地価格（推定）**の単価は100,482円/㎡で，第１回調査の228,000円/㎡・第２回の116,000円/㎡に比し，地価の続落傾向を反映している。

⑻　**支払地代利回り**

支払地代利回りの平均は1.59％であった。

支払地代利回りを1.6％として，この中には，構成要素として公租公課が0.2％程度含まれるので，純賃料としては1.4％ということになる。

支払地代利回りに，保証金の運用益の率を加算すると実質地代になる。保証金は更地の11％ないし12％程度であったから，運用利回りを２％とすると，運用益は約0.2％となる。支払地代利回りに保証金の運用益を加えると（1.6％＋0.2％＝）1.8％となり，実質地代は1.8％と予想できる。

⑼　**実質地代とその単価，そして実質地代利回り**

実質地代年額の平均は303,121円。実質地代年額の単価は1,687円/㎡である。

これらと更地価格を対比して求めた，実質地代利回りは1.81％であった。

１回目の調査の結果が1.8％であった，２回目の調査結果は2.3％であった。３回目の調査は1.8％程度との結果が出た。住宅系の一般定期借地の実質地代利回りはいわば先祖返りしている。第２回目の調査結果が，やや高く求められている理由は不明である。調査対象範囲の違いが反映しているのかも知れない。

自治体系一般定借について　自治体や国による一般定期借地権であり，居住用と事業用とが混在している。採用した事例は19件のみで，その全ぼうを明かにするのには不足しているといえる。

その概要は，**図表５－20**（次ページ参照）に記載されたとおりである。

定借マンションについて　地主の土地に，デベロッパーが区分所有マンションを建設し，この住戸を一般定期権付で販売し，その

図表５－20　定期借地権の種類別地代・一時金等平均一覧表

調査項目			事例区分 A 住宅系一般定借	B 民間事業用定借	C 自治体系事業用定借	D 自治体系一般定借
①対象借地の面積			201.83㎡	8,692.63㎡	11,543.78㎡	10,120.26㎡
（ha 単位を除外した平均）			201.83㎡	2,839.30㎡	3,123.26㎡	4,130.50㎡
④年数			51年間	20年間	23年間	55年間
⑦月額の地代・借賃			22,096円	2,551,827円	2,889,156円	9,501,247円
⑧月額単価			123円/㎡	368円/㎡	317円/㎡	1,310円/㎡
権利金関係	⑨権利金	※	1,348,958円	30,862,578円	33,453,000円	9,134,000円
	⑩権利金単価	※	7,141円/㎡	2,493円/㎡	4,320円/㎡	12,231円/㎡
	⑪月数	※	67.6月	3.2月	9.0月	40.6月
	⑫地価に対する比率	※	7.27%	1.49%	2.62%	4.59%
保証金関係	⑬保証金	※	2,145,226円	17,878,433円	36,265,436円	478,942,806円
	⑭保証金単価	※	12,082円/㎡	3,718円/㎡	5,274円/㎡	84,585円/㎡
	⑮月数	※	96.0月	14.0月	18.1月	48.0月
	⑯地価に対する比率	※	12.43%	5.29%	4.29%	7.26%
⑰更地価格単価			100,428円/㎡	109,062円/㎡	146,027円/㎡	877,109円/㎡
⑱更地価格総額			18,433,137円	779,060,897円	1,287,765,515円	8,255,883,245円
⑲支払地代利回り			1.59%	4.79%	3.13%	2.54%
⑳権利金の償却額 運用利回り２％		※	42,871円	1,954,720円	2,045,876円	290,599円
㉑保証金の運用益 運用利回り２％		※	42,905円	357,569円	725,309円	9,578,856円
㉒実質賃料			303,121円	30,935,167円	35,164,926円	117,544,012円
㉓実質賃料単価			1,687円/㎡	4,486円/㎡	3,881円/㎡	16,340円/㎡
㉔実質賃料利回り			1.81%	4.89%	3.18%	2.59%

※　権利金または保証金を受領した事例の平均
（注）　同資料を求めたい方は，
〒330-0061　さいたま市浦和区常盤４－１－１浦和システムビルヂング５Ｆ「関東甲信不動産鑑定士協会連合会」Tel：048-799-2821　Fax：048-789-6160に問い合わせ下さい。

購入者が地主に地代を支払うものである。

採用された件数は65件である。

その内容は表示していないが，その概要を記すると，次のとおりである。

図表５－21 一般定期借地権の新規地代の実質地代利回りの変遷

	前回調査（平成16年公表）	最大	最小	前々回調査（平成７年公表）	最大	最小
事例数	215 (226)			95 (100)		
面積	228m² (123)	532	79	185m² (100)	307	60
月額支払地代	27,495円 (95) (121円/m²) (77.5)	115,000円	10,800円	28,867円 (100) (156円/m²) (100)	40,000円	17,000円
保証金額	603万 (67)	3,730万	50万	898万 (100)	2,000万	200万
保証金の土地価格に対する割合	22.82% (105)	67.65%	3.55%	21.83 (100)	38.36	4.42
実質地代月額単価	222円/m² (66.7)	742円/m²	59円/m²	333円/m² (100)	744円/m²	134円/m²
土地価格単価	116,019円/m² (51)	27万円/m²	3万円/m²	227,857円/m² (100)	47万円/m²	6万円/m²
実質地代利回り	**2.29%** (128)	5.06%	0.78%	**1.79%** (100)	2.46%	1.18%

＊保証金の運用益を年率４％として算出している。

（前々回調査と前回調査の下の（　）内の数値は，前々回調査結果の数量を100とした場合の前回調査結果の指数）

（旧㈳日本不動産鑑定協会・関東甲信会「第３回 定期借地権に関する実態調査報告書・平成28年３月」により作成）

① 定借マンションは，借地権が登記されることが多い。

② 定借マンションは地上権契約の比率が賃借権契約より高い。

③ 定借マンションの借地期間は，50年を超え70年程度が多い。

④ 定借マンションでは，前払い地代が多用されている。

⑤ 定借マンションの地代利回りは0.3%程度から５％程度まであり，１％未満と２％強との二つの山に分かれるが，平均すると1.8%である。

⑥ マンションデベロッパーによる定借マンションの地代決定は「開発法」である。

すなわち，定借マンションの地代の年額は，予定マンションの全住戸の分譲による売上総額から，マンション建築費，販売費・管理費，宣伝広告費，工事期間中の金利負担及び利潤を控除した残額が基本となる。その額を，契約期間で除した額である。

⑦　定借マンションの地代は，契約時点から建設工事中までの地代と，建設が終了し区分所有者の入居が始まってからとで地代の額を変える場合がある。

⑧　定借マンションは，売ることのできない敷地を資金化することのできる手法として，公共公益団体や社寺仏閣，自治体などが，建物の建替え費をねん出する手法として近年着目されている。

地代改定は　将来の地代の改定については，定期借地権の設定時において，その算定方法を定めている例が多いが，その多くは，設定時の地代を，[純賃料＋固定資産税・都市計画税]というように区分し，固定資産税・都市計画税部分については，その実額の増加額だけ増加させ，純賃料については，一定の指数（たとえば小売物価指数）にスライドさせるという方式を採っている。たとえば，つぎのような条項が一般的である。

「⑴　甲又は乙は，○年毎に，以下に掲げる方式により算定した額に賃料を改定することを請求することができる。

改定賃料の年額＝(従前の賃料の年額－従前の賃料決定時の公租公課の年額)×変動率＋賃料改定時の公租公課の年額

公租公課とは，本件土地に係る固定資産税及び都市計画税とする。変動率とは，賃料改定年において公表されている直近の年の年平均の総務省統計局の消費者物価指数（全国平均・総合）を従前の賃料決定時に採用した同消費者物価指数で除した数値とする。

⑵　前項の規定にかかわらず，賃料が，本件土地に対する租税その他の公課の増減により，土地の価格の上昇若しくは低下その他の経済事情の変動により，又は近傍類似の土地の賃料等に比較して不相当となったときは，甲又は乙は，将来に向かって賃料の増減を請求することができる。」

なお，上例では，変動率として，簡単で明瞭なものとして，消費者物価指数のみを掲げてあるが，経済成長率，賃金指数その他を加えれば，より経済の実態を反映するものになろう。

継続地代の推移を見ると　定期借地権を設定して，その後，継続して借地している場合，当初設定の地代はどのように推移しているであろうか。

旧㈳日本不動産鑑定協会・関東甲信会が行った戸建住宅用の一般定期借地権の継続地代についての実態調査によると，**図表５－22**に掲げたように，その実質地代利回りは，単純平均で2.94％となっていた（次ページ参照）。

平成７年調査での新規設定時の実質地代利回りは1.8％であり，平成15年まで，

図表５－22　一般定期借地権（継続）の平均地代利回り

県	面積(m^2)	月額地代(円)	年額地代(円)	保証金の金額(円)	土地単価(円/m^2)	平成14.7土地価格(円)	支払利回り	実質利回り
栃木	241	32,729	392,748	5,218,383	69,500	16,700,000	2.35%	3.60%
群馬	135	14,000	168,000	1,250,000	92,500	12,500,000	1.34%	1.74%
埼玉	175	27,043	324,514	8,471,429	153,000	27,157,143	1.32%	2.57%
千葉	209	28,598	343,170	8,583,333	99,583	20,720,833	1.78%	3.45%
神奈川	205	31,983	383,793	10,075,000	185,500	39,072,222	1.25%	2.43%
平均	202	29,374	352,484	8,884,674	136,510	27,841,176	1.53%	2.94%

(旧㈳日本不動産鑑定協会・関東甲信会「第３回　定期借地権に関する実態調査報告書・平成28年３月」による)

調査地点の地価は，おおむね50％下落しているので，継続地代が改定されていなければ，その実質地代利回りは，

1.8％ ÷（１－0.50）＝ 3.6％

になっているはずであるが，これが2.94％にとどまっているのは，その間に継続地代に値下りのあったことによっており，平均的な値上り率は0.8166％となっている。

この地代の値下りの原因は多くの設定契約書の地代改定条項で，上述したような式で，純賃料については物価，経済成長率に連動させ，これに改定時の公租公課を加える方式をとっており，平成７年調査時以後平成14年までの物価，経済成長率は低下傾向にあり，また，公租公課も減額傾向にあったことによるものとみられている。

15 事業用借地権の地代，権利金と保証金

定期借地権のうち，事業用借地権を設定するときの地代の水準は。また，権利金や保証金の授受はどうなっているのか。

事業用定借は民間と自治体とで性格が異なるので

事業用借地権の地代・権利金・保証金に関する統計分析について，関東甲信不動産鑑定士協会連合会は，「定期借地権の地代利回りに関する実態調査報告書」（前ページ掲載図表５－22）で，その提供の目的による性格の差が生じることから，民間事業用借地権と自治体系事業用借地権とに分けて表示し解説している。

民間事業用定期借地権について

土地の提供者と借地人とが，個人・法人を含めて民間人であるものである。採用した事例は102件である。

⑴　**更地価額の平均**は，その用途が，スーパーマーケット，工場，倉庫などである関係から，敷地面積の平均は8,692㎡となり，１万㎡を超える事例を除いて平均しても2,839㎡と大きい。

⑵　**借地期間について**事業用定借の法定期間は10年以上20年以下から，10年以上50年未満に改正され，平成20年１月１日から施行されている（589ページ（注２））が，102件の事例中，30年以上は８件のみで，20年未満が18件あり，平均20年になっている。

⑶　**賃借権がすべて**であった。

⑷　**支払地代（月）**の平均は，敷地価額が広いので2,551,827円と大きく，また，１㎡当たりの単価も368円/㎡と，住宅系一般定借123円/㎡の３倍弱となっているが，これは借地人の収益力＝負担能力を反映していることを示している。

⑸　**権利金**の支払われた比率は10％で，その更地価格に対する平均倍率は2,493円/㎡であった。

⑹　**保証金**の支払われた比率は81％であり，保証金のある事例での平均は17,878,433円で単価3,718円/㎡，地代に対する倍率は14.0月で更地価格に対する割合は5.29％に過ぎない。地主が保証金の運用益を地代を補うものと期待していないことを示している。

⑺　**敷地価額**（推定）の単価は109,062円/㎡で，住宅系一般定借と近似している。

⑻　**支払地代利回り**

支払地代利回りの平均は4.79％であった。

支払地代を4.8％として，この中には，公租公課が0.8％程度含まれるので，純賃料としては４％ということになる。

この率に，保証金の運用益の率が加算されて実質地代になる。保証金は更地のおおむね５％であったから，運用利回りを２％とすると，運用益は0.1％となる。支払地代利回りに保証金の運用益を加えると（4.8％＋0.1％＝）4.9％となり，実質地代は4.9％と予想できる。

⑼　**実質地代とその単価，そして実質地代利回り**

実質地代年額の平均は30,935,167円。実質地代年額の単価は4,486円/㎡である。

これらと更地価格を対比して求めた，実質地代利回りは4.89％であった。この結論は，上記⑻の推定と一致する。

民間事業用定期借地の実質地代利回りには，ばらつきが大きいことは，２回目の調査と同じである。今回の調査では，地代利回りが10％を超える事例が５件含まれていた。その中には，20％を超える事例が３件含まれていた。地代利回りが10％を超えるのは，何らかの事情があると思われ，正常ではないと考えたので平均を計算する事例からは除外した。それでも実質地代利回りの平均値は５％に近いのである。

ばらつき（分散）が大きい。これは，民間事業用定借の特徴の一つといってよい。

これは，事業用定借の地代は当該土地の事業収益力と借主の経営能力に依存していることによるものであることを示している。またこのことは，民間事業用定期借地ならば，地代利回りを５％にしておけば，いつでも，どこでもおおむね妥当な地代設定ができると簡単に考えてはならないということでもある。

自治体系事業用定期借地権について　自治体や国の機関が，将来の行政目的への投入に備えて土地を保有しているが，予算の関係や他の事業との調整で，当面は使われることなく空地になっている場合に，そのような保有地の活用方法として，事業用定借として貸し付けるもので，その使途を公益的な建物の建設と運営に限定して行政サービスの効率化を図るものもある。

採用した事例は126件である。

⑴　**敷地の面積の平均**は，11,544㎡で，１万㎡を超える事例を除いても3,123㎡と大きい。

⑵　**借地期間について**，30年以上50年未満の事例もかなり含まれていて，平均は23年となっている。

⑶　**賃借権**がすべてであった。

⑷　**支払地代（月）**の平均は，2,889,156円で，１㎡当たりの単価は317円/㎡であった。

⑸　**権利金**のあったのは１件のみで，33,453,000円，単価は4,320円/㎡である。

⑹　**保証金**の支払われた比率は68％で，保証金のある事例での平均は36,265,435円で，単価は5,274円/㎡，地代に対する倍率は18.1月，更地価格に対する割合は4.29％で，民間事業用定借と同様に，地代を補うものという性格は薄い。

⑺　**敷地価格**（推定）の単価は146,027円/㎡で民間事業用定借の約３割４分高となっている。

⑻　**支払地代利回り**

支払地代利回りの平均は3.13％であった。

この率に，保証金の運用益の率が加算されて実質地代になる。保証金の運用益は，次のように推定できる。

すなわち，保証金は更地の３％～4.3％であったから，これを3.5％として，運用利回りを２％とすると，運用益は0.07％となる。支払地代利回りに保証金の運用益を加えると（3.13％＋0.07％＝）3.2％となり，実質地代は3.2％と予測できる。

⑼　**実質地代とその単価，そして実質地代利回り**

実質地代年額の平均は35,164,926円。実質地代年額の単価は3,881円/㎡である。これらと更地価格を対比して求めた，実質地代利回りは3.18％であった。

自治体系定期借地の地代利回りは，民間事業用定期借地の地代利回りの平均4.9％よりもかなり低い。それには，次の３つの理由が考えられる。

①　まず，事業主体が公的な団体であること。基本的に自治体は，遊休地の活用を望むものの，地代収入が多ければ多いほど良いとの態度をとらないはずである。

②　次に，自治体のうち市町村は非課税法人であること。支払地代に公租公課を含める必要がないのである。

③　最後に，地主としての自治体は，土地の賃貸借契約において，借地人に対して様々な利用上の条件を付けることである。利用上の条件は，地代利回りを引き下げる要因となる。

16 定期借地権と底地の評価

定期借地権に借地権価格というものが発生しているのだろうか。それとの関係で底地の価格は。

借地権価格は地価上昇期の借り得部分から生じている

普通借地権について，借地権の価格が，どのようにして発生し，形成され，普及し，定着されたかについては，「**6　借地権価格の評価**」で述べたが，地価の上昇していた時代に，借地法の制約によって継続地代が地価の上昇に追いつかず，地代がその土地を使用することによる経済価値に見合った地代より安い地代で借り続けられるということであった。すなわち，借地人に**借り得部分（賃料差額）**が生じたこと，そして，それが取引の対象になることによって，借地権価格なるものが生じたと解説した。

地価が下落すれば

ところで，定期借地権が創設され，施行されたのが平成４年で，すでに地価が低落しつつある時期であった。当時に設定された契約地代は，その当時の市場地代を反映した経済的地代であり，その当初の契約による地代改定条件の多くが，純地代を経済成長率，物価変動率等の経済的要因にスライドして求め，これに固定資産税等を加減する方式をとっていたので，借地人に借り得部分（賃料差額）の生じることはなく，これによる借地権価格の発生することは考えられない。

権利金の授受されている場合

定期借地権の設定にあたり，地価の１～２割程度の権利金の授受されている例は，この制度の発足時にはいくらか見られたが，最近では希少なものとなっている。

しかし，権利金が授受されていた場合は，当初の地代が，権利金を払っただけ低くなっている傾向は事実である。

理論的には，権利金の授受の無い場合の通常の地代と，有る場合の地代との賃料差額を還元したものが，定期借地権の価格と考えてもよいであろう。

ここで，その権利金が地価の２割を支払っていれば，土地価格が低落しても，当初の２割の借地権割合が続いていると考えたいのが人情であるが，そうではなく，現在の地代が世間相場より低いか，高いかということにより，借地権価額も借地権割合も変動するものである。

たとえば，地価3,000万円の土地を借りるとき，その２割の600万円を支払って，差し引き2,400万円の２％の地代年額48万円で借りたとする。権利金の無い場合の標準的な地代が72万円であるとすると，賃料差額は24万円となり，この差額が50年間継続するとして，利率1.5％で各年の差額の現在価値の総和を複利年金現価率で求めると，

240,000円×35.00＝8,400,000円

となり，更地価格の約28％の借地権価格が形成されていたといえる。その後，地価が低落して，その土地の地価が1,500万円となり，地代も下がって36万円になっていたとする。その時点の周辺地域の標準的な地代率相場が権利金無しで，地価の2.4％になっており，その土地に新規に定期借地権を設定したとした場合の正常地代は年額36万円になっていたとする。この定期借地権を第三者に譲渡するとき，譲渡の対価（権利金）を支払ってまで譲り受ける者は現われないであろう。すなわち，このケースでは，借地人の借り得部分（賃料差額）は０円となっており，したがって，借地権価格も消滅しているということになる。

（注）　借地期間満了時に建物を収去して返還する条件の付されている契約が一般的であるが，その場合には，建物収去費用相当額だけ，借地権価格から差し引かなければならないので，借地権価格がマイナスとなるケースも生じる。

保証金が預託されている場合

保証金は定期借地権の契約期間が満了し，土地を返還するときに，保証金も借地人に返還される。したがって保証金そのものは地主の所得にはならないが，借地期間中は長期にわたって運用できるので，その運用益が地主の所得になり，これに見合う部分だけ，地代を低く設定されるのが通常である。

権利金・保証金の無い場合の標準的地代と実際支払地代との賃料差額の借地期間中の各年の現在価値の総和に，借地期間満了後に返還される保証金の現在価値を加えたものが，理論的な借地権価格といえることになる。

しかし，地価下落にともない，新規に設定される定期借地の地代も低くなり，権利金・保証金無しの地代の標準的相場に，その継続地代の額が等しくなれば，賃料差額は無くなり，借地権価格は消滅するのは，上述した権利金を支払っていた場合と同じである。

しかし，保証金の場合は，借地期間満了後に保証金の返還を受けることができる。その現在価値だけの権利が残っていることになっている。

土地の更地価格が3,000万円で，その２割の保証金600万円，利率４％，残存期間40年として，その現在価値を複利現価率で求めると，

$$6,000,000円 \times \frac{1}{(1+0.04)^{40}} = 1,249,734円 \fallingdotseq 1,250,000円$$

となり，土地価額の約４％にあたる。

この保証金の返還請求権は，第三者に譲渡したとき新借地人に引き継がれることになっていれば，これに相当する権利＝借地権は，市場で取引される価格と一応はいうことができる。

底地の評価は　定期借地権の設定されている底地の評価は，借地期間中に毎年受ける純地代（受取地代から固定資産税等の経費を引いた額）の現在価値の総和（これは複利年金現価にあたる）と借地期間満了時に復帰する土地の現在価値（これは複利現価にあたる）との合計で求められる。

土地の更地価格を3,000万円，純地代(年)65万円が継続するとし，借地の残存期間を40年，複利年金現価率を1.5％，複利現価率を５％として求めると，

$$\underset{\left(\begin{smallmatrix}各年の\\純地代\end{smallmatrix}\right)}{650,000円} \times \underset{\left(\begin{smallmatrix}複利年金現価率\\40年，1.5\%\end{smallmatrix}\right)}{29.92} + \underset{\left(\begin{smallmatrix}期間満了時\\の土地価額\end{smallmatrix}\right)}{30,000,000円} \times \underset{\left(\begin{smallmatrix}複利現価率\\40年，5\%\end{smallmatrix}\right)}{0.142}$$

$$=19,448,000円+4,260,000円=23,708,000円$$

となり，更地価格の約79％となる。

（注）　地代については，契約により定められているので確実性は相対的に高いのに対し，復帰価格（40年後にいくらで売れるか）は不確実性が高い。それを反映して，複利年金現価率の計算に採用する利回りに対し，複利現価率の利回りは高くなっている。なお，1.5％・５％という利率は例示であり，具体的な適用にあたっての利率は，その時点での金融情勢や契約内容等に応じて判定する。

ただし，これは理論的に求めた底地割合であり，定期借地権の底地の取引の実例が少ないので，現在のところ実証はできない。

17 定期借地権・底地の相続税等での評価

> 相続税・贈与税では，定期借地権や定期借地権の設定されている土地（貸宅地・底地）について，どのように評価することになっているのか。

定期借地権と普通借地権との評価方法の違い

普通借地権については，地域ごとに借地権割合が一応定着しているという考えから，相続税・贈与税の評価を定めている財産評価基準書では，路線ごとの借地権割合を路線価図で表示し，これにより評価するよう定めている。また，路線価図の作成されていない地域では，倍率表で定めている（117ページの**図表１－42**参照）。

そして，自用地（更地）としての価格から，借地権の価格を引いた金額を貸宅地（底地）の価格とするよう定めている（602ページ以下参照）。

しかし，定期借地権では，個々の定期借地権ごとに，その内容がさまざまで，それらの差異が大きいことから，普通借地権のように，路線ごとに一律に借地権割合を定めることはせず，個々の定期借地権の内容に応じて個別的に評価するようにしている。

（注）　路線価割合Ｃ～Ｇ地域内で一般定期借地権の設定されている貸宅地（底地）については，地域ごとの底地割合が定められている。これについては，661ページ以下の「一般定期借地権の底地の評価」を参照のこと。

定期借地権評価の原則

そして，原則として，「定期借地権等の価額は……借地権者に帰属する経済的利益及びその存続期間を基として評定した価額によって評価する」（評基27－２）としている。この経済的利益というのは，基本的には605ページで説明した普通借地権の評価における賃料差額還元法における「借り得部分」と同様の性格のものと考えればよい。そして，普通借地権の場合は，法定更新などによってその存続期間が半永久であるが，定期借地権は存続期間が有期で確定しているので，その点が普通借地権の評価とは異なっている。

（注）　定期借地権といえども，普通借地権について608ページ以下の（注）で説明したのと同様に，このようにして求めた価格の全部ではなく，そのうち市場で取引の対象となる部分が定期借地権の価額を形成するのであるが，通達の考え方は，その全部をもって定期借地権の価額としていることは，理論的に欠陥がある。しかし，定期借地権の取引市場の熟成していない現状においても，課税上の必要から

評価をしなければならないことがあることから，現時点では，やむを得ないものともいえよう。

定期借地権評価の計算式

しかし，実際に定期借地権者に帰属する経済的利益を算定することが困難であることから，つぎのような計算法をもうけており（評基27－２但書），課税上の弊害のない限りは，下記の算式によって評価することとしている。

$$\text{課税時期における自用地価額}\times\frac{\text{定期借地権等の設定の時における借地権者に帰属する経済的利益の総額 (A)}}{\text{定期借地権等の設定の時におけるその宅地の通常の取引価額 (B)}}\times\frac{\text{課税時期におけるその定期借地権等の残存期間年数に応ずる基準年利率による複利年金現価率 (C)}}{\text{定期借地権等の設定期間年数に応ずる基準年利率による複利年金現価率 (D)}}$$

上式の中の

$$\frac{\text{定期借地権等の設定の時における借地権者に帰属する経済的利益の総額 (A)}}{\text{定期借地権等の設定の時におけるその宅地の通常の取引価額 (B)}}$$

というのは，定期借地権を設定した時点での時価水準での借地権割合にあたるものである。

そして，借地期間が経過して，その残存年数が短くなっていくのにしたがって，借地権割合が逓減していくと考え，課税時期（相続・贈与の時点）では何割になっているかを計算し，この割合を自用地価額（路線価等により評価した価額・相続税等の評価水準）に乗じて，相続税等の課税価額を求めようとする計算方式である。

そのように考えて，上記の式を単純化すると，

$$\left(\text{相続・贈与時の自用地評価額}\right)\times\left(\text{定期借地権設定時の借地権割合}\right)\times\left(\text{相続・贈与時の現価率}\right)$$

という式になる。

鑑定評価と税務評価での定期借地権の考え方の相違――地代と借地権割合は変動する

このように，税務評価では，定期借地権を設定した時点での経済的利益（賃料差額）により形成された借地権割合を，まず固定して，課税時点までの時の経過による減価割合（現価率）から評価する方式を採っている。

しかし，定期借地権の地代は，そのときどきの経済情勢，地価，土地や定期借地権の需給関係の変動に関連し変動する。これにつれて，課税時点（価格時点）での借地権割合（更地価格に対する賃料差額）も変動している。鑑定評価で

は，価格時点での経済的利益（賃料差額）を残存期間との関連で評価している（前項参照）。

両者の評価方法は，このように根本的差異がある。しかし，相続税・贈与税の申告には，上記の税務評価を避けて通れないので，以下，税務評価の方法について解説する。

時の経過による借地権の逓減

定期借地権は借地期間が満了すれば終了し，消滅するものであるので，時の経過にしたがって逓減していく。

設定時の借地権割合が２割，借地期間50年で課税時期に20年を経過し，残存期間30年であれば，

$$\underset{0.2}{\left(\begin{array}{c}\text{設定時の}\\\text{借地権割合}\end{array}\right)} \times \frac{30\text{年}}{50\text{年}} = \underset{0.12}{\left(\begin{array}{c}\text{課税時期の}\\\text{借地権割合}\end{array}\right)}$$

として求めれば，簡単明瞭であるが，上記通達では，

$$\left(\begin{array}{c}\text{設定時の}\\\text{借地権割合}\end{array}\right) \times \frac{\begin{array}{l}\text{課税時期におけるその定期借}\\\text{地権等の残存期間年数に応ず}\\\text{る基準年利率による複利年金}\\\text{現価率　(C)}\end{array}}{\begin{array}{l}\text{定期借地権等の設定期間年数}\\\text{に応ずる基準年利率による複}\\\text{利年金現価率　(D)}\end{array}}$$

という複雑な式で求めることとしている。この簡便式になぜ，このような大袈裟で難解な計算式をもってきたか，「鶏頭を裂くに牛刀をもってする」という古諺を思い浮かべて苦笑に耐えないが，税務の実務には必要なので説明しておく。

上式のうちの**基準年利率**は，利付国債の複利利回りを基に計算した年利率により，短期（３年未満），中期（３年以上７年未満），長期（７年以上）に区分し，毎月ごとに定めることとし，具体的には**図表５−23**（次ページ）のように定められ国税庁の通達として公表されており，実際に計算するときには，短期，中期，長期の区分ごとに定められた該当月の基準年利率による年数ごとの複利年金現価率等のつぎの算式にあてはめて算出することになる。

複利年金現価率：$\dfrac{(1+r)^n-1}{r(1+r)^n}$ または $\dfrac{1}{r+\dfrac{r}{(1+r)^n-1}}$

複 利 現 価 率：$\dfrac{1}{(1+r)^n}$

年 賦 償 還 率：$\dfrac{r(1+r)^n}{(1+r)^n-1}$ または $\dfrac{r}{(1+r)^n-1}$

複 利 終 価 率：$(1+r)^n$

r ＝基準年利率

n ＝年数

複利年金現価率，複利現価率および年賦償還率は小数点以下第４位を四捨五入によ

図表５－23　基準年利率表

（単位：％）

区分	年数または期間	令和６年１月	２　月	３　月	４　月	５　月	６　月
短期	１年～２年	0.01	0.01	0.10	0.10	0.25	0.25
中期	３年～６年	0.10	0.25	0.25	0.25	0.50	0.50
長期	７年以上	1.00	1.00	1.00	1.00	1.00	1.50

（注）　課税時期の属する月の年数または期間に応ずる基準年利率を用いることに留意する。
「国税庁のホームページ」⇨「新着情報」⇨「法令等」⇨「令和××年分の基準年利率について（法令解釈通達）」で，基準年利率が掲載されており，そこの〔参考　複利表〕をクリックすると，最新の複利表も閲覧できるようになっている。

り，複利終価率は小数点以下第４位を切捨て。

$$\underset{\left(\text{設定時の借地権割合}\right)}{0.2} \times \frac{\text{課税時期におけるその定期借地権等の残存期間年数(30年)に応ずる基準年利率による複利年金現価率　(C)}}{\text{定期借地権等の設定期間年数(50年)に応ずる基準年利率による複利年金現価率　(D)}}$$

$$\left(\begin{array}{c}\text{定期借地権の逓減率}\\ \text{例：令和６年６月の基準年利率0.75の}\\ \text{複利年金現価率}\end{array}\right) = 0.2 \times \frac{27.794}{41.566} \fallingdotseq 0.2 \times 0.6441 \fallingdotseq 0.1288 \fallingdotseq 0.13$$

（注）　複利年金現価率の考え方については，665ページのコラム参照。

そして，「設定時の借地人に帰属する経済的利益の総額」については，権利金や保証金の有無，地代の高低により，つぎのように定められている。

権利金のある場合の定期借地権の評価（計算式その１）

ここでいう権利金というのは，権利金という名称のほか，礼金などという名称であっても，要するに，定期借地の終了時に返還を要しないものの，すべてを含んだものをいう。

借地権を設定するとき，権利金の有るときの地代は，権利金の無いときの地代より低くなっているのが通常である。両者の地代の差，すなわち，賃料差額の現在価値の総和が借地権価格を形成するのであるが，税務評価では，権利金等の金額が，イコール「設定時の借地人に帰属する経済的利益の総額」としている。

［設例］

設定時の宅地の更地価格（時価）	3,000万円
設定時の自用地としての評価額	2,400万円（相続税評価額）
相続時の自用地としての相続税評価額	1,600万円（その時の時価2,000万円）
設定時の権利金	300万円（設定時の更地価格の10％）
定期借地権の設定期間	50年

相続時の残存期間　30年（設定の20年後に死亡）
基準年利率（便宜上，1.0％で設定）　1.0％（実際に評価するときは評価時点での利率を，**図表5－23**の（注）により検出して適用する）

［計算例］

$$\underset{\left(\substack{\text{相続時の自用地とし}\\\text{ての相続税評価額}}\right)}{16,000,000円} \times \frac{\overset{（権利金）}{3,000,000円}}{\underset{（設定時の更地価格・時価）}{30,000,000円}} \times \frac{\overset{（30年・1.0\%の複利年金現価率）}{25.807}}{\underset{（50年・1.0\%の複利年金現価率）}{39.196}}$$

$$\fallingdotseq \underset{（相続税評価額）}{16,000,000円} \times \underset{（設定時の定期借地権割合）}{0.10} \times \underset{（定期借地権の逓減率）}{0.6584}$$

$$= \underset{（相続税評価額）}{16,000,000円} \times \underset{\left(\substack{\text{課税時点の}\\\text{定期借地権割合}}\right)}{0.06584}$$

$$= \underset{（定期借地権の評価額）}{1,053,440円} \fallingdotseq 1,053,000円$$

要するに，借地人からみれば，定期借地権を設定したときは，その借地権価額は自用地価格の10％の160万円であったが，相続時には，相続時の自用地価格の約34％減の105万円になっていたということである。

一括前払賃料のある場合には

定期借地権の設定にあたって，借地期間にわたる賃料の合計額の全部または一部を一括して前払いする一時金（以下「一括前払賃料」という。詳細は716ページ参照）がある場合には，その一時金の額を前掲の算式中の「定期借地権等の設定の時における借地権者に帰属する経済的利益の総額(A)」に算入して計算する。権利金と一括前払賃料とがある場合には，その合計額が(A)の金額となる。

なお，課税時期に一括前払賃料の未経過分が残っていても，それは上記の式の計算で反映されているので，借地人の別個の財産として計上する必要はない。また，地主側では債務として計上しない。(注)

（注）　平成17年7月7日・国税庁課税部審理室長回答・国土交通省土地・水資源局土地政策課土地市場企画室長からの照会「定期借地権の賃料の一部又は全部を前払いとして一括して授受した場合における相続税の財産評価及び所得税の経済的利益に係る課税等の取扱いについて」。なお，この照会・回答の全文は，「国税庁ホームページ」⇨「法令等」⇨「文書回答事例」で，検索・閲覧できる。

保証金のある場合の定期借地権の評価（計算式その2）

敷金というのは，地代の滞納や不払いを担保するもので，通常は地代月額の3～6月分ぐらいである。定期借地権では，借地期間終了時に建物を収去して更地にして返還する契約が一般的であり，その費用を担保するための保証金を預ることも一般的になっている。また，節税的な意味から，権利金にかえて同額の保証金を収受することも一般化されている。

いずれにしても，定期借地の終了時に返還されるものである。

（計算式その１）の設定時の権利金300万円のかわりに，保証金（利子を付せず）600万円を預けていたとする。

地主は，このうちの365万円を年利1.0％の銀行預金などに預けておくと，50年後には，これが殖えて600万円になっているので，その差額の235万円は自由に使ってよい。すなわち，235万円の権利金を受けたのと同じこととなる。また，借地人が50年後に戻してもらえる50年後の600万円の現在の価値も365万円であり，この差額の235万円を，この場合の設定時の定期借地権の価額とする。

上記の[設例]の権利金300万円を，保証金600万円と置き換えて計算すれば，つぎのようになる。

$$16,000,000円 \times \frac{\overset{（預託保証金）}{6,000,000円} - \overset{（預託保証金の現在価値，50年・1.0\%）}{3,650,000円}}{30,000,000円} \times \frac{25.807}{39.196}$$

$$\fallingdotseq 16,000,000円 \times 0.078 \times 0.6584 \fallingdotseq 16,000,000 \times 0.0513 = 820,800円$$

$$\fallingdotseq \overset{（定期借地権の評価額）}{820,000円}$$

定期借地権の価額は，約820,000円となる。

これを，次ページ掲載の**図表５－24「定期借地権等の評価明細書」**で例示すると，同書式中段の「定期借地権等の評価」の欄に記載のようになる。

なお，保証金等に利息を付けている場合には，経済的利益の総額は，つぎの式で計算することとされている。

$$保証金等の額に相当する金額 - \overset{〈保証金等返済の原資に相当する金額〉}{\left(保証金等の額に相当する金額 \times 設定期間年数に応じる年1.0\%の複利現価率\right)} - \overset{〈毎年の支払利息の額の総額〉}{\left(保証金等の額に相当する金額 \times 約定利率 \times 設定期間年数に応じる年1.0\%の複利年金現価率\right)}$$

保証金に年１％の利息がつけられているとすると，経済的利益の総額は，

$$6,000,000円 - (6,000,000円 \times 0.608) - (6,000,000円 \times 0.01 \times 39.196) = 240円$$

となり，定期借地権の価額は，

$$16,000,000円 \times \frac{240円}{30,000,000円} \times \frac{25.807}{39.196} \fallingdotseq 84円$$

となる。すなわち，権利金の運用益相当額を，地主に利子として毎年支払っているので，権利金の運用益は相殺され，これによる定期借地権の価額は生じないことになる。しかし，このように保証金に利息を付けている例は，現在までのところあまり見られない。

図表５－24

（表）

定期借地権等の評価明細書

（令和六年分以降用）

（住居表示）所在地番	○○市△△町××番	（地　積）100 ㎡	設定年月日	平成・(令和)×年×月×日	設定期間年数	⑦	50 年
			課税時期	令和×年×月×日	残存期間年数	⑧	30 年
定期借地権等の種類	(一般定期借地権)・建物譲渡特約付借地権・事業用定期借地権等			設定期間年数に応ずる基準年利率による	複利現価率	④	0.608
定期借地権等の設定時	自用地としての価額	①	（１㎡当たりの価額　円）24,000,000 円		複利年金現価率	⑤	39.196
	通常取引価額	②	（通常の取引価額又は①／0.8）30,000,000 円				
課税時期	自用地としての価額	③	（１㎡当たりの価額　円）16,000,000 円	残存期間年数に応ずる基準年利率による複利年金現価率		⑥	25.807

（注１）居住用の区分所有財産における定期借地権等を評価する場合の③の自用地としての価額は、令和５年９月28日付課評２－74ほか１課共同「居住用の区分所有財産の評価について」（法令解釈通達）の適用後の価額を記載します。

（注２）④及び⑤に係る設定期間年数又は⑥に係る残存期間年数について、その年数に１年未満の端数があるときは６か月以上を切り上げ、６か月未満を切り捨てます。

○定期借地権等の評価

経済的利益の額の計算	権利金等の授受がある場合	（権利金等の金額）（A）　円 ＝ ⑨ 〔権利金・協力金・礼金等の名称のいかんを問わず、借地契約の終了のときに返還を要しないとされる金銭等の額の合計を記載します。〕	⑨	（権利金等の授受による経済的利益の金額）　円
	保証金等の授受がある場合	（保証金等の額に相当する金額）（B）6,000,000 円 〔保証金・敷金等の名称のいかんを問わず、借地契約の終了のときに返還を要するものとされる金銭等（保証金等）の預託があった場合において、その保証金等につき基準年利率未満の約定利率の支払いがあるとき又は無利息のときに、その保証金等の金額を記載します。〕	⑩	（保証金等の授受による経済的利益の金額）2,352,000 円
		（保証金等の授受による経済的利益の金額の計算）（B）－〔（B）×（④の複利現価率）0.608〕－〔（B）×（基準年利率未満の約定利率）×（⑤の複利年金現価率）〕＝⑩		
		（権利金等の授受による経済的利益の金額）⑨　円 ＋（保証金等の授受による経済的利益の金額）⑩ 2,352,000 円 ＋（贈与を受けたと認められる差額地代の額がある場合の経済的利益の金額）⑪　円 ＝	⑫	（経済的利益の総額）　円 2,352,000
		（注）⑪欄は、個々の取引の事情・当事者間の関係等を総合勘案し、実質的に贈与を受けたと認められる差額地代の額がある場合に記載します（計算方法は、裏面２参照。）。		
評価額の計算		（課税時期における自用地としての価額）③ 16,000,000 円 ×（経済的利益の総額）⑫ 2,350,000 円 ／（設定時の通常取引価額）② 30,000,000 円 ×（⑥の複利年金現価率）25.807 ／（⑤の複利年金現価率）39.196 ＝	⑬	（定期借地権等の評価額）　円 825,205

（注）保証金等の返還の時期が、借地契約の終了のとき以外の場合の⑩欄の計算方法は、税務署にお尋ねください。

○定期借地権等の目的となっている宅地の評価

一般定期借地権の目的となっている宅地〔裏面１のⒶに該当するもの〕	（課税時期における自用地としての価額）③ 16,000,000 円 －（課税時期における自用地としての価額）③ 16,000,000 円 ×〔1 －（底地割合（裏面３参照））0.6〕×（⑥の複利年金現価率）25.807 ／（⑤の複利年金現価率）39.196 ＝	⑭	（一般定期借地権の目的となっている宅地の評価額）　円 11,786,240
上記以外の定期借地権等の目的となっている宅地〔裏面１のⒷに該当するもの〕	（課税時期における自用地としての価額）③　円 －（定期借地権等の評価額）⑬　円 ＝ ⑮　円	⑰	（上記以外の定期借地権等の目的となっている宅地の評価額（⑮と⑯のいずれか低い金額））　円
	（課税時期における自用地としての価額）③　円 ×（残存期間年数に応じた割合（裏面４参照））〔1 －　〕＝ ⑯　円		

（資４－80－１－Ａ４統一）

（注） 本文の1.0％は，解説用の利率であり，具体的な算出にあたっては国税庁のホームページ等で，課税時の基準年利率を確認して計算することに留意してほしい（656ページ参照）。なお，本書執筆時直近の利率は**図表５－23**のとおり。

権利金等も保証金等もない場合（計算式その３）

権利金や保証金を授受すれば，これによる経済的利益が地主のほうに生じるので，その分だけ，地代が低く設定されるのが，経済的取引の常識である。

したがって，権利金や保証金のない場合の地代というのは，需給の関係で，その宅地の価額に照らし，その使用の対価として相当の地代（法令137条）で定められることになる。この場合，設定時における定期借地権価額なるものは発生しないし，財産評価基本通達でも，そのように評価することにしている。すなわち，定期借地権の価額は計上しない。

しかし，相続時までに地価が上昇し，地代が据え置かれていた場合に，借地人に帰属する経済的利益が発生することになろう。この場合は，相当の地代の場合の評価方法（729ページ参照）によるとされている。

税務上で問題とされるのは，親族間，同族会社間などで，通常の地代より低く地代が設定され，それが実質的に贈与を受けたと認められた場合である。

その場合は，

（設定時の通常地代）－（設定時の実際支払地代）＝（差額地代(注)）

（注） 「差額地代」は，鑑定評価基準でいう「賃料差額」に相当するものをいう。

として，差額地代に設定期間に応ずる複利年金現価率（年1.0％）を乗じたものが，定期借地権価額となる（評基27－３(3)）。

［設例］

設定時の通常地代	60万円
設定時の実際支払地代	34万円

その他は（計算式その１（656ページ参照））の設例と同じとする。

［計算例］

（差額地代）		（設定期間50年に応ずる複利年金現価率・年1.0％）		
（600,000円－340,000円）	×	39.196	≒	10,191,000円

が，設定時に贈与された借地権価額となる。残存期間が30年であれば，

（600,000円－340,000円）	×	25.807	≒	6,710,000円
		（設定期間30年に応ずる複利年金現価率・年1.0％）		

となる。

定期借地権の設定されている宅地の評価

定期借地権の目的となっている宅地，すなわち，定期借地権の設定されている地主の土地（貸宅地・底地）の評価は，自用地（更地）としての価額から，上記のいずれかの

方法で求めた定期借地権の価額を控除した価額によって評価するとされている。

そして，上記により求めた定期借地権の価額が，自用地に**図表５－25**の割合を乗じた額を下回るときは，自用地から，**図表５－25**の割合を乗じた額を控除するとされている（評基25(2)）。

図表５－25　定期借地権割合が20%以下の場合の貸宅地の減価割合

残存期間が５年以下のもの	100分の５
残存期間が５年を超え10年以下のもの	100分の10
残存期間が10年を超え15年以下のもの	100分の15
残存期間が15年を超えるもの	100分の20

なお，一般定期借地権で，普通借地権の借地権割合が30%～70%の地域については，以下の「一般定期借地権の底地の評価」で説明する方法で評価するようになっている。ここではまず，それ以外のケースについて説明しておく。

656ページの[設例]では，相続時（借地権の存続期間30年）の定期借地権の価額は105万円となっており，相続時の自用地としての評価額1,600万円の約6.6%となっており，10%以下となっている。この場合の貸宅地の評価は，

16,000,000円 － 1,050,000円 ＝ 14,950,000円（自用地評価額の93.4%）

ではなく，上表の「残存期間が15年を超えるもの」を適用し，

16,000,000円 － 16,000,000円 × 0.2 ＝ 12,800,000円（自用地評価額の80%）

となる。保証金のある場合も同様に算定する。

なお，権利金の授受も，保証金の授受もされていない場合で，相当の地代だけを支払っているときには，借地権価額は発生していないので，そういう場合の貸宅地の評価は，残存期間に応じた**図表５－25**の割合を自用地としての評価額から引けばよいことになっている。

たとえば，自用地としての評価額が1,600万円で，残存期間が20年ならば，

16,000,000円 － 16,000,000円 × 0.2 ＝ 12,800,000円

残存期間４年なら，

16,000,000円 － 16,000,000円 × 0.05 ＝ 15,200,000円

となる。

一般定期借地権の底地の評価

なお，上述した底地（貸宅地）の評価は，実際より高いのではないかという批判もあり，また，定期借地権を普及させるという政策的な狙いもあって，平成10年１月１日以後に開始す

る相続・贈与に関して底地の評価をする場合で，**図表５－26**に掲げた地域で，第三者間で設定された一般定期借地権については，地域ごとに定められた定期借地権の底地割合を，つぎの式にあてはめて算出することとしている（評価個別通達11課評２－８他，平成10．８．25）。

> **〈一般定期借地権の底地の評価〉**
> ①課税時期における自用地としての価額－②定期借地権に相当する価額
> ②定期借地権に相当する価額＝課税時期における自用地としての価額×（１－底地割合）×逓減率

図表５－26　地域ごとの定期借地権の底地割合

地域の区分	普通借地権の		定期借地権の底地割合
	借地権割合	底地割合	
C地域	70（%）	30（%）	55（%）
D地域	60	40	60
E地域	50	50	65
F地域	40	60	70
G地域	30	70	75

この評価方法によって，656ページの設例の土地がD地域（普通借地権割合60％の地域）に所在していたとして，底地価額を算出すると，つぎのようになる。

$$\underset{\left(\text{課税時期における自用地としての価額}\right)}{16{,}000{,}000\text{円}} \times \underset{\left(\text{底地割合}\right)}{(1-0.6)} \times \underset{\text{（逓減率）}}{\frac{25.807}{39.196}}$$

$$\fallingdotseq 16{,}000{,}000\text{円} \times 0.4 \times 0.6584 = \underset{\left(\text{定期借地権に相当する価額}\right)}{4{,}213{,}760\text{円}}$$

$$16{,}000{,}000\text{円} - 4{,}213{,}760\text{円} = \underset{\text{（底地の価額）}}{11{,}786{,}240\text{円}}$$

なお，前ページで求めた底地の価額は1,280万円となっており，それより約7.9％低く算出されている。

（注） 評価明細書記載例は659ページ参照。

なお，この評価方法が適用されるのは，定期借地権のうちの一般定期借地権だけであり，その地域も**図表５－26**に掲げた地域に限られており，A地域，B地域および借地権の取引慣行のない地域は除外されている。

また，親族間や同族会社等の特殊関係者間のものも除外されている。これらの場合は，653ページに掲げた原則的な方法によって評価される。

なお，この評価方法は，底地の評価について適用されるもので，借地権のほうの評価は，これと関係なく，653ページ以下で説明しておいた原則的評価が適用される。

また，この評価方法の適用される一般定期借地権の設定された土地（底地）を物納する場合の物納価額も，この評価による価額となる。

定期借地権設定の相続税への影響

定期借地権を設定した場合に，地主・借地人の相続税にどのような影響がでるかを検討してみる。

説明を簡単にするため，一般定期借地権（設定期間50年）をＤ地域に設定した年に相続がおきたとし，その時の更地価額（時価）を2,000万円，自用地としての相続税評価額を1,600万円とし，**権利金**300万円が授受されていたとする。

設定時の貸宅地の評価額は，上記の計算式により，

$$16,000,000円 \times (1-0.6) \times \frac{39.196}{39.196} = 6,400,000円$$

$$16,000,000円 - 6,400,000円 = 9,600,000円$$

となり，地主側にとって，相続財産が現金で300万円増加するとともに，土地の評価額が640万円だけ減少し，相続財産の課税価格は差し引き340万円の減となる。

借地人側では，**図表５－26**の評価方法は関係ないので，653ページの方法で評価されることになるので，

$$16,000,000円 \times \frac{3,000,000円}{30,000,000円} = 1,600,000円（自用地評価額の10\%）$$

となる。

借地人側は，現金が300万円減少して，定期借地権価額が160万円増加し，課税価格は差し引き140万円の減となる。

つぎに，上表のＤ地域で，**保証金**600万円が授受されていたとする。この場合の貸宅地の評価額は，**図表５－26**により自用地評価額1,600万円の６割の960万円となる。

地主側にとっては，相続財産は現金が600万円増加し，土地の評価額が640万円減少しているが，さらに保証金返還債務が残っている。この**保証金返還債務の評価**を預った保証金額を600万円とすれば，全体として差し引き340万円の減ということになるが，この保証金の600万円は，50年後に返還すればよいということなので，1.0％の複利現価率で，その現在価値を求める。そうすると，

$$6,000,000円 \times 0.608 = 3,648,000円$$

となる。これを返還債務の評価額として引くこととされている。したがって，全体として，

（貸宅地の評価額）		（現金）		（保証金の返還債務）		
9,600,000円	＋	6,000,000円	－	3,648,000円	＝	11,952,000円
16,000,000円	－	11,952,000円	＝	4,048,000円		

すなわち，約405万円の減となる。

借地人側にとっては，現金600万円が減少し，定期借地権価額は，

$$16,000,000円 \times \frac{(6,000,000円-3,648,000円)}{30,000,000円} \fallingdotseq 1,254,000円$$

となり，125万円増加し，**保証金返還請求権の評価額**が上記と同様に約365万円となるので，全体として，

1,254,000円 ＋ 3,650,000円 － 6,000,000円 ＝ (－)1,096,000円

すなわち，約110万円の減となる。

一括前払方式の一時金は

定期借地権の設定時に，借地期間中の地代の全部または一部を一括して支払うこともある（716ページ参照）。

この場合の一括前払賃料の未経過分は，657ページで述べたように，定期借地権の評価額，底地の評価額に織り込まれているので，これと別に相続税，贈与税の課税価格に加算したり，控除したりすることはしない。返還請求権，また，返還債務には該当しない。

権利金・保証金の授受もなく，相当の地代の支払いがなされている場合は，地主側に自用地評価額の20％，すなわち，320万円の評価減が生じるだけである。借地人側には増減は生じない。

〈複利現価と複利年金現価〉

元金１円を年利率（複利）3.0％で１年間預けると，
１年後には，$(1+0.03)$ 円
２年後には，$(1+0.03)\times(1+0.03)$円$=(1+0.03)^2$円
となる。利率をｒ，期間をｎとして一般式で表わすと，
$(1+r)^n$円
となる。これを**複利終価**，この率を複利終価率という。
逆に，元金１円をｎ年後に得るには，年利率ｒのとき，いくら預金すればよいかという，その「いくら」が**複利現価**にあたり，この率を複利現価率という。これは，つぎの式で表わされる。

$$\frac{1}{(1+r)^n}$$

定期借地権の設定のときに預かった保証金100万円を50年後に返還するには，年利率3.0％とすれば，

$$1{,}000{,}000円\times\frac{1}{(1+r)^n}=1{,}000{,}000円\times\frac{1}{(1+0.03)^{50}}$$
$$=1{,}000{,}000円\times0.228=228{,}000円$$

すなわち，22万8,000円を年利率（複利）3.0％で50年間預けると100万円になる。つまり，100万円の複利現価（現在価値）は22万8,000円ということである。

複利年金現価というのは，年金１円を毎年末に支払いを受けて，そのまま積み立てていって，年利率（複利）がｒならば，その合計はｎ年後にいくらになるか，そして，その「いくら」の現在価値が年金現価というものである。この年金を地代（毎年増減なし）と置き換えて考えてもよい。年地代100万円を，年末に支払いを受けるとして，年利率を3.0％とすると，

$$１年後に受ける地代の現在価値=A\times\frac{1}{(1+r)}=1{,}000{,}000円\times\frac{1}{1.03}$$
$$２年後に受ける地代の現在価値=A\times\frac{1}{(1+r)^2}=1{,}000{,}000円\times\frac{1}{1.03^2}$$

⋮

ｎ年（50年）後までに受ける地代の現在価値の合計は，

$$A\times\left\{\frac{1}{(1+r)}+\frac{1}{(1+r)^2}+\frac{1}{(1+r)^3}+\cdots\cdots\cdots+\frac{1}{(1+r)^n}\right\}$$
$$=1{,}000{,}000円\times\left(\frac{1}{1.03}+\frac{1}{1.03^2}+\frac{1}{1.03^3}+\cdots\cdots\cdots+\frac{1}{1.03^{50}}\right)$$

となる。
この式をまとめると，複利年金現価率の式は，つぎのような式となる。

$$\frac{(1+r)^n-1}{r(1+r)^n}，もしくは，\frac{1}{r+\dfrac{r}{(1+r)^n-1}}$$

年利3.0％の50年後の複利年金現価率は25.730であるので，
1,000,000円×25.730＝25,730,000円
となる。
年利1.0％とすれば，1,000,000円×39.196＝39,196,000円となる。

第２節
借地権以外の土地使用権

18　一時使用の賃貸借とその権利

建物の所有を目的とする一時使用の賃貸借とはどういうものか。その権利はどれくらいあるのか。

借地借家法の適用のない一時使用の賃貸借

工事現場の仮設事務所，宿舎などのように，建築工事期間中だけに限って，土地を賃貸借する場合などがある。この場合，使用目的と使用期間を契約で明確にして貸借する。これを一時使用の賃貸借といって，借地借家法は適用にならない。契約期間が経過したら，建物を撤去して，土地を返還しなければならない。

この場合は，借地権のような権利は全く発生しない。

しかし，契約書だけで一時使用の賃貸借の形をとっていても，実際に一般の建物の所有を目的とする賃貸借と同じである場合――たとえば，コンクリート基礎を打って本建築の建物を建設したり，また，建物が簡易なものであっても，その使用形態からみて永続的に使うような建物であれば，それは一時使用の賃貸借とは認められない。

一時使用の賃貸借と地代等

このように，一時使用の土地賃貸借は，一般に期間も短く，借地権のような特別の権利を生ずるものでないので，高額の権利金が授受されることは，まずないといってよい。

地代については，需要供給の関係で，かなりマチマチのようである。市街化区域内の農地なり空き地が多く残っている地域では，更地価格に対する利回りは低く，都市中心部のように空き地が少ない地域では，利回りが高くなる傾向がある。特に都市中心部では，その土地を青空駐車場として貸した場合の賃料収入と比較して，地代が定められることも見られる。また，その土地の相続税評価額の４～５％前後を地代とする例も見受けられる。この場合は，一時使用の賃貸借といっても，契約期間満了までは返還されないし，青空駐車場として貸す場合にくらべて，用途の転換が期間的に制限されているから，その分だけいくらか高目に決まるというのが理論的であろう。なお，権利金の授受はないが，敷金，保証金を差し入れることもある。敷金は，地代の不払いを担保するものであり，月地代の４～６か月ぐらいが妥当なところであろう。保証金の場合は，契約期限が到来したとき，建物を撤去して原状に復して土地をすみやかに返還することを担保する意味があり，ある程度の高額の保証金が差し入れられることもある。(注)

(注)　たとえば，建物の取壊工事費用相当額+取壊工事標準期間中の地代相当額＝（建物延面積×取壊工事費単位）＋（取壊工事推定期間（月数）×地代月額）

19 建物の所有を目的としない賃貸借

建物の所有を目的としない賃貸借，その他には，どういう借権があるのか。

借地借家法の適用のない借地

建物の所有を目的としない賃貸借の場合には，土地の一時使用の賃貸借および使用貸借の場合と同様に，借地借家法の適用がない。

ゴルフ場，駐車場，資材置場，運動場などの設置を目的として借地した場合などがこれにあたる。

ゴルフ場の場合，50万㎡の土地の一部に，1,500㎡程度の事務所，レストハウスなどの建物が建っていることがある。この50万㎡の土地は，建物の所有を目的として賃貸借したものではなく，あくまでもゴルフコースのためであり，建物のほうが附属物である。ここでは借地借家法は適用されず，民法の賃貸借の条項が適用される。だから，契約どおりに取り扱われ，契約期間が満了したとき，更新についての取決めがなされていなければ，地主が返してくれといったら返さなくてはならない。借地をしてゴルフ場をつくる場合には，慎重に契約しなければならない。また，ゴルフの会員権を買う場合にも，その敷地の権利がどうなっているか注意する必要があろう。

なお，民法の一般の賃借権の存続期間は最長50年と定められている（民法604条）。

〈使用貸借と費用負担〉

家を建てる目的で土地を借りて地代を支払えば賃貸借となり，借地権という強い権利が生じるが，無償であれば使用貸借であり，借地権は生じない。ところで，地代は無償だが，固定資産税を借主が負担するということはよく見受けられる。また，盆暮に寸志を付け届けすることもある。この場合，形を変えた地代とは考えられないこともない。しかし，この程度では，一般に裁判例などからみても地代とはいえず，使用貸借であると解されている。

20 使用借権とは

建物の所有を目的とする使用貸借とは，どういう法律的性格をもったものなのか。

使用借権と借地期間

親子，親族，特別の関係者間でよく行われる貸借である。権利金の授受はなく，地代も無償である。この場合は，借地借家法の適用はない。建物を建てていても，借地期間が満了したときには，土地を返還しなければならない。借地期間を定めていなかったときは，どうなるのだろうか。

この場合には，前項の一時使用の賃貸借のように，もともと移動性の仮設ハウスの建設事務所や労務宿舎などが建てられ，建築工事が竣工すればその目的を終了する場合と異なって，本建築の建物が建てられており，永年そこに居住したり，商売を営んでいたりする。建物の存続するかぎり，暗黙のうちに，その敷地を使用することが地主と借主との間の了解事項になっていることが多いだろう。このような事情で，建物の所有を目的として，期間を明示していない使用貸借を結んだとき，一応建物の朽廃するまでと考えるのが妥当であろう(注)。

それで一般に，使用貸借についても，借地権ほどではないが，いくらかこれに似たある程度の権利が認められている。

(注)　使用貸借契約で期間を定めていないときは，当初の目的を達成するまでということになっている。たとえば，孫が学校を卒業するまでというような契約で土地を使用貸借して家を建てたようなときは，孫が学校を卒業すれば，使用貸借は終了し，家を撤去して土地を返さなければならなくなる。当初の使用目的が明示されていないときは，契約のときのいきさつなどを客観的に判断して，その目的を判定することになる。

使用借権の特徴

使用借権についても，ある程度の権利は認められるとはいうものの，使用借権というのは，このように無償で借主のみが恩恵的に利益を与えられるものであるから，いろいろな面で賃借権にくらべて弱い権利である。

まず，地主と使用借権者との人間的なつながりが大きなウェイトをもっている。したがって，使用借権者の地位は相続することができず，使用借権者が死亡すれば，使用貸借の関係は終了する(注)のを原則としている。賃借権の場合に，それが無条件で相続されるのと対照的である。なお，地主が死亡した場合は，その相続人は使用貸借を継続する義務を引き継ぐことになる。しかし，地主が土地を第三者に譲渡した場合は，使用借権者は新地主に対抗できない。すなわち，借地を返還しなければならない。これが使用借権の一番弱いところであろう。

（注）　使用貸借をしたとき，借主の死亡後も使用貸借を相続人が引き継ぐという明示または黙示の合意があれば，相続人に相続されることになる。

また，あらかじめ定められた期間が到来したとき，法定更新ということは生じない。その後も引き続いて借地させるかどうかは，地主の気持次第である。また，地主の承諾を得ないで使用借権を譲渡，転貸することや，増改築，借地条件変更などできないのは当然であるし，建物の所有を目的とする賃借権のような「地主の承諾に代わる裁判所の許可」などということもない。それから，賃借権の場合に，その借地上の建物を賃貸することは自由であるが，使用借権による敷地上の建物を地主の承諾を得ないで賃貸すると，敷地についての無断転貸という問題が生じ，敷地についての使用貸借契約を解除されることがある。

なお，借地の目的を達したり，期間が満了したときは，建物を収去して借地を返還することになる。建物の買取請求権という問題は生じない。そのとき，その建物がまだ十分に使用できるような状態であって，地主がそのまま使用しようということであれば，建物を時価相当額で買い取ってもらえるであろうが，しかし，借地権とか場所的利益などというものが加算される余地はない。

使用借権と他の借地権との比較

建物の所有を目的とする土地使用借権の法律的な性格を，もうちょっと明確に理解してもらうため，借地権（地上権・賃借権）の比較一覧表を**図表５－27**に掲げておいたので，各項目別に比較しながらよく検討してもらいたい。

図表５－27　建物の所有を目的とする土地使用借権，普通借地権および定期借地権

	(ア)　建物の所有を目的とする土地使用借権	(イ)　普通借地権（賃借権）
契約形態	債権，片務・要物契約	債権（物権化），双務・不要式の諾成契約
賃料・償金	無償（民593） 通常の必要費用を負担（民595）	有償（民601）
使用収益権	使用・収益（民594）	使用・収益（民616・準用594）
期　　間	①　契約に定めた期間（民597①） ②　契約に定めた目的に従う使用・収益の終わりたるとき（民597②） ③　使用・収益をなすに足るべき期間を経過したとき（民598①） ④　期間・目的を定めざるとき……いつでも契約の解除しうる（民598②）	①　契約期間の定めのあるとき……30年以上の約定期間(3) ②　契約期間の定めのないとき……30年以上(3) 既存借地権については， ①　契約期間の定めのあるとき……堅固造30年，その他20年以上の約定期間(旧２②) ②　契約期間の定めのないとき……堅固造60年，その他30年。ただし，朽廃まで（旧２①）
更　　新	①　法定更新の制度はない ②　合意更新についても法定の最短期間はない	①　法定更新 (イ)　借地期間終了時に更新の請求（５①・旧４①）→更新 (ロ)　借地期間終了後も使用継続（５②・旧６）→更新 貸主の異議申立と正当事由 更新期間は20年，第２回目の更新から10年(4)，既存借地権については，堅固造30年，その他20年（旧５）→朽廃まで ②　合意更新 上記より長期で更新期間を定めたとき→定めた期間（４・旧５②） ③　建物の滅失……再建可（７・旧７） 貸主の異議申立
譲　　渡	（譲渡性なし）	①　原則として譲渡性はないが，地主の承諾を得て譲渡することが多い ②　地主の承諾に代わる裁判所の許可（19・旧９ノ２）……財産上の給付（無断譲渡人の建物買取請求権）（旧10）
借主の死亡	借主の死亡により効力を失う（民597③）	相続人が地位を承継

（注）　条項の略号：(　) 内は条項を示す。条項のみは現行借地借家法。「旧」は改正前の借地法で，既存借地権（平成４年７月31日までに設定された借地権）に適用される。「民」は民法。

	(ウ)　定期借地権等（賃借権）	(エ)　地上権である（普通・定期）借地権
契約形態	同前ページ右欄	物権
賃料・償金	同前ページ右欄	有償（原則），地代無償の場合もある（民266）
使用収益権	同前ページ右欄	使用・収益（民265）
期　間	①　定期借地権……50年以上の約定期間（22） ②　事業用借地権……10年以上50年未満の約定期間（23） ③　建物譲渡特約付借地権……30年以上の約定期間（24）	(ア)または(イ)と同じ
更　新	①　法定更新を契約により排除（38） ②　合意により期間（上記期間内）延長は可	(ア)または(イ)と同じ
譲　渡	同前ページ右欄	同　左
借主の死亡	同前ページ右欄	同　左

	㋐　建物の所有を目的とする土地使用借権	㋑　普通借地権（賃借権）
転貸	貸主の承諾を得るに非ざれば，第三者をして使用・収益をなさしめることをえず→解除（民594②③）	①　原則としては，左記と同様に転貸できない（民616・準用594②） ②　地主の承諾に代わる裁判所の許可（19・旧９ノ２）……財産上の給付
土地上の建物を貸すこと	（自用の建物を建てる条件で，土地を借り，この建物を賃貸するのは問題）	（自由）
条件変更〔非堅固→堅固造〕	①　原則として不可 ②　貸主の承諾を得れば変更可	①　貸主・借主との協議 ②　協議ととのわないときは，当事者（貸主・借主の双方を含む）の申立により裁判所が変更する（17・旧８ノ２）（ただし，土地利用の規制の変更，付近の土地の利用状況の変化，その他事情の変更により現に借地権を設定するにおいては堅固造の建物のための借地権が設定される状況にあるとき）……財産上の給付
増　改　築	①　原則として不可 ②　貸主の承諾を得れば可	①　可 ②　契約で増・改築が禁止されている場合→地主の承諾 ③　協議ととのわないときは，地主の承諾に代わる裁判所の許可（17・旧８ノ２）（ただし，土地の通常の利用上相当とする増・改築）……財産上の給付
建物の競売・公売	（特に定めなし）	①　競落人が地主の承諾を得ること ②　地主の承諾に代わる裁判所の許可（20・旧９ノ３）
地主の交替	①　相続の場合……相続人は貸主の地位を承継 ②　その他（第三者）……対抗できない（新地主から解約されれば，借地期間中であっても建物を収去して返還しなければならない。原状回復義務（民599），建物の買取請求権はない）	地上権・賃借権の登記または建物の登記があれば，第三者に対抗できる（10①・旧建物保護ニ関スル法律１）
貸主の担保責任	贈与者の担保責任を準用	必要な修繕義務（民606①）
貸主の死亡	相続人が地位を承継	（同左）
借地権の消滅による返還	①　原状回復義務，建物を収去しうる（民599①） ②　建物買取請求権はない	①　原状回復義務，収去しうる（民616・準用599） ②　建物買取請求権（13・旧４②）

	(ウ)　定期借地権等（賃借権）	(エ)　地上権である（普通・定期）借地権
転貸	同前ページ右欄	転貸できる
土地上の建物を貸すこと	同前ページ右欄	同　左
条件変更〔非堅固→堅固造〕	同前ページ右欄	同　左
増　改　築	同前ページ右欄	同　左
建物の競売・公売	同前ページ右欄	競落人は地上権を取得する
地主の交替	同前ページ右欄	同　左
貸主の担保責任	同前ページ右欄	積極的な義務を負わない
貸主の死亡	同前ページ右欄	同　左
借地権の消滅による返還	定期借地権・事業用借地権は，①原状回復義務については同左，②建物買取請求権は，契約により排除（22）（23）。建物譲渡特約付借地権は，建物を買い取ることが前提（24）	(ア)または(イ)と同じ

21 使用借権の価格は

使用借権にも価格はあるのか，あるとすれば，どのように評価するのか。

使用借権の評価が問題になる場合

使用貸借というのは，相互の信頼と恩恵との関係で成立しているものである。この権利が問題になるのは，貸主の相続などで代がかわって，相互の関係が薄れた場合，または，自分の土地を婿の住宅用に無償で貸していたところ，急に婿がよそよそしくなったというように，信頼関係が壊れて，使用借権者に土地を売却したり，または，補償をして立ち退いたりしてもらおうとするときである。

その他，使用借権で貸借している土地とその上の建物を一体として買収，収用などされる場合，土地の総額は決定したが，これを地主と使用借権者でどのように配分しようかというようなときである。

使用借権に価格はあるのか

ところで，建物の所有を目的とする使用借権というものは，前項で説明したように，非常に弱い権利である。そういうことから，使用借権の価格はゼロであるということを主張する人もおり，この考えは税務関係の人に多くみられる。この考えは，相続税個別通達24（昭48.11.1，直資２－189）に「土地の使用貸借にかかる使用権の価値は零として取扱う」という規定から発しているようである。

しかし，この規定はあくまでも贈与税と相続税の徴税の便宜上の取扱通達である。その通達の前文をみても国税庁自身も，土地の使用借権の価値（価格）をゼロと認識しているわけではない。

（注）　税務上の取扱いでは，土地使用借権の設定時には贈与税を課さないが，その土地を相続したときに，自用地（更地）として評価して課税するという仕組みになっている。

土地使用借権は，非常に弱い権利ではあるけれども，当初に約束した期間，または当初に定められた目的を達成する期間は，土地を無償で使用できることを，法律的にもある程度保証されており，その期間中は土地を無償で使用できるという経済的利益はある。

このように，法律的に保護された経済的利益がある限り，そこに価格が存在する。

使用借権の評価①――地代相当額から求める

土地の使用借権には，このようにある程度法律的に保護された経済的利益があり，これに目をつけて，使用貸借の残存期間中の地代相当額の現在価値の総和をもって，この使用借権の価額として評価しようという考え方もある。しかし，それは厳密にいって正しくない。建物の所有を目的とする賃貸借における地代というのは，その月の土地使用の対価としての意味だけで支払われるものではない。毎月，毎年地代を払い続けることによって，借地期間満了時においても更新する権利，借地権の譲渡，転貸，増改築を請求する権利，地主が変わっても借地を継続できる権利，借地権を相続する権利などを確保する――借地権を補強するという意味も含めて支払われているのである。そして，使用借権の場合は，いくら長く借りているからといって，これらの権利が発生するわけではないのだから，使用借権によって受ける経済的利益というものは，通常の地代相当額から，かなり割り引いたものになるはずである。

それから，賃借権の場合の借地権は，時の経過によってふくれ上がり，借地権価格はだんだん高くなる傾向にある。しかし，使用借権の場合は，時の経過によって，一つは借地人の残存期間が短くなることによって，もう一つは，使用借権というのは原則として借地人一代限りのものもあり，そういう場合は，借地人の余命が短くなることによって，その権利は少なくなり，使用借権の価値も低くなる傾向にある。

こういうことを前提にして設例によって算定してみる。

更地価格で１㎡当り30万円の土地200㎡を，建物の所有を目的として使用貸借によって借り受け，残存期間が20年であったとする。

使用借権の場合，約定期間が満了すれば土地を返還しなければならない面では，定期借地権に類似している。しかし，定期借地権にくらべて，建物の用途，増改築，譲渡などが制限されている面で，その利用価値は低い。

戸建住宅用の一般定期借地権の標準的な地代率が1.81％（643ページ参照）として，その約60％を使用借権の利用価値（経済価値）と考えて，約定期間中の総和を年金現価率（年利率２％）で求めると，つぎのようになる。

（面積）200㎡ × （単価）300,000円 ＝ （更地価格）60,000,000円

（更地価格）60,000,000円 × （地代率）（0.018×0.6） ＝ （使用借権の１年当りの経済的利益）648,000円

（１年当りの経済的利益）648,000円 × （年利２％・20年の年金現価率）16.35 ≒ （20年間の経済的利益の現在価格）10,595,000円

となる。これは，更地価格の約18%にあたる。

使用借権の評価②——借地権割合から求める

使用借権の評価のもう一つの方法は，使用借権というものは，借地権とくらべて非常に弱い権利であるが，土地を長期にわたって使用できる権利であることに着目し，借地権割合から求める方法である。

この場合も，この使用借権を借地権の何割とみるかという難しい問題に出会う。

建物の使用借権者がその建物および敷地を買い取るのに関連した裁判例（東京地裁・昭46.10.8タ272,335。不動産判例研究会編，新日本法規刊『判例不動産法賃貸借３』325012）に，使用借権の残存期間を少なくとも20年間はあると認定した上で，この地域（都区内）の一般住宅地における借地権価格が更地価格のほぼ７割であることは公知の事実であるとして，土地の使用借権の価格を更地価格の４割（借地権価格の約57%）とし，借家権価格を建物価格の２割とした鑑定評価書を基礎として判示している例がある。

また,「統計的にみると，通常の借地権価格の３分の１程度を中心として成りたっているといわれる」という説（小森佐久夫「借地権の鑑定評価について」『不動産鑑定』1974年７月号）もある。これも同様の結果となる。

また，これらの理論的な検討は別として，実際の取引にあたって土地の使用借権を更地価格の20%程度とみて金銭が授受される例はよく目につく。

場所的利益と使用借権

632ページで「場所的利益」というものを説明した。これは，借地期間満了に際し地主の更新拒絶の「正当事由」が認められて借地権が消滅した場合，また，借地上の建物を第三者に無断譲渡したことにともない借地契約が解除された場合に，建物の譲受人は，地主に対し建物を買い取るように請求することができる。これが建物買取請求権というものであり，このとき，建物そのものの価額に「場所的利益」の価額を加算して，買取価額が定められ,「場所的利益」の価格は，一般に15%程度といわれている。

ところで，使用借権の価額は，この「場所的利益」の価額より高いのが妥当なのであろうか，低いのが妥当なのであろうか。

この「場所的利益」の対価を「借地人の保護，特に生存権（生活権）を享受するのに必要最低限を保障するもの」とし,「借地人が生存権を享受できる最低限度の範囲は使用借権における権利を下まわらないようにすべきである。なぜなら，たとえ更新が行われなくなった場合においても，その前までは正当な地代を支払っていたのであるから，これを支払っていなかった使用貸借契約より法益を享受できるものと考察するのが自然であるからである」というような論（飯田武爾著『借地権と鑑定評価』ダイヤモンド社刊）もあるが，筆者は貸借期間中の使用借権については，その反対ではないかと思っている。

というのは，その前までは正当な地代を払っていたにせよ，現実には借地権は消滅してしまったのである（特に前者の場合には，借地権価格相当額の何割かの対価を借主に提供し，それによって正当事由を補強して借地を消滅させていることも多い）。使用借権も，建物の朽廃をまたないで消滅することも多い。借地の目的が終了し，または借地期間が満了し，あるいは借主が死亡して使用借権が終了し，その時点で建物が十分使用できる状態で現存していることがある。そして，こういう場合に使用借権者には，建物の買取請求権という法律上の保護はないのであるから，こういう状態における使用借権の価格が，建物の買取請求権の場合の「場所的利益」の価格より，はるかに低いことは当然である。

しかし，残存期間が10年なり20年なり残っている場合の使用借権が，借地権が消滅した後の「場所的利益」より価値が低くなるということは合理的ではない。使用借権に基づくものであっても，そしてそれが借地権にくらべてはるかに弱い保護であっても，一応の法律上の保護は与えられ，残存期間中はそれなりの経済的利益は享受できるからである。

より詳しくは　なお，使用借権とその評価方法については，いろいろと難しい問題が多いが，土地評価理論研究会編著『[新版]特殊な権利と鑑定評価』（清文社刊）のうちの「土地使用借権とその評価」で詳しく述べてあるので参考にされたい。

また，旧㈳日本不動産鑑定協会（現：公益社団法人東京都不動産鑑定士協会）東京会実務相談室委員会で，不動産鑑定士からの相談をとりまとめ，また，その指針とした『鑑定実務 Q&A（第２集)』にも掲載されているので参考にされたい。

22 区分地上権

空間の上下の一部を区切って設定される地上権もある。

空間の上下を区切っての土地利用

都市はますます過密化し，その有効利用が求められている。ある土地の地表から一定の高さまでを所有権者が通常の建物を建築して所有し，その上方空間に高速道路を，地下には地下鉄を建設するというようなことも行われている。

そのとき，高速道路なり地下鉄を設置し所有するための土地空間使用権がなければならない。

土地使用権の典型的なものとして地上権があるが，地上権というのは，一般に，土地の上下空間のすべてにわたって使用できる権利である。したがって，同一の土地を上下の空間に区切って，三者で利用しようという場合には適さない。

これを解決する方法として，区分地上権という制度がつくられている。

区分地上権とは

区分地上権というのは，昭和41年の民法改正で創設された制度で，「地下又は空間は，工作物を所有するため，上下の範囲を定めて地上権の目的とすることができる」と定められている（民法269条の２）。

そして，空間の範囲は，通常，「東京湾平均海面の上××ｍから××ｍの間」というように設定されるが，その土地の地表の特定の地点を含む水平面を基準とすることもある。

また，区分地上権を設定するとき，「設定行為で，地上権の行使のためにその土地の使用に制限を加えることができる」と定められており（同条），たとえば，「土地所有者は高架鉄道の運行の障害となる工作物を設置しない」というような制限がつけられる。

区分地上権の利用例

区分地上権の利用例としては，地下鉄道のトンネル，高速道路などがあるが，区分地上権を設定して，区分所有建物を建設し，区分地上権で区切られた空間内に建築された区分建物を所有する例もある。

23 地役権

> **地役権は承役地を要役地の便益に供するために契約によって設定される権利である。**

地役権とは

地役権というのは，ある土地（承役地）を自己の土地（要役地）の便益に供する権利（物権）である。

この地役権のうち最も代表的なものとして通行地役権というものがある。

たとえば，**図表５－28**のような場合がある。土地Ａは，土地Ｂによって囲まれていて，公道Ｃに通じていない。Ａ地から公道Ｃに出るためには，Ｂ地のどこかを通らなければならない。

図表５－28　地役権の例

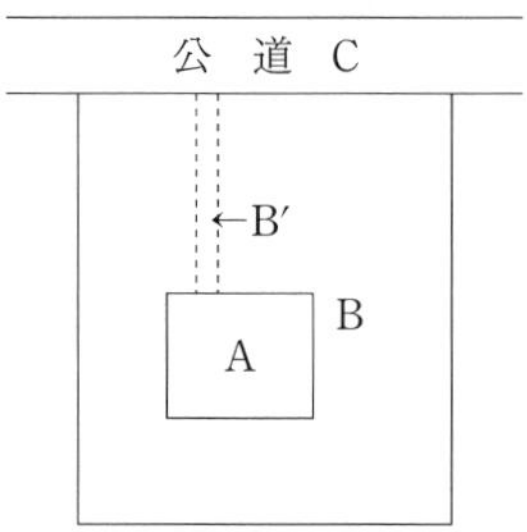

A：要役地
B′：承役地

こういう場合，Ａ地の所有者（借地人等を含む）は，Ａ地を囲んでいるＢ地（囲繞地（いにょうち）(注)）を通行することができる（民法210条）。ただし，その場所は，通行のため必要であって，かつ，囲繞地にとって損害が最も少ない場所でなければならない（民法211条）。

この権利を**囲繞地通行権**といい，また，**法定地役権**ともいう。

しかし，こういう場合，必ずしも囲繞地通行権によって通行権を得るとは限らない。むしろ，契約によってＢ′ 地を借地するとか，地役権を設定することが多い。

（注） なお，平成16年の民法改正（口語化）では「囲繞地」という用語は「他の土地に囲まれて公道に通じない土地」と書き替えられている。鑑定評価また税務評価で，無道路地といっているものに，ほぼ相当する（98ページ参照）。

このように，契約によって設定された地役権を，法定地役権と区別するために**約定地役権**ともいっている（民法280条以下）。

なお，地役権の利用法としては，このほか，高圧線の架線のためにも多く利用されているし，モノレールの設置のためなどにも利用されている。

また，日照・眺望などを確保するため隣地の建物の高さを制限する**不作為地役権**というものもある。

また，「**24　空中権**」(685ページ）で説明する容積率の移転をした場合，移転をした側の土地について，建築を制限する地役権を設定することもあるが，これも不作為地役権である。

要役地と承役地

なお，地役権を設定した土地（**図表５－28**のB′地）を**承役地**といい，それを使用する側の土地（A地）を**要役地**という。

承役地は，要役地と一体不可分の関係にあり，要役地を譲渡すれば，承役地はこれに附随して移転することになる（民法281条）。この面で，B′地を賃借している場合と異なる。

地役権と賃借権・地上権との土地利用上の違い

通常の土地賃貸借契約で土地を賃借した場合，賃借人は，その土地の上下の空間(注)を排他的・独占的に使用することができる。排他的というのは，その土地の所有者も，貸した土地を使用することはできなくなり，地代を受け取る権利だけが残っているということである。

地上権を設定した場合も同じである。

（注）　前項の区分地上権は，その特殊な形として，土地の上下空間の一部を区切っているが，その空間について排他的・独占的に使用できる権利であることについては変わらない。

図表５－28のように，B′の部分を通常の土地賃貸借契約で賃借して通路とすれば，その土地の所有者は，一般的にはその通路部分を通行することができなくなる。また，その通路に面する第三者に，土地所有者が重複して賃貸したり，通行を許可する権原もなくなっている(注１)。

また，高圧線の架設のために，その線下の土地を賃貸借すれば，土地所有者は，その線下の土地に建物を建てたり，また，線下の土地を田畑として耕作することもできなくなる(注２)。

これに対して，地役権は，通行とか，高圧線の架設とかいう目的に限って設定されるものであって，その通行とか，高圧線の利用を妨げない範囲で，承役地の所有者は，その土地を使用できることが，賃借権，地上権を設定した場合と異なっている。すなわち，土地所有者はその通路を通行することもできるし，高圧線下の土地に建物を建てたり，田畑として耕作することもできる(注３)。

建物の建築を制限する不作為地役権が設定された場合でも，承役地の所有者は，その制限の範囲内で，建物を自由に建築し，使用することができる。

（注１）　土地所有者または土地所有者が認める第三者の通行を必要とする場合は，土地賃貸借契約に，その旨の特約をつけることで解決している。

（注２）　高圧線の架設の場合に土地賃貸借契約によることも多く行われているが，この場合，契約の特約により，支障のない範囲での土地所有者の使用を認めている。

（注３）　電気事業法により，**特別高圧架空電線路**は，建造物・工作物から一定の離隔距離を保つことを義務づけられており，この義務を確保するため，地役権設定契約や土地賃貸借契約において，土地所有者の建造物の築造などを制限している。

たとえば，使用電圧が35,000ボルト以下ならば，その真下から左右３ｍ範囲には建物を建てられないと制限しているときもあれば，その真下に建物を建ててもいいが，高圧線下３ｍの範囲は建物を建ててはいけないというような制限の場合もある（35,000ボルトを超えると，さらに制限は厳しくなる。なお，特別高圧架空電線とは，電圧が7,000ボルト以上のものをいう）。

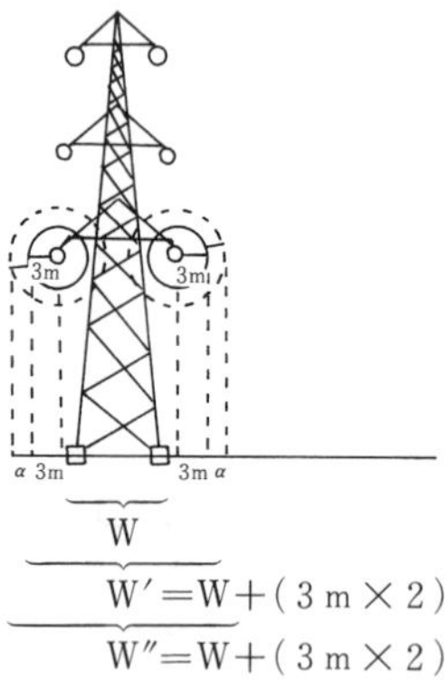

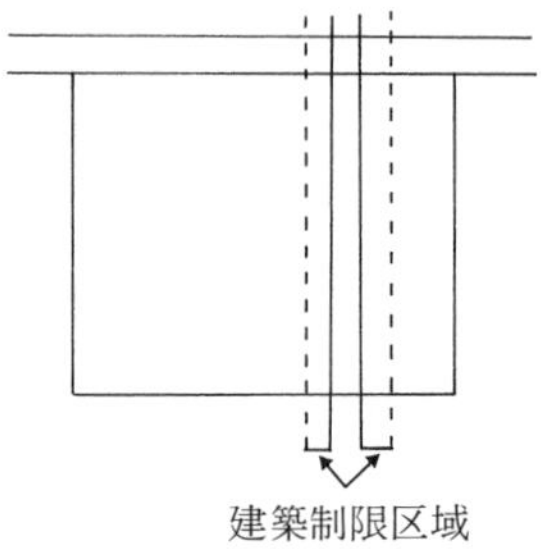

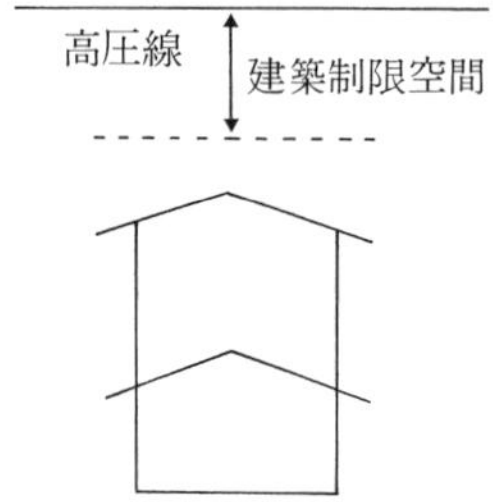

〈地役権と人役権〉

役権とは，一定の人または土地のために，他人の所有物を使用する権利であると説明されている。役権には，地役権と人役権とがある。

わが国でも，江戸時代には，隠居分，後家分などといって，隠居や後家（地役権における要役地にあたる）に，ある土地からの収益（地役権における承役地にあたる）を終生与えるが，その人が死ぬとその権利は相続されないし，生前に譲渡することもできない性質のものもあった。役権とはこういうように，ある人なり，ある土地と結びついて切り放せない関係にあることが特徴である。民法制定時，こういう権利を人役権として織り込もうという検討はあったらしいが，結局これは認められず，地役権だけが認められたようである（ヨーロッパ諸国ではほとんどローマ法の伝統を受け継いで人役権を認めているようである）。

〈入浜権〉

こぬ人をまつほの浦の夕なぎに
焼くや藻塩の身もこがれつつ

これは小倉百人一首で親しまれた歌であり，淡路島松帆浦での製塩を詠みこんでいる。長唄にも「官女」という曲があり，都落ちした平家の官女が桶をかついで海水を汲む風景が歌われている。その舞台となった高松や坂出の塩田もつぶされ，塩はすべてイオン交換樹脂被膜電気透析法とかいう味気のない製法で工場生産となり，塩の風味は失われてしまった。それはともかく，昔は海水を汲み，塩を焼き，そして塩を焼くための流木を海辺で集めなければならず，このようにして海辺を使用する権利を，幕府なり藩から買ったり，借りたりして認めさせてきた。これは一種の入会権（次掲コラム参照）であるが，特に入浜権ともいわれていた。そして入会権の場合，農業肥料のための刈敷を収集する必要がなくなっても，その権利に基づいて植林するなどという形で生き続けているように，海辺で藻塩を焼く必要がなくなっても，いったん浜辺で確立した権利は消滅しない。東京電力が新潟県柏崎市の海辺に原子力発電所の建築工事の着工をしようとしたとき，地元住民がそこにわれわれの入浜権があるとして，住民の入浜権利用の妨害排除という民事訴訟を起こした例がある。

〈入会権(いりあいけん)〉

江戸時代には化学肥料というものはなかった。農地の地味を豊かにするためには鰯などの金肥(きんぴ)が用いられることもあったが，一般的には，藁だとか枯草，枯葉などを積み重ねて，それに腐敗させた糞尿などをかけて堆肥(たいひ)をつくり，それを田畑に混ぜて肥料として使わねばならなかった。ある段階までは枯草，枯葉のほうも田畑の近所から集められ，糞尿も自家製造で間に合わせていた。しかし，江戸時代の中期以降に新田開発が進んでくると，それだけでは賄いきれなくなってくる。そこで江戸の町へ野菜を持っていき，汲取りをさせてもらう一方，枯葉については付近の山に入って集めてこなければならなくなる。ところで，山林というものは利用価値がはっきりするまで農民もあまり入り込まず，藩主が完全支配権を確立して，お留山(とめやま)などと称して農民の立入を禁止してもあまり抵抗はなかった。しかし，藩の財政基盤を強固にするために新田開発を積極的に行い，その新田の収穫を増やすための肥料としての刈敷(かりしき)を農民が山に求めざるを得なくなったとき，お留山での枯葉等の刈敷を収集するための立入を認めざるを得ないような事態が起こる。これが入会権である。また，入会権について部落相互間の権利の調整も行われつつ，入会権というものが，土地に対する一種の権利として確立していく。

明治初年の民法制定の際に，立法者は入会権というものを積極的に認めたくなかったらしく，民法典における入会権は片隅に規定されるのみであった。また，明治政府も山林の多くを国有林として収奪し，そこでの入会権を奪ったりしたが，必要なものは必要なのだから，現在でもその権利は形を変えて生き続けている。

24 空中権

> 都市の高度利用のため，空中権を売買することも目立つようになった。この空中権の売買とは，具体的には，どういうことなのか。

空中権の売買——容積率移転とは

最近，空中権を売買する例が，目につくようになってきた。都市計画では，ある敷地に建てられる建築物の延床面積の最大限度を，その敷地の面積との関係で定めている。すなわち，容積率といわれているものである。

容積率が400％と定められていれば，その敷地面積の400％，すなわち４倍の延床面積の建物が建てられるということである。敷地面積が200㎡であれば，その４倍の800㎡の延床面積の建物が建てられることになる。各階の床面積が160㎡なら５階建の建物が建てられるということになる。

ところで，Ａ地，Ｂ地という各200㎡の土地が隣り合っていて，都市計画上の容積率が400％と定められていたとしよう。

そして，Ａ地では延床面積600㎡の建物を建てるとする。容積率で300％である。そうすると，Ａ地では未使用の容積率が100％残ることになる。これを余剰容積率といっているが，この余剰容積率をＢ地が譲り受けて利用できるとすれば，Ｂ地の利用可能な容積率は，400％プラス100％の500％となり，延床面積1,000㎡の建物を建てることができることとなる。その場合，Ｂ地はそれだけの利益を受けることになるわけであるから，それ相応の対価を支払っても，この余剰容積率を買い受けたいということもあるであろう。

現在よく話題にのぼる空中権の売買というのは，対価をともなうこの余剰容積率の移転ということである。

容積率移転の方法は

しかし，建築基準法では，勝手に容積率を融通し合うことは認めていない。

それで，つぎのような制度を利用して，容積率の移転が行われている。

①　特定街区制度（都計法９条⑳，建基法60条）

特定街区制度とは，過密化している市街地の環境整備に必要な有効空地を確保させるかわりに，都市計画で定められている容積率，建ぺい率，高さの制限を緩和し，指定された特定街区内の隣接地，また他の特定街区との容積率の移転を認める制度である。日比谷シティビルでは，この制度を利用して，容積率の移転が行われた。

また，平成15年に建て替えられた丸の内ビルディングも，この制度を利用し，道路を隔てて隣接する三菱商事別館ビルから未使用容積率の移転を受けている。

② 総合的設計による一団地の建築物の認定（一団地認定制度）（建基法86条①）

③ 総合設計制度および市街地住宅総合制度（建基法59条の２）

④ 地区計画による容積適正配分制度（建基法68条⑤）

⑤ 連担建築物設計制度（建基法86条②）

⑥ 特例容積率適用区域制度（建基法57条の２）

このうち①～④は特別の制度によるもので，その適用要件はかなり制約されており，手続きもむずかしいので，従来は実務上は，

⑦ 既存建物を利用しての増築方式

が多く行われていた。

増築方式による容積率移転

この方式は，たとえば**図表５－29**のようなＡ地，Ｂ地という二つの敷地があって，それらの面積，用途地域，都市計画上の容積率，基準容積率が記載のとおりであったとする。

図表５－29

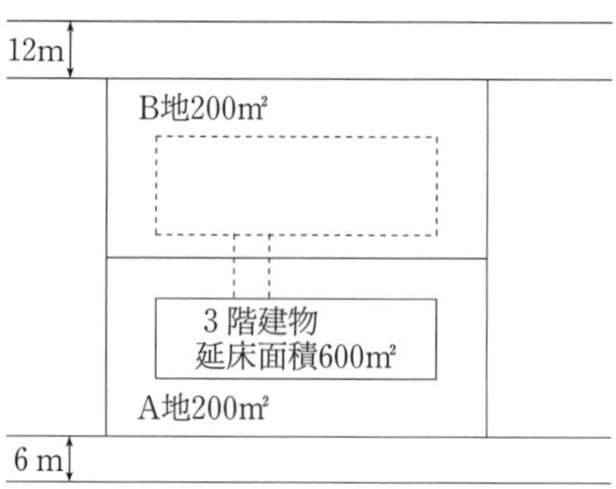

・都市計画上の容積率：400％
・B地の基準容積率：道路幅員12m以上であるので，都市計画上の容積率どおり400％
・A地の基準容積率：６m×0.6＝360％

なお，敷地の前面の道路の幅員が12m未満のときは，用途地域が住居系の場合には道路幅員に0.4を，その他の地域の場合は道路幅員に0.6を乗じて求めた数値と，都市計画上の容積率との低いほうの容積率が，実際に利用できる容積率となり，これを基準容積率といっている。(注)

（注） 前面道路の幅員が12m未満である場合でも，幅員が６m以上で，特定道路（幅員15m以上の道路）から70m以内にある敷地については緩和規定がもうけられている（建基法52条②）。

この例で，Ａ地のほうで，３階建で延床面積600㎡の建物（容積率300％）であったとすると，基準容積率の360％のうち60％だけ余っていることになる。

Ｂ地のほうでは，基準容積率の400％を超えた高層建物を建築したいとする。

この場合，Ａ地で余っている容積率（余剰容積率）の60％を譲ってもらって，これを加えた460％の容積の建物を建築しようとしても，原則として，それはできないということになっている。

では，Ａ地とＢ地とを一つの敷地として，この敷地にＡ建物とＢ建物との２棟を建築するのだといって，建築確認を申請したらどうだろうか。

この場合にも，「一つの敷地には一つの建築物」という原則(注１)があって，例外を除いては認められない(注２)。

では，Ａ建物とＢ建物とを一つの建物とすればどうだろうか。すなわち，Ａ建物の増築とすれば，Ａ・Ｂという一つの敷地に一つの建築物を建築するのだから可能となる。そのためには，Ａ建物とＢ建物との間の図の点線で表示した部分などを，廊下とか地下道などで接続して，建築基準法上で一つの建築物と認められる構造としなければならない。

この場合には，Ａ地とＢ地とが一つの敷地となり，この敷地の全体が幅員12ｍの道路に面することになるので，基準容積率はＢ地を含めて400％，すなわち，敷地全体で延床面積1,600㎡まで建築可能となり，既存のＡ建物部分で使用していた600㎡を引いた1,000㎡（Ｂ地敷地面積の500％にあたる）の延床面積の建物が建築できることになる。

（注１）　敷地とは，「一つの建築物又は用途上不可分の関係にある二以上の建築物のある一団の土地をいう」（建基令１条①）。
なお，用途上不可分というのは，工場の敷地内に工場とそのための倉庫が別棟で建っているような場合をいう。

（注２）　例外として，前ページ記載の②の一団地認定制度と⑤の連担建築物設計制度がある。

連担建築物設計制度による容積率移転

上述した増築方式による容積率移転は，二つの建物を繋げて一つの建物としなければならないという面で，両者の権利を処理する上で問題が残る。

そこで，上掲の例で，Ｂ建物をＡ建物につなげなくても，すなわち，それぞれ別の二つの建物としたままで，Ａ地の余剰容積率をＢ地に譲渡して，Ｂ地の基準容積率に加えて，Ｂ建物を建築するのが，平成10年６月の建築基準法の改正によって新設された連担建築物設計制度（建基法86条②）である。

たとえば，商業地域で都市計画上の指定容積率が400％の地域に**図表５－30**の

図表５－30　連担建築物設計制度による容積率等の移転の例

(ア)〈商業地域・指定容積率400％〉

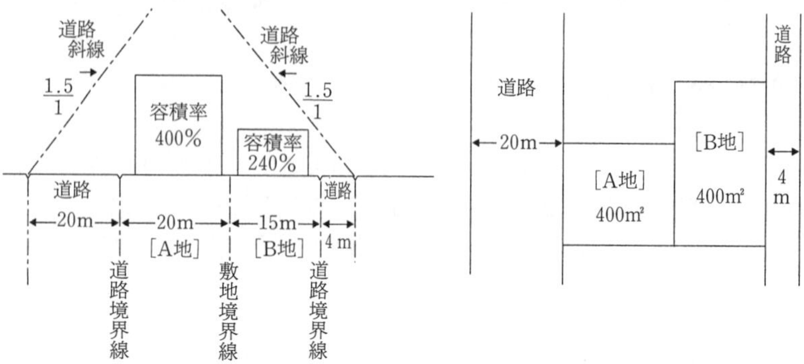

(イ)－１

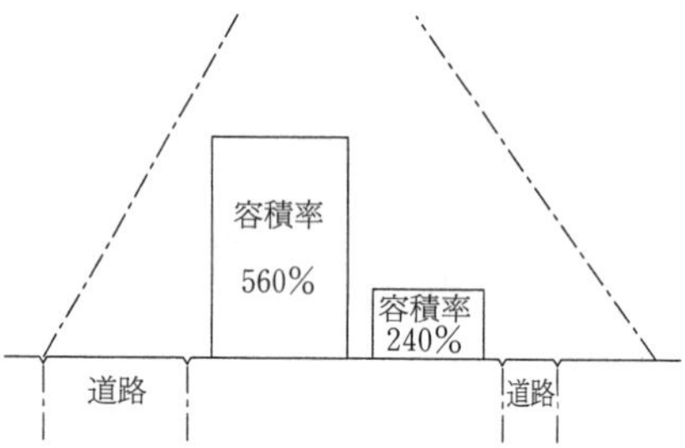

(イ)－２

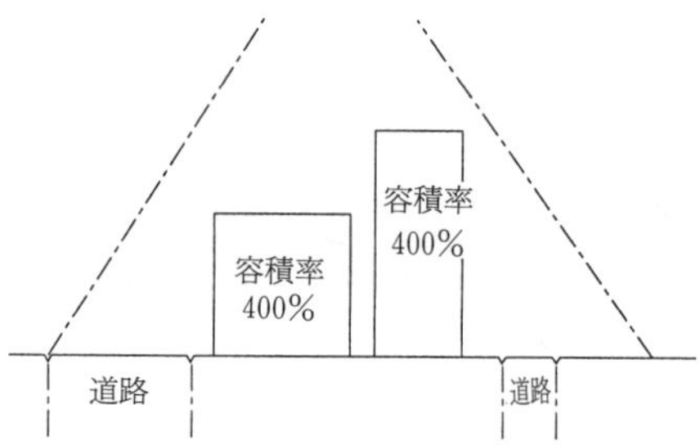

(ア)のようなＡ地と，これに隣接する同面積のＢ地とがあったとする。それぞれ別箇に建築する場合，Ａ地は，前面道路の幅員が20ｍであるので，指定容積率と同じ容積の400％の建築が可能であるが，Ｂ地の前面道路の幅員は４ｍであるので，建築できる限度（基準容積率）は240％となっている(注１)。

ここで，連担建築物設計制度を利用して，この二つの敷地を，一つの敷地とみなす認定をしてもらうと，Ａ地・Ｂ地とが一体として，幅員20ｍの道路と４ｍの道路とに面することになり，Ｂ地を含めた一体地の基準容積率が400％となる。

そのため，(イ)－１のように，Ｂ地上の建物の容積率を従前どおり240％とし，増加した160％の容積率をＡ地の建物に移転すれば，容積率560％の建物を建築することができる。

また，(イ)－２のように，Ａ地の建物を従前どおり400％とし，Ｂ地に容積率

400％の建物を建築することもできる。なお，この場合，Ｂ地の前面道路の幅員は４ｍであるため，単独で建築する場合には，道路斜線制限による高さの制限があって，容積率の限度いっぱいの建物が建築できなかった場合も，道路斜線制限が緩和されることにより(注２)，増加した容積率をフルに使用できるようになる。また，Ａ地とＢ地との間の隣地斜線制限(注３)もなくなるなど，その他の制限も緩和される。

なお，増加した容積を移転する方法として，(イ)－１，２のほか，Ａ地の建物を500％，Ｂ地の建物を300％にするなど，さまざまな形態が考えられる。

この制度を利用することにより，余剰容積率の移転を受けて効率のよい商業施設を建築できるなどのメリットの他，移転する側でも，移転の対価で，老朽化したマンション，歴史的保存建築物，神社仏閣，学校などの修復・保存，また場合によっては，建替えなどの資金にあてることができ，あるいは，虫喰い地の利用促進をはかることができるようになる。

なお，上記②の**一団地認定制度**でも，一団地（一つの敷地）の内に二以上の建物を建築し，その建物相互間で容積率を移転させることは可能であるが，この制度では，これらの建物を同時に建築することが前提となっているが，連担建築物設計制度では，既存の建物を残したまま，その余剰容積率を利用できることが一つの特徴になっている(注４)。

（注１）　容積率（建築物の延べ面積の敷地面積に対する割合）は，都市計画で指定された率と，前面道路の幅員が12m 未満の場合は，その幅員のメートル数値に0.6（住居系地域では0.4）を乗じて求めた率との小さいほうが適用され，これを基準容積率という（建基法52条②）。

（注２）　道路斜線制限は，原則として，前面道路の反対側の境界線から$\frac{1.5}{1}$（住居系地域では$\frac{1.25}{1}$）の勾配の斜線を敷地側に引き，建築物がその斜線のなかに収まっていなければならないと制限するものである（建基法56条①一）が，前面道路と背面道路がある場合，広いほうの道路から２倍以内（２倍が35m を超えるときは35m 以内）か，狭い道路の中心線から10m を超える区域については，狭い道路が広い道路と同じ幅員とみなして斜線を引くこととされている（建基令132条）。

（注３）　隣地斜線制限は，隣地との適当な間隔をあけるため，その境界線の地盤から31m の垂直線を立ち上げ，その頂点から勾配$\frac{2.5}{1}$（第１種・第２種低層住居専用地域については絶体高10m までという制限があるので，隣地斜線制限なし，それ以外の住居系地域では20m と$\frac{1.25}{1}$）を引いて，建築物がその斜線内に収まっていなければならないとする制限である（建基法56条①二）。

（注４）この制度を利用するためには，建築基準法86条で定める基準により特定行政庁の認可を得ることとなっている。

特例容積率適用区域による容積率移転

連担建築物設計制度で容積率の移転ができるのは，隣接する敷地間に限られているが，特例容積率適用区域における容積率移転は，この区域内であれば，離れた敷地間でも容積率の移転ができるようになっており，そのことから，俗に「容積飛ばし制度」ともいわれている。

この制度は平成12年の建築基準法改正で創設されたもので，商業地域に都市計画で定められる。

この制度は，歴史的建築物の余剰容積の利用を対象として検討されてきたが，対象を限定しない形で制定されている。

この実例として，東京駅を中心とした丸の内側116ヘクタールの区域に，この制度が導入されている。ＪＲ東京駅は低層のまま外観を復元・保存する計画で，900％の容積率の$\frac{2}{3}$程度が余るため，その余剰分の一部を，平成15年から建替えの始まった東京ビルに提供することになった。

移転される権利の確保のためには

容積率の移転を受けた側は，それによって建設した建物の移転容積部分の床面積を合法的に維持するために，隣地の建物の床面積を制限しておくための権利を隣地に設定する必要がある。

このために，余剰容積率の移転を受けた土地を要役地，移転した土地を承役地とする制限地役権を設定することがある。

また，容積率を移転する側の土地に区分地上権を設定する方法も考えられる。

＊　　＊　　＊

（空中権については，鵜野和夫著『不動産有効利用のための都市開発の法律実務』（清文社刊）の「第４部第５章　空中権移転制度による都市再開発と建築基準法令上の制度」および丸山英気・鵜野和夫編著『空中権・土地信託・抵当証券』（清文社刊）に詳しく解説してある。また，空中権の評価については，土地評価理論研究会編『［新版］特殊な権利と鑑定評価』（清文社刊）の「第１章　空中権（余剰容積率）とその評価」（鵜野和夫）がある。）

〈空中権〉

四半世紀ぐらい前からであったろうか，空中権という言葉が普及し，流行している。土地の立体的有効利用ということがさけばれ，どんな土地にでも高層建物をつくりさえすれば，テナントがいくらでも入るという幻想に浸っていた時代の産物であろうか。ヘブライの民は，雲の上に出るバベルの塔を築こうとして成らず，そして，流浪の民として何千年の歴史をさまよい続けた。

空中権という言葉を口にするとき，われわれはその未完成であったバベルの塔を夢にみ，ネブカドネザル王の空中庭園に想いを起こし，ひととき浪漫派の詩人になったような気分に耽(ふけ)るであろう。

しかし，われわれは個人の権利を守ろうとするとき，わが国の民法とその関連法規による以外になく，民法典には空中権なる言葉はない。しかし，昭和41年の民法改正で，区分地上権という概念が導入された。民法によれば，所有権は土地の上下に及ぶとされており，従来地上権を設定する場合には，その所有権の範囲をすべて蔽いつくさないとしても，蔽いつくさない部分に重ねて地上権を設定できない仕組みになっていた。区分地上権というのは，空中を地上（または地下）何ｍまでを甲に，その上（下）を乙にと地上権を設定し，土地の有効利用をはかろうとするものである。モノレール，高架道路，高架鉄道，地下鉄などを施設するときにまことに有用である。

ところで，一棟のビルまたはマンションを建てることを前提として，５階以上の区分地上権を売ろうと思うがという相談をよく受ける。建物の軀体が共有になることを考えれば，これは区分地上権とは異なるもので，地上権だとしても普通の地上権の準共有にすぎないと思うのだが，学者のなかにはこれも区分地上権であると講学している先生もあり，ここではそういう考え方もあると付記しておくにとどめておく。

第6章

借地に関連して，どのような税金が課せられているか。そして，その節税方法は

《普通借地権と定期借地権》

第５章で解説したように，平成３年に借地法と借家法とが改正され，**借地借家法**となり，平成４年８月１日から施行されている。

そして，この改正により，従来型の普通借地権と別のタイプの借地権として定期借地権が創設されている（詳細は634ページ以下参照）。

そして，この定期借地権は，借地期間が満了したら必ず返還するという性格のものであり，したがって，その税務上の取扱いも，従来型の普通借地権とは当然に異なる。

すでに，定期借地権の制度の発足以来30年を超えており，定期借地権の設定された例も徐々に増えている（638ページ以下参照）とはいうものの，まだ少数派である。

本書では，まず，従来型の普通借地権を対象として解説しており，単に**「借地権」**と記述してある場合には，**従来型の普通借地権**を指していると理解していただきたい。

そして，定期借地権の所有権に係る税務については，「**９　定期借地権の税務**」（716ページ），相続税等での評価については，**第５章**の「**17　定期借地権・底地の相続税等での評価**」（653ページ）で解説しているが，その他の項で特に定期借地権について解説する場合には，**「定期借地権は……」**というように区分して記述する。

第１節
借地等をめぐる税務は
——所得税，法人税，相続税，贈与税

1　借地権の設定・譲渡などと所得分類

借地に関してどのような税金が課せられるか。
——譲渡所得になる場合と不動産所得になる場合

借地と税金

借地権を設定したり，譲渡したり，また借地人が借地権を消滅させて地主に返還したりした場合，その対価（権利金など）が支払われる。また，借地期間が満了したときの更新料，借地権譲渡の承諾料，増改築や借地条件変更の承諾料などもある。これらは，一時的に支払われるものである。所得税法では，これらの一時金を，その性質と金額に応じて区分して，譲渡所得，不動産所得に分類する。さらに，不動産所得に分類されたものについて，通常の課税方法をとるもの，平均課税といって特別に安くなる課税方法をとるものとに区別した上で課税している。土地を売買したときは，すべて譲渡所得として課税するのにくらべて，借地の場合は複雑になっている。

毎年または毎月支払われる地代は，不動産所得ということになり，家賃の場合と同じようにして，毎年課税される。以上をまとめると，**図表６－１**のようになる。

権利金，更新料などの一時金の課税上の所得分類の仕方

借地権の設定，譲渡，消滅の対価や，更新料，承諾料などについては，その性質と金額による分類をさらに詳しく表示すると，**図表６－２**のようになる。

なかなか分類が複雑であるが，譲渡所得に分類されるか，不動産所得に分類されるかによって税額がまるっきり変わってくるので，この分類基準は，はっきりと理解しておかなければならない。

以下，この表にそって説明していくことにする。

図表６－１　借地権等の課税所得の分類

取引形態	土地譲渡の対価 借地権の譲渡・消滅の対価	借地権の設定の対価	建物増改築，借地条件変更，借地権の譲渡等の承諾料，または更新料	地代
所得の分類	譲渡所得	譲渡所得，または不動産所得（金額により）	不動産所得（金額により平均課税の適用）	不動産所得

（注）定期借地権についても同じ。

図表６－２　借地権等に係る権利金等の課税所得の分類

<table>
<tr><th colspan="2"></th><th></th><th colspan="2">権利金等の対価</th><th>譲渡所得</th><th>不動産所得</th></tr>
<tr><td colspan="2" rowspan="4">(1) 借地権（建物または構築物の所有を目的とする地上権または賃借権）の設定の対価として受ける権利金など
（定期借地権についても同じ）</td><td rowspan="2">① 一般の場合</td><td rowspan="2">土地価額の</td><td>$\frac{1}{2}$を超える場合</td><td>○</td><td></td></tr>
<tr><td>$\frac{1}{2}$以下の場合</td><td></td><td>○</td></tr>
<tr><td rowspan="2">② 地下または空間について上下の範囲を定めたもの</td><td rowspan="2">土地価額の</td><td>$\frac{1}{4}$を超える場合</td><td>○</td><td></td></tr>
<tr><td>$\frac{1}{4}$以下の場合</td><td></td><td>○</td></tr>
<tr><td colspan="2">(2) 借地権の譲渡・消滅の対価
（定期借地権についても同じ）</td><td>①②の区別なし</td><td colspan="2">土地価額の比と関係なし</td><td>○</td><td></td></tr>
<tr><td rowspan="5">(3) 地役権の設定の対価として受ける権利金</td><td rowspan="4">(a) 特別高圧架空電線の架設，特別高圧地中電線または高圧ガス導管の敷設，飛行場の設置，懸垂式鉄道もしくは跨座式鉄道の設置または都市計画法に規定する公共施設の設置もしくは特定街区内における建造物の建築のために設定されたもので，建造物の設置を制限するもの</td><td rowspan="2">① 一般の場合</td><td rowspan="2">土地価額の</td><td>$\frac{1}{2}$を超える場合</td><td>○</td><td></td></tr>
<tr><td>$\frac{1}{2}$以下の場合</td><td></td><td>○</td></tr>
<tr><td rowspan="2">② 地下または空間について上下の範囲を定めたもの</td><td rowspan="2">土地価額の</td><td>$\frac{1}{4}$を超える場合</td><td>○</td><td></td></tr>
<tr><td>$\frac{1}{4}$以下の場合</td><td></td><td>○</td></tr>
<tr><td colspan="4">(b) 上記以外のもの</td><td></td><td>○</td></tr>
<tr><td colspan="5">(4) 地役権の譲渡・消滅の対価</td><td>○</td><td></td></tr>
<tr><td colspan="5">(5) 更新料</td><td></td><td>○</td></tr>
<tr><td colspan="5">(6) 借地権譲渡・転貸，増改築，借地条件変更の承諾料</td><td></td><td>○</td></tr>
<tr><td colspan="5">(7) 土地に関するその他の用益物権の設定の対価</td><td></td><td>○</td></tr>
<tr><td colspan="5">(8) 土地に関するその他の用益物権の譲渡・消滅の対価</td><td>○</td><td></td></tr>
</table>

2 借地権の設定・譲渡・消滅の税務

借地権の譲渡・消滅の対価は譲渡所得。設定時の権利金は譲渡所得か不動産所得。

税法でいう借地権とは

借地借家法では，借地権（定期借地権も含む。以下，本項で同じ）を，「建物の所有を目的とする地上権および賃借権」と定義している（584ページ参照）が，税法で借地権について規定している場合，特別の定義規定がなければ，借地借家法でいう借地権と同一の内容，同一の範囲のものと考えればよい。

しかし，借地権の設定の対価が，譲渡所得になるか，不動産所得になるかというような場合に問題になる借地権には，構築物の所有を目的とするものも含まれ，借地借家法でいう借地権よりも広いことに注意しなければならない。

構築物を含めたのは，地下鉄とか，テレビ塔，鉄塔，野球場等のスタンド，地下街等を予想しているのであろう。そして，それらの構築物の所有を目的とする地上権や土地賃借権も，課税上，同様に扱ったほうが合理的であるという理由からであろう。構築物の範囲については，減価償却資産の耐用年数等に関する省令別表1の「構築物」の欄に詳細に列挙してあるので，参考にするとよい。

図表6－3　借地借家法上の借地権と税法上の借地権の差

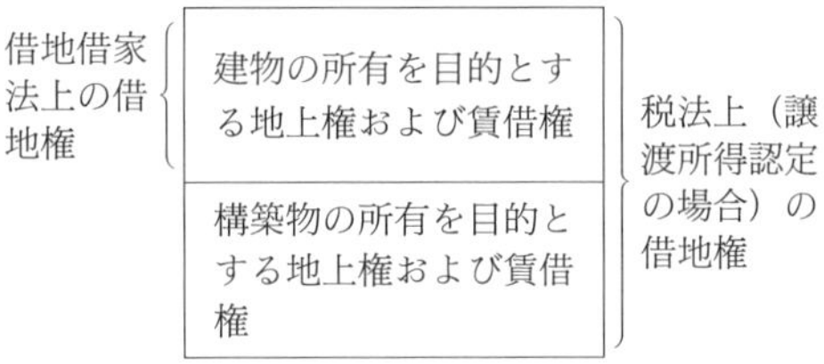

この関係を図示すると，**図表6－3**のようになる。

また，後述する「相当の地代」に関連する場合は，さらに広く，建物や構築物の所有目的に限定せず，資材置場や駐車場のための土地の賃借権なども含めている（法令137条）。

また，相続税の評価における借地権は，建物の所有を目的とする地上権と土地賃借権（普通借地権）に限定されており，定期借地権については別の評価方法を定めている。

借地権の譲渡の対価

すでに借地している土地の借地権を第三者に譲渡する場合，その対価は金額に関係なく，その内，借地権価額に相当する部分は，譲渡所得に分類される。転借地権を譲渡した場合も同様である。

なお，ここでいう借地権は，建物所有目的に限らず，広い意味での地上権または賃借権を含めている。

借地権の消滅の対価

地主が，いわゆる立退料を支払って，借地権の返還を受けることもある。この場合に，借地人の受け取る立退料――借地権消滅の対価も，金額に関係なく，すべて譲渡所得に分類される。

なお，ここでいう借地権も上記と同様に，広い意味での地上権または賃借権を含めている。

新規に借地権を設定する場合

最近では，新規に借地権を設定する例はほとんどないが，それでも，ときたま，高額の権利金をとって借地権を設定することもある。あるいは，借地権付分譲マンションの建設に関して借地権を設定する例もある。また，定期借地権を設定する例は普及しつつある。

また，同族会社が社長個人の土地を借地したり，関係会社間での例も多くみられる。

ところで，新規に借地権を設定して対価を受ける場合，696ページの**図表６－２**の⑴①に掲げた基準によって，譲渡所得または不動産所得に区分される。

なお，ここでいう借地権は，建物または構築物の所有を目的とする地上権または賃借権に限られる。

そして，その借地権設定の対価が，その土地の更地としての土地価額の$\frac{5}{10}$，すなわち$\frac{1}{2}$を超える場合には譲渡所得，$\frac{1}{2}$以下である場合には不動産所得に分類されることになる。

対価の判定（簡便法とその関係）

なお，この更地としての土地価額というのは，相続税評価額や固定資産税評価額ではなく，土地の時価である。公示価格と比較して求めた評価額と思っておけばよい。なお，借地権設定の対価が地代年額の20倍以下であれば，譲渡所得でなく，不動産所得になると推定される（所令79条③）簡便法がある。

土地価額	１億円
借地権設定の対価	5,200万円
地代年額	300万円

この場合，地代年額の20倍は，300万円×20＝6,000万円で，借地権設定の対価は5,200万円ということで，地代年額の20倍以下であるので，一応は譲渡所得

でないと推定される。しかし，もっと詳しく調べると，借地権の対価は土地価額の（$\frac{52,000,000円}{100,000,000円}=\frac{52}{100}>\frac{1}{2}$）であるから，これで判断すると，不動産所得でなく譲渡所得ということになる。どちらをとるのか。この場合はまず，地代年額の20倍以下ということから譲渡所得でないと推定される。しかし，これを否定して譲渡所得であると主張したければ，主張する側（税務当局の場合もあろうし，納税者の場合もあろう）が，土地価額が１億円であるという事実を証明しなければならない。そのとき反対側が，いや，土地価額は１億1,000万円だといえば，借地権の対価は（$\frac{52,000,000円}{110,000,000円}=\frac{47.3}{100}<\frac{1}{2}$）となって，不動産所得となり，微妙な争いになる。

転貸の場合の判定　借地している土地を，さらに第三者に貸して借地権を設定する場合がある。この場合は，696ページの**図表６－２**の土地価額を借地権価額と読みかえて判定することになる。

土地価額	１億円
借地権価額	6,000万円
転貸による借地権設定の対価	4,000万円

この場合，対価の4,000万円は土地価額の$\frac{1}{2}$以下であるが，借地権価額の6,000万円の$\frac{1}{2}$を超えているから，譲渡所得となる（所令79条①１号カッコ書）。では，借地権の設定されている土地に地下鉄を敷設するため転借権を設定し，転借人が土地所有者にも権利金を払っていたときはどうなるか。たとえば，

土地価額	１億円
借地権価額	7,000万円
借地権者に支払った対価	1,300万円
土地所有者に支払った対価	1,500万円

この場合，転借人が借地権者に支払った対価は借地権価額の$\frac{1}{4}$以下，土地所有者に支払った対価は土地価額の$\frac{1}{4}$以下であるが，借地権者に支払った対価と土地所有者に支払った対価を合計すると2,800万円となり，土地価額１億円の$\frac{1}{4}$を超えることになり，この場合は，**図表６－２**の⑴②の上段に該当し，借地権者の受け取った対価も，土地所有者の受け取った対価も，譲渡所得に分類される（所令79条②，所基33－13）。

借地権付マンションなどの区分所有建物の場合の譲渡所得の判定　借地権付マンション（区分所有建物）を建設し，その建物の一部を自分で所有し，他の部分を借地権の準共有持分付で分譲する，いわゆる借地権付マンションの分譲もよく見受けられる。

図表６－４のように，土地A′200㎡の上に建物A900㎡を建築して，その半分のC450㎡を分譲したとする。この場合，Cの分譲価額を，建物部分と借地権部

図表６－４　借地権付マンションの例

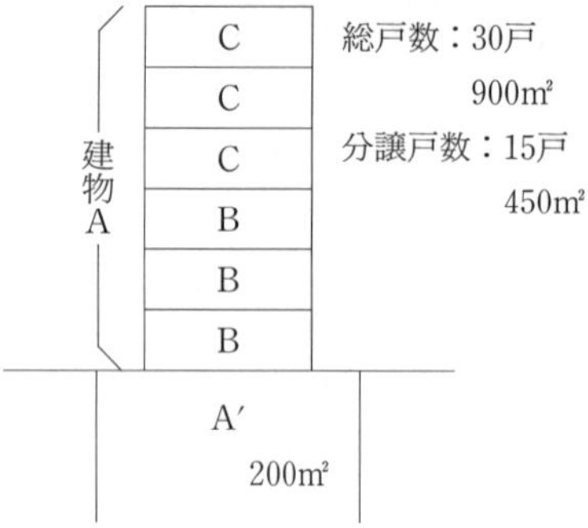

分とに区分する。そのあとで，各戸の借地権価格が更地価格の$\frac{1}{2}$を超えているかどうかを判定する。

（土地全体の更地価格）×$\frac{450}{900}$＝（各戸の更地価格）

となり，この価格の$\frac{1}{2}$を超えていれば譲渡所得，そうでなければ不動産所得に分類される（所令79条①二）。

（注）適正な階層別効用比・部分別効用比などで床面積を調整しているときは，その調整後の床面積による（同条カッコ書）。

区分地上権は　建物または構築物の所有を目的とする区分地上権（679ページ参照）が設定されたときは，その対価が，その土地の更地としての価額の$\frac{1}{2}$の$\frac{5}{10}$，すなわち$\frac{1}{4}$を超えるときは譲渡所得，$\frac{1}{4}$以下であるときは不動産所得に分類される（注）（所令79条①一カッコ書）。

なお，すでに設定されている区分地上権を第三者に譲渡したり，地主に返還したりしたときの対価は，金額に関係なく，すべて譲渡所得となり，譲渡承諾料は譲渡費用となる。

（注）大深度地下に関連する区分地上権については708ページのコラム参照。

更新料，承諾料　地主が受領する更新料，譲渡・増改築・借地条件変更の承諾料については，711ページ以下で詳しく説明するが，通常は借地権価額の$\frac{1}{2}$を超えることはないので，対価の額または土地価額に関係なく，すべて不動産所得になると思ってよい。

支払った借地人のほうは，権利金については，金額に関係なく，借地権（無形固定資産）として計上する。なお，減価償却はできない。借地条件承諾料については，借地権の価値を増加させるものであるから，借地権の帳簿価額に加算する（706ページ参照）。

更新料については，借地権の帳簿価額に加算するとともに，つぎの算式により算定した金額を必要経費（法人は損金）に算入する（法令139条）。

$$\text{借地権の帳簿価額}\times\frac{\text{支払った更新料の額}}{\text{更新時における借地権の価額}}$$

3 借地の保証金の税務

借地権の設定にあたって権利金を収受せずに，保証金を収受したり，低利の貸付金を受けた場合。

(所法33条①，所令80条)

保証金，借入金の取扱い

借地権を設定して権利金を収受すると，一般的には譲渡所得になり，金額によっては不動産所得になる。いずれにしても，その税額は相当のものになる。

権利金を収受しなくて，同じような効果をあげ，しかも課税対象とならない方法はないかと，誰しも考えることである。

たとえば，鉄筋コンクリート造の建物の所有を目的とする期間60年の借地契約をして，権利金相当額を保証金として収受する。保証金には利息をつけず，借地期間の満了する60年後に返還する。権利金はもらったものであるから，課税対象となる。しかし，保証金は，単に預かったものであり，60年後には返還する。だから，課税の対象にならないはずだという理屈である。

この理屈は，もっともな点もあり，昔はこの方法(注)でやって課税を免れた例もある。しかし，借地権を設定するとき，皆がこの方法を使うと，借地権の設定についての課税はなくなってしまう。それで，所得税法で新たな規定をもうけて，つぎのような場合には課税することとした（所令80条)。だから現在では，課税されることになっている。

（注）昭和29年（1954年）の土地税制では，土地の譲渡は$\frac{1}{2}$を総合課税の対象としていたが，借地の権利金は全額を課税対象としていた。それで，更地価格（相続税評価額）の約48％に当る権利金を収受する代わりに，それと同額を年利１％という当時としてはきわめて低い利率で，借地終了時に返還するという条件で借入れ，課税できなかったケースがあり，この例が週刊誌などで一般に伝えられ，この例にならう人達が増えてきたので，税務の取扱いとして，市中金利水準と実際の支払利息との差を評価利率として，返済期限までの期間を基にして計算した複利現価と借入金との差額を権利金の収入金額とすることとし，また，一方，権利金が土地の時価の$\frac{1}{2}$を超える場合には，土地の譲渡と同様に$\frac{1}{2}$課税とすることとした。当初は通達での取扱いであったが，昭和34年に施行規則に，昭和40年の改正で施行令（所令80条）に組み込まれて現行に至っている。

特別の経済的利益

金を借りた場合，通常は利息を取られる。無利息で金を借りれば，毎年の利息相当分だけ借りた人がトクをする。無利子の保証金の場合も同様である。このトクを「特別の経済的利益」とよんでいる。

市中の借入利子の水準が年５％だとする。そこで，時価１億円，借地権価額8,000万円の土地を期間60年で借地させて，無利息で期限60年の借入金の8,000万円を受け入れたとする。この8,000万円のうち，1,360万円を年利５％の複利で運用するとすると，60年後には，約8,000万円となっている。そうすると，その差額の6,640万円は消費してしまっていいことになる。すなわち，6,640万円の権利金をもらったのと同じような効果が得られる。

こういう考え方から，具体的には，つぎのようにして特別の経済的利益を求めて，その経済的利益（権利金も収受している場合は，その合計額）が更地価格の$\frac{1}{2}$を超える場合には，その経済的利益を権利金と同じように譲渡収入として，譲渡所得の計算をするようになっている（所令80条）。

特別の経済的利益がある場合の借地権の対価の計算式

実際には，この利率を通常の利率の$\frac{1}{2}$として，つぎのように計算し，特別の経済的利益を算定する。

（貸付けを受けた金額または保証金額）－（貸付けを受けた金額等について通常の利率(注1)（利息を払う場合はその利率を控除する）の10分の５に相当する利率による複利の方法で計算した現在価値に相当する金額）

≒（貸付けを受けた金額または保証金額）－（貸付けを受けた金額等について基準年利率(注2)（利息を払う場合はその利率を控除する）の10分の５に相当する利率による複利の方法で計算した現在価値に相当する金額）

（注１）　所令80条②

（注２）　所基33－14・評基４－４（基準年利率については655ページ参照）

たとえば（令和６年６月）の基準年利率（長期）は上記（注２）の通達で，1.50％と定められている。その$\frac{1}{2}$は0.75％となる。この60年後の複利現価率は，0.639になるので，仮に，更地価格の１億円と同額の金額または保証金を収受したとしても，

（特別の経済的利益）＝（無利息の借入金等）－（その借入金等の返済時の現在価値）
＝（無利息の借入金等）－{（無利息の借入金等）×（期間60年の複利現価率）}
＝100,000,000円 －（100,000,000円 × 0.639）
＝36,100,000円

となり，収受したのが，借入金，保証金等だけの場合には，現在のような超低金利の時代では，更地価格の$\frac{1}{2}$を超えることはまずない。

（注）　この制度のもうけられた時代は，市中金利水準10％であり，その$\frac{1}{2}$は５％であった。当時，時価１億円の土地を期間60年の借地権を設定し，無利子の借入金ま

たは保証金5,300万円を受け入れたときの

特別の経済的利益＝53,000,000円 － 53,000,000円 × 0.0535
＝50,164,500円

となり，土地の時価の$\frac{1}{2}$を超えて，譲渡所得の対象となっていた。

特別の経済的利益が更地価格の２分の１を超えない場合

このようにして計算した特別の経済的利益に権利金等を加えても，更地価格の$\frac{1}{2}$以下である場合の保証金は，昭和23年に，つぎのように取り扱うという通達が出されている。

その取扱いでは，敷金，保証金を銀行預金等として運用している部分を除いては，その額の大小に関係なく，認定利息相当分(注)を不動産所得の収入に計上するとともに，事業などで運用した場合には，これと同額を必要経費に算入するとしている。

（注）　定期借地権の設定に際して受領した敷金，保証金について，716ページ以下で解説するような取扱いが示されている。定期借地権の場合の算定上の利率は，令和５年分について0.02％とされている。

少額の保証金・敷金は

保証金，敷金等の額が，その土地の存する地域において通常収受される程度の保証金等の額（その額が明らかでないときは，地代のおおむね３月分相当額）以下であるときは，特別の経済的利益の対象とされないものとして取り扱われている（所基33－15）。

4　地役権の設定・譲渡・消滅の税務

> 地役権の設定の対価は原則として不動産所得，特別のものだけ譲渡所得。譲渡・消滅の対価は譲渡所得。
> (所法33条①，所令79条)

一般の地役権の設定の対価は不動産所得

地役権（680ページ参照）を設定したときの対価は，つぎに述べる特定の地役権を除いて，696ページの**図表６－２**の(3)の(b)に該当し，金額に関係なく，すべて不動産所得に分類される。

特定の地役権設定の対価は譲渡所得

特定の地役権を設定したときで，地下または空間について**上下の範囲を定めていない場合**は，その対価が土地の更地としての価額の$\frac{1}{2}$を超えていれば譲渡所得，$\frac{1}{2}$以下であれば不動産所得に分類される。

上下の範囲を定めている場合は，$\frac{1}{4}$を超えていれば譲渡所得，$\frac{1}{4}$以下であれば不動産所得に分類される。これらの地役権は，通常は空間の一部を使用し，また承役地側の使用を制限するものであるので，$\frac{1}{4}$超えか$\frac{1}{4}$以下かで，譲渡所得になるか不動産所得になるかを判断すればよいであろう。

この特定の地役権とは，**図表６－２**の(3)の(a)に掲げたもののうち，承役地の建造物の設置を制限するものであるが，その主なものを説明すると，つぎのとおりである。

特別高圧架空電線とは，電力会社が設けるいわゆる高圧線で，空中の場合も地中の場合もある（682ページの（注３）参照）。

飛行場の設置のためとは，飛行機の発着陸の安全を確保するために，飛行機の進入路にあたる飛行場外の土地に，高さ×m以上の建物を建てないという地役権を設定することがある。

つぎに**懸垂式鉄道**とか**跨座式鉄道**というのは，ケーブルカーとかモノレールなどのことである。また，**都市計画法に規定する公共施設**とは，道路，公園，下水道，緑地，広場，河川，運河，水路，消防用の貯水施設である。これらを設置するために地役権を設定することがある。

また，**特定街区制度を利用して容積率の移転**（空中権の売買，685ページおよび691ページのコラム参照）をするとき，容積率を移転したほうの土地の増築を制限するための地役権を設定することがある。これらの地役権の設定の対価が土地の更地としての価額の$\frac{1}{4}$を超える場合には，**図表６－２**の(3)の(a)に該当し，譲渡所得に分類されることになる。

さて，以上に列挙した項目について，必ずしも地役権が設定されるとは限らない。地上権や賃借権を設定することもあれば，その土地を買い取ってしまうこともある。買い取られてしまえば，それは一般の譲渡所得になるし，地上権や賃借権を設定すれば，**図表６－２**の(1)に該当するようになるから，この①②のいずれかを判定し，価額基準によって，譲渡所得になるか，不動産所得になるかを判定することになる。

なお，ここで列挙した項目のうち，地役権を設定したものだけが同表の(3)の(a)になる。また，地役権の設定をしたものであっても，列挙した項目以外は，すべて(3)の(b)の該当となり，不動産所得となる。

（注）686ページの増築方式による容積率の移転について，移転する側が「地役権等を設定し，将来の建築制限をするような場合には，承諾料は土地の上に存する権利の設定による対価として不動産所得となる（所法26条）。しかし地役権等の設定はなく，単なる形式的増築を承諾するだけであれば，一時所得に該当するものと考えられる（所法34条）。」（東京国税局課税第一部長・吉川元康監修『所得税質疑応答集・平成10年版』（大蔵財務協会）という課税側の見解もある。

なお，連担建築物設計制度による容積率移転（687ページ）に対する地役権の設定の対価について，上記の限定列挙されたいずれの地役権にも含まれないので，不動産所得に該当するとされた判例がある（東京地判平成20.11.28）。

地役権の譲渡・消滅の対価は譲渡所得

地役権は，要役地の所有権に附従しているもので，要役地が譲渡されれば，要役地とともに移転し，地役権だけを要役地と分離して譲渡することはできないと定められている（民法281条）ので，地役権だけの譲渡ということはあり得ない。要役地が譲渡されたときは，地役権の譲渡対価相当額は，要役地の譲渡対価に含まれ，そういう意味で譲渡所得になる。

要役地の側で対価を支払って地役権を消滅させることもあるが，そのときの対価は譲渡所得になる。

5 借地権等の譲渡所得の計算

借地権等の設定・譲渡等の譲渡所得の計算の仕方はどうするか。
（所令174条～177条）

借地権等の設定・譲渡等で譲渡所得に該当する場合の計算について説明する。基本的には，土地を譲渡したときの計算と同じであるが，取得費の計算等で若干異なる。

収入金額の計算　借地権の設定・譲渡等の対価として受け入れた金額が収入金額となる。前々項で説明した譲渡所得とされる「特別の経済的利益」を受けた場合，これが収入金額となる。両方あれば合計する。

借地権を譲渡したときの取得費　借地人が借地権を譲渡した場合には，その借地権を設定したときに支払った対価，または，前の借地人から譲り受けたときに支払った対価，地主に支払った名義書替料その他の費用が取得費になる。借地期間中の地代は取得費にはならない。しかし，借地期間中に借地条件変更（木造を鉄筋コンクリート造に変更するなど）の承諾料を支払っていた場合，これは借地権の客観的価値を高めるための支出であるから取得費に加算される。増改築の承諾料についても同様である（所基38－12）。

更新料というものは，その性格があいまいであるが，借地権を強化する法的効果をもっていることから，それまでに支払った更新料は税務取扱上は取得費に含まれると解される。

なお，事業用の借地について更新料等を支払ったときは，

$$\left(\begin{array}{l}\text{借地権設定のときの対価およ}\\\text{びかつて支払った更新料等}\end{array}\right)\times\frac{\text{（更新料の額）}}{\text{（更新時の借地権の時価）}}$$

の式で計算した額を事業所得等を計算するときの必要経費に算入することになっている（所令182条）。このようにして，かつて必要経費に算入した金額は，今回，借地権を譲渡したときの取得費からは除かれる。

借地権を設定したときの取得費　新たに借地権を設定する場合，その土地の購入代価が差し引くべき取得費になるが，その全部が取得費になるわけではない。借地権を設定しても，地主の権利が一部，いわゆる底地が残っている。底地を除いた部分を譲渡したわけで，その分が収入から差し引くべき取得費となる。それは，つぎのようにして計算する。

$$\begin{pmatrix}\text{借地権等の設定を}\\\text{した土地の取得費}\end{pmatrix}\times\frac{(\text{借地権等の設定の対価})}{(\text{借地権等の設定の対価})+(\text{底地の価格})}=\begin{pmatrix}\text{借地権等}\\\text{の取得費}\end{pmatrix}$$

たとえば，

土地を購入したときの対価	1,000万円
借地権等の設定の対価	7,000万円

これで計算すると，

$$10{,}000{,}000\text{円}\times\frac{70{,}000{,}000\text{円}}{70{,}000{,}000\text{円}+(\text{底地の価格})}$$

となる。底地の価格がわからないと答が出ない。しかし，底地の価格というのは，鑑定の専門家でも簡単にとらえにくいものである。それで，税法では便法として，地代年額の20倍で計算した額を底地の価格として用いてよいことになっている。木造の建物の所有を目的とする借地契約期間は，一般に20年である。その期間の20年間に受け取る地代が，底地の価値であるという考えなのであろう。もし地代年額が300万円であれば，

$$3{,}000{,}000\text{円}\times20\text{年}=60{,}000{,}000\text{円}$$

となり，

$$10{,}000{,}000\text{円}\times\frac{70{,}000{,}000\text{円}}{70{,}000{,}000\text{円}+60{,}000{,}000\text{円}}\fallingdotseq5{,}385{,}000\text{円}$$

が取得費になる（所令174条①二）。

ところで，相続税の路線価は，公示価格水準の８割ということになっている。また，路線価図や倍率表には借地権割合が記載されているので，

$$\{(\text{路線価})\div0.8\}\times(1-\text{借地権割合})=\text{底地の価格}$$

という計算で算出すれば，税務署はそれで認めるであろう。

なお，この算定方法で求めた価格が納得いかないというときには，不動産鑑定評価書を求めて，その価格を立証することになる。

借地人が借地権を転貸する場合，すなわち転貸借権を設定する場合も，上記にならって計算すればよい。

５％の概算計算も

なお，長期譲渡に該当する場合には，収入金額の５％を借地権の取得費として計算してもよい。

譲渡費用について

借地権を譲渡する側が，地主に対する譲渡承諾料（名義書替料）また，借地権譲渡契約の条件によって，増改築承諾料や借地条件変更承諾料等を負担する場合には，それらの費用も譲渡費用に加えられる。

譲渡所得の計算

上記は，借地権について固有の問題のみを述べた。その他については，一般の土地の譲渡所得と同じである（368ページ参照）。このようにして，譲渡収入等を求めたら，

（譲渡収入）－（取得費＋譲渡費用）＝（譲渡所得）

で譲渡所得を求め，これを長期譲渡，短期譲渡に区分して，税額の計算をする。税額の計算の仕方は，一般の譲渡所得と同じである（387ページ以下参照）。

なお，418ページ以下に掲げた居住用財産の特例，特定事業用資産の買換特例などの譲渡所得の特例措置は，借地権や底地を譲渡したときにも同じく適用される。

〈大深度地下は補償なしで収用〉

大深度地下とは，首都圏，近畿圏，中部圏において

①　地表から地下40m以深

②　建築物の支持基盤上面から10m以深

のいずれか深いほうの深さより下の地下部分をいい，

公共事業のために必要である場合に，その事業者の申請により，その事業を管轄する主務大臣の認可を得て設定される。

なお，この部分の地下は通常利用されない空間だということで，その空間使用権の設定に対する土地所有者等への事前補償はなされず，すなわち，タダで使用することができ，例外的に，実際に損害が生じた場合にだけ，その土地所有者等の請求を受けて補償することになっている（大深度地下の公共的使用に関する特別措置法令１条，同２条③）。

〈大深度までの補償と収用の特例〉

ところで，**参考図**のような地下鉄を建設するとして，地下40mまでを大深度とするという認定を受けた場合は，**参考図**の地権者のうち，Ｆの地下は大深度に該当するので，補償は支払われない。

参考図

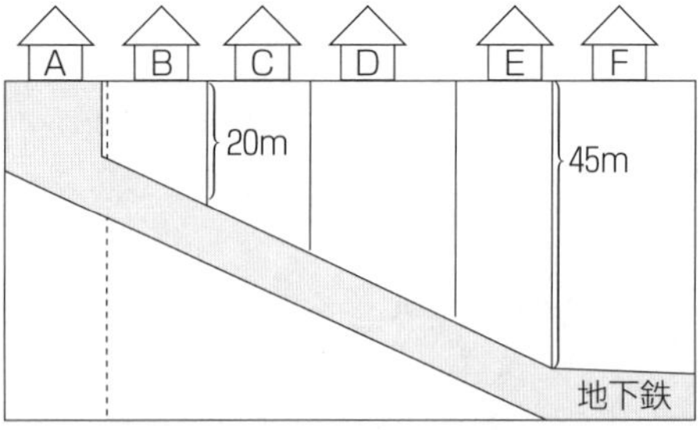

Aについて区分地上権が設定されるが，この場合の補償金が不動産所得になるか，譲渡所得になるかの判定は，696ページの**図表6－2**の(1)の「借地権……」の「②地下または空間について上下の範囲を定めたもの」にあたり，それが地価の$\frac{1}{4}$を超えているかで判定する。

なお，BからEにいくに従って，設定する地下部分が深くなり，地上の建物に与える制約（損害）が少なくなり，補償金の地価に対する割合が低くなり，譲渡所得に該当しなくなる可能性が高くなり，譲渡所得にならないと，収用の場合の5,000万円控除等の特例（措法33条の4）が受けられなくなるので，これを調整するため，その設定の対価として支払いを受ける金額が，つぎの算式により計算した金額の10分の5を超える場合は，その設定の対価に係る所得は譲渡所得とした（所令79条①三，所基33－15の3・33－15の4）。

$$\text{土地の価額} \times \frac{1}{2} \times \frac{\text{地表から大深度地下の深さ} - \text{借地権の設定される最も浅い部分の深さ}}{\text{地表から大深度}^{(\text{注})}\text{までの距離}} \times \frac{1}{2}$$

（注）　具体的には，次の①又は②のうちいずれか深い方の深さをいう。
①　地表から40メートルの深さ
②　支持地盤（大深度地下の公共的使用に関する特別措置法施行令（平成12年政令第500号）第2条第1項《通常の建築物の基礎ぐいを支持することができる地盤等》に規定する支持地盤をいう。）のうち最も浅い部分の深さから10メートルの深さ）

例えば，**参考図**のCについて見ると，

$$\{\text{土地の価額} \times \frac{1}{2} \times \frac{40-20}{40} = \} \times \frac{1}{2} = \text{土地の価額} \times \frac{1}{8}$$

を超えると譲渡所得に分類され，収用の特例の適用が受けられることになる。

なお，地権者が法人の場合は，つぎの式で判定することとされている。

〈法人税〉

借地権の設定等により地価が著しく低下する場合の土地等の帳簿価額の一部の損金算入制度について，損金算入に係る要件は，つぎの算式の割合が10分の5以上となるときとされており，これをクリアすれば，収用の特例の適用を受けることができる（措法64条～65条の2）。

$$\frac{\{(\text{設定直前の土地の価額} - \text{設定直後の土地の価額}) \times 2\} \times A}{\text{設定直前の土地の価額}}$$

$$A = \frac{\text{地表から大深度地下の深さ}}{\text{地表から大深度地下の深さ} - \text{借地権の設定される最も浅い部分の深さ}}$$

6 地代に係る所得税と事業税と消費税

地代に係る所得税と事業税と消費税はどう計算するか。

地代に係る所得税と所得の計算方法

土地を貸して毎月地代が入れば，これは不動産所得となる。収入金額から必要経費を差し引いたものが，不動産所得として課税対象になる。この計算は，ごく簡単である。設例をあげて説明する。

地代収入（年額）	①	120万円
固定資産税・都市計画税	②	40万円
諸雑費等	③	５万円
不動産所得	①－②－③	75万円

これだけのことである。他の所得があれば，これを合算して税額を求めることになる。

収入した地代の計上時期等については，家賃の場合と同様であり，770ページ以下を参照されたい。

地代に係る事業税

個人が事業として土地を貸して地代を受け取っている場合は，不動産貸付業（第１種事業）として事業税が課せられるようになっている（なお，住宅用土地については，原則として，貸付件数10以上，または貸付総面積2,000㎡以上が対象となる）。上記のようにして求めた不動産所得（他に事業税の対象となる所得があれば合算する）から事業主控除の290万円を差し引き，その残額に５％の税率を乗じて税額を求める。なお，所得税・住民税は不動産所得を計算するときの必要経費にならないが，事業税は必要経費に算入される。個人の事業税について詳しくは794ページを参照されたい。

地代には消費税は不課税

地代（更新料，条件変更承諾料，譲渡承諾料などを含む）など土地の貸付料には原則として消費税は課税されないが，貸付期間が１か月未満の場合，また，駐車場，駐輪場，野球場，プール，テニスコート等として貸している場合には課税される。駐車場等で地面の整備，フェンス，区画，建物の設定等をしていないもの，また，自動車等の管理をしていない場合は非課税とされている（消法６条別表２，消令８条，消基６－１－５）。なお，貸家に附属する駐車場については，822ページ参照。

なお，不動産業者への仲介料，手数料等は消費税の課税対象となる。

7 更新料，借地権譲渡承諾料，増改築または借地条件変更承諾料の不動産所得の計算

更新料，借地権譲渡承諾料，増改築または借地条件変更承諾料などを受け取ったときの不動産所得の計算の仕方はどうするか。

更新料などと地代との取扱いの差

地主の受け取った更新料，借地権譲渡承諾料，増改築または借地条件変更承諾料や，696ページの**図表６－２**の判定によって譲渡所得に該当しなかった権利金などは不動産所得となる。不動産所得であるという意味では，地代と同じ種類の所得であるということである。しかし，更新料その他の上記の対価は，相当大きな金額になる。また，その受け取った対価の性質も，その年だけの使用の対価というようなものでなく，今後数年から何十年の間の使用の対価を先払いしてもらったと考えられる。これを受け入れた年にまとめて普通の計算をすると，所得税が累進課税であることから，毎年分割して受け入れた場合の税額の合計にくらべて，かなり割高になってしまう。それで，平均課税という計算の仕方をして，そのアンバランスをいくらかでも緩和する。

臨時所得となる場合の平均課税

更新料などの一時金が一定条件を満たしているとき，これを臨時所得という。**第３章の「２　所得税の構造と各種所得」**（351ページ）で，個人の所得を10種類に分類したが，不動産所得もその10種類の所得中の一つである。臨時所得というのは，この分類とは次元の違う分類の仕方である。これらの所得の各々について，臨時的にまとまって入ってくる部分を色分けして，**臨時所得**といっている。一定の更新料は，不動産所得であり，かつ臨時所得であるという形になる。プロ野球選手の契約金は事業所得であり，かつ臨時所得ということになる。

ところで，更新料などの場合で臨時所得に該当するのは，つぎのような場合である。

① その土地を３年以上使用させるものであること

② その金額が地代年額の２倍以上であること

更新料や承諾料，譲渡所得に該当しなかった借地権等の設定の対価などは，まず以上の条件に適合する。だから，これらは臨時所得に該当するものと考えてよい。

つぎに，臨時所得はすべて平均課税の適用を受けるわけではない。臨時所得

の金額が，その年の総所得金額の20％以上であることが条件になっている。設例によって説明する。

給料，賞与	600万円
給与所得控除後の所得金額	436万円……①
地代収入	120万円
必要経費控除の差引利益	80万円……②
更新料，譲渡承諾料等（必要経費なしとする）	500万円……③
社会保険料控除・扶養控除・基礎控除等所得控除額の合計	200万円……④

とする。総所得金額とは，**図表３－２**（353ページ）の所得の種類のうち，「総合課税」と記載されている所得を合計したものである（したがって，土地・建物の譲渡所得・退職所得は含まれない。詳細は385ページのコラム参照）。本例では，

①＋②＋③ ＝ 10,160,000円

10,160,000円 × 0.2 ＝ 2,032,000円<5,000,000円

となり，更新料は総所得金額の20％以上のため，平均課税の対象となる。

平均課税を採用した場合，しなかった場合の税額の差異

上記例の人について，平均課税を採用した場合と，しなかった場合の税額の差を求めると，**図表６－５**のようになる。

この場合でも，平均課税を採用すると，普通に計算した場合の約61％と，相当に低くなる。だから，更新料その他平均課税が適用になる場合は，必ず適用するように注意しなければならない。

図表６－５

	所得税額
平均課税の方法によった場合	764,500円
普通の計算をした場合	1,240,800円

平均課税の計算の仕方　これを算式で示すと，つぎのようになる。

(1)　調整所得金額に対する税額の計算

$$(\text{課税総所得金額})-(\text{臨時所得})\times\frac{4}{5}=(\text{調整所得金額})$$

(調整所得金額)に税率表を適用して税額(A)を求める。

(2)　特別所得金額に対する税額の計算

(課税総所得金額)－(調整所得金額)＝(特別所得金額)

$$(\text{特別所得金額})\times\frac{\text{税額(A)}}{\text{調整所得金額}}=\text{税額(B)}$$

(3)　求める税額

税額(A) ＋ 税額(B)

上記の設例により計算してみる。

(1)　8,160,000円(①＋②＋③－④)(課税総所得金額)－5,000,000円(③)(臨時所得)×$\frac{4}{5}$＝4,160,000円(調整所得金額)

416万円に対する所得税額を求めると，

税額(A)＝4,160,000円×0.2－427,500円＝404,500円となる。

(2)　8,160,000円(課税総所得金額)－4,160,000円(調整所得金額)＝4,000,000円(特別所得金額)

$\frac{\text{税額(A)}}{\text{調整所得金額}}=\frac{404,500\text{円}}{4,160,000\text{円}}≒\frac{9}{100}$(分子の小数点以下切捨て)

4,000,000円(特別所得金額)×$\frac{9}{100}$＝360,000円(税額(B))

(3)　求める税額

税額(A)＋税額(B)＝404,500円＋360,000円＝764,500円(100円未満切捨て)

＊上記の税額に対し，復興特別所得税2.1％が課せられる。また，令和６年分の所得税においては，定額減税が実施される。

8 借地権等と法人税

借地権の税務について，法人の場合はどう計算するのか。

借地権設定・譲渡等の会社の計算のあらまし

会社（法人）の場合の所得の計算は**第４章**で説明したように，原則としては，所得を分類せず，一本にしてプール計算にしている。

収受した金額は，すべて帳簿の貸方に収益として計上され，借方に計上されているその収益に対応する「損金」の金額を差し引いて，その差額が所得になるだけである。

借地権の設定が譲渡に該当するかどうかの判定基準

法人が，借地権または特定の地役権（696ページの**図表６－２**(3)(a)に掲げたもの）を設定し，

$$\frac{\left(\begin{array}{c}\text{借地権等設定直}\\\text{前の更地の時価}\end{array}\right)-\left(\begin{array}{c}\text{借地権等設定直}\\\text{後の底地の時価}\end{array}\right)}{\text{（借地権等設定直前の更地の時価）}}=\text{（土地価額の下落割合）}$$

のように計算した土地価額の下落割合が土地価額の$\frac{1}{2}$（地下または空間の上下の範囲を定めた借地権または特定の地役権（704ページ参照）については$\frac{1}{4}$。以下同じ）を超えている場合には，譲渡に該当するものとして取り扱われる（法令138条①）。

かなり面倒な計算式で判定することになっているが，一応のメドとして，個人の場合と同様に，受領した権利金等（後記の特別の経済的利益の額のある場合には，これを加算した金額）が，更地価格の$\frac{1}{2}$（特定の地役権については$\frac{1}{4}$）を超えているかどうかで判断したらよいであろう。

保証金の特別の経済的利益

法人が借地権の設定をし，上記のように土地価額の下落割合が$\frac{1}{2}$を超えて，土地等の譲渡に該当する場合で，保証金を収受している場合には，その特別の経済的利益の額を算出し（701ページ以下参照），この金額を「益金」の額に算入するとともに，これに対応する部分の土地価額（取得費）を損金に算入することになる（法令138条②）。

なお，保証金の額が上記に該当しない場合，支払わなかった利息相当分だけ法人の課税所得が増加する結果となるので，特別の経理をする必要はない（718ページ参照）。

借地権を設定したときの損金算入は

また，借地権を設定した場合には，土地（底地）は残っているわけだから，土地の簿価の全額を「損金」に計上するわけにはいかない。これを，次式のように計算して借地権部分と底地部分に分割し，借地権部分にあたる価額を「損金」に算入するようにしている（法令138条①）。

$$\left(\begin{array}{l}\text{借地権など設定直前}\\\text{の土地の帳簿価額}\end{array}\right)\times\frac{(\text{借地権などの時価})}{\left(\begin{array}{l}\text{借地権などの設定}\\\text{直前の土地の時価}\end{array}\right)}=(\text{損金算入額})$$

借地を転貸したときは

借地人が，その借地権を転貸したときは，696ページ図**表6－2**「借地権等に係る権利金等の課税所得の分類」の判定基準の式中の「借地権」を「転借地権」，「更地」を「借地権」と読み替えて計算し「借地権の下落割合」が借地権の$\frac{1}{2}$を超えているかで判定し，上記の式にあてはめて，損金に算入する金額を求める（法令138条①カッコ書）。

借地権の設定等で譲渡に該当しないときは

なお，借地権を設定して譲渡に該当しない場合には，その権利金等を「益金」に算入するだけで，「損金」に算入される金額はない。

また，譲渡に該当しない権利金，更新料その他の承諾料などについて，個人におけるような臨時所得の平均課税という制度はない。

借地権を譲渡したときは

借地権者が，その保有している借地権を第三者に譲渡したとき，また，対価（立退料）を得て地主に返還した場合は，その対価を「益金」に計上し，また，帳簿価額を「損金」に算入し，他の「益金」「損金」と合計して課税所得を求めればよい。

特定資産の買換えの特例も

借地権を譲渡した場合や，また借地権を設定して，それが上記の判定基準に適合して，譲渡に該当する場合には，その要件に応じて特定資産の買換え（交換）の特例等の土地譲渡に関する特例の適用を受けることができる。地役権の設定が譲渡に該当する場合も同様である（措法65条の７⑯一，措令39条の７⑲，法令138条①）。

これらの買換特例については，**第４章**の「**４　法人の特定資産の買換特例**」（552ページ）を参照されたい。

借地権の譲渡の特別課税

借地権を譲渡した場合には，土地を譲渡した場合と同様に，その保有期間に応じて，特別の課税がなされる制度（土地重課税）があるが，令和８年３月31日までの譲渡については，この特別課税は適用されないことになっている（措置法28条の４⑥，62条の３⑮，63条⑧）。

9 定期借地権の税務

> 定期借地権の税務は，どのようになるのか。普通借地権とは異なる取扱いとなるのか。また，その設定などにあたって，どのような点に留意しなければならないか。

定期借地権の内容については，**第５章**の「**12　定期借地権とは**」（634ページ以下）で説明しているが，定期借地権は，借地期間が満了したら，必ず土地を返還してもらえるという面だけみても，在来型の普通借地権とは大きな差異がある。

しかし，定期借地権も，借地権の一種であるというところでは，共通した基礎の上に立っており，その意味では，税務上の取扱いも共通している。

この項では，普通借地権の税務と比較しつつ，定期借地権の税務を解説していく。

なお，個人地主の場合を中心として解説し，法人地主の場合については，これと異なる面について説明を加える。

設定権利金と所得の分類

定期借地権の設定に際して権利金が授受されることもある。定期借地権の設定にあたり，個人が権利金を収受したときの所得の分類は，**図表６－２**（696ページ）に掲げたとおりであり，普通借地権の場合と変わりはない。権利金の額が更地価格の$\frac{1}{2}$を超えれば譲渡所得，$\frac{1}{2}$以下であれば不動産所得に分類される。

しかし，定期借地権設定のとき，権利金の授受されることはあまりなく，あってもせいぜい更地価格の２～３割程度のものであるので，一般には譲渡所得に該当せず，不動産所得に分類され，その金額からみて，通常は臨時所得となり，平均課税の適用を受けることになろう（平均課税の適用要件と計算の仕方は711ページ参照）。

地代の一括前払いとしての一時金に対する所得税等

定期借地権の設定にあたって，借地期間中の地代の全額または一部を一括した一時金として支払うことがある。

それが**図表６－６**に掲載した書式例のように，

⑴　この契約によって授受される一時金が契約期間にわたる賃料の全部または一部に充当される前払賃料であることと，その毎月の充当額

図表６－６　前払賃料について定めた定期借地権設定契約書の書式例

(書式)契約期間にわたる賃料の一部を一括前払いし，賃料の残額月払いと併用する場合

（前払賃料）
第X条　乙は，本件土地の賃料の前払い（以下「前払賃料」という）として〇〇〇円を，本契約が成立したときに甲が指定する金融機関口座に振り込むことにより，甲に対して一括して支払わなければならない。
2　前払賃料は，〇条に定める契約期間（〇〇年）にわたる賃料の一部に均等に充てるものとし，その毎月の充当額（以下「前払賃料の月額換算額」という）は〇〇〇円（前払賃料÷契約期間（ヶ月））とする。
3　甲と乙は，契約期間満了時において，前払賃料として一時金の支払いがあったことを根拠とする借地権の消滅の対価に相当する金銭の授受は行わない。
4　本件借地権の存続期間の満了前に本契約を解除する場合において，甲は，前払賃料のうち契約期間の残余の期間に充当されるべき前払賃料の月額換算額の合計額を，乙に返還しなければならない。この場合において，返還すべき金員は日割り計算によるものとし，利息を附さないものとする。

（賃料）
第Y条　本件土地の賃料は，月額〇〇〇円とする。ただし，１ヶ月未満の期間については，日割り計算によるものとする。
2　乙は，賃料の額から前払賃料の月額換算額を減じた残余の額（当初においては〇〇〇円）を，毎月〇〇日までに，その翌月分を甲が指定する金融機関口座に振り込むことにより，甲に対して支払わなければならない。
3　甲又は乙は，〇年毎に，以下に掲げる方式により算定した額に賃料を改定することを請求することができる。(算式省略) ただし，当該方式により算定された額にかかわらず，賃料の額は前払賃料の月額換算額を下回らないものとする。

（注）甲…土地所有者（借地権設定者），乙…借地人（借地権者）

(2)　契約期間満了時にその一時金の支払いのあったことを根拠とする消滅の対価等（立退料等）の授受は行わないこと
(3)　借地期間中に契約を解除する場合，残金の期間に充当さるべき部分の金額を借地人に返還すること
(4)　賃料（一部前払賃料の充当額を含めた金額）の月額を定めてあること

を明記している場合には，所得税，法人税では，つぎのように取り扱われるようになっている(注)。

土地所有者（地主）側では，前払一括賃料（一時金）を，前受収益として計上し，各年（年度）分として充当される額をその年（年度）分の不動産所得の収入

金額（法人の場合は益金）に算入する。

借地権者側は，前払費用として計上し，当該年（年度）分を，必要経費（法人の場合は損金）として計上する。

（注）平成17年1月7日付・国税庁課税部長回答，国土交通省土地・水資源局長からの照会「定期借地権の賃料の一部又は全部を前払いとして一括して授受した場合における税務上の取扱いについて」。この書式例と国税庁の解説の全文については「国税庁のホームページ」⇨「法令等」⇨「文書回答事例」で検索・閲覧することができる。

設定権利金と法人税の特例適用

法人税では，借地権の設定にあたって，地価の下落割合が$\frac{1}{2}$を超えると，土地等の譲渡として，特定資産の買換え（交換）の特例等の適用が受けられる（「**8　借地権等と法人税**」（714ページ）参照）。地価の下落割合の算定方法は，実務的には，収受した権利金が$\frac{1}{2}$を超える場合に，土地等の譲渡に該当すると考えてよいであろう。なお，定期借地権の設定によって，地価が$\frac{1}{2}$を超えて下落する例というのは一般にはない。

保証金と特別の経済的利益（個人の場合）

定期借地権の設定に際して，権利金を取る場合，これまでの例だと，地価の2割から多くて3割ぐらいであり，したがって，個人地主については，不動産所得に分類され，臨時所得の平均課税の適用を受けられるとはいえ，一時にかなり多額の税金が課せられることになる。これを嫌って，権利金ではなく，同額程度の保証金を取るケースが一般化してきている。

そして，その保証金が無利子または低利子の場合には，普通借地権の場合と同様に，「特別の経済的利益」（701ページ以下）で説明したように，特別の経済的利益を計算し，この額が更地価格の$\frac{1}{2}$を超えるときは，譲渡所得の収入金額とされる（個人・法人とも同様である）。

譲渡所得に該当しないときの保証金の取扱い

しかし，定期借地権の設定で収受される保証金の額は，通常は更地価格の2～3割程度ぐらいまでであるから，その特別の経済的利益の額が，更地価格の$\frac{1}{2}$を超えることはなく，したがって譲渡所得に該当することは，まず，ないだろう。

この取扱いの基本的な考え方としてつぎのようなものがある。保証金というものは，借地期間が満了して土地の返還を受けるときには返還をするものであるから，保証金そのものが課税対象となるものではない。しかし，無利子の保証金を預かれば，借地期間中は，その保証金を運用して利益をあげることができる。少なくとも，保証金と同額の借入金をしないで済むのだから，借入金をした場合の利子相当分だけの消極的な利益が生じていることになる。したがっ

て，そういう利益を，毎年の所得税の対象として課税するという考え方である。(注)

（注）　貸家についても敷金・保証金を収受することがあるが，この場合については，これに対する毎年の経済的利益を算出して，不動産所得の収入金額とするという取扱いはなされていない。貸家の場合の敷金・保証金は，通常は，その建築資金などに充てられているというほどの多額の金銭を預っていないからであろう。

もっとも，その保証金を預貯金などすれば，その利子を受け取るときに源泉分離課税の対象として源泉徴収される。これで，保証金を預かったことによって生じた利益に対する課税はなされるので，こういう場合には，これで終わりである。こういうように，その運用によって運用益が確実に発生し，そして，その運用益に対し必ず課税されるもの――**預貯金，公社債，指定金銭信託，貸付信託など**(注)**の金融資産として運用される場合**には，それに対する課税だけで，その他の課税は生じない。

（注）　その他に金融類似商品として，(イ)定期積金および相互掛金，(ロ)抵当証券，(ハ)貴金属等の売戻し条件付売買口座，(ニ)外貨投資口座，(ホ)一時払養老保険（保険期間が５年以下のものに限る）がある。

その他の場合は，まず，保証金に適正な利率を乗じた利息相当額（保証金による経済的利益の額）を毎年の不動産所得の収入金額として計上しなさいということになっている。なお，この**適正な利率**は，各年ごとの10年長期国債の平均利率（応募者利回りの利率）によることとし，令和５年分については0.02%とされている。

そして，その保証金が**不動産所得，事業所得，山林所得，雑所得の資金として運用されている場合**――たとえば，その土地を貸すための敷地整備費，貸アパートの建築費・修繕費，他の事業の設備費や運転資金などとして使われている場合には，その金額に適正な利率を乗じた利息相当額を，それぞれの所得の必要経費として引きなさいということになっている。したがって，保証金の全額をこれらの資金にあてていれば，差し引きゼロで，特別の課税関係は生じないことになる。(注)

（注）　保証金が不動産所得の資金に充てられている場合は，強いて両建て経理をする必要はないとされているが，事業用などの資金に充てられている場合には，たとえば，「保証金の経済的利益」として不動産所得の収入金額に計上し，「保証金に係る支払利子」として事業所得などの必要経費に計上することとなる。

それで，保証金を**預貯金や事業資金などとして運用していない場合**――たとえば，自宅の改築やマイカーの購入資金や生活費などに充てていれば，不動産所得の収入金額として計上されただけで，その金額が課税対象として残るということになり，前ページの「その他の場合」の取扱いとなる。

法人地主と保証金による経済的利益

上記の取扱いは，個人地主についてのものであり，法人である地主が保証金を収受した場合の取扱いについては，特別の取扱いは示されていない。

しかし，法人税については，個人の場合のような所得の分類はなされておらず，また，収受した保証金は，法人の経営資金として運用されることになるから，保証金による経済的利益の額をあえて計上する必要はないと考えられる。

（注） 借地権を設定して，土地価額の下落割合が更地価格の２分の１を超えることとなる場合の保証金の扱いについては，「**8　借地権等と法人税**」の「保証金の特別の経済的利益」（714ページ）参照。

権利金の減価償却について

普通借地権については，それが永続性を有していることから，土地と同様に減価償却の対象とされていない。

しかし，定期借地権は，約定期間が満了すれば消滅するものであり，したがって，時の経過に従って減価する。会計原則の立場からみれば，毎年減価償却をして，貸借対照表には各期末の現在価値を表示することが求められる。また，会社法上も相当の償却が必要とされている（会法432条，会計規５条）。

しかし，現行税制では，借地権は減価償却資産に含まれていないので，税務では減価償却をすることは認められていないと解されている。

（注） 繰延資産として償却できないかという考え方もあるが，その対象となる費用から「資産の取得に要した金額とされるべき費用……を除く」（所令７条，法令14条）とされている。また，減価償却を否定した裁決例として平成14．９．17（裁決事例集 No.64 311頁）裁決がある。なお，当事例は，事業用借地権の設定に際して支払った一時金で返還されない金額（権利金相当額）について，事業用借地権は，法人税法施行令12条１号に規定する借地権でないとし，創立開業費であるとして償却したのを否認された例である。

しかし，定期借地権について，企業会計原則からは，過大な資産の表示を避けるためにも，減価償却をすることは当然に要求される。

（注） 会社法の要請また会計原則の立場を尊重すれば，税務会計としては有税償却をすることになろう。

なお，定期借地権設定時に，権利金に代えて一括前払賃料（716ページ参照）として支払った場合には，当該年（年度）分は必要経費（損金）に計上できるので，権利金を減価償却したのと同様の効果が生じることになる。

第２節 親族・同族会社等の特殊関係者間の借地の税務

10 個人と個人との土地の無償貸借と税務上の取扱い

権利金も地代も授受しないで，個人間で土地を無償で貸し借りした場合の税務上の取扱いはどうなるか。

権利金を授受しないで借地権を設定したときの贈与税の課税

建物の所有を目的として土地を普通借地権で賃貸借するとき，都会では一般に，土地の更地価格の60〜80％前後の権利金を支払い，そして毎月それなりの地代を支払うことが普通の取引形態になっている。こういうように，借地権を設定するにあたって権利金を授受することが一般化している地域で，権利金を支払わないで，通常の地代だけで，借地権を設定したとき，地主から借地人に対して，借地権の贈与があったとして贈与税の課税が行われる。

もっとも，この贈与税の課税が行われるのは，

① 土地の賃借権または地上権（借地権）を設定した場合で，
② こういう場合に権利金が授受されている慣行のある地域で，権利金を授受しなかった場合

に限られている。

権利金が授受される慣行のない地域で，権利金を授受しないで賃貸借(注)の行われるのは当然である（大都市圏を離れると，そういう地方都市も目につく）。定期借地権では，権利金の授受されない例のほうが多い（647ページ参照）。また，建物の所有を目的とする賃貸借であっても，建築現場の仮設ハウスとか，展示会のための一時的な建物に利用するための一時使用のための土地賃貸借（666ページ参照）については権利金の授受がなされないのが通常であり，こういう場合に権利金の授受がないからといって借地権の贈与があったとして贈与税を課税することはない。

問題が生ずるのは，権利金の授受される慣行のある地域で，権利金が授受されないで，普通借地権が設定された場合である。

（注） 長野県飯田市（人口約10万6,000人，約3万5,700世帯）で，年間150～200件程度の普通借地権の設定があるが，権利金の支払いの例はほとんどない旨の調査（2～3年ごとの不定期調査）の報告がある（不動産鑑定士・寺沢秀文「長野県飯田市における新規借地供給実態について」『不動産鑑定』2004年2月号・住宅新報社）。

無償での借地――個人間（図表6－7）

ところで，親子・親族間またはごく親しい者の間で，**図表6－7**のように土地を無償で貸して，これに家を建てさせることもよく見受けられる。これは，「使用貸借」（669ページ参照）にあたるもので，この場合，税務上は，権利金，地代の授受がなかったことをそのまま認めて，課税関係は一切生じないとしている。かつては，こういう場合も，借地権の贈与があったとして，贈与税を課税していた時代があったが，現在は取扱いが変更されているので，安心して無償で貸し借りしてよい。ただ，親Aが死亡したとき，相続税の評価をするときは，この土地は借地権付でなく更地として評価される(注)。

図表6－7

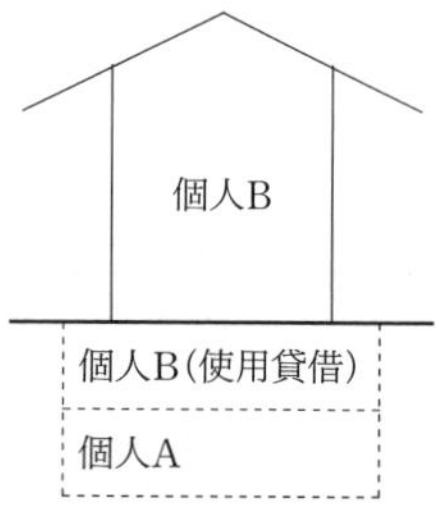

個人Bについて借地権は発生していない。

ただし，子から親に少しでも地代を払ったりすると，土地の賃貸借ということになり，権利金の授受がないときは，借地権の贈与という問題が生じるので注意しなければならない。子が固定資産税相当額ぐらいを負担する程度なら，それは地代とはいえないので，贈与税の問題は生じない。

（注） 相続税個別通達24「使用貸借に係る土地についての相続税及び贈与税の取扱いについて」（昭48．11．1 直資2－189（例規））

図表6－8

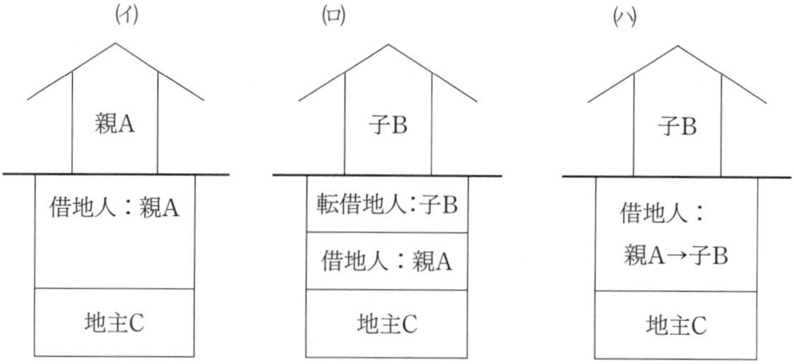

無償での借地転貸借――個人間（図表６－８）

つぎに，親Ａが地主Ｃの土地を借地して，その上に親Ａが自分の建物を建てて所有していたが，建物が古くなったので建て替えたい。親がかなり高齢で住宅ローンの借入れができなかったり，息子も一人前になって，建築資金の調達もできるようになったので，新築の家は息子Ｂの所有にしたいというようなことがよくある。

この場合の権利関係は，**図表６－８**(イ)から(ロ)のように変化する。すなわち，子Ｂは親Ａから借地権の転貸を受けるのが一般的である。子Ｂが親Ａから借地権の譲渡なり贈与を受ければ(ハ)の形となるが，この場合，親Ａに対する譲渡所得課税なり，子Ｂに対する贈与税の課税がおこるので，(ロ)のような形で，かつ，子Ｂは親Ａから無償で，すなわち使用貸借で借地権の転貸を受けるようにすることが普通である（改築でなく，借地上の親Ａの建物だけを子Ｂに贈与したときも同様である）。この場合にも，前項の場合と同じく，使用転貸借となり，一切の課税関係は生じない。そして，親Ａが死亡したときの相続税の評価で，この借地権は転借地権がついていないものとして，すなわち，通常の借地権が残っているものとして評価されることも同様である。

ところで，**図表６－７**の場合は，土地が親Ａの所有で建物は子Ｂの所有であることが，登記簿をみれば一目瞭然とわかるが，**図表６－８**の場合は，登記簿をみただけでは，(ロ)の形になったのか，(ハ)の形になったのかはわからない。それで，**図表６－９**（次ページ）の「借地権の使用貸借に関する確認書」を税務署に提出することになっている。

図表６－10

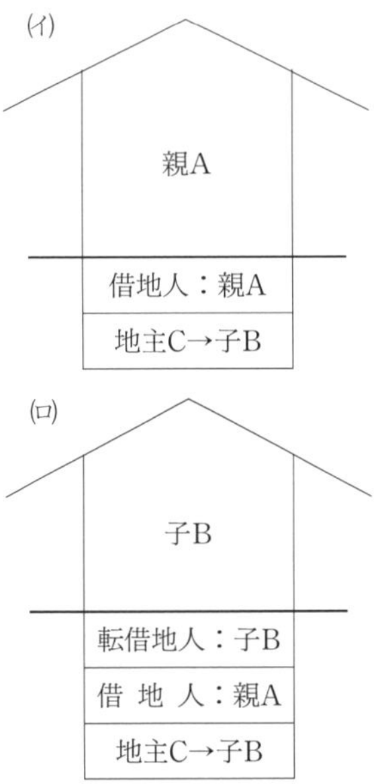

個人間の無償の使用貸借③――底地人の交代（図表６－10）

図表６－８の(イ)のように親Ａが借地権と家をもっている場合，または(ロ)のように，親Ａが借地権を，子Ｂが転借地権と家とをもっている場合に，子Ｂが地主Ｃから底地を買い取って，**図表６－10**(イ)(ロ)のような関係になることもよくある。(イ)(ロ)いずれの場合も，親Ａが，従前から地主Ｃに払っていたのと同じように，新地主となった子Ｂに地代を払っていけば，別にどうということはない。その地代は，子Ｂの不動産所

図表６－９　借地権の使用貸借に関する確認書（図表６－８(ロ)の例による記載例）

借地権の使用貸借に関する確認書

①　（借地権者）（親）　A　は、（借受者）（子）　B　に対し、令和 XX 年 X 月 XX 日にその借地している下記の土地｛に建物を建築させることになりました。／の上に建築されている建物を贈与（譲渡）しました。｝しかし、その土地の使用関係は使用貸借によるものであり、（借地権者）（親）　A　の借地権者としての従前の地位には、何ら変更はありません。

記

土地の所在　○○市○○町○○番

地　　積　XXX　㎡

②　上記①の事実に相違ありません。したがって、今後相続税等の課税に当たりましては、建物の所有者はこの土地について何らの権利を有さず、借地権者が借地権を有するものとして取り扱われることを確認します。

令和XX年　X　月XX日

借地権者（住所）○○市○○町○○番　（氏名）（親）　A

建物の所有者（住所）○○市○○町○○番　（氏名）（子）　B

③　上記①の事実に相違ありません

令和XX年　X　月XX日

土地の所有者（住所）○○市○○町○○番　（氏名）（地主）　C

※

上記①の事実を確認した。

令和　　年　　月　　日

（確認者）＿＿＿＿税務署　＿＿＿＿部門　担当者

（注）※印欄は記入しないでください。　（国税庁ホームページ）

図表６－11　借地権者の地位に変更がない旨の申出書

（**図表６－10**(イ)(ロ)による記載例）

借地権者の地位に変更がない旨の申出書

令和　年　月　日

○○　税務署長　殿

（土地の所有者）
＿＿＿＿＿＿＿＿は、令和XX年 X 月XX日に借地権の目的となっている下記の土地の所有権を取得し、以後その土地を（借地権者）（親）　A　に無償で貸し付けることになりましたが、借地権者は従前の土地の所有者との間の土地の賃貸借契約に基づく借地権者の地位を放棄しておらず、借地権者としての地位には何らの変更をきたすものでないことを申し出ます。

記

土地の所在　○○市○○町○○番

地　　積　XXX　㎡

土地の所有者（住所）　○○市○○町○○番　（氏名）（親）　A

借地権者（住所）　○○市○○町○○番　（氏名）（子）　B

（国税庁ホームページ）

得として申告すればいいだけである。しかし，親子間でこういうような関係になったら，地代の支払いをしなくなるのが普通であろう。

そうすると，親Ａの借地権は使用借権に変化し，親Ａの借地権（建物の所有を目的とする賃借権）は消滅してしまう。この場合，子Ｂが親Ａに借地権の消滅の対価を支払えば，親Ａに借地権の譲渡があったとして所得税が課税される。借地権消滅の対価の支払いがなければ，子Ｂに借地権の贈与があったとして贈与税が課税される。しかし，**図表６－11**の「借地権者の地位に変更がない旨の申出書」を税務署に提出すれば，この段階では課税関係は生じないものとして取り扱われている。そして，親Ａが死亡した段階で親Ａから借地権を相続したものとして取り扱われる。すなわち，その土地の評価は借地権としての評価となる。

また，個人間の無償の使用貸借で，税務署に提出する届出書が必要なのは，前項の場合と本項の場合だけであり，722ページの図表６－７のような場合にはなんの届出の必要もない。

11 法人の土地を社長に無償で貸したら

法人が社長などに権利金を取らないで土地を貸したときは，どうなるか。

法人と社長個人との土地貸借には個人間とは違った問題が生じる

権利金を取らないで，法人が社長個人に土地を貸したり，社長個人が法人に土地を貸したりすることは，同族会社などでよく見受けられることである。

同族会社の場合に，社長個人は同族会社の財産と個人の財産とそれほどはっきりと区別して意識していないことが多く，土地の貸借にあたって，あえて権利金の授受まですることはないという気持ちであろう。そして，法人が社長個人から権利金を受け取れば法人税の対象になるし，社長個人が法人から権利金を受け取れば，これもまた譲渡所得等として所得税の課税対象になるので，この課税を避けたいという意味もあってのことであろう。

しかし，税法の考え方は，法人と社長個人とはまったく別の存在（別の人格）とみている。また，法人は営利を目的として活動しているという前提で，その行為の課税関係を判断しようとしている。

こういうことから，法人と社長個人との間の土地貸借については，個人間の場合と異なった問題が生じる。また，親子会社などの系列会社間で権利金を授受しないで借地権を設定したときも同様の問題が生じる。

無償での借地――法人から個人へ（図表６－12）

地主が法人の場合は，借地権についての課税の問題が生ずる。地主が法人で，土地を個人に無償で貸した場合，営利を目的として活動している法人が，相手が社長であっても，法人の土地をタダで貸すなどという不合理なことをするはずはないと考えて，借地権の設定があって世間並みの権利金をいったん会社が受け取ったものとして，権利金相当額を「益金」に計上する(注)。その後でその金を再びその個人（借地人）に渡したというように取り扱う（これを**権利金の認定課税**とい

図表６－12

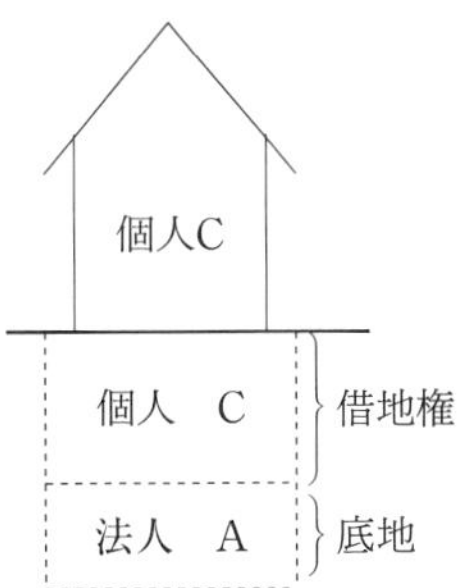

っている)。

(注)　このときの法人の会計処理は714ページ参照。

その**個人(借地人)がその法人の社長，役員またはその一族である場合**，法人が社長などに渡したとされる金は，その社長や役員に対する賞与として取り扱われる。したがって，普通の賞与を支給するときと同じように，法人は，その社長や役員から源泉所得税を徴収して，それを一般の給料や賞与に関する源泉税と一緒に納付する。また，年末になったら年末調整し，社長等が給料以外の所得があるときは，翌年の確定申告時に他の所得と合算して申告することになる。そして，社長や役員に対する賞与は損金に算入されないから，その権利金相当分は法人の利益として残り，法人税の対象ともなって，社長等と法人とが二重に課税されることになる。

法人から土地を無償で借り受けたのが一般の従業員である場合，同じように，法人は世間並みの権利金を受け取り，それと同じ金額の賞与を従業員に支給したと考える。したがって，従業員はその分だけ多く所得税を課せられることは，社長の場合と同様である。しかし，一般の従業員に対する賞与は法人の損金に計上することができる。法人は通常の権利金相当額をまず「益金」とし，それと同額を「損金」にする。「益金」と「損金」と同額であるから，差し引きゼロとなる。したがって，法人に対しては，借地権に関して課税関係が生じることはない。この場合は，その従業員に対して，臨時賞与に対する所得税が課せられるだけである。

では，**法人と全く関係のない個人に，法人が無償で土地を貸したら**どうなるだろうか。法人の経営者がまともであれば，そんなことは絶対ないはずである。一見なんの関係もないような場合でも，仔細に観察すれば，それは社長の恩師であるなど，社長がお世話になったり，また社長がお世話をしている人だったりするのが普通である。その場合は，社長に無償で借地させたのと同じ扱いになる。また，取引先の役員や従業員に無償で貸した場合，それは取引の延長として交際費(注)になるか，場合によっては贈与になることもあろう。この場合は，借地人にとっては「雑所得」になる。

(注)　交際費は，資本金100億円以下の法人では，接待飲食費の50％までの損金算入。なお，資本金１億円以下の会社(資本金５億円以上の法人の100％子法人を除く)については，この支出交際費(接待飲食費の５％)と支出交際費の800万円までのいずれかの額を選択して損金に算入することができる(令和６年度改正で，適用期限が令和９年３月31日まで延長)。

しかし，法人と無関係の個人に無償で借地させるということがあったとしたら，それは，その個人に対する寄附として取り扱われる。その場合，その個人にとっては，借地権相当額を法人から贈与されたということになる。そして，法人から個人に対する贈与は，その個人にとっては，所得税法上は「一時所得」となり，所得税の対象となる。

法人にとっては，通常なら払ってもらえるであろう権利金相当額が，まず「益金」になる。そして，借地権相当額を，その個人に寄附したことになる。

寄附金は損金になって，その益金から引けるのであるが，損金に算入できる寄附金には限度があって，結局，権利金相当額に近い金額が，法人の法人税の課税対象となる。

この場合も，会社とその個人に二重に課税されることとなる。

相当の地代での借地——法人から個人へ

上記の説明は，法人の土地を個人に貸して権利金も地代も取らない場合である。

では，地代を取ったらどうなるであろうか。最近は借地するとき，更地価格の60～80%前後の権利金を支払い，さらに毎年地代を支払うのが普通であるが，このような場合に支払われる地代を**通常の地代**といっている。これは世間相場並みの権利金を支払ったことを前提として成り立っている地代相場である。見方をかえれば，更地価格から借地権相当額を差し引いた底地価格に一定の利回りを乗じたものともいえるものである。とすれば，権利金の授受がない場合には，更地価格に一定の利回りを乗じた地代を支払っていれば十分でないかという理屈になる。このようにして求めた地代が**相当の地代**といわれるものである（742ページ以下のコラム参照）。

相当の地代の計算方法について，通達（法基13－１－２）では，

（更地価格）×６%(注)＝（相当の地代）

と定められている。そして，この更地価格について，

① 上記の通常の取引価格（時価）
② 周辺の条件の類似している公示地・都道府県基準地の価格から合理的に算定された価格
③ その土地の相続税評価額

のどれかを使って計算すればいいようになっている。相続税評価額を使って計算すれば，上記の更地価格は，普通は通常の取引価格による場合の80%ぐらいになるであろう。なお，相続税評価額によるときは，借地権設定時（または地代訂正時）の価額または以前３年間の平均額によることとなる（法人税個別通達87，平成元年３月30日，直法２－２）。

（注）「法人税の借地権課税における相当の地代の取扱いについて」（法人税個別通達87平成元年３月30日・直法２－２，平成３年12月25日改正・課法２－４）

権利金の一部を支払っているとき

通常の権利金までは支払っていないが，その一部の権利金を支払っている場合は，つぎの式により相当の地代を計算する。

$$\{(\text{更地価格})-(\text{支払った権利金})\}\times 6\%$$

なお，更地価格を相続税評価額によって計算する場合は，つぎの式のようにして計算する。

$$\left\{\left(\begin{array}{c}\text{更地としての}\\\text{相続税評価額}\end{array}\right)-\left(\begin{array}{c}\text{支払った}\\\text{権利金等の額}\end{array}\right)\times\frac{\left(\begin{array}{c}\text{更地としての}\\\text{相続税評価額}\end{array}\right)}{\left(\begin{array}{c}\text{更地としての}\\\text{通常の取引価格}\end{array}\right)}\right\}\times 6\%$$

地代が相当の地代に満たないときは

法人が社長等に権利金をうけとらないで土地を貸して，ある程度の地代は取っているが，相当の地代には達していないときは，つぎの式で計算した認定権利金を社長等に贈与として支給した等として取り扱われることになる（法基13－１－３）（727ページ以下参照）。

$$(\text{土地の更地価格})\times\left\{1-\frac{(\text{実際の地代(年)})}{(\text{相当の地代(年)})}\right\}=(\text{認定権利金})$$

その後の地代改訂

相当の地代で借地を開始した場合は，その後，この相当の地代を更地価格の上昇に合わせて改訂するスライド方式と，改訂しないで据え置く，または，改訂するが，そこまで値上げしない非スライド方式とを選択し，次ページの**図表６－13**の「相当の地代の改訂方法に関する届出書」を税務署長に提出することになっている。この届出書を提出しなかったときは，非スライド方式を選択したものとされる（法基13－１－８）。

スライド方式を選択した場合には，地価にスライドして地代を改訂していくから，その後も地代の過不足は生じないので，地代の認定課税は生じない（注）。

非スライド方式を選択した場合には，地価上昇時には不足地代が生じることになるが，借地開始時に相当の地代が支払われているときは，その後，不足地代が生じてきても，地代の認定課税はしないことになっている。

（注）スライド方式を選択したが，その後，地代を地価上昇にスライドして増額しなかった場合には，不足地代が生じるが，これは社長などに対する給料として取り扱われることになる（詳しくは735ページ参照）。

図表6－13　相当の地代の改訂方法に関する届出書

相当の地代の改訂方法に関する届出書

※整理事項	1　土地所有者	整理簿	
		番　号	
	2　借地人等	確　認	

受付印

令和　　年　　月　　日

国税局長
税務署長　殿

土地所有者＿＿＿＿＿＿＿は、借地権の設定等により下記の土地を令和＿＿年＿＿月＿＿日から＿＿＿＿＿＿＿に使用させることとし、その使用の対価として法人税法施行令第137条に規定する相当の地代を収受することとしましたが、その契約において、その土地を使用させている期間内に収受する地代の額につき法人税基本通達13－1－8の〔(1)により改訂する／(1)によらない〕こととしましたので、その旨を届け出ます。

なお、下記の土地の所有又は使用に関する権利等に変動が生じた場合には、速やかにその旨を届け出ることとします。

記

土地の表示

所在地	
地目及び面積	㎡

	（土地所有者）	（借地人等）
住所又は所在地	〒 電話（　　）　－	〒 電話（　　）　－
氏名又は名称		
代表者氏名		

借地人等と土地所有者との関係	借地人等の所轄税務の所轄税務署又は所轄国税局

06.06改正

(契約の概要等)

1 契約の種類 ____________________

2 土地の使用目的 ____________________

3 契約期間 令和　年　月 ～ 令和　年　月

4 建物等の状況

(1) 種類 ____________________

(2) 構造及び用途 ____________________

(3) 建築面積等 ____________________

5 土地の価額等

(1) 土地の価額 ____________________ 円 (　　　　　) 円

(2) 権利金等の額 ____________________ 円

(3) 地代の年額 ____________________ 円

6 特約事項 ____________________

____

7 土地の形状及び使用状況等を示す略図

8 添付書類 (1) 契約書の写し (2) ____________________

図表６－14　土地の無償返還に関する届出書

土地の無償返還に関する届出書

※整理事項	1 土地所有者 2 借地人等	整理簿	
		番　号	
		確　認	

受付印

令和　　年　　月　　日

国 税 局 長
税 務 署 長 殿

土地所有者＿＿＿＿＿は、（借地権の設定等／使用貸借契約）により下記の土地を令和＿＿年＿＿月＿＿日から＿＿＿＿＿に使用させることとしましたが、その契約に基づき将来借地人等から無償で土地の返還を受けることになっていますので、その旨を届け出ます。

なお、下記の土地の所有又は使用に関する権利等に変動が生じた場合には、速やかにその旨を届け出ることとします。

記

土地の表示

所在地		
地目及び面積		㎡
	（土地所有者）	（借地人等）
住所又は所在地	〒 電話（　　）　－	〒 電話（　　）　－
氏名又は名称		
代表者氏名		

借地人等と土地所有者との関係	借地人等の所轄税務署又は所轄国税局

06.06 改正

（契約の概要等）

1　契約の種類 ＿＿＿＿＿＿＿＿＿＿

2　土地の使用目的 ＿＿＿＿＿＿＿＿＿＿

3　契約期間　令和　年　月　～　令和　年　月

4　建物等の状況

(1)　種類 ＿＿＿＿＿＿＿＿＿＿

(2)　構造及び用途 ＿＿＿＿＿＿＿＿＿＿

(3)　建築面積等 ＿＿＿＿＿＿＿＿＿＿

5　土地の価額等

(1)　土地の価額　　円　（財産評価額　　円）

(2)　地代の年額　　円

6　特約事項 ＿＿＿＿＿＿＿＿＿＿

＿＿＿＿＿＿＿＿＿＿

7　土地の形状及び使用状況等を示す略図

8　添付書類　(1)　契約書の写し　(2) ＿＿＿＿＿＿＿＿＿＿

非スライド方式と借地権の発生

非スライド方式によっている場合には，地価が上昇するとき，当初の地代を据え置いていると，課税時期において実際に支払っている地代と相当の地代との差が生じ，その差は次第に拡がっていくが，その差額に対応して，借地人である社長等に，つぎの式で計算した借地権価格が発生したとして取り扱われることとなっている。

$$\left(\begin{array}{l}\text{その時点での土}\\\text{地の更地価格}\end{array}\right)\times\left\{1-\frac{\left(\begin{array}{l}\text{その時点での}\\\text{実際の地代(年)}\end{array}\right)}{\left(\begin{array}{l}\text{その時点での}\\\text{相当の地代(年)}\end{array}\right)}\right\}=(\text{借地権価格})$$

なお，この式で計算した借地権価格が，通常取引される借地権価格（その地域の借地権割合）を超えるときは，通常取引される借地権価格までということになっている（法基13－１－３(注２)）。

そして，将来，借地を法人に返還するときには，このようにして計算した借地権価格が社長等に支払われなければならないものとされ，また，土地を一括して第三者に売却した場合には，その売却代金をこの比率で配分しなければならないとされている。

なお，スライド方式を選択しているときは，不足地代は生じないから，当然，借地権は発生しない。地価が下落しているときは，上記の式で計算すると，借地権価格はマイナスとなるが，借地権価格は生じないと考えるのが妥当である。

無償返還の届出をしたら

法人が個人に土地を貸して，権利金も相当の地代も取らないとき，また，地代を取るが，相当の地代に満たないときは，上述のように権利金の認定課税が行われるが，それを避ける方法として，将来，法人がその土地を使う必要の生じたときは法人に無償で返還する契約をし，733ページの**図表６－14**の「土地の無償返還に関する届出書」を税務署長に提出したときは，権利金の認定課税はしないことになっている。

しかし，この場合は権利金の認定課税を行わないということだけであって，**相当の地代についての認定課税**（地代を支払っていても，それが相当の地代未満であるときは，その差額，すなわち，不足地代についての認定課税）は行われる。すなわち，法人は個人から相当の地代を（または不足分も）受け取ったとして毎事業年度の益金に算入し，個人が社長であれば，それと同額が認定給料として給与所得となる。もっとも，法人のほうは，社長の給料はそれが過大報酬と認められない限り損金として処理できるので，益金となる相当の地代と差し引きゼロになるので課税関係は変わらず(注)，社長個人が給与所得の増加分だけ所得税が増えることになる。

したがって，社長の実際の給料をアップして相当の地代を実際に受け取るのと，地代については同じ結果となる。

（注）　過大報酬と認定された部分は，法人のほうでは損金不算入として課税対象となるので，法人と社長とに二重に課税される結果となる。

なお，この無償返還の届出をするときは，地価の上昇に合わせて３年ごとに相当の地代の見直しをし（注），認定給料をアップさせる。なお，借地期間中を通じて社長個人には借地権は発生しないようになっている。

（注）　この場合の相当の地代を計算するときの更地価格は，相続税評価額によることになる。

12 社長の土地を法人に無償で貸したら

社長が法人に，権利金を取らないで土地を貸したときはどうなるか。

図表６－15

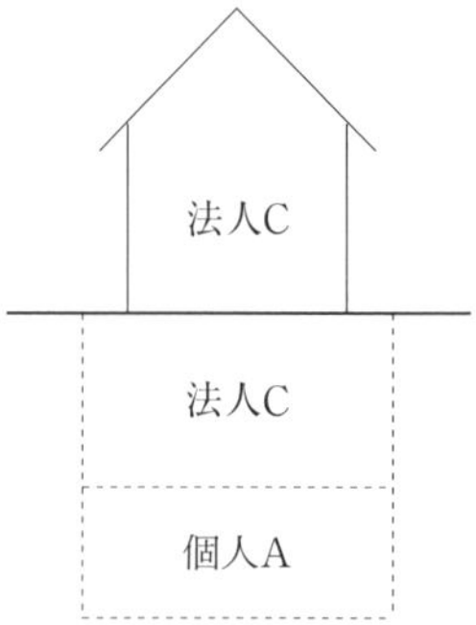

無償での借地――個人から法人へ（図表６－15）

社長個人が，自分が主宰している同族会社に自分の個人の土地を無償で貸した場合はどうなるか。

法人がその法人と関係のない第三者から土地を借りれば，通常は権利金を払わなければならないが，この場合はそれを払わないで借地権を設定することができたので，その権利金相当額だけ法人は利益を得たことになり，その利益は受贈益として法人で課税対象になる。

貸した側の社長個人に対しては，課税関係は一切生じない(注１)(注２)。

なお，法人が法人と全く関係のない個人から無償で借りた場合も同様である。

（注１）　所得税法59条で，著しく低い価額（時価の$\frac{1}{2}$未満）で，法人に土地等（借地権を含む）の資産を譲渡した場合に，時価により資産の譲渡があったとみなすという規定がある。無償ということは，「著しく低い価額」に該当することは間違いないが，借地権の「設定」は同条でいう「譲渡」でないという解釈から，この「時価によるみなし譲渡」に該当しないとして課税されないことになっている。しかし，個人がすでに自分が借地人となって設定していた借地権なり，かつて第三者から譲渡された借地権を無償で法人に譲渡すれば，それは，ここに規定する「みなし譲渡」に該当し，その個人にも譲渡所得ありとして課税されるので注意をしなければならない。

（注２）　その権利金相当額が異常に高額である場合には，「同族会社等の行為又は計算の否認等」（所法157条）によって，個人に課税されることもあるので留意すること。

相当の地代での借地――個人から法人へ

社長個人が法人に土地を貸すにあたって，権利金を取らないかわりに，前項で説明した相当の地代を取ったときには，法人に対して権利金の認定課税はない。社長個人は実際に地代を受け取るわけであるから，その地代は不動産所得として課税の対象となる。なお，その地代は法人にとっては損金となるので，法人の法人税の課税対象はそれだけ減じることになる。したがって，法人で利益があがっていて，社長個人の税率と法人の税率とがほぼ同じであれば，ツーペイということになるが，法人が借地して貸ビルを建てたような場合，法人が相当の地代を支払うと，貸ビルのほうは赤字であるのに，社長個人の不動産所得のほうは大幅の黒字になって多額の所得税が課せられるということもある。これを避けたいのなら，後述する無償返還の届出制を利用することになる。

その後の地代改訂と借地権

なお，借地後の相当の地代の改訂については前項で説明したところと同じであり，どの方法をとるかについて，731ページの**図表６－13**の「相当の地代の改訂方法に関する届出書」を提出しなければならないことも同様である。

また，非スライド方式を選択した場合で，地価が上昇したときは，不足地代についての認定地代のないこと，また不足地代に応じて借地権の価額が発生していくことも同様である。

(注)　この方式は，地価上昇期における相続税対策として利用されていたが，その詳細は750ページの(注)参照。

なお，スライド方式を選択している場合には，法人に借地権は発生しない。

(注)　スライド方式を選択したが，地価上昇にスライドして地代値上げを行わず不足地代が生じたときにも，地主である個人には地代の認定課税の問題は生じない。

個人が土地を法人に貸して無償返還の届出をしたら

社長個人が土地を法人に貸すにあたって，権利金も相当の地代も取らないときは，原則にもどって法人に権利金の認定課税がなされるが，この場合も，将来，借地権を無償で返還する契約をし，**図表６－14**の「土地の無償返還に関する届出書」を税務署長に提出すれば，権利金の認定課税は行われないようになっている。相当の地代との不足分についても社長個人に対して特に認定課税をするということはない(注1)(注2)。ただ，結果として法人のほうは支払わなかった「相当の地代」分だけ損金とならないわけであるから，それだけ法人の利益が増加し，法人税の課税対象も増えるという関係になる。しかし，法人が社長個人の土地を借りて貸ビルを建設し，当初は赤字という場合は，この方法はかなり有利に作用するであろう。そして，法人の側に借地権価額は発生していないのだから，将来，法人に貸した土地の返還を受けるとき，立退料などの借地権の消滅の対価を法人に支払う必要がない点でも，この方法はすっきりしている。

(注１)　不動産の貸付けであり，譲渡ではないという解釈から，低額譲渡に対する認定課税（所法59条，相法７条）の適用はない（前ページの(注)参照)。なお，所

得税法33条のカッコ書で，土地の貸付けで譲渡所得に含まれるのは，借地権の設定の対価（権利金等）についてであり，地代は含まれていない。

（注２）　737ページの（注２）参照。

13 法人の土地を他の法人に無償で貸したら

親会社が子会社に，権利金を取らないで，土地を貸したときはどうなるか。

図表６－16

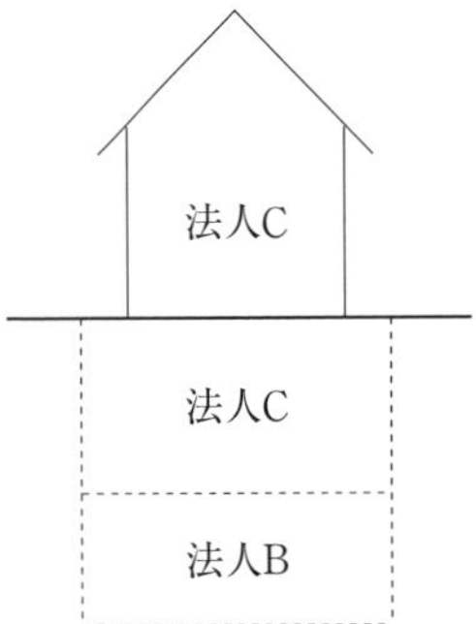

無償での借地――法人から法人へ（図表６－16）

これは親子会社などの系列会社間でよくあるケースである。

土地を貸した法人にとっては，その土地を個人に無償で貸したのと同様に，通常受け取るべき権利金を貸主である法人の「益金」に計上し，それと同額を借地した法人に寄附したと考える。法人の寄附金は，一定限度までは「損金」となる。

その一定限度というのは，つぎの式で算出する。

寄附金の損金算入の限度額は

$$\left[\left\{\left(\begin{array}{c}\text{資本金}\\\text{等の額}\end{array}\right)\times\frac{\left(\begin{array}{c}\text{当事業年}\\\text{度の月数}\end{array}\right)}{12}\times\frac{2.5}{1,000}\right\}+\left\{\left(\begin{array}{c}\text{寄附金支出前}\\\text{の所得の金額}\end{array}\right)\times\frac{2.5}{100}\right\}\right]\times\frac{1}{4}$$

法人の事業年度間で支出した寄附金から，この式で算出した額を超える額は，損金に算入されないようになっている。

たとえば，資本金1,000万円で１年決算の法人が，他の法人に土地を無償で貸して，その借地権相当額が1,500万円で，その法人の年間利益が１億円で，他の寄附金がなかったとすれば，

$$\left\{\left(10,000,000\text{円}\times\frac{12}{12}\times\frac{2.5}{1,000}\right)+(100,000,000\text{円}+15,000,000\text{円})\times\frac{2.5}{100}\right\}\times\frac{1}{4}$$

$$=725,000\text{円}$$

となる。要するに，通常の権利金を受け取ったとして，1,500万円を「益金」に計上し，72万5,000円は「損金」に計上し，差し引き1,427万5,000円がその法人の課税対象となる。つまり，実際に権利金をもらっていなくても，権利金相当額に近い金額が法人税の課税対象となる。

また，無償で借りた法人も，その権利金相当額だけ贈与を受けたのだとして，「益金」に計上し，法人税の対象になる。

土地を貸した法人も，借りた法人も課税されるということになる。

相当の地代での借地——法人から法人へ

親会社が子会社に土地を貸すにあたり，権利金を取らなくても，729ページで説明した相当の地代を授受していれば，権利金の認定課税を行わず，その相当の地代が親会社の益金となり，子会社の損金ということになる。

借地後の地代改訂およびその届出書についても同様である。

また，非スライド方式を選択した場合に，その後に生じた不足地代についての認定課税のないこと，また不足地代に応じて借地権が発生していくことも同様である。

無償返還の届出をしたら

相当の地代を支払わないで，733ページで説明した無償返還の届出書（図表6－14）を提出したときも，借地権の認定課税は行われない。そのかわり，親会社については「相当の地代」分の地代収入があったとして益金に計上し，それを子会社に寄附したとして上述の寄附金の限度計算をし，その範囲内までは損金に算入され超えている部分は損金に算入されない。子会社については，地代の支払いを免除されたという利益を受けているので，その金額を受贈益として計上することになるが，それと同額の地代支払いがあったとして損金に計上することになるので，課税関係は生じない。認定される相当の地代については，３年ごとに改訂することは，いままで説明したところと同様である。

この方法は，子会社に資力がなく，親会社が「相当の地代」分に対する課税を負担しても子会社を育成しようという場合に採用したらいいであろう。

定期借地権を利用したら

相当の地代が過大となるとき，定期借地権を利用する方法もある。詳細は743ページコラム参照。

〈相当の地代について〉

〈相当の地代の起源〉

借地権の設定により土地を使用させるとき，その対価として権利金等を収受する取引上の慣行がない場合には権利金等を収受しないのが当然であるが，権利金等を「収受する取引上の慣行がある場合においても，当該権利金の収受に代え，当該土地(……)の価額(……)に照らし当該使用の対価として相当の地代を収受しているときは，当該土地の使用に係る取引は正常な取引条件でなされたものとして」法人税の所得の計算をすることが法人税法で定められている(法令137条)。

そして，その地代の額が更地価格に対しておおむね８％程度のものであるときは，その地代は上記の相当の地代に該当するものとする（法基13－１－２）としている。なお，この率は現行では６％とされている（730ページ(注)参照)。

〈８％（現行６％）基準の根拠〉

この相当の地代は，土地価額を資本として運用する場合，どれだけの利回りを予定しておけばよいかという考え方で，当時（昭和36年）の最低の利回りが国債の応募者利回りで年6.2％であり，これに固定資産税等の公租公課を加えて，年８％に落ち着いたといわれている（高木文雄著『法人・個人をめぐる借地権の税務（三訂版）』104ページ・清文社)。

〈相当の地代の現況の非合理性〉

この考え方に基づいて現状を考えると，令和６年の長期国債（10年）の応募者利回りが1.0％程度であり，固定資産税等の公租公課が住宅地で土地価額の0.46％程度，商業地で1.4％程度であるので，１％前後が相当の地代ということになる。

通達によれば，更地として相続税評価額の３年平均（地価下落時は設定時の評価額）の６％とするのが，最も低い地代率になる。相続税評価額が公示価格水準の80％とすると，公示価格水準の4.8％ということになる。

一般定期借地権の実質地代率は，1.8％前後であり，これに公租公課の１％を加えると2.8％となる。

通達の地代率は，これに比して，かなり高いといえる。特に無償返還の契約・届出のなされている場合には，その契約条件からいって，定期借地権の場合より低い地代率のほうが妥当であると思われるのだが……。

このように，通達による相当の地代は経済的合理性から全く離れており，相当の地代で借地して貸ビルを建設すると，家賃より地代が高いという異常な現象も生じている。

〈定期借地権の利用〉

この不合理な状況を避けるためには，定期借地権を設定して，経済的な地代で賃貸借するのも一つの方法である（下掲のコラムを参照のこと）。

〈高率な相当の地代を利用しての贈与〉

また，このように高率な相当の地代を逆利用し実質地代との差額を，借地人である法人から地主である社長個人・関係会社へ無税で贈与するという変な節税法も見られるようになってきている。

〈相当の地代に代えて定期借地権を利用したら〉

相当の地代は，729～730ページに掲げた式で計算される。相続税の土地評価水準は時価の80％程度とされている。時価１億円の土地について，相続税評価額の６％として相当の地代を算出すると，つぎのようになる。

(土地価額)		(評価水準)		(相当の地代の地代率)		(相当の地代)	(実効地代率)
100,000,000円	×	0.8	×	0.06	=	4,800,000円	(4.8%)

一般定期借地権の平均的実質賃料利回りは，図表５－20（643ページ）に掲げたように，1.81％となっており，それに公租公課を地価の0.2％として加えると，この場合の適正地代は，つぎのようになる。

(土地価額)		(定期借地権の地代率)		(定期借地権の適正地代)	(実効地代率)
100,000,000円	×	(0.0181＋0.002)	=	2,010,000円	(2.01%)

相当の地代を支払ったら貸ビル等の採算の合わなくなるような場合には，一般定期借地権を利用するのも一つの方法である。

14 権利金を授受しない土地貸借のまとめ

> 権利金を授受しない土地貸借があったときの課税関係をまとめてみると。

法人がからむ場合の課税関係

土地の貸借について，権利金の有無により，また権利金を授受しなかったり，授受したとしてもその権利金が不十分であったりしたとき，相当の地代を授受するかどうかにより，課税関係は複雑に変化する。

この場合，法人がからむものについては，法人税基本通達（13－１－２以下）によって処理されることになるが，この通達をもとにしてまとめた表を**図表６－17**に掲げておいたので参考にしてもらいたい。

図表６－17　借地権についての法人税法の取扱い一覧表

権利金		地代の授受	無償返還の届出	課税処理	相当の地代の改訂	借地権価格の有無
通常権利金を授受すべき場合	通常の権利金を授受	通常地代	－	是認	（通常地代）	有
	不十分な権利金を授受	相当の地代なし	－	権利金認定（13－１－３）	（通常地代）	有
		相当の地代あり	－	是認（13－１－２）	改訂する（13－１－８）	有（権利金見合せのみ）（13－１－15）
					改訂しない（13－１－８）	有（13－１－15）
	権利金の授受なし	相当の地代なし	無	権利金認定（13－１－３）	（通常地代）	有
			有（13－１－７）	相当の地代認定（13－１－７）	改訂する（強制）（13－１－７）	無（13－１－14）
		相当の地代あり	無	是認（13－１－２）	改訂する（13－１－８）	無（13－１－15）
					改訂しない（13－１－８）	有（13－１－15）
その他	権利金なし（一時使用等）	通常地代	－	是認（13－１－５）	（通常地代）	無（13－１－14）

この表は，まず，建物を建てる場合などの普通の借地で他人間なら権利金を支払うことが一般化している地域での賃貸借の場合を「通常権利金を授受すべき場合」とし，一時使用賃貸借などの場合を「その他」というように大別し，前者について，さらに三つの場合に分類して解説している。

課税処理の欄に「是認」と記しているのは，その左欄に記したように，法人が経理処理したときは，それをそのまま認めるということであり，「権利金認定」というのは権利金の認定課税をするということである。

また，「相当の地代認定」というのは，権利金の認定課税はしないが，相当の地代の認定課税をするという意味である。「借地権価格の有無」というのは，左欄のような処理をしたとき，法人税法上で借地人が借地権有りと扱うか，無いと扱うかという意味である。

さらに具体的な一覧表

また，個人対個人の土地貸借を含めて，権利金も地代の支払いもない場合の課税関係を具体的に**図表６－18**に，地代の支払いはあるが権利金の授受のない場合を**図表６－19**に，それぞれ筆者なりにまとめて掲げておいたので参考にされたい。なお，相当の地代等の法人税基本通達の規定と関連するところにおいては，**図表６－17**とあわせて利用してもらいたい。

この項では，長々とくどいぐらい説明したが，この無償使用に関する権利金の認定課税は，同族会社の場合にいつも出てくる大問題であり，これをしっかり理解しておかないと，節税のつもりでやっていたところに突然，権利金の認定課税という重税をかけられてビックリするというケースがよくある。よく読んで理解しておいてもらいたい。

またこれは，**第３編第８章**の共同ビルの計画などに密接にかかわりあってくる。

なお，借地権については，もっと複雑な問題があり，それがビル建設計画なり事業計画とかかわりあってくるが，それは**第３編**で最も関係の深いそれぞれの箇所で説明する。

特殊関係者以外でも

この第２節の表題は「親族・同族会社等の特殊関係者間の借地の税務」としてあるが，この節で述べた税務の取扱いは，これらの特殊関係者間だけではなく，第三者間においても同じく適用される。

図表６－18　使用借権の設定にあたって権利金の支払いがなかった場合の税務上の取扱い（権利金も地代の支払いもない使用貸借の場合）

<table>
<tr><th colspan="2"></th><th>地主についての課税関係</th><th>借地人についての課税関係</th></tr>
<tr><td rowspan="2">地主が個人である場合</td><td>借地人が個人である場合（例：親→子）</td><td rowspan="2">所得税のみなし譲渡課税はない。</td><td>贈与税の課税はない。
将来の贈与，相続については更地として評価される。</td></tr>
<tr><td>借地人が法人である場合（例：社長→同族会社）</td><td>使用貸借とは認められず，権利金相当額を法人の受贈益として益金に加算して法人税を計算する(注１)。</td></tr>
<tr><td rowspan="2">地主が法人である場合</td><td>借地人が個人である場合（例：同族会社→社長）</td><td rowspan="2">使用貸借とは認められず，権利金の収入があったとして権利金および地代相当額を法人の益金に算入した上で，その同額を社長等に対する賞与(注２)（権利金）および給料（地代相当額）または子会社に対する寄附金(注３)として法人税を計算する。</td><td>社長等に対しては認定賞与および給料として所得税が課せられる(注２)（借地人が法人と関係のない個人の場合は，一時所得として所得税が課せられる）。</td></tr>
<tr><td>借地人が法人である場合（例：親会社→子会社）</td><td>使用貸借とは認められず，権利金相当額を法人の受贈益として益金に加算して法人税を計算する(注４)。</td></tr>
</table>

（注１）　法人が借地権相当額を未払金として計上したときには，権利金の支払いのあった場合と同じになる。なお，無償返還の届出のあった場合は，受贈益課税の問題は生じない。

（注２）　社長に対する賞与は法人の損金に算入されない。無償返還の届出のあった場合は，「権利金および地代相当額」は「相当の地代」となり，「社長等への賞与および給料」は「社長等への給料」となる。

（注３）　無償返還の届出のあった場合は，相当の地代を寄附金として法人税を計算する。なお，寄附金の計算については740ページ参照。

（注４）　無償返還の届出のあった場合は，受贈益課税の問題は生じない。

（備考）　上表で認定課税をされる場合も，その土地の所在する地域で借地権の設定にあたって，権利金を授受する慣行が成熟している場合に限られる。なお，借地権割合が30％未満の地域では，その慣行が未成熟として認定課税を行わないよう取り扱われているようである。

図表６－19　借地権の設定にあたって権利金の支払いがなかった場合の税務上の取扱い（通常地代の支払いのある賃貸借の場合(注１)）

<table>
<tr><th colspan="2"></th><th>地主についての課税関係</th><th>借地人についての課税関係</th></tr>
<tr><td rowspan="2">地主が個人である場合</td><td>借地人が個人である場合（例：親→子）</td><td rowspan="2">所得税のみなし譲渡課税はない。</td><td>借地権の贈与があったとして，相続税の評価額によって贈与税が課せられる。</td></tr>
<tr><td>借地人が法人である場合（例：社長→同族会社）</td><td>相当の地代(注２)との関連により，借地権相当額を，法人の受贈益として益金に加算して法人税を計算する(注４)。</td></tr>
<tr><td rowspan="2">地主が法人である場合</td><td>借地人が個人である場合（例：同族会社→社長）</td><td rowspan="2">権利金の収入があったとして，相当の地代(注２)との関連により，権利金相当額を法人の益金に算入した上で，その同額を社長等に対する賞与または子会社に対する寄附金(注３)として法人税を計算する。</td><td>社長等に対しては借地権相当額を認定賞与として所得税が課せられる（借地人が法人と関係のない個人の場合は，一時所得として所得税が課せられる）。</td></tr>
<tr><td>借地人が法人である場合（例：親会社→子会社）</td><td>相当の地代(注２)との関連により，借地権相当額を，法人の受贈益として益金に加算して法人税を計算する(注４)。</td></tr>
</table>

（注１）　ここでいう通常地代とは，権利金の支払いのあった場合に通常支払われる地代のことである。なお，固定資産税相当額以下の金額を借地人が負担する程度なら，まだ地代の支払いがあったとはいえないから，**図表６－18**の分類になる。

（注２）　「相当の地代」については729ページおよび742ページのコラム参照。授受している地代が「相当の地代」であれば権利金の認定課税はされない。「相当の地代」と差額（不足）があるときは，その差額に対応する部分について権利金の認定課税が生ずる。

（注３）　**図表６―18**の（注３）参照

（注４）　**図表６―18**の（注１）参照

（備考）　無償返還の届出があったときは，**図表６―18**の各注を参照。なお，**図表６―18**の「相当の地代」は「(相当の地代)－(実際の支払地代)」となる。

15 相当の地代と相続税の借地権評価

相当の地代で貸借している場合の貸地と借地の相続税の評価は，特別の方法で評価する。
（個別通達「相当の地代を支払っている場合等の借地権等についての相続税及び贈与税の取扱いについて」相続税個別通達34昭和60.６.５直資2－58〔例規〕，最新改正平成17.12.18）および「相当の地代を収受している貸宅地の評価について」評個1昭和43.10.28直資3－22）

権利金を授受しなかった貸地と借地

通常の権利金を授受しないで，貸地・借地をしている場合でも，相当の地代を授受していたり，相当の地代が不足していても所定の手続きをとっていれば，権利金の認定課税をしない取扱いのあることを前項までで説明した。

これを利用して，親族間，同族会社と社長，関係会社間で借地権設定時に権利金を授受しない借地も多くなっている。

この項では，このような場合の貸地（底地）または借地の相続税の評価はどうなるかを上掲の通達によって説明する。

相続税・贈与税における相当の地代の求め方

所得税や法人税での相当の地代の求め方を729～730ページで説明したが，贈与税や相続税においては，上掲の通達でつぎのように取り扱われるよう定められている。

なお，

「自用地としての価額」…更地としての相続税の評価額

「相当の地代」…相続・贈与前３年間の「自用地としての価額」の平均額におおむね６％を乗じて求めた地代

「通常の取引価額」…いわゆる時価

（注） なお，通常の権利金に満たない権利金が支払われているときの相当の地代を求める場合の「自用地としての価額」は，つぎの式で求めた金額を控除した金額とする。

$$\text{その権利金} \times \frac{\text{その土地の自用地としての価額}}{\text{その土地の借地権設定時の通常の取引価額}}$$

相当の地代をスライドしているとき

社長の土地を同族会社に貸して，相当の地代を地価の上昇にスライドして増額する方式を採用している場合には，これを譲渡するときの所得税，法人税では借地権は発生していないとされているが（730ページ参照），相続税の評価では，会社の借地権はゼロ，社長の貸地は，

（自用地評価額）×80%

と評価される（上掲直資２－58の「３(1)」，「６(1)」および直資３－22）。

しかし，社長がその同族会社の株式を所有している場合には，その会社の株式も相続財産になるが，その株式の相続税評価を純資産価額で評価する場合に，その土地の自用地評価額の20%相当の借地権が会社にあるとして，株式の評価をすることになっている（注）（上掲直資３－22）。

（注）　株式の評価は123ページのコラムで説明しておいたが，この場合，株式の評価額に反映されるのは，それから清算所得相当分の約40%を引いた60%分，すなわち20%×60%＝12%相当額だけであるので，底地を自用地評価額の100%と評価されるよりも低くなる。

法人の土地を社長が借りていて，相当の地代をスライドさせていたときの，社長の借地権はゼロ，法人の貸地は自用地価額の80%として評価される（上掲直資２－58の「３(1)」，「６(1)」（注））。

また，個人間の相当の地代による借地で，相当の地代をスライドさせていた場合には，借地権はゼロ（上掲直資２－58の「３(1)」），貸地は自用地価額の80%として評価される（同上「６(1)」）。

（注）　被相続人となった社長が，その同族会社の株式を所有していて，その株式を純資産価額で評価する場合，上掲通達直資３－22によれば，社長の借地権はゼロとし，会社の貸地は自用地価額の80%を算入すればよいことになる。

相当の地代をスライドしていないとき

地価が上昇しても，相当の地代を据え置く方式，また，増額するが地価上昇にスライドしていない場合には，実際に支払っている地代と，その時点での相当の地代との間に差が生じ，これが借地権価格を構成することになる。

ところで，その借地権価格について，所得税，法人税では，

$$(\text{土地の更地価格})\times\left(1-\frac{(\text{実際の支払地代(年)})}{(\text{相当の地代(年)})}\right)=(\text{借地権価格})$$

として求めているが，相続税の評価では，

［A式］

$$(\text{自用地としての価額})\times\left\{\text{借地権割合}\times\left(1-\frac{\text{実際の支払地代(年)}-\text{通常の地代(年)}^{(注)}}{\text{相当の地代(年)}-\text{通常の地代(年)}}\right)\right\}=\left(\begin{array}{c}\text{借地権}\\\text{評価額}\end{array}\right)$$

と計算するようになっている（直資２－58「２」）。

（注）通常の地代とは，通常の借地権が設定されている場合に支払われる地代をいう。すなわち，594ページの「**4　継続地代の改定**」で説明した継続地代がこれにあたる。

この地代の額を求めることが困難である場合には，つぎの算式によって求めた金額によることができるとされている。

［Ｂ式］

$$通常の地代の年額=\left(\begin{array}{c}過去３年間の自用地\\としての価額の平均額\end{array}\right)\times（1－借地権割合）\times 6\%$$

なお，自用地評価額から，上記の借地権評価額を差し引いた額が，貸地（底地）の評価額となる(注)。

（注）この方式を採用すると，地価の上昇期には，借地人である法人に自然発生的に借地権が生じ，地主個人の底地の評価額が低くなるということに着目して，節税対策として広く利用されていたが，借地権設定時より地価が低落する場合には，その効果は消滅する。

たとえば，借地権割合７割の地域で，相当の地代で借地権を設定したときの土地の時価3,000万円，相続税評価額2,400万円*，相当の地代144万円，上記の［Ｂ式］により求めた通常の地代43万2,000円であったとする。

その後，地価が上昇し，時価4,000万円，評価額3,200万円，その時点の相当の地代192万円，通常の地代57万6,000円のとき，当初の相当の地代を据え置いたとして，［Ａ式］により借地権評価額を求めると，

$$32,000,000円\times 0.7\times\left(1-\frac{1,440,000円-576,000円}{1,920,000円-576,000円}\right)$$

$$=32,000,000円\times 0.25=8,000,000円$$

となり，25%の借地権価額が発生し，底地価額は，評価時の評価額より25%減じるという節税効果が生じている。

しかし，地価が下落し，時価2,000万円，評価額1,600万円，相当の地代96万円，通常の地代28万8,800円になっていて，相当の地代を据え置いていたとき，［Ａ式］によると，

$$16,000,000円\times 0.7\times\left(1-\frac{1,440,000円-288,800円}{960,000円-288,800円}\right)$$

$$=16,000,000円\times(-0.501)$$

となり，マイナスの借地権が生じる結果となり，実務的には借地権価額が発生していないこととなって，後記の「無償返還の届出をしているとき」と同様の更地価格の80%で評価されることになるであろう。

＊相続税評価額により相当の地代を求めるときは，過去３年間の平均によることになっているが，説明を簡略化するため上記のように設定している。

無償返還の届出をしているとき

社長の土地を同族会社に貸して，権利金の授受もせず，また，支払地代が相当の地代を下回っている場合でも，「土地の無償返還に関する届出書」を提出していれば，権利金の認定課税はなされず，また，借地権価格は発生しないとされている（735ページ参照）。

しかし，相続税の評価では，この場合も，底地の評価については，自用地としての価額の80％とし，その同族会社の株式が相続財産に含まれている場合の株式を純資産価額方式で評価する場合に，自用地としての価額の20％相当の借地権が法人にあるとして会社の株式を評価することになっている（相続税個別通達34昭60直資２－58「８」）。

また，法人の土地を社長が借りて無償返還の届出をしている場合の社長の借地権はゼロと評価され（同上「５」），法人の貸地は更地価額の80％として評価して株式の純資産価額を評価することになる（同上「８」）。

なお，個人間では，土地の無償返還に関する届出の制度は適用されていないので，上記に該当するケースはない。

使用貸借の場合

使用貸借の場合は，底地は自用地として評価し，借地権価格はゼロとして評価する。

これは，社長の土地を法人に貸している場合，社長が法人の土地を借りている場合，また，個人間においても，すべて同じである。

第３編

建物を建築して土地を利用するときのコンサルティング——そのときの貸家と借家権の法律と税務

●第３編のねらい●　土地に建物を建てて賃貸などする場合，コンサルタントの役割はさらに重要になる。そして，共同ビル，等価交換方式マンション・ビルなどで複雑な問題も増えている。

土地の賃貸より建物の賃貸へ

第２編では，土地を土地のまま，すなわち更地の状態で，他人に賃貸する，または他人から賃借する場合について，その権利，すなわち借地権や，借地権から派生する更新料などのさまざまの権利の性格，その価格，それをめぐる税務について説明した。

しかし，経営能力があれば，土地を土地のまま貸すよりも，その土地の上に自分で建物を建築して，それを賃貸したほうが，はるかに効率的である。

また，土地を借りた人も，そこに建物を建築し，賃貸するなり，自分で事業をすることになるであろう。

そのいずれであれ，この編では，土地の上に建物を建てて賃貸する場合の事業計画の立て方，それにからまる評価の問題，そして貸家にからまる法律と税務の問題を説明する。

建物賃貸の難しさと妙味

土地を土地のまま賃貸するより，建物を建てて賃貸したほうが一般的には効率的であると説明した。しかし，そのためには新たな資金投下が必要であり，その建物が木造アパート，鉄筋コンクリート造中高層住宅，商業ビルへとなるにつれて，投下資金も多くなるとともに，その立地条件，適正規模などの点でむずかしい問題を含んでき，高度の判断が要求される。その反面，うまくいけば収益の面で妙味が増してくる。

建物賃貸の税金

建物を賃貸した場合の税金は，土地を単純に売買したとき，借地にしたときにくらべて，複雑になってくる。しかし，複雑になるということは，税務テクニックを駆使すれば，それだけ節税の余地の多いということでもある。

建物の賃貸とコンサルタント

建物の賃貸ということは，このように，土地の単純売買や借地に比し複雑な問題を含んでおり，それだからこそ，コンサルタントの能力がより強く要請されるものなのである。

この編の**第７章**では，まず第１節で，低層アパートという建物賃貸のもっとも一般的で，かつ基本的な形で事業計画の立て方と留意点，具体的な税務処理の方法を説明し，ついで，それを鉄筋コンクリート造中高層住宅にしたとき，また商業ビルにしたときの特殊な問題を説明する。

これらを理解してもらった上で，第２節で，その基本となる貸家人と借家人との間の法律，貸家の権利と借家権との評価を解説し，第３節で，貸マンション・貸ビル等を建設・賃貸したときの相続税を解説する。

そのうえで，**第８章**で共同ビル，**第９章**で等価交換方式によるマンション・ビルについて説明する。これらは，都市内での土地取得に係る問題や，譲渡所得税の重負担などから，地主が土地を売らないで利用しようという姿勢を背景に定着してきた現象である。それだけに，権利関係とその調整について，それが新しい現象であるばかりでなく，権利が複雑にからみあっているということから，建築主にとって全くわからないのみでなく，コンサルタントとしても暗中模索の状態で，あやふやなアドバイスをしていることも多いようである。

したがって，ここで，この説明を完全に理解してコンサルティングにあたり，適切なアドバイスをすれば，建築主はそれこそ地獄で仏にあったように信頼することは間違いないであろう。

第7章

貸アパート，貸マンション，貸ビルのコンサルティング

第１節　貸アパート・貸ビル等の事業計画と税務

1　貸アパートの事業計画

貸アパートの事業計画をどのように立てたらよいか。

有利な土地利用としての貸アパート

遊ばせている土地がある。これを売れば，譲渡所得で高額の税金をとられる。土地を貸しても，借地権の設定の対価（権利金）について，やはり高額の譲渡所得税が課せられる。税金は払いたくない。しかし，土地を遊ばせていて固定資産税や都市計画税を取られるだけなのもかなわない。ということから，貸アパートをつくって経営してみたら，相続税の対策としても有利だという話を聞いたという相談をコンサルタントとして受けることも多い。

（注）　相続税対策については872ページ以下参照。

経営的にみて十分に採算が成り立つならば，これが，税金の面からみても，土地利用として，かなり有利な方法である。また，貸しているだけであるから，資産はそのまま残る。ただ土地が残るだけでなく，その上の建物が財産として増えて，毎月家賃が入るというメリットがある。

貸アパートの計画例（損益計算）

貸アパートとしては，木造または軽量鉄骨造の２，３階建で10～15戸前後のものが最も手っとり早い利用方法である。土地さえあれば，資金的にも比較的負担が軽い。

しかし，いくら手軽だからといって，事前の調査や採算計画はキッチリと立てておかないといけない。調査不十分や採算計画が杜撰であったため，建設はしたものの，空室ばかりで借入金の返済もままならないという例も増えている。

東京近郊の貸アパートの例をあげて，事業計画の作り方とポイントを説明する。

〔設例〕

敷地面積　625㎡　　第１種低層住居専用地域（建ぺい率40％，容積率80％）
土地の時価　23万円/㎡
建　　物　木造２階建，建築面積250㎡，延面積500㎡
　　　　　各戸49㎡，計10戸（賃貸面積45㎡）とする。
建 築 費　１㎡当り212,000円，建築費総額106,000,000円（消費税込み），建物竣工時に全額支払いとする。
　　　　　建築資金の一部に敷金を充てた残額103,800,000円を銀行借入れ，年利2.5％，期間22年で毎年末元本均等返済するものとする。なお，建物の固定資産税評価額は建築費の50％とする。
家　　賃　１戸当り月11万円，礼金１か月，敷金２か月
　　　　　なお，契約は３年更新とし，更新料を家賃の１か月分とする。
消 費 税　収支については，消費税を考慮しない。

市場調査による需給分析

平成初頭にかけてのバブルの時代まで，大都市部では，貸住宅（アパート・マンション）の需要は供給を上回っていた。すなわち，貸手市場であったため，貸住宅については，立地条件がかなり劣るところでも，土地に対する投資を計算に入れなければ，標準的な貸アパート・マンションを建設し，常識的な家賃・敷金・権利金を設定すれば，だいたい満室となり，採算がとれていた。

しかし，バブルの時代に，節税対策のための賃貸アパート等への投資なども加わり，供給が急増し，少子高齢化による人口減もあり現在では供給過多の状態，すなわち，借手市場へと転換し，空室もかなり目立つようになっている。

いいかげんな計画では，建設はしたものの入居者がさっぱりで，借入れで調達した建設資金の返済もままならないということになりかねない。また，建築費も高騰しており，これとの関連でも採算がとれにくくなっている。

これから貸アパート等を建設しようとするとき，その地域の賃貸市場の状況から需給分析を行い，綿密な採算計画をたてて検討し，計画実施の可否を含めて，的確な判断をしなければならない（**図表７－１**参照）。

収入について

収入の主なものは，もちろん家賃である。家賃については近隣の賃貸条件を調べることになるが，地元の賃貸アパート専門の不動産業者が，その地元の家賃市場については一番よく知っている。また，インターネットで周辺の貸家広告で，その地域の賃料や貸出条件の例を数多く調べることができるようになっている(注)。しかし，広告は貸主希望の賃料であるので，割り引きして参考にする必要がある。家賃について鑑定評価して求める方法もあるが，賃貸アパートの計画段階では，そこまでやる必要はないであろう。

図表7－1　賃貸アパートの事業計画例

(単位：千円)

		1年度	2年度	3年度	4年度	5年度
収入	家賃収入	13,200	13,200	13,200	13,200	13,200
	礼金・更新料	1,100	0	0	1,100	0
	入居率	0.90	0.90	0.90	0.90	0.90
収入合計(a)		12,870	11,880	11,880	12,870	11,880
経費	不動産取得税	0				
	登記費用	184				
	抵当権設定費用	415				
	固定資産税・土地	335	335	335	335	335
	固定資産税・建物	451	451	451	901	901
	事業税	0	0	0	0	0
	維持修繕費	792	792	792	792	792
	管理委託料	396	396	396	396	396
	仲介手数料	550	0	0	550	0
	保険料	106	106	106	106	106
	減価償却費(c)	4,876	4,876	4,876	4,876	4,876
	借入利息(d)	2,541	2,423	2,305	2,193	2,069
経費合計(b)		10,646	9,379	9,261	10,149	9,475
税引前利益①＝(a)－(b)		2,224	2,501	2,619	2,721	2,405
所得税・住民税②		262	307	330	351	289
税引後利益③＝①－②		1,962	2,194	2,289	2,370	2,116
減価償却費引当金④＝(c)		4,876	4,876	4,876	4,876	4,876
返済財源⑤＝③＋④		6,838	7,070	7,165	7,246	6,992
返済金元本⑥		4,718	4,718	4,718	4,718	4,718
借入金残高⑦（前期末-⑥）		99,082	94,364	89,646	84,928	80,210
可処分所得⑧＝⑤-⑥		2,120	2,352	2,447	2,528	2,274
可処分所得累計		2,120	4,472	6,919	9,447	11,721

㊟　上表の金額は，円単位まで計算した金額を項目毎に千円未満で四捨五入して表示してある。

計　算　の　内　訳
110,000円×12か月×10戸
110,000円×10戸　３年ごとに更新 更新時に１か月分計上
建物 $\{((\frac{500㎡}{10戸}) \times 212,000円 \times 0.50) - 12,000,000円)\} \times 10戸 \times \frac{3}{100} < 0$
$500㎡ \times 87,000円 \times \frac{4}{1,000} = 174,000円$ 登記手数料10,000円
$(借入金103,800,000円) \times \frac{4}{1,000}$ =415,200円≒415,000円
計算内訳：765ページ参照
計算内訳：765ページ参照
所得金額290万円以下事業税なし
家賃収入の６％（13,200,000円×６％）
仲介料および管理委託料：家賃収入の３％（13,200,000円×３％＝396,000）
入居時，更新時に家賃の半月分
$(建築費106,000,000円) \times \frac{1}{1,000}$
計算内訳：767ページ参照
建築費の内，103,800,000円を借り入れる年利2.5%，元本均等返済22年 ：767ページ以下参照
青色申告特別控除は対象外とする
所得税・住民税：所得控除48万円
③＝①－②
減価償却費と同額
⑤＝③＋④
当初借入元本103,800,000円
⑧＝⑤－⑥

（注）　たとえば，（公社）全国宅地建物取引業協会連合会のハトマークサイト（https://www.hatomarksite.com/）または，（公財）不動産流通推進センターの不動産ジャパン（https://www.fudousan.or.jp/）など。

家賃のほか，敷金１～２か月，権利金（礼金）１か月という例が多い（注１）。敷金は将来返還するものであり，これは収入ではあるが，収益ではない。

しかし，返還するまでは，運用できる。その運用方法として，次の二つの考え方がある。

(ア)　建設資金の一部に充当するものとし，その額だけ，自己資金，借入金の金額を減少して計算する。

(イ)　銀行預金その他の金融資産として運用するとして，その利息・運用益を収入に加えて計算する。

鑑定評価では，(ア)によることが多く，本設例でも，(ア)の方法によって計算している。権利金は契約期間に応じて配分し，その配分の仕方に難しい計算もある（注２）が，１～２か月分ぐらいの権利金であれば，単純に契約期間で割って配分してもよいし，全部を受け取った年の収益に計上してもよい。設例では，後者によって計算した。

なお，将来の家賃相場の動向については，現在のところ予測を許さないところであるが，設例では同水準で推移するものとして計算している。

また，昨今の需給関係から全期間満室を期待するのはむずかしいということから，安全率を考慮し，平均的に見て年10％の空室率を計上している（注２）。

（注１）　権利金・礼金として，家賃の１～２か月というのは，従来は常識であったが，最近は借手市場に移行しつつあるため，権利金・礼金を授受しない例も増えつつある。敷金は家賃不払いを担保するものであるから，家賃の２か月分は欲しいところであるが，１か月分という例が多くなっている。このことに留意しながら，地域の動向を調べて設定しなければならない。

国土交通省の「住宅市場動向調査報告書（令和５年度）」（令和６年７月）によると，

(1)　敷金・保証金については

敷金・保証金があったが，51.5％

そのうち，１か月ちょうどが63.4％，２か月ちょうどが19.8％

となっている。

(2)　礼金については

礼金があったが，38.3％

そのうち，１か月ちょうどが75.9％，２か月ちょうどが11.8％

となっている。

(3)　更新手数料については

更新手数料があったが，48.2％

そのうち，１か月未満が22.5％，１か月ちょうどが66.4％

となっている。

（調査期間：令和５年９月１日～令和５年11月30日）
（調査対象：令和４年４月～令和５年３月に賃貸目的で建築した住宅に入居した人）
（調査区域：首都圏（東京都，神奈川県，千葉県，埼玉県），中京圏（愛知県，岐阜県，三重県），近畿圏（京都府，大阪府，兵庫県））

（注２）　タス賃貸住宅指標（空室率 TVI）―2024年７月期―

▶首都圏

	東京都 全域	東京都 23区	東京都 市部	神奈川県	埼玉県	千葉県
空室率 TVI(ポイント)	10.32	9.93	13.33	11.83	12.81	12.33

▶関西圏・中京圏・福岡県

	大阪府	京都府	兵庫県	愛知県	静岡県	福岡県
空室率 TVI(ポイント)	10.15	12.28	14.30	14.44	18.73	11.62

（空室率 TVI は株式会社タスが開発した賃貸住宅の空室率の指標。アットホーム株式会社の賃貸住宅データを用いて分析。）

（注３）　鑑定評価で貸家の総収益を求める場合には，権利金（礼金）を契約期間に応じて分割して，各期の償却額に加算する他，その償却残の運用利回りも加算している。たとえば，権利金100万円，契約期間３年，年利率４％で，各年の権利金の償却額と運用益を求めると，つぎのようになる。

1,000,000円×0.3603=360,300円

また，敷金の運用益も加算し，この合計を実際実質賃料といっている。

建物の取得価額について

建物の取得価額の大部分を占めるのは，もちろん建築費である。その建築費は，どのような設計，仕様，面積，グレードの建物を建てるかによって上下する。

まず，その地域では，どの程度の家賃なら，入居者があるか，そのためには，どのような設計で，どの程度のグレードの建物が必要か，そして，そういう建物を建築するのには，どれだけの建築工事費が必要かということで予算を立てていくことになる。

本例で記載している建築費は，概算的な一例であり，実施にあたっては，その建物の内容に即した見積りをとることが必要である。

建築したときの附帯経費は

まず，建築請負契約書に貼布する**印紙**（229ページ参照）のほか，建物を登記するときの**登録免許税**と建物を取得したことに対する不動産取得税が，つぎのように課せられる。

建物の保存登記のための登録免許税＝(建物の法務局の認定価格$^{(注1)}$)×$\frac{4}{1,000}$

借入金に対する抵当権設定の登録免許税＝(借入金額)×$\frac{4}{1,000}$

新築建物の不動産取得税＝{(各戸の建物の固定資産税評価額$^{(注1)(注2)}$)－(1,200万円)}×(戸数)×$\frac{3}{100}$

（注1） 244ページの**図表2－27**参照。

（注2） 新築建物に係る固定資産税の評価額は，初期減価がなされるが，不動産取得税の評価額から初期減価をしないで求めた価格である。

登録免許税と不動産取得税は，これを建物の取得に附帯する費用であるので，建物の取得価額に算入すべきかどうか，微妙なところであるが，所得税では，貸家については，それを支出した年の必要経費とするとされている（所基37－5）ので，設例では，初年度の必要経費として計上している$^{(注1)(注2)}$。

（注1） 相続・贈与によって取得した場合の上記の税も同じ（同(注1)）。

（注2） 法人の場合，これらの経費は，取得価額に算入することを原則とし，取得価額に算入しないで，その事業年度の損金に算入することも認めるとしており（法基7－3－3の2），所得税とは取扱いを異にしているので注意を要する。

建設・購入のための**借入金の利子**は，各年の必要経費に算入することとされているが，貸付（業務）を開始するまでの期間の分は，取得価額に算入することができるとされている（所基37－27）。なお，初めて不動産貸付けを開始する場合には，開始するまでの期間の分は，取得価額に算入するものとされている（同(注)，38－8）。

この「**貸付（業務）を開始した日**」というのは，賃貸借契約を締結した日ではなく，入居の募集を行い，いつでも入居者に部屋を賃貸できる状況にあるなどの客観的事実がある状態に至った日と解されている（東京国税局税務相談室長監修『所得税ハンドブック』問5－31・清文社刊　1994年）。

（注） 法人の場合，使用開始までの分の利子について，取得価額に算入することを原則とし，取得価額に算入しないで，その事業年度の損金とすることも認めている（法基7－3－1の2）。

建物の工事代金・購入代金に含まれている**消費税**は，貸家業者が課税業者で，原則型・税抜方式の経理を採用している場合は必要経費に算入できるが，その他の場合には建物の取得価額に算入して，建物の取得価額の一部となり，減価償却の対象となる（834ページ参照）。本設例では，住宅の貸付け（非課税）であるので，取得価額に算入している。

賃貸期間中の経費　毎年課税される税として，**固定資産税**（$\frac{1.4}{1,000}$）と**都市計画税**（$\frac{0.3}{1,000}$）とがある。

土地の固定資産税の評価額は，公示価格水準の７割程度の水準になっており，住宅地の課税標準は，１戸当り200㎡までは，固定資産税で$\frac{1}{6}$，都市計画税で$\frac{1}{3}$となっているので，設例については，

固定資産税	143,750,000円×0.7×$\frac{1}{6}$×$\frac{1.4}{100}$≒234,792円
都市計画税	143,750,000円×0.7×$\frac{1}{3}$×$\frac{0.3}{100}$≒100,625円
合計	335,417円≒335,000円

として求めた。

（注）　固定資産税の路線価は，「全国地価マップ」（一般財団法人 資産評価システム研究センター（https://www.recpas.or.jp/））から閲覧できる。

建物についてみれば，最近の実例からみて，木造住宅の場合，建築費の50％前後が固定資産税の評価額になっていることが多い(注)ので，本例では，

（建築費）		（固定資産税）
106,000,000円×0.50×$\frac{1.4}{100}$	＝	742,000円
（建築費）		（都市計画税）
106,000,000円×0.50×$\frac{0.3}{100}$	＝	159,000円
合　計		901,000円

で求めた。

（注）　最近では，この評価率が高まる傾向にあり，その率も市町村によって，かなりのバラツキが目立つ。建設する市町村の例を調査する必要がある。

なお，建物にかかる固定資産税については新築後３年間は，１戸の居住床面積が50㎡～280㎡（貸家用共同住宅等の建物は１区画当り40㎡～280㎡）の住宅（建物）については，120㎡までの部分の税額の２分の１が軽減される措置がある（294ページ参照）。

これによると，当初３年間の固定資産税と都市計画税を加えた税額は，901,000円÷２≒451,000円となる。

なお，賃貸期間中の家賃の変動はないものとしたこととの関連から，地価および建築費の変動もないものとして計画表を作成している。

管理委託料は，不動産業者に管理を委託することを想定して家賃の３％を計上している。この程度の規模の貸家なら個人で管理することも可能であり，その場合は計上は不要である。

仲介手数料は，新規入居者の仲介料として家賃の半月分，その後は更新の手数料として更新料の半額を計上している。

損害保険料は，建物の構造，その所在地域，周囲の状態により異なるが，木造の場合は，当初の概算計画では建築費の1,000分の１を計上しておいた。

貸倒準備金は，家賃不払いを担保するために敷金があり，設例では２か月分

を預っているが，最近の不況で，これ以上の家賃を滞納して夜逃げという例も考えておかなくてはならない。これに備えるのが**貸倒準備金**である。設例では，新築アパートであり，計上はしていない。

修繕費を見込む場合は，建築費に一定率を乗じて求める方法と，家賃に一定率を乗じて求める方法とがある。前者の方法は，建築費が大きければ，建物の規模・設備もこれに比例して大きく，修繕維持費もこれに比例して大きくなるという考え方である。ただし，年数が経過して建物が老朽化していけば，修繕維持費は多額になっていくので，この一定率は経過年数に応じて変えていかなければならない。後者，すなわち家賃に一定率を乗ずる方法は，修繕維持というものは借家人に対するサービスであり，それは家賃の大小に比例して支出されるという考え方である。木造アパートなどの場合は，この傾向も確かに強い。設例では後者の方法を選んで，家賃収入の６％としておいた。

なお，その一定率は，

（建築費）×1.5％
（家　賃）× ５％～６％

ぐらいが，一般的にみた標準である。

入居者の入替りには，室内のクリーニングや設備の修復などをして貸し出すことになるが，この**クリーニング費用**等を現状回復費用として敷金から相殺するのが通例となっていたが，相殺できる金額は，テナントの故意，過失や通常の使用方法によらないで生じた損傷や汚染などに限られるという判例もあり，国土交通省でもそのような指導を業者向けに行っている。これに対応して，その費用も修繕積立金のなかに織り込んで計上しておく必要がある。

（注）国土交通省では平成10年３月に「現状回復にかかるガイドライン」を発表している。また，東京都では平成16年３月31日に「東京における住宅の賃貸借に係る紛争の防止に関する条例」を制定するとともに，その説明書（モデル）を作成し，宅建業者にその説明の義務を課している。

また，修繕等の費用で，建物の耐用年数を延長させ，また，建物の価値を高めるものは，それを支出した年の必要経費とされず，**資本的支出**となり，建物として計上して耐用年数にわたって減価償却しなければならなくなるが，修繕費になるか，資本的支出になるかの区分については，本章「**7　修繕費と資本的支出**」で詳しく解説する。

なお，備品については，１個または１セットの価額が10万円以上のものは固定資産として計上して減価償却の対象となるが，青色申告をしている中小企業者[注]が30万円未満の資産を，**令和８年３月31日まで**に取得した場合には，年間合計300万円まで，その年の必要経費に算入することができるとされている（措法28条の2①，措令18条の5①）。

（注）　**中小企業者**：常時使用する従業員の数が1,000人以下の個人（措法10条⑧六，措令5条の3⑨）または，資本金1億円以下の法人で，資本金5億円以上の法人の100％子会社でないもので常時使用する従業員が500人（令和2年3月31日以前は1,000人）以下のもの。

さらに，**減価償却費**を計上する。減価償却費については，本章「**6　建物等の減価償却**」で詳しく説明する。設例では，建物と附属設備とをまとめて，定額法により耐用年数22年，償却率0.046で，つぎのようにして算出している。

106,000,000円×0.046＝4,876,000円

利息については，借入金で建築する場合は，借入残高に対して利息を見込んでおかなければならない。利率は，借入時の金融情勢によって変化し，また，変動制と固定制とがあるが，計画段階では固定制の利率で計算しておいてよいであろう。

（注）　事業計画例で採用した借入金利率の2.5％は，例示である。最近は超低金利時代で，金融機関内の貸出競争も激しく，交渉によっては，また，貸付期間が短期の場合は，より低い利率もあるようであるが，金融情勢が逼迫した時に，借換えができなくなるおそれがあるので，不動産投資のような長期投資にあたっては，今後の金融情勢の変動を保険するため，借入期間を返済可能期間と同じにするのが望ましい。

また，返済方法に，

元金均等払

元利均等払

とがある。

元金均等払は，毎期の元金は同額で支払い，その残高に対する利息を支払う方法で，（計画例）のように初期の元本と利息の合計支払額は，元利均等払より高額になるが，支払いが進むにつれて漸減していく。

近時のような超低金利で将来の利率の上昇が不安な時には，返済余力があれば，元金均等払を選択し，元本を早く返済しておいたほうが安全である。

なお，元利均等払のほうは，毎期の返済額が均等であるということは，初期の段階では返済額の内の利息部分が大きく，元本の減り方が遅く，全期の返済額を合計すると，つぎの表のように，元金均等払より多額になる。

〈返済方式の違いの例〉

	借　入	金　利	返済年数	初回の返済額	120回目の返済額	240回目の返済額	返済総額	利息総額
元利均等返済	20,000,000円	年2.5％（固定）	20年（240回）	105,980円			25,436,029円	5,436,029円
元金均等返済				125,798円	104,742円	83,590円	25,023,022円	5,023,022円

なお，固定金利の場合は，将来の変動のリスクを織り込んで利率を設定してい

るので，かなり高くなる。なお，借入期間の中途で，残高を一括返済すると，解約後から，約定期日までの利息相当額のペナルティを徴収されるので，借入期間はこのことも考慮して設定しなければならない。

収入合計(a)から経費合計(b)を引いた金額が，各年の**税引前利益**となる。これから，この所得に対する所得税と住民税を引いて(注１)，**税引後利益**を求める。この税額計算にあたり，その他の所得の金額や所得控除が関係するが，設例では計算を簡略化するため，その他の所得金額から所得控除を引いた額がゼロ円であるとして計算している(注２)。

また，住宅の貸付けで10戸以上であるので，**事業税**が課税され，税引前に事業控除の290万円を引いた残額に５％の税率で課税される。なお，設例では，**税引前利益**が事業控除290万円以下であるので事業税は発生しないものとした。また，住宅の貸付けであるので**消費税**は非課税である。

（注１）　平成25年から令和19年まで，上記の所得税額に2.1％を乗じた復興特別所得税が追加して課税される。

（注２）　794ページ参照。

借入金の返済と可処分所得

各年分の所得から税金を引いた額が，まず，借入金の返済財源となるが，減価償却費は経費に計上しているが，外部に支出されたものでなく，内部に留保されているものであるから，これと同額を加算した額が，返済に充てることのできる**返済財源**となる。

借入金の返済方法は，元金均等払としているので，元金部分と利息部分との合計額が**各年の返済金**となり，年初の借入金残高からこの返済金を引いたものが，**年末の借入金残高**となり，次年度はこれに対する利息を計上する。

その後に残った金額が，自由に使える**可処分所得**となる。

〈事業と業務〉

「柿の木三本，鶏三羽」という判定基準があって，鶏を二羽飼っている程度なら個人の趣味であるが，三羽以上になるとそれは農業であり，したがってその所得は農業所得として課税の対象となるというような通達が昔あって，物議をかもしたことがあったらしい（髙木文雄『借地権の税務』による）。建物の貸付けを「事業」と判定するかどうかの基準として「貸間・アパート10室，一戸建５棟」を目途とするという意味の通達（所基26－９）がある(注)。この基準未満であれば「事業」でなく「業務」といわれている。事業であれ業務であれ，「不動産所得」に分類されることは変わらないが，取扱いに若干の差がある。たとえば，妻や家族を使って貸家の管理をさせた場合，事業であれば専従者控除が認められるが，業務であれば認められない。また，貸家を取りこわしたとき，未償却残は損失となるが，事業であるかによってこの取扱いが異なる（所法51条①④）し，家賃が貸倒れになったときも異なる扱い（所法51条②，64条①，152条）になっている。なお，特定事業用資産の買換制度でいう事業に含まれる不動産貸付けには，事業とまでいかなくても，事業に準ずるところまで認められている。

（注）　この５棟・10室基準は，この基準以上であれば，「特に反証がない限り，事業として行われているものとする。」ということで，この基準未満であっても，「社会通念上事業と称するに至る程度の規模で」貸し付けている場合には，「事業」に該当する。

2 貸アパートの税金

貸アパートの税金をどのように計算したらよいか。
そして，その節税方法は。

貸アパートによる所得は，税務上不動産所得に分類される。所得の計算の方法は，（収入金額）－（必要経費）で，概略的にいえば，760ページの**図表7－1**のように計算して求めた差引利益が所得金額になる。しかし，**税務特有の計算方法**があり，厳密にいえば，これとちょっと違うところがある。この面を踏まえて，以下説明する。これが不動産所得の計算の基本形をなしているので，はっきり理解しておく必要がある。

家賃収入の計上時期

家賃収入が主な収入金額である。

所得税では，**権利確定主義**といって，収益の計上は収入する権利の確定した日となっており，実際に収入していなくとも，収入する権利が確定した日となっている。

では，その家賃を収入すべき権利の確定した日とは，どういう状態になった日なのか。家賃の契約では，当月分を前月末日までに支払う前家賃制を採用しているのが通常である。この契約では，令和6年1月分の支払期日は令和5年12月末日となる。この前家賃は令和5年12月分の収入とすべきなのか，令和6年1月分の収入とすべきなのか，このどちらかによって，これに対する税金を納める時期が1年違ってくる。

これについては，前家賃に相当する期間の経過したとき，この例では令和6年1月分の収入として計上すべきだとする判例がある(注)。

（注）前家賃制の場合には前月末に当月分の家賃を請求し得るから，前月末に収入すべき権利が確定するという税務署の主張に対し，「家賃は賃借建物の使用収益の対価として支払われるものであるから……前家賃は単に契約上の支払時期を定めることによって前月末に請求できるに過ぎないものと解すべきである。したがって，前家賃を収益として計上すべき時期は，当該家賃に相当する月が経過した時であって，それまでは前家賃は前受金たる性質を有するものと解すべきである。」という判示（東京地判昭和52.3.24，東京高判昭和53.10.31）。

なお，実務において，帳簿書類を備えて継続的に記帳し，この記帳に基づき，不動産所得の計算を行い，前受収益，未収収益の計上をしていることを条件として，貸付期間に対応する部分の金額を，その年分の不動産所得の収入金額とすることができるとされている（所得税個別通達28／昭和48直所２－78）。会計でいう**期間損益計算**と同じと考えていいであろう。

家賃の遅延・不払いのあったとき

この処理方法によれば，家賃の遅延があったときも，**未収収益**として計上して，その分の税金を納めておかなければならない。そして，店子が夜逃げしたりして，家賃が取れないことが確定したときに，「更正の請求」という手続きをとって，申告した年の税金を還付してもらうことになっている。

なお，実際に未収家賃が発生したとき，青色申告をしている場合に，

$$\{(\text{未収家賃}) - (\text{その人からの敷金})\} \times \frac{55}{1,000}$$

だけが貸倒引当金として必要経費に算入することができる。なお，未収家賃が完全に回収されなくなったときは，未収家賃の全額を貸倒損として計上できる(注)（そのとき，貸倒引当金は繰戻し経理をする）。

（注）　取立が完全に不能とまではいかないが，借主が債務超過の状態が相当期間継続して好転の見通しがないことなどにより，取立の見込がないと認められるときは，その部分の金額を，一応，貸倒引当金として処理する方法があり，これは青色申告者でなくても認められている（所法52条①）。

必要経費の計上時期は

必要経費は，その年の12月31日までは，その費用の債務が確定し，その原因となる具体的な事実が発生しており，その金額を合理的に算定できることができれば，その年内に支払っていなくても必要経費に計上できる（所基37－２）。

たとえば，年内に修繕工事を終了し，請求書をもらっているが，支払いは来年になるという場合には，**未払費用**として計上する。また，固定資産税や都市計画税の第４期分の納期は翌年になっているが，これも債務も金額も確定しているので未払費用となる。

前払費用は，その年の必要経費にならない。たとえば，損害保険を４月１日から翌年の３月31日までかけている場合，翌年の１月１日から３月31日までの保険料分は翌年の経費である。したがって，その保険料の４分の１は前払費用として，今年の経費にはならない。

しかし，未払費用または前払費用について，多額のものでなければ，それほど厳密に区分計算せず，毎年継続して支出した年に計上していれば，それはそれで認められているので，それほど神経質になって細かい計算をしなくてもよい。

現金主義による方法もある　これは毎年実際に収入した金額とその収入を得るために実際に支出した金額だけ計上して，それで差引計算すればよいという制度である「**小規模事業者の収入及び費用の帰属時期の特例**」(所法67条，所令195条，196条，所則39条の２）という方法である。青色申告をしていること，前々年分の不動産所得（事業所得が他にあればこれを合算する）が年300万円以下であることが条件になっており，適用を受けようとする年の３月15日まで（その年の１月16日以後に不動産貸付業を開始した場合は，開始後２か月以内）に税務署に申請書を提出することになっている。

なお，この特例を採用すると，12月中に収入した翌年１月分の家賃も当年分の収益として計上しなければならなくなるので，不利になる。もっとも，家賃の遅納がある場合には，実際に収入した時まで収益に計上しなくてもよいことになる。

権利金と敷金の扱い　**権利金**または**礼金**というのは，家賃の１か月か２か月分ぐらいが相場となっている（最近では，権利金を収受しないケースも増えている)。これは，収入すべき年，要するに貸家契約をして入居させた年の収入金額に全額が加えられる。借家契約期間が３年だから３分の１ずつ分けて，今年と翌年と翌々年とに計上することは認められない(所基36－6)(注)（もっとも，借家契約期間が３年以上で，権利金が家賃の24か月分以上という場合は，臨時所得となり，平均課税を適用すれば税額が低くなる方法もある（711ページ参照）が，現実問題としてこんなに多額の権利金を授受することは普通の貸アパートでは，まずないであろう)。

（注）　税務計算では，次ページの**図表７－２**のように契約年度に一括して計上する。

敷金は，預かったものであり，店子が退去するときは返還する性質のものだから，収入金額にはならない。しかし，借家契約で初めから，「敷金の２割を退去のとき償却する」と決めている場合がある。この場合は，敷金を受け取ったときに，２割部分は返還しなくてもよい，すなわち収入とすることが確定しているのだから，敷金を受け取った――少なくとも建物を引き渡して入居させた年の収入金額になる。「退去のとき，部屋の破損を補修し，その実額を控除して返還する」と決めてある場合は，退去の時期になってみなければ，返還しなくてよい金額が確定しないので，退去の年の収入金額に計上することになる（所基36－７)。もっとも，その場合は，補修費は必要経費になるから，プラス・マイナス，結果的には差し引きゼロとなることも多いであろう。

図表７－２　貸アパートの収支内訳書の記載例

科目				金額（円）
収入金額	賃貸料		①	11880000
	その他の収入	礼金・権利金 更新料	②	990000
		名義書換料 その他	③	
		小計（②＋③）	④	990000
	計（①＋④）		⑤	12870000
経費	給料賃金		⑥	
	減価償却費		⑦	4876000
	貸倒金		⑧	
	地代家賃		⑨	
	借入金利子		⑩	2541000
	その他の経費	租税公課	㋑	786000
		損害保険料	㋺	106000
		修繕費	㋩	792000
		管理委託費	㋥	396000
		雑費	㋭	1149000
		小計（㋑～㋭までの計）	⑪	3229000
	経費計（⑥～⑩までの計＋⑪）		⑫	10646000
専従者控除前の所得金額（⑤－⑫）			⑬	2224000
専従者控除			⑭	
所得金額（⑬－⑭）			⑮	2224000
土地等を取得するために要した負債の利子の額				

借入金の利息について

所得税法では，収入金額と必要経費とは，シビアな紐付き計算になっている。法人税の場合は，どちらかというとドンブリ勘定的なところがあって，とにかく法人（会社）が借り入れた借入金に対して利息を支払えば，それはその会社の経費（損金）になる。その会社が貸家業だけを事業として営んでいれば，その借入金が，その貸家を建築するために借り入れたものであろうが，あるいは社長の給料を払う資金が足りなくて借りたものであろうが，会社の経費になり，結果として家賃収入から差し引かれることになる。

しかし，所得税法の場合は，その借入金が貸家を建築するため，または修繕等のために借り入れたものであるのか，その紐付き関係を厳しくチェックする。貸家経営に直接必要であったものでないとされれば，その借入金の利息は必要経費に算入されない。

設例による確定申告書等の書き方

760ページの**図表７－１の賃貸アパートの事業計画例**の初年度を例として，申告書等の書き方を説明する。

まず，**図表７－２の収支内訳表**を作成する。必要経費のうちの租税公課は，不動産取得税，固定資産税，都市計画税の合計である。

つぎに，これに基づいて確定申告書を記載すると，次ページの**図表７－３**の

図表７－３　不動産所得（貸アパート）のある場合の確定申告書の記載例

○○　税務署長
令和××年３月××日　令和 0× 年分の 所得税及び復興特別所得税 の 確定 申告書　　FA2204

納税地	〒×××－○○○○
個人番号（マイナンバー）	××××××××××××
生年月日	
現在の住所 又は 居所 事業所等	××市○○町△△番○○号
フリガナ	オオヤ　カシタロウ
氏名	大屋　甲子太郎
令和７年１月１日の住所	同　上
職業	不動産貸付
屋号・雅号	
世帯主の氏名	本人
世帯主との続柄	本人
振替継続希望	
種類	青色　分離　国出　損失　修正
特農の表示	特農
整理番号	
電話番号　自宅・勤務先・携帯	××－××××－××××

（単位は円）

収入金額等	事業　営業等	㋐	
収入金額等	事業　農業	㋑	
収入金額等	不動産	㋒	12870000
収入金額等	配当	㋓	
収入金額等	給与	㋔	
収入金額等	雑　公的年金等	㋕	
収入金額等	雑　業務	㋖	
収入金額等	雑　その他	㋗	
収入金額等	総合譲渡　短期	㋘	
収入金額等	総合譲渡　長期	㋙	
収入金額等	一時	㋚	
所得金額等	事業　営業等	①	
所得金額等	事業　農業	②	
所得金額等	不動産	③	2224000
所得金額等	利子	④	
所得金額等	配当	⑤	
所得金額等	給与	⑥	
所得金額等	雑　公的年金等	⑦	
所得金額等	雑　業務	⑧	
所得金額等	雑　その他	⑨	
所得金額等	雑　⑦から⑨までの計	⑩	
所得金額等	総合譲渡・一時　㋘＋｛(㋙＋㋚)×½｝	⑪	
所得金額等	合計（①から⑥までの計＋⑩＋⑪）	⑫	2224000
所得から差し引かれる金額	社会保険料控除	⑬	320000
所得から差し引かれる金額	小規模企業共済等掛金控除	⑭	
所得から差し引かれる金額	生命保険料控除	⑮	50000
所得から差し引かれる金額	地震保険料控除	⑯	50000
所得から差し引かれる金額	寡婦、ひとり親控除	⑰～⑱	0000
所得から差し引かれる金額	勤労学生、障害者控除	⑲～⑳	0000
所得から差し引かれる金額	配偶者（特別）控除	㉑～㉒	380000
所得から差し引かれる金額	扶養控除	㉓	630000
所得から差し引かれる金額	基礎控除	㉔	480000
所得から差し引かれる金額	⑬から㉔までの計	㉕	1910000
所得から差し引かれる金額	雑損控除	㉖	
所得から差し引かれる金額	医療費控除	㉗	
所得から差し引かれる金額	寄附金控除	㉘	
所得から差し引かれる金額	合計（㉕＋㉖＋㉗＋㉘）	㉙	1910000

税金の計算	課税される所得金額（⑫－㉙）又は第三表	㉚	314000
税金の計算	上の㉚に対する税額 又は第三表の㊻	㉛	31400
税金の計算	配当控除	㉜	
税金の計算	区分	㉝	
税金の計算	（特定増改築等）住宅借入金等特別控除	㉞	00
税金の計算	政党等寄附金等特別控除	㉟～㊲	00
税金の計算	住宅耐震改修特別控除等	㊳～㊵	
税金の計算	差引所得税額（㉛－㉜－㉝－㉞－㉟－㊱－㊲－㊳－㊴－㊵）	㊶	31400
税金の計算	災害減免額	㊷	
税金の計算	再差引所得税額（㊶－㊷）	㊸	31400
税金の計算	令和６年分特別税額控除（３万円×人数）　人数 4	㊹	120000
税金の計算	再々差引所得税額（基準所得税額）（㊸－㊹）（赤字のときは０）	㊺	0
税金の計算	復興特別所得税額（㊺×2.1%）	㊻	0
税金の計算	所得税及び復興特別所得税の額（㊺＋㊻）	㊼	0
税金の計算	外国税額控除等	㊽～㊾	
税金の計算	源泉徴収税額	㊿	
税金の計算	申告納税額（㊼－㊽－㊾－㊿）	51	0
税金の計算	予定納税額（第１期分・第２期分）	52	
税金の計算	第３期分の税額（51－52）　納める税金	53	00
税金の計算	第３期分の税額（51－52）　還付される税金	54	△
修正申告	修正前の第３期分の税額（還付の場合は頭に△を記載）	55	
修正申告	第３期分の税額の増加額	56	00
その他	公的年金等以外の合計所得金額	57	
その他	配偶者の合計所得金額	58	
その他	専従者給与（控除）額の合計額	59	
その他	青色申告特別控除額	60	
その他	雑所得・一時所得等の源泉徴収税額の合計額	61	
その他	未納付の源泉徴収税額	62	
その他	本年分で差し引く繰越損失額	63	
その他	平均課税対象金額	64	
その他	変動・臨時所得金額	65	
延届納の出	申告期限までに納付する金額	66	00
延届納の出	延納届出額	67	000

還付される税金の受取場所：銀行　金庫・組合　農協・漁協　本店・支店　出張所　本所・支所　郵便局名等　預金種類（普通　当座　納税準備　貯蓄）　口座番号記号番号
公金受取口座登録の同意　公金受取口座の利用

整理欄　異動　年　月　日　名簿　区分　A B C D E G H I K L　確認

第一表（令和六年分用）

定額減税実施済額は、㊸と㊹のいずれか少ない方の金額です。

（注）　所得控除の明細などは（第二表）に記載する。

ようになる。

減価償却費は定額法

減価償却費の計算方法には定額法と定率法とがあるが建物と附属設備については，定額法のみとなっている。この計算方法等については「**6　建物等の減価償却**」(797ページ以下）で説明してあるので，読んでもらいたい。

（注）　平成10年4月1日以後に取得した建物の本体部分の償却方法は定額法に限定され，平成28年3月31日取得分までの設備部分については定率法を採用することもできるようになっていた。

また，760ページの**図表7－1**の事業計画例では，設備と建物本体とを一括して，建物の耐用年数22年で算出しているが，**設備部分の減価償却**の計算を，設備を一括して，耐用年数表の「建物附属設備　前掲の区分によらないもの　主として金属製のもの」を適用すれば，耐用年数18年の定額法で計算できる。これを，さらに「電気設備」15年，「給排水又は衛生設備及びガス設備」15年などに細分して計算すれば，平均した場合，耐用年数が短縮できるため，さらに減価償却費を増加することができるから有利になる（耐用年数約15年の定額法の償却率は0.067。なお，計画段階では設備部分全体をこの15年で計算しておいてもよい)。

建物本体と設備部分の比率

税務上の減価償却計算をする場合には，建築工事請負契約書の内訳書などによって，建物本体部分と設備部分とを区分して，それぞれの取得価額を算出するが，計画段階で内訳の未詳であるときのメドとして，経験的にみて，**図表7－4**のような比率で区分しておいてよいであろう。

図表7－4　建物本体と設備の比率

	建物本体部分	設　備　部　分
木造アパート	90～80%	10～20%
耐火中層共同住宅	90～80%	10～20%
商業ビル	80～65%	20～35%

青色申告特別控除で10万円の控除

青色申告をしている場合には，家賃収入から必要経費を引いた差引利益から，さらに10万円を引けることになっている。これは，青色申告をする人に対するごほうびのようなものである。しかし，これが引けるのは利益を限度とするので，もともと赤字の場合には，利益がないので，不動産所得は変わらない。

事業的規模で正規の簿記なら65万円の青色控除

なお，**事業的規模**（貸室10室，戸建５戸以上，詳しくは200ページ以下および769ページのコラム参照）で貸家経営をしている者で，正規の簿記の原則に従い（具体的には複式簿記によって）記帳し，貸借対照表，損益計算書その他の明細書を作成・添付して，確定申告書の提出期限までに電子申告等により提出している場合には65万円（電子申告等していない場合は55万円）を控除できるようになっている。

青色申告をするための手続き

青色申告をしようとする場合には，新たに事業や不動産の貸付けを始めた日から２か月以内に，「**青色申告承認申請書**」を税務署に提出すればよい。すでに，青色申告でない申告（「白色申告」という）をしていた人で，青色申告に切り換えようとする人は，切り換える年の３月15日までに上記の申請書を提出する。

申請をしてから，その年の年末までに却下の通知がなければ，自動的に承認されたことになる。

なお，青色申告をした後，帳簿を備え付けていないなど要件を欠くことになったとき，青色申告を取り消されることもあるが，取消後の１年経過後に，再び申請することができるようになっている。

申請書の記載例を，778ページの**図表７－５**に掲げておいた。なお，記載例は複式簿記による場合の例であり，「６⑵　備付帳簿名」は，最低限必要であろう帳簿の一例である。

10万円の控除のときは，「簡易簿記」とし「現金式簡易帳」にするか，規模が小さければ「現金出納帳」と「経費帳」だけでも損益計算表を作成できる基礎となるものであればよいであろう。

不動産所得が赤字になった場合——他の所得との通算

いくつかの不動産を貸し付けている場合には，これらの不動産の収入と経費とを合計して差引計算をし，全体としての不動産所得を求める。これが赤字である場合に，他の所得(注)と通算する。

（注）　土地・建物の譲渡所得および分離課税の所得との損益通算はできない。

たとえば，他に給与所得があれば，給与所得と通算する。給与収入が年800万円，給与所得控除後の金額が600万円，所得控除が200万円であるとすると，課税所得は400万円となり，年末調整で源泉徴収された所得税は37万2,500円(注１)(注２)になっている。不動産所得がマイナス60万円であったとすると，この人の総合課税所得は340万円となり，この場合の所得税は25万2,500円となり，12万円だけ多く納めていたことになり，確定申告をして，この分だけ**還付**してもらえることになる（復興税は考慮していない）。

なお，給与所得以外の所得のある場合も，その他の所得からこの赤字を差し引くので，全体の課税所得が下がり，納める所得税がそれに応じて低くなる。

差引計算（通算）のできる他の所得というのは，**図表３－２**（353ページ）に掲げた所得のうち，土地・建物の譲渡所得，源泉分離課税とされる利子所得と源泉分離課税を選択した配当所得を除いた所得である。

（注１）　借入金で土地を購入して貸家を建築したり，土地付マンションを購入して貸し付けて赤字の出た場合，その赤字のなかに占める土地の利子分は他の所得から引けないようになっている。具体的には，不動産所得の赤字から土地の利子を引いた残額（土地の利子のほうが多いときは０円）が，損益通算できる不動産所得の赤字となる。また，マンションなどの借入金で，建物と土地との区別が困難なときは，借入金は，まず建物部分の取得にあてられたとし，その残額が土地部分の取得にあてられたと区分して土地の利子を計算していいとされている（措法41条の４，措令26条の６）。

（注２）　旧貸家の解体・除去などによる損失については，事業的規模（前ページ参照）でない場合には，他の所得と通算できない。

（注３）　海外不動産の不動産収支については，国内不動産と同様の計算方法となるが，令和３年分の所得税申告（令和４年申告分）からは，中古建物の耐用年数を使用していると，その赤字については，不動産取得の計算上，赤字がないものとされている（措法41条の４の３，措令26条の６の３）。

青色申告者の損失の繰戻還付と繰越控除

不動産所得の赤字が，その年の他の所得と通算しても引き切れないで残った赤字（**純損失**という）があっても，白色申告者の場合にはそれで終りとなるが，青色申告者の場合には，繰戻還付と繰越控除という制度がある。

繰戻還付（注）というのは，前年も青色申告をしている場合，その年の純損失を前年の所得金額から差し引いて前年分の所得税の計算をしなおして，その差額を還付してもらえる制度である（所法140条）。また，この計算をして，まだ純損失が残る場合，その残額を翌年に繰り越して，翌年の所得から差し引け，それでも残額があればその翌年，翌々年と，３年間にわたって**繰越控除**（注）ができるという制度がある（所法70条）。

なお，繰戻還付の方法を適用しないで，初めから繰越控除の方法を適用してもよい。繰戻還付を受ける場合には，還付の前に税務調査が行われるので，これを嫌って，一般には，繰越控除だけを適用していることが多い。

（注）　法人にも繰戻還付，繰越控除の制度があり，542ページ参照。

図表7－5　所得税の青色申告承認申請書

税務署受付印　　　　　　　　　　　　| 1 | 0 | 9 | 0 |

所得税の青色申告承認申請書

○○　税務署長

XX 年 X 月 XX 日提出

納税地	◯住所地・○居所地・○事業所等（該当するものを選択してください。） （〒　－　） ○○市△△町××番 （TEL　XX －XXXX－XXXX）		
上記以外の住所地・事業所等	納税地以外に住所地・事業所等がある場合は記載します。 （〒　－　） （TEL　－　－　）		
フリガナ	オオヤ カシ タロウ	生年月日	○大正 ◯昭和 ○平成 ○令和　XX年XX月XX日生
氏名	大屋甲子太郎		
職業	不動産貸付業	フリガナ 屋号	

令和___年分以後の所得税の申告は、青色申告書によりたいので申請します。

1　事業所又は所得の基因となる資産の名称及びその所在地（事業所又は資産の異なるごとに記載します。）

名称 青色アパート　　所在地 ○○市△△町××番

名称＿＿＿＿＿＿　　所在地＿＿＿＿＿＿

2　所得の種類（該当する事項を選択してください。）

○事業所得　・◯不動産所得　・○山林所得

3　いままでに青色申告承認の取消しを受けたこと又は取りやめをしたことの有無

(1)　○有（○取消し・○取りやめ）　___年___月___日　　◯(2)　○無

4　本年1月16日以後新たに業務を開始した場合、その開始した年月日　___年___月___日

5　相続による事業承継の有無

(1)　○有　相続開始年月日　___年___月___日　被相続人の氏名＿＿＿＿＿＿　◯(2)　○無

6　その他参考事項

(1)　簿記方式（青色申告のための簿記の方法のうち、該当するものを選択してください。）

◯複式簿記・○簡易簿記・○その他（　　　）

(2)　備付帳簿名（青色申告のため備付ける帳簿名を選択してください。）

◯現金出納帳・○売掛帳・○買掛帳・○経費帳・◯固定資産台帳・◯預金出納帳・○手形記入帳
○債権債務記入帳・◯総勘定元帳・○仕訳帳・○入金伝票・○出金伝票・○振替伝票・○現金式簡易帳簿・○その他

(3)　その他

関与税理士
（TEL　－　－　）

税務署整理欄	整理番号	関係部門連絡	A	B	C		
	0						
	通信日付印の年月日	確認印					
	年　月　日						

3 商業ビルの事業上の特殊性と立地条件

商業ビルの事業上の特殊性はどこにあるか。計画にあたって，特に立地条件の判定を慎重にしなければならない。（平面的位置による差）

貸店舗・事務所と貸住宅との基本的な立地条件の差異

土地があり，これを利用するため，建物をつくって賃貸しようとするとき，住宅でも店舗でもよいというわけにはいかない。その用途ごとに適した立地条件がある。

そして，住宅用貸家の場合でも，その立地の選定は，前項で述べたように厳しくなっているが，商業用の場合は，さらに周到な調査と判断が求められる。

たとえば，賃貸店舗の場合には，いくら店舗の設計をすばらしいものにし，また，家賃を安くしたところで，買物客の集まらないところで，店舗を借りて，商売をする人はいないであろう。もっとも量販店（スーパー）などが，郊外の畑を安く買って店舗をつくることもある。この場合，その量販店独自の知名度，宣伝等の営業力によって顧客を吸引する。これは例外である。一般には，顧客が自然に流れるところに店舗を構える。したがって，店舗の立地できる条件を満足させる土地というものは限定されている。そういうように限定された土地であるからこそ，その少ない限定された土地に建てられた貸店舗の賃料は高くなる。そして，商業地の立地条件は，距離的にちょっと離れたとか，方向がちょっと違ったとかいうことで，まるっきり違うものになる。74ページの**図表1−28**の渋谷駅付近の路線価をみてもらえば，商業地の地価の変化の複雑さがわかるはずである。この差は主として立地条件からきている。貸住宅より商業ビルのほうが賃料を高くとれるが，またそういう皮算用だけで，借手が現われそうもないところに貸店舗をつくっても無意味である。

貸店舗・事務所ビルは，景気の影響を受けやすい

都市計画図で見ると，赤く塗られた商業地域であるが，行って見ると，シャッター通りとなっていて，かつての賑やかさが，どこに行ってしまったのか，という地域も目立つようになっている。

また，そこまで寂れていなくとも，空室が**図表７−６**のオフィス空室率に掲げたように，都心においても，かなりの空室がある。

なお，最近では，東京都心部の大型オフィスビルの新規の供給が増えており，

図表7－6　オフィス空室率

〈東京ビジネス地区〉

（最終更新日　2024/08）

年　月	千代田区	中央区	港　区	新宿区	渋谷区	5区平均	既存ビル	新築ビル
2024年08月	2.66	5.91	6.32	4.47	4.06	4.76	4.53	21.51

〈全国ビジネス地区〉

年　月	札　幌	仙　台	横　浜	大　阪	名古屋	福　岡
2024年08月	3.92	6.22	7.68	4.19	5.25	5.15

（三鬼商事㈱のホームページにより作成）

賃料も下落しつつあり，この傾向は，大阪中心部，名古屋中心部にも広がっている。

この傾向が，都市周辺の中小貸ビルにどこまで広がるのか，今のところ期待と不安をもって見守られている。

貸店舗・事務所の立地条件の判定

貸店舗・事務所の立地する地域であるかどうかを判定するためには，その地域に出かけていって，その地域の大部分の土地がどのように使われているか，木造2階建の店舗併用住宅であるか，耐火造の中層事務所であるかなどを観察し，この地域の普通の使用方法が何であるかを判断しなければならない。不動産鑑定の分野では，これを，その地域の「標準的使用の現状を把握する」といっている。

（注）　その地域の貸家の空室状況を調査することも重要である。

もっとも，いずれの地域でも常に変化している。たとえば，地下鉄が乗り入れして乗降口ができたため，顧客が増加し始めて店舗街として発展しつつあるとか，逆に，隣りの商店街が繁栄してきて，そちらへ顧客の流れが移っていって，当該地域は商業地としては衰退のきざしがみえ始めているとかということがある。だから，現状ばかりにとらわれてもいけない。将来どのように変化していくだろうかということもみなくてはならない。これは，その地域の標準的使用の将来の動向を把握することである。

ところで，この「将来の動向」を把握する際に，計画しようとする土地またはその地域について，ヒイキ目にみがちである。地下鉄が乗り入れて，変化が起こり出したとしても，それによって顧客が増加し，商店の売上げが増加し，そして店舗面積が不足し，店舗の増設が可能になるという実態的効果は徐々に起こるものである。しかし，地下鉄が乗り入れると，明日からでもその効果が目にみえて出てくるようにはやされ，そして地価はそれを見越して高騰する。それで，あわてて店舗の増築なり高層化をする。しかし，すぐにそれに見合った売上増があるものでなく，増築，高層化に見合う収益増が得られず，そのコスト増の負担に耐えられなくなって，その土地まで人手に渡さなくてはならなくなることが多い。そして，皮肉なことに，その頃からしばらくして，その地域の売上増が始まるということが多い。

「将来の動向」を把握するときには，クールに判断しなければならない。(注)

(注)　平成初頭のバブル崩壊後，事務所ビルが乱立したが，入居はなく，さりとてマンションへの切り替えもならず，ゴーストタウンのような景観を示す街並みも目についていたときの教訓は忘れてはならない。

〈商業地の位置の微妙さ〉

井原西鶴の「本朝二十不孝」の「大節季にない神の雨」のなかに，つぎのような一節がある。

――伏見の町は，昔，墨染の桜とか，太閤様が茶の湯のために汲ませた井戸などもあり，繁盛を極めていたこともあったが，太閤様もなくなって，街道筋よりもはずされ，城も取りこわされてからはその桜も枯れ，井戸もただの辻井戸になってしまった。この地に文助という男がおり，商売もうまくいかなかったのか，もう積極的に働く意欲もなくなり，炭火の残り火を火桶に入れて寒い寒いと火桶をだいているだけだったので「火桶」というあだ名で呼ばれていたが，この男はいつも，「この店は自分の家で，間口は四間（約７m）もあり，これを売ったら少しは足しになるかと思うが，町もこうさびれては買手もなし，とはいえ，これだけの大きい家をただで人にやってしまうのも口惜しい。もうちょっと値をあげてくれれば，すぐにも金に換えたい。それにつけても，この家がもう少しでも船着場のそばに寄っていれば，まだ少しは金をはずむ人もあらわれように。同じ伏見の町でも十八町でも離れれば，こうも差がでるものなのか。」と，わが家の位置を悔やみ，わが身の不運をかこって日々を送っていた。――（筆者意訳）

〈正常賃料と継続賃料〉

住宅なり店舗なりを継続して賃貸借している場合，家賃相場が上昇していた時代には，毎年少しずつ家賃をあげても，なかなか世間並の相場にもっていくのはむずかしく，10年もすると世間相場に比し相当に割安になっていることが多かった。

建物が新築，中古のいずれの場合でも，新規に賃貸借を契約するとき，求められる適正な賃料を**正常賃料**といっている。これは，近隣の同種・同程度の建物の家賃の実例との比較や建物への投資採算などから計算して求める。そして，賃貸借を継続して更新し，何年かたったときの賃料を**継続賃料**と呼んでいる。前に述べたように，これは割安になっているとき，賃料を改定しようとする場合，こういう条件で求める賃料を継続賃料と呼んでいる。この継続賃料は，この割安部分を契約内容や契約のいきさつなどを総合的に比較考量して，貸主と借家人にどう帰属させるかという検討をし，貸主分を現在の支払賃料に加えて求められている。

現在実際に支払われている賃料	500,000円
同種建物の正常賃料	700,000円
差額部分（割安になっている部分）	200,000円

というような場合，差額部分の20万円のうちいくらが貸主に帰属する分であるかを判定して，それが仮に12万円だとすると，50万円に12万円を加えた62万円が継続賃料ということになる。この帰属を判定するのが，実にむずかしい問題であり，これを折半して２分の１の10万円を50万円に加算する方法なども多く行われているようである。

なお，家賃相場の下落する時代になると，家賃が高過ぎれば，借家人はより低い家賃の貸家を探して転居していけばいいのだが，その場合の転居費用の支出もあり，また，店舗などでは立地条件による制約もあるので，これらを考慮して家賃の値下げを求めて借家を継続することもあるが，この場合の賃料も継続賃料となる。

4 商業ビルと階層別効用比

> 商業ビルの計画にあたっては，階層別効用の差を十分に把握しなければならない。(立体的位置による差)

貸店舗・事務所と貸住宅との基本的な階層条件との差異

貸住宅についても，ただやたらに高層化すると，建築費・設備費が上昇して採算的に合わなくなり，４階建程度の中層住宅におさえておいたほうがよい場合がある。

この基本は，貸ビルにおいても同じである。しかし，貸店舗・事務所の場合，高層化を制約するもう一つの条件が加わる。

住宅の場合，昇降設備さえあれば，１～２階より５～６階と，それより８～９階と，ある高さまでは高層の部分のほうが，日照，眺望，通風といった面で住居環境が優れてくるのが普通だから，家賃が高くなる傾向にある。少なくとも安くなることはあまりない（関西地方では住居の階層が上になると安くなる地方もあるが，安くなるとしてもその差は僅少である)。

これに反して，店舗ビルについては，一般的には１階より２階，２階よりも３階と，高層部分へいくに従って家賃が低くなるのが一般的である。

また，１～２階を店舗，３階以上の階層を比較的賃料の低い事務所としている例も多い。また，見晴しの良い最上階を展望レストラン等とし，比較的高い賃料を取っている例もある。

この家賃の変化を建築費との関係でとらえると，貸住宅の場合は，高層化にともない高層部分の家賃も上昇するが，建築費の上昇率がそれ以上に大きくなるため，ある程度以上の高層化は採算割れになる。貸店舗・事務所の場合は，高層化にともない高層部分の家賃は低下する。それに反して，建築費の上昇率が加速度的に上昇するため，ある程度以上の高層化が採算割れになる（**図表７－７**)。

これが両者の基本的な階層条件の差である。

貸店舗・事務所の階層別家賃の差はなぜ起こるか

都市近郊の住宅地域のなか，またその周辺の，ある程度形成されつつある日用品小売店舗，飲食店等を中心とする小規模な商店街を観察してみよう。

魚屋，八百屋，雑貨店，洋品店などの日用品小売店舗から，電器屋などの耐

図表7－7　階層別限界賃料と限界建築費のパターン

(イ)　高層住宅

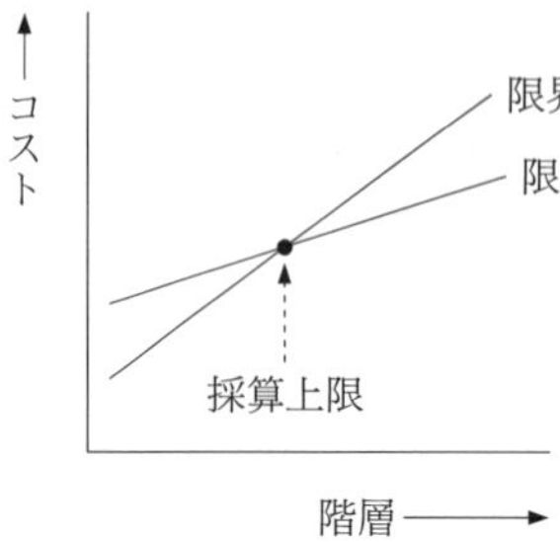

(ロ)　高層商業ビル

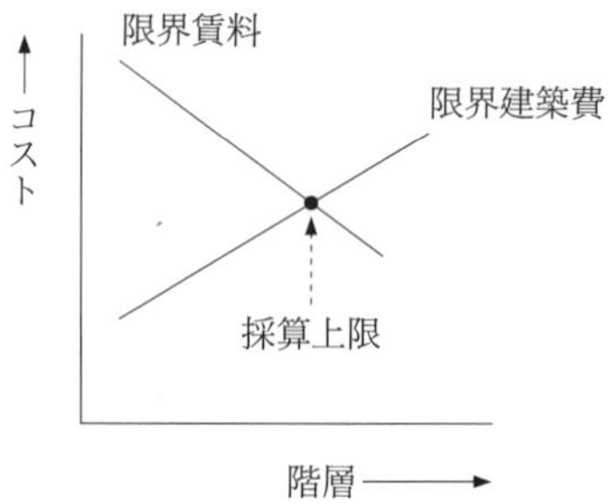

久消費財の小売店舗にいたるまですべて，売場は1階である。そして，2階はほとんどが住居になっている。それは職住接近で便利だということもあろうが，もし2階まで店舗を拡げて，顧客が2階にまで上がってくるようになれば，住居を他に移すかして，2階も店舗にするだろう。少なくとも，1階を住居にして，2階を小売店舗にしている例は見当たらない。これは，一般の商品を買う場合に，1階で買ったほうが便利だということに起因している。

その商店街がやや発展してくると，2階にも店舗がみえてくる。その場合，2階には，喫茶店や美容院など，顧客がはっきりした目的をもって意志的に2階に上がってきて，かなりの時間，そこに滞留する性質の店舗が多い。したがって，業種も限定されており，テナント希望者も少なく，家賃も1階より安くなる。

さらに，商店街として発展し，中小規模の耐火造の中層ビルが建つようになっても，1階に比し2階まで上がってくる顧客の数は少なく，3階になるともっと激減する。各階をまわってみてみると，その差がはっきりとする。その差が，階層ごとの家賃の差となって現われてくる。

（注）日用品小売店舗や飲食店舗の並んでいる商店街で，1階だけ，あるいは1～2階だけ店舗，それより上階は住宅となっている中高層マンションが建ち並んでいる街並みを見ることも多いが，これは上述した理由によるものである。

階層別効用比率と階層別賃料

階層によって，それぞれの階層による効用の差——すなわち，顧客の入りの差，売上げの差，収益力の差などが生じ，そして，その帰結としての家賃の差として現われる。

これを，効用そのものの差に着目してとらえる場合に，階層別効用比率という。そして，現象としては，階層別の賃料の差として明瞭に現われる。

階層別の賃料差は，ある程度の共通性はあるが，その建物の立地環境，設計等によって異なる。

立地環境について，たとえば，路線商業地で，１階部分の店舗が連担して細長く伸びており，かなり繁栄しているような商店街にある中高層ビルでは，１階部分と２階部分，そして３階部分と階層別家賃の差は大きくなる。なぜなら顧客は，そのビルの２階に昇らなくても，平面的に歩いていけば，他の店でもいくらでも好きな買物ができるからである。(注)

(注)　このような地域では，２階以上を事務所または住宅用のマンションとしているケースが目立つ。

設計についていえば，各階の面積が広いほうが，階層別賃料の差は少なくなる。各階の面積が広ければ，商品も多くそろえられ，また昇降設備の便もよくすることができ，そうしたことで顧客が上階に昇ってくる意欲を助長できるからである。

このように，階層別賃料の差を一概に決めつけることはできない。それには，立地環境や設計などの条件をよくみて判断しなければならない。

とにかく貸ビル計画の場合には，階層別に賃料を設定しなければならないこと，そして，その地域の賃料相場がいくらというとき，それは何階の賃料なのかということをはっきりとさせてとらえなければならない。

なお，階層別効用比・階層別価額比の求め方については900ページ以下で詳しく説明しておいたので参照されたい。

5 商業ビルの事業計画

商業ビルの事業計画は，どのように立てたらよいか。

設例による事業計画例

貸店舗・貸事務所ビルといっても，賃貸建物という点では，前述した貸アパートと基本的には同じである。したがって，貸アパートの事業計画を頭に入れておいてもらいたい。

しかし，商業ビルというものは本章の「3」および「4」で述べたような特殊性をもっている。そういう点によく留意して計画を立てなければならない。

なお，平成初頭のバブル期の際に，首都圏都心部の事務所ビルの需要急増と供給不足が，公的筋からも大きく報じられたこともあって，ビル建設のラッシュが起こり，大中小の事務所・店舗ビルが乱立し，バブルの崩壊後，需要も減退したこともあって，空室がいたるところで目立っている状態になっていた。

事務所・店舗ビルの立地条件等の判断の難しさについては，「**3　商業ビルの事業上の特殊性と立地条件**」（779ページ）でも述べたが，さらに綿密な市場調査と需給分析に基づいて，計画実施の可否を含めて，的確な判断が求められている。

つぎに設例によって，事業計画例を示し，これによって作成上の要点を説明する（新規に個人で貸店舗ビルを取得し、単独でビル経営を行うものとする)。

〔設例〕

立地：東京の山手線某駅の周辺にあり，小売店舗・飲食店を中心とした耐火造の中高層ビルの多い商業街にあり，将来の発展性も大である。

敷地：150㎡の長方形（間口：奥行=１：２）の角地，前面道路幅員８ｍ
価額３億円（１㎡当り約200万円）

都市計画法上の規制：
商業地域（建ぺい率80％　容積率500％　前面道路との関係で480％）
防火地域

計画建物：
近隣地域の標準的使用，将来の動向，見込まれる需要と地域内の店舗・事務所等との競合・補完の関係，賃貸物件の需給関係を分析し，敷地と都市計画上の制限との関連からつぎのとおりの建物を計画した。

計画建物の概要：
鉄筋コンクリート造地下２階付４階建
地下１階：飲食店，１～２階：店舗，３～４階：事務所
建築面積134㎡　　延床面積715㎡

	床面積（㎡）	有効面積（㎡）	用　途
地下２階	30	0	（機械室）
１階	134	107	貸店舗
地上１階	134	97	〃
２階	134	112	〃
３階	134	112	貸事務所
４階	134	112	〃
塔　屋	15	0	（機械室）
合　計	715	540	

(1)　建設費=建物の取得価額

・建築工事費（設計監理料を含む363,000円/㎡）…………………260,000,000円

消費税 26,000,000円

・建物取得価額………………………………………………………合計　286,000,000円

なお，建物本体と設備部分との比を65：35とする。

(2)　取得・開業に係る諸経費（建物の取得価額に含まれないもの）

・不動産取得税(固定資産税評価額を建築工事費の50%とする。以下同じ)

$$\overset{\text{(建築工事費)}}{260{,}000{,}000\text{円}} \times 0.5 \times \overset{\text{(税率)}}{\frac{4}{100}} = 5{,}200{,}000\text{円}$$ ……………………………（表②）

・保存登記の登録免許税

$$\overset{\text{(延面積)}}{715\text{㎡}} \times \overset{\text{(認定価格)}}{152{,}000\text{円}} \times \overset{\text{(注)税率}}{\frac{4}{1{,}000}} = 434{,}720\text{円} \fallingdotseq 435{,}000\text{円}$$ …………………（表③）

（注）248ページ参照。

・抵当権設定登記に係る登録免許税

$$\overset{\text{(借入金)}}{252{,}774{,}000\text{円}} \times \overset{\text{(税率)}}{\frac{4}{1{,}000}} \fallingdotseq 1{,}011{,}096\text{円} \fallingdotseq 1{,}011{,}000\text{円}$$ …………………（表④）

$$\overset{\text{(建物取得価額)}}{286{,}000{,}000\text{円}} - \overset{\text{(保証金)}}{33{,}226{,}000\text{円}} = \overset{\text{(借入金)}}{252{,}774{,}000\text{円}}$$

とする。

(3)　賃料収入等の計画（消費税込）：

近隣地域における最近の賃貸実例との比較をし，これに安全性を加味して若干低くおさえて，保証金および賃料をつぎのとおりと見込む。

（単位：円）

	賃貸面積（㎡）	賃　料			保証金		賃料階層別
		月/㎡	月　額	年　額	月	総　額	
地下１階	107	8,200	877,400	10,528,800	10	8,774,000	74.5
地上１階	97	11,000	1,067,000	12,804,000	12	12,804,000	100.0

2階	112	8,000	896,000	10,752,000	10	8,960,000	72.7
3階	112	6,000	672,000	8,064,000	2	1,344,000	54.5
4階	112	6,000	672,000	8,064,000	2	1,344,000	54.5
合計	540		4,184,400	50,212,800		33,226,000	

(4)　資金計画：(銀行借入金の借入期間15年，元本均等返済，利率は年２％の固定金利とする）……………………………………………………（表⑮）

保証金により	33,226,000円
銀行借入により	252,774,000円
合　　計	286,000,000円

(5)　事業開始後の収入および諸経費（消費税込）：

・賃料収入　　初年度　　　　50,213,000円……………………（表①）
以後，据置きとする。
なお，入居率は，各年度にならして95%として算定する。

・修繕費

（取得費）286,000,000円×（修繕費係数）0.015　=4,290,000円………………（表⑨）

・火災保険料

（取得費）286,000,000円× $\frac{2.0}{1,000}$（料率） =572,000円…………………………（表⑪）

・共益費および管理費は実費精算とする。

・固定資産税および都市計画税

土地　（課税標準額）126,000,000円× $\frac{1.4+0.3}{100}$（税率） =2,142,000円…………………（表⑤）

建物　（建築費）260,000,000円×（評価率）0.50　× $\frac{1.4+0.3}{100}$（税率） ≒2,210,000円……（表⑥）

・管理委託料

当該規模の建物については，特に専任の従業員を必要とせず，年額としては月額賃料の半分とする。

4,184,400円×0.50≒2,092,000円……………………………（表⑩）

・減価償却費（耐用年数は建物本体47年，設備部分18年とし，償却方法は定額法による。減価償却の計算方法は804ページ参照）

（初年度）

建物本体　（取得費）286,000,000円×（本体割合）0.65　×（償却率）0.022　= 4,089,800円
≒4,090,000円………（表⑫）

設備部分　286,000,000円×（設備割合）0.35　×　0.056　= 5,605,600円
≒5,606,000円………（表⑬）

初年度は工事中の利息を次のとおり計算して加えている。

・建築期間中の利子（工期：12か月）

$$\underset{\text{(建物価額)}}{286{,}000{,}000\text{円}} \times \frac{1}{2} \times \underset{\text{(利率)}}{0.02} \times \underset{\text{(工期)}}{\frac{12\text{月}}{12\text{月}}} = 2{,}860{,}000\text{円}$$ …………（表⑭）

（工事代金の支払いは出来高払いにより，工期に比例して支出するものとして$\frac{1}{2}$を乗じて求めた。）

・消費税については，内税，税込方式，簡易課税方式を採用する。設例では，3年度以降に消費税が課せられるようになっているので，改正後の税率（10%）とみなし仕入率（40%）によって税額を算出した。

$$\underset{\text{(収入合計)}}{50{,}213{,}000\text{円}} \times \underset{\text{(1－みなし仕入率)}}{(1-0.4)} \times \underset{\text{(消費税率)}}{0.1} \fallingdotseq \underset{\text{(消費税額)}}{3{,}013{,}000\text{円}}$$ （表⑦）

なお，設例について原則型で仕入率を求めると，修繕積立金と同額の支出があったとして，

$$\underset{\text{(修繕費)}}{4{,}290{,}000\text{円}} + \underset{\text{(管理委託料)}}{2{,}092{,}000\text{円}} = \underset{\text{(課税仕入額)}}{6{,}382{,}000\text{円}} / 50{,}213{,}000\text{円} \rightarrow 12.7\%$$

で，課税売上の約12.7%なので，みなし仕入率の方が有利となる。
また，復興特別所得税（所得税額の2.1%）の計上は省略している。

次ページの**図表7－8**の計画例にそって説明していく。

家賃収入については，近隣地域の同種ビルの賃貸実例が最もいい参考になろう。この設例においても，このような賃貸実例をもとにして，それをいくらか低目におさえて計画を立てている。この場合，いくらで貸したいと出ている貸希望賃料も参考になるが，これらが実際にきまる場合，いくらか値引きをしてきまる例も多いので，そこらへんを割り引いて考えねばならない。また，実際に成約した例でも，成約に至るまでの期間を考慮する必要がある。また，家賃は，階層によって異なり，ビルの規模・品質・業種構成等の影響を受けるので，比較するときはつねにそのあたりを加味して比較しなければならない。

なお，その地域の空室状況，テナント募集状況などによっては，安全率をみておく必要がある。

このために**空室等による損失相当額**を経費項目として計上する方法があるが，設例では，賃料収入を見込んだ段階で，その相当額を考慮して賃料計上の段階で，各年の平均で約5%の減の95%を入居率として計上している(注)。

（注）　なお，主要都市部の空室率は**図表7－6**のようになっており，実施計画を立てるにあたっての参考とされたい。

保証金については，**保証金の運用益**を収入に算入する方法もあるが，設例では，保証金は建設費に充当している（その分だけ借入金が少なくなっている）ので，計上していない。

なお，**将来の賃料の見込み**であるが，現状では，しばらくの間は低迷の状態

図表7－8　商業ビルの事業計画（損益・収支）例

			1年度	2年度	3年度	4年度	5年度
収入	家賃収入	①	50,213	50,213	50,213	50,213	50,213
	礼金・更新料		0	0	0	0	0
	入居率		0.95	0.95	0.95	0.95	0.95
収入合計(a)			47,702	47,702	47,702	47,702	47,702
経費	不動産取得税	②	5,200				
	登記費用	③	435				
	抵当権設定費用	④	1,011				
	固定資産税・土地	⑤	2,142	2,142	2,142	2,142	2,142
	固定資産税・建物	⑥	2,210	2,210	2,210	2,068	2,068
	消費税	⑦	0	0	3,013	3,013	3,013
	事業税	⑧	0	453	931	773	806
	維持修繕費	⑨	4,290	4,290	4,290	4,290	4,290
	管理委託料	⑩	2,092	2,092	2,092	2,092	2,092
	保険料	⑪	572	572	572	572	572
	減価償却費本体	⑫	4,090	4,090	4,090	4,090	4,090
	減価償却費設備	⑬	5,606	5,606	5,606	5,606	5,606
	借入利息　建設期間	⑭	2,860	0	0	0	0
	借入利息　賃貸期間	⑮	5,242	4,892	4,543	4,193	3,844
経費合計(b)			35,750	26,347	29,489	28,839	28,523
税引前利益A＝(a)－(b)			11,952	21,355	18,213	18,863	19,179
所得税・住民税B			3,397	7,642	6,089	6,396	6,554
税引後利益C＝A－B			8,555	13,713	12,124	12,467	12,625
返済財源D＝C＋⑫＋⑬			18,251	23,409	21,820	22,163	22,321
返済金元本E			17,473	17,473	17,473	17,473	17,473
借入金残高F（前期末－E）			227,145	209,672	192,199	174,726	157,253
可処分所得G＝D－E			778	5,396	4,347	4,690	4,848
可処分所得累計			778	6,715	11,062	15,752	20,601

㊟　上表の金額は，円単位まで計算した金額を項目毎に千円未満で四捨五入して表示してある。

が続くであろう。しかし，貸家経営は長期にわたるもので，やがて景気が回復し，賃料値上げが実現することがあるかも知れないが，それもいつになるかはわからない。計画段階であり，長期的に見て，現在の賃料水準が続くものとして算定している。なお，地価，建築費その他の物価水準も，これと同じ傾向で推移すると考え，修繕費，火災保険料と管理費も据置きの計算をしている(注)。

（注）市場の賃料水準が同じで続くとすると，建物の老朽化にしたがって実収賃料は低下する。そこまで見込んだほうが安全な計画となるが，設例では建物と設備との修繕と更新をすることによって，設例の期間中は同水準の家賃収入が続くものとして計算している。

なお，**建築費**(注)は，最適規模より小さければ割高となるのは当然であるが，最適規模より大きくても割高になるものである。この設例では，階層は４階建であるが，地下１階があること，そして規模が小であることによって割高になっている。また，地盤の良否によっても，建築費はまるっきり異なってくる。しかし，それは地盤調査をしてみないとはっきりしたことはわからないし，計画の当初の段階ではそこまでは把握しにくいであろう。ただ，昔，海や沼，湿地帯だったところでは地盤が悪い。水田であったところも注意しておいたほうがよかろう。なお，設例では，設計監理料，消費税，建設に直接係る諸経費を建設費に含めて，建物の取得価額，すなわち，減価償却の基礎価額としている。

（注）建築費相場，必要諸経費については，796ページの囲み記事参照。

建物に係る消費税については，課税事業者を選択し，原則型を採用していれば，837ページで説明するように，その大部分の還付を受けることができるが，本計画例では，後述するように，簡易課税制度を採用するものとしているので，建物に係る消費税は建物価格に含まれて計上されることになり，減価償却費に含まれて毎年の経費となる。

工事期間中の利子は，貸家経営者が，すでに事業的規模の貸家・貸地の経営をしている場合には，その支出年の必要経費とすることとされており，そうでない場合には，その建物の取得価額に含めて計上することとされている。なお，事業開始後の利子は，支出年の必要経費とすることとなっている（所基37－27，38－８）。

（注）法人税では，工事期間中の利子は，建物取得価額に算入することを原則とし，その支出事業年度の損金とすることを選択することも認めている（法基７－３－１の２）。

計画例の**取得・開業に係る諸経費**は，不動産取得税，登録免許税，テナント募集費など，初年度のみに生ずる諸税，諸経費の合計金額である。

不動産取得税，登録免許税は，法人税では，建物の価額に算入することを原則とし，支出年度の損金とすることを選択することも認めるという形をとっている（法基7－3－3の2）が，所得税では，取得価額に算入することは認められず，その支出年の必要経費に算入することとされている（所基37－5）。

不動産取得税，登録免許税については，設例で計算の内訳を示しておいた。基本的には，貸アパートと同じである。もちろん，住宅でないから，不動産取得税についての新築住宅の1戸1,200万円の控除はない。

土地に係る固定資産税であるが，商業地については，住宅用地のような課税標準の軽減措置がなく，またその評価額もかなり高い。

計算例では，一応の概算計算で求めている。土地評価額を時価3億円の約70％の2億1,000万円とし，負担水準等を考慮して，その60％の1億2,600万円を課税標準とし，設例のようにして求め，以後は地価が同水準として求めている。これは，かなり大雑把な計算であるので，実際の計画にあたっては固定資産課税台帳で調べることとなる。

建物に係る固定資産税については，建物の評価割合を建築費の5割と仮定し(注)，**図表7－9**に掲げる店舗の経年減点修正表により，3年ごとの評価替え時点で評価額を求めて税率を乗じて計算している。たとえば，4年度については，

$$\underset{\text{（建築費）}}{260,000,000\text{円}} \times \underset{\text{（評価割合）}}{0.5} \times \underset{\text{（経年減価率）}}{0.9360} \times \frac{1.7}{100} \fallingdotseq 2,068,000\text{円（表⑥）}$$

として求めている。なお，この間に建築費相場の上昇があれば，その上昇率を（建設工事費）に乗じて調整しなければならないが，本例では建築費相場の上昇はないものとして算出している。

（注）建物の評価割合は，市町村によって差があるので，最近の事例で調査をしておく必要がある。

都市計画税も同様にして計算してある。

開発準備のために特別に支出する費用，すなわち**開業費**のある場合は，20万円未満のものは支出した年の必要経費となる（所令139条の2）。20万円以上のものは繰延資産として，原則として，5年間で均等償却することとされている（所令137条①）が，任意の年に任意の額（全額でもよい）を償却することもできる。ただし，任意償却をするためには，毎年の確定申告書に償却額（償却しないときには0円）を記載しておかなければならない（同条③）。

損害保険料は，建物の構造，用途，地域等で異なるが一般的水準として1,000分の2.0とした。

消費税については，賃料収入額および経費額に含まれ，内税として簡易課税

図表７－９　非木造家屋経年減点補正率基準表（抄）

〈鉄骨鉄筋コンクリート造・鉄筋コンクリート造〉

用　途	1．事務所，銀行用建物	2．住宅，アパート用建物	3．店舗及び病院用建物 4．百貨店，劇場及び娯楽場用建物
経過年数	経年減点補正率	経年減点補正率	経年減点補正率
1	0.9877	0.8000	0.9840
2	0.9754	0.7500	0.9680
3	0.9631	0.7000	0.9520
4	0.9508	0.6912	0.9360
5	0.9385	0.6825	0.9200
6	0.9262	0.6737	0.9040
7	0.9138	0.6649	0.8880
8	0.9015	0.6561	0.8720
9	0.8892	0.6474	0.8560
10	0.8769	0.6386	0.8400
11	0.8646	0.6298	0.8240
12	0.8523	0.6211	0.8080
13	0.8400	0.6123	0.7920
14	0.8277	0.6035	0.7760
15	0.8154	0.5947	0.7600
16	0.8031	0.5860	0.7440
17	0.7908	0.5772	0.7280
18	0.7785	0.5684	0.7120
19	0.7662	0.5596	0.6960
20	0.7538	0.5509	0.6800
21	0.7415	0.5421	0.6640
22	0.7292	0.5333	0.6480
23	0.7169	0.5246	0.6320
24	0.7046	0.5158	0.6160
25	0.6923	0.5070	0.6000
26	0.6800	0.4982	0.5840
27	0.6677	0.4895	0.5680
28	0.6554	0.4807	0.5520
29	0.6431	0.4719	0.5360
30	0.6308	0.4632	0.5200
31	0.6185	0.4544	0.5040
32	0.6062	0.4456	0.4880
33	0.5938	0.4368	0.4720
34	0.5815	0.4281	0.4560
35	0.5692	0.4193	0.4400
36	0.5569	0.4105	0.4240
37	0.5446	0.4018	0.4080
38	0.5323	0.3930	0.3920
39	0.5200	0.3842	0.3760
40	0.5077	0.3754	0.3600
41	0.4954	0.3667	0.3440
42	0.4831	0.3579	0.3280
43	0.4708	0.3491	0.3120
44	0.4585	0.3404	0.2960
45	0.4462	0.3316	0.2800
46	0.4338	0.3228	0.2640
47	0.4215	0.3140	0.2480
48	0.4092	0.3053	0.2320
49	0.3969	0.2965	0.2160
50	0.3846	0.2877	0.2000
51	0.3723	0.2789	
52	0.3600	0.2702	
53	0.3477	0.2614	＊50年以上，以下同じ
54	0.3354	0.2526	
55	0.3231	0.2439	
56	0.3108	0.2351	
57	0.2985	0.2263	
58	0.2862	0.2175	
59	0.2738	0.2088	
60	0.2615	0.2000	
61	0.2492		
62	0.2369		
63	0.2246	＊60年以上，以下同じ	
64	0.2123		
65以上	0.2000		

（注）　木造家屋については，**図表２－27**（244ページ）に掲載。なお，耐用年数は固定資産税と法人税・所得税とでは異なっている。

方式で，かつ，税込方式で計算している。

また，この例では，新規に事業を開始したものとし，初年度，2年度は前々年の家賃がゼロであるので，免税事業者として計算している。

（注）　なお，資本金等が1,000万円以上の新設法人等については，初年度から消費税が課税される。

なお，初年度で課税事業者であった場合（また，課税事業者を選択していた場合）で，仕入控除について，原則型・個別対応方式を適用していた場合には，838ページの「仕入控除と還付の具体例」に記載したようにして，取得した建物に含まれていた消費税額の一部を還付してもらえる。

なお，消費税の詳細については，821ページ以下の「8」「9」で説明してある。

さて，（賃料収入）－（諸経費合計）＝（差引利益）となる。それから税金（所得税または法人税および住民税・事業税）を控除して税引後利益が求められ，これが**処分可能の利益**である。

税金については事業者は個人とし，この収入以外の所得については所得控除後ゼロとして計算した(注)（**図表7－8**では，事業税を翌年の支出として計上し，当年の税引後利益は所得税・住民税のみを控除して求めている）。

（注）　青色申告者の場合には青色申告特別控除（775～776ページ参照）があるが，設例の計算では省略している。

なお，本例の初年度で赤字（損失）が生じ，他の所得と通算しても損失の残る場合は，その年の税額は当然ゼロである。所得税の場合，青色申告をして，期限内に損失申告書を提出しておくと，その赤字（純損失）は，その後3年間の黒字（所得）から差し引けるようになっている。本例で，次年度の所得から控除して税額計算をしている。

不動産貸付けに係る**個人の事業税**は，事業的規模で行われている場合に課税される。その場合の税額は，不動産所得から事業主控除の290万円を引いた残額の5％となっている。なお，納税は翌年になる（**図表7－8**：表⑧）。

事業的規模であるかの判定基準は，都道府県によって若干の差異があるようだが，たとえば，東京都では以下の表のようになっている。

なお，この表に掲げた基準未満であっても，貸付規模等からみて，不動産貸付業と認定される場合がある。

駐車場業については，建築物である駐車場，または機械設備をもうけた駐車場は課税対象となり，その他の青空駐車場のようなものは，駐車台数10台以上のものが課税対象となるようになっている。

個人の場合は，所得税の確定申告書を提出すれば，それに基づいて，各都道府県で事業税の計算をして通知してくるので，特に事業税の申告をする必要はない。納期は８月と11月の２回になっている。

種類・用途等			貸付件数等
建物	住宅	①一戸建	棟数が10以上
		②一戸建以外	室数が10以上
	住宅以外	③一戸建	棟数が５以上
		④一戸建以外	室数が10以上
土地	⑤住宅用		契約件数が10以上または貸付総面積が2,000㎡以上
	⑥住宅用以外		契約件数が10以上
⑦上記不動産（①～⑥）を併せて貸し付けている場合			各種の貸付けの総合計件数が10以上 または①～⑥いずれかの基準を満たす場合

（注）　新増設に係る事業所税は，平成15年から廃止されているが，**事業に係る事業所税**は残っており，事業所の合計床面積が1,000㎡を超える場合は１㎡当り600円の資産割が，事業所の従業者数が100人を超える場合は給与総額の0.25％の従業者割の事業所税が課せられることになっている（地法701条の30～701条の74）。

なお，この税は，事業所の所有者（貸主）でなく，使用者（借主）に課せられるものであるが，東京都23区内では，つぎの場合には，貸主にも申告が義務づけられている。

▶事業所用家屋の貸付等申告

①　事業に係る事業所税の納税義務者（事業を行う法人・個人）に事業所用家屋を貸し付けている場合⇒事業所用家屋を貸し付けている者が申告義務者となり，貸付けを行った日から２か月以内に申告する。

②　貸付内容に変更があった場合⇒変更があった日から１か月以内に申告する。

（出典：東京都主税局個人事業税）

なお，法人の場合の繰越控除等については542ページを参照されたい。

また，所得税・法人税や住民税・法人住民税は経費に算入されないが，事業税は翌年の経費に算入することができる。

税引後利益に減価償却費を加えたものが**借入金返済源資**になる。減価償却額は計算上の経費であり，金は手元に残っている。これを返済金の充当にあてても，建物を建て替える時期までに回収しておけばいいという理屈である。そして，借入金の返済にあてた残りが，翌年度への留保金として繰り越される。

事業計画の作成のための資料として，PM-NET（Project manager-NET-work）が，賃貸市場の状況，賃料相場，建築工事費，解体費，設計料，設備管理費，設備保守費，警備費，水道光熱費，修繕費，税金のデータを，ホームページで掲載しており，筆者も利用しているので紹介しておく。

PM-NETのアドレスは，下記のとおり。

http://www.pmnet.jp/

6 建物等の減価償却

貸家用の建物，建物附属設備は，その耐用年数にわたって減価償却をすることになっている。減価償却の基礎となる価額は，耐用年数は，そして，償却の方法と計算の仕方は。
平成19年以来，３回の改正があり，取得した日によって，償却の方法などが異なっている。

建物等と減価償却

建物と建物附属設備や庭園などの構築物は，その取得価額を取得した年の必要経費としないで，それを使用できる期間（耐用年数）に割りふって，各年の必要経費とすることになっており，これを**減価償却**，各年の経費となるものを**減価償却費**といっている。

（注）　本項では，個人の所得税について解説し，法人の法人税については，所得税の取扱いと異なる部分について(注)で解説する。

減価償却の基礎となる建物の取得価額

建物の減価償却の基礎となる取得価額は，請負工事で**建設した場合**は，その請負工事代金（附帯設備，外構工事などを含む），設計料，地鎮祭，上棟式(注1)(注2)，近隣対策費，その他建設のために要した経費と，貸付けの用に供するために直接要した費用の合計額である。**購入した場合**は，購入代価と仲介手数料，その他購入のために要した費用と，貸付けの用に供するために直接要した費用の合計額である（所令126条，所通49－３）。

なお，マンションや建売アパートなどを**土地・建物一括代金**で**購入した場合**，土地の価額と建物の価額とを区分しなければならないが，売買契約書に内訳として土地価額と建物価額が記載してあればこれにより区分する。その区分が記載されていない場合，売主が消費税の課税事業者で，消費税額が記載してあれば，

消費税額÷0.1

（注）　令和元年９月30日以前の取得は0.08

を建物の価額とすればよい。

上記のいずれも不明なときには，鑑定評価によって，それぞれの評価額を求めて区分することになるが，簡便法としては，土地の価額を相続税の路線価・評価通達から算定した価額を0.8で除して，土地の時価を求め，この価額を一括代金から控除して建物価額とすることも認められている。

なお，仲介手数料などの附帯費用は，上記によって求めた価額の比によって配分することになる。

（注１） 落成式のパーティなどの費用については，所得税の通達で取扱規定は見当たらないが，建設・購入のために要した経費・費用でもなく，貸付けの用に供するために直接要した費用ではないので，貸付当初年度の必要経費（交際費）になると思われる。なお，**法人税**では，これら取得後に支出する費用は取得価額に算入することを原則として，「取得価額に算入しないことができるものとする」と規定している（法基７－３－７）。

（注２） **法人税**では，落成式パーティの費用などで交際費に該当するものを取得価額に算入した場合，そのうちの交際費の損金不算入とされた金額を，取得価額から減額できるとされている（措法通61の４(2)－７）。

建物と附属設備との区分　建物と附属設備とは，それぞれ別の耐用年数が定められており（**図表７－11**，802ページ参照），原則としてこれを区分して別々に償却計算をする。

建築した場合には，請負契約書や見積書によって区分できるが，マンション等を購入した場合には，その区分は不明なことが一般的である。なお，統計的にみると，つぎのような割合になっている。これを参考とし，実際の状況からウェイト付けして区分するのも一つの方法である。なお，建物本体は躯体と仕上げを合計した割合となり，建物附属設備は，設備部分の割合となる。

［躯体と仕上げと設備の価格構成割合］

区分／構造	住宅施設			商業施設		
	躯　体	仕上げ	設　備	躯　体	仕上げ	設　備
S・RC	40～45％	35～40％	20～25％	35～40％	30～35％	30％
LS	40～45％	40～45％	15～20％	35～40％	30～35％	30％
W	40～45％	40～50％	10～20％	40％	40～45％	15～20％

なお，木造，合成樹脂造，木骨モルタル造の建物については，建物附属設備の取得価額を建物の取得価額に含めて一括して，償却することも認められている（耐通２－２－１）。

登録免許税（司法書士の報酬などの登記費用を含む）と**不動産取得税**は，取得価額に算入しないで，支出した年分の必要経費に算入することになっている(注１)(注２)(注３)（所基37－５）。

（注１） 相続・贈与によって取得した場合の上記の税も同じ（同(注１)）。

（注２） 法人税では，これらの経費は，取得価額に算入することを原則とし，取得価額に算入しないで，その事業年度の損金に算入することも認めるとしている（法基７－３－３の２）。

（注3）　土地・建物を購入するとき，売主の納付する固定資産税・都市計画税を，期間按分して買主が負担することが一般に行われているが，これは買主にとっては税金ではなく税金相当額であり，売買代金の一部を構成するものであり，取得価額に算入するものと取り扱われている。

建設・購入のための**借入金の利子**は，各年の必要経費に算入するものとされているが，貸付（業務）を開始するまでの期間の分は，取得価額に算入することもできるとされている（所基37－27）。なお，初めて不動産貸付けを開始する場合には，開始するまでの期間の分は，取得価額に算入するものとされている（同38－8（注））。

（注）　法人税では，「使用開始前の期間に係るものであつても，…取得価額に算入しないことができる」（法基通7－3－1の2）とされている。

この「**貸付（業務）を開始した日**」というのは，賃貸借契約を締結した日ではなく，入居の募集を行い，いつでも入居者に部屋を賃貸できる状況にあるなどの客観的事実がある状態に至った日と解されている（東京国税局税務相談室長監修『所得税ハンドブック』問5－31・清文社刊　1994年）。

（注）　法人の場合，使用開始までの分の利子について，取得価額に算入することを原則とし，取得価額に算入しないで，その事業年度の損金とすることも認めている（法基7－3－1の2）。

建物の工事代金・購入代金に含まれている**消費税**は，貸家業者が課税業者で，原則型・税抜方式の経理を採用している場合は必要経費に算入できるが，その他の場合には建物の取得価額に算入して，建物の取得価額の一部となり，減価償却の対象となる（834ページ参照）。

建物付土地を購入して建て替えたときの取得価額

建物付の土地を購入して，その上の建物を取り壊して，貸家用の建物を建築するとき，取得後おおむね1年以内に，その建物を取り壊して，建物の新築工事に着手するなど，取り壊して再築することが明らかな場合には，その建物の価額と取壊し費用は土地の取得価額に算入される（注）。

（注）　**法人税**では，法基7－3－6に同趣旨の規定がある。

既存の貸家を建て替えたとき

本人所有の既存の貸家を取り壊したとき既存の建物の残存簿価と取壊し費用は，その年の不動産所得の必要経費となる（注）。

（注）　中古資産を非業務用から業務用に転用した場合の減価償却費の計算は，
　　{取得価額（建築費，購入価格に取得のための附帯費用を加えたもの）×（その耐用年数に対応する償却率）}
として求めるが，居住用に利用していた建物を貸家用に転用した場合の取得価額は，居住していた期間内の償却費相当額を控除して求めることとなる（所令135条）。

たとえば，取得価額が2,000万円で耐用年数47年のマンションを４年間居住した後に，貸家にした場合は，

$$20{,}000{,}000円\times\frac{1}{47年\times1.5}\times 4年$$
$$\fallingdotseq 1{,}135{,}000円$$

20,000,000円－1,135,000円=18,865,000円

が償却の基礎となる金額となる。

減価償却の方法に定額法と定率法があるが

一般的な減価償却の方法として，定額法と定率法とがある。

定額法は，取得価額を耐用年数の期間に均等に償却する方法であり，毎年の償却額は同額となる。

定率法は，各年の期首の簿価に一定率を乗じる方法で，当初の償却額が大きく，年を追って償却額は逓減し，耐用年数の全期間の償却額の合計額は，定額法によった場合と同額になる。

両方の償却方法を図示すると，**図表７－10**のようになる。

建物と附属設備は定額法のみ

定額法と定率法とのどちらの償却方法を適用するかは，従来は納税者の選択に委ねられていたが，平成10年４月１日以後に取得する建物については定額法のみとされ，さらに平成28年の改正で，**平成28年４月１日以後に取得する建物附属設備と構築物**についても**定額法のみ**とされている。なお，機械装置，工具，器具，備品，車輌運搬具については定額法・定率法のどちらかを選択することができるが，定率法を選択するときには，「所得税の減価償却資産の償却方法の届出書」に，定率法を適用する旨を記載して，設備等を取得した翌年３月15日までに，所轄の税務署に提出すればよい。その期日までに提出しないときには，定額法を選定したものとして取り扱われる(注)。

また，償却方法を変更したい場合には，「所得税の減価償却資産の償却方法の変更承認申請書」を，変更して適用したい年の３月15日までに提出する。これについて，税務署から「承認または却下（承認しない）」の通知がくることになっているが，提出した年の12月31日までに通知がこなければ，承認されたということになっている（所令124条）。

（注） **法人税では**，選択届出書が提出されないときは，定率法を適用したことになる（法令53条）。

耐用年数は法定

耐用年数というのは，その建物を使用できる年数であるが，建物等の種類，構造，用途によって，一律に法定されている。

貸家用の一般的な建物と建物附属設備の耐用年数を**図表７－11**に掲げておい

図表７－10　定額法と定率法の償却額の比較表

〈取得価額100万円，耐用年数10年の例〉

(1)　定額法による各年の償却額と期末簿価

耐用年数･年	10	償却率	0.1

（円）

経過年数(年)	期首簿価	償却額	期末簿価
1	1,000,000	100,000	900,000
2	900,000	100,000	800,000
3	800,000	100,000	700,000
4	700,000	100,000	600,000
5	600,000	100,000	500,000
6	500,000	100,000	400,000
7	400,000	100,000	300,000
8	300,000	100,000	200,000
9	200,000	100,000	100,000
10	100,000	99,999	1

(2)　定率法による各年の償却額と期末簿価（平成24年４月１日以後取得分）

耐用年数･年	10	償却率	0.200
改定償却率	0.250	保証率	0.06552

（円）

経過年数(年)	期首簿価	償却額	期末簿価
1	1,000,000	200,000	800,000
2	800,000	160,000	640,000
3	640,000	128,000	512,000
4	512,000	102,400	409,600
5	409,600	81,920	327,680
6	327,680	65,536	262,144
7	262,144	65,536	196,608
8	196,608	65,536	131,072
9	131,072	65,536	65,536
10	65,536	65,535	1

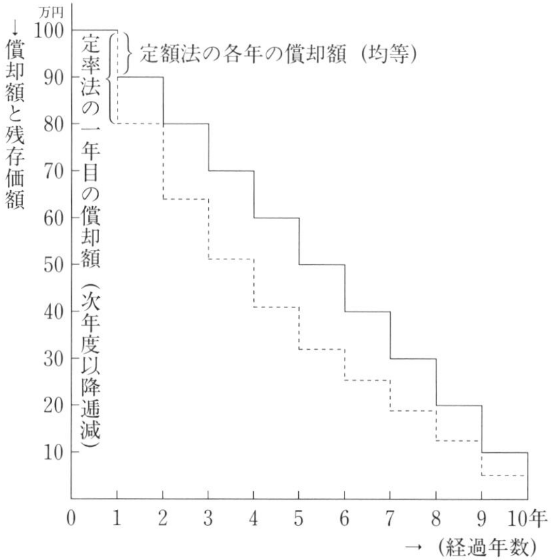

図表7－11　建物・建物附属設備の耐用年数表（抄）

(一) 建物

細目	構造別総合又は個別耐用年数(年)						
	鉄骨鉄筋又は鉄筋コンクリート造	れんが，石，ブロック造	金属造			木造又は合成樹脂造	木骨モルタル造
			骨格材の肉厚四ミリ超	骨格材の肉厚三超～四ミリ以下	骨格材の肉厚三ミリ以下		
事務所又は美術館用のもの及び下記以外のもの	年 50	年 41	年 38	年 30	年 22	年 24	年 22
住宅，寄宿舎，宿泊所，学校又は体育館用のもの	47	38	34	27	19	22	20
飲食店，貸席，劇場，演奏場，映画館又は舞踏場用のもの 飲食店又は貸席用のもので，延べ面積のうちに占める木造内装部分の面積が3割を超えるもの その他のもの	 34 41	38	31	25	19	20	19
旅館用又はホテル用のもの 延べ面積のうちに占める木造内装部分の面積が3割を超えるもの その他のもの	 31 39	36	29	24	17	17	15
店舗用のもの	39	38	34	27	19	22	20

(二) 建物附属設備

構造用途	細目	耐用年数	構造用途	細目	耐用年数
電気設備	蓄電池電源設備 その他のもの	6 15	特殊ドアー設備	エヤーカーテン又はドアー自動開閉設備	12
給排水衛生，ガス設備		15	アーケード，日よけ	主として金属製 その他のもの	15 8
冷暖房通風ボイラー	冷暖房設備（冷凍機の出力22kW以下） その他のもの	13 15	店用簡易装備		3
昇降機設備	エレベーター エスカレーター	17 15	可動間仕切り	簡易なもの その他のもの	3 15
消火，排煙，災害報知設備及び格納式避難設備		8	前掲以外のもの及び前掲の区分によらないもの	主として金属製 その他のもの	18 10

た。

耐用年数の判定(1)
——建物の構造による区分

建物の構造により，耐用年数を判定する場合，どの構造に属するかは，その主要柱，耐用壁また「はり」等その建物の主要部分により，一棟単位で判定する（耐通1－2－1）とされているが，鉄筋コンクリート造の3階建建物の上に木造建物を増築して4階建てとしたように，構造的に区分することができ，かつ，それぞれが社会通念上で別の建物と見られるものについては，区分して耐用年数を適用することができる（耐通1－2－2）。

超高層建物で，下層階を鉄骨鉄筋コンクリート造にして，上層階を鉄骨造にしている建物も多く見られるようになっているが，これも，この例に該当するであろう。

しかし，鉄筋コンクリート造建物の内部を和風様式にするため木造の内部造作を施設したような場合には，これを分離して木造建物の耐用年数を適用することはできない（耐通1－2－3）。

要するに，**内部造作**は，建物本体の構造の耐用年数によるということである。

耐用年数の判定(2)
——建物の用途による区分

建物の用途は，一棟単位で判定する。

たとえば，鉄骨鉄筋コンクリート造の建物で，1～2階が店舗，4～6階が事務所，地階が変電室と駐車場というように，**2以上の用途に使用**されている場合でも，各階の用途ごとに耐用年数を判定するのではなく，一棟の建物全体とし，「その使用目的，使用の状況等より勘案して合理的に判定するものとする。」（耐通1－1－1）とされている。上掲の例では，通常は，全体が「事務所用」と判定されるであろう。

しかし，たとえば，鉄骨鉄筋コンクリート造6階建の事務所ビルの1階から5階までを事務所として使用し，6階を特別の内部造作をして劇場として使用しているような場合には，それぞれ区分して耐用年数を適用することができるとされている。ただし，地階に附属してもうけられた電気室，駐車場などで，その建物の機能に必要な部分は，これを区分しないで，その建物の主たる用途について定められた耐用年数による（耐通1－2－4）。

中古建物を取得したときの耐用年数

中古建物を取得したときの耐用年数は，その後の使用可能年数を見積もって，その年数を耐用年数として適用することと定められているが，それを見積もることが困難な場合（ほとんどの場合が見積り困難であろう）には，つぎの算式によって求めることとされている（耐令3条）。

① 法定耐用年数の全部を経過している場合……法定耐用年数×20%

② 法定耐用年数の一部を経過している場合……(法定耐用年数－経過年数)＋(経過年数×20%)

上記の算式により計算した年数に１年未満の端数があるときは，その端数を切り捨て，その年数が２年に満たないときは２年とするとされている。

減価償却の計算方法（その１）——平成24年４月１日以後に取得した資産

平成23年に減価償却制度の改正があり，**平成24年４月１日以後**に取得した資産から，新しい計算方法によることになっている。

減価償却資産の耐用年数ごとに，定額法と定率法に分けて，**図表７－13(ア)**（810ページ）に掲げられているように償却率が定められており，

定額法の場合は，

取得価額×定額法の償却率＝償却費の額

として算出する。

たとえば，給排水設備の耐用年数は15年で償却率は0.067となっているので，取得価額が1,000万円であれば，

（取得価額）　（償却率）　（償却費の額）
10,000,000円×　0.067　＝　670,000円

となる。原理的には，

$$\frac{（取得価額）10,000,000円}{（耐用年数）15年} ≒ 666,667円$$

と同じであるが，法定の償却率は0.066666…を小数点以下四位を切り上げて定めているので，差額が生じてくる。未償却残高が備忘価額の１円になるまで毎年この償却率を繰り返す。例を示すと，次表のとおりとなる。

年　　度	初年度	２年度	……	14年度	15年度	16年度
償却費の額	670,000	670,000	……	670,000	619,999	0
期末未償却残高	9,330,000	8,660,000	……	620,000	1	1

定率法の場合は，基本的には，

（初年度）取得価額×定率法の償却費＝初年度の償却費の額

（２年度）(取得価額－初年度の償却費の額)［２年度の期首未償却残高］×定率法の償却率＝２年度の償却費の額

（３年度）(２年度の期首未償却残高－２年度の償却費の額)［３年度の期首未償却残高］×定率法の償却率＝３年度の償却費の額

図表７－12(ア)　定率法による償却費計算の例（平成24年４月１日以後に取得された資産の減価償却計算の例）

取得価額	10,000,000	耐用年数	15	保証率	0.04565
償却率	0.133	改定償却率	0.143		

経過年数	期首簿価	償却額①	期末簿価	調整前償却額②	償却保証額③	改定償却額④	改定取得価額⑤
1	10,000,000	1,330,000	8,670,000	1,330,000	456,500	0	0
2	8,670,000	1,153,110	7,516,890	1,153,110	456,500	0	0
3	7,516,890	999,746	6,517,144	999,747	456,500	0	0
4	6,517,144	866,780	5,650,364	866,781	456,500	0	0
5	5,650,364	751,498	4,898,866	751,499	456,500	0	0
6	4,898,866	651,549	4,247,317	651,549	456,500	0	0
7	4,247,317	564,893	3,682,424	564,893	456,500	0	0
8	3,682,424	489,762	3,192,662	489,762	456,500	0	0
9	3,192,662	456,551	2,736,111	424,624	456,500	456,551	3,192,662
10	2,736,111	456,551	2,279,560	363,903	456,500	456,551	3,192,662
11	2,279,560	456,551	1,823,009	303,181	456,500	456,551	3,192,662
12	1,823,009	456,551	1,366,458	242,460	456,500	456,551	3,192,662
13	1,366,458	456,551	909,907	181,739	456,500	456,551	3,192,662
14	909,907	456,551	453,356	121,018	456,500	456,551	3,192,662
15	453,356	453,355	1	60,296	456,500	456,551	3,192,662

という計算を繰り返して，備忘価額まで償却するのだが，定率法では，さらに，**改定償却率**と**保証率**というのがあって，

上記の算式によって求めた償却費の額を「調整前償却額」といい，

取得価額に保証率を乗じて，「償却保証額」を求め，

「調整前償却額」が「償却保証額」に満たないときは，

最初に満たなくなった年の期首未償却残高に「改定償却率」を乗じて，その年度の償却費の額を求め，その後は，未償却残高が備忘価額が１円になるまで，その金額を，各年の償却費の額とする。

図表７－12(ア)の例で説明すると，つぎのとおりとなる。

初年度から８年度までは，「調整前償却額②」が「償却保証額③」より大であるので，「調整前償却額②」が適用される「償却額①」となる。

９年度は，「調整前償却額②」が424,624円で，「償却保証額③」456,500円よ

図表７－12(イ)　定率法による償却費計算の例（平成19年４月１日～平成24年３月31日に取得）

取得価額	10,000,000	耐用年数・年数	15	保証率	0.03217
償却率	0.167	改定償却率	0.200		

経過年数	期首簿価	償却額①	期末簿価	調整前償却額②	償却保証額③	改定償却額④	改定取得価額⑤
1	10,000,000	1,670,000	8,330,000	1,670,000	321,700	0	0
2	8,330,000	1,391,110	6,938,890	1,391,110	321,700	0	0
3	6,938,890	1,158,795	5,780,095	1,158,795	321,700	0	0
4	5,780,095	965,276	4,814,819	965,276	321,700	0	0
5	4,814,819	804,075	4,010,744	804,075	321,700	0	0
6	4,010,744	669,794	3,340,950	669,795	321,700	0	0
7	3,340,950	557,939	2,783,011	557,939	321,700	0	0
8	2,783,011	464,763	2,318,248	464,763	321,700	0	0
9	2,318,248	387,147	1,931,101	387,148	321,700	0	0
10	1,931,101	322,494	1,608,607	322,494	321,700	0	0
11	1,608,607	321,721	1,286,886	268,637	321,700	321,721	1,608,607
12	1,286,886	321,721	965,165	214,910	321,700	321,721	1,608,607
13	965,165	321,721	643,444	161,183	321,700	321,721	1,608,607
14	643,444	321,721	321,723	107,455	321,700	321,721	1,608,607
15	321,723	321,721	1	53,728	321,700	321,721	1,608,607

り小となるので，９年度の「期首簿価」3,192,662円を，「改定取得価額⑤」とし，これに上欄の「改定償却率」の0.143を乗じた456,551円を「改定償却額④」とし，これを９年度の「償却額①」とする。

10年度以後は，この「改定償却額④」の456,551円を継続して「償却額①」とし，最後の15年度で，「期末簿価」が１円になるよう調整する。

減価償却の計算方法（その２）——平成19年４月１日～平成24年３月31日に取得した資産

平成19年に減価償却制度の改正があり，**平成19年４月１日から平成24年３月31日まで**に取得した資産については，下記の計算方法によることになっている。

減価償却資産の耐用年数ごとに，定額法と定率法に分けて，**図表７－13(イ)**（811ページ）に掲げられているように償却率が定められており，

定額法の場合は，前掲（その１）の計算式と同じである。

定率法の場合も，基本的には，前掲（その１）の計算式と同じであるが，償

却率と改定償却率と保証率が異なっている。

図表７－12(ｲ)の例で説明すると，つぎのとおりとなる。

初年度から10年度までは，「調整前償却額②」が「償却保証額③」より大であるので，「調整前償却額②」が「償却額①」となる。

11年度は，「調整前償却額②」が268,637円で，「償却保証額③」321,700円より小となるので，11年度の「期首簿価」1,608,607円を，「改定取得価額⑤」とし，これに「改定償却率」の0.2を乗じた321,721円を「改定償却額④」とし，これを11年度の「償却額①」とする。

12年度以後は，この「改定償却額④」の321,721円を継続して「償却額①」とし，最後の15年度で，「期末簿価」が１円になるよう調整する。

減価償却の計算方法（その３）
――平成19年３月31日までに取得した資産

平成19年３月31日までに取得した資産については，改正前の計算方法が適用される。

耐用年数ごとの定額法，定率法の償却率は**図表７－13(ｲ)**に掲げたようになっている。

旧・定額法の場合は

まず，つぎの式で償却費の額を求める。

(取得価額－取得価額×0.1)×(定額法の旧償却率)＝償却費の額

これと同じ金額を，期末未償却残高が取得価額の５％になるまで各年の償却費の額として計上する。なお，耐用年数の最後の年には，下掲の例示の表のように５％になるよう調整する。そして，そのつぎの年から，その未償却残高の$\frac{1}{5}$の金額を，毎年の償却費の額として，期末未償却残高が備忘価額の１円になるまで償却する。

例示すると下表のとおりとなる。

〔例〕

取得価額：1,000,000円　　耐用年数：６年

旧定額法の償却率　⇒　0.166

（単位：円）

年　　分	初年度	…	６年度	７年度	８年度	９年度	10年度	11年度	12年度
期首未償却残高	1,000,000	…	253,000	103,600	50,000	40,000	30,000	20,000	10,000
償却費の額	149,400	…	149,400	**53,600**	10,000	10,000	10,000	10,000	**9,999**
期末未償却残高	850,600	…	103,600	**50,000**	40,000	30,000	20,000	10,000	**1**

なお，平成19年前にすでに未償却残高が取得価額の５％に達しているものに

ついては，平成19年から，その$\frac{1}{5}$の金額を，各年の償却費の金額として，未償却残高が備忘価額の１円になるまで計上する。

旧・定率法の場合は

次式で償却費の額を求める。

期首未償却残高×旧定率法の償却率=償却費の額

期首未償却残高－償却費の額=翌期首未償却残高

の計算をし，期末未償却残高が取得価額の５％になるまで毎年繰り返し，５％になった翌年から，その未償却残高の$\frac{1}{5}$の金額を，毎年の償却費として，期末償却費が備忘価額の１円となるまで償却する。

例示すると下表のとおりとなる。

〔例〕

取得価額：1,000,000円　耐用年数６年

旧定率法の償却率　0.319

	初年度	2年度	…	7年度	8年度	9年度	10年度	11年度	12年度	13年度
期首未償却残高	1,000,000	681,000	…	99,743	67,925	50,000	40,000	30,000	20,000	10,000
償却費の額	319,000	217,239	…	31,818	**17,925**	10,000	10,000	10,000	10,000	**9,999**
期末未償却残高	681,000	463,761	…	67,925	**50,000**	40,000	30,000	20,000	10,000	**1**

減価償却（相続・贈与で取得）

相続・贈与（以下「相続等」という）で貸家を取得して，相続人等が継続して貸家をする場合，新たに貸家業を開設したものとして，あらためて，事業開始届などの諸届出書(注１)を提出しなければならない。

この場合の貸家の取得価額は被相続人の未償却残高を引き継ぐが，減価償却に関しては，相続等によって，その建物を取得した日ということになるため，償却方法は引き継がないので注意を要することとなる（所基49－1(注２)）。

したがって，平成28年４月１日以後に，相続等によって貸家を取得した場合も，新しい償却方法によって行うことになる。被相続人が定率法を適用していた貸家であっても，相続等によって取得した日が，平成28年４月１日以後であれば，定額法を適用することになる。

（注１）「事業開始届」「所得税の減価償却資産の償却方法の届出書」「所得税の青色申告承認申請書」「消費税の簡易課税選択届出書」など。

（注２）相続等により取得した建物を譲渡するときの長期譲渡・短期譲渡を判定するときの所有期間は，被相続人が取得した日を引き継いで計算する（399ページ参照）。

所得税と法人税とでは償却制度に差異がある

所得税の減価償却は，**法定償却**といって，法定の償却額が，強制的に必要経費とされる。

これに対し，法人税では**法定限度内任意償却**といって，法定償却額を限度として，その範囲内の金額を任意に償却してよいという制度である。たとえば，建物附属設備の取得価額50,000,000円，耐用年数15年，定額法の償却率0.067で法定償却額が3,350,000円であった場合，赤字決算が続いているので，今期は償却費を計上しないでおこうというのも，税務上は認められる。(注1) もっとも，その不足分を翌年まとめて２年分の償却費を計上することは認められないが，(注2) 結果として16年間にわたって償却できることになる。

所得税のほうは，その年に必要経費に計上しなくても，強制的に計上したことになるので，(注3) 結果として，必要経費として計上するのは14年分だけとなる。

また，備品などの償却方法には定額法と定率法とがあり，いずれの償却方法によるかは，届出書を提出して選択することになっているが，この届出書を提出しないときは，所得税では定額法，法人税では定率法を選択したこととされるようになっている。

（注１）　ある事業年度で欠損金（赤字）が生じたとき，青色申告をしている法人の場合，その後の10年間（平成30年４月１日前は９年）の年度で生じた所得（黒字）から，その欠損金を控除できる欠損金の繰越控除という制度がある（542ページ参照）。その後，かなりの期間にわたって赤字が続くと見込まれる場合，黒字が出る年度まで減価償却費の計上を先送りして，繰越控除をフルに活用する目的で利用される。なお，その場合，会計監査では償却不足として，適正な会計処理がなされていないとされる。

（注２）　各種特例による特別償却の不足額については，法人税では翌事業年度に繰り越して併せて償却することが認められているものもある（措法52条の２）。

（注３）　所得税の償却不足は，職権更正の対象となり，減額更正される（税額を減じて，過大納付税分が還付される）ことになっている（国通法24条）が，実務的には，あまり行われていない。

図表７―13(ア)　平成24年４月１日以後に取得された減価償却資産の償却率表

耐用年数	定額法（平成19年４月１日以降取得）	定率法		
		償却率	改定償却率	保証率
2	0.500	1.000	−	−
3	0.334	0.667	1.000	0.11089
4	0.250	0.500	1.000	0.12499
5	0.200	0.400	0.500	0.10800
6	0.167	0.333	0.334	0.09911
7	0.143	0.286	0.334	0.08680
8	0.125	0.250	0.334	0.07909
9	0.112	0.222	0.250	0.07126
10	0.100	0.200	0.250	0.06552
11	0.091	0.182	0.200	0.05992
12	0.084	0.167	0.200	0.05566
13	0.077	0.154	0.167	0.05180
14	0.072	0.143	0.167	0.04854
15	0.067	0.133	0.143	0.04565
16	0.063	0.125	0.143	0.04294
17	0.059	0.118	0.125	0.04038
18	0.056	0.111	0.112	0.03884
19	0.053	0.105	0.112	0.03693
20	0.050	0.100	0.112	0.03486
21	0.048	0.095	0.100	0.03335
22	0.046	0.091	0.100	0.03182
23	0.044	0.087	0.091	0.03052
24	0.042	0.083	0.084	0.02969
25	0.040	0.080	0.084	0.02841
26	0.039	0.077	0.084	0.02716
27	0.038	0.074	0.077	0.02624
28	0.036	0.071	0.072	0.02568
29	0.035	0.069	0.072	0.02463
30	0.034	0.067	0.072	0.02366
31	0.033	0.065	0.067	0.02286
32	0.032	0.063	0.067	0.02216
33	0.031	0.061	0.063	0.02161
34	0.030	0.059	0.063	0.02097
35	0.029	0.057	0.059	0.02051
36	0.028	0.056	0.059	0.01974
37	0.028	0.054	0.056	0.01950
38	0.027	0.053	0.056	0.01882
39	0.026	0.051	0.053	0.01860
40	0.025	0.050	0.053	0.01791
41	0.025	0.049	0.050	0.01741
42	0.024	0.048	0.050	0.01694
43	0.024	0.047	0.048	0.01664
44	0.023	0.045	0.046	0.01664
45	0.023	0.044	0.046	0.01634
46	0.022	0.043	0.044	0.01601
47	0.022	0.043	0.044	0.01532
48	0.021	0.042	0.044	0.01499
49	0.021	0.041	0.042	0.01475
50	0.020	0.040	0.042	0.01440

図表7—13(イ)　平成19年4月1日～平成24年3月31日取得分および平成19年3月31日以前取得分

耐用年数	平成19年3月31日以前取得 旧定額法償却率	平成19年3月31日以前取得 旧定率法償却率	耐用年数	平成19年4月1日～平成24年3月31日取得 定率法 償却率	改定償却率	保証率
2	0.500	0.684	2	1.000	–	–
3	0.333	0.536	3	0.833	1.000	0.02789
4	0.250	0.438	4	0.625	1.000	0.05274
5	0.200	0.369	5	0.500	1.000	0.06249
6	0.166	0.319	6	0.417	0.500	0.05776
7	0.142	0.280	7	0.357	0.500	0.05496
8	0.125	0.250	8	0.313	0.334	0.05111
9	0.111	0.226	9	0.278	0.334	0.04731
10	0.100	0.206	10	0.250	0.334	0.04448
11	0.090	0.189	11	0.227	0.250	0.04123
12	0.083	0.175	12	0.208	0.250	0.03870
13	0.076	0.162	13	0.192	0.200	0.03633
14	0.071	0.152	14	0.179	0.200	0.03389
15	0.066	0.142	15	0.167	0.200	0.03217
16	0.062	0.134	16	0.156	0.167	0.03063
17	0.058	0.127	17	0.147	0.167	0.02905
18	0.055	0.120	18	0.139	0.143	0.02757
19	0.052	0.114	19	0.132	0.143	0.02616
20	0.050	0.109	20	0.125	0.143	0.02517
21	0.048	0.104	21	0.119	0.125	0.02408
22	0.046	0.099	22	0.114	0.125	0.02296
23	0.044	0.095	23	0.109	0.112	0.02226
24	0.042	0.092	24	0.104	0.112	0.02157
25	0.040	0.088	25	0.100	0.112	0.02058
26	0.039	0.085	26	0.096	0.100	0.01989
27	0.037	0.082	27	0.093	0.100	0.01902
28	0.036	0.079	28	0.089	0.091	0.01866
29	0.035	0.076	29	0.086	0.091	0.01803
30	0.034	0.074	30	0.083	0.084	0.01766
31	0.033	0.072	31	0.081	0.084	0.01688
32	0.032	0.069	32	0.078	0.084	0.01655
33	0.031	0.067	33	0.076	0.077	0.01585
34	0.030	0.066	34	0.074	0.077	0.01532
35	0.029	0.064	35	0.071	0.072	0.01532
36	0.028	0.062	36	0.069	0.072	0.01494
37	0.027	0.060	37	0.068	0.072	0.01425
38	0.027	0.059	38	0.066	0.067	0.01393
39	0.026	0.057	39	0.064	0.067	0.01370
40	0.025	0.056	40	0.063	0.067	0.01317
41	0.025	0.055	41	0.061	0.063	0.01306
42	0.024	0.053	42	0.060	0.063	0.01261
43	0.024	0.052	43	0.058	0.059	0.01248
44	0.023	0.051	44	0.057	0.059	0.01210
45	0.023	0.050	45	0.056	0.059	0.01175
46	0.022	0.049	46	0.054	0.056	0.01175
47	0.022	0.048	47	0.053	0.056	0.01153
48	0.021	0.047	48	0.052	0.053	0.01126
49	0.021	0.046	49	0.051	0.053	0.01102
50	0.020	0.045	50	0.050	0.053	0.01072

(注) 耐用年数省令別表第七，別表第八，別表第九および別表第十には，耐用年数100年までの計数が掲げられている。

7 修繕費と資本的支出

> 貸家の通常の修繕費は必要経費になるが，その内容によっては，資本的支出とされ，減価償却することになる。その区分は。

修繕費とは

貸家用の建物・附属設備などを通常の状態に維持管理するための費用，また，原状を回復するための費用は，修繕費として，その年の経費となる。

住宅の法定耐用年数が，木造で22年，鉄筋コンクリート造で47年などと定められているが，それは，それなりの修繕を繰り返すことを前提として定められているのである。だから，その建物や附属設備を本来の耐用年数まで維持するための修繕費――例えば，建物外壁の塗り替え，木造屋根の葺き替え，屋上防水の修理等々は，その金額がいくら多額であっても，修繕費として，その年の経費となる。

修繕の費用でも資本的支出とされると――その部分は減価償却資産となる

しかし，たとえば，鉄筋コンクリート造建物の外壁を，モルタル塗りから，タイル張りに替えたり，木造建物の屋根を並製の鉄板葺から，上級の瓦葺きに替えたときなどは，建物の使用可能年数は延長し，また，建物の価値を高めたということで，資本的支出ということになり，それに対応する部分は，支出した年の必要経費にはならず，減価償却資産として，その建物や附属設備の法定耐用年数の期間にわたって，毎年償却していくことになる（所令181条）。

また，マンションやアパートの部屋貸しをしている場合，入居者が退去したら，前のようにリフォームしてから，また，貸しに出すのが通例である。このリフォーム費用は，原状回復の費用であるから，当然に，修繕費となる。もっとも，この際にと，ベニヤ張りの床を高級なフローリング張りなどにしたら，その価値を高めるものとして，資本的支出になってしまうだろう。

また，住宅用の部屋を，店舗などに改装してしまったら資本的支出となる（法基７－８－１(2)）。

資本的支出とされる基準は

修繕費と資本的支出を区分する基準は，つぎのとおりとされている。その修理によって，その建物や附属設備が，その建物や附属設備を通常の管理や修理をするものとした場合

に予測される，
　(1)　使用可能期間を延長させる部分
　または，
　(2)　資産の価額を増加させる部分
が資本的支出となる。

資本的支出と修繕費との簡便区分法

といっても，その程度までなら修繕費で，どこまでやったら資本的支出になるのか，というその判定がかなり難しいので，その金額等から，簡便な区分法が定められており（所基37－12，37－13），これを図示すると**図表７－14**のとおりとなる。

①　まず，その修理，改良等の１件ごとの工事費の金額が20万円未満であれば修繕費

②　20万円以上であれば，その工事費が，３年以内の期間を周期として行われることが過去の実績等からみて明らかな場合（例としては壁の塗り替え，畳替えなど）⇨修繕費

③　②が明らかでないときは，上掲の基準によって，資本的支出か修繕費かの判定をするが，明らかでない部分があれば，その部分について

④　その金額が60万円未満であれば⇒修繕費

⑤　その金額が60万円以上であれば，その修理をした資産の取得価額(注)のおおむね10％相当額以下であれば⇒修繕費

⑥　そうでなければ，実質的に判定することになる。

（注）「原則として前年12月31日に有する固定資産の原始取得価額に既往のその固定資産につき支出された資本的支出額を加算したものであり，その一部に除却があったときは除却価額に対応する取得価額を控除した金額となる。なお，この考え方は，次の所基37－14においても同様である」（国税庁直税部長・山口厚生監修『所得税基本通達逐条解説・平成３年版』㈶大蔵財務協会）。

実質的な判定（その１）——使用可能期間の延長

まず，「通常の管理又は修理をするものとした場合に予測される当該資産の使用可能期間を延長させる部分」かどうかということを検討する。上記でいう「使用可能期間」というのは，法定耐用年数そのものを指しているのではない。たとえば，外壁の塗り替えや屋上の防水の張り替えなどをすれば，工事前の使用可能期間より，使用可能期間は延長されるが，そのような修理をすることによって，「通常の管理又は修理をするものとした場合に予測される当該資産の使用可能期間」が維持されているのである。

　だから，その費用は修繕費として，その年の必要経費となる。雨漏りの修理

図表7－14　修繕費と資本的支出との簡便区分法のフローチャート

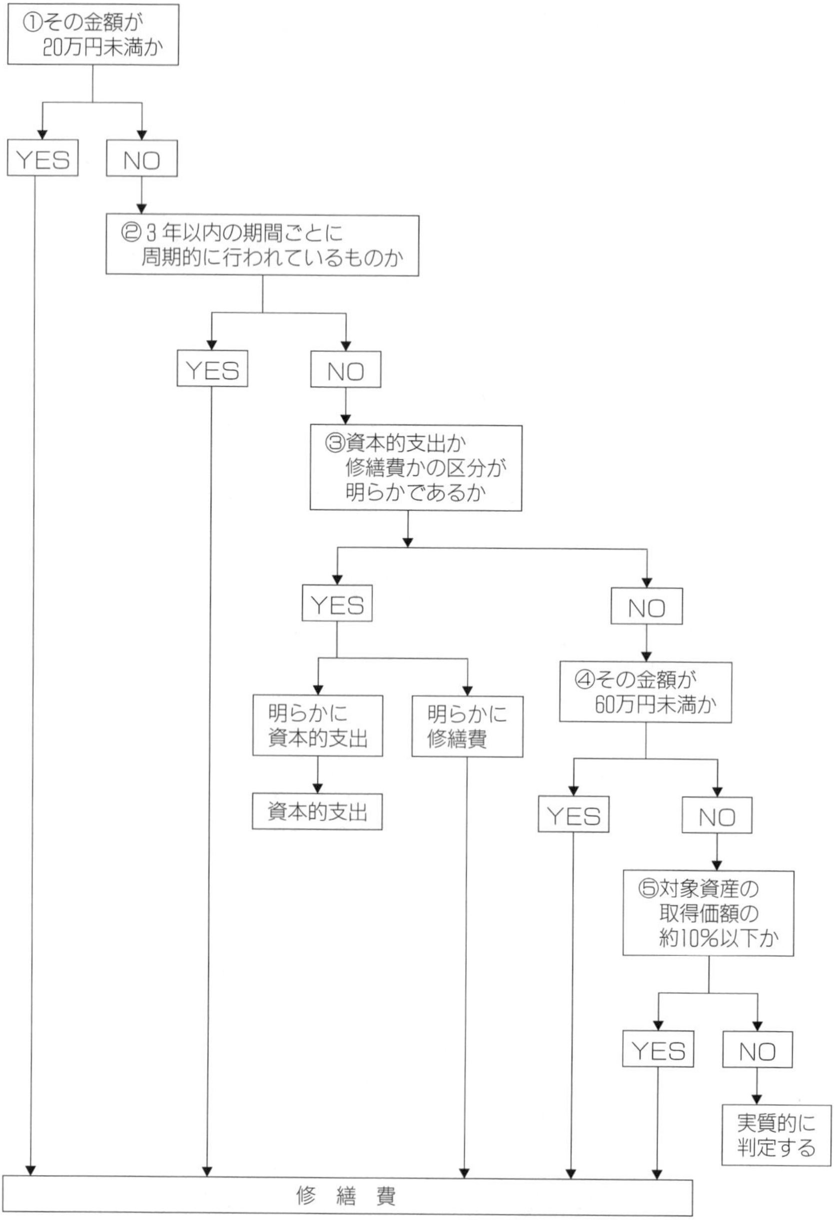

やテナントの入れ替え時になされる室内のリフォームなどは，いずれも，そういう性格のものだから修繕費となろう。また，地盤沈下などで傾いた建物の補強工事などは，金額的にはかなりの多額になるが，現状回復のものであれば修繕費となる（法基7－8－2(3)）。要は金額の多寡ではなく，その内容によって判定される。

もっとも，掘立式の木造建物の基礎をコンクリート基礎に変えたとか，鉄筋コンクリート造モルタル塗りの外壁をタイル張りに変えたとかいうような場合には，建築・取得時に予測される使用可能期間が延長されるので，資本的支出ということになろう。

（注）　法定耐用年数は，一般的な使用可能年数を基として定めているが，政策的な配慮もなされており，ここでいう「使用可能年数」そのものではない。

実質的な判定（その２）——資産の価額の増加

つぎに，その修理，改良によって，建物や附帯設備の価額が増加したかどうかの判定がある。

木造亜鉛メッキ鋼板葺の屋根を同程度の鉄板に葺き替えたり，鉄筋コンクリート造モルタル塗りの外壁を同程度のモルタルで塗装し直すというのであれば，修繕費として必要経費になる。

しかし，屋根の並製の鉄板を上質の瓦に葺き替えたとか，外壁のモルタルを大理石のタイル張りに張り替えたというような場合には，資産の価額を増加させたことになるので，その部分は資本的支出ということになる。

資本的支出となった部分の算定は

そこで，ある修理の改良等の工事が資本的支出に該当することになった場合，その工事費の全額が資本的支出の金額になるわけではない。

支出金額のうち，使用可能年数を延長させる部分に対応する金額，または価額を増加させる部分（両方に該当する場合には，どちらか高いほうの金額）である。これを算式で示せば，次式の資本的支出の金額だけが資本的支出とされ，それ以外の部分は修繕費として，支出した年の必要経費とすればよいということになっている。

(1)　使用可能期間を延長させる部分に対応する金額

$$（\text{支出金額}）\times\frac{\left(\begin{array}{c}\text{支出後の使}\\\text{用可能年数}\end{array}\right)-\left(\begin{array}{c}\text{支出しなかった場合}\\\text{の残存使用可能年数}\end{array}\right)}{（\text{支出後の使用可能年数}）}=\text{資本的支出の金額}$$

(2)　資産の価額を増加させる部分に対応する金額

$$\left(\begin{array}{c}\text{修理後}\\\text{の時価}\end{array}\right)-\left(\begin{array}{c}\text{通常の管理または修理を}\\\text{していた場合の時価}\end{array}\right)=\text{資本的支出の金額}$$

では，具体的にどのように算定するかについては，通達その他で解説は見当たらないので，筆者の私見により説明を加えておく。

使用可能年数を延長する部分の年数に対応する価額の算定

前掲の数式中の，その修理費を「支出後の」また「支出しなかった場合の」残存使用年数を判定することは，一般の納税者や税理士では困難である。

また，法定耐用年数表を参考としようとしても，たとえば，木造建物にしても，掘立式と基礎コンクリート布張り式とでの法定耐用年数の差はないし，同じく20年と掲載されているのみであるので参考にならない。

ある程度の精度で求めようとすれば，建築士に，それなりの報酬を支払って求めざるを得ないということになるが，税務の実務上そこまでは求めていないであろう。

たとえば，モルタル塗りの外壁を同じくモルタル塗りで修理すれば，通常の修理をしたもので使用可能期間を延長したことにならない。そこを，タイルで張り替えた場合に使用可能期間がモルタル塗り修理した場合より延長したとすると，外壁モルタル塗りで修理した場合の見積り工事費とタイル張りに張り替えたときの実工事費との差額を，支出金のうち使用可能期間を延長させる部分に対応する金額ととらえることも，間接的ではあるが，一応の合理性はあると筆者は考える。

資産の価額を増加させる部分に対応する部分の算定

建物について，「修理後の時価」というのは，その特別修理・改良等を実際にした後の建物の時価である。支出金のうち，この時価が，通常の修理をした場合の建物の時価を超えている部分に対応する部分の金額が，資本的支出になるということである。両者について貸家およびその敷地の鑑定評価をして比較して，価額がいくら増加したかということを把握できるが，それにはかなりの日数と費用を要するので，ここでは簡便な算出法を考えてみる。前掲の例でいうと，モルタル塗りの外壁をタイル張りで修理した実工事費とモルタル塗りで修理した場合の見積り工事費との差額だけ建物の価額を増加させたと見ることに，やはり一応の合理性があろう。

資本的支出後の償却方法

資本的支出の金額は，原則として，**本体**（資本的支出前の資産をいう）と同じ種類・耐用年数を同じとする資産を新たに取得したものとして，本体とは別の資産として償却計算を行うとされているが，本体が平成19年３月31日以前に取得されたものであった場合には，特例としてこの本体に加算して，償却計算をすることができる。また，本体が平成19年４月１日以後に取得されたもので定率法を採用している場合には，その翌年度以後は，本体に加えて計算することも特例として認められている（所令127条）。

計算例を示すと，つぎのようになる。なお，以下の設例は国税庁ホームページ（平成19年４月12日掲載）にて公表されたものをもとに解説を加えている。

【設例】

・資本的支出を行った減価償却資産（本体）
　取得年月　平成19年４月１日以後　期末償却残高：1,000万円　耐用年数：６年
　新定率法の償却率　⇒　0.417
・資本的支出
　支出した年月　同年７月　取得価額：150万円　耐用年数：６年
　新定率法の償却率　⇒　0.417

【計算例①（原則）】

（資本的支出をした年分）

	（期首未償却残高）		（償却率）				（償却費）	（期末未償却残高）
本　　体：	10,000,000円	×	0.417	×	12/12	=	4,170,000円	5,830,000円
資本的支出：	1,500,000円	×	0.417	×	6/12	=	312,750円	1,187,250円

（その翌年分）

本　　体：	5,830,000円	×	0.417	×	12/12	=	2,431,110円	3,398,890円
資本的支出：	1,187,250円	×	0.417	×	12/12	=	495,083円	692,167円

（計　4,091,057円）

【計算例①（特例）】

なお，その翌年に，それぞれの期首未償却残高と合計額を取得価額として，下記の例のように償却計算することも，特例として認められている（所令127条④）。

未償却残高の計：（5,830,000円＋1,187,250円）×　0.417　×　12/12　=　2,926,193円

【計算例②（原則）】

また，上掲設例の本体が平成19年３月31日以前に取得されたものであり，これに平成19年４月１日以後に資本的支出をした場合の償却計算は，つぎの例のようになる。なお，この場合は，本体は旧償却率0.319が，資本的支出については新償却率0.417が適用される。

（資本的支出をした年分）

	（取得価額）		（償却率）				（償却費）	（未償却残高）
本　　体：	10,000,000円	×	0.319	×	12/12	=	3,190,000円	6,810,000円
資本的支出：	1,500,000円	×	0.417	×	6/12	=	312,750円	1,187,250円

（その翌年分）

本　　体：	6,810,000円	×	0.319	×	12/12	=	2,172,390円	4,637,610円
資本的支出：	1,187,250円	×	0.417	×	12/12	=	495,083円	692,167円
								（計　5,329,777円）

【計算例②（特例）】

この場合も，その翌年に，それぞれの期首未償却残高の合計額を取得価額として償却計算をする特例もあるが，この場合には，資本的支出をした年分においても，その償却率は本体の旧償却率によることとなる（所令127条④）。

（資本的支出をした年分）

	（期首未償却残高）		（償却率）				（償却費）	（期末未償却残高）
本　　体：	10,000,000円	×	0.319	×	12/12	=	3,190,000円	6,810,000円
資本的支出：	1,500,000円	×	0.319	×	6/12	=	239,250円	1,260,750円

（その翌年分）

本体+資本的支出：　{(10,000,000円＋1,500,000円) − (3,190,000円＋239,250円)}
× 0.319 × 12/12 ＝ 2,574,569円

少額の資産は必要経費

什器，備品なども減価償却資産となるが，その使用可能期間が1年未満のもの，または，取得価額が10万円未満のものは，その取得した年分の必要経費とすることができる（所令138条）。

なお，中小企業者(注)で青色申告をしている**令和8年3月31日まで**に取得して業務の用に供した30万円未満の少額減価償却資産については，必要経費にすることができる。ただし，同年に取得して業務の用に供した少額減価償却資産の合計額が300万円を超えるときは，300万円までとされている（措法28条の2）。

（注）　中小企業者：常時使用する従業者の数が1,000人以下の個人，または，資本金額が1億円以下の法人（詳しくは，767ページ）。

〈美術品などと減価償却〉

減価償却というのは，時の経過にしたがって価値（価格）の減る資産が対象となる。

ところで，「古美術品や古文書，出土品，遺物等のように史的価値又は希少価値を有し代替性のないもの」は，時が経つにつれて，むしろ，価値が上がってきさえする。したがって，こういうものは減価償却はしない。

では，現代の作家の美術品などはどうであろうか。

これに対し，平成26年に通達の改正がなされ，古美術品等以外については，取得価額が１点100万円未満のものは，原則として，減価償却資産として取り扱うとされた。なお，100万円以上のものであっても，

①　不特定多数の者が利用する場所の装飾用や展示用（有料で公開するものを除く。）として取得されるもの
②　移設することが困難で当該用途にのみ使用されることが明らかであるもの
③　他の用途に転用するとした場合に，美術品等としての市場価値が見込まれないもの

は，減価償却資産とされた。

なお，100万円未満のものであっても，「時の経過によりその価値が減少しないことが明らかなもの」は，減価償却はできないとされた。平成27年１月１日以後に取得したものから取り扱われる（法基通７－１－１）。

減価償却資産とされたものについて，取得価額が10万円未満であれば必要経費に算入できる。また，中小企業者の30万円未満の必要経費算入も認められる（818ページ参照）。

〈不動産所得の令和6年および最近の改正〉

所得税の不動産所得に関する本章関連部分について，令和6年に，つぎの改正があった。

◆　少額減価償却資産の必要経費算入の特例の適用期限の延長

青色申告をしている中小企業者が取得した30万円未満の少額減価償却資産の損金算入の特例の適用期限が，令和8年3月31日までに延長された（818ページ関連）。

8 貸家経営と消費税等

貸ビルの家賃について消費税等が課せられる。その範囲は。また，貸付用建物の建築・購入に課せられる消費税等とその対策は。

消費税等と貸家経営計画

課税事業者の資産の譲渡等に対して，消費税と地方消費税（以下，本項では，両税を合わせて10％の「**消費税等**」という）が課せられるようになっている(注)（消法4条）。

そして，建物などを賃貸することも，この「資産の譲渡等」に該当することになるので，原則として，消費税等が課せられることになるが，住宅の貸付けは非課税となっている（消法6条・別表1）。

したがって，貸ビルなど，住宅以外の貸家については，その事業計画をたてるにあたって，この消費税等が課税されることを考慮に入れて計画しなければならない。

（注）消費税率が8％から10％に引き上げられ，令和元年10月1日の譲渡から適用されている。なお，国税としての消費税の税率$\frac{7.8}{100}$，地方消費税の税率が，その$\frac{22}{78}$，併せて$\frac{10}{100}$（10％）となる。

非住宅用の貸家をすれば家主が消費税等を納付

建物を賃貸した場合は，住宅の貸付けは非課税となっているが，事務所，店舗などの非住宅用の貸家については消費税等の課税対象となり，家主が消費税等を納付しなければならないことになっている。

なお，単純な土地の貸付けについては，消費税等は非課税となっているが，所定の設備をもうけた駐車場，テニス場等の貸付けは課税対象となっている（消通6－1－5）。

（注）貸家は，その底地や庭などを付随して貸していることになるわけであるが，この場合も，家賃を建物の賃料，土地の賃料と分けて，建物の賃料部分だけを消費税等の対象とするのではなく，家賃の全額が消費税等の対象となる。仮に，賃貸借契約書で，そのように区分していたとしても，その合計額が消費税等の対象となる（消通6－1－5（注2））。

住宅の貸付けは非課税だが

なお，住宅の貸付けでも，1か月未満の貸付けは課税対象となる。ここでいう住宅には，居住用の一戸建住宅，アパート，マンションなどが該当するが，店舗併用住宅などは，その家賃を面積按分などで合理的に区分することとなる（消通6－13－5）。

なお，住宅に付随する共益費も住宅の家賃と同様に非課税となる（消通6－13－9）。

土地の貸付けと駐車場としての貸付け

土地（借地権を含む）は消費するものでないので，その譲渡や貸付けについては消費税は非課税となっている。しかし，地面に舗装したり，フェンスを設置したり，区画割りをして貸し付けるものは，施設の貸付けということで課税対象となる。また，これらの施設を設置しないで，更地のままであっても，駐車している車輌を管理している場合には，役務の提供ということで，課税対象となる。

なお，上記のいずれにも該当しない場合でも，貸付期間が1か月未満であれば，課税対象となる。

野球場，テニスコート，プールなどについても同じく取り扱われている。

（注）消法別表第1，1号，消令8条，消基通6－1－4，6－1－5。

住宅に付随する駐車場などは

住宅の貸付けに付随している駐車場は，非課税の対象となる住宅に含まれるのであるが，住宅の家賃と別に駐車場の使用料を徴収している場合は課税対象となる。また，アパート・マンションなどの駐車場は，1戸当り1台以上の駐車スペースが確保されており，かつ，自動車の保有の有無にかかわらず割り当てられている場合で，家賃とは別に駐車場使用料等を徴収していない場合には，住宅に付随している駐車場に該当し，非課税となるが（消通6－13－3），その他の駐車場は，住宅と別に貸し付けられているものと取り扱われ，非課税とはならない。

貸別荘，有料老人ホームなど

別荘は生活の本拠としての居住の用に供するものとはいえないので，貸別荘，貸リゾートマンションなどは非課税とならない（消通6－13－4）。

また，有料老人ホーム，食事付の貸間や寄宿舎など，一つの契約で居住と食事等のサービスを行っている場合は，これを合理的に区分して非課税部分と課税部分とに分けることになる（消通6－13－6(注)）。

納付する消費税等額の計算と申告・納付は

消費税等は，課税期間（個人は毎年1月1日から12月31日まで，法人は事業年度内）の家賃等の収入（課税売上）をもととして，**図表7－17**の申告書の記載例により算出した消費税等額を法人は課税期間（事業年度）の末日から2か月以内（延長申請をすれば3か月以内），個人は翌年3月31日までに申告して納付することになっている（消法45条，45条の2，49条）。

図表7－15　建物貸付業における消費税等の仕組み

課税売上（税抜）		課税仕入（税抜）		
家賃 権利金 礼金 更新料 敷金の償却分(注) 収入管理費 駐車場収入 附帯雑収入 等	×10％－	貸家建築工事代金 同上に係る設計料 等 修繕費 入居仲介料 管理費 附帯雑費 等 ※　簡易課税方式の場合は，課税売上の40％（828ページ参照）	×10％＝	納付する消費税等額

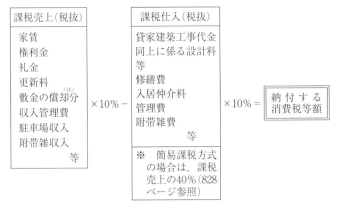

(注)　敷金，保証金等で，契約書等で立退時の償却額が確定しているものの償却額部分は，契約日を含む課税期間の課税売上となる（消基通５－４－３）。

※　賃貸借の解除に伴い借家人の受ける立退料は非課税（消基通５－２－７）。

図表7－16　貸家経営における支出のうち，課税仕入に該当するもの（○），該当しないもの（×）の区分

	項　　　　目	課　税 仕　入
経常的な支出	固定資産税・印紙税・その他の租税公課	×
	地代	×
	減価償却費	×
	借入金利子	×
	不動産業者等への仲介手数料	○
	管理業者への保守管理費用	○
	火災保険料その他の保険料	×
	管理人その他事務員等への給料	×
臨時的な支出	修繕費，その他の設備等の取替費	○
特別な支出	新規貸家取得のための請負工事費・購入費	○

図表7－17　建物貸付業における消費税等の申告書の記載例

第3－(1)号様式

令和　年　月　日　（収受印）	税務署長殿
納税地	××市××町××番×号（電話番号　○○－○○○○－○○○○）
（フリガナ）	イエオ　カシタ
屋号	家尾　甲子太
個人番号	××××××××××××
（フリガナ）	イエオ　カシタ
氏名	家尾　甲子太

	（個人の方）振替継続希望
※税務署処理欄	所管　要否　整理番号
	申告年月日　令和　年　月　日
	申告区分　指導等　庁指定　局指定
	通信日付印　年　月　日　確認　確認書類：個人番号カード　通知カード・運転免許証　その他（　）　身元確認
	指導年月日　令和　相談　区分1　区分2　区分3

個人事業者用

第一表

令和五年十月一日以後終了課税期間分（一般用）

自　令和 XX 年 01 月 01 日
至　令和 XX 年 12 月 31 日

課税期間分の消費税及び地方消費税の（　確定　）申告書

中間申告の場合の対象期間　自　令和　年　月　日　至　令和　年　月　日

この申告書による消費税の税額の計算（十兆千百十億千百十万千百十一円）

課税標準額		①	30000000	03
消費税額		②	2340000	06
控除過大調整税額		③		07
控除税額	控除対象仕入税額	④	780000	08
	返還等対価に係る税額	⑤		09
	貸倒れに係る税額	⑥		10
	控除税額小計（④＋⑤＋⑥）	⑦	780000	
控除不足還付税額（⑦－②－③）		⑧		13
差引税額（②＋③－⑦）		⑨	1560000	15
中間納付税額		⑩	00	16
納付税額（⑨－⑩）		⑪	1560000	17
中間納付還付税額（⑩－⑨）		⑫	00	18
この申告書が修正申告である場合	既確定税額	⑬		19
	差引納付税額	⑭	00	20
課税売上割合	課税資産の譲渡等の対価の額	⑮	30000000	21
	資産の譲渡等の対価の額	⑯	30000000	22

この申告書による地方消費税の税額の計算

地方消費税の課税標準となる消費税額	控除不足還付税額	⑰		51
	差引税額	⑱	1560000	52
譲渡割額	還付額	⑲		53
	納税額	⑳	440000	54
中間納付譲渡割額		㉑	00	55
納付譲渡割額（⑳－㉑）		㉒	440000	56
中間納付還付譲渡割額（㉑－⑳）		㉓	00	57
この申告書が修正申告である場合	既確定譲渡割額	㉔		58
	差引納付譲渡割額	㉕	00	59
消費税及び地方消費税の合計（納付又は還付）税額		㉖	2000000	60

⑪・㉒又は⑫・㉓の記入をお忘れなく。

㉖＝（⑪＋㉒）－（⑧＋⑫＋⑲＋㉓）・修正申告の場合㉖＝⑭＋㉕
㉖が還付税額となる場合はマイナス「－」を付してください。

付記事項			
割賦基準の適用	有	○無	31
延払基準等の適用	有	○無	32
工事進行基準の適用	有	○無	33
現金主義会計の適用	有	○無	34

参考事項			
課税標準額に対する消費税額の計算の特例の適用	有	○無	35
控除税額の計算方法	課税売上高5億円超又は課税売上割合95％未満	個別対応方式	41
		一括比例配分方式	
	○上記以外	全額控除	
基準期間の課税売上高	32,000千円		

税額控除に係る経過措置の適用（2割特例）　42

還付を受けようとする金融機関等	
銀行・金庫・組合・農協・漁協	本店・支店・出張所・本所・支所
預金	口座番号
ゆうちょ銀行の貯金記号番号	－
郵便局名等	

（個人の方）公金受取口座の利用

※税務署整理欄

税理士署名　（電話番号　－　－　）

税理士法第30条の書面提出有
税理士法第33条の2の書面提出有

※　2割特例による申告の場合、⑱欄に⑪欄の数字を記載し、⑱欄×22/78から算出された金額を⑳欄に記載してください。

第3－(2)号様式

課税標準額等の内訳書

納税地	××市××町××番×号（電話番号　○○－○○○○－○○○○）
（フリガナ）	イエオ　カシタ
屋号	家尾　甲子太
（フリガナ）	イエオ　カシタ
氏名	家尾　甲子太

整理番号

改正法附則による税額の特例計算			
軽減売上割合（10営業日）		附則38①	51
小売等軽減仕入割合		附則38②	52

個人事業者用

第二表

令和四年四月一日以後終了課税期間分

自 令和 ××年01月01日
至 令和 ××年12月31日

課税期間分の消費税及び地方消費税の（　確定　）申告書

（中間申告の場合の対象期間　自 令和　年　月　日　至 令和　年　月　日）

			十兆千百十億千百十万千百十一円	
課税標準額 ※申告書（第一表）の①欄へ		①	30000000	01
課税資産の譲渡等の対価の額の合計額	3％適用分	②		02
	4％適用分	③		03
	6.3％適用分	④		04
	6.24％適用分	⑤		05
	7.8％適用分	⑥	30000000	06
	（②～⑥の合計）	⑦	30000000	07
特定課税仕入れに係る支払対価の額の合計額（注1）	6.3％適用分	⑧		11
	7.8％適用分	⑨		12
	（⑧・⑨の合計）	⑩		13
消費税額 ※申告書（第一表）の②欄へ		⑪	2340000	21
⑪の内訳	3％適用分	⑫		22
	4％適用分	⑬		23
	6.3％適用分	⑭		24
	6.24％適用分	⑮		25
	7.8％適用分	⑯	2340000	26
返還等対価に係る税額 ※申告書（第一表）の⑤欄へ		⑰		31
⑰の内訳	売上げの返還等対価に係る税額	⑱		32
	特定課税仕入れの返還等対価に係る税額（注1）	⑲		33
地方消費税の課税標準となる消費税額（注2）	（㉑～㉓の合計）	⑳	1560000	41
	4％適用分	㉑		42
	6.3％適用分	㉒		43
	6.24％及び7.8％適用分	㉓	1560000	44

（注1）⑧～⑩及び⑲欄は、一般課税により申告する場合で、課税売上割合が95％未満、かつ、特定課税仕入れがある事業者のみ記載します。
（注2）⑳～㉓欄が還付税額となる場合はマイナス「－」を付してください。

図表７－17（824ページ）　建物貸付業における消費税等の申告書の記載例

［設例］原則型・税抜経理方式
課税売上高30,000,000円，課税仕入額10,000,000円の例
基準期間の課税売上高32,000,000円で，中間申告不要

課税売上高30,000,000円を①に記載。これに対する$\frac{7.8}{100}$(2,340,000円)を②「消費税額」に記入する。課税仕入高の$\frac{7.8}{100}$（780,000円）を④「控除対象仕入税額」に記入して，②－④の1,560,000円が納める国税分の消費税となり，⑨「差引税額」と⑪「納付税額」に記入する。

次に，この金額を「地方消費税」の欄の⑱に記入し，この$\frac{22}{78}$の440,000円を⑳「納税額」と㉒の納付譲渡割額に記入する。

そして，⑪と㉒の合計を，㉖「消費税及び地方消費税の合計（納付又は還付）税額」に記入し，申告書を税務署に提出する。

消費税等の中間申告と納付

(1)　直前の課税期間の消費税の年税額が4,800万円（国税）を超える事業者は，毎月，直前の課税期間の確定消費税額の12分の１ずつを申告・納付することとなっている。

(2)　直前の課税期間の消費税の年税額が400万円（国税）を超える事業者の中間申告・納付は年３回。

課税期間開始の日以後３か月を経過した日から２か月以内に，直前の課税期間の消費税等額の$\frac{1}{4}$を申告・納付し，その後の３か月目に$\frac{1}{4}$，その後の３か月目に$\frac{1}{4}$を申告・納付することになっている。計算した中間申告の金額が100万円以下の場合は，中間申告・納付は後述する(3)と同様になる。

(3)　上記(1)(2)以外の事業者の中間申告・納付は年１回

課税期間開始の日から６か月を経過した日から２か月以内に，直前の課税期間の確定消費税額の$\frac{1}{2}$を申告・納付することになっている。なお，直前の課税期間の確定消費税額が48万円以下の場合は，中間申告・納付は要しない（ただし任意で年１回可能）。

（注）　上記の中間申告をする場合，上記の申告期間について仮決算をして，これにより算出した消費税額を申告・納付することができる（消法43条）。前期間より課税売上が減少した場合，また，課税仕入が増加した場合には，この仮決算による方法を採用すればよいであろう。なお，仮決算で赤字になった場合（還付金相当額が生じた場合）でも，還付は確定決算までは受けられない（消通15－１－５）。

免税事業者には消費税等を免除

消費税等の納税者は，まず，**事業者**ということになっており，法人はすべてが事業者，個人については，事業を行う個人が事業者となっている。

では，事業とは何かというと，貸家については，一戸でも，たとえば，サラリーマンが，副業として，マンションの一戸を事務所用などとして賃貸している場合でも，相当の対価をとって，継続して貸し付ければ，それは消費税では「事業」だということになっている。しかし，基準期間（個人は前々年，法人は前々事業年度）の課税売上高の合計が1,000万円以下(注1)であれば，免税事業者ということになり，消費税等は納めなくていいということになっている(注2)(注3)。

※　なお，平成23年の改正で，基準期間の課税売上高の合計額が1,000万円以下であっても，特定期間（個人は前年１月１日から６月30日まで，会社は前事業年度開始の日以後６か月の期間）の課税売上高が1,000万円を超え，かつ，支払った給与等の金額も1,000万円を超える場合には課税事業者となり，個人については平成25年分から，法人については，平成24年10月１日以後開始する事業年度から適用されている（消法９条の２）。

なお，小売業で貸家も兼業している場合は，小売業の課税売上高と，住宅の家賃を除いた家賃収入との合計額が免税点以下かどうかで判定することとなっている。

サラリーマンで，マンションの一戸だけを事務所として貸しているような場合は，貸家経営の事業者ではあるが，基準年度の家賃収入が免税点以下(注2)であれば，免税事業者ということになり，消費税等は課せられないということになる。

（注１）　法人の事業年度が６か月の場合は，２年前の事業年度，その次の年度の課税売上の合計。

（注２）　基準年度（前々年）の家賃収入（消費税抜きの金額）が1,000万円以下。なお，基準年度が免税事業者である場合は，家賃収入には消費税が含まれていないので，その収入金額そのものが1,000万円以下であるかどうかで判定する（消通１－４－６）。

（注３）　新設された資本金1,000万円以上の法人については，新設後２年間は納税義務の免除はない（消法12条の２）。

簡易課税制度によると

消費税等の計算は，以上のようにして計算するのであるが，実際には，かなり手数がかかり，大変なものである。それで，簡易課税制度という制度をもうけ，基準期間の課税売上高（税抜き）が5,000万円以下の課税事業者は，選択して適用できるようにされている。この制度の適用を受ける場合には，適用を受けようとする課税期間の開始の日の前日までに，「消費税簡易課税制度選択届出書」を提出しなければならない。

この制度を採用した場合には，売上げに係る消費税額から控除する仕入税額は，仕入れに課せられた実際の消費税額ではない。課税売上高に対し，業種別に定められた一定率（不動産業は40％）を乗じた額を「みなし仕入」とみなして，貸家業についてはつぎのように計算される。

納付すべき消費税額 = 課税売上高 ×10% − 課税売上高 ×40%×10%

建物の貸付等については，823ページの**図表7−16**で見るように，貸家を取得したり，大規模な修繕をしたような場合を除いて，課税仕入に該当するものはわずかであるから，これに該当する場合は，建物を購入したり，多額の設備投資をする予定がなければ，簡易課税制度を採用したほうが，はるかに有利ということになる。

なお，簡易課税制度は適用後2年間は原則として継続することになっているので，建物の取得等の予定が生じた場合は840ページ参照。

業種別のみなし仕入率　みなし仕入率は，業種ごとに，つぎのように定められている。なお，令和元年（2019年）10月1日を含む課税期間（同日前の取引を除く）から，第三種事業である農業，林業，漁業のうち消費税の軽減税率が適用される飲食品の譲渡を行う事業を第二種事業とし，そのみなし仕入率は80%（改正前70%）が適用される。

事業の種類		みなし仕入率
卸売業	購入した商品を性質，形状を変更しないで，他の事業者に販売する事業をいいます。	90% （第一種）
小売業	購入した商品を性質，形状を変更しないで，消費者に販売する事業をいいます。 なお，製造小売業は第三種事業になります。	80% （第二種）
製造業等	農業，林業，漁業，鉱業，採石業，砂利採取業，建設業，製造業，製造小売業，電気業，ガス業，熱供給業，水道業をいいます。 なお，加工賃等の料金を受け取って役務を提供する事業は第四種事業になります。	70% （第三種）
その他事業	飲食店業，その他の事業	60% （第四種）
	金融業及び保険業	50% （第五種）
サービス業等	運輸通信業，サービス業（飲食店業を除く）	50% （第五種）
	不動産業	40% （第六種）

インボイス制度　事業者が納付すべき消費税の額は，売上げに係る消費税額から仕入れに係る消費税額を控除して計算する。

消費税は，申告納税手続きを行う事業者を通して，実質的に消費者が税を負担することが予定されている間接税であるから，仕入税額控除による税の累積の排除が確実に行われなければならない。売上げに係る消費税額と仕入れに係る消費税額とは，車の両輪の関係にあり，そのいずれもが正しく把握されてこそ，納付すべき税額の適正な算定が可能となる。

仕入税額控除は，令和５年10月１日より，**適格請求書等保存方式**という名称の**インボイス制度**となった。

適格請求書等保存方式は，事業者登録を基礎としており，消費者，免税事業者または国税庁の登録を受けていない課税事業者から行った課税仕入れは，原則として仕入税額控除の適用を受けることができない。事業者においては，事務負担が増加するのみならず，実質的な税負担が生じることも想定され，実務への影響は，相当に大きいと考えられる。

事業者登録については，令和３年10月１日から常時できるようになっているが，令和５年10月１日から令和12年９月29日までの間に提出する場合の「適格請求書発行事業者の登録申請書」の用紙は**図表７－18**のとおりである。

また，令和５年10月１日以降，ただちに，適格請求書でなければ利用できないこととなるのではなく，経過措置がもうけられており，令和８年９月30日までは，今までの請求書等については80％控除，令和11年９月30日までは50％控除できる。

したがって，令和５年中までに消費税の免税業者を課税事業者に変更するかどうか，簡易課税を選択(注)するかどうかの選択が必要となる。

なお，令和５年10月１日以降６年間は，期の途中からの適格請求書発行事業者の登録，消費税簡易課税制度選択届出等の申請が可能となっている（845ページコラム関連）。

（注）　課税売上高が1,000万円超であっても，その基準期間（前々年）における課税売上高が5,000万円以下の場合は，**図表７－19**の「消費税簡易課税制度選択届出書」を提出して，簡易な手続きによることができる。

*　　　　　*　　　　　*

登録事業者として適格請求書を発行しないと，売上先において仕入税額控除ができなくなる。

免税事業者が登録事業者になると，その後の事業年度は基準期間等の課税売上高にかかわらず，課税事業者を選択した事業者として消費税の申告納税義務が生じ，適格請求書を発行し，保存する義務が生ずる。

図表7－18　適格請求書発行事業者の登録申請書

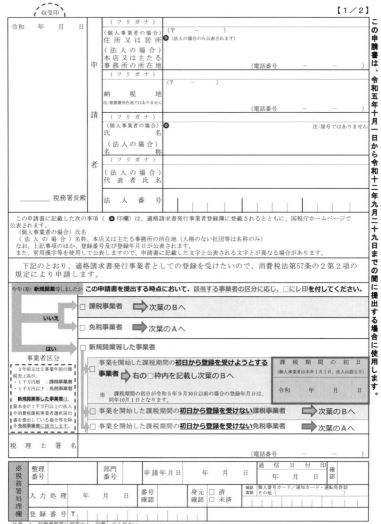

第1－(3)号様式

国内事業者用

適格請求書発行事業者の登録申請書

収受印　　【1／2】

令和　年　月　日	申請者	（フリガナ）	
		（個人事業者の場合）住所又は居所（法人の場合）本店又は主たる事務所の所在地	（〒　－　）● （法人の場合のみ公表されます）（電話番号　－　－　）
		（フリガナ）	
		納税地 注：税務署所在地ではありません	（〒　－　）（電話番号　－　－　）
		（フリガナ）	
		（個人事業者の場合）氏名（法人の場合）名称	● 注：屋号ではありません
		（フリガナ）	
		（法人の場合）代表者氏名	
＿＿＿＿税務署長殿		法人番号	

この申請書に記載した次の事項（●印欄）は、適格請求書発行事業者登録簿に登載されるとともに、国税庁ホームページで公表されます。
（個人事業者の場合）氏名
（法人の場合）名称、本店又は主たる事務所の所在地（人格のない社団等は名称のみ）
なお、上記事項のほか、登録番号及び登録年月日が公表されます。
また、常用漢字等を使用して公表しますので、申請書に記載した文字と公表される文字とが異なる場合があります。

下記のとおり、適格請求書発行事業者としての登録を受けたいので、消費税法第57条の2第2項の規定により申請します。

今年(期)新規開業等しましたか　**この申請書を提出する時点において、該当する事業者の区分に応じ、□にレ印を付してください。**

いいえ
- □ 課税事業者 ⇒ 次葉のBへ
- □ 免税事業者 ⇒ 次葉のAへ

はい
- □ 新規開業等した事業者
  - □ 事業を開始した課税期間の**初日から登録を受けようとする事業者** ⇒ 右の□枠内を記載し次葉のBへ
    ※　課税期間の初日が令和5年9月30日以前の場合の登録年月日は、同年10月1日となります。
    課税期間の初日（個人事業者は本年1月1日、法人は設立日）　令和　年　月　日
  - □ 事業を開始した課税期間の**初日から登録を受けない**課税事業者 ⇒ 次葉のBへ
  - □ 事業を開始した課税期間の**初日から登録を受けない**免税事業者 ⇒ 次葉のAへ

事業者区分

2年前又は2事業年前の課税売上高が、
・1千万円超　：課税事業者
・1千万円以下：免税事業者
新規開業等した事業者は、資本金が1千万円以上の法人や消費税課税事業者選択届出書を提出している場合等を除き**免税事業者に該当します。**

税理士署名	（電話番号　－　－　）

※税務署処理欄	整理番号		部門番号		申請年月日	年　月　日	通信日付印　年　月　日	確認
	入力処理	年　月　日	番号確認		身元確認	□ 済　□ 未済	確認書類　個人番号カード／通知カード・運転免許証　その他（　）	
	登録番号	T						

注意　1　記載要領等に留意の上、記載してください。
2　税務署処理欄は、記載しないでください。
3　この申請書を提出するときは、「適格請求書発行事業者の登録申請書（次葉）」を併せて提出してください。

この申請書は、令和五年十月一日から令和十二年九月二十九日までの間に提出する場合に使用します。

第１－(3)号様式次葉

国内事業者用

適格請求書発行事業者の登録申請書（次葉）

【２／２】

記載の順序　○免税事業者：A欄→B欄→C欄の順に記載
○課税事業者：B欄・C欄のみ記載（A欄は記載不要）

氏名又は名称

A　該当する事業者の区分に応じ、□にレ印を付し記載してください。

免税事業者の確認

□ a **次のb・c以外**で例えば**免税事業者である課税期間中の最短日での登録を希望する**など**免税事業者である課税期間中に登録**を受けようとする事業者（登録開始日から納税義務の免除の規定の適用を受けないこととなります。）
※　以下の□枠内を記載し（**登録希望日欄の記載をお忘れなく**）、次は**B欄①の質問**へ

個人番号					
事業内容等	（個人事業者の場合）生年月日 （法人の場合）設立年月日	１明治・２大正・３昭和・４平成・５令和　年　月　日	法人のみ記載	事業年度	自　月　日 至　月　日
				資本金	円
	事業内容		登録希望日		令和　年　月　日

□ b 翌課税期間が課税事業者で、その**翌課税期間の初日から登録**を受けようとする事業者（**申請日が**翌課税期間の初日から起算して**15日前の日まで**の場合）
※　次は**B欄①の質問**へ

翌課税期間の初日
令和　年　月　日

□ c 翌課税期間が**課税事業者**で、**申請日が**翌課税期間の初日から起算して**15日前の日を過ぎている**事業者
（この場合、**翌課税期間の途中から登録**を受けることとなります。）　※　次は**B欄①の質問**へ

B　登録要件の確認

① **課税事業者です（登録を受けると、消費税の申告が必要になります）。**　□ はい　□ いいえ　→②の質問へ
※　この申請書を提出する時点において、免税事業者であっても、登録を受けると課税事業者となるため、「はい」を選択してください。

② **納税管理人を定める必要のない事業者です。**　□ はい　□ いいえ　→③の質問へ
（国内に住所や本店等を有し、かつ、今後も有する場合は「はい」にレ印を付して、次の質問③へ。
「いいえ」の場合は、次の質問②’にも答えてください。）

納税管理人を定めなければならない場合（国税通則法第117条第１項）
【個人事業者】　国内に住所及び居所（事務所及び事業所を除く。）を有せず、又は有しないこととなる場合
【法人】　国内に本店又は主たる事務所を有しない法人で、国内にその事務所及び事業所を有せず、又は有しないこととなる場合

②’ 納税管理人の届出をしています。　□ はい　□ いいえ

③ **消費税法に違反して罰金以上の刑に処せられたことはありません。**　□ はい　□ いいえ　→C欄の質問へ
（加算税や延滞税は「罰金」ではありません。「いいえ」の場合は、次の質問にも答えてください。）

③’ その執行を終わり、又は執行を受けることがなくなった日から２年を経過しています。　□ はい　□ いいえ

C　相続による事業承継の確認

相続により適格請求書発行事業者の事業を承継しました。　□ はい　□ いいえ　質問はこれで終わり
（「はい」の場合は、以下の事項を記載してください。）

適格請求書発行事業者の死亡届出書の提出先税務署		税務署
被相続人	死亡年月日	令和　年　月　日
	（フリガナ） 納税地	（〒　－　）
	（フリガナ） 氏名	
	登録番号	T

参考事項	

この申請書は、令和五年十月一日から令和十二年九月二十九日までの間に提出する場合に使用します。

○免税事業者の方が免税事業者である課税期間中に登録を受けようとする場合、登録希望日（申請日から１５日以降の日）の記載をお忘れなく。
○**最短日**（申請書の提出日から１５日後）**での登録を希望する場合**は**以下欄に☑を付してください。**
（この場合、登録希望日欄への改めての記載は不要です。）

最短日での登録を希望　□

図表７－19　消費税簡易課税制度選択届出書

消費税簡易課税制度選択届出書

収受印

令和　年　月　日	届出者	（フリガナ）	
		納税地	（〒　－　） （電話番号　－　－　）
		（フリガナ）	
		氏名又は名称及び代表者氏名	
＿＿＿＿＿税務署長殿		法人番号	※個人の方は個人番号の記載は不要です。

下記のとおり、消費税法第37条第１項に規定する簡易課税制度の適用を受けたいので、届出します。

（□　所得税法等の一部を改正する法律（平成28年法律第15号）附則第51条の２第６項の規定又は消費税法施行令等の一部を改正する政令（平成30年政令第135号）附則第18条の規定により消費税法第37条第１項に規定する簡易課税制度の適用を受けたいので、届出します。）

① 適用開始課税期間	自　令和　年　月　日　至　令和　年　月　日
② ①の基準期間	自　令和　年　月　日　至　令和　年　月　日
③ ②の課税売上高	円
事業内容等	（事業の内容）　（事業区分）第　種事業

提出要件の確認

次のイ、ロ、ハ又はニの場合に該当する（「はい」の場合のみ、イ、ロ、ハ又はニの項目を記載してください。）			はい □	いいえ □
イ	消費税法第９条第４項の規定により課税事業者を選択している場合	課税事業者となった日	令和　年　月　日	
		課税事業者となった日から２年を経過する日までの間に開始した各課税期間中に調整対象固定資産の課税仕入れ等を行っていない		はい □
ロ	消費税法第12条の２第１項に規定する「新設法人」又は同法第12条の３第１項に規定する「特定新規設立法人」に該当する（該当していた）場合	設立年月日	令和　年　月　日	
		基準期間がない事業年度に含まれる各課税期間中に調整対象固定資産の課税仕入れ等を行っていない		はい □
ハ	消費税法第12条の４第１項に規定する「高額特定資産の仕入れ等」を行っている場合（同条第２項の規定の適用を受ける場合） （仕入れ等を行った資産が高額特定資産に該当する場合はAの欄を、自己建設高額特定資産に該当する場合は、Bの欄をそれぞれ記載してください。）	A　仕入れ等を行った課税期間の初日	令和　年　月　日	
		A　この届出による①の「適用開始課税期間」は、高額特定資産の仕入れ等を行った課税期間の初日から、同日以後３年を経過する日の属する課税期間までの各課税期間に該当しない		はい □
		B　仕入れ等を行った課税期間の初日	平成 令和　年　月　日	
		B　建設等が完了した課税期間の初日	令和　年　月　日	
		B　この届出による①の「適用開始課税期間」は、自己建設高額特定資産の建設等に要した仕入れ等に係る支払対価の額の累計額が１千万円以上となった課税期間の初日から、自己建設高額特定資産の建設等が完了した課税期間の初日以後３年を経過する日の属する課税期間までの各課税期間に該当しない		はい □
	※　消費税法第12条の４第２項の規定による場合は、ハの項目を裏面の記載要領等に留意の上、記載してください。			
ニ	消費税法第12条の４第３項に規定する「金地金等の仕入れ等」を行っている場合	「金地金等の仕入れ等」の合計額(税抜金額）が２百万円以上となった課税期間の初日	令和　年　月　日	
		この届出による①の「適用開始課税期間」は、金地金等の仕入れ等を行い、その仕入れ等の合計額（税抜金額）が２百万円以上となった課税期間の初日から、同日以後３年を経過する日の属する課税期間までの各課税期間に該当しない		はい □

※　この届出書を提出した課税期間が、上記イ、ロ又はハに記載の各課税期間である場合、この届出書提出後、届出を行った課税期間中に調整対象固定資産の課税仕入れ等又は高額特定資産の仕入れ等を行うと、原則としてこの届出書の提出はなかったものとみなされます。なお、この届出書を提出した課税期間が、上記ニに記載の各課税期間である場合、この届出書提出後、届出を行った課税期間における金地金等の仕入れ等の金額の合計額（税抜金額）が２百万円以上となった場合も同様となります。詳しくは、裏面をご確認ください。

参考事項	
税理士署名	（電話番号　－　－　）

※税務署処理欄	整理番号		部門番号			
	届出年月日	年　月　日	入力処理	年　月　日	台帳整理	年　月　日
	通信日付印 年　月　日	確認	番号確認			

注意　１．裏面の記載要領等に留意の上、記載してください。
　　　２．税務署処理欄は、記載しないでください。

9 貸家経営の消費税の実務

> **内税·外税,税込·税抜とはどのように違うのか。また,このどちらかを採用することによって,消費税や所得税等の税額が有利・不利になることがあるのか。**

内税と外税　消費税額を表示する方式として，内税方式と外税方式とがある。

内税方式とは,

　家賃　33,000,000円（うち，消費税3,000,000円）

というように，消費税を含めた金額を家賃として表示する方法で，**総額表示方式**ともいわれる。

外税方式とは,

　家賃　30,000,000円，消費税　3,000,000円

と表示する方式である。

課税事業者が，一般商品や家賃などを，広告，値札などで，取引前に，不特定多数の者にあらかじめ明示する場合には，総額表示によることが義務付けられている（消法63条）。

税込・税抜　経理処理にあたって，税込金額で計上する方式を**税込方式**，消費税を分離して計上する方式を**税抜方式**といっている。

なお，年度内の取引の都度は，税込金額で計上し，年度末に消費税を分離して決算する方式も税抜方式に含まれる。

簡易課税・税込方式の例　簡易課税制度を選択し，**税込方式**で経理している場合は，家賃を収入したとき，上掲の例では,

（借）（現預金）33,000,000円　　（貸）（家賃収入）33,000,000円

として処理し，納付消費税を算出する段階で,

$$\overset{\text{(税込家賃収入)}}{33{,}000{,}000\text{円}} \times \frac{100}{110} = \overset{\text{(課税標準)}}{30{,}000{,}000\text{円}}\ \text{(1,000円未満切捨て)}$$

$$\overset{\text{(課税標準)}}{30{,}000{,}000\text{円}} \times \overset{\text{(税率)}}{\frac{10}{100}} - \overset{\text{(課税標準)}}{30{,}000{,}000\text{円}} \times \overset{\text{(仕入控除)(注)}}{0.4} \times \overset{\text{(税率)}}{\frac{10}{100}}$$

$$=3{,}000{,}000\text{円} \times (1-0.4) = 3{,}000{,}000\text{円} \times 0.6$$

$$=1{,}800{,}000\text{円}$$

となる。

（公租公課・消費税）　1,800,000円　（未払消費税）　1,800,000円

となり，翌年度に消費税を納付したとき，

（未払消費税）	1,800,000円	（現　預　金）	1,800,000円

とする。

簡易課税・税抜方式の例

簡易課税制度で，**税抜方式**で経理処理をしているときは，家賃を収入したとき，つぎのように仕訳をする。

（現　預　金）	33,000,000円	（賃料収入）	30,000,000円
		（仮受消費税）	3,000,000円

また，修繕費や管理費など課税仕入に該当する経費について，たとえば，つぎのように経理処理されているとすると，

（修繕費等）	4,000,000円	（現　預　金）	4,400,000円
（仮払消費税）	400,000円		

期末の処理で，

（仮受消費税）	3,000,000円	（仮払消費税）	400,000円
		（未払消費税）	1,800,000円
		（雑　　益）	800,000円

そして，翌年度に消費税を納付したときに，

（未払消費税）	1,800,000円	（現　預　金）	1,800,000円

と仕訳する。

税込方式と税抜方式の損益計算の過程を表示すると，次ページの表のとおりであり，どちらの方式によっても，結果としての課税所得は同じとなる。

ただし，課税仕入のなかに固定資産がある場合には，税抜方式では，これに含まれる消費税額は購入年度の経費となるが，税込方式では，その消費税分も，その固定資産の取得価額に含まれ，耐用年数にわたって減価償却をすることになる。また，たとえば備品等で10万100円（本体９万1,000円，消費税9,100円）のものがあるような場合には，税抜方式では10万円未満(注１)の少額資産ということで全額が購入年度の経費となるが，税込方式で経理している場合には，10万円以上となり，固定資産に計上して，かつ消費税を含めて，その耐用年数にわたって減価償却をしなければならないことになり，税抜方式にくらべて不利となる(注２)。

（注１）　令和８年３月31日までに，青色申告中小企業者の取得した減価償却資産については30万円未満（818ページ参照）。

（注２）　ただし，毎年の減価償却費は，税抜方式の場合のほうが，税込方式にくらべて，消費税相当分だけ低くなるが，その計算は省略している。

原則型・税込と税抜の例

簡易課税制度を選択しない場合には，上掲の例によると，

（仮受消費税）　（仮払消費税）
3,000,000円 － 400,000円 ＝ 2,600,000円

		税込方式 （損益 a/c）	税抜方式	
			（損益 a/c）	（貸借 a/c）
消費税計算前の期末帳簿残	家賃収入　①	33,000,000円	30,000,000円	（仮受消費税） 3,000,000円
	課税仕入　② （修繕費・管理費等の例示金額）	△4,400,000円	△4,000,000円	（仮払消費税） △400,000円
	非・不課税仕入　③ （支払利子，租税公課，減価償却費等の設例金額）	△10,000,000円	△10,000,000円	
	仮計④＝①－（②+③）	18,600,000円	16,000,000円	2,600,000円
消費税による調整	消費税　⑤ 雑　益　⑥	1,860,000円 0円	0円 740,000円 （貸借 a／c から振替）	△1,860,000円 △740,000円 （損益 a／c に振替）
課税所得　④－⑤+⑥		16,740,000円	16,740,000円	0円

となる。

この仕訳は，**税込方式**の場合は，

（公租公課・消費税）	2,600,000円	（未払消費税）	2,600,000円

税抜方式の場合は，

（仮受消費税）	3,000,000円	（仮払消費税）	400,000円
		（未払消費税）	2,600,000円

となる。

そして，翌年度に消費税を納付したときの仕訳はいずれも，

（未払消費税）	2,600,000円	（現預金）	2,600,000円

となる。

税抜方式と税込方式との適用

税抜方式によるか，**税込方式**によるかは課税事業者が選択して適用することができるようになっている。

家賃等の収入について，**税抜方式**を選択適用している場合には，固定資産や経費について**税抜方式**を選択適用することはできるが，収入について**税込方式**を適用している場合には，固定資産や経費についても税込方式によらなければならないとされている。

また，免税事業者や住宅用の貸家のみで消費税の課税されない事業者は，税

込方式によることとされている。

消費税の税込方式と税抜方式の適用基準

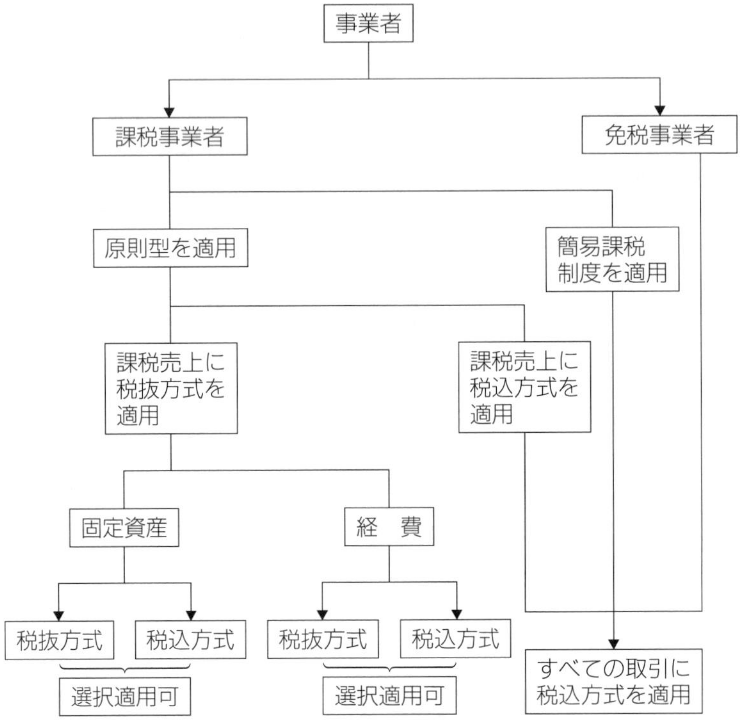

10 貸家経営と消費税の還付

> 貸家経営で，取得した建物に含まれている消費税の還付を受けられる場合がある。そのためには，どのような方法をとればよいか。――ただし，住宅用貸家だけの場合は対象外。

取得建物の消費税の仕入税額控除と還付

建物を新築，または購入した際に，建築業者または不動産業者に課せられた建物に係る消費税が買主に転嫁されるようになっている。

しかし，この建物が貸店舗や貸事務所などである場合には，家賃収入が消費税の課税対象になるので，取得した建物に係る消費税も仕入控除の対象となり，家賃などに係る消費税から控除されるので，通常の場合は，建物に係る消費税の大部分は還付される。しかし，住宅の貸付けに対しては消費税は非課税となっているので，仕入控除は関係なく，建物に係る消費税を還付されることはない。

以下，本項で「貸家」というときは，住宅用以外の貸家を指している。

なお，令和２年度の消費税法改正において，2020年10月以降取得の1,000万円以上の居住用賃貸建物の仕入税額控除が制限されている。

仕入控除の仕組み

消費税は，課税売上に係る消費税額から，課税仕入に係る消費税額を控除して求めるようになっている(注)が，仕入控除の計算方法としては，つぎのような方法がある。貸家を例として説明する。

（注）　軽減税率制度が導入された令和元年10月１日以降，税額計算は，原則として，売上又は仕入を税率ごとに区分して行うこととなるが，売上又は仕入を税率ごとに区分することが困難な中小事業者に対し，売上税額又は仕入税額の計算の特例（簡易課税制度の適用に係る特例を含む）がある。

⑴　簡易課税制度を適用している場合

この場合は，課税売上（家賃）に係る消費税額に一定率（貸家は40％）を乗じた額を控除するので，実際の課税仕入（貸家の取得費など）に含まれる消費税額は関係ない。課税売上（事務所用貸家(注１)の家賃）の消費税額の40％が控除されるだけである。

⑵　原則型を適用している場合（簡易課税制度を適用していない場合）

①　課税売上が95％以上の場合

たとえば，事務所用貸家(注１)と住宅用貸家とがあって，全体で1,000万円の家賃で，事務所用貸家の家賃が950万円以上である場合には，課税仕入の全部に係る消費税が控除される。この場合，住宅用貸家を取得したときも，その建物に係る消費税額の全額が控除されることになる。

（注）　なお，平成23年の改正によって，課税売上が95％以上であっても，100％に達していない場合には，課税売上高が５億円を超える事業者については，以下の②により，個別対応方式か一括比例配分方式かを選択して適用することとなり，個人については平成25年度分から，法人については平成24年４月１日以後に開始する事業年度から適用されている。

②　課税売上が95％未満である場合

つぎの二つの方法のどちらかを選択して適用することになっている。

(ア)　個別対応方式

つぎの式で計算した金額が控除される。

（事務所用貸家の課税仕入に係る消費税額）＋｛（共通する課税仕入に係る消費税額）×（事務所用貸家の家賃の割合(注2)）｝

この場合は，住宅用貸家の取得に係る消費税額はまったく控除されない。

(イ)　一括比例配分方式

つぎの式で計算した割合が控除される。

（事務所用貸家と住宅用貸家の課税仕入に係る消費税額）×（事務所用貸家の家賃の割合(注2)）

この場合は，住宅用貸家の取得に係る消費税額の一部が控除されることになる。なお，いずれの方式を採用するかは，事業者が任意に選択できるが，一括比例配分方式を採用した場合は，２年以上適用した後でなければ，個別対応方式に変更することはできない。

（注１）　説明を簡単にするため事務所用貸家と記載しているが，店舗用，ホテル用，倉庫用など非住宅用貸家のすべてが含まれる。また，貸家以外の事業も営んでいる場合の課税事業も含まれる。

（注２）　「事務所用貸家の家賃の割合」，すなわち「課税売上割合」は，つぎの式で求める。

$$\text{課税売上割合} = \frac{\text{課税期間の課税売上高（税抜）}}{\text{課税期間の総売上高（税抜）}}$$

仕入控除と還付の具体例

事業所用貸家を２億2,000万円（税込）で建築また取得した年において課税事業者で，仕入控除について原則型（他に課税売上のある場合は個別対応方式）を適用している場合には，つぎのようにして，取得した建物に係る消費税を還付してもらえる（家賃その他は前項の例による)。

〈家賃に係る消費税額〉

33,000,000円 × $\frac{10}{110}$ ＝3,000,000円……①

〈建物に係る消費税額〉

220,000,000円 × $\frac{10}{110}$ ＝20,000,000円……②

〈その他の課税仕入に係る消費税額〉

2,200,000円 × $\frac{10}{110}$ ＝　200,000円……③

①－(②＋③)＝ △17,200,000円

すなわち，1,720万円を還付してもらえることになる。

なお，所得税の計算上でみると，課税売上・課税仕入と消費税とを別建にして処理している**税抜方式**の場合，つぎのような仕訳がなされている。建物の取得時に，

(建　　物)	200,000,000円	(現 預 金)	220,000,000円
(仮払消費税)	20,000,000円		

また，家賃と課税仕入については，

(現 預 金)	33,000,000円	(家賃収入)	30,000,000円
		(仮受消費税)	3,000,000円

(課税仕入)	2,000,000円	(現 預 金)	2,200,000円
(仮払消費税)	200,000円		

そして，決算で，

(仮受消費税)	3,000,000円	(仮払消費税)	20,200,000円
(未還付消費税)	17,200,000円		

となる。

税込方式の場合は，つぎの仕訳となる。

(建　　物)	220,000,000円	(現 預 金)	220,000,000円
(現 預 金)	33,000,000円	(家賃収入)	33,000,000円
(課税仕入)	2,200,000円	(現 預 金)	2,200,000円

そして，決算で，

(未還付消費税)	17,200,000円	(雑　　益)	17,200,000円

となり，消費税の還付は受けられるが，還付される消費税相当額は雑益として計上されるので，当期間の利益は建物に含まれる消費税相当分だけ大きく計上され，その同額が建物取得価額として残り，その耐用年数の期間にわたって減価償却により経費となることとなる。したがって，税抜方式で経理するほうが

有利である。なお，居住用賃貸建物（1,000万円以上の高額特定資産）は，仕入控除の対象とならず，原則還付が受けられない（消法30条⑩）。

簡易課税制度適用者は還付なし

簡易課税制度を選択している場合には，課税仕入（取得建物）の金額とは関係なく，課税売上（家賃収入）の一定率を納付消費税額として計算することになっているので，取得建物に含まれている消費税とは無関係である。

特別に大規模な貸家経営でない限り，貸家を取得した課税期間については，原則型を選択したほうが，一般に有利となろう。

なお，原則型から簡易課税制度に変更する場合は，変更したい課税期間の開始の日の前日（個人は前年の12月末日）までに,「簡易課税制度選択届出書」を提出すればよいが，いったん簡易課税制度を選択すれば，２年間は継続して適用しなければならなくなっているので，今後の貸家の取得や設備の更新の時期をにらんでタイミングをはかって選択する必要がある。なお，原則型に変更する場合は,変更したい期間の前日までに,「消費税簡易課税制度選択不適用届出書」を提出することとなっている。

サラリーマンの貸事務所で還付される方法は

サラリーマン等の課税事業者でない者，または小規模の免税事業者が，貸ビル等を取得して貸家経営をする場合にも，選択して課税事業者になることにより，取得建物に含まれていた消費税を，前述した**仕入控除**という方法で，家賃に係る消費税から引いて還付を受けることができる。なお，居住用賃貸建物については，令和２年10月１日以後に取得した建物については，この仕入控除方式が適用できなくなっている（消法30条⑩)。

まず，消費税では，貸家の規模に関係なく,「反復，継続，独立して行われるもの」は事業とされているので，課税期間の開始の日の前日までに(注１),「消費税課税事業者選択届出書」を提出しておけばよい。

なお，基準期間の課税売上高が1,000万円以下の者が，この届出をした場合，２年経過後(注２)にその課税期間の開始の日の前日までに,「消費税課税事業者選択不適用届出書」を提出して，免税事業者に戻ることができる（消法９条)。

（注１）　新規に建物を取得して賃貸を開始して，すなわち事業を開始して課税事業者を選択する場合には，その届出を提出した年から課税事業者となる。なお，すでに既存の建物の賃貸をしている場合，また，その他の事業を経営していた場合には，すでに事業者であるが，その者が免税事業者であった場合に，さらにもう一つの建物を取得して賃貸して課税事業者になろうとするときは，課税期間の開始の日の前日までに「消費税課税事業者選択届出書」を提出しなければならない。

なお，令和５年10月１日から令和11年９月30日までは，当年の課税期間中でも提出できる。

（注２）　免税事業者が届出をして課税事業者となり，建物など調整対象固定資産を取得した場合には，その日以後３年間は免税事業者に戻ることはできず，また，簡易課税方式を選択適用することもできない。

なお，本来の課税事業者であっても，1,000万円以上の高額特定資産を取得した場合も同じ（消法12条の４，消令25条の５）。

建物や設備などの仕入控除は３年後に調整

建物や設備など対価の額が100万円以上(注１)の固定資産(注２)を取得した場合，その資産を**調整対象固定資産**といい，その後の３年間にわたって，取得した時にしていた仕入控除の額を調整するようになっている（消法２条⑯，消令５条）。

（注１）　対価の額：税抜価額により，付随費用は含まないで判定する。
（注２）　大規模な修繕費，改良費などで資本的支出（812ページ参照）に該当するものを含む。

【課税売上割合が著しく変動した場合】

５階建の貸家用建物を取得した課税期間では１階の店舗等の課税売上部分と，２階の住宅の非課税売上部分のみが賃貸されており，その後の期間で，３～５階の住宅の非課税売上部分が賃貸されたような場合がこれにあたる。

⬇

1．このような場合で，仕入控除について，つぎのいずれかの方法で仕入控除の計算をしていた場合で，

(1)①　課税売上割合が95％以上であったので，全額控除していた（前記の例では，１階の事務所用部分の貸付けのみであったとき）

②　課税売上割合が95％未満であったので，一括比例配分方式により計算した（前記の例では，１階の事務所用部分と２階の住宅部分の貸付けのあった場合）

③　課税売上割合が95％未満であったので，個別対応方式により，共通して要するものとして計算した（建物の共用部分がこれにあたる）

⬇

２．３年度の課税期間の末日において，その建物等を保有している場合（その間に譲渡していれば，その譲渡に係る消費税で実質的に調整されている。）

３．調整対象固定資産を取得した課税期間から，３年間の各期間の課税売上割合を通算して「通算課税売上割合」を求め，つぎの式により，著しく増加した場合には３年目の仕入控除額に加算し，著しく減少している場合には，仕入控除額から減算する。

⑴　課税売上割合が著しく増加した場合－課税仕入等の税額に加算する

①
$$\frac{\text{通算課税売上割合}-\text{課税仕入等の課税期間の課税売上割合}}{\text{課税仕入等の課税期間の課税売上割合}}\geqq\frac{50}{100}$$

であり，かつ，

②
$$\text{通算課税売上割合}-\text{課税仕入等の課税期間の課税売上割合}\geqq\frac{5}{100}$$

である場合……つぎの金額を課税仕入等の税額に加算する。

③
$$\text{加算すべき税額}=\text{調整対象固定資産の課税仕入等に係る税額}\times\text{通算課税売上割合}-\text{調整対象固定資産の課税仕入等に係る税額}\times\text{課税仕入等の課税期間における課税売上割合}$$

⑵　課税売上割合が著しく減少した場合－課税仕入等の税額から控除する

①
$$\frac{\text{課税仕入等の課税期間の課税売上割合}-\text{通算課税売上割合}}{\text{課税仕入等の課税期間の課税売上割合}}\geqq\frac{50}{100}$$

であり，かつ，

②
$$\text{課税仕入等の課税期間の課税売上割合}-\text{通算課税売上割合}\geqq\frac{5}{100}$$

である場合……つぎの金額を課税仕入等の税額から減算する。

③
$$\text{控除すべき税額}=\text{調整対象固定資産の課税仕入等に係る税額}\times\text{課税仕入等の課税期間における課税売上割合}-\text{調整対象固定資産の課税仕入等に係る税額}\times\text{通算課税売上割合}$$

なお，上記の③で控除すべき税額がマイナスになった場合には，課税される消費税額に加算されることになる。

（注）　消法33条，消令53条①②，消基通12－３－１～３

図表７－20　（単位：円，税抜金額）

建物仕入金額	A	110,000,000
うち消費税	B	10,000,000

		a＝A－B	b	c＝a/(a＋b)	d＝a×0.1	e	f＝d－e	j＝e－d
		課税売上	非課税売上	課税売上割合	消費税額	仕入控除	納付税金	還付税金
1	建物仕入課税期間	6,000,000	0	1.0000	600,000	10,300,000		－9,700,000
2	次期課税期間	6,000,000	16,000,000	0.2727	600,000	300,000	300,000	0
3	次々期　〃	6,000,000	16,000,000	0.2727	600,000	300,000	300,000	0

	M＝a_1＋a_2＋a_3	N＝b_1＋b_2＋b_3	
合　計	18,000,000	32,000,000	P＝M/(M＋N)
通算課税割合			0.3600

(2)①の式	$(c_1-P)/c_1$	0.6400	＞0.5
(2)②の式	c_1-P	0.6400	＞0.05
(2)③の式	$R=(B\times c_1)-(B\times P)$	6,400,000	控除過大調整税額

［設 例］

これを**図表７－20**の設例で説明する。

選択して課税事業者になって，貸付用建物を110,000,000円（うち消費税10,000,000円）で取得した年に，貸付部分は事務所用部分のみで課税売上がその家賃6,000,000円で，それに係る課税仕入が3,000,000円であったとすると，建物に課せられた消費税のうち9,700,000円が還付される。

その次期課税期間から住宅用部分（非課税売上）の貸付けが始まり，その家賃は図表記載のとおりであったとする。

そして，建物取得後の３期目には，調整対象固定資産に係る税額調整をしなければならない。

通算課税割合を求めたところ，0.36となり，前述３(2)①で求めた数値は0.64となり0.5より大となり，また，３(2)②で求めた数値は0.64となり0.05より大であるので，「著しく変動（減少）している」に該当しているので，３(2)③の式により，控除過大調整税額を求めると，6,400,000円となったので，これを調整計算をしない場合の仕入控除額300,000円と差引計算した6,100,000円を，事務所家賃に係る消費税600,000円に加えた6,700,000円が次々期に納付する消費税額となる。

この例では，建物を取得したときに支払った消費税1,000万円について970万円還付を受けたが,その内の610万円は3年後に取り戻されるようになっている。

事務所用建物を住宅用に転用した場合，また，その逆の場合の調整

貸家用の建物を取得し，この全部を事務所などの課税事業用のみに供するとして，個別対応方式によって，仕入控除をした場合で，その取得後3年以内に，その全部を住宅用（非課税事業用）に転用した場合，つぎの金額を転用した課税期間の仕入控除額から減算する。

⑴　取得後1年以内に転用した場合……この建物についてした仕入控除額の全額

⑵　1年超え2年以内の場合……その3分の2の金額

⑶　2年超え3年以内の場合……その3分の1の金額

また，取得したとき住宅用（非課税事業用）として，この建物に係る仕入控除をしなかった場合で，3年以内に事務所用等（課税事業用）に転用した場合には，その期間に応じて上記⑴～⑶の割合の金額を転用した課税期間の仕入控除の額に加算する（消法34条，35条，消令53条の2）。

免税事業者等から購入した建物も対象

免税事業者，または事業をしていない個人から建物を取得した場合には，消費税が含まれていないが，その場合でも，取得価額の$\frac{10}{110}$の金額が仕入税額控除の対象となる。

〈消費税の令和６年および最近の改正〉

消費税（本章関連部分）については，令和６年に大きな改正はなかったが，令和５年に，つぎの改正がなされた。

1．インボイス制度の開始

令和５年10月からインボイス制度が開始し，登録業者の請求書等でなければ仕入控除できないこととなる。そこで，免税事業者も課税事業者として登録することが要請されるが，経過措置により，令和５年10月１日から令和11年９月30日までは，いつでも登録申請が可能であり，簡易課税選択もいつでもできることとなった（28年改正法附則51条の２⑥）。

2．小規模事業者に対する納税額の負担軽減

個人法人の免税事業者が課税事業者を登録した場合，令和５年10月１日から令和８年９月30日までの期間については，２割特例が適用される。２割特例とは，消費税納税額のうち売上税額の20％に消費税納税額が軽減される（28年改正法附則51条の２①②）。

3．中小企業者等に対する事務負担の軽減措置

基準期間（前々年）における課税売上高が１億円以下である個人法人について令和５年10月１日以降令和11年９月30日の間，１万円未満の課税仕入れについてインボイスの保存がなくても仕入控除できることとなった（28年改正法附則53条の２）。

4．免税事業者からの仕入控除の経過措置

免税事業者（個人法人）が発行する領収書等については，原則，仕入控除ができないが，令和５年10月１日から令和８年９月30日までの間は80％控除，令和８年10月１日から令和11年９月30日までの間は50％控除ができることとなった（28年改正法附則52条，53条）。

第2節
貸家と借家権の法律と評価

11　普通借家権の推移と借家権価格

借家法により借家権は強化され定着していったが，借地権と比較すると。借家権と借家権価格の関係は。

借家法の制定

日露戦役後の産業の活発化により都市部への急激な人口流入があって，土地の需給バランスがくずれたことから，借地については借地人の保護のための「建物保護法」が制定された。また，大正３（1914）年からの第一次世界大戦の好景気をも背景として，大正10（1921）年に借地法が制定されるにいたったことは，584ページ以降で説明した。

そして，そのとき，借地法の制定とともに，借家人を保護するための借家法も制定されている。

その借家法の内容は

この借家法の制定趣旨は，借地法と同様に，借家人の居住と営業を安定させようということであった。

家賃（賃料）を払って，建物を借りれば，その家主が賃貸借期間だけは，同じ家賃などの条件で貸さなければならないということになり，借家人からいえば，借家権が生じる。しかし，それは，賃借したときの家主に対するだけで，その家主が他の人に建物を売ったとき，新しい家主は，その義務を引き継ぐ義務はなかった。

しかし，借家契約をするとき，賃借権の登記をしていれば，新しい家主にも対抗できる。すなわち，従来からの家賃その他の条件で賃借を継続することができるようになっていたのだが，建物を借りるとき，このような建物賃借権の登記をすることは，まずなかった。

それで，この建物賃借権の登記をしなくても，建物の「引渡し」があれば，その登記をしたと同じ効力をもつものとされた。

このことは，現在でも，重要な意味をもっている。

また，この借家法では，契約上の借家期間が満了しても，借家人が引き続いて居住などに使用していれば，賃貸人が遅滞なく異議を述べなければ，従前と同一の条件で，賃貸借が繰り返されるということも規定している。

地代家賃統制令と礼金

ところで，この借地法，借家法の制定されたころから，第一次世界大戦後の不況が世界を襲い，日本経済も不景気のなかに陥没し，地主や素封家，また，軍官吏の定年退職後の資産運用のための貸家経営も多く，貸家供給過多の時代へ移っていく。

しかし，昭和12（1937）年に始まる日中戦争（当時は，支那事変といっていた）を契機として，軍需工場の東京その他都市部への立地と，労働者の都市集中が始まり，土地・建物への需要と供給とが急激に逆転する。

そのとき，聖戦を勝ちとげるものとして，国家総動員法が制定され（昭和13年），この法に基づいて，「地代家賃統制令（第一次）」が公布された（昭和14年）。

この統制令により，地代と家賃は制限されることとなる。

そして，この統制令の家賃では採算が思わしくないということで，この統制を回避する方法として，**礼金**という名目で統制家賃を補塡しようとする動きが一般化していく。

借家法の改正と「自己ノ使用」

地代家賃統制令で家賃を制限していても，借家の賃貸借期限が満了すれば，借家は返さなければならない。

それで，昭和12年以後，出征軍人の銃後の守りということもあり，昭和16（1941）年に，借地法と借家法とが改正された。

その主要なものは，借地または借家の契約期限が満了しても，地主または大家の「自己ノ使用ソノ他……」がなければ，更新を拒絶できない，すなわち，賃貸借を継続しなければならないということであった。

これによって，借家人の地位は安定することとなった。

戦後の判例と借家権

その後，昭和19年からの米軍の本土空襲により，日本の都市のほとんどは焼野原となった。

そして，昭和20年８月15日に終戦となった。

そのとき，幸運にして，また，焼夷弾を消し止めて残った借家もあった。

当時の借家法によれば，焼け残った貸家は契約期間が満了すれば，焼け出された大家は借家人を退去させ，自己の居住用住宅として使用できるはずであり，そのような裁判が相次いだ。

しかし，判例は，「自己ノ使用……」を広く解釈し，建物賃貸人の自己の使用というのは一つの例示であり，その建物を使用する必要性の強弱を秤(はかり)にかけて，どちらの必要性が強いかということにより判定するということとされ，その判例が定着した。

多くの場合は，そして，一般的には，借家人の権利，すなわち借家権が定着していった。

借家権価格の形成

そして，借家権に経済的利益が含まれるのは，地代家賃統制令により家賃が低額におさえられていたことにある。そして，この統制家賃は徐々に緩和され，その対象も解除されていったが，その後も，借家法による家賃増額の制約により制限され，新規に貸出しの時点では市場賃料，その後は値上げが制限されて，市場の新規賃料が上昇するにつれ，その差額が拡がっていき，これが借家権の価格として形成されるようになっていった。

借家権価格とは

借家権価格を評価することはむずかしい。借家権価格とは，まず借家法で保護されている借家人の権利の価格といえる。しかし，この借家人の権利というものが，ある場合にはきわめて強く，ある場合にはきわめてもろいものである。借家人が自分の都合で立ち退けば，その権利は消滅してしまう。

借地権のように第三者に借家権を売ろうとしても売ることはできない。ただ，家主のほうから，借家権を消滅したい，立ち退かせたいというときだけ，借家権価格というものが現われてくる。その場合は，借り得部分というものが大きな要素になってくるであろう。

その鑑定評価における借家権の内容と求め方は，「**15　借家権の鑑定評価**」（868ページ）で説明する。

相続税評価における借家権価格

なお，相続税・贈与税の評価では，借家権割合は30％と定められている。

建物価額が1,000万円であると，建物に係る借家権価格は，

（建物価額）　（借家権割合）　（建物に係る借家権価格）
10,000,000円 × 0.3 ＝ 3,000,000円

となる。

また，借家人はその建物の敷地も使用しているので，その敷地の使用についての権利も評価するとき，

（更地価格）×（借地権割合）×（借家権割合）

という式で求めている。

更地価格が１億円，借地権割合が70％であるとすると，敷地に係る借家権価

格は，

（更地価格）100,000,000円 × （借地権割合）0.7 × （借家権割合）0.3 ＝ （敷地に係る借家権価格）21,000,000円

となる。

しかし，これも借家権を積極的に認めて，それに課税しようという趣旨ではない。借家権を相続しても，相続税の対象とはしない。ただ，相続財産のなかに貸家が含まれているとき，家主の課税財産を評価するとき，上記の借家権価格分を控除して計算するというだけのものである。

（注）　取引慣行のある借家権は相続税の対象となる（121ページ参照）。

公的評価の割合法からの応用

そういうことではあるが，公用収用，区画整理，都市再開発での評価でこの割合が使われ，いいつたえられているうちになんとなく20～30％の借家権割合というものが，次第に常識化してきつつある傾向もみられる。これに，借り得部分の強弱を加味して，借家権価格のメドをたてるのも，一つの便法であろう。

借家権価格について，事例を含めた参考書としては，旧（社）東京都不動産鑑定士協会（現：公益社団）『借家権と立退料』（平成21年３月）がある。

〈使用借権上の土地に貸家のある場合〉
―自用地か貸家建付地か

① 土地を使用貸借で貸して，土地の借主が新たに建物を建てて貸家した場合は，借家人の敷地に対する権利も使用貸借であるので，その敷地に対する土地所有者の価額は自用地（更地）として評価される。

② しかし，すでに貸家をしていた建物の贈与を受けて，敷地について使用借権で借りていた場合の建物所有者の敷地評価額は０円であるが，借家人の権利が敷地にも及んでいることは変わらないので，土地所有者の敷地の価額は貸家建付地として評価される。

（注）　その後，借家人が変更した場合は，敷地評価額が０円となり，更地としての評価となる。

12 定期借家制度とは

> 貸家事情の変遷から借家制度の改正を経て，定期借家制度が創設された。その内容と手続きなどは。

貸家経営の推移

戦後の住宅不足を解消するため，まず，公営や公団の賃貸住宅の供給にはじまり，住宅金融や住宅促進税制も相次いで出され，昭和60年代には，量的には住宅不足の問題は解消されていった。

しかし，質的には，フランス人にウサギ小屋と揶揄されたように，豊かな住宅とはいいがたく，特に貸家住宅については，借家法による法定更新と家賃増額の制約があるため，単身者向とか新婚者向など狭い住宅で，相対的に短期間で転居するような小住宅が多く，借家人のほうも，マイホーム取得までの一時的な仮住いという意識があり，ゆとりのある世帯向の貸家は，ほとんどといえるほど供給されなかった。

そのようなことを背景として，良質な貸家住宅の供給をはかるため，借家法の改正の要望が盛り上がっていったが，借家人イコール弱者という固定観念は強く，弱者保護という建前論からの抵抗のため，その実現は程遠かった。

借地借家法の改正と期限付建物賃貸借

一方，借地については，借地法の制約で，新規の借地の供給は閉塞状況にあったが，平成３年に借地法と借家法とを改正し，借地借家法とし，既存の借地と切り離して，新規設定の借地についての定期借地権が創設され，平成４年から施行された（588ページおよび634ページ参照）。

そして，そのとき，借家については，**期限付建物賃貸借**という制度が創設された。これは，「賃貸人の不在期間の建物賃貸借」と「取壊し予定の建物の賃貸借」とに分かれている。

賃貸人の不在期間の建物賃貸借（借地借家法38条）というのは，たとえば，サラリーマンが転勤などで持家を一時的に空家にせざるを得ないような場合に，この空家をいったん賃貸すると，転勤が終わって帰ってきても，借家法の制約でその家を返してもらえないため，空家として放置している例が多く，これは経済的にも非効率であり，また不合理であるということで，このような場合に，一定の期間を確定して，期間満了後に契約の更新をしない旨を定めれば，有効である，すなわち返還されるというものである。

しかし，これが適用されるケースとしては，転勤，療養，親族の介護その他やむを得ざる事情のある場合に限定されていた。

取壊し予定の建物の賃貸借（同法39条）というのは，法令または契約によって，一定期間後に建物を取り壊すことが明らかな場合，建物を取り壊すこととなるときに賃貸借が終了することを定めれば，有効であるとするものである。

「法令により」というのは，都市再開発法による市街地再開発事業の準備期間中に，空家になっている店舗を賃貸しようというときなど，その事業により建物を取り壊すまで賃貸しようとするときなどに利用される。また,「契約により」というのは，定期借地権で，期間満了時に建物を取り壊して更地化して土地を返還する契約をされている借地上の建物を賃借するときなどに利用される。

定期借家制度の導入

しかし，この期限付建物賃貸借の適用される範囲は非常に狭かったので，その後も，①良質な借家の供給促進，②家賃水準の低下，③高齢者の円滑な資産運用を求めて，より幅広く利用できる定期借家の法改正を求める動きが続いた。さらに，④国際的な不動産市場への対応，⑤バブル後の不良債権化した不動産の処理，⑥内需拡大効果への期待もあって，平成11年12月に借地借家法が改正され，定期借家制度が導入され，平成12年３月１日以後に契約される建物賃貸借から適用されている。

なお，これにともなって，上述した「期限付建物賃貸借」のうち「賃貸人の不在期間の建物賃貸借」は廃止されている。

この定期借家制度は，従前からの借家制度（以下「普通借家」という）にくらべて，つぎの点が異なっている。

⑴　期間満了により終了……普通借家では，賃貸借契約期間が満了しても，貸主側に正当事由がなければ更新されたが，定期借家では，契約どおり満了し，更新されない。

⑵　賃貸借の上限期間……借地借家法では，建物の賃貸借期間の上限についての規定はなく，民法604条の規定が適用され，上限は20年となっていたが，この改正により，この規定を適用しないこととされたので，より長期の期間を約定することができるようになった(借地借家法29条②)。このことにより，賃貸借契約期間中は，借家人が退去しても，家賃の収入は確保されることになり，貸家経営への投資を安定させることに資している。なお，これは，平成12年３月１日以後に契約される普通借家にも適用されている。

⑶　中途解約について……定期借家については，中途解約は原則として認められないが, 居住用建物（生活の本拠として使用している店舗併用住宅を含む）で，床面積が200㎡未満のものについては，転勤，療養，親族の介護などの

やむを得ない事情によって，自己の生活の本拠として使用することが困難となったときに限り，借主から解約の申入れをすることができ，1か月後に終了することになっている（同法38条⑥）。

(4)　賃貸借の下限期間……普通借家については，建物の賃貸借で期間を1年未満とするときは，期間の定めがないものとみなす（同法29条①）とされていたが，定期借家については，この規定を適用しない（同法38条①後段）とされたので，期間1年未満の契約でも，定期借家の契約は成立し，約定の期間の満了したとき終了することとなる。

(5)　賃料の特約……普通借家では，賃料（借賃）について，一定期間増額しない特約を除き，経済事情の変動により不相当となったときは，契約の条件にかかわらず，その増減を請求できることとなっていた（同法32条①）が，定期借家については，賃料改定に係る特約がある場合には，この賃料増減額請求の規定は適用しない（同法38条⑨）とされたので，一定期間の賃料据置，一定期間後の賃料増額か減額，その増減率や算定方法を特約しておけば，この約定による賃料を確定することができる。これが，長期の賃貸借期間を約定することとあいまって，貸家経営の採算を長期的に安定・確定させることにより，貸ビルなどへの投資の流動性を高めることになる。

定期借家の契約をするには

普通借家の契約は口頭でしても有効であるが，定期借家については，書面によってしなければならなくなっている。また，契約書とは別に，その前に予め「この賃貸借は，契約の更新がなく，期間の満了によって終了する」旨を記載した書面を交付して説明しなければならないことになっている。そして，この説明をしないで契約をした場合は，普通借家の契約をしたことになってしまう（同法38条①②③）。

(注)　定期借家権の契約を公正証書で締結していた場合でも，契約締結前に予め，「契約の更新がなく，期間の満了により終了すること」を記載した書類を交付して説明していないので，定期借家権としての効力を認められない旨の最高裁の判例（平成22年7月16日）がある。

定期借家を終了させるときは

賃貸借期間が満了して，定期借家を貸主が終了させるためには，契約期間が1年以上あるものについては，期間満了日の1年前から6か月前までの間（通知期間）に，「○年○月○日に期間が満了して賃貸借が終了する」旨の通知をしなければならない。この通知期間が過ぎてから通知したときは，通知した日から6か月を経過した日に終了することになる（同法38条⑥）。

普通借家から定期借家への切替えの制限

平成12年３月１日前から普通借家（期限付建物賃貸借を除く）で賃貸借しているものについて，それが居住用の建物である場合には，当分の間は，定期借家への切替えはできないことになっている（同法附則３条）。居住用の建物以外であれば，貸主・借主の合意で定期借家に切り替えることは自由である。

高齢者向終身借家制度

平成13年に，「高齢者の居住の安定確保に関する法律」（以下「高安法」という）が制定され，平成13年８月５日から施行されているが，このなかで，高齢者とその配偶者とが死亡するまで居住できる終身借家制度が創設されている。

この法律は，高齢者の単身・夫婦世帯向けに，バリアフリー化された優良な賃貸住宅の供給を促進し，高齢者の入居を拒まない賃貸住宅を登録し，これに対し高齢者居住支援センターが滞納家賃の保証（６か月を限度），家賃減額の補助，建設にあたっての補助金，優遇融資，税制の特例（注）をもうけることで，その供給を促進しようとするものである。

（注）　サービス付き高齢者向け賃貸住宅を新築又は取得した場合の固定資産税及び不動産取得税減額特例の適用期限が，令和７年３月31日まで２年延長された。

この法律のなかで，60歳以上の高齢者（配偶者または60歳以上の同居親族のある者を含む），また，その配偶者を賃借人として，終身にわたって賃貸する事業を行おうとする者は，都道府県知事の認可を受けて，賃借人が死亡したときに賃貸借が終了する契約を書面ですることができるとされている（高安法57条，61条）。

そして，賃借人の死亡後，同居の配偶者等が引き続き居住したいときは，同じ契約をすることができるようになっている（同法62条）。

なお，賃借人が，療養・老人ホームに入所したり，親族と同居する場合には，途中解約ができるようになっている。

13 建物及びその敷地の鑑定評価――自用建物と貸家

建物及びその敷地の鑑定評価をどのようにするのか。自用の建物と貸家とでは，また，普通借家と定期借家とでは，どう違うのか。

自用の建物及びその敷地と貸家及びその敷地

土地の上に建物が建っている状態のものを鑑定評価するとき，その土地と建物とを一体として評価するのが原則となっている。そして，その建物を土地の所有者が所有し，かつ自分で使用しているときは**自用の建物及びその敷地**といい，建物を賃貸しているときは**貸家及びその敷地**といい，それぞれの評価方法は違っている。

自用の建物及びその敷地の鑑定評価は

自用の建物及びその敷地は，原価法による積算価格，取引事例比較法による比準価格，収益還元法による収益価格を算出して，この三つの試算価格を関連づけて，鑑定評価額を決定することとされている。

この場合の**積算価格**というのは，建物については，価格時点でその建物を建築したらいくらかかるかという再調達原価を求める。建物が中古の場合には，新築のものより減価しているので，**減価修正**をして，現在の価値を判定して積算価格を求める。この減価には，建物の老朽化，損傷などによる物理的要因によるもののほか，設備の旧式化などの機能的陳腐化や，その建物が周囲の環境と不適合になったことによる経済的不適応などがある。減価修正をする方法としては，新築後これくらいの年数が経っているから，これぐらい減価しているだろうという**耐用年数に基づく方法**(注)と，建物の維持管理の状態，補修の状況等を実地に調査をして修復のためのコストなどを考えて減価する**観察減価法**とを併用して求める。

(注)　税制上の耐用年数は，建物を構造別・用途別に分け，その物理的な耐用年数を標準化し，さらに政策的配慮を加えて法定している。鑑定評価では，評価対象の建物そのものに即した経済的残存耐用年数を求める。また，建物が物理的にいつまでもつかという観点からではなく，経済的に有効に使用できる年数を判定する。

その敷地である土地についても，再調達原価を求め，減価修正をして積算価格を求めることとされているが，直近に造成した住宅団地などについては，ともかく，既成市街地内の宅地については，近隣地域や同一需給圏内の類似地域における土地の取引事例と比準して求めた比準価格を土地の積算価格としている(注1)(注2)（この土地の比準価格の算定については**第1編第1章**第2節で詳しく述べているので参照されたい）。

（注1）　敷地の積算価格というのは，その敷地が宅地になる前の状態――農地なり山林等であったろうから，その状態の土地（素地）を買収して，宅地造成したらいくらかかるか，という方法で再調達原価を求め，それから，価格時点までに，たとえば，擁（ヨウ）壁が傷んで減価していないかという減価修正をして求めることになる。

直近に開発造成した住宅団地などでは，そのようにして敷地の積算価格を求めることになる。

しかし，十数年前ないし数十年前から宅地になっている既成市街地内について，そのようにして，積算価格を求めることは不可能に近いし，無理して求めたところで，あまり意味がない。

それで，既成市街地内の宅地については，取引事例で比準価格を求めて，それを，ここでは積算価格といっている。

そう説明されても，違和感が残るかもしれないが，鑑定評価において，造成後間もない宅地上の建物を除いては，建物及び敷地の評価では，敷地の「比準価格」を，敷地の「積算価格」といっているのだと，とりあえず，理解しておいてもらいたい。

（注2）　なお，鑑定評価では自用の建物およびその敷地の評価において，積算価格を求める場合には，「付帯費用」として土地および建物の再調達原価に加算して求めることとなっている。

その「付帯費用」としては，建物完成までの資金調達費用，発注者利益，販売費，広告宣伝費，土地公租公課等の費用（通常土地価格および建物価格の20％程度が加算されることに留意を要する。

そして，このようにして求めた建物の積算価格と土地の積算価格とを合計して土地・建物一体としての価格を求める。そして，建物と土地との間に不適合なところがあれば，さらに減価修正をする。

そして，土地・建物一体としての積算価格を求める。

また，**比準価格**は，近隣地域や同一需給圏内(注)の類似する建物及びその敷地とが一体として売買された取引事例から比準して求める。

（注）　近隣地域と同一需給圏内の類似地域については，40ページの「**8　簡便評価法−その2**」参照のこと。

そして，**収益価格**は，その建物を，その近隣地域の標準的な条件（賃料，契約期間その他の条件）で賃貸したと想定して，毎年の純収益の現在価値の総和を求める。実務的には，評価時点1年間の純収益を還元利回りで除して求めている。収益価格の具体的な評価方法は，858ページ以下の「収益価格の求め方」で説明

する。(注)

(注)　ホテルなど特殊な用途の建物を買収して，そのままの用途に使用するときなどでは，その現状の収益を基として評価することもある。しかし，その収益は経営者の能力，資本力，のれんなどによるところが多く，建物や土地（立地条件など）による部分を区分することが困難であるため，一般には，その建物を貸したらいくら，また，借りたらいくらという考え方から評価されている。

さて，この三つの試算価格を「関連づける」ということは，三つの試算価格に同等のウェイトを置いてという意味だといわれているが，実務にあたっては，自用の建物及びその敷地といっても，その用途は，住宅，事務所，店舗，ホテル，倉庫などとさまざまであり，そのウェイトの置き方が違ってくる。

自用の戸建住宅などは，他人に賃貸することを意識しないで建てられているので，賃貸を想定して収益価格を求めても，現状に適合しないし，また，建売団地などはともかくとして，類似の土地付建物の一体としての取引事例と直接に比較することもむずかしいので，取引事例比較法は採用しにくく，一般には積算価格を中心とし，収益価格は参考程度に止めている。なお，この場合の積算価格は，その価格主要部分である土地については，先に述べたように取引事例比較法によっているので，そういう意味では比準価格も部分的に関連づけているといえる。区分所有建物（マンション）の専有部分の鑑定評価については，類似の専有部分（土地共有持分付）の取引事例もかなり得られるので，取引事例比較法が重視されている。

店舗など商業用の建物は，収益性を重視して建てられているので，賃貸を想定することも無理がなく，収益価格に大きなウェイトが置かれている。

事務所についても，一般的なものは，そのまま賃貸に転用することが可能であり，収益価格が重視されている。

貸家及びその敷地の鑑定評価は

貸家及びその敷地は，収益価格を標準とし，積算価格と比準価格とを比較考量して，鑑定評価額を決定することとされている。これは，収益価格を中心として，積算価格と比準価格は参考程度にするという意味である。なお積算価格については，855ページの付帯費用が加算される。

この三つの試算価格のウェイトの置き方が，自用の建物及びその敷地（以下「自用の建物」と略記する）と貸家及びその敷地（以下「貸家」と略記する）との評価方法の基本的な違いとなっている。

さらに，自用の建物評価での**収益価格**は，標準的な賃料を想定して算出するのに対し，貸家では，実際の賃料(注1)を基にして算定している。

貸家でも，賃貸を始めたときの賃料は，その地域の市場賃料によっているから，自用の建物で想定した標準的な賃料と同じであるので，これにより求めた両者の収益価格は通常は同じとなる。しかし，賃貸後の期間が経過していくと，市場賃料が変動していく。市場賃料が上昇していった場合，普通借家（注２）では，借地借家法の規定で，賃料の増額が制約されているので，実際の賃料は市場賃料（標準的賃料）より低くなり，これから求めた収益価格は，自用の建物の収益価格より低くなる。

市場賃料が下落していった場合には，普通借家では，借地借家法の規定で，借家人からの賃料の減額請求権（同法32条）が認められているので，市場賃料に近づいていく。また，借手市場の場合には，競合関係から，当初の高い賃料を固持しようとすると転出されてしまうので，結局，市場賃料に落ちついていく。このような場合は，自用の建物の収益価格と一致していくことになる。

したがって，貸家の場合の収益価格は，自用の建物の場合の収益価格と同レベルか，それより低いレベルにあるということが一般的にいえる。

なお，定期借家の場合は，契約により，賃料の増減額請求権を排除することができ（同法38条⑨），また契約期間を長期に固定することができるので，市場賃料が下落していくとき，実際の賃料が市場賃料より高くなり，その収益価格は，自用の建物の収益価格より高くなることもある。

（注１） 実際の賃料：正確には，保証金等の運用益や権利金等の運用益と償却額を，支払賃料に含めて求めた実際実質賃料である（これの説明は，867ページのコラム参照）。なお，貸家を譲り受けたときに，保証金等や権利金等を受け継がないケースもあるが，このような場合には，これらの運用益などは算入しない。

（注２） 貸主側からいえば，普通貸家，定期貸家ということになるが，ここでは，一般の例にならって，普通借家，定期借家と記す。

積算価格は，自用の建物のところで説明したのと同じようにして算定される。したがって，貸家の場合では，その上限価格を示すこととなる。貸主の都合で借家人を立ち退かせるとき，借家人に立退料を支払うことが慣行化しており，試算価格を調整するとき，鑑定の実務では，この積算価格から立退料相当額を控除して求める場合がある。

なお，普通借家では，賃貸借期間が満了したときも，貸主側の正当事由が認められなければ更新されるので，この立退料を考慮しておかなければならない。

定期借家では，契約上の期間が満了すれば，借家人は立退料なしで退去するので，一般には立退料を考慮する必要はない。しかし，契約した賃貸借期間中に立ち退かせる場合には，立退料を考慮しなければならないことになる。

図表7－21　建物及びその敷地の収益価格算出表

(ア)　償却後純収益による場合

項　　目	金　額（円）	摘　　要（消費税込/千円未満四捨五入）
建物と敷地の積算価格	500,000,000	建物の積算価格200,000,000円 土地の比準価格300,000,000円
家賃収入 敷金・保証金の運用益 権利金の運用益と償却額 その他の収入	36,000,000 1,500,000 0 0	賃料収入（年） 保証金　家賃の10か月・運用利率５％
年間総収入	37,500,000	
修繕費 維持管理費 固定資産税等 損害保険料 貸倒準備金 空室損失等 建物取壊し費用積立金 消費税・簡易課税 減価償却費	3,000,000 1,500,000 4,500,000 400,000 0 1,563,000 200,000 2,160,000 4,194,000	建設費の1.5% 月額家賃の１/２ 実額による 建物価額の0.2% 保証金により担保，計上せず 総収入の半月分 建物価額の0.1% 家賃収入×みなし仕入率(1－0.4)×0.1 償還基金法による
年間総費用	17,517,000	
償却後純収益	19,983,000	
収益価格(1)	384,288,461 ≒384,290,000	割引率　　5.2% 変動率　　　0% 還元利回り5.2%
収益価格(2)	475,785,714 ≒475,800,000	割引率　　5.2% 変動率　　1.0% 還元利回り4.2%

収益価格の求め方（その１）――無期還元法・償却後純収益の還元

収益価格を，具体的に説明する。

家賃収入，敷金，諸経費および建物の建設費と土地の比準価額が**図表7－21**に掲げたようであったとし，これを，鑑定評価の一般的な方法で整理すると，**図表7－21**のようになる。

なお，収益価格の求め方として，同図(ア)のように，従前は減価償却後の純収益を還元して求めていたが，最近では同図(イ)（次ページ）のように，償却前の純収益を還元して求める方向に変わってきている。しかし，ここでは，理解を早めるため，まず，償却後の純収益を還元する方法を(ア)に掲げておいた。

また，減価償却の方法として，最近の鑑定の実務では，償還基金法が一般に用いられるようになっている。

償還基金法というのは，毎年の減価償却額を耐用年数の期間内は継続して積み立てていくという方法である。積み立てた償却額は複利で増えていくので，

(イ)　償却前純収益による場合

項　　目	金　額（円）	摘　　要（千円未満四捨五入）
建物と敷地の積算価格	500,000,000	建物の積算価格200,000,000円 土地の比準価格300,000,000円
家賃収入 敷金・保証金の運用益 権利金の運用益と償却額 その他の収入	36,000,000 1,500,000 0 0	賃料収入（年） 保証金　家賃の10か月・運用利率５％
年間総収入	37,500,000	
修繕費 維持管理費 固定資産税等 損害保険料 貸倒準備金 空室損失等 建物取壊し費用積立金 消費税・簡易課税	3,000,000 1,500,000 4,500,000 400,000 0 1,563,000 200,000 2,160,000	建設費の1.5% 月額家賃の１/２ 実額による 建物価額の0.2% 保証金により担保，計上せず 総収入の半月分 建物価額の0.1% 家賃収入×みなし仕入率(1−0.4)×0.1
年間総費用	13,323,000	
償却前純収益	24,177,000	
収益価格(1)	384,372,019 ≒384,000,000	割引率　　6.29% 変動率　　0% 還元利回り　6.29%
収益価格(2)	457,032,136 ≒457,000,000	割引率　　6.29% 変動率　　1.0% 還元利回り　5.29%

これを織り込んで計算すると，定額法などで計算した償却額より低額でよいということになる。

この率を**償還基金率**といって，一般的には，つぎの式(注)

$$\frac{r}{(1+r)^n-1}$$

r：年利率

n：耐用年数

で求められるが，建物の建築費が年々上昇するとして，これを織り込むと，つぎの**逓増償却率**の式となる。

$$\frac{(r-g)(1+g)^n}{(1+r)^n-(1+g)^n}$$

g：償却額の毎年の増加率

年利率４％，償却額の毎年の増加率を１％とし，建物本体（構成比65％）の耐用年数を50年とすると，償却率は0.0090，建物附属設備の耐用年数を18年とす

ると，償却率は0.0432となり，建物と附属設備（構成比35%）の毎年の償却額は，

$$\left(\overset{\text{(建物本体)}}{200,000,000\text{円}}\times\left(\overset{\text{(構成割合)}}{0.65}\times\overset{\text{(償却率)}}{0.0090}\right)\right)+\left(\overset{\text{(建物附属設備)}}{200,000,000\text{円}}\times\left(\overset{\text{(構成割合)}}{0.35}\times\overset{\text{(償却率)}}{0.0432}\right)\right)$$

$$=200,000,000\text{円}\times 0.02097 = 4,194,000\text{円}$$

となる。

なお，収入の計算にあたっては，計画上の家賃と保証金により，空室等を考慮した安全率は，総費用の部の「空室損失等」で控除して調整している。保証金については，**図表７－８**の「商業ビルの事業計画（損益・収支）例」では，保証金を建設費に充てるという考え方から，借入金と相殺しているが，鑑定評価では，一般的には，割引率と同じ利率で求めた運用益を計上している。

（注）保証金を銀行預金等に預けたら何%になるかという考え方もあるが，一般には採用されていない。また，この利率を後述する割引率と同率とするという考え方も支配的になっているようだが，ここでは銀行等からの利子負担が減っているという考え方に立って説明を続ける。

また，この表の計算の基本には，建物の経済的耐用年数が終わったところで，建物を取り壊して，再び同じ建物を建築して賃貸するという考え方に立っているので，その時点での取壊し費用を毎年積み立てるという意味で，「建物取壊し費用積立金」を計上している。このように，建替えを無限回繰り返して賃貸を継続するものとして，その純収益を還元して収益価格を求める方法を**無期還元法**といっている。

なお，鑑定評価における純収益は，**税引前純収益**を求めている。この場合の「税」とは，所得税，法人税など，所得（利益）に課税される税で，所得税や法人税での算定にあたって経費に算入されない税をいっている。固定資産税や都市計画税のように不動産に課税される税は総費用に算入される。また，本例では，家賃収入にかかる消費税も総費用に算入している。事業税は「事業」にかかる税で，所得税や法人税において経費とされるので，総費用に算入すべきであるとの考え方もある。

（注）事業税は事業に対する税であるが，一般には所得を課税標準として課せられており，この意味では所得税，法人税に類似しているが，所得の計算上で必要経費に算入されている点では異なっており，収益還元法の総費用に算入すべきか迷うところである。なお，資本金額１億円を超える法人については外形標準課税が課せられ，所得課税とやや性格を異にしている。

また，**図表７－８**の「商業ビルの事業計画（損益・収支）例」では，**借入金の利子**を引いて差引利益を求めているが，鑑定評価では，借入金（他人資本）を自

己資本とともに，その不動産に対する投下資本としてとらえ，その純収益に対して，投下資本の何割の利回りになるかというような考え方に立って計算している。

投下資本に占める自己資本と借入金の比率は，投資家によって異なるが(注)，鑑定評価では，これを一般的な比率に置き換えて算定している。

（注）　投資家（鑑定評価の依頼人）の依頼の条件によっては，その投資家の条件によって鑑定評価することもある。この場合は，コンサルティング価格に近づいていく。

ここでは，仮にその割合が，一般的には，自己資本40%，借入金60%となっていたとして説明をする。そうすると，その利回りは，

（借入金の割合60%）×（借入金利）+（自己資本の割合40%）×（自己資本の期待利回り）

という式で求められる。

不動産に対する投資は長期にわたるので，長期の固定性の借入金利が採用される。ここでは，４%と判定されたとして説明を続ける。

自己資本の期待利回りは，投資家によっても異なっているが，これも一般化して求める。

なお，投資家は，不動産のほか，証券，公社債などをも選別して投資する。その場合は，投資対象のリスクが低ければ利回りも低く，リスクが高ければ利回りも高い――ハイリスク・ハイリターン，また，ローリスク・ローリターンの関係があり，投資対象によって利回りが異なっている。投資対象にとっての危険性，流動性，管理の困難性，資産としての安全性等などにより期待利回りが変わってくる。

ここでは，その期待利回りが７%であると判定されたとする。そうすると，これらを総合した利回りは，

（借入金割合）		（借入金利）		（自己資本割合）		（自己資本期待利回り）	
0.6	×	0.04	+	0.4	×	0.07	=0.052

となり，これを**割引率**（公示価格の評価では**基本利率**）といっている。

（注）　現在の銀行貸出金利は異常に低いが，説明の便宜上４%としておいた。

なお，**図表７－21**の算出表は，評価時点の収入と支出から算定している。

将来，どのように変動するか――上昇していくのか，下降していくのかということを織り込む必要がある。といっても，この予測は非常にむずかしい問題である。

図表７－21(ア)の収益価格(1)では，賃料，建築費その他の物価・サービス等の変

動はないもの，すなわち，純収益が変動しないものとして計画を立てている。要するに，変動率を０％としている。この場合には，**還元利回り**は，

（割引率）（変動率）（還元利回り）
5.2% ± 0% = 5.2%

となり，

（償却後純収益）（還元利回り）　（(ア)収益価格(1)）
19,983,000円 ÷ 5.2% = 384,288,461円 ≒ 384,290,000円

となる。

また，長期的にみて賃料その他が変動し，その結果として，純収益が年平均１％上昇するとすると，

（割引率）（変動率）（還元利回り）
5.2% － 1% = 4.2%

（償却後純収益）（還元利回り）　（(ア)収益価格(2)）
19,983,000円 ÷ 4.2% = 475,785,714円 ≒ 475,800,000円

となる。

収益価格の求め方（その２）——無期還元法・償却前純収益の還元

以上では，減価償却後の純収益を還元する方法を説明した。そして，最近では，**図表７－21(イ)**のように，減価償却前の純収益を還元する方式が一般化している。

この場合には，その償却額を還元利回りを算定するときの割引率に織り込むことになる。

（減価償却費）と（償却前の純収益に対応する還元利回り）を用いて（償却後の純収益に対応する還元利回り）を求める式は，以下のとおりである。(注)

$$R' = \frac{a'}{(a' + d)} \times R$$

R′：償却後の純収益に対応する還元利回り

R　：償却前の純収益に対応する還元利回り

a′：償却後の純収益

d　：減価償却費

この式により，（償却後の純収益に対応する還元利回りR′）から（償却前の純収益に対応する還元利回りR）を求める式は，つぎのとおりとなり，これに設例の数値を入れると，償却前の純収益に対応する還元利回りは下記のとおり（6.29％）となる。

$$R = \frac{(a' + d)}{a'} \times R' = 1.2098 \times 0.0520 = 0.06290 \fallingdotseq 6.29\%$$

純収益が変動しないとすれば，割引率がそのまま還元利回りとなり，償却前

純収益は，**図表７－21(イ)**により24,177,000円となっているので，収益価格は，

（償却前純収益）　（還元利回り）　　　　　　　　（収益価格）
24,177,000円 ÷　0.0629　＝384,372,019円≒384,000,000円

となる。

また，変動率を１％とすれば，いいかえれば，純収益が毎年１％ずつ上昇するとすれば，還元利回りを上式により求めると，

0.0629－0.01000=0.0529

となり，この場合の収益価格は，

（償却前純収益）　（還元利回り）　　　　　　　（収益価格）
24,177,000円 ÷　0.0529　＝457,032,136≒457,000,000円

となる。

（注）「不動産鑑定評価基準運用上の留意事項」の「Ｖ１．(4)①直接還元法の適用について」

収益価格の求め方（その３）――有期還元法・償却前純収益の還元

以上は，建物の経済的耐用年数が尽きたら，建物を建て直して賃貸をし，これを無限に繰り返すという無期還元法で説明した。

これに対し，建物の経済的耐用年数が尽きたら，建物を取り壊し，更地として売却すると考える方法があり，これを**有期還元法**といっている。

たとえば，**図表７－21(イ)**の例で説明すると，建物の経済的耐用年数が50年として，償却前純収益の24,177,000円が毎年１％ずつ上昇していくとし，年賃料を一括年末払いと仮定して，各年末の現価を求めると，つぎのようになる。

年　度	償却前純収益　増減率　現価率	現価(現在価値)
１年度	24,177,000円×$(1+0.01)^{0}$／$(1+0.052)^{0}$	24,177,000円
２年度	24,177,000円×$(1+0.01)^{1}$／$(1+0.052)^{1}$	23,211,758円
３年度	24,177,000円×$(1+0.01)^{2}$／$(1+0.052)^{2}$	22,285,053円
⋮	⋮	⋮
50年度	24,177,000円×$(1+0.01)^{49}$／$(1+0.052)^{49}$	3,283,813円

この表で求めた各年の現価を合計すれば，賃貸期間中の純収益の各年の現価の総和が求められるのだが，各年ずつ上表のような計算をするのは手数がかかるので，**元利逓増年金現価率**を使って求めている。

この計算式は，

$$\frac{1-\dfrac{(1+g)^{n}}{(1+r)^{n}}}{r-g}$$

r：年利率（5.2%）

g：年金（家賃）の毎年の増加率（１％）

n：年数（50年）

となっているので，この式にあてはめて計算すれば，

24,177,000円 × 20.704 ≒ 500,560,608円……①

となる。

また，この時点まで，地価が1％ずつ上昇するとすると，50年後に値上りした土地の現価（現在価値）は，**逓増複利現価率**で求められるので，この計算式は，

$$\frac{(1+g)^n}{(1+r)^n}$$

r：年利率（5.2％）

g：年金（地価）の毎年の増加率（1％）

n：年数（50年）

となり，この式にあてはめて計算すると，

300,000,000円 × 0.1304 = 39,120,000円……②

となり，50年間の純収益の現価の総和①と50年後の地価の現価②とを加えると，収益価格は，

①+② ≒ 539,680,000円

となっている。そもそも，収益についても，10年後のものは，かなり不透明になっているし，50年後の地価は仮定の域を出ない。

なお，中古の建物でその経済的耐用年数が10年後に尽きるとか，また，契約期間満了後に貸家の建物と敷地とを一括して売却するというような場合には，かなり有効な評価方法となろう。

しかし，普通借家の場合には，その時点で借家人が立退料なしで立ち退くかどうかという問題があり，これを考えると，かなり不確実な要素が加わる。しかし，定期借家の場合には，契約期間満了時に明渡しを受けることが確定しているので，有効な評価方法となろう。

相続税・贈与税での貸家の評価は

なお，相続税や贈与税では，貸家の評価にあたって，上述したような厳密な評価はしないで，建物については，その固定資産税の評価額から借家権割合の30％を控除し，その敷地については貸家建付地として，自用地としての価格から，下記の式で求めた貸家建付地割合を控除するようにしている。

貸家建付地割合 ＝1－(借地権割合)×(借家権割合)

なお，これらについては，119ページ以下で詳しく説明してある。

14　土地残余法――鑑定評価では

宅地の収益価格は，鑑定評価では賃貸建物を想定して求める。

宅地（更地）の収益価格の求め方

土地の収益価格は，毎年土地の生みだす収益（その現価）の総和（総合計）として求められる。

しかし，宅地の場合は，農地などと違って，土地から直接に収益（収穫物など）が生まれるわけではない。

宅地は，その上に建物を建ててはじめて，本来の経済効用を発揮するものである。

したがって，鑑定評価でも，その土地の上に，その土地の効用を最有効に発揮する建物を建築して賃貸することを想定し，その家賃等から経費を差し引いて，建物と土地とが一体として生み出す純収益を求め，これから建物の生み出す純収益を引いた残り，すなわち，土地の生み出す純収益を求めるようにしている。

このように，一体としての純収益から建物の純収益を引いた残り（残余）が，土地の純益だとして，これから土地の収益価格を求めることから，この手法を**土地残余法**といっている。

土地残余法（その１）――建物償却後の純収益から求める方法

この鑑定評価の具体的なプロセスを，**図表７－21**（858ページ）の「(ア)償却後純収益による場合」を例として説明する。

この表によれば，土地・建物が一体として生み出す初年度の純収益は，約1,998万円となっている。

これから，建物の生み出す純収益（建物に帰属する純収益）を引くと，土地の生み出す純収益（土地に帰属する純収益）が得られる。

建物の価格は２億円であり，期待利回りを5.2％とすると，建物に帰属する純収益は，

（建物の積算価格）		（期待利回り）		（建物に帰属する純収益）
200,000,000円	×	0.052	＝	10,400,000円

となり，土地に帰属する純収益は，

（土地・建物一体としての純収益）　（建物に帰属する純収益）　（土地に帰属する純収益）

19,980,000円 － 10,400,000円 ＝ 9,580,000円

となる。

ところで，**図表７－21**(ア)の例では，すでに建っている建物を対象としている。今度は更地の状態の土地を評価するのだから，建物を建てて賃貸するまでの期間は，賃料は未収入状態であるので，この未収入額が，建物の賃貸期間にどの程度の影響（減価率）を及ぼすのかを調べて修正しなければならない。これを**未収入期間修正係数**といっている。

建築期間は12か月とする。貸室が満室になるまで４か月，平均２か月として，未収入期間を14か月，建物の耐用年数を50年として，未収入期間修正係数を求めると，0.9467となるので，これで調整すると，

（土地に帰属する純収益）　（未収入期間修正係数）　（修正後の土地の純収益）

9,580,000円 × 0.9467 ＝ 9,069,386円

となる。これを，同表の還元利回り4.2％で還元すると，

（修正後の土地の純収益）　（還元利回り）　（土地の収益価格）

9,069,386円 ÷ 0.042 ＝ 215,937,761円 ≒ 216,000,000円

となる。

土地残余法（その２）――償却前純収益から求める

公示価格の鑑定評価で収益価格を求めるときの土地残余法は，**図表７－21**の「(イ)償却前純収益による場合」によっているが，これによると，つぎのようなプロセスになる。

土地・建物に帰属する純収益（償却前）　24,177,000円……㋐

建物に帰属する純収益の期待利回り

（建物本体の積算価格）　（償却後の割引率）　（償却率）　（建物附属設備の積算価格）　（償却後の割引率）　（償却率）

{(130,000,000円×(0.052 ＋ 0.009)＋ 70,000,000円 ×(0.052 ＋ 0.0432)}

（建物の積算価格）

÷200,000,000円

（期待利回り）

＝ 0.07297 ……㋑

建物に帰属する純収益　200,000,000円×㋑＝14,594,000円……㋒

土地に帰属する純収益　㋐－㋒=9,583,000円……㋓

未収入期間修正後の土地の純収益

（修正係数）
㋓×　0.9467　＝ 9,072,226円……㋔

土地の収益価格

（還元利回り）
㋔÷　0.042　＝ 216,005,380円 ≒ 216,000,000円

となり，償却後純収益から求めた収益価格とほぼ一致する。

（注）　未収入期間修正係数は，つぎの式で求められる。

$$\left(\frac{1+g}{1+r}\right)^{m} \times \frac{1-\left(\frac{1+g}{1+r}\right)^{n}}{1-\left(\frac{1+g}{1+r}\right)^{m+n}}$$

（r：年利率（割引率）　m：未収入期間
n：経済的耐用年数　g：純収益の変動率（年率））

〈実質賃料と支払賃料〉

貸家で２年契約で家賃７万円，敷金または保証金２か月，権利金または礼金１か月という条件があるとする。この場合，敷金はいずれ返還するものだが，預かっている間は，それを定期預金などに運用して利子をかせぐことができる。また，借入金の返済に回せば，支払利息を軽減することができる。権利金は２年にわたって収益に計上できる。この利回りを３％として，年間計算をすると，

家賃　70,000円×12か月＝840,000円
敷金運用益　70,000円×２か月×0.03＝4,200円
権利金の運用益および償却額　70,000円×0.5226（注）＝36,582円
合計（年間）880,782円

となる。この88万782円を不動産鑑定評価基準では実質賃料とよんでおり，いわゆる家賃といわれている部分(月７万円または年84万円)を支払賃料とよんでいる。

この例からわかるように，支払賃料が同じでも，敷金や権利金が違えば実質賃料は異なってくるし，実質賃料が同じでも，敷金等の条件によって支払賃料を変えることもできる。

（注）　年賦償還率：年利３％，２年間の場合

15 借家権の鑑定評価

借家権とはどのようなもので，どのように鑑定評価されているのか。定期借家の場合は。

借家権と借家権価格

借家をした場合，その契約期間中は借家人としての地位は，当然に確保されているが，従来型で普通借家の場合は，借地借家法で手厚く保護されており，契約期間が満了しても，更新を継続して，ほぼ同じ条件で借り続けていくことができる。この権利を**借家権**といっている。

しかし，借家権という法的権利があるからといって，直ちに借家権価格が生じるものではない。

長期に借家しており，市場賃料が上昇しているとき，賃料増額に対する借地借家法の制約によって，市場賃料相場より低い家賃で借り続けていれば，借家人は利益を得ていることになる。そこから，借家権の価格が発生することになる。しかし，だからといって，この借家権価格が市場性を帯びるものではない。

借家権価格の発生と実現

ところで，この借家人の権利というものが，ある場合にはきわめて強く，ある場合にはきわめてもろいものである。借家人がそこに居住しているかぎり，立ち退かせることはまず不可能である。また，借家人が死亡しても，相続人が被相続人と同居していた場合等には，その借家人としての地位も相続されるので，引き続き借りることができる。そういう意味では，非常に強い権利である。しかし，借家人の転勤とか，その他の理由で，一家そろってその土地をはなれるとき，借家権を譲渡したり，家主の承諾なく転貸することはできない。また，家主が承諾しないとき，借地と違って，家主の譲渡・転貸の承諾に代わる裁判所の許可を求める制度もない。もちろん，地方に転勤するため立ち退くから，借家権消滅の対価をよこせと，家主に請求するわけにもいかない。家主は足元をみて，そんなことをいわないで，転勤をことわってもっといつまでも住んでいてくださいというかもしれない。

借家権というものは，居住している間は，非常に強い権利，高い権利であるが，いったん自発的に転居しようとしたときには，幻のように消えてしまう権利なのである。

借家権の評価（その１）——取引慣行のある場合

不動産鑑定評価基準では，借家権の評価方法を取引慣行のある場合とない場合とに分けて規定している。

取引慣行のある場合とは，借家している喫茶店やクラブなどで，居抜きの店舗売買というものが行われることがある。この前提として，賃貸借契約であらかじめ第三者に譲渡することが承諾されていたり，また，その地域の慣行によって認められているような場合に生ずる。

このような場合には，その地域で，同種の借家店舗の取引がいくつかあるので，その取引事例と比較して，比準価格を求めることができるので，これを基本として評価される。

しかし，このような場合も，その取引価格のすべてが借家権の価格というものでなく，この譲渡権利のなかには，

① その店の設備や内装などの資産

② その店ののれん代，その店についている顧客

の譲渡という性格のものが，大きな部分を占めていることを考慮しなければならない。

また，このような取引に対価が支払われるということは，新しい借家人が従前の低い家賃などの賃貸借条件を引き継ぐこと，すなわち，経済的利益を引き継ぐことにも基因している。その利益——賃料差額を還元して求めた収益価格も参考とされる。

また，そのような地域では，借家権割合というものが，自然発生的に生じて一般的に認められていることもあるので，そのような場合には，この借家権割合も参考とされる。

借家権の評価（その２）——取引慣行のない場合，いわゆる立退料の評価

貸家の貸主がその建物を自分で使用したい，また，取り壊して新しい建物を建てたいというとき，借家人は引きつづいて借りていたいということがある。

契約で決められた賃貸借期間中であれば，借家人は立退きを拒否することはできるが，契約期間が満了しても，普通借家の場合は，借家人は契約の更新を求めることができるので，立ち退かなくてすむ。

では，ということで，貸主が別の貸家を見つけてきて，この貸家を斡旋するから移ってくれという。しかし，従来の貸家が，長いあいだ借りているうちに，借地借家法の制約もあって，市場の新規賃料より低くなっていたとする。そのようなとき，新しい貸家に移れば，高い家賃を払わなければならないので，借家人は移りたくないという。

それでは，その何年分かの家賃の差額を貸主が補塡しますから，移ってくれませんかという話し合いになる。

これで話が成立すれば，これが**立退料**というものになって，だんだんと慣行化していき，その地域の借家権の価格を形成していくことになる。また，その地域の**借家権割合**というものが，自然発生的に生まれてくる。

しかし，借家人は，特約のない限り，この借家人の地位を第三者に譲渡することはできない。借家人の都合で退去するときは，立退料を請求することはできない。

このような立退料の問題が生じるのは，借家人の「不随意の立退き」の場合であり，その場合の適正な立退料を算定するために，借家権の価格の鑑定評価が求められる。

この評価の基本的な考え方は，従来の賃料と新規の賃料との差額とを，どのように補塡するかということになる。

たとえば，従来の家賃の月額10万円，年額120万円で，新しい貸家の家賃が月額15万円，年額180万円であったとすると，差額は年60万円である。

この何年間分を補塡すればいいかということになる。もっとも，土地と違って建物はいずれ老朽化して使用できなくなる。現在の貸家の耐用年数が，あと10年であるとすると，どうせ10年後は，現在の貸家を立ち退かなければならないのだから，10年分だけ補塡しようというのも合理的である。そして，その10年間の毎年の差額の現在価値を，年金現価率で，年利4.5％で求めると，

（賃料差額）　（年金現価率）
600,000円 × 7.9127 ＝ 4,747,620円……①

となる。

なお，新規の貸家に権利金，礼金などが必要な場合は，その標準的な価格を加える。

礼金が１か月分であれば，15万円を加える。……②

また，保証金，敷金は，後日に返還されるものであるので，その返還時の現在価値を複利現価で求めて，その差額を加える。上述の例の場合で，保証金が３か月分で，10年後の返還と見込めば，

（150,000円 × ３か月）×（１ － 0.6439（複利現価率））＝ 160,245円……③

となる。

この①～③の合計の5,057,865円が借主側の逸失利益をもとにして求めた評価額となる。

また，貸主側からみると，借家人が立ち退くことによって，その建物は自用

の建物に復帰することになるのだから，前項で説明した「自用の建物及びその敷地」としての価格から「貸家及びその敷地」の価格を引いた差額だけ価値増が生じることになるのだから，これも関連づけて鑑定評価額を決定することになる。

相続税等での借家権の評価

相続税や贈与税では，一般の借家権は課税対象としないことにしている。そして，権利金等の名称をもって取引される慣行のある地域のものについては，建物については，建物の評価額は借家権割合を乗じた額（評基94），その敷地である土地については，その土地の価額に借地権割合と借家権割合を乗じた額（評基31）で評価することとされている。

＊　　　＊　　　＊

建物及びその敷地の評価，また，借家権の評価の方法については，その基本的な考え方と概略だけを説明したが，詳しくは，鵜野和夫著『〈最新増補版〉例解・不動産鑑定評価書の読み方』（清文社　2008年９月刊）を読まれたい。また，定期借家の場合については，衆議院法制局・建設省住宅局監修『実務注釈・定期借家法』（信山社）に鵜野和夫稿「第５章　定期借家権に係る不動産鑑定評価および税制」が掲載されているので，参考とされたい。

第3節
マンション・ビル等を建設して賃貸したときの相続税

16　賃貸ビルと相続税の節税

借入金や保証金で賃貸ビルを建設すれば，相続税の節税が図れるが，地価の動向や賃貸市場の状況に注意。

相続税評価と時価との差

相続税対策として，貸家を建てること，また，貸マンションや貸ビルなどに投資することを勧められることがある。

それは，相続税の土地の評価水準が公示価格の80％をメドとして設定されており，土地上に建物を建てて賃貸すれば，さらに課税評価額が下がることに着目したものである。なお，公示価格は，現在は，時価と同水準前後となっている。これによって，財産の種類別の相続税評価の時価に対する水準をみてみると，つぎのようになる。

現金・預金……100％
土地……………時価の約80％
貸家付土地……上記に貸家建付地割合(注)を乗じたもの　{時価×（約72％～76％）×約0.8＝時価の約57.6％～60.8％}
建物……………時価の約40％～60％
貸家……………上記から借家権割合(注)を減じたもの　{時価×（約50％）×約0.7＝時価の約35％}

（注）　貸家建付地割合，借家権割合等については119ページ以下参照。

同じ１億円でも，現金・預金で残すのと，土地や建物で残すのとでは，課税価格がかなり違ってくる。

なお，土地については居住用また事業用の小規模宅地の割引があり，特定居住用で330㎡まで，特定事業用で400㎡までの部分は80％の割引，貸付事業用宅地で200㎡までの部分は50％の割引となっている（198ページ参照）。

このような財産の種類を変えることによって評価額が異なってくることを利

用して，たとえば，現金を土地や建物に変えることによって相続税を軽減することができる。

相続税の課税価格は債務を控除して求める

財産がすべて相続税の課税価格になるわけではない。債務があれば，それを控除して課税価格を求める。

そして，金銭債務（借入金，預り金，敷金，保証金等）は，100％として評価されるから，債務額をそのまま控除すればよい。

時価２億円の土地・建物があって，他に１億4,000万円の借入金があるとする。借入金を引いて6,000万円の財産が残っているわけだが，土地・建物の評価額を時価の70％で，１億4,000万円だったとすると，

(土地・建物の評価額)		(債務)		(相続税の課税価格)
１億4,000万円	−	１億4,000万円	＝	０円

となって相続税は課税されないことになる。

種類によって評価の異なる財産と債務を組み合わせることによって，相続税を軽減しようとするのが，貸ビル建設による節税対策である。

ある設例による相続税の変化

ある人が土地を1,000㎡所有しており，１㎡当りの時価60万円，総額６億円，その他に現金・預金１億円をもっていたとする。これぐらいの財産なら，いまどきそれほどの金持ちというにもあたらず，われわれの身近にも結構見あたるものである。これについて，①～③までのケースを想定して相続税額の変化を示したのが**図表７－22**である。

この計算にあたり，土地の相続税評価額を時価の80％，貸家建付地割合(注)を79％，建物の評価額を建築費の50％とし，借家権割合30％を控除し，35％とした。

また，相続税では，基礎控除というものがあり，現行税制では，

3,000万円　＋　600万円　×　法定相続人の数

が**図表７－22**の課税価格から控除され，そのほか相続人の家族構成などによって税額が変わってくる。この計算では，子３人として計算した（計算の仕方は179ページ以下参照）。

（注）　貸付事業用宅地に係る小規模宅地の減額特例があり，この特例が適用になれば，その敷地の最高限200㎡までの部分が，この貸家建付地割合で評価減した後に，さらに50％減となる（198ページ参照）。

各ケースの検討

まず，①の財産の全部を現金７億円で残して死亡した場合であるが，この場合は，７億円がそのまま相続税の課税価格となり，相続税額は約２億1,240万円（遺産の30.3％）となる。

②は，その７億円を現金で１億円，土地で６億円（時価）で保有していた場合

図表7－22　賃貸ビルを建設した相続税対策の計算例

（単位：百万円）

	相続時の資産の保有形態	遺産総額（時価）Ⓐ	相続税の課税価格（評価額）	子供3人の払う相続税額の合計Ⓑ	遺産（時価）に対する相続税割合（Ⓑ/Ⓐ）（%）
①	現金7億円を保有していた場合	現金 700	現金 700	約212.4	30.3
②	土地（更地）6億円，現金1億円を保有していた場合	土地 600 現金 100 合計 700	土地 480 現金 100 合計 580	約161.8	23.1
③	その土地に貸ビル（建築費8億円。その内の1億円は手持現金，7億円は借入金）を保有していた場合	土地 600 建物 800 合計 1,400 債務 －700 差引計 700	土地 379.2 建物 280 合計 659.2 債務 －700 差引計△40.8	0	0

である。土地の評価は時価の約80%，4億8,000万円と評価されるため，課税価格は5億8,000万円と下がり，相続税額は約1億6,180万円（遺産の23.1%）と下がっている。

③は，その土地の上に，現金の1億円と，7億円の借金をして，8億円の貸マンションを建築して保有していた場合である。

建物については，

（建築費）800,000,000円 × （評価割合）0.5 × （貸家割合）0.7 ＝ （評価額）280,000,000円

土地については，

（時価）600,000,000円 × （評価割合）0.8 × （貸家建付地割合）0.79 ＝ （評価額）379,200,000円

（注）　この土地の面積が200㎡未満で，小規模宅地（貸付用）の特例適用を受ける場合には，

379,200,000円 ×（1－0.5）＝ 189,600,000円

と，さらに軽減される。

そして，評価額の合計6億5,920万円から借入金（債務(注)）の7億円を引くと，△4,080万円となり，課税遺産総額はゼロ，相続税額もゼロとなる。

（注）　貸家に関する保証金，敷金も，借入金と同様に，債務として控除される。

なお，課税側では多額の保証金や建設協力金で無利息のものについて，その全額を債務として控除することを認めず，利息相当分の経済的利益を割引したもので債務を評価することを強制することが多かった。これについて，国税不服審判所は，「建物の賃貸借に際し，賃貸人が賃借人から受領するいわゆる建設協力金等については，……当該協力金等の金利と建物賃貸料とが相関関係にあり，一般的には当該金利と建物賃貸料とを相殺して形式的に無利息等と表示されているのであると考えられるので」として，経済的利益を割引することなく，全額を債務として控除できる旨の裁決を下している（東京審裁決・昭和54年分相続税，国裁例9487）。

なお，保証金でも，定期借地権の保証金については取扱いが異なるので，651ページ以下参照。

なお，相続した土地に，「小規模宅地の減額特例」の適用を受ければ更に相続税の減額をはかれるが，これについては，198ページ参照。

地価の動向や賃貸市場の状況に注意

上記のように，現金だけで所有しているよりも，同じ金額なら現金と土地，また，その土地の上に，借金して貸家を建設して賃貸していたほうが，相続税の評価が下がり，これに従って相続税額も下がることをみてきた。しかし，だからといって，借金をして貸家を建設しようとする場合，相続税のことだけに目をやることなく，その建設した貸家に借手がついて，その賃料で借入金を計画どおりに返済していけるかどうかを，まず検討しておかなければならない。

また，当初の入居者が退去して空室になる危険性の度合，当初の賃料水準が維持できるかという確率なども，景気の動向やその地域の賃貸市場の状況から，安全率を織り込んで検討しておく必要がある。

また，設例のケース②の場合には，相続税額１億6,000万円に対し，残された現金は１億円であるので，残りの6,000万円は土地を売って納税するか，延納するか，物納するかということになる。延納する場合には許可が要るが，その許可は相続人の従来からの収入を充てても，即金で納付できない場合に限られるし，物納できるのは，延納しても納付できない場合に限られている(注)。

また，土地を売却したいといっても，スムースに売却できる物件であるのか，これも地価の動向によって変わってくるので，安全性を見込んで検討しておく必要がある。ただ相続税を低くするということだけではなく，その相続税をどのように納めるかについての計画もたてておくことが必要である。

（注）　延納・物納については216ページ以下参照。

相続直前に取得，申告直後に売却
あまりにも不自然な節税対策に，時価評価

時価と相続税評価の差額を利用した節税対策について，病気入院中の被相続人（父）の死亡２か月直前にその子（相続人）が，父の代理人として，銀行から取得資金を借り入れて，不動産業者からマンションを７億5,850万円で買って，その業者に賃貸し，そのマンションを１億3,170万円と評価して申告し，さらに借入金を他の財産を含めて債務控除し，大幅の節税を図り，申告の翌年に，他に７億7,400万円について，売却したケースについて，実質的な税負担の公平という観点から「財産評価基本通達によらないことが相当と認められる事情がある場合に該当するもの」として，購入価額と同額の７億5,850万円とされた事例がある（最高裁平成５年10月28日・税資199・670）。

この例は，評価通達と売買価額との差を利用しての節税対策は，ある程度の期間，実際に使用し，また，賃貸しておくことが必要であることを教えている。

その後も，類似の相続直前での銀行借入により取得し，相続直後の売却による節税対策が否認された事例がつづいている（平成23年７月１日裁決，平成29年５月23日裁決，令和４年４月19日最高裁判決）など。

では，どれくらいの期間ならいいのかということになるが，それを示した課税庁側の文書や判例などは見当らないが，たとえば，小規模宅地の特例の貸付用宅地の適用条件について，相続前３年以上という規定がある（200ページ参照）ので，これも参考となろう。

〈相続税の評価額と時価〉

相続や贈与によって財産を取得し，その申告をするときに，それを評価しなければならないが，相続税法では，「取得の時における時価による。」（相法22条）と規定しており，実務的には，国税庁で財産評価基本通達を定め，「時価とは，課税時期において，それぞれの財産の現況に応じ，不特定多数の当事者間で自由な取引が行われる場合に通常成立すると認められる価額をいい，その価額は，この通達の定めによって評価した価額による。」として，画一的な評価方法によって財産を評価することとしている（評基総則１項）。

土地については，路線価または，固定資産税の評価額に所定の倍率を乗じて求める方式（114ページ），建物については，固定資産の評価額によることとされている。

そして，これらの土地評価額は，上掲の「時価」に対し，相続税では80%，固定資産税では70%の水準にあることが，一般に認められている。

そして，（この通達の定めにより難い場合の評価）として「この通達の定めによって評価することが著しく不適当と認められる財産の価額は，国税庁長官の指示を受けて評価する。」（評基総則６項）と定めている。

本文875～876ページの過度の節税策は，この「著しく不適当と認められるもの」に該当するものとして否認された例である。

〈令和４年４月19日最高裁判決（評基総則６項）〉

最高裁は，実勢価格と相続税路線価の乖離を利用した節税方法の是非を巡って納税者と国税当局が争った裁判で令和４年４月19日に国税当局の言い分を全面的に認める判決が下された。税法上は合法であっても当局が税逃れとみなせば否認することができる，いわゆる相続税評価通達「総則６項」の適用は合理的だと判決した。

その事案の内容はつぎのとおり。

2008年，当時90才だった被相続人が信託銀行に相談して相続対策をスタートした。翌09年には，信託銀行から約10億円を借り入れ，２棟のマンションを計約14億円で購入した。融資時に銀行が作成した稟議書では「相続対策のため」と記載されていた。その３年後に被相続人は死亡し，その相続税申告において，マンションの相続税評価額は約３億円となり，その借入金約10億円を債務控除した結果，相続税が０として申告した。国税当局は，「路線価による評価は適当でない」と判断して，総則６項を適用して，追徴課税した。そこで，裁判となり，地裁，高裁では納税者が敗訴し，最高裁に上告したところ最高裁で上告受理されたが，国税当局の言い分を全面的に認める判決が下された。

「総則６項」は，国税当局は評価通達によって評価することが「著しく不適当」と認定できる場合，「国税庁長官の指示を受けて」時価課税することができることとなっている。

判決では，国税当局が行った「総則６項」の適用については，「路線価などによる画一的な評価を行うことが実質的な租税負担の公平に反する事情がある場合は，合理的な理由がある」と認定し，今回の事例では，相続税の負担軽減のために資金の借り入れが行われ，実際に相続税額がゼロになったことなどを指摘し，「他の納税者との間に看過しがたい不均衡が生じ，租税負担の公平に反する」として，国税当局の判断を認めた。

最高裁判決のポイントは，「相続税通達評価額と鑑定評価額との間に大きな乖離があることをもって「特別な事情」があるということはできない」と，「総則６項」適用について，単に評価通達と時価との価格乖離が要件とならず，「近い将来発生することが予想される相続において，相続税の負担を減じ，または免れされるものであることを知り，かつ，これを期待して，あえて購入・借入を企画実行したというのであるから，租税負担の軽減をも意図してこれを行った」租税回避要件を重視し，それが「他の納税者との間に看過しがたい不均衡を生じさせ，実質的な租税負担の公平に反する」ので，評価通達で評価し難い「特別な事情」があり，「総則６項」の適用は妥当と認定された。

判決の結論としては，「総則６項」適用要件は，価格乖離と租税回避の要件が必要であり，単なる価格乖離が認められても，租税回避としての要件が認められなければ，その適用はないこととされている。そうすると実務的には租税回避の判定は難しく，国税当局の恣意的な判断で，路線価を無視して「総則６項」の適用ができることとなったことから不動産の相続対策に大きな影響を与えることとなる。

今後の不動産の相続対策としては，３年以内に購入した物件を前提に，余命年齢や借入金の多寡，投資不動産の合理的な資金計画等が租税回避の要件となるであろう。

〈貸家を建てて，相続税対策は万全だが，借金で首がまわらなくなった？〉

相続税対策に悩んでいる資産家を対象に，マンション業者が銀行を紹介し，建築資金の融資を世話し，その資金で貸マンションを建設させ，その建物を一括借上げて転貸可のサブリース方式の建設も増えている。

これで最近問題となっているのが，賃貸借契約の期間が２年～５年ぐらいで，契約更新をするというもので，更新時に賃料相場が下がり，転借人からの家賃が下がっていると，更新が打ち切られ，その下がっている家賃で転借人と契約し，それでは銀行からの借金が返せないという悲劇が散見される。

また，契約期間が，借入金返済予定期間としていても，賃料を２年ごとに，その時の賃料相場に合わせて見直すという契約もある。貸家人の方が，まだ賃料相場が上がるならという助平根性で契約すると，そういう時に限って賃料相場が下がり始めていて借金返済がどんどん難しくなっていくということになる。

賃料を長期に固定しておく契約を結んで安心していたら，そういう契約をしていても，その後の経済事情の変動により，その家賃が近隣の家賃相場に比べて不相当になったときは賃料の引下げを請求できると借地借家法（32条）で規定されており，同様のサブリース契約で，家賃の引下げが裁判で認められた例もある（最高裁平成15年10月21日）。

では，どうすれば安心なのか。

定期借家契約という制度があり，契約期間中の借家からの解約は，居住者の転勤，療養，親族の介護などのやむを得ない事情によって，自己の生活の本拠として使用することが困難になったとき以外は，認められていない（同法38条⑦）（852ページ参照）。

サブリース業者にとっては，かなり厳しい条件であるので，この契約をするのを嫌がるかもしれない。その場合は，専門家も将来の見透しが不安だと思っているわけだから，その計画は止めた方が無難であろう。

17　個人の土地と同族会社の賃貸ビルの税務

個人が賃貸ビルを建設するとき，同族会社を設立し，ビルを会社の所有にしたら節税になるか。

図表７－23

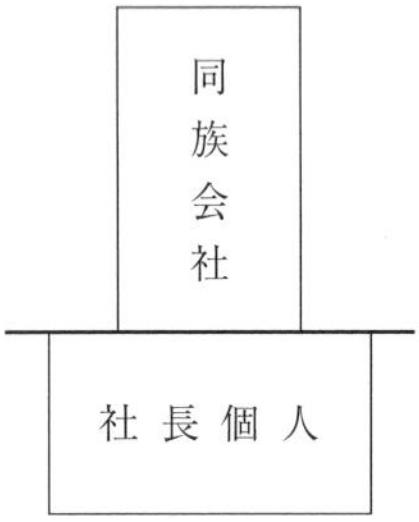

個人の土地に会社のビルを建設したら

個人の土地に貸ビルを建設するとき，同族会社を設立し，会社で貸ビルを建設し，貸ビルを会社の所有にしたほうが，税金の上でトクになるのでないかという相談をよく受ける。すなわち，**図表７－23**のように，社長個人の土地の上に同族会社の貸ビルが建ち，会社がビルを賃貸し，家賃を収入し，社長個人に地代を支払うという形態である。

家賃に関する税金はどうなるか

家賃収入から減価償却その他の必要経費を差し引いた利益が課税対象となることは，個人も会社も変わらない。課税所得が同額であった場合の個人と法人との税額を比較してみると，次ページ表のとおりである。

なお，法人は資本金１億円以下の法人について算出している。また，個人で不動産貸付業の規模が５棟以上10室以上の場合は事業税が課税される。

（注）　昭和50年（1975年）前後の所得税と法人税との税率構造を比較してみると，所得税の最高税率は，課税所得8,000万円で75％（住民税18％とを合わせると93％）になっていたのに対し，法人税率は一律で40％（法人住民税を合わせて47％）と大きな差が生じていた。その後，所得税の最高税率の引き下げ等により，現在はその差は縮まっている。

〈個人・法人の税負担の比較表：東京都23区の例〉

個人	課税所得①	5,000,000	6,000,000	7,000,000
	所得税	584,500	788,700	994,400
	事業税	129,000	605,000	705,000
	住民税	505,000	179,000	229,000
	計②	1,218,500	1,572,700	1,928,400
	税負担率②／①	0.2437	0.2621	0.2754

法人税	課税所得③	5,000,000	6,000,000	7,000,000
	法人税	750,000	900,000	1,050,000
	事業税	264,400	337,000	409,600
	住民税	136,700	162,700	188,600
	計④	1,151,100	1,399,700	1,648,200
	税負担率④／③	0.2302	0.2332	0.2354

（注）　税率表：法人の計算については
資本金1,000万円以下の普通法人，従業員50人以下として算出
（注）　消費税については，個人・法人とも同額となるので比較表には加えていない。
（注）　東京都23区の場合（均等割70,000円を含む）。

しかし，個人事業の場合は事業主に対する給与は認められない（注）が，会社にすれば，社長に給与を支払って，給与所得控除を受けることができるとか，また，家族に対する給与なども，その職務に相当する部分が経費として認められるなどのメリットもある。

（注）　青色申告をしている個人事業主に対しては，青色申告特別控除がある（775～776ページ参照）。

会社の株式を家族の所有にしたら

この場合，この会社の株式を全部，家族の所有にして経営に参加させておくことも考えられる。そうすると，会社は社長その他の役員になっている家族にその業務に見合った給料を払えば，その給料は会社の経費となり，また，その家族一人ずつについて給与所得控除を受けられ，また，家族の給与所得は社長の所得と別計算となるから，税率も低くなる。

なお，その給与の額が，その職務の内容に比べて過大である場合は，会社はその部分の金額の損金算入を否認されて法人に課税され，支払われた役員給与

は，その役員個人の課税所得とし残って，所得税が課税されるというダブルパンチを受けることになるので，役員給与の額について注意を要する。

借地権について課税の問題が起こる

社長の土地にその同族会社が貸ビルを建設するためには，会社が社長個人に権利金を払って借地権を設定するのが原則的なやり方である。しかしそうすると，その権利金は社長個人の譲渡所得になる(注)。税金を安くしようとして，貸ビルの所有を形だけの同族会社にしただけで，多額の税金をとられるのではかなわない。

（注）　権利金の金額が更地価格の$\frac{1}{2}$以下であれば不動産所得となる（696ページ参照）。

また，相続の時点での評価を考えると，相続財産となる土地は貸宅地（底地）となって評価減となるが，社長の受け取った権利金は現金として時価評価となる。ということで，権利金のやりとりをしないことにすると，その場合は，借地権相当額を，社長から贈与を受けたということで，会社は受贈益を計上しろということになり，受贈益には法人税が，社長個人には低額譲渡ということで，みなし譲渡所得税が課税される。

権利金のかわりに相当の地代を払ったら

借地権課税を避ける一つの方法として，同族会社が社長個人に権利金を支払わないでも，毎年相当の地代を支払えば，権利金の認定課税をしないという方法がある。相当の地代というのは，729ページで説明したように，つぎの式で求めたものである。

（更地価格）×６％＝（相当の地代）

そして，この更地価格というのは，その土地についての，

①　通常取引される価額
②　周辺の類似条件をもった公示地・都道府県基準地の価格から合理的に算定した価額
③　相続税評価額（または前３年間の平均価格）

のいずれかの価額を選択していいということになっている。

この三つのなかで，もっとも安いのは通常は③の相続税評価額となる。これを用いて相当の地代を求めることにする。874ページの**図表７－22**の設例と同じような条件で貸ビルを建設するとすると，更地価格の時価が６億円，相続税評価額は４億8,000万円であるので，

480,000,000円 × 0.06 ＝ 28,800,000円

が相当の地代となる。

これが社長の不動産所得の収入金額となり，これから土地の固定資産税，都市計画税を差し引いたものが社長の所得税，住民税，事業税(注)の対象となる。

（注）　個人の事業税については710ページ参照。

この例で，土地の固定資産税評価額を更地時価６億円の70％とみて，負担調整措置による課税標準額をその70％とみると（注），

$$600,000,000円 \times 0.7 \times 0.7 \times \frac{1.4+0.3}{100} \fallingdotseq 5,000,000円$$

が固定資産税，都市計画税の合計となり，相当の地代の2,880万円から500万円を差し引いた2,380万円が社長の不動産所得として課税対象となる。

（注）　実務においては固定資産課税台帳で確認すること。

一方，会社所有の貸ビル８億円について，延床面積3,200㎡のなかの85％を賃貸面積とし，１㎡当りの月賃料を3,000円とすれば，賃料収入は年に約9,800万円（①）となる。これに対する概算経費は，

減価償却費（本体）定額法・耐用年数50年

８億円×0.65×0.020＝10,400,000円

（設備）定額法・耐用年数15年

８億円×0.35×0.067＝18,760,000円

合計　29,160,000円

建物の固定資産税・都市計画税

$$8億円 \times 0.5 \times \frac{1.4+0.3}{100} = 6,800,000円$$

消費税（①－②）×10％　9,212,000円

その他諸経費（地代を除く）（②）　5,880,000円

となる。

会社の社長に対する給料を年額65万円（給与所得控除により給与の課税所得０円），社長個人の所得控除を150万円として，個人でビル経営をした場合と，会社に相当の地代で貸地をした場合との税金を比較すると，図表７－24のようになる。

この設例の場合では，相当の地代で会社に貸地した場合の方が個人で経営した場合より税負担が軽くなっている。

なお，会社の税引後利益は，個人に配当することになり，個人の配当所得として加算される（注）。

（注）　配当された金額を，配当所得として課税所得に加算して所得税額を算出し，課税所得が1,000万円以下の場合は配当金額の10％，これを超える部分は５％が，配当控除として税額から控除される。

図表7－24（東京都23区の例）

(A)　個人として経営した場合

家賃収入	98,000,000
減価償却費	29,160,000
建物・固定資産税	6,800,000
土地・固定資産税	5,000,000
消費税	9,212,000
諸経費	5,880,000
経費計	56,052,000
不動産所得	41,948,000
所得控除	1,500,000
課税所得	40,448,000

所得税	13,687,100
住民税	4,049,800
事業税	1,952,400
税金合計	19,689,300

※所得税には復興特別所得税を，地方税には復興特別住民税を含めている。

（注1）　消費税=（家賃収入－諸経費）×0.1

（注2）　諸経費=家賃収入×6％

（注3）　給与所得=給料－給与所得控除額

（注4）　所得控除:仮定の数字

（注5）　課税所得は1,000円未満切捨，税額は100円未満切捨。
均等割70,000円を含む。

(B)　相当の地代で会社に土地を貸した場合

(a)法人の税金

家賃収入	98,000,000
減価償却費	29,160,000
建物・固定資産税	6,800,000
地代	28,800,000
消費税	9,212,000
諸経費	5,880,000
社長給料	650,000
経費計	80,502,000
課税所得	17,498,000

法人税	3,403,500
法人住民税	595,700
法人事業税	1,393,000
税金合計(a)	5,392,200
税金後利益	12,105,800

(b)社長個人の税金

地代収入　①	28,800,000
土地・固定資産税　②	5,000,000
不動産所得　（①－②）	23,800,000
給与所得	0
所得合計	23,800,000
所得控除	1,500,000
課税所得	22,300,000

所得税	6,252,600
住民税	2,235,000
事業税	1,045,000
税金合計(b)	9,532,600

(c)法人と個人の税額の合計

(a)+(b)	14,924,800

相当の地代でデメリットの生じる場合も

しかし，これは，この例のように効率のよいビルが建設でき，貸ビルの利益が相当の地代を上回る場合に有利になるのであり，すべてのケースでこのようにうまくいくものではない。1㎡当りの月額賃料が2,000円とすると，会社の地代支払前の利益は，

賃料収入（年）	3,200㎡×0.85(レンタブル比)×2,000円×12か月	＝ 65,280,000円
減価償却費・固定資産税・諸経費等		＝ 43,200,000円
	差引き	22,080,000円

にしかならない。

それから，社長に2,880万円の地代を払うと，会社は672万円（2,208万円－2,880万円）の赤字になる。それにもかかわらず，社長が受け取った相当の地代2,880万円に対してかなりの所得税等（**図表７－24(b)**参照）を支払わねばならないという大きなデメリットが生ずる。したがって，相当の地代によって会社に土地を貸す場合も，個々のケースについて具体的に比較検討して，どちらが有利かをよく見きわめなければならない(注)。

（注）　最近の地価水準と賃料水準から，このようなデメリットが生じる例が多い。

相当の地代も受け取らず無償返還の届出をしたとき

上述したように貸付当初のかなりの期間にわたってビルの損益計算で赤字が見込まれるとき，733ページの**図表６－14**で示した「土地の無償返還に関する届出書」を提出し，権利金も相当の地代も取らずに，無償，すなわち使用貸借で会社に貸し付けることも考えられる。この場合，後で会社が社長に土地を返還するとき借地権消滅の対価も取らずに無償で返還することが条件となっており，権利金を取らなくても借地権の認定課税はしないようになっている。受け取らなかった相当の地代についても，通常は認定課税の問題は生じない。相当の地代分だけ会社の側の利益が多く生じる（この例では赤字が少なくなる）だけである。社長個人についても認定課税は生じない。

また，相当の地代までは取らないが，会社のあげた利益の範囲内で適当な地代を取り，この届出書を提出する方法もある。この場合も，認定権利金も認定家賃の問題も生じない。

このようにして，貸ビルのほうで利益が生じるようになってから，その利益をにらみながら社長個人に地代を払い，増額していくのも一つの方法である。あまり恣意的に課税所得を操作するということでなければ，税務上，特に問題になるということはないであろう。

相続税対策としてはどうか

では，相続税対策としては，どうかということを考えてみよう。この場合，会社に借地権が発生すれば，貸地の評価は下がるが，会社の株式を被相続人となる社長が所有しているときは，その株式も相続されて，相続税の対象となり，その株式の評価も上がるので，ビル所有会社の株式の全部を家族だけで所有していたほうが有利である。

借地の形に応じて，貸地の評価はつぎのようになる。

① 権利金を授受して貸地した場合……通常の相続税評価額の底地割合で評価される。

② 当初から相当の地代で出発し，地価の上昇にスライドさせて地代を増額している場合……更地評価額の80％で評価される。

③ 当初は相当の地代で出発し，その後の地代を据え置くか，増額しても地価にスライドしていない場合……つぎの式で評価する。

$$\begin{pmatrix}\text{更　地}\\\text{評価額}\end{pmatrix}-\left[\begin{pmatrix}\text{更　地}\\\text{評価額}\end{pmatrix}\times\left\{\begin{pmatrix}\text{借地権}\\\text{割合}\end{pmatrix}\times\left[1-\frac{(\text{実際の支払地代(年)})-(\text{通常の地代(年)})}{(\text{相当の地代(年)})-(\text{通常の地代(年)})}\right]\right\}\right]$$

借地権設定時より地価が上昇した場合には，借地権価額が発生し，その借地権価額を引いた評価となるが，地価が下落した場合は借地権価額は生じないので②と同じ扱いとなる。

④ 不足地代で出発し，土地の無償返還の届出をしている場合……更地評価額の80％で評価される。

⑤ 使用貸借で，土地の無償返還の届出をしている場合……更地評価額で評価される。

（詳しくは748ページ以下参照のこと）

なお，建物の評価と建物の建築費にあてた借入金・保証金等は，会社だけで個人の債務控除には関係ない。

これに対して，個人で建物も所有している場合は，土地については貸家建付地割合で評価され，建物については貸家割合が適用され，さらに，借入金・保証金等が債務として控除されるので，借入金の残存している時点で相続の生じたとき，また，保証金等が多額である場合には，個人で賃貸ビルを所有していたほうが有利になることが多いであろう。

18　相続予定者の共同ビル

個人が賃貸ビルをつくるとき，相続予定者の共同ビルにしたら税金はどうなるか。

相続予定者が共同で賃貸ビルを建てたら

家賃に係る所得税は，累進課税である。それならば，所得を家族に分散させれば，各個人の税率は下がり，税額は低くなるから，資産を分散して家賃も各家族が分けて収入するようにしておけば，納付した家族全員の税額を合計しても，一人で家賃をもらったときの税金より安くなるはずだ。それと，相続の段階でも有利になるのではないかという考えもあって，賃貸ビルを建設するとき，相続予定者所有の共同ビルにしようという相談も多い。

借地権の税金は使用貸借で解決

相続予定者と土地所有者との間で，無償の土地使用貸借契約を締結し，相続予定者をビルの所有者とする方法がある。個人間では使用貸借ということが認められているから，ビル建設の段階で借地権について課税されることはない。

相続税はどうなるか

土地の使用貸借をしている場合，相続の段階で，その土地は更地として評価される。個人間の土地の無償使用について贈与税を課税しないのは，相続の段階で相続税をフルに課税することが前提になっているのでやむを得ない。

ところで，「**16　賃貸ビルと相続税の節税**」(872ページ) で，土地所有者が個人でビルを建設し，所有していた場合の相続税の評価で，土地（借地権割合70%）について，更地の評価額から貸家建付地割合約21%減の79%となり，建物の評価額から借家権割合が30%減となって保証金や借入残を控除されて有利になることを説明した。これと比べてどちらが有利であろうか。

貸ビルを建設し，その借入金の残高がかなり残っている間に被相続人が死亡した場合は被相続人の所有にしておくほうが有利である。

土地と建物は上記のように評価減となり，借入金などの債務は被相続人の遺産から控除できるからである。しかし，それ以上の期間であれば，共同ビルで，最初から相続人の所有にしておいたほうがメリットが出てくることがある。借入金等を返済し終わった時点では，後者の方法がはるかにトクになる。なぜならば，建物は相続人の完全な所有物となり，かつ相続財産の対象にならないし，そのとき被相続人の遺産から控除できる借入金は残っていないからである。それに加えて，相続までの期間，家賃収入に係る不動産所得を分散していたことのメリットが相続人側に累積されているからである(注)。

（注）　相続人が一定の条件をそなえていた場合，その敷地面積の200㎡までが，小規模宅地（貸付事業用宅地）として，50％の評価減の特例適用を受けることもできる（詳細は200ページ参照）。

なお，相続予定者が株主となって同族会社を設立し，被相続人予定者の土地を，普通地代で借地して，無償返還の届出（733ページ参照）を提出していれば，相続時の土地評価は20％減となるが，相続人個人が借地する場合には，この無償返還の届出の制度はなく，相当の地代を払うか，使用貸借によるかのいずれかであり，使用貸借であれば，相続時の評価は更地（自用地）としての評価となる。

ここら辺の損得も比較，検討する必要がある。

定期借地権を設定する方法もある

相続予定者が社長個人の土地に一般定期借地権を設定して，ビルを建設する方法もある。

定期借地権の設定にあたっては，権利金を授受しないのが通常であり，保証金・敷金は地代の数年分程度のものも多く，保証金・敷金を授受していなくても，その地代が一般定期借地権を設定する場合の通常の地代より著しく低くて，「実質的に贈与を受けたと認められる差額地代がある場合」でなければ，設定に際しての贈与税の課税は生じない（評基27－3⑶）。

なお，一般定期借地権実質利回りは，２％前後となっている（644ページ参照）。

また，相続時での貸宅地の評価額は，その残存期間に応じて，つぎのように減価されるようになっている（661ページ参照）。

定期借地権割合が20％以下の場合の貸宅地の減価割合

残存期間が５年以下のもの	100分の５
残存期間が５年を超え10年以下のもの	100分の10
残存期間が10年を超え15年以下のもの	100分の15
残存期間が15年を超えるもの	100分の20

＊権利金の授受が無く，保証金・敷金も少額の場合の定期借地権割合は，通常は20％以下になっている。

なお，この項では共同ビルと表現したが，相続予定者の単独ビルの場合も同様であるし，また，その方式は区分所有方式でも共有方式でも同じである。

19　同族の管理会社への管理料，転貸会社からの家賃の制約

個人の建物を同族会社に管理させて管理料を支払っている場合，また，転貸させている場合の家賃について，税務上で特別の制約はあるか。

同族の管理会社に管理させると

個人の所有地にその個人本人の建物を建ててこれを賃貸し，その個人の同族会社に，その貸家の管理をさせて，管理料を支払っている例も多く見受けられる。

その個人が他の会社などの給与所得者でなかった場合は，その管理会社から社長（個人）に支払われる給料の給与所得控除分だけ課税所得が節減される。また，家族を役員にして給料を支払った場合も同様である。さらに，その他の経費も落としやすくなる。

そういうことで，節税目的で同族会社を設立し，この会社に管理料を支払うシステムをとる傾向が目立っている。

あまりにも多額の管理料は――同族会社の行為・計算の否認

しかし，あまり調子にのって管理料を払い過ぎると痛い目にあう。

家賃収入の50％の管理委託料を自分の主宰する同族会社に支払っていたところ，同地域の同規模事業者の実例から標準的管理料割合を貸ビルについて6.10％，駐車場について6.42％を適正な管理料と認定して，差額を否認され，裁判で争ったが敗れたという例がある（東京地判･平成元．４．17，『旬刊速報税理』平成元年８月11日号）。

その否認の根拠は，**同族会社の行為・計算の否認**（所法157条，法法132条）というものである。

この規定は，同族会社の行為や計算について，これを認めると，同族会社の法人税や，この会社の役員や大株主などの所得税を不当に減少させる結果となる場合，脱税や租税回避の意図の有無を問わず，その行為や計算を否認し，税務署長がその課税所得を計算して課税するという恐い規定である。

要するに，具体的に税法のどの条文に触れるというものではないが，これを認めるとうまくないなというときに発動する村正の妖刀のような恐いものである。

管理料は，どのくらいまでがメドか

では，どれくらいまでの管理料なら認められるかということになるが，これについて通達などで明示したものはない。第三者の不動産会社に管理を委託したときの管理料の相場と管理会社の管理実務の実態とを比較して求めることになる。最近では，かなり厳しく取り扱われているようである。

転貸会社への家賃の下限は

また，個人がその貸家を複数の最終テナントに直接賃貸しないで，まず，同族会社に一括して賃貸し，その同族会社が個別にテナントに転貸している場合もある。

この場合には，その転貸会社は単なる管理だけではなく，空室期間中の損失や，最終テナントの賃料不払いのあった場合のリスク，また，最終テナントとのトラブルを負うことになることになり，それに見合って事業利潤（一括家賃と転貸家賃との差額）が多くなるのが合理的であろう。

では，その場合，いくらまでなら認められるかというと，これについては，なんらの指針も与えられていないのが現状である。

第三者の不動産会社に転貸用として賃貸した場合の相場を一応の基準として，賃貸借条件の差を考慮に入れて設定するのが合理的であろう。なお，この場合も，課税側は，管理会社に対するのとほぼ同様の厳しい見方をしているようである。

管理料等が否認された場合

また，同族会社の行為・計算の否認により，個人が同族会社に支払った管理料また賃貸料の一部が否認された場合，従来は，法人の受けた管理料のうち，否認分に対応する法人税の減額更正をされていたので，相殺関係となって，個人・法人を一体としてみれば，それほどの税負担増とならないようになっていたが，近年では法人に対する減額更正はされず，否認された個人の税負担増だけが残るようになっており，判例もこれを裏づけている（東京地判・平成13.1.30，東京高判・平成13.9.10，最高裁・平成14.2.8）。

したがって，管理料・賃貸料の設定には慎重に対処することが求められている。

個人と管理会社との共有方式

個人所有の貸ビル，貸マンションを，その同族会社が管理する管理会社方式について，管理会社へ支払う管理料は，建物の清掃・修理，賃貸の媒介などの実質精算的な費用相当額しか課税側は認めない，貸ビル等の建物の一般的な経営管理・財産保全に対する報酬までは認めない傾向が強くなっている。

では，管理会社に必要な収入を入れるためには，個人の土地にその同族会社が貸ビル等を建てて所有する形――「**17　個人の土地と同族会社の賃貸ビルの税務**」(880ページ) に戻ることになるが，この場合には，同項で述べたような問題も生ずる。

これを調和させる方法の一つとして，個人と同族会社とが，共有方式で賃貸ビル等を建設し所有する方式がある。

たとえば，同族会社が持分$\frac{1}{4}$，個人が持分$\frac{3}{4}$を所有し，個人の持分部分については，同族会社に管理を委託することにする。その場合の土地との関係は，同族会社は個人の土地の持分$\frac{1}{4}$を借地することになる。法的には，個人の土地上の借地権を準共有する形となる。

この場合の借地方式としては，無償返還の届出方式と定期借地権設定方式のいずれかを選択すればよい。地代がそれぞれの方式に応じた適正な地代であれば，同族会社の収入する家賃 (全体の$\frac{1}{4}$) について課税上否認されることはないであろう。

個人の土地の相続時の評価は，その$\frac{3}{4}$は貸家建付地とこの評価減があり，$\frac{1}{4}$については無償返還の届出の場合２割減，定期借地権については残存期間に応ずる評価減がなされる。

なお，この共有方式は，「**18　相続予定者の共同ビル**」(887ページ) にも適用することができる。

第8章

共同ビルの基本形態，運営，権利調整，評価，税務のコンサルティング

1 共同ビル建設によるメリット増加と問題点

共同ビルを建設して効率化をはかりたい。しかし，それを事業化するにあたっては複雑な問題もある。

共同ビル建設の傾向とその必然性

賃貸ビルとして成り立つ立地条件の地域に，木造２階建の小規模な店舗が密集している場合も多い。従来は小規模の店舗併用住宅ぐらいしか成り立たなかった地域に，地下鉄が通り，道路が拡幅され，近隣に大規模店舗，事務所等が進出してきて，その地域に商業地化の波が押し寄せてきて，ある程度大規模の中高層ビルの需要が出てきたというケースが目につくことがある。そういうとき，開発業者などが密集した店舗とその敷地を買収して，ビル用地を確保して，ビルを建設する。これが一般的な形であり，もっとも単純明解な方法である。

しかし，そこの土地所有者，借地人，借家人のなかには，あくまでもそこで営業を続けたい人もいるし，先祖伝来の土地であるから売りたくないという人もいる。そういう場合に，何が何でも買収しようとすれば，時間もかかるし，値もつり上がるし，タイミングとコストの点で支障を来すことになる。それも高度成長の時代などにはなんとか通用しないでもなかったが，現在では採算的にもむずかしくなった。

また，土地所有者，借地人にとっても，土地や借地権等を売れば，その譲渡所得に対して課税される。しかも，その税金の負担はかなり重い。

いっそのこと，土地所有者，借地人，借家人（以下，権利者という）が協力して，共同のビルを建設して，それを賃貸したほうが，貸主にとっても，テナントにとってもメリットがあるという考え方が出てくる。

それで，開発業者または建設会社が共同ビルの事業計画を立て，権利を調整し，テナントを決めて事業化する。こういう傾向も増加し，一般化している。

事業化にあたっての問題点

一般の貸ビルと違って，共同ビルには，それ特有の種々の問題点がある。それを要約すると，つぎのようになる。

①　共同ビルの所有形態

共同ビルを各権利者が区分所有にするのか，共有にするのかということ。

②　各権利者の権利調整

区分所有にするにせよ，共有にするにせよ，各権利者の権利をどういうように決めるか。従前の権利をどのように評価し，それをどのように調整して，建設されたビルの床，またはその共有持分を，各権利者にどのように配分するかということ。

③　共同ビルの管理形態

区分所有方式をとるにせよ，共有方式をとるにせよ，建設後のビル管理（テナントとの交渉，契約を含めて）をどうするか。各権利者が独自に行うか共同して行うか，それとも管理会社を設立して一括して委託するかというようなこと。

④　税務との関連において

所有形態，権利調整のやり方によって，税金が大きく変わってくる。逆にいえば，税金の上でのメリット・デメリットを関連づけながら，所有形態，権利調整を考えなければならない。

これらが共同ビルの問題点の根本であり，これらの問題点を検討し，つめていきながら，事業計画を立てていかなければならない。

2 共同ビルの所有形態

> 共同ビルの所有形態にはどういうものがあるか。そして，それぞれの特色は。

大きく分けて，区分所有方式と共有方式とがある。以下，例をあげて説明する。

タテ割り区分所有方式

図表8－1のような敷地を2人の土地所有者が所有しているとする。この土地の上に共同でビルを建設し，**図表8－2**のような形で区分して所有しようというのが，タテ割り区分所有方式である。

図表8－1

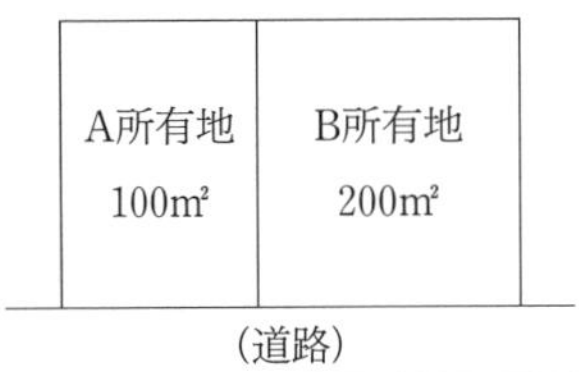

図表8－2　タテ割り区分所有の例

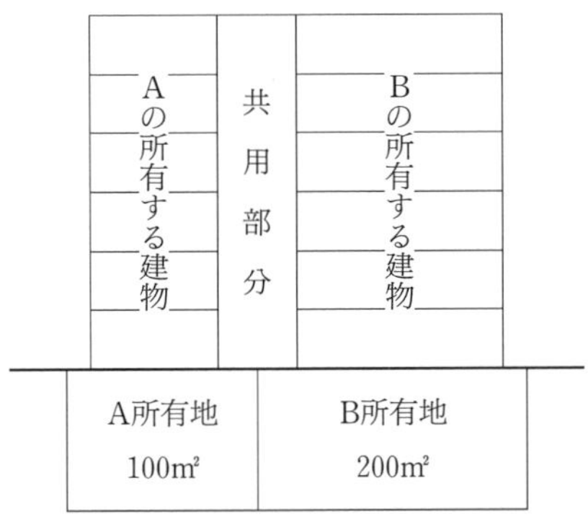

Aは，自分の土地の上にのった部分の建物を所有する。Bも同じである。そして，A，Bの土地の境界線をまたいで共用部分がおかれている。ここに玄関，ホール，階段，エレベーターなどがつくられる。

そして，この建物の専有部分（共有部分以外の部分）を，その敷地面積の割合に比例させて，Aが3分の1，Bが3分の2を区分して所有し，共用部分についても，Aが3分の1，Bが3分の2の持分で共有する。

これは，非常に単純明解な形であり，土地所有者が2～3人ぐらいの少数で，土地の面積や配置状態からいって，建物の設計上ムリのない場合によく採用されている。

しかし，土地所有者の数が多く，その配置も複雑な場合，たとえば，**図表8－**

3のような場合に，この敷地の境界なりに区分したビルをつくると，廊下などの共用部分が迷路のように入り組んできてやたらと階段とエレベーターがふえ，狭い部屋がごちゃごちゃできてしまい，土地の効率利用をはかって共同ビルを建てるメリットはなくなってしまう。

図表8－3

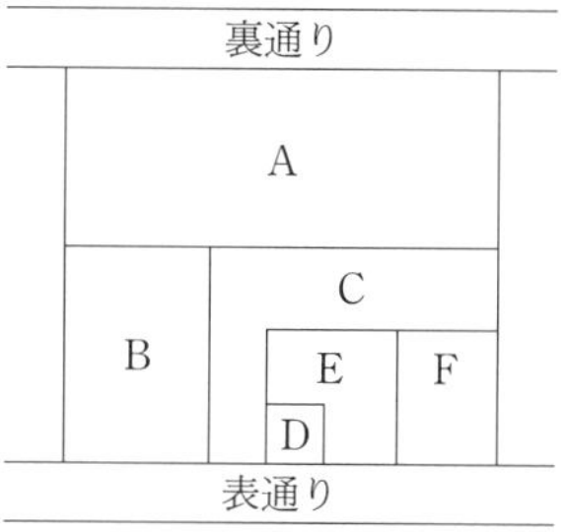

各人の所有地

A	300m²
B	100m²
C	100m²
D	20m²
E	50m²
F	30m²
計	600m²

ヨコ割り区分所有方式

つぎに，ヨコ割り区分所有方式という方式がある。前例の**図表8－1**のような敷地を所有しているA，B２人がヨコ割り区分所有方式のビルを建てた例を図示すると，**図表8－4**のような形である。これならば各階が広く，より効率的に使えることになる。そして，Aの区分所有する床は２階と４階で，専有部分全体の３分の１，Bは１階，３階，５階，６階で３分の２，共用部分も３分の１，３分の２で共有できることになる。これだと，**図表8－3**のように複雑な土地所有になっている場合でも，**図表8－5**のように区分所有して，各階を効率的に使うことができる。１階については，D・E・Fの３人で仕切りをして，区分所有することになり，ここでは若干の非効率な面は出てこよう。しかし，それでも，タテ割りよりはよっぽどすっきりする。

ところで，このヨコ割り方式の場合，一番問題になるのは，誰が何階をとるかということである。店舗の場合は，一般には，１階が客足の流入の一番いい場所であり，２階，３階と高くなるにつれて効率が悪くなる。これが権利調整

図表8－4　ヨコ割り区分所有方式の例(1)

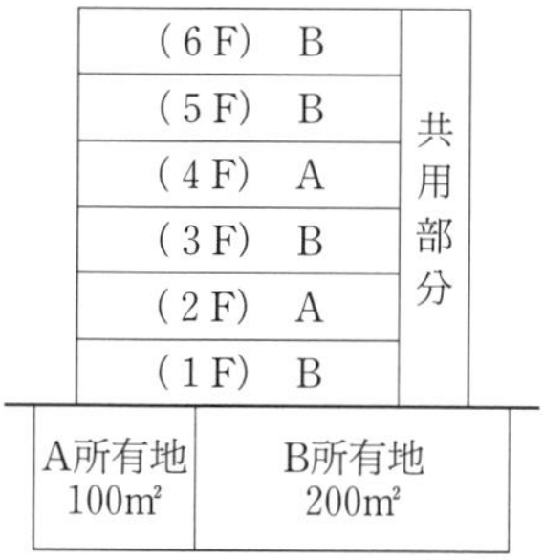

図表8－5　ヨコ割り区分所有方式の例(2)

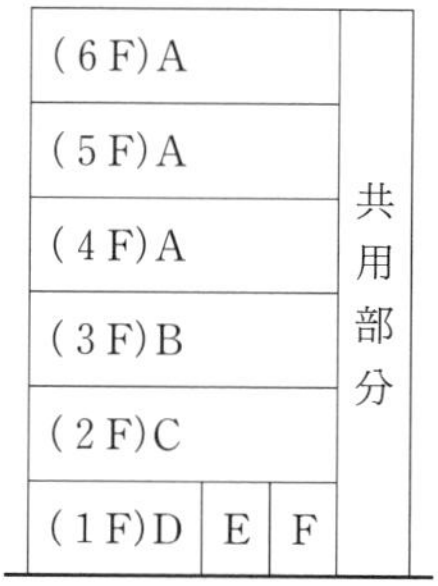

図表８－６　共有方式の例

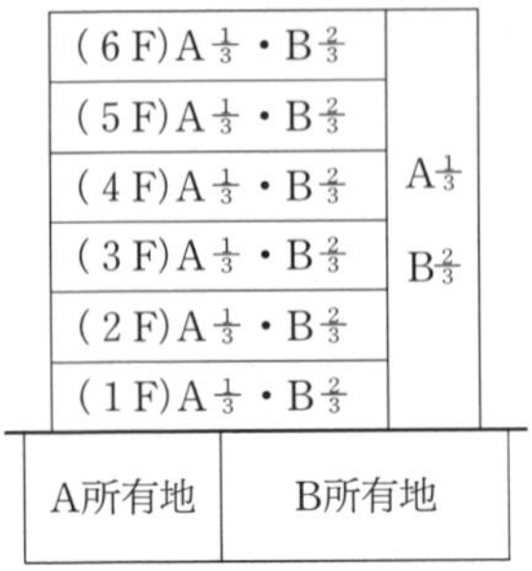

の一つの問題であり，かなり複雑であるので，別項目で説明する。

共有方式

このヨコ割り方式をさらに効率のよいようにと展開していくと，全体を共有する方式に発展していく。

土地所有者がA，Ｂ２人の場合を図示すると，**図表８－６**のようになる。これは各階のどの階についても，Ａは３分の１，Ｂは３分の２という形で所有権をもっている。こういう所有形態を**共有**といい，それぞれの権利を**持分**という。Ａは持分３分の１で共有しているという。

この共有の特徴は，２階なら２階のどの部分をとりあげてみても，ここから向うはＡの所有とか，こっち側はＢの所有とかいうものではないということである。どの床に張ってあるタイル一枚をとりあげても，それはＡのものであり，Ｂのものでもある。その一枚のタイルの３分の１がＡの持分，３分の２がＢの持分ということになっている。その一枚のタイルを半分に割って２分の１のカケラをつくったとしても，その２分の１のカケラのなかに，Ａの持分の３分の１とＢの持分の３分の２とがある。もう一つの半分のカケラのほうも同様である。そのタイルをさらに細々にくだいても，その破片のどの一つをとっても，Ａの持分３分の１，Ｂの持分３分の２というようになっている。

もっとも，ＡとＢとが話し合って，共有になっている階を，そのなかに壁などの仕切りをつくって，今日から，この壁からこっちはＡのもの，壁からあっちはＢのものというようにすることはできる。これは**共有物の分割**であり，それ以後はそれぞれの区分所有となる。また，区分所有になっているものを共有にすることもできる。

共有方式のメリットとデメリット

共有方式のメリットは，建物全体を一つのものとして運営することができることである。それだけ効率的に運営することができるわけである。そうすれば賃貸ビルの場合，貸しやすく，賃料もよけい取れることになる。

賃料から，必要諸経費とかビル運営のための準備金を控除し，その残余（減価償却費など控除前の粗利益）を権利者の持分の割合で配分すればよい。共同ビルをつくることの経済的メリットは，共有方式において最もよく発揮されるといえる。

共有方式のデメリットとしては，共有ビルを処分したり，変更したりする場合には，共有者全員の合意がなければならないということである。それは全員の合意であって，多数決ではない。したがって，共有者のなかの一人でも反対すると，建物の増改築等の重要な事項は決められなくなり，動きがとれなくなる。しかし，この問題は，後述するように管理のやり方で解決することはできる。

また，テナントは，共有者全員と契約しなければならないこと，家賃の交渉も全員としなければならないという問題も生じる。テナントにとって煩わしいことである。しかし，これも管理のやり方で解決できる方法もある。

共有方式の根本的なデメリットは，区分所有方式では，各自が自分の区分所有部分があり，その部分については自分だけの意志で勝手に誰にも気がねなく使用したり，賃貸したりすることができるのに対し，共有方式では，共有者全員と協議し，協力しなければならないということである。(注)

であるから，相互に積極的に協力してビルを運営しようという気があるか，そこまでいかなくても，ビルの運営は任せるから，その収益だけは確保してくれという消極的でも協力の気持のある者の間でないと，むずかしいであろう。

ある程度，自分の所有権の行使が制約されるが，効率よく利益をあげたほうがよいと考えるか，効率は悪くても，自分の所有物はここからここまでだというようにはっきりさせておいて，その範囲内で自由に使用処分をしたいか，そのいずれを選ぶかによって，共有方式をとるか，区分所有方式をとるかということになる。

（注）　区分所有方式でも，一つの建物を複数の区分所有者が所有し，使用するのであるから，単独でビルを所有するのに比べて，ある程度の制約を受けることになる（914ページ以下参照）が，その制約は共有方式に比べてはるかに緩い。

〈合有と共有〉

合有も共同所有の一種であるが，ある目的のために各共有者の持分が拘束されており，持分処分の自由や分割請求が否定されている。民法上の組合の組合財産（668条）の共有関係がこれにあたる。共同ビルの共有者の関係をより強固にしておこうという場合に，この合有という制度を活用するのも，一つの方法であろう。

3 共同ビル建設における従前の権利の評価

共同ビルにおける建設後の床の配分には，従前の権利が一つの基準となる。そして，従前の権利をどう評価すればよいか。

従前の土地の権利比により従後のビルの床を配分する

共同ビルというのは，複数の権利者が集まって，共同で一つのビルを建設したものであるから，建設後のビルの床を，どのように分けて所有するかという問題が生じる。区分所有方式の場合は，何階のどこからどこまでを，誰のものにするかという形で出てくるし，共有方式の場合は，誰が全体の何分のいくつをもつか，すなわち持分をどのようにして決めるかという問題になる。

その場合，建設前（従前）の土地が一つの配分基準になる。単純に建設前の土地の面積比によって，建設後のビルの床を配分する場合もあれば，価額比による場合もある。価額比といっても，見方によっていろいろな評価がある。

面積比による場合

896ページの**図表８－１**のように，A，Bの土地所有者があって，その土地の単価は，位置，地形などからみてほぼ同じ価格である。各自の面積が違うだけである。こういう場合は，土地の面積比によるのがもっとも単純で明解な方法である。**図表８－１**によれば，Aの土地面積が３分の１であるから，建設後のビルも床面積の３分の１を取得するという方法である。

従前の土地価額比による場合

しかし，897ページの**図表８－３**のような場合，各人の所有地の位置，形状はさまざまであり，面積比によることがはたして合理的であろうかという疑問が起こる。いま，この各画地

図表８－７

画地	面積（㎡）	単価（㎡当り）	価額	面積比	価額比
A	300	120万円	36,000万円	50.0%	39.5%
B	100	195	19,500	16.7	21.4
C	100	165	16,500	16.7	18.1
D	20	185	3,700	3.3	4.1
E	50	190	9,500	8.3	10.4
F	30	200	6,000	5.0	6.5
合計	600	平均　152万円	９億1,200万円	100.0	100.0

を評価したところ，**図表８－７**のようだったとしよう。

この場合，Ａについて，面積比によれば共同ビルの50％を取得することができるし，価額比によれば39.5％となる。Ｅについては，面積比によれば8.3％，価額比によれば10.4％となり，いずれも相当の差を生ずる。

面積比によるべきか価額比によるべきか

この土地の全体の面積が600㎡で，容積率が500％，建築面積500㎡で，６階建，延面積3,000㎡のビルが建つとしよう。こういう建築規制からいうと，Ａの300㎡の土地がなくて，土地Ｂ～Ｆだけであれば，建築できる建物の延面積は1,500㎡になる。土地Ａがあってはじめて3,000㎡のビルが建設できたのだという考え方であれば，面積比で配分するのが正しいであろう。しかし，それなら，Ａは1,500㎡のビルを単独に建ててもよかったのじゃないか。Ｂ～Ｆと一体としてビルを建てたのは，それなりのメリットがＡにあったからであろう。

897ページの**図表８－３**の例によると，Ｂ～Ｆと一体となることによって，Ａは表通りと通じることができた。表通りと通じるということは，店舗であれば，今まで以上に顧客の流入が増加し，収益が向上するはずである。すなわち，価額比の39.5％の1,185㎡の床の配分を受けても，単独でビルをつくった1,500㎡の床で営業するよりも，顧客の流入が多くなるなどの変化を通じて多くの収益が得られるようになる。とすれば，それは表通りのＢ～Ｆと一体となったからこそであり，（1,500㎡－1,185㎡＝315㎡）は，Ｂ～Ｆに還元してもよいのではないか。

一方，表通りにもともとあったＥについては，Ｅが参加したからこそ，他の土地の効率が増したのであり，面積比では8.3％であるが，もっと多くの配分（価額比だと10.4％）を受けてもいいのではないか。そして，ビル共同化による収益増の貢献度は従前の土地の価額比に比例しており，したがって，その地価の比によって配分するのが実質的に公平でないかというのが価額比により配分することの根拠である。そして一般に，土地単価の差がそれほど開いてなく，また一定規模の面積を確保することが共同ビルを建設するための前提条件になっている場合には，割り切って面積比によることが多く，土地単価の差が開いているところでは，価額比ということが前面に出てくる。しかし，土地単価の差が著しいところ（たとえば表通りの土地と裏通りの土地が共同でするとき）では，それをあまり強調しすぎると，土地単価の低い人の合意は得にくいため，なんらかの妥協，または調整が必要になってくる。

開発後の効果を還元した価額比を求める

図表８－３のＡ～Ｆを一体として地価を求めたとき，１㎡当り210万円，総額12億6,200万円であったとする。これは，各画地の地価の合計９億1,200万円に比し，３億5,000万円の増価になっている。この増価分は，Ａ～Ｆが一体となることによって生みだした全体土地の価値の増加分であり，Ａ～Ｆの各々に還元されるべきものである。問題は，どのような配分法によって各土地に配分するかということになる。①は，価額比によって配分しようという方法である。②は，面積比によって配分しようということである。③は，折衷案として，その半分を価額比，半分を面積比で配分することとする。

これを土地Ａについて計算してみる。

①によると，

（全体の増価分）（価額比）（Ａに配分された増価分）
350,000,000円 × 0.395 ＝ 138,250,000円

（従前の土地価額）（Ａに配分された増価分）（従後の価額）
360,000,000円 ＋ 138,250,000円 ＝ 498,250,000円（全体の39.5％）

②によると，

（面積比）
350,000,000円 × 0.5 ＝ 175,000,000円

360,000,000円 ＋ 175,000,000円 ＝ 535,000,000円（全体の42.4％）

③によると，

350,000,000円 × $\frac{1}{2}$ × 0.395 ＝ 69,125,000円

350,000,000円 × $\frac{1}{2}$ × 0.5 ＝ 87,500,000円

360,000,000円 ＋ 69,125,000円 ＋ 87,500,000円 ＝ 516,625,000円（全体の40.9％）

となる。

地価の差の開いている土地で共同ビルをつくろうとする場合，各権利者においても，地価に差のあることは認めており，常識のある権利者であれば，その地価の差がビルの床の配分の基本になることも，十分承知している。しかし，共同ビルとして一体化するときに生じる全体地価の増価分の配分について，納得のいく基準を出してもらいたいということがある。

ところで，上記の①の還元方式は，全体土地の増価に貢献した度合によって増価分を配分しており，最も合理的ともいえる。地価の低い人も，それなりに配分を受けている。しかし，結果として従前の価額比で配分するのと同じであり，地価の低い権利者に納得させるという点では弱いといえる。

②の還元方式については，全体土地の増価分を土地の面積に応じて，とにか

く平均的に配分しようというものであり，地価の低い人に対しては有利になっている。そして，地価の高い人には，増価分配分以前の段階で有利に取り扱われているので，双方にとって，現実的には妥協が得られやすい配分方式であろう。

③の還元方式は①と②との折衷案であり，増価分をさらに細かく配分したものであり，価額比，面積比を２分の１ずつとして計算する方法もあるが，３分の１：３分の２のこともあろうし，３分の２：３分の１のこともあろう。

（注）従前の地価の高い人には，増価分の配分を相対的に低く，地価の低い人には相対的に高くする方法もある。これは，従後の地価増価は従前の地価の低い土地のほうが多く受けている。一体化することで受けた地価増価分をそれぞれの利益を受けた土地に多く残そうという考え方であり，一体化による地価増価分に貢献した土地に多く配分しようという考え方とは反対の考え方である。

共同ビルの建設についてコンサルティングを進めるにあたり，どの方法をとるかは，各権利者の意識，参加へのビヘイビア，共同ビルの性格を総合的に考慮して決めるべきであろう。権利者の数が少なく，お互いのコミュニケーションが密接なときは，なるべく単純明解で常識的な方法がよいし，権利者の数が多く，お互いの関係が比較的うすい場合には，理論的な説得に耐え得るものでなければならないであろう。

〈限定価格〉

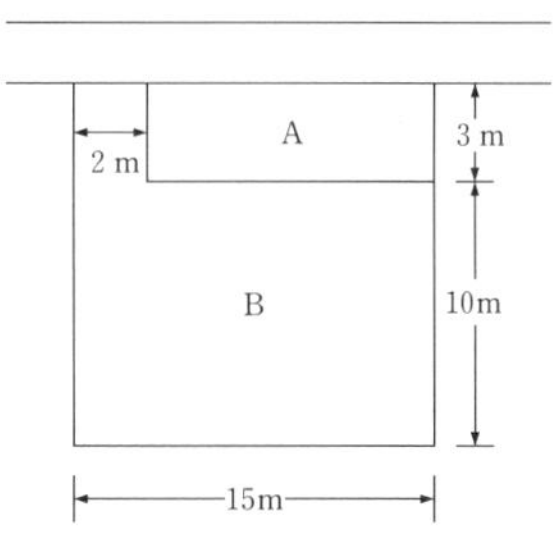

右図のような土地ＡとＢとが商業地にあるとする。Ａは表通りに面しているが奥行３ｍというのはなんとしても浅い。Ｂは店舗を建築するためには十分な面積はあるが，間口２ｍというのは，商業地としてはきわめて不利な地形である。しかし，ＡとＢとが併合して一体の土地となったら，双方ともその効用が上がり，価値（価格）も上がることになる。そういう場合，ＢがＡを併合しようとするとき，Ａが単独で売買される価格以上で買っても，その買増し分だけＢの価値が上がる範囲であれば，Ｂにとっても十分に採算が合い，合理的であるといえる。こういうような場合に成立する適正な価格を，鑑定では「限定価格」とよんでいる。本文で説明した共同ビルの従前の評価とは，ニュアンスが異なる考え方であることは留意すること。

4 共同ビル建設における従後の床の評価と配分

> 共同ビルにおける床の配分にあたって，どのようにして評価して配分したらよいか。

共有方式の場合は簡単

従前の権利の評価をして，従後の床の配分基準が決まった場合，共同ビルであれば，その配分率によって各権利者の持分を表示すればよい。896ページの**図表８－１**について，Ａ，Ｂの配分基準を面積比によるのであれば，Ａの持分３分の１，Ｂの持分３分の２である。共有方式の場合，Ａについてみれば，あらゆる階のあらゆる部分について３分の１の権利を有しているのであるから，どの階が価値が高くて，その階のどの部分がより価値が高いかということは問題にならない。価値の高い部分も低い部分も，同じように３分の１ずつの持分を有しているからである。

区分所有方式の場合に問題になる

区分所有方式の場合は，それぞれの権利者が区分された特定の場所を専有することになるので，建設された後の建物の場所の価値の高い低いが問題になる。ビルのなかで，同じ300㎡の床を取得するとしても，100の価値ある部分の300㎡と，50の価値しかない部分の300㎡とでは，まるっきり違う。

896ページの**図表８－２**のようなタテ割り方式の場合は，それぞれ自分の敷地の上の建物部分を専有するような形をとっているので，すんなりと決まる可能性が強いだろう。

897ページの**図表８－４**のようなヨコ割り方式の場合に，問題が複雑になる。

階層別の価額差がある

賃貸店舗ビルの場合，一般に客が一番よく入るのは１階である。つぎが地下１階，２階となり，３階になると客足がガタっと減る。４階になると，客が上がってくるかどうかわからない。それでは，４階以上は事務所にしようかということになる。この商業ビルを階層別に賃貸するとき，その差は賃料の差として，歴然と出てくる。

とすれば，だれしも１階が欲しくなるのは当然である。しかし，１階は一つしかない。そうなると，なんらかの調整が必要となる。

たとえば，Ｂはビルの３分の２を取得する権利をもっていたとする。そのとき，１階を自分に譲ってくれれば，全体の面積の２分の１だけでもよい。**図表８－４**でいえば，Ｂの取得分の６階をＡにあげましょうと申し出る。Ａは，もともと３分の１しか所有できないのであるが，６階も取得すれば，全体の面積の２分の１を取得できることになる。それでＡが承諾すれば，それで話はまとまる。

しかし，Ａが，「１階はいい場所である，６階をもらって面積では全体の２分の１になった，しかし価値からいったら全体の３分の１に満たないのではないか，そうでなければＢが気前よく，こんなにくれるはずはない」などと考え出すと，解決がつかなくなる。そこで，階層ごとの価値を客観的に求めて，正確に配分しようという話になる。

階層別効用比率の求め方

階層別に価値の差があるということは，基本的には客足の流動性による。そして，それはビルの規模，レイアウト，立地条件によっても異なってくる。

賃貸店舗ビルの建築面積が小さく，昇降設備が不十分であれば，２階以上に上がってゆく客足の減少の度合は大きい。

新興の住宅地域の周辺でその付近に目立った大規模な商業施設のないところに量販店（スーパー）が進出した場合，そのスーパー等に入った客は，２階以上の階に上がる可能性は強いが，その周辺に繁華な店舗が並んでいると，２階に上がるより，隣の店に移ってしまうという傾向がある。

だから，階層別の効用の差を，何階がいくらと一概に決めつけることはできない。しかし，メドをつけるとなると，近隣地域における同種・同規模のビルの各階別の賃料，保証金を参考として，計画しているビルの各階別の賃料，保証金を設定し，それから階層別効用比率を求めることになる。

このようにして設定した計画ビルの各階面積と賃料および保証金が次ページの**図表８－８**の①②④のようであったとする。各階で収入される年間賃料は③となる。それと受け入れた保証金を定期預金にしておけば利息がつく。また，その保証金を借入金の返済にあてれば，それだけ支払利息が減少し，それは保証金を運用することによるメリットである。これを，ここでは年間５％として計算すると，⑤のようになる。③と⑤を合計したものが各階のあげる実質的な収益であり，これを実質賃料⑥という。そして，この⑥の１階を100として，各階の比率を求めると，⑦の階層別賃料比率が求められ，これを**階層別効用比**といっている。

（注）　各階の効用比率は，厳密にいえば賃料（実質）比率でなく，これから必要諸経費を差し引いた純収益の比である。しかし，その必要諸経費を各階の賃料比に比例して割りふれば，比率としては同じ数字になるので，簡単な計算をする場合は上例のように求めていいであろう。なお，諸経費を各階に均等に面積で割りふれば，912ページの**図表８－12**の⑩のようになる。

図表８－８　設例ビルの階層別賃料比率

	賃貸面積（㎡） ①	１㎡当り月間賃料（円） ②	賃料総額（年間） ③＝①×②×12か月	１㎡当り保証金（円） ④	保証金の運用益(円) ⑤＝①×④×0.05	実質賃料（円） ⑥＝③+⑤	階層別賃料比率⑦ （１階の⑥を100とする）
１　階	430	5,500	28,380,000	100,000	2,150,000	30,530,000	100.0
２　階	430	3,000	15,480,000	50,000	1,075,000	16,555,000	54.2
３　階	430	2,300	11,868,000	28,000	602,000	12,470,000	40.8
４　階	430	2,100	10,836,000	20,000	430,000	11,266,000	36.9
５　階	430	2,100	10,836,000	20,000	430,000	11,266,000	36.9
６　階	430	2,100	10,836,000	20,000	430,000	11,266,000	36.9
合　計	2,580		88,236,000		5,117,000	93,353,000	

(1)　共用部分の面積をこの他に400㎡とする。
(2)　専有面積と賃貸面積とは等しいとする。

階層別の価額の求め方とその配分の仕方

このビルの敷地の価額が９億1,200万円，建物の建築費が４億円であったとすれば，土地・建物の価額は13億1,200万円になる。これにより，上記の階層別効用比率を用いて，階層別の価額を求める。

計算の仕方を３階について説明すれば，

$$\{(\text{敷地価額}912{,}000{,}000\text{円}) + (\text{建物価額}400{,}000{,}000\text{円})\}$$

$$\times\frac{40.8\times430\text{m}^2}{100.0\times430\text{m}^2+54.2\times430\text{m}^2+40.8\times430\text{m}^2+36.9\times430\text{m}^2+36.9\times430\text{m}^2+36.9\times430\text{m}^2}$$

$$\fallingdotseq 175{,}105{,}000\text{円}$$

となる。同様にして各階の価額を計算すると**図表８－９**のようになる。

図表８－９　（単位：円）

	価　　額
１　階	429,179,000
２　階	232,615,000
３　階	175,105,000
４　階	158,367,000
５　階	158,367,000
６　階	158,367,000
合　計	1,312,000,000

つぎに，これを組み合わせて，Ａ，Ｂの配分を受くべき比率，すなわち設例によってＡが３分の１，Ｂが３分の２になるように計算する。Ａについて計算すると，**図表８－10**のような結果が得られた。これは二つの例であり，どの階を取るかにより，もっと多様の組合せができる。

このようにＡの権利の３分の１は，１階から２階へと取れば，全建物の17.25％の面積になり，３階から５階へと取れば，全建物の44.8％の面積となる。

それでも，Ａ，Ｂとも１階がいいということであれば，１階を区分してＡ，Ｂが所有することになろう。２階もということになると，ヨコ割り方式とタテ

図表８－10

（Ａの配分を受ける比率：$\frac{1}{3}$
その価額：1,312,000,000円×$\frac{1}{3}$≒437,333,000円）

（単位：円）

組合せ例	取得する階層	そ の 価 額	取得する床面積
①	１階，２階を取得する場合	429,179,000 8,154,000	１階の全床 ２階の床の約3.5％
		（合計 437,333,000）	建物に占める面積割合 約17.25％
②	３階～５階をとる場合	158,367,000 158,367,000 120,599,000	５階の全床 ４階の全床 ３階の床の約68.9％
		（合計 437,333,000）	建物に占める面積割合 約44.8％

割り方式の混合形態となり，ビルの効率は悪くなるが，Ａ，Ｂの業種によっては，どうしても１～２階でなければならないこともあり，それはそれでやむを得ないであろう。

階層ごとの部分別価額

同じ階層であっても，いい場所と悪い場所がある（たとえば，エスカレーターの傍は，そのフロアの隅のほうより位置的に優れている）。一つの階層を１人の権利者が区分所有するときには，この問題は起こらない。しかし，２人以上の権利者で区分して分けるという場合には，その差を価額で表わして，各人の権利に対応するように配分しなければならない。

その価額は，フロアの設計によって変わってくる。また，業種の配列によっても変わってくる。一般には，出入口，エスカレーターなどの昇降設備にほどよく近く，また中心に近いほど，高くなろう。

ワン・フロアを間仕切をして貸す場合に，どの部分からどれだけの賃料を取れるかということが設定されれば，階層別効用比率から階層別価額を求めたのと同様の手法で求めればよいであろう。

この方法の基本的な考え方――再調達原価を階層別賃料比で割りふる

上述では階層別価額を求める場合に，土地の価額９億1,200万円，建物の建築費４億円，合計13億1,200万円という金額を前提として，階層別の賃料費によって，その金額を階層別に割りふって，ビルの階層別の価額を求めた。

この合計13億1,200万円という金額は，Ａ，Ｂが共同してこの土地を新たに取得してビルを建設するときに，いくらかかるかという金額である。これを再調達原価という(注１)。投資額と考えてもよい。そして，その投資は，金銭のみでなく，土地と金銭とでなされている。その負担割合は，Ａが３分の１，Ｂが３分の２となっている。Ａについては，土地３億400万円相当分と建築費１億3,333万円分の金銭を負担して投資している(注２)。

そして，出来上がったビルを負担割合に応じて取得している。すなわち，投資額を各自の負担に応じて取得（回収）しており，その分け方を実質的公平になるように，すなわち，だれがどの階を取っても価値的には公平になるように，階層別賃料比率でウェイトづけをしただけである。

共同ビルの権利者にとって，非常にわかりよく，納得のしやすい方法であり，計算も簡単である。したがって，原則としてこの方法によることをすすめる。

（注１）　鑑定評価をするときは，この再調達原価から，時の経過による減価，設計のまずさ，施工の不良などの減価等を引いて，積算価格を求める。この設例では，時の経過による減価はない。また，その他の減価もないものとし，（再調達原価＝積算価格）としておく。そして，説明の便宜上，再調達原価という言葉をつかっておく。

（注２）　土地を共有にしない場合，それぞれの土地使用権相当部分を提供していることになる。その権利が更地価格の80％とすると，Ａは土地２億4,320万円相当分と建築費１億3,333万円分の金銭を負担して投資しているということになる。しかし，そのような計算をしても，従後の床の配分率は同じになる。

〈共有と変更・処分などの関係〉

区分所有ビルの共用部分の共有とビル全体を共有する場合の共有とでは，法律上の取扱いは若干異なっているが，後者について民法の一般的規定を説明すると，共有ビルの，

①　変更・処分については……令和５年４月１日からは，軽微な変更（外壁や屋根の修繕等）については，共有者の持分価格の過半数の決定，軽微な変更以外については共有者全員の同意（民251条）

②　管理については……共有者の持分割合による過半数（民252条①）

③　保存行為については……各共有者が単独（民252条⑤）

でできるよう定められている。

5 共同ビル建設における建築費の負担割合

共同ビルにおいて建築費の負担割合をどのように決めたらよいか。

共有方式の場合

共有方式の場合は，各人の権利は持分で表わされている。したがって，その持分の割合で負担すればよい。896ページの**図表８－１**のように敷地をＡが３分の１，Ｂが３分の２で，ビルの持分も，その価値（または価額）に応じてＡが３分の１，Ｂが３分の２を取得する場合は，Ａが建築費の３分の１，Ｂが３分の２を負担すればよい。

区分所有方式の場合

区分所有方式の場合に，ちょっとやっかいな問題が起こる。897ページの**図表８－４**の場合，Ａは建物の価額の３分の１を取得できる。そして，907ページの**図表８－10**の①のように１階から取っていけば，建物の床面積の17.25%，すなわち，（専有部分2,580㎡＋共用部分400㎡）×0.1725＝514.05㎡の床を取得できる。この場合に，負担する建築費は，価額比の３分の１であるのか，床面積比の17.25%であるのかという問題である。自分で取得し，以後使用する建物の面積が17.25%なのだから，建築費の負担は17.25%でよいのでないか。建物の82.75%はＢが所有し，使用するのだから，Ｂが負担すべきだというのも一見，素人がなるほどそうかと感じる理論である。

しかし，よく考えてみると，同じく建物価額の３分の１を取得しても，**図表８－10**の②のように３階から５階へと取っていくと，建物の床面積の44.8%を取得できる。では，その場合は，建築費負担割合は44.8%になるのかということになる。面積は違っても，取得した価値はその建物の３分の１の価値に相当する部分である。それなのに，取得する場所によって建築費の負担割合が変わってくるというのは，いかにもおかしな話である。

これを**図表８－10**の設例にもどって考えてみよう。

なぜ，Ａは建物の３分の１の価額分を取得することができたのかということである。それは，全体土地の価額（厳密にいえば土地使用権価額）の３分の１をＡが提供し，建築費の３分の１も，Ａが負担したからである。

もし，Ａが建築費を17.25%しか負担しないのなら，Ａの取得分はつぎのようになるはずである。

（土地価格）　　（提供割合）
912,000,000円 × $\frac{1}{3}$ ＝ 304,000,000円……①

（建築費）　　（負担割合）
400,000,000円 × 0.1725 ＝ 69,000,000円……②

（①＋②）÷（912,000,000円 ＋ 400,000,000円）≒ 0.284

すなわち，建物の全体価額の28.4％分しか取得できなかったはずである。だから，建物の３分の１の価額相当分を取得したいのならば，土地の３分の１を提供するだけでなく，建築費も３分の１負担するのが当然である。

〈階層別の限界建築費〉

一般の工業製品は量産すればコストが下がるのが，経済の原則である。ところが，建物は面積が大きくなると割高になる傾向がある。平面的に広がる場合も柱や梁を強固にしなければならないのでコストは増加するが，立体的に高層化する場合，単位地盤当りの建物全体の重さが大となり，建物を支えるための基礎工事が大がかりとなり，柱や梁も大となり，建物を支えるための基礎工事が大がかりとなり，柱や梁も太くなる。５～６階建ぐらいであれば鉄筋コンクリート造でもいいが，７～８階建となると鉄骨鉄筋コンクリート造でなければならないというように変化し，建物が高層化すれば，１㎡当りの建築費は上昇するのが常識である。

ところで，このビルを階層別に区分所有しようとして，区分された部分に建築費を分割負担させようとするとき，どういう計算をすればよいか。本文では平均して計算したが，これは正確ではない。１階と７階とは同じコストではないはずである。１階の柱のなかにある鉄骨は７階を支えるためのものである。７階がなければ１階の鉄骨も不要だった，とすると，７階部分の建築費は，７階に投入された資材や労務費等の他に７階を支えるために必要となった６階以下の資材・労務費の合計と有効面積の増減価値を合計したものということになろう。しかし，これは理論ではいえても，実際計算して求めるとなると不可能に近い。だが角度を変えて考えてみよう。６階建の建物とこれに７階をのせた建物の建築費の差は求められるはずであり，その差額が７階部分の限界建築費（マージナル・コスト）であり，これを７階部分のコストとして捉えることは可能であろう。

6 階層別収益価格と床配分基準および事業採算限界線

共同ビルの床配分基準となる床価格を求めるのに，収益価格による方法もある。そして，この収益価格を利用して，共同ビル計画の採算限界線のメドをつけることもできる。

階層別収益価格の決め方

階層別の床の配分基準を求めるのに，もう一つ別の方法がある。本章の「4」では，投資額を階層別賃料比で分割する方法をとった。もう一つは投資額とは関係なく，採算面から階層別の価値を求め，それから価額を引き出す方法である（収益還元法といっている）。

906ページの**図表8－8**の⑥で，各階の実質賃料を求めた。これから，各階の諸経費を引くと，各階の純収益が求められる。

まず，このビル全体としての年間経費を求めると**図表8－11**のようになったとする。

図表8－11

（単位：円）

経費項目		内訳
減価償却費		（建物価額）
建物本体部分（70%）	5,600,000	$400,000,000\times0.70\times\frac{1}{50年}$
設備部分（30%）	6,667,000	$400,000,000\times0.30\times\frac{1}{18年}$
修繕維持費	2,000,000	$400,000,000\times0.005$
固定資産税および都市計画税	10,282,000	（建物）$400,000,000\times0.6\times\frac{(1.4+0.3)}{100}$ $=4,080,000$ （土地）$912,000,000\times0.4\times\frac{(1.4+0.3)}{100}$ $\fallingdotseq6,202,000$
火災保険料	400,000	$400,000,000\times\frac{1}{1,000}$
その他	1,200,000	
合計	26,149,000	

この経費を各階に割りふって，各階の実質賃料から控除する。経費への各階への割りふり方についても，いろいろな考え方もあり（前述のように，各階の賃

図表8－12　設例ビルの階層別効用比と階層別価格

	賃貸面積（㎡）①	実質賃料（円）⑥	諸経費（円）⑧	差引純収益(円)⑨＝⑥－⑧	階層別純収益比⑩	収益価格（円）⑪＝⑨÷0.05	階層別価格比⑫	階層別賃料比(階層別効用比)⑦
1階	430	30,530,000	4,358,200	26,171,800	100.0	523,436,000	100.0	100.0
2階	430	16,555,000	4,358,200	12,196,800	46.6	243,936,000	46.6	54.2
3階	430	12,470,000	4,358,200	8,111,800	31.0	162,236,000	31.0	40.8
4階	430	11,266,000	4,358,200	6,907,800	26.4	138,156,000	26.4	36.9
5階	430	11,266,000	4,358,200	6,907,800	26.4	138,156,000	26.4	36.9
6階	430	11,266,000	4,358,200	6,907,800	26.4	138,156,000	26.4	36.9
合計	2,580	93,353,000	26,149,200	67,203,800		1,344,076,000		

料に比例させるのも一つの考え方である)，問題もある。ここで説明の便宜上，各階の面積に応じて割りふることにする。それが，**図表8－12**の⑧であり，⑥から⑧を引いて各階の純収益⑨を求める。

2階の純収益は1,219万6,800円である。これは，このビルの2階を所有して賃貸していれば，毎年継続して1,219万6,800円の純収益を手に入れることを意味している。そして，この地域にある不動産（土地付ビル）に投資したときの通常の利回りが5％だったとする。これを還元利回りとする(注)。純収益をこの還元利回りで除したものが収益価格となる。この2階の場合，約24億4,000万円でフロアを取得すれば，毎年その5％の1,219万6,800円の純収益を生み出してくれるということになる。収益価格とは，こういう価格である。

なお，この表で「階層別純収益比」⑩と「階層別価格比」⑫とは一致しているが，906ページの**図表8－8**で求めた「階層別賃料比率（階層別効用比）」⑦とは一致していない。その差は，賃料比が経費を引く前の比であり，今度の**図表8－12**の純収益を求めるときは，諸経費を賃料と比例させないで，各階層均等に引いていることから起こってきている。いずれにせよ，この比率を用いても，**図表8－12**のようにしてビルの床の配分を行うことができる。

（注）　還元利回りについて詳しくは，858ページ以下を参照されたい。

収益価格とビル建設計画の採算限界線を探る

ところで，収益価格の合計は約13億4,400万円となっており，投資額13億1,200万円（土地9億1,200万円，建物4億円）の約2.4%，約3,200万円の増となっている。これは，共同ビルをつくることによって，これだけの事業利潤が生み出されたことを意味している。

しかし，立地条件や計画の悪いときには，収益価格が投資額を下回ることもある。一般の場合，すなわち新たに土地を買収してビルを建設する場合，収益価格が投資額を下回る場合には，事業採算が成り立たないから，このビル計画は中止になる。これが経済の原則である。

しかし，共同ビルの場合，土地はすでに古くから所有している。昔その土地を取得したときの取得価額が，現在の時価の５％，すなわち，

912,000,000円 × 0.05 ＝ 45,600,000円

だったとしよう。その場合のＡ，Ｂの実際の投資額は，

（過去の土地取得費）45,600,000円 ＋ （建築費）400,000,000円 ＝ 445,600,000円

とみることもできる。それでは，収益価格がこの４億4,560万円を超えれば，事業としてビルを建設してもよいじゃないかという考え方も出てくる。しかし，Ａ，Ｂとも現状でも現在の建物で，商売なり賃貸なりをして，収益をあげている。これは，共同ビルを建設しなくても，入手できる収益である。共同ビルを建設するからには，この収益以上のものが入ってくるのでないと意味がない。その場合は，現状の土地・建物利用による純収益を求め，還元利回りで除して，現状の収益価格をまず求める。

（Ａ，Ｂが現在の建物を利用して得ている純収益）÷（還元利回り）＝（Ａ，Ｂの現状の収益価格）

そして，

｛（Ａ，Ｂの現状の収益価格）＋（共同ビル建設のための追加投資額。設例では建築費の４億円）｝＜（共同ビルの収益価格）

の関係が成り立つかどうかをみる。これが，共同ビルの場合の事業上の採算限界点となる。

ところで，もう一つの考え方もある。共同ビルを建設してメリットのあることはわかった。しかし，それより土地を売ってしまうほうが，もっと利益があるのではないか。

共同ビルの計画は，土地を売らないで，その土地を高度に利用したいということから生じている。ただ，土地を売りたくないということが，土地を売ると税金が引かれてしまって手取りが少なくなるというだけの理由であるならば，

［｛（Ａ，Ｂの土地の推定売却価額）－（その場合の譲渡所得に関する所得税，住民税等の額）｝＋（共同ビル建設のための追加投資額）］＜（共同ビルの収益価格）

という式で判断するのも，一つの方法である。

7 区分所有ビルの専有部分と共用部分

> 共同ビルを区分所有するとき，専有部分と共用部分をどのように区分したらよいか。

用途別にみた専有部分と共用部分

まず，次ページの**図表８－13**をみてもらいたい。こういう区分所有方式による共同ビルがあるとしよう。まず１階平面図をみてもらいたい。(A)はAの専有部分，(B)はBの専有部分である。そして玄関ホール（X_1)，階段（X_2)，廊下（X_3)は，AとBの共用部分である。別の玄関ホール(Y_1)，階段(Y_2)，エレベーター(Y_3)は，６階のC，C′および４～５階のC_1～C_{10}の共用部分である。これは，２階，３階にいっても同じである。４階の(C_1)～(C_{10})は，それぞれC_1～C_{10}の専有部分であり，(Y_1～Y_4)はC_1～C_{10}の共用部分である。６階に行こう。(C)と(C′)は，Cが１人で所有しているとする。(C)と(C′)とはCの専有部分であることは問題はない。廊下の(Y_5)はどうなるか。廊下(Y_5)と階段(Y_2)，エレベーターホール(Y_1)との間に，ドアなりシャッターがあって，区切られるようになっていれば，Cの専有部分になる。そういう障壁などの明確な区切りがなければ，C，C′およびC_1～C_{10}の共用部分になってしまう。(Y_1～Y_3)は，C，C′およびC_1～C_{10}の共用部分である。

専用部分たりうるためには，障壁等によって他と区別されることが第一条件となる。ついでに屋上まで行ってみよう。屋上には，エレベーターや階段のための塔屋がある。これはどうなるか。塔屋は，登記簿上の床面積に算入されていない。登記上の問題はそれとして，どうなのかといえば，塔屋の床については，C，C′およびC_1～C_{10}の共用部分になるだろう。

最後に１階の管理人室が残っている。これはどうなるのか。これはむずかしい問題である。C，C′およびC_1～C_{10}の管理上，その管理人室が不可欠のものであり，そこに設置している管理上の施設が他に移せないような場合は，C，C′およびC_1～C_{10}の共用部分になろう（A～Bの管理も兼ねていればA，B，C，C′およびC_1～C_{10}の共用部分になろう)。

なお，１階について，916ページの**図表８－14(イ)**のように変えたらどうか。点線はシャッターである。営業時間中は，シャッターをあけておき，１階全体を一つの売場として使う。閉店時間になったら，はみだしていた売場ケースを自

図表８－13　ある区分所有ビルの例

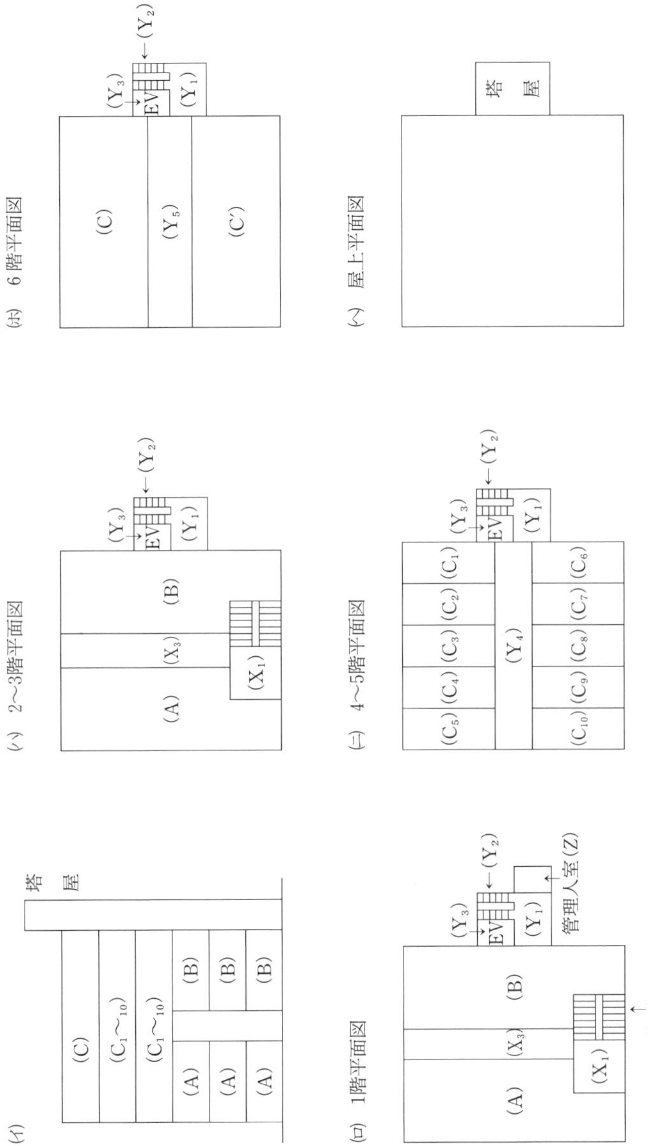

図表８－14

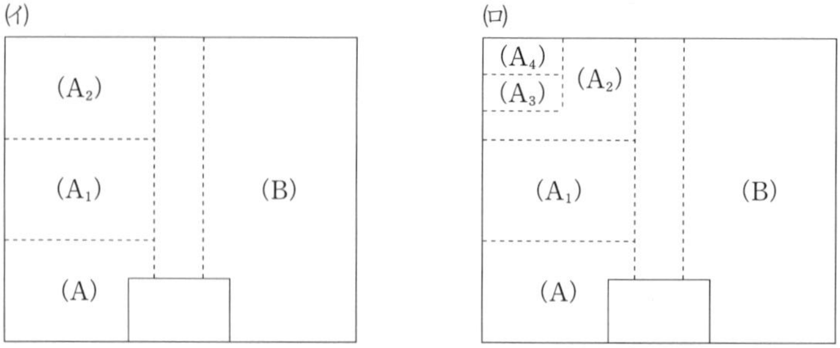

分のところにしまう。そして，シャッターを降ろす。この場合の(A)(A_1)(A_2)は，それぞれA，A_1，A_2の専有部分になる。廊下等は，A，A_1，A_2，Bの共用部分になる。

それでは，(ロ)のようにしたときの(A_3)，(A_4)はどうなるか。これは，A_2の専有部分を通らないと共用部分に出られないし，外へも出られない。こういう場合は，専有部分にはなれない。これが，一つの原則である。(A_3)，(A_4)をどうしても専有部分にしたければ，(A_2)を，A_3，A_4の共用部分にしなければならない。そうすれば，(A_3)，(A_4)は独立した専有部分にすることができる。そのかわり，(A_2)はA_2の専有部分でなくなる。こういう関係である。

図表８－15　ピロティを駐車場とした場合

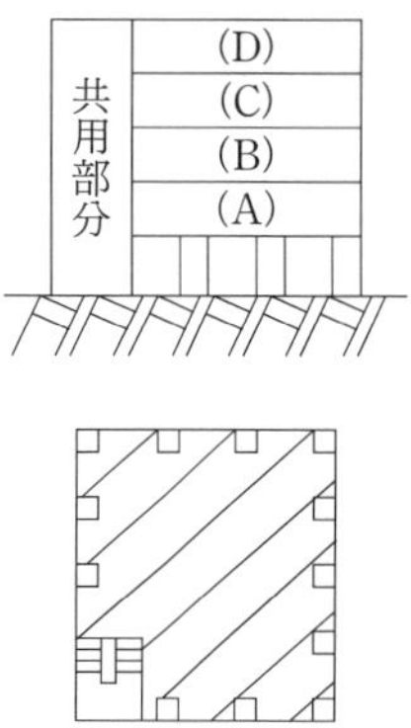

構造上からみた専有部分

つぎに，**図表８－15**のような建物について考えてみよう。１階に，２～５階に行く階段と玄関ホールがある。１階のその他の部分は２～５階を支える柱だけである。事業主であるAが（B）～(D)を分譲してここを駐車場として残したいと思う。その場合，この斜線部分（下図）は，Aの専有部分になれるか。それはできない。なぜなら，この斜線部分は，壁がないから，外から自由に出入りできるし，外部との境界も明瞭でない。すなわち，構造上の独立性をそなえていない。したがって，区分建物の専有部分になれないということになる。しかし，この柱の間にシャッターを降ろせるような設備をつくり，外から自由に出入りすることができないようにしたら，Aの専有部分にすることができる。そのようにしなければ，Aの専有部分でないから，A～Dの共有部分になる。Aがそれを貸駐車場として使用して利益をあげていれば，その利益をB～Dに配当しなければならないことになる。シャッターひとつで，権利関係がまるっきり違ってくるのである(注)。

(注) どの程度の構造をそなえていれば専有部分にできるかについては，919ページのコラム参照。

専有部分の境界

ところで，915ページの図表8－13の㈡の５階の(C_2)の平面図を詳しく書いてみると，図表８－16のようになったとする。このとき(C_2)はC_2の専有部分となるのだが，その範囲をもっと具体的に示すとどうなるのだろうか。

図表８－16 図表8－13㈡のC_2を詳しく書いた図

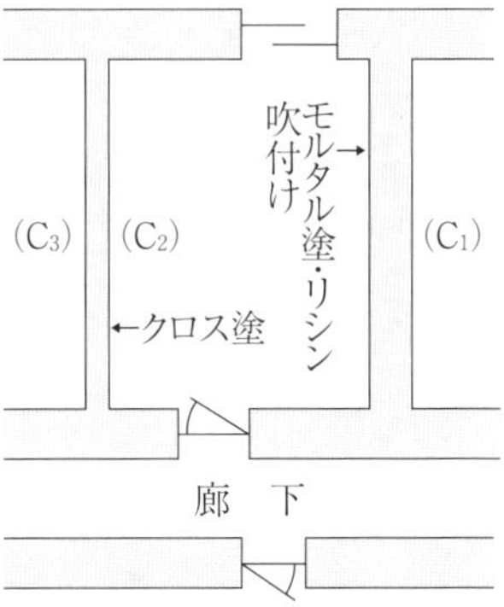

まず，(C_2)と(C_1)との間の壁について考えよう。考え方としては，つぎのようになる。

① 壁全体がC_2の専有――これだと，C_1の専有の壁はなくなってしまうから，まず，そういうことは考えられない。

② (C_2)と(C_1)の壁の中央，すなわち壁芯から，(C_2)側がC_2の専有，(C_1)側がC_1の専有とする考え方――そうであるとすると，C_2は，部屋が狭いからといって，壁をハツっていって，壁芯まで部屋を拡げることができるか。C_1も同じことをしたとしよう。そうしてC_2とC_1とが両方で壁芯までハツったら，この壁はなくなってしまう。それでも，C_2とC_1は部屋が広くなったのだから，いいやというかもしれない。それと同じことをC_2とC_3もやる。４階全体で，隣の所有者との合意で壁をなくしてしまった。一番外側の専有者は，自分の一存で壁を取りはらってしまったとする。もう住めるような状態ではない。しかし，４階の所有者にとって，もし４階の全員がそれでいいというのなら，それで文句はないだろう。しかし，その場合，５階，６階はどうなるか。４階の壁が全部なくなってしまったら（あるいは柱が全部なくなってしまったら），５階，６階は空中に浮かんでいなければならない。そんなことは物理的に不可能である。だから，４階の所有者が壁や柱をこわし始めたら，そんなことをすれば，建物がこわれてしまう。５階は５階の空間にとどまっていられなくなると，文句をいうだろう。文句をいうからには，文句をいって，４階の所有者が壁をこわすことをやめさせる権利なり根拠なりがなければならない。その場合，４階のその壁の壁芯までの半分はC_2に所有権があり半分はC_1に所

有権があるのは認める。しかし，それだからといって，壁をなくしてしまうというのは，所有権の濫用である。また，相隣関係からいっても許さるべきでないという文句のつけ方もあるであろう。また，建物区分所有法に，各区分所有者は建物の保存に有害な行為をしてはならないという規定がある（同法6条①）ので，これを根拠として，その行為を差し止めることもできよう。しかし，これでは，あまりパンチは強くきかないかもしれない。

③　(C_2)と(C_1)の間の壁全部が建物の区分所有者全員の共有とする考え方——この場合は，前例の場合の(C_2)と(C_1)との間の壁は全員の共有だ。したがって，5階の専有部分の所有者がオレの持分もその4階の壁（C_2とC_1の間の）のなかにも入っている。それを，持分所有者であるオレに無断でこわすとは何事だ。所有権の侵害である。このように，5階の所有者だけでなく，その建物全階の所有者もいえることになる。文句をつけるにしても，このほうが強力である。そして，スッキリしている。そういうことで，区分所有している専有部分の範囲については，この考え方が主流になってきている。そして，これまで，壁だけについて説明してきたが，柱も梁もスラブもすべて建物の構造体は同じである。外壁，屋上も同じである（なお，登記は内矩計算である）。

さて，896ページの**図表8－2**のタテ割り区分所有者の例に戻ろう。このときの説明では，Aは自分の土地の上に，自分の建物を所有しているといった。しかし，その部分の建物の壁，柱などの構造体は，実はA，Bの共有なのであり，A，B共有の構造体がAの敷地の上にのっていることになっている。Bの敷地についても同様である。こういう意味では，本質的に897ページの**図表8－4**と同じ敷地利用関係になるのである。

間仕切壁の場合　(C_2)と(C_1)との間の壁が建物の構造体でなく，すなわち耐力壁でなく，単なる間仕切のための壁（間仕切壁といい，ブロック積，木造などの場合が多い）である場合には，この壁は区分所有者全員の共有でなく，C_2とC_1の二人の共有物となろう。そして，この場合には，この壁を取りはずしても建物全体の構造に影響を与えることはないから，C_2とC_1との合意さえあれば，自由に取りはずすこともできるし，他の材料で壁を造り変えることもできる。

また，C_2がC_1を買収して，壁を取りはずして広く使いたいということもよくあるが，この場合も，その間の壁が耐力壁なら取りはずせないし，間仕切壁なら取りはずせる。

ベランダ，駐車場，機械室その他について

その他，区分所有建物について，ベランダのように共用部分の専用部分というものがある。駐車場，専用庭についても同様の関係が生ずることが多い。それから，915ページの**図表８－13**では省略したが，地下の機械室はどうなるかなどの，さまざまな問題が多いが，ここでは省略する。

また，専有部分として登記ができるかどうか迷うことが多いが，登記については，先例と登記官の判断が絶対的な力をもっているので，複雑な問題はあらかじめ図面をつくって，管轄の登記所と打合せをし，確認しておくことが肝要である。

〈専有部分にできる駐車場の構造は〉

専有部分にすることのできる駐車場の構造については，従来は，その四囲が少なくともシャッターなどで完全に仕切られていなければならないという考え方が支配的であったが，判例をみると，かなり緩やかに解されるようになっており，つぎのような程度でも，専有部分とすることができるとした判例もある。

①　三方を壁で遮断され（その背後にはロビーに通じる通路に出入できる扉がある），前面には，車輛の出入りを遮断するための腕木式の鉄パイプ（90度上下できるように一端を柱に取り付けた長さ約2.4メートルのもの）をもうけているもの（最高裁・昭56.6.18）

②　１階のピロティの西側に所在し，東側に隔壁，西側に外壁があるのみで，他は柱と天井で境界は明瞭になっているが，扉やシャッターなどの設備はなく，吹抜けで外に向けて開放されているが，それぞれの角地には柱があり，柱のないホールへの通路の境は，駐車場の床面はコンクリート打ちのままになっているのに対し，その通路には化粧タイルが貼りつけられてあって境が明瞭であるもの（東京地裁・昭53.12.7）

なお，上記は構造上の独立性があるかどうかについての判示であり，そのなかに共用設備が設備されている場合には，利用上の独立性をそなえているかどうかの問題が生じる。

8 区分所有ビルの管理

> 区分所有ビルの管理はどのようになされるのか。管理組合，規約，管理者，管理組合法人とは。

区分所有法か規約に基づく集会の決議によって管理・運営

マンション，事務所ビル，あるいは店舗ビルのいずれであっても，それが区分所有建物であれば，「建物の区分所有等に関する法律」(以下，「区分所有法」という）と，これに基づいて開かれる集会の決議，そして区分所有者で取り決めた規約に従って管理・運営されることになる。

共有ビルの場合のように，民法の共有の規定で律せられるのと違っている。

なお，この区分所有法は，昭和38年から施行されていたが，不備な点，現状にそぐわない点が目についてきたので，昭和59年の大改正をへて，平成14年12月11日に改正され，改正法は平成15年６月１日から施行されている。

管理組合と組合員

区分所有ビルの建物と敷地や附属設備は，区分所有者全員で構成される団体によって管理することになっている（区分所有法３条)。

いわゆる管理組合というものが，この団体にあたるが，必ずしも，管理組合という名前をつけなければならないというものではない。また，区分所有者が集まって団体（管理組合）を設立するという手続きをとって初めて，この団体が成立するというものでもない。

区分所有建物ができあがれば，その専有部分を所有する者の全員で，これらの者の意思には関係なく，この団体（管理組合）は自然に成立し，その全員が，その団体の構成員（組合員）にいや応なしになってしまうという関係にある。

したがって，ある区分所有者が，自分はこの団体（管理組合）に加入したくないといっても，そういうわがままは許されない。

また，ある区分所有者からその専有部分を譲り受けたときも，その者は，その瞬間から，この団体の構成員になってしまうという関係にある。

規約はどういう必要で設定されるのか

この団体は，このように自然発生的に成立するのであり，その団体の運用――たとえば集会を開いたり，集会で決議したりするときの手続きや要件などは，区分所有法で定められている。

だから，区分所有法で定められているとおりにしていくということであれば，その団体（管理組合）の規約などもつくる必要はないのであるが，区分所有法は一般的なケースを想定し，かつ，必要最小限の規定をもうけているだけであるので，普通は，それぞれの区分建物の特性に適合する管理をするため，区分所有法の規定に適当な修正を加え，また不足な点を補充して，「規約」を設定し，「〇〇マンション（ビル）管理規約」と名づけ，また，この規約のなかで，管理組合に関する規定をおいている。

規約の設定等とその効力

この**規約**というものは，いってみれば，区分所有者全員の相互間で，区分所有建物の管理等について，一つの取り決めをしたようなものであるが，普通の契約と違って，つぎのような特徴がある。

まず，その設定，変更または廃止は，区分所有者数の４分の３以上で，かつ，議決権の４分の３以上の多数による集会の決議でなされる（区分所有法31条①）。すなわち，一部の少数者の反対があっても，規約は成立し，反対した少数者も規約の定めに従わなければならないということになる。なお，ここでいう区分所有者の数は，二つ以上の専有部分を所有している者も１人と数える。

議決権は，法律では，専有部分の床面積の割合と定められている（区分所有法38条，14条）が，規約でこれと異なるように定める（たとえば，専有部分の一つについて１議決権と定めるなど）ことができる。したがって，規約の設定にあたっては，法定の議決権によらなければならないが，その後の変更や廃止は，規約に定めた議決権によって処理されることになる。

なお，集会を開かない場合には，全員の書面による合意があれば，集会の決議があったものとみなされる（区分所有法45条①）ので，一般の分譲マンションでは，購入者との売買契約書作成と同時に，規約にも捺印してもらって規約を設定する方法をとっている。

規約は特定承継人にも効力が及ぶ

それから，規約のもう一つの特徴は，区分所有者の特定承継人に対しても，効力が生ずる（区分所有法46条①）ことである。区分所有者が死亡したときの相続人（包括承継人）は，被相続人の権利と義務とを包括的に承継するのであるから，規約の効力が及ぶのは当然のことである。区分所有者から専有部分の転売を受けた者などが，この**特定承継人**にあたるが，前の区分所有者から規約で定められている義務を引き継いでいなくても，この規定によって，当然に，この規約に拘束されることになる。

すなわち，自分はこの規約の設定に参加していないし，そんな規約があったことは知らなかったといっても，そんな主張は通らず，この規約の定めに従わなければならないことになる。

なお，集会の決議事項も特定承継人に効力が及ぶことになっている（区分所有法46条①）。

管理者とは　区分所有法では，管理者をおいても，おかなくてもいいことになっている。

管理者というのは，区分所有者の全員を代理して管理の業務を執行する者である。区分所有者のなかから選任することが一般的であるが（○○マンション管理組合理事など），マンション管理業者がマンション管理士など外部の管理専門家に委託していることもある。

共同ビルの場合，区分所有者が２～３名であれば，特に管理者を選任せず，全員が管理の業務を執行することもあろうが，数名以上になれば，そのなかから管理者を選任して管理業務にあたらせるのが通常である。

また，937ページ以下で説明する管理会社を設立するのなら，この管理会社を管理者として選任することも適当であろう。

なお，ここでいう管理者というのは，区分所有者全員を代理して業務を執行する者（会社の場合もある）のことであり，清掃や保守や会社業務などの委託を受けている，いわゆる管理会社とは異なるものであるし，受付などをしている，いわゆる管理人とも異なるものである。

管理組合法人とは　また，区分所有者数の４分の３以上で，かつ，議決権の４分の３以上の多数決により，そして，登記をすることにより，その団体を法人とすることができ，これを**管理組合法人**といっている（区分所有法47条）。

法人となると，独立した法人格が与えられ，各種の取引の契約当事者となることができるなどのメリットが出てくる。

管理組合と税務　管理組合法人は，法人税法上では，**公益法人等とみなす**とされている。したがって，その収益事業から生ずる所得についてのみ法人税，法人住民税と法人事業税が課せられることとなるが，その税率は19％とされている（544ページの税率表参照）。また，収益事業部門から非収益部門への資産の支出についてのみなし寄附金(注)の適用はない（区分所有法47条）。

（注）「みなし寄附金」というのは，公益法人の収益部門から生じた収益を一般管理部分（非収益部門）に繰り入れたとき，これを寄附金とみなして，寄附金損金算入の限度（740ページ参照）まで収益部門の損金として認めるという制度である。

なお，法人化していない管理組合で，規約と代表者（理事長など）の定めのあるものは，**人格のない社団等**とされるが，収益事業から生ずる所得について，法人税等が課税されることは管理組合法人と同様である（法法３条，４条①）。

収益事業としては13種の業種が限定列挙されている（法法２条①13，法令５条，法基15－１－１以下）が，管理組合に関係するものとして，第三者に駐車場を賃貸している場合の駐車場収入，屋上の広告塔の使用料，集会場を外部の者に使用させたときの使用料などがある。なお，法令上は収益事業の規模に関係なく課税されることになっているが，税務常識でみて，ある程度の規模以上からと考えてよいと思われる（『DHC コメンタール法人税法』639ページの３，第一法規）。

なお，収益事業を開始したときは，税務署に届け出ることになっている。

〈マンション管理士，マンション管理業者，マンション管理主任者〉

平成13年に**マンション管理適正化法**が制定され，マンション管理組合を援助するためのアドバイザーとして，「マンション管理士」という資格を創設し，また，「マンション管理業者」を登録制として，行政の規制下におくことになっている（平成14年８月１日施行）。

なお，このマンション管理士，また，マンション管理業者を，マンションの「管理者」として選任して，管理業務を執行させることもできる。

１．マンション管理士とは

マンション管理士とは，マンションの運営・管理に関し，専門的知識をもって，マンションの管理者，区分所有者等の相談に応じ，助言，指導，その他の援助を行うことを業とする者（同法２条①５）で，所定の資格試験(注)に合格し，国土交通大臣の登録を受けた者をいう（同法第２章）。

（注）　その資格試験は，現在は，国土交通大臣の指定を受けた（公財）マンション管理士センターが実施している。

２．マンション管理業者とは

マンションの管理組合から委託を受けて管理事務を業として行うことを**マンション管理業**といい，国土交通省にそなえているマンション管理業者登録簿に登録を受けた者を**マンション管理業者**といい（同法２条①７，８，44条），この登録を受けない者はマンション管理業を営んではならないとされている（同法53条(注)）。

なお，マンション管理業には，マンションの区分所有者等がそのマンションについて行うものは除く（同法２条①７カッコ書）とされているので，たとえば，等価交換で区分所有者となった旧地権者が，組合から委託を受けて，そのマンションについての管理を業として行う場合には，マンション管理業者の登録を受けなくてもできるということになる。

（注）　この法律では，「２以上の区分所有者……が存する建物で人の居住の用に供する専有部分……のあるもの並びにその敷地及び附属施設」（同法２条①１イ）および数棟の建物の共有になっている土地および附属設備（同号ロ）を**マンション**と定義している。

したがって，店舗，事務所，ホテルなどの区分所有建物で，「人の居住の用に供する専有部分」を併設していないものは，同法の対象外となっている。

３．マンション管理業務主任者とは

マンション管理業者は，一定数のマンションごとに選任の**マンション管理業務主任者**をおかなければならないとされている(注1)（同法56条）。なお，マンション管理業務主任者は所定の資格試験(注2)に合格し，国土交通大臣の登録を受けた者をいう（同法第４章第２節）。

（注１）　住宅戸数が５以下である小規模マンションの管理組合のみを専ら業務の相手方とする管理業者の事務所については，管理業務主任者をおく必要はないとされている（同法56条①ただし書）。

（注２）　現在は，(一社)マンション管理業協会が試験を行っている。なお，マンション管理士試験に合格した者には試験の一部免除がある。

9 区分所有ビルの共用部分の持分，管理等と建替え

区分所有ビルの共用部分の持分はどのように決められるのか。共用部分の管理等はどうするのか。建替えの必要が生じたときはどうするのか。

共用部分の共有持分と処分の制限

区分所有ビルの共用部分は，区分所有者全員の共有に属することとされている（区分所有法11条①）（一部共用部分については後述）。そして，各共有者の持分は，その専有部分の床面積の割合により（区分所有法14条①），その床面積は，壁その他の区画の内側線で囲まれた部分の水平投影面積による（同条③）と定められている。すなわち，建築確認のときの壁芯計算ではなく，登記上の内矩計算によって床面積を測定し，そのようにして測定された床面積比で共有持分を有するということである。

しかし，これについては規約で別段の定めをすることができる（同条④）から，床面積の測定方法を壁芯計算によると定めることもできるし，また，共有持分を床面積比でなく，専有部分の価額比にすることもできる。

なお，専有部分を譲渡するなどの処分をすれば，共用部分の共有持分もこれに附随してついていくし，また，専有部分と切り離して，その持分だけを処分することはできない（区分所有法15条）。

共用部分の使用と費用・利益の配分

共用部分の使用については，各区分所有者は，その用方に従って使用することができる（区分所有法13条）。

また，共用部分に関する費用の負担と，共用部分から生じる利益の配分は，規約で別段の定めをしなければ，上記の共有持分に応じてなされることになっている（区分所有法19条）。

別段の定めというのは，たとえば専有部分の数に応じて費用を負担するのが合理的な場合とか，区分所有者の業種によって費用の負担比率を変えるのが合理的な場合になされる。

共用部分の保存行為，管理と変更

さて，共用部分の管理であるが，これは区分所有法によると，つぎのように分類される。

広い意味での「管理」
- 保存行為
- 狭い意味での「管理」
- 変更
  - 改良を目的とし，著しく多額の費用を要しないもの
  - その他のもの

保存行為というのは，緊急を要する修繕をしたり，危険な状態にある箇所の応急の補修などの処置をしたりする行為で，これは区分所有者がだれでも気がついたら一人ですることができる（区分所有法18条①ただし書）。

変更というのは，共用部分の廊下やエレベーターを改造するとか，車庫を増築するとか，避難階段をもうけるとかいうように，物理的・用途的に確定的な変更をすることをいっている。

そして，変更を，「その形状又は効用の著しい変更を伴わないもの」と，その他のものとに分け，前者については狭い意味での**管理**（共用部分の清掃や保守管理や通常の修理など）とともに，区分所有者の集会の決議（区分所有者数の２分の１以上で，かつ，議決権の２分の１以上）で決することと定められているが，規約でこれと異なる方法を定めること――たとえば，管理者や組合の役員会の決議に委ねるなど――もできる（区分所有法18条①）。

そして，上記以外の変更については，区分所有者数の４分の３以上の多数による集会の決議で決することとされている。そして，規約で上記の区分所有者数の４分の３以上を２分の１以上までに減ずることができるようになっている（区分所有法17条①）。

一部共用部分については

区分所有建物の共用部分には，全体共用部分と一部共用部分とがある。

全体共用部分とは，その建物の区分所有者全員で共用している共用部分であり，一部共用部分とは，一部の区分所有者のみで共用している部分である。たとえば，915ページの**図表８－13**の建物は，１階～３階部分と，４階～６階部分とは，その出入口の玄関ホール，階段，エレベーターなどがはっきりと区分されているので，(ロ)の１階平面図のうち，(X_1)～(X_3)はＡとＢのみによって共用されている一部共用部分であり，(Y_1)～(Y_3)はＣ～C_{10}のみによって共用されている一部共用部分である。

このような**一部共用部分**は，原則として，これらの一部の区分所有者だけの共有に属し，費用および収益の配分，管理等も，これらの区分所有者のみで行うことになっている（区分所有法16条）。

建替えが必要になった場合には

最後に，区分所有ビルが老朽化して建替えの必要が生じたときはどうなるかという問題がある。

区分所有者の全員が建替えに賛成すれば，別に問題は生じない。大多数の者が建替えに賛成しているが，一部の者が反対しているときどうなるかということである。

このような場合について区分所有法は，一定の手続きを定め，集会で区分所有者数の５分の４以上で，かつ，議決権の５分の４以上の決議をして建て替える途をひらいている（区分所有法62条①）(注)。

（注）平成14年の改正前では，建替えの事由を「老朽，損傷，一部の滅失その他の事由により，建物の価額その他の事情に照らし，建物がその効用を維持し，または回復するのに過分の費用に至ったときは」と規定しているが，どのような状態になれば「老朽化」といえるかなどという点が不明確であり，また「費用の過分性」の趣旨にも争いがあり，このため，「区分所有者及び議決権の各$\frac{4}{5}$以上の多数」の決議があっても，建替えが円滑に進まない弊害が目立っているので，今回の改正ではこの事由を削除し，上記の多数決のみで建替えできるようにしている。

なお，中間試案の段階では，「築後30年を経過したこと」との要件を加えるという案も併記されていたが，この改正法では採られなかった。

また，平成14年の改正で，建て替える建物の敷地の範囲は，

① 従前の敷地の全部

② 従前の敷地の一部（従前の敷地の一部を売却して，その代金を建築費にあてることができる）

③ 従前の敷地の全部を含む土地（隣接地を買収して広い敷地にして建築することができる）

④ 従前の敷地の一部を含む土地（従前の土地の一部を売却して，隣接地を買収して，土地の形状を良くして建築することができる）

とされている。

また，平成14年の改正で，建替え後の建物の使用目的も制限されなくなったので，住宅のみで使用された建物を建て替えて，店舗と併用する住宅などに使用目的を変更することもできるようになっている。

建替えの手続き

建替え決議では，つぎの事項を定めることになっている。

① 再建建物の設計の概要

② 建物の取壊しおよび再建建物の建築に要する費用の概算額

③ 上記の費用の分担に関する事項

④ 再建建物の区分所有権の帰属に関する事項

（上記③④は，各区分所有者の衡平を害しないように定めなければならない。）

なお，集会の２か月前に，議案の要約のほか，つぎの事項を通知し，１か月前までに説明会を開催しなければならないとされている（区分所有法62条②～⑧）。

① 建替えの理由

② 建物の効用の維持または回復をするのに要する費用の額およびその内訳

③ 建物の修繕に関する計画が定められているときは，その計画の内容

④ 修繕積立金の積立額

建替え不参加者への売渡し請求

建替え決議があったとき，遅滞なく集会を招集した者は，賛成しなかった区分所有者に，建替えに参加するか否かを書面で催告し，２か月以内に回答しなかった区分所有者は，参加しない旨を回答したものとみなされる。

参加者の合意により定められた買受指定者は，上記の日から２か月以内に不参加者に対して，その専有部分を時価で売り渡すことを請求する。

その後は，建替えに反対する者の専有部分はなくなり，その結果，区分所有者の全員が建替え賛成派になるので，建替え工事にかかればいいことになる（区分所有法63条，64条）。

また，**一団地内に２棟以上の区分所有建物**があって，敷地を共有している場合で，その内の１棟の建替えをする場合には，敷地を共有している区分所有者の集会で，敷地利用権の持分の$\frac{3}{4}$以上による決議を必要とし，その建替えによって他に特別の影響（容積率の先喰いなど）を及ぼすときは，他の建物の区分所有者全員の同意を得なければならないとされている（区分所有法69条）。

マンション建替円滑化法による支援

マンションの建替え事業を円滑に進めるため，「マンション建替えの円滑化等に関する法律」（以下，「建替法」という）が，平成14年６月12日に成立し，同月19日に公布され，同年12月24日から施行されている。

この法律の特徴の一つは，法人格をもった**マンション建替組合**を設立し，組合が事業主体となって，権利変換手法によってスムースに事業を進めることができるとしたことである。そして，開発業者などの民間事業者が参加組合員として事業に参加することにより，そのノウハウや資金力を活用できるようにしている。

もう一つの特徴は，防災や居住環境で著しく問題のあるマンションについて**市町村長が建替えの勧告**ができるものとし，これによる建替えについて，市町村が借家人等に対する居住安定の措置を講ずることとされていることである。

マンション建替組合による事業のすすめ方

区分所有法による建替え決議がなされた後，建替えに合意した者は，５人以上共同して，定款と事業計画を定め，建替合意者の$\frac{3}{4}$以上の同意を得て，市町村長を経由して都道府県知事に申請して，認可を得て法人を設立する。建替合意者はすべて組合員となる。また，事業に参加することを希望するもので定款で定められたものは参加組合員として組合員となる。知事は認可したとき，組合とマンションの名称，その敷地の区域，事業施行期間を公告する。

組合は，公告の日から２か月以内に，建替えに参加しない区分所有者に対して，区分所有権と敷地利用権を売り渡すべきことを請求することができる（なお，この請求は建替え決議の日から１年以内にしなければならない)。

また，組合は，この事業の経費に充てるため，参加組合員以外の組合員から，その専有部分の位置，床面積等を考慮して公平に定めた賦課金を徴収する。参加組合員は，その取得する再建マンションの価額に相当する額の負担金と建替事業の経費分担金を組合に納付する。

（注）この参加組合員には，建設後の建物の一部を取得して分譲また使用するマンション業者，ビル開発業者，量販店，ホテル等が参加し，その経費分担金を建替えの建築費の全部また一部に充てる例が多い。等価交換方式の一つの形といえよう。

上記の知事の公告があったとき，組合は，権利変換手続開始の登記の申請をする。権利の変換を希望しない者は，公告の日から30日以内に，金銭の給付を希望する旨を申し出ることができる。

その後，組合は権利変換計画を定め，都道府県知事の認可を受ける。

権利変換計画の内容は，従前のマンションと再建されたマンションの内容・権利関係を記載したもので，各区分所有者の従前のマンションの価額と再建後のマンションに与えられる区分所有権・敷地利用権の明細とその価額の概算額であり，ここで権利変換期日も定められる。

従前マンションの区分所有権の価額は，上記公告の30日後の時点の近傍類似の土地また近傍同種の建築物の取引価格等を考慮して定め，再建マンションの区分所有権の概算価額は，マンション建替事業に要する費用と上記時点の近傍類似の土地また近傍同種の建築物の取引価格等を考慮して定めることになっている。

そして，権利変換期日において，従前のマンションは組合に帰属し，従前のマンションの敷地利用権は失われ，再建マンションの敷地利用権は，権利変換計画によって与えられる者が取得する。

非参加者への**補償金**（建替法75条）は，権利変換期日までに支払われる。

再建マンションの建築工事が完了したら，組合はその旨を権利を取得するものに通知し，必要な登記を申請する。

その後，再建マンションの区分所有権の価額を確定し，従前のマンションの区分所有権と差額がある場合には**清算**（建替法85条）を行う。

そして，すべての手続きを終了して組合は解散する。

なお，組合を設立しないで，１人また数人が共同して施工する個人施工の方法があり，これの手続きも同法で規定されている。

市町村長の勧告によるマンション建替え

マンションの構造・設備が著しく不良であるため居住の用に供することが著しく不適当な住戸が相当数あり，保安上危険また衛生上有害な状況にある場合，その区分所有者に対し，建替えすべきことを市町村長は勧告することができる。また，区分所有者から勧告することを要請できるようになっている。

そして，この勧告のなされたマンションの賃借人等や区分所有者は，市町村長に対し，代替建築物の提供またはあっせんを要請することができ，市町村長は居住安定計画を作成し，これに基づいて代替建築物の提供・あっせんを行うことになる。

賃借人が提供を受けた公営住宅の家賃が従前の家賃より高い場合には，家賃を減額することができる等の措置もある。また，賃貸人の支払う賃借人への移転料について，市町村が補助する措置ももうけられている。

マンション敷地売却制度と容積率緩和

マンションの老朽化が進んでいるが，その建替えは少ない。

近時，南海トラフ巨大地震や首都直下型地震のおそれがある中，耐震性不足の老朽化マンションの建替えが喫緊の課題となっているが，「マンションの建替えの円滑化等に関する法律」が平成26年６月18日に改正され，特定行政庁の「耐震性不足」の認定を受けて区分所有者の５分の４の決議で，マンションとその敷地を一括して売却する制度が創設された（平成26年12月24日に施行）。その後その買受人が，マンションを取り壊し，マンションを建築するなどの新たな用途に利用することになる。

なお，再建されるマンションで，一定の敷地面積を有し，市街地環境の整備・改善に資するものについては，特定行政庁の許可により容積率を緩和できるようになる。

具体的には，つぎの手続きで行う。

⑴　当該マンションに対し，申請をして，耐震不足の認定を受け，
⑵　買受人は，あらかじめ買受け計画を作成し，都道府県知事の認定を受ける。
⑶　マンション敷地売却決議（売却相手方，売却代金，分配金の算定方法）をし，売却組合を設立し，当該区分所有者への売渡請求（時価で買取り），
⑷　区分所有者への分配金（担保権付区分所有権は担保権者が物上代位），借家権者には補償金，居住者のマンション引渡し
⑸　組合がマンションの敷地の権利を取得し，買受人に売却する。

（注）　この法律によらない場合は，マンションの建物の取壊しは区分所有者の全員の

合意が必要である。

マンション建替円滑化法に係る税務の特例－⑴所得税・法人税

マンション建替円滑化法によりマンションを建て替え，売却する場合には，つぎのような特例がもうけられている。

なお，**マンション建替組合**，売却組合（以下，「組合」という）は，法人税に関しては**「公益法人等」とみなされる**ので，収益事業を営まなければ法人税は課税されない（建替法44条，法法４条①）。

（注）法人税が課せられる場合の税率は15％となっている（544ページ参照）。

建替えに参加した区分所有者が個人の場合は，権利変換によって再建マンションを取得したときは，従前マンションの譲渡がなかったものとみなす（措法33条の３⑥）ので，これについての譲渡所得の課税はされず，申告も不要である。

なお，従前マンションと再建マンションとの価額の差額について清算金（建替法85条）を受領したときは，

$$\left(\begin{array}{c}\text{従前マンションの}\\\text{権利変換時の価額}\end{array}\right)\times\frac{\text{（差額相当額）}}{\text{（再建マンションの権利変換時の総価額）}}$$

で算定した部分の譲渡があったとして，譲渡所得を計算することになっている（措法33条の３⑦，措令22条の３⑨）。

また，法人の場合は，圧縮記帳の方法による交換の特例が認められている（措法65条①六）。

また，**建替えに参加しない区分所有者**が，建替組合の売渡請求（建替法15条①，64条①），また，権利変換を希望しない旨の申出（建替法56条①）により，建替組合に譲渡したときに，その再建マンションが「良好な居住環境に資するもの（注）」である場合には，土地（借地権を含む，以下同じ）について個人の場合は，長期譲渡所得税については，「**9　優良住宅地の造成・優良住宅の建設等のための土地譲渡の税率軽減**」（402ページ参照）が適用され，その税率は，課税譲渡所得2,000万円以下の部分14％（所得税10％・住民税４％），2,000万円を超える部分20％（所得税15％・住民税５％）となる（措法31条の２①）。

（注）つぎの要件を備えたマンションをいう。

イ　施行再建マンションのうち，各住戸の戸境壁を再構築することにより，その各住戸の専有部分の面積を変更することができる構造となっているもの

　その施行再建マンションの住戸の平均床面積が，つぎに掲げる住戸の区分に応じ，それぞれつぎに定める面積以上であること。

(イ)　建て替えられるマンションに現に入居している単身者が入居すべき住戸	25㎡
(ロ)　建て替えられるマンションに現に入居している60歳以上の者で，所得水準等から勘案して50㎡以上の住戸とするための資金負担に耐えられないと認められる者（単身者を除く）が入居すべき住戸	30㎡
(ハ)　(イ)及び(ロ)の者以外の者が入居すべき住戸	50㎡

ロ　上記イ以外の施行再建マンション

その施行再建マンションの各住戸の床面積が，上記イ(イ)から(ハ)までに掲げる住戸の区分に応じそれぞれ上記イ(イ)から(ハ)までに定める面積以上であること。

（措法31条の２②，措令20条の２⑨，平成24年国土交通省告示第395号）。

なお，短期譲渡にあたるものについての同種の特例はない（402ページ以下参照）。

（注）　法人の場合は，短期譲渡の５％の重課の適用が除外されることとなっているが，現在は重課制度は適用除外になっているので，実務上の関係は生じない。

また，参加しない区分所有者が個人の場合で，上記の売渡請求によりマンションを譲渡し，または上記の申出により補償金を取得したとき，それが下記のやむを得ない事情によるときは，**1,500万円の特別控除**が受けられる(注)（措法34条の２②22)。やむを得ない事情とは，

(ア)　従前のマンションの用途が現行の都市計画の用途制限を受けているもの（既存不適格建築物）で再建マンションで同用途に使用できない場合

(イ)　従前のマンションに住居を有し，または事業を営む区分所有者または生計を一にしている者が，老齢または身体上の障害により再建マンションにおいて生活すること，また，事業を営むことが困難となる場合

のいずれかに該当するもので，審査委員（建替法37条）の過半数の確認を得たものに限られている（措令22条の８㉕)。

なお，申告にあたって，上記の売渡請求により買い取った旨，上記の申出により支払った旨，上記の(ア)(イ)のいずれかに該当する旨，建替法の審査委員の確認のあった旨を証する書類を添付することになっている（措則17条の２①26)。

（注）　この1,500万円控除の適用を受けたときは，優良住宅地造成等のための譲渡の税率軽減の特例を併せて適用することはできない。

また，**マンション敷地売却組合への譲渡**についても，上記の軽減税率の特例が適用され（措法31条の２①)，また，組合からの分配金および売渡請求により譲渡した土地等の代金についても1,500万円の特別控除の適用がある（措法34条の２②22の２)。

また，売却事業に係る売却マンションまたその敷地に関する権利（借地権等）

の消滅の対価も収入金不算入（非課税）の対象となる（所法44条，所令93条）。なお，これらの規定は，同改正法の施行の日以後適用となる。

法人の場合には，上記の(ア)に該当する場合には，1,500万円の特別控除が受けられる（措法65条の4①22，措令39条の5㉖）。

マンション建替円滑化法に係る税務の特例－(2)登録免許税・不動産取得税

登録免許税については，**令和9年3月31日**までに受ける登記のうち，つぎの登記については登録免許税を課さない（措法76条）。

(ア)　権利変換手続開始の登記

(イ)　組合が取得する区分所有権および敷地利用権の取得の登記

(ウ)　権利変換後の土地および再建マンションの権利の登記（参加組合員が取得するものを除く）（なお，従前のマンションの価額より増加した部分等は除く）

不動産取得税については，マンションの敷地売却制度に関し，施行者またはマンション敷地売却組合が，マンション建替事業またはマンション敷地売却事業により要除却認定マンションまたはその敷地を取得した場合について，その取得が**令和9年3月31日**までに行われた場合は，不動産取得税は非課税とされている（地法附則10条）。

〈区分所有法関連の令和6年の改正〉

区分所有法関連の本章部分について，令和6年に，つぎの改正があった。

◆マンション建替円滑化法に係る税務の特例の内の登録免許税及び不動産取得税を非課税とする特例の適用期限が延長され，令和9年3月31日までの登記及び取得までとされた（933ページ関連）。

なお，令和5年には，つぎの改正が行われている。

◆マンション長寿命化促進税制が創設され，築20年以上，総戸数10戸以上のマンションについて，令和5年4月1日から令和7年3月31日までに屋上防水工事，外装塗装工事等の大規模改修工事を行った場合，固定資産税が$\frac{1}{6}$～$\frac{1}{2}$の範囲で減額されることとなった。

〈区分所有建物と敷地の共有持分〉

分譲マンションの例をみると，敷地の共有持分は建物の専有面積比によって定められていることが多い。分譲価格は，同一面積・同一仕様であっても，その専有部分の位置，階層によって差がつけられている。しかし，その建物の耐用年数が満了し，建て替える時期になったとき，今まで南側の景色のいい位置を占めていた人と，北向きの日照も悪い位置にいた人と同じ権利になる。となると，分譲価格の差というのは何であったのだろうか。４階の南向きの50㎡と北向きの50㎡——一方は3,000万円，一方は2,500万円とする。その差の500万円は何であったのか。

土地の共有持分が建物の専有面積によって決められている限り，その差は建物が存続する期間中だけ環境の良好さを保てることの差であろう。しかし，建物の寿命のつきたときは雲散霧消する権利である。その程度の権利だったから，価格差は500万円にとどまっていたのかもしれない。しかし，もう一つの方法もある。それは土地の共有持分を専有部分の価格比で決めることである。上例でいうと，3,000万円のマンションを取得した人の土地の共有持分を，同一面積・同一仕様のマンションを2,500万円で取得した人の持分より「2,500万分の500万」だけ多くしておくことである。そうすれば，マンションが古くなって建物を建て替える話合いに出るとき，今と同じようないい位置を取得することを主張し，それが通らなくて悪い位置を押しつけられたとしても，面積的に広いスペースをとる権利を持っていることになろう。

10　共同ビルの所有形態と敷地の関係と借地権課税の問題

共同ビルの所有形態と敷地との関係はどうなるか。また，相互に借地権を設定したということで課税問題が生じるか。

区分所有方式の場合の敷地相互使用と課税関係

下に掲げる**図表８－17(ア)**のようなタテ割り区分所有方式の場合には，敷地と建物との関係は比較的すっきりしている。外観からみるかぎり，Ａの敷地の上にＡの建物がのっている。Ｂについても同様である。

しかし，**図表８－17(イ)**のヨコ割り区分所有方式となると，かなり複雑になってくる。１階のＢの床の一部は，Ａの敷地の上にのっている。２階のＡの床の大半はＢの敷地の上にのっている。お互いに相手に自分の敷地を使わせ，相手の敷地を使っている関係にある。

図表８－17　タテ割り区分所有方式の例　　**ヨコ割り区分所有方式の例(1)**

(ア)

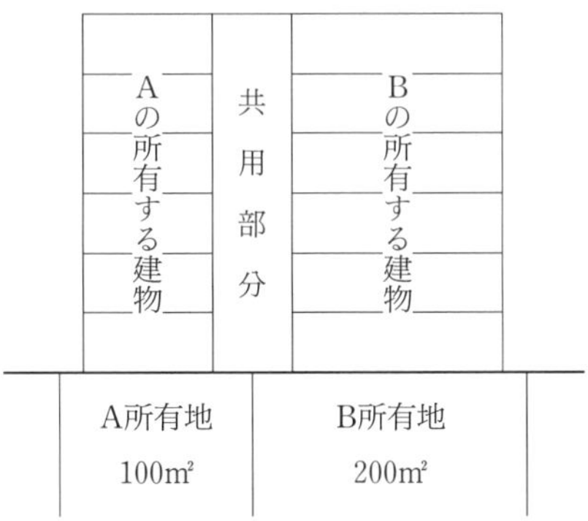

(イ)

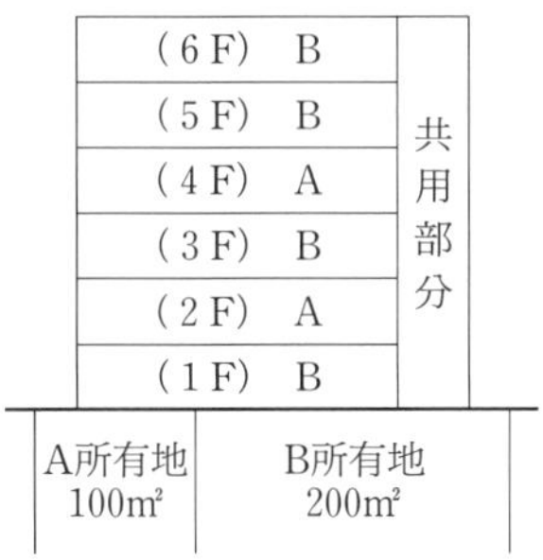

それだからといって，借地権を設定して権利金を取ったり，地代を取ったりしたら，同じ金が行ったり来たりするだけである。しかし，そういうように金銭のやりとりをすると，権利金については譲渡所得，地代については不動産所得ということで，所得税の課税対象となる。

それではつまらないから，双方で権利金も地代も取らないようにしようとする。その場合，実際に権利金や地代を取らなくても，相手から権利金や地代を収受して，それと同額を相手に支払ったのだとみなされて課税されないかという心配が生ずる。

しかし，この場合，Ａ，Ｂの敷地の面積比または価額比に応じて建物の床を階層別効用比率などで合理的に配分しており，実際に権利金や地代を授受していなければ，課税をしないとして取り扱われるようになっている（所基33－15の２，法基13－１－６）。

しかし，敷地の権利の価額はＡは３分の１，Ｂは３分の２なのに，床の配分が，逆にＡは３分の２，Ｂは３分の１というように合理性を欠いていれば，Ａの３分の２のうちの半分は，Ｂの権利を無償で使っていることになっている。払うべき権利金と地代を払っていないことになる。このように大きくバランスを欠いている場合に，Ａ，Ｂとも個人であれば，土地の無償使用ということが認められているから，課税はされない。しかし，Ａ，Ｂのいずれか，または双方が会社などの法人である場合には，借地権の認定課税が行われる。差額について権利金や地代または729ページで説明した「相当の地代」で調整しておく必要がある（**図表６－18，６－19**参照）。

共有方式の場合　共有方式の場合の床と敷地との関係も，基本的にはヨコ割り区分所有の床と敷地との関係と同じに考えてよい。

898ページの**図表８－６**でみると，Ａの敷地の上に，各階のＡの持分の３分の１とＢの持分の３分の２とがのっている。Ｂの敷地をみても同様である。上述の通達はこのような共有方式についても，Ａ，Ｂの共有持分が合理的に配分されている限り，区分所有方式の場合と同様に課税関係は生じないものとして規定している。

11　共同ビルと管理会社①——受託型または転貸型管理会社

受託型管理会社または転貸型管理会社で調整機能を果たさせる。

区分所有方式で共有方式と同じ経済的効果をねらう方法——受託型管理会社方式

所有形態としては，はっきりとした区分所有でないといやだ，しかし，経済的には共有方式と同じような効果をあげたいという場合もあるであろう。そういう場合にうまい方法はないかというのが，管理会社による方法である。図表８－18のように区分所有した後で，Ａ～Ｆが出資して管理会社を設立する。そして，この管理会社に対して，Ａ～Ｆはビルのレイアウト，賃貸業務の一切を委託する。管理会社は，自由にビル内をレイアウトし，間仕切りして，第三者に賃貸する。

この場合，１階部分はＤ，Ｅ，Ｆの３人で区分所有されている。しかし，その境界を固定的な壁などで区切らないで，開閉自由なシャッターとか，取りはずしのできる可動間仕切りで区切っておけば，そのシャッターなどをあけておくときは，ワン・フロアとして自由に効率的に使用することができる。この場合，管理会社は，Ａ～Ｆの代理人として，テナントと賃貸契約を結ぶことになり，Ａ～Ｆからの委託を受けて，ビル内のレイアウトと管理を行い，受託業務について報酬を取ることになる。これを受託型管理会社とよんでおく。

転貸型管理会社

管理会社にさらに主体性をもたせると，転貸型管理会社に進む。これは，Ａ～Ｆ各権利者と管理会社との間で，ビルの一括賃貸契約を締結する。賃貸契約は，建物の存続期間（50年前後）と一致させ，基本的な条件を盛り込んで契約しておくが，細かい条項は省き，管理会社に対する制約はなるべくゆるやかにし，管理会社が自由に行動できるようにしておいたほうがよい。管理会社は，第三者のテナントに，ビルを一括なり，または部分的にせよ転貸することになる。したがって，管理会社をあまり制約しておくと，テナントの交渉に

図表８－18　ヨコ割り区分所有方式の例(2)

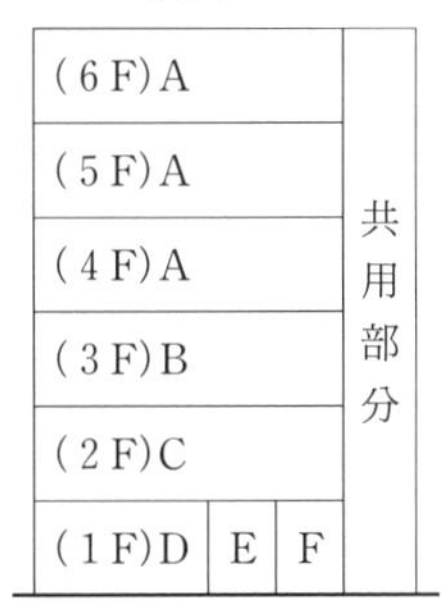

おいて，タイミングを失したり，いいテナントを逃がしたりする。

また，管理会社に対しては，A～Fの権利者が出資者となっているのだから，出資者として株主総会などでコントロールすればよい。

テナントから受け取る賃料と，権利者へ支払う賃料の差から，管理会社で必要な諸経費を差し引いた残りが管理会社の利益であり，これから管理会社を維持運営していくために必要な準備金を残して，残金を利益配当の形で権利者に還元することになる。

共有方式と管理会社　区分所有方式の欠点を補うために管理会社を利用する方法を述べた。しかし管理会社を利用するメリットは，共有方式の場合にもある。

区分所有方式の場合は，区分された床を一体として有効利用するために，管理会社が必要であった。共有方式の場合は，各権利者の混在している権利（持分）を一括して運営するために管理会社が必要となる。共有ビルを賃貸するとき，その契約にあたって，テナントはA～Fの共有者全員と契約しなければならない。契約変更のときも同様である。当初は全員の意思が一致しても，契約の変更のときは一致しないかもしれない。そういう場合も，共有物の管理は持分割合による多数決によるということになるが，実際問題として，多数決というわけにはいかない場合もある。区分所有であれば，その反対者の部分だけを除外して交渉を進めることもできるが，共有の場合には，それもむずかしい。

また，長い期間の間では，権利者が死亡し，相続ということも起こる。相続でトラブルが起こって，そのビルの持分の相続人が決まらないということになると，その相続のトラブルに，ビルの運営まで巻き込まれてしまう。

こういう支障をあらかじめ防ぐためには，ビル建設の当初において，管理会社が一括してビルの存続期間について権利者と賃貸借契約をしておけば，管理会社の借家権は安定しているので，テナントとは自主的に交渉ができ，ビルの

図表8－19　転貸型管理会社運営の基本形態

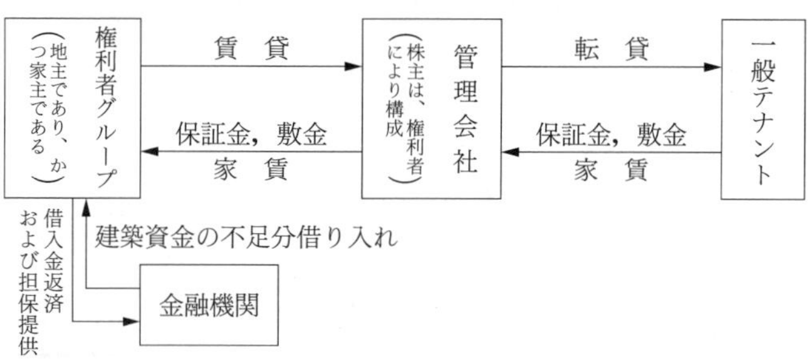

運営だけはともかくスムースにはこばれる。そういう意味で，共有方式の場合にこそ，管理会社の設置がもっとも必要になってくる。

転貸型管理会社の関係を図示すると，**図表８－19**のようになる。

受託型または転貸型管理会社と税務

受託型管理会社は，ビル賃貸に関するテナントの折衝，契約代行，ビルの維持管理，事務処理などを，権利者から委託されて行うだけであり，権利者から委託手数料を収入する以外は，諸経費について実費精算をするぐらいであるから，収入手数料について法人税等を課税されるだけで，特殊な税務問題は起こらない。

転貸型管理会社は，権利者から建物を賃借し，保証金，敷金と家賃とを支払う。そして，一般テナントにビルを転貸し，保証金，敷金と家賃とを収受する。借家に関する保証金，敷金は単なる預り金であり，収益ではない。だから，課税関係は生じない。借地に関して低利の保証金を受け入れると，その経済的利益に対する課税の問題が生じるが（714ページ参照），借家の保証金にはそういう問題は起こらない。

したがって，管理会社側は，転貸賃料の収益から支払賃料と諸経費を控除して利益計算をして法人税等を計算するだけでいいし，権利者も，管理会社から受け取った賃料から必要諸経費を控除して不動産所得を計算すればよい。

なお，受託型また転貸型管理会社が同族会社である場合には，特殊な税務問題が生じるが，これについては，**第７章の「19　同族の管理会社への管理料，転貸会社からの家賃の制約」**（889ページ）を参照されたい。

〈総有と共有〉

共同所有の形に，合有（899ページのコラム参照）の他に，総有という形がある。この場合，共有者の持分がないか，あったとしても潜在的なもので，持分処分や分割請求などできず，利用権を有するのみといわれている。入会権，水利権，温泉権，共有墓地などの権利が総有の代表的なものとされているが，「権利能力のない社団」の財産関係で問題になることもある。古い歴史をもったわかりにくい権利の姿である。

12 共同ビルと管理会社②――所有型管理会社

管理会社を設立してビルを所有させる方式をとったらどうなるか。――税務対策に問題がある

建物所有型管理会社とは

共同ビルの所有形態に応じ，管理会社を設立して調整をはかり，ビルの効率的運用をはかることを前項で述べた。これをさらに進めていくと，権利者が出資して管理会社を設立し，管理会社がビルを建設し，所有する。そして，権利者に対して地代を払い，また会社に利益が出れば，これを配当するという方式が出てくる。これを，建物所有型管理会社といっておく。この場合，権利関係が非常にすっきりする。所有型管理会社は，自分の所有する建物をテナントに賃貸するのであり，テナントは管理会社のみを相手にすればよい。

権利者は，所有型管理会社から定期的に地代を収受し，利益が生ずれば配当を受ける。地代の額と配当の額については，権利者は株主としてビル経営に参画しているのだから，他の株主と協議して決めればよい。ビルの運営は多数決で決定される。

会社と権利者との借地関係により課税問題が起こる

ところで，この場合，建物と敷地との関係において問題が生ずる。

権利者が出資して会社を設立したといっても，できあがった会社は，権利者と独立した別個の存在（法人）である。とすると，会社は建物を所有するため，各権利者の有する敷地に対して，なんらかの権原をもたなければならない。一般的には，土地の賃貸借であり，権利金を払い，地代を払うことになる。

設例で検討してみる。この場合，会社は土地所有者Ａ～Ｆに対し，土地の賃貸借契約をすれば，たとえば，権利者Ｆ（土地１億円を所有しているとする）に対し，通常の借地権設定の場合で，その地域の借地権割合が８割であれば，

	（土地価額）		（借地権割合）		（借地権価額）
権 利 金	100,000,000円	×	0.8	＝	80,000,000円

		（底地割合）	（地代率）		（年間地代[注]）
地代（年）	100,000,000円	×（１－0.8）×	0.06	＝	1,200,000円

を支払い，地代はＡ～Ｆにとって不動産所得となり，権利金は譲渡所得になる。

（注）　平均的活用利子率（令和３年）を利用して求めると，東京都23区の平均でつぎのようになる。

	（土地価額）		（平均的活用利子率）		（年間地代）
商業地	100,000,000円	×	0.0101	＝	1,010,000円
住宅地	100,000,000円	×	0.0067	＝	670,000円

東京23区における継続地代の平均的活用利子率の推移
（平均的活用利子率＝土地価格に対する支払地代年額の割合）

摘要／用途別	平成18年（H18.１.１時点）		平成21年（H21.１.１時点）		平成24年（H24.１.１時点）		平成27年（H27.１.１時点）		平成30年（H30.１～４月時点）		令和３年（R３.１～４月時点）	
	平均的活用利子率	資料件数	平均的活用利子率	資料件数	平均的活用利子率	資料件数	平均的活用利子率	資料件数	平均的活用利子率	資料件数	平均的活用利子率	資料件数
住宅地の場合（加重平均）	$\frac{8.3}{1,000}$（0.83％）	（335件）	$\frac{7.6}{1,000}$（0.76％）	（371件）	$\frac{7.9}{1,000}$（0.79％）	（375件）	$\frac{7.2}{1,000}$（0.72％）	（335件）	$\frac{7.0}{1,000}$（0.70％）	（468件）	$\frac{6.7}{1,000}$（0.67％）	（361件）
商業地の場合（加重平均）	$\frac{14.1}{1,000}$（1.41％）	（178件）	$\frac{11.1}{1,000}$（1.11％）	（206件）	$\frac{13.7}{1,000}$（1.37％）	（183件）	$\frac{11.9}{1,000}$（1.19％）	（185件）	$\frac{11.0}{1,000}$（1.10％）	（151件）	$\frac{10.1}{1,000}$（1.01％）	（130件）
（参考）	継続地代の事例727件から抜粋		継続地代の事例742件から抜粋		継続地代の事例587件から抜粋		継続地代の事例540件から抜粋		継続地代の事例684件から抜粋		継続地代の事例546件から抜粋	

（注記）
東京都23区における継続地代の収集事例のうち，客観的な地価が判明したものについて，その土地価格に対する地代（支払賃料年額）の割合を求め，それらの各区の平均的割合，即ち土地を元本としたときの平均的活用利子率を算定したものである。この客観的な時価は，不動産市場で取引される現実の時価ではなく，その地点の相続税路線価を原則として80％で除して求めた価格を時価とみなしたものである。なお角地等が確認されたものについては一定の補正を行い，地域の標準的な利子率が得られるよう努めた。ただし，不動産市場での現実の取引価格をも参考とした。

（日税不動産鑑定士会資料より）

権利金は多額になるので一時にかなりの所得税が課税される。地代については，不動産所得として毎年課税される。

しかし，この場合，会社が権利金を支払うといっても，その資金の出所は実態的にＡ～Ｆであり，自分で自分に権利金を払って，税金を納めることと同じであり，まことにバカらしい結果になる。

（注）　権利金の代わりに保証金を支払った場合は，**第６章**第１節「**３　借地の保証金の税務**」701ページ以下を参照。

権利金を支払わなければ

それでは，権利金を支払わずに，地代の120万円（通常の底地に対する地代率）をのみ支払う場合にはどうか。この場合は，権利金の支払いがあったと認定され，通常の権利金相当額は，法人にそれだけの利益があったとし，法人税が課せられるほか，地権者が法人であれば寄附金ということで，地権者にも課税されることがある（727ページ，741ページ参照）。

相当の地代――更地価格の６％地代

この場合，権利金の授受はなくても，会社が権利者に「相当の地代」を支払っている場合は，権利金の支払いがなくてもよいとされている。更地価格のおおむね６％を年地代として支払っていれば，それを「相当の地代」として認めるということになっている。

更地価格というのは，①通常の時価，②公示価格と比準して求めた時価，③相続税評価額（または前３年間の平均額）のいずれによってもよく，通常は③の相続税評価額がもっとも低いので，これの６％程度であればいいことになる。

なお，「相当の地代」については729ページ以下で詳しく説明しておいたので参照されたい。

無償返還の届出をする方法

権利金も相当の地代も支払わない場合に，借地権の無償返還の届出を出して処理する方法もある。これについては，735ページを参照されたい。

定期借地権による方法

共同ビルの場合，その建物の経済的耐用年数が過ぎたとき，これを解体し，建設前の原状に戻し，その後どうするか，その時点で改めて相談しようという考えの場合も多い。

そういう場合には，所有型管理会社と地権者との間で，建物の経済的耐用年数（50年以上）に合わせた期間の定期借地権を設定するのも一つの方法である。

なお，この場合は，税務上も権利金を授受する必要はなく，地代も更地価格の2.3%前後ぐらいでよいであろう。(注)

（注）　定期借地権の地代については，**第５章**第１節「**14　一般定期借地権の地代，権利金と保証金**」（641ページ）で詳しく解説してある。

13　借地権者の参加した場合の共同ビル

共同ビル建設に借地権者が参加している場合は，どういう問題が起こり，どう処理したらよいか。
――敷地関係，税務，床の配分

図表８－20　従前の権利

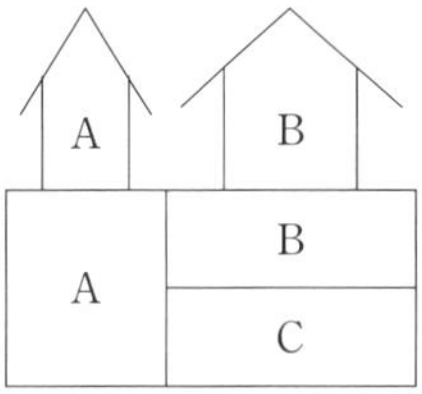

A：所有権者
B：借地権者
C：底地の所有権者

これまでは，権利者が所有権者のみの場合について説明してきた。しかし，権利者が所有権者のみという場合はむしろ少なく，借地権者もいる場合のほうが多い。図表８－20のような場合である。

A（所有権者）とB（借地権者）とが共同ビルを建設する場合

図表８－20のように，A，Bがともに木造の建物を所有しているような状態で，A（所有権者）とB（借地権者）とが共同で鉄筋コンクリート造６階建のビルを建設するような場合は，まず借地権者であるBについて問題が生ずる。

Bが借地契約の当初から，現在は木造の建物であるが，将来鉄筋コンクリート造中高層の建物に建て替えてもよいということになっていれば，まだ問題は少ないが，そういう例は少なく，借地権の内容を木造（非堅固造）の建物に限定し，また増改築をする場合には，**地主の承諾**を得なければならないという制限がついていることが普通である。したがって，ビル建設にあたっては，底地の所有権者であるCの承諾を得なければならない。この承諾を得るためには，**第５章の「８　借地上の建物増改築，借地条件変更と承諾料」**（618ページ）で述べた条件変更承諾料を支払い，地代を増額することになる。

そのとき，底地の所有権者であるCが承諾を与えなかったときはどうなるか。その地域が借地後に都市計画の変更等で防火地域に指定されて非堅固な建物は建築できないように変わっている場合など，また，その他の土地利用の規制の変更があった場合，または，その地域の建物の多くが鉄筋コンクリート造の中高層ビルに変わってきていて，新規に借地権を設定する場合には鉄筋コンクリート造が一般的であるような場合には，**地主の承諾に代わる裁判所の許可**の申立てをして，裁判所の許可を得ればよい。そのとき，裁判所は鑑定委員の意見を参考にして，条件変更承諾料と改定地代を決めてくれる。その相場は616ページで述べたように，東京圏では更地価格の９～11％が多い。もちろん，これも従前の建物と従後の建物の内容によって異なる。

しかし，上述したような地域の状況の変化がなく，その地域では木造建物がまだ一般的である場合には，裁判所の許可は得られないであろう。**裁判所の許可の得られない場合には**，あくまで地主と話し合って承諾を得る以外に方法はない。その場合は，条件変更承諾料もつり上げられて，かなり高額なものになるだろう。借地権者Ｂは，中高層化によってメリットを受けるのであるから，そのメリットの半分ぐらいは，地主と折半しなければならないかもしれない。それでも地主が承諾を与えなければ，計画を断念しなければならない。

隣地の所有権者Ａの**建物の敷地使用権**についても問題がないわけではない。ビルの所有形態が，**図表８－21**の(イ)(ロ)(ハ)のいずれであれ，Ａの建物は，Ｃの土地の上にあるＢの借地権の上にのっている。(イ)については，Ａの所有権の上だけにのっているようにみえるかもしれない。しかし，少なくとも階段，廊下などの共用部分は，Ｃの土地の上にものっている。のみならず，建物の躯体部分（壁，柱，梁など）はＡ，Ｂの共有であるから，躯体についてのＡの共有持分はＣの土地の上にのっていることになる。

ともかく，Ａは自分の土地の所有権の一部を，Ｂは自分の借地権の一部を，**お互いに無償で使用させている関係**にある。Ｂについてみれば，**一種の借地権の転貸**といえる。借地権の転貸についても，借地契約で禁止している場合が一般的である。したがって，この転貸について，Ｂは底地の所有権者Ｃの承諾を得なければならない。これについても，この転貸が地主Ｃにとって不利が生じないのに，Ｃが承諾を与えないときは，Ｂが裁判所に申し立てて，地主の承諾に代わる裁判所の許可を求める方法がとれるだろう。

図表８－21

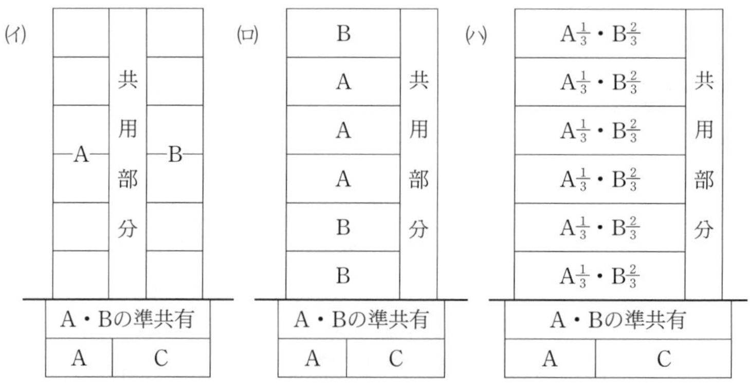

A(所有権者)とB(借地権者)とC(底地の所有権者)が共同ビルを建設する場合

そういう場合，底地の所有権者Cを仲間に入れて，いっそのこと３人で共同ビルを建設しようということもある。そして，従前の権利の価値等に応じて，従後の床を配分する。

このときの敷地と建物との関係はどうなるか。一般的には，**図表８－22**の(イ)(ロ)の二つの方法がある。

図表８－22

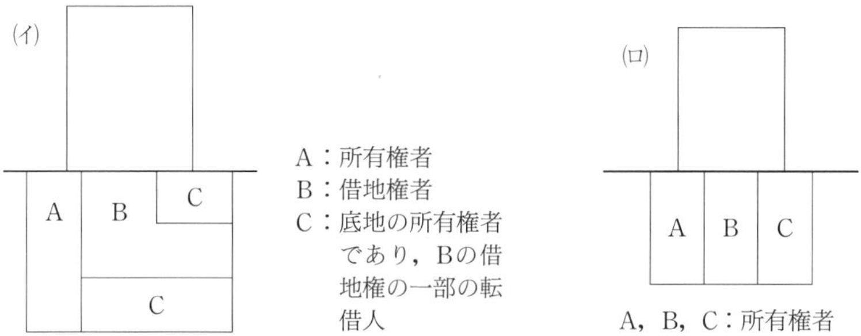

図(イ)は従前の敷地の権利関係をあまり変えないで，共同ビルを建設した場合である。しかし，Cは自分の底地の上に建物を所有するわけにはいかないから，Bの借地権の上に，Bからの転借地権を設定した形となる。

この場合の交換に関する税金はどうなるのだろうか。

借地人Bが借地上の建物を堅固造の建物に変えるには，一般には地主Cに借地条件変更承諾料を支払って，承認を得ることになる。地主Cの受け取った承諾料は，不動産所得の収入金額として所得税の申告をすることになる（711ページ参照）。

そして，地主Cは，受領すべき承諾料を転借地を受けるための権利金として借地人Bに支払って，その借地の一部に転借地権を設定したことになる。借地人Bの受け取った権利金は，それが借地権の価額の２分の１を超えていれば譲渡所得，それ以下であれば不動産所得の収入金額となり（698ページ参照），このいずれかの区分により所得税の申告をすることになる。

CがBから地代を受け，BがCから転借に係る地代を受けていれば，それはそれぞれの不動産所得になる。

図(ロ)は，そういう複雑な関係になるのを避け，この際スッキリしてしまおうということをした場合である。

Bの借地権の一部とCの底地の一部を交換し，B，Cともに完全な所有権者になった場合である。Ａ，Ｂ，Ｃともに，自分の所有権の一部を相手に無償で使用させている関係になる。

この場合の税金問題については，借地権と底地の交換について，固定資産の交換の特例（493ページ参照）の適用条件を満たしていれば，課税関係は生じない。

14 借家権者のいる場合の共同ビル

共同ビル建設にあたって，借家権者のいる場合はどうなるか。

図表８－23

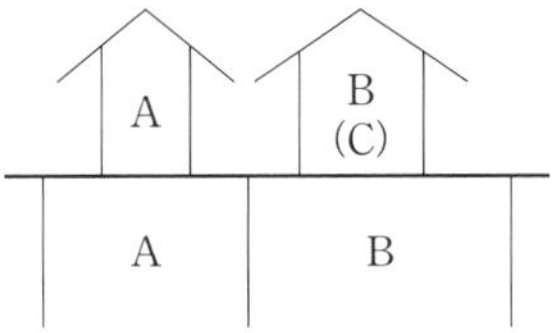

A，B：土地・建物の所有権者
C：Bの建物の借家人

共同ビルを建設する場合に，借家権者のいる場合，**図表８－23**のように，CがBの借家人であった場合にどうするか。

C（借家人）を立ち退かせる場合

BがCを立ち退かせてクリアーにして建設すれば，一番簡単である。しかし，BはCをそう簡単に立ち退かせることはできない。C（借家人）は，その家を継続的に使用できることを借家法で保護されており，Bが自分で使用する等，その他正当な事由がなければ，Cを立ち退かせることはできない。自分で使用する等その他正当な事由というのは，裁判においては借家人側にかなり有利に解釈されている。ただ，ビルに建て替えるからとか，そこで自分が商売するからという理由だけでは，だいたい通らない。Bが他に住む場所がないとか，そこで商売をしなければ生活が成り立たないとかいう強い理由があり，かつ，Cがそこを借家し続けることの必要性と比較し，またBが提示した立退料の額などの一切の事情を考慮して，Bに正当な事由があるかどうかを裁判所は判断する。共同ビルを建設するからという理由だけでは，Cの立退きはまず認められないと考えておいたほうがよい。

したがって，立退料を提示して話し合いを続ける以外にない。立退料も相当多額なものになることを覚悟しておかなければならない。

（注）なお，最近の判例をみると，相当の立退料の支払いを条件として，明渡しを認める傾向も強くなっている。

なお，借家契約書に，２年以上は契約更新をしないとか，貸主の請求があった場合は直ちに立ち退くとかいう条項が記載されていることがあるが，これらは借家人に不利な特約ということで無効，すなわち契約書に記載されていないのと同じだとして取り扱われる。

（注）定期借家権の場合は，契約期間が満了すれば立ち退かなければならない。

詳しくは，850ページ「**12　定期借家制度とは**」を参照のこと。

立退料の税務

借家人の受け取る立退料について，借家権の消滅の対価に相当する部分は譲渡所得になる（所令95条，所基33－６）。譲渡所得といっても，借家権は土地・建物等には含まれないから，土地・建物等の譲渡所得の分離課税 —— 長期・短期にわけて分離課税する譲渡所得（**第１編第３章**）には含まれないで，一般の譲渡所得となる（**図表３－２**（353ページ）参照）。５年以上借家していれば，50万円を控除して２分の１にしたもの，５年未満であれば，50万円を控除したものを，他の所得と合算して総合課税される。そうでない，いわゆる立退料については，一時所得となる（所基34－１）。そこから，引越費用その他の実費を差し引いて，さらに特別控除の50万円を控除して２分の１にしたものを，一時所得として，他の所得に合算して総合課税されることになる。

なお，借家人がそこで事業をしていて，事業の休止による収入減や使用人給与などの補償として支払われるものは，事業所得の収入金額となる。これは，その年の他の事業収入と合算し，必要経費を引いて普通の事業所得の計算をすることになる。

C（借家人）に共同ビルの一部を貸す場合

借家人に共同ビルの一部を以前と同じ条件で貸すのであれば，建築期間中の補償だけで十分である。貸主のほうも，建築後のビルのその他の部分を賃貸するなどして収益を増加させることができるので，両者にメリットがある。しかし，同じ条件というのは，家賃も同じということになる。従前の木造建物に対してすら割安の家賃であることが多い。それが新しい鉄筋コンクリート造になって，かつ，以前と同じ家賃というのでは，なにかやりきれない気がするかもしれない。

借家人が事業を営んでいて，かなり収益をあげている場合で，ビル建設に積極的な場合には，そのビルを新規に契約した場合の賃料より若干安い賃料で折り合うこともできる。また，賃料は据え置くが，賃貸面積を減らしてもらう方法もある。しかし，住居部分については，ビルの効率的利用と建築費とを考えると，相当の立退料を出して立ち退いてもらったほうが得策であろう。

〈都市再開発の場合の借家人〉

都市再開発の場合，従前の借家人には，再開発後のビルに借家人として入れることが原則となっている。そして，新しいビルでの標準家賃の算定について，都市再開発法施行令30条，同施行規則30条で，つぎのように示しているので参考として掲げておく。

つぎにより計算した合計額

(1)　借家する建物部分の原価の償却額

再開発の際の借入資金と同条件の期間利率で，その原価分を毎年元利均等償還するとして算出した額と同じ金額を償却額とする。

(2)　修繕費，(3)　管理事務費……(1)×$\frac{0.5}{100}$以内，(4)　地代相当額，(5)　損害保険料，(6)　公課，(7)　貸倒及び空家損失引当金……(1)～(6)の合計額の$\frac{2}{100}$以内

これで計算すると，従前の家賃に対して相当に高い家賃になるはずであり，これで貸主と借家人との間で協議がまとまらないときは，施行者はその申立によって審査委員の過半数の同意を得，または市街地再開発審査会の議決を経て裁定することができる（都市再開発法102条）ようになっている。その裁定にあたって，家賃については賃貸人の受けるべき適正な利潤を考慮して定めなければならないとしており，裁定の家賃も上記の家賃とそう違わないはずであり，建物がいくら立派になったとしても，借家人が従来の安い家賃で借り続けられる権利を放棄して高い家賃を納得するわけはなく，かなり低い家賃で妥協するか，相当多額の補償金を支払って借家権を消滅させることが多いようである。

〈縄のび・縄ちぢみ〉

「縄のび」とは，登記簿上の土地面積より，実際の面積のほうが広いことをいう。農地などにこういう例が多く，土地売買契約をするとき，登記簿上の面積による（公簿売買）か，実際の面積による（実測売買）かを明記しておかないと，後日トラブルの種となる。

かつての太閤検地以来，農地の年貢は，田畑の品等を登録し，たとえば，上田（じょうでん）1反につき何石の米の収穫があり，これの何割を納めろというように定められていたので，農民側は，田の面積をできるだけ少なく登録してもらい，年貢を少しでも軽減しようと努力した。縄のび率は，地方によって相当の差がある。

「縄ちぢみ」というのは，これと反対で，実測をしてみたら，登記簿の面積より実際の面積のほうが狭いことをいう。この現象は，農地より山林でよくみられる。とくに，幕府直轄地であった天領の山林は，課税の対象にならないので，それを支配していた代官はその面積を広く申告した。自分の支配している山林が広ければ，それだけ偉そうな顔ができたからであろう。山林を買うときには注意しなければならない。

以上は隣の土地と関係なく，縄がのびたり，ちぢんだりする例であるが，一方がのびると隣がちぢむ例もある。たとえば，田の境界に桑が植えてあることが多い。田の手入れをするとき，自分の田のほうに延びてきている桑の根を切ったりして傷めておく。それを繰り返す。桑は根をいためられないほうに，すなわち隣の田に根を延ばし動いていく。桑が動けば境界も動く。自分の田は広くなり，隣の田はそれだけ狭くなる。ほんのわずかだから，隣は気づかない。しかし，毎年これを繰り返せば，はかりしれないのが人間の執念である。信州に，「一代かかって天秤一本」という諺がある。天秤棒は5尺（1.5m），一代かかればこれだけ境界を動かせるということである。

第9章

等価交換方式による賃貸マンション，ビルの権利調整，評価と税務のコンサルティング

1 等価交換方式

等価交換方式とはどういう方式であるか。

等価交換方式とは

個人で土地を持っている。なんらかの形で利用している場合もあれば，空地のままで，ほったらかしてある場合もある。また，自宅を建てて住んでいる場合もある。いずれにしても，周囲の環境からみると，あまり効率的な利用をしているとはいえないような状況がよく見受けられる。そこに耐火造の中高層建物を建築し，賃貸マンションまたは賃貸ビルとして利用したほうが効率的である。しかし，土地所有者には，それだけの資金がなく，また融資を受ければ受けられるにしても，それだけのリスクをおかして事業するだけの意欲はないということはよくある。

この場合，開発業者なり建設会社が，資金を出して，または建築費を立て替えて，建物（たとえば，高層マンション）を建築しましょう，その半分を開発業者が自分のリスクで分譲しましょう，そしてマンションの半分を地主に渡しましょう，地主はその一部を自宅なり，自分の店舗や事務所に使用して，その他の部分を賃貸するなり，売るなりしたらどうですか，土地のままで売るより，そのほうがより多く利益があがるし，やり方によっては税金上も有利ですよ……というのが，この方式の基本的な仕組みになっている。

設例による説明

図表９－１の(イ)のように，1,000㎡の土地があり，時価で６億円だったとする。この土地の上に，(ロ)のような，鉄筋コンクリート造９階建4,000㎡のマンションを建築した場合，その建築費の総額が９億円であったとする。その分譲価額の総額が18億円見込めるとする。

この場合の土地の時価６億円に相当するマンションは，全体の18億円の３分の１になる。すなわち，地主は，1,000㎡の敷地を提供して，マンションの３分の１，図でいえば１階，２階，９階部分を取得する。そして，どちらも６億円であり等価である。すなわち，等価交換をしたことになる(注)（**図表９－２**）。

（注）　ここでは，建設後のマンション分譲価額を基準として交換比率を求めているが，建築費を基準とすれば，交換比率はまた異なってくる。これについては，「**4　等価交換方式における交換基準**」（965ページ）参照のこと。

もう少し，分解して観察してみる。マンションは，建物だけでなく，土地もついている。すなわち，マンションの１階～２階および９階部分とそれに関連する土地が一体となっている。そうみれば，地主が提供したのは，1,000㎡の土

図表９－１　等価交換方式の図解

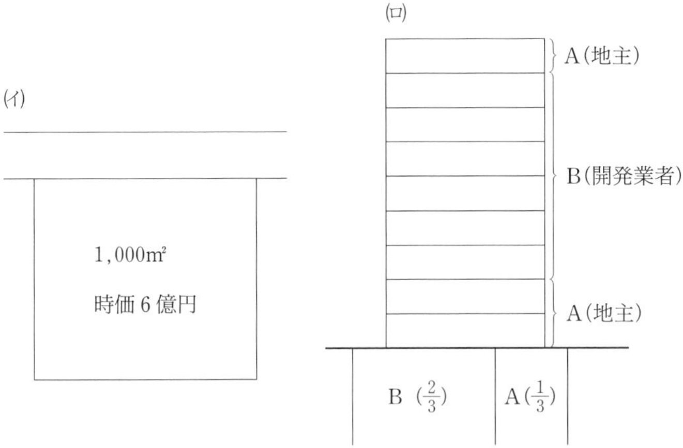

図表９－２　等価交換の第１例（全部譲渡方式）

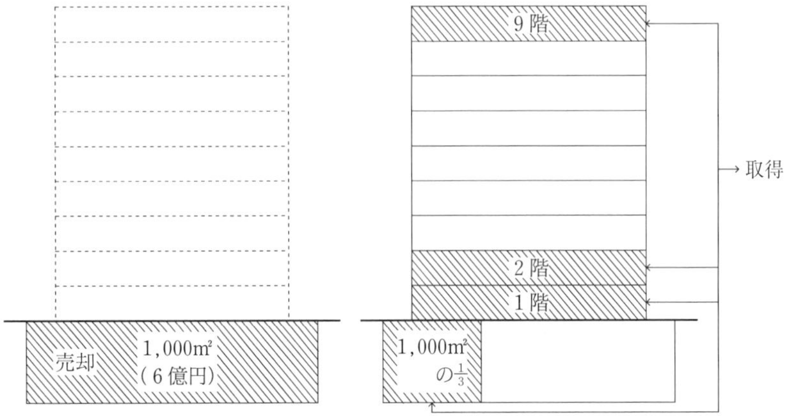

地の３分の２，すなわち約666㎡（金額にして６億円の３分の２の４億円）であり，それと引換えに建物の１階，２階および９階部分（金額にして４億円）を取得して，それを土地の残りの部分の1,000㎡の３分の１，すなわち約333㎡の上にのせたともいえる（**図表９－３**）。いずれにしても，土地を提供して，それと等価のマンションを取得したことには変わりはない。これが等価交換方式によるマンション建設であり，商業ビルであっても，基本的には同じである（これを二つの形に分けて説明したのは，この二つは同じようなものにみえるが，そのどちらの方法によるかによって，税務上の取扱いを中心として差が出てくるからである。前者の形を**全部譲渡方式**，後者の形を**部分譲渡方式**といっている）。

図表９－３　等価交換の第２例（部分譲渡方式）

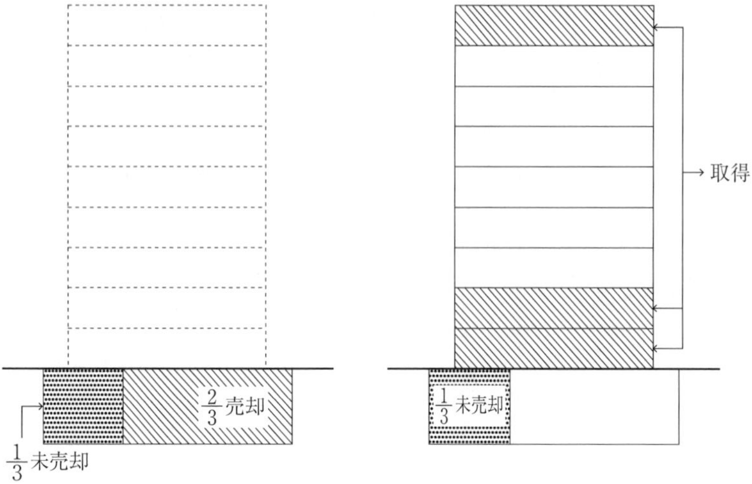

〈日影と建築制限〉

日照権という権利が認められるようになったのはそう古いことではないが，今ではすっかり根づいたようである。かつては，各地方自治体が建築指導要綱などを作って，建築確認にあたって行政指導で日照権を保護してきたが，昭和51年11月の建築基準法改正で「日影による中高層の建築物の高さの制限」が法律に織り込まれ，たとえば第２種中高層住居専用地域では，高さ10mを超える建築物は，平均地盤面からの高さ４mで敷地境界線からの水平距離が５mを超え10m以内における日影時間は⑴３時間，⑵４時間，⑶５時間，10mを超えるところの日影時間は⑴２時間，⑵2.5時間，⑶３時間（北海道は別）と定められ，この⑴⑵⑶のどれをどこにあてはめるかは，各地方自治体が選択して定めるようになった。そして，この制限を超える建物は，たとえ隣地の承諾を得ても建てられなくなり，どうしても建てたければ，隣地を買収するなどしなければならなくなった。

なお，この制限内における建物による日照阻害による損害賠償や工事差し止めの問題は民法上の問題として別個のものとして残る。

なお，これらの関連については，鵜野和夫著『不動産有効利用のための都市開発の法律実務』（清文社　2006年10月刊）の「第２部第４章　日影規制と高さ・容積率等への間接規制」で詳しく解説している。

2 等価交換方式のメリット

等価交換方式によるマンション建設をすることは，地主と開発業者にどういうメリットがあるか。

開発リスクとの関連

等価交換方式によるマンション建設を開発業者が積極的にすすめてくるのは，開発業者側にそれなりのメリットがあるからである。

その一つは，開発リスクをある程度回避することができるからである。現在，マンション等を建築する場合の開発許可基準がきわめて厳しくなっている。厳しくなっただけならまだいい。それなら,それなりに,その厳しい基準のなかで採算計画を立てればよい。そして，採算に見合うだけの規模のマンションがその土地の上に建築できなければ，その土地を仕入れなければよい。そうすれば，その土地を，どの開発業者も取得しないから，その土地の相場は，採算の合う地価まで低下するはずである。たまたま，その土地の地主の個人的な事情で，低下したその価格では売らないにしても，類似の土地が入手できるようになる。

一番困るのは，建築の制限が厳しいことよりも，許可の基準があいまいで，開発許可の申請をして，許可をする役所とすったもんだをして交渉をしないと，どれだけの規模のマンションが建てられるか，そしてどれだけの負担金が課せられるか，わからないことである。そのうえ，開発許可のメドがつくのに，早くても6か月ぐらいかかるのが現状である。

また，開発許可が得られても，日照・通風などの問題で，近隣の住民パワーの圧力で，建物の高さを削り，分譲できる床面積を減らさなければならないことも生じるかもしれない。

とすると，開発業者として，甘い見通しで土地を仕入れて，見通しが狂ったときに大損害を受ける。といって，手をこまねいていたのでは，いつまでたっても土地を仕入れることはできない。すなわち，事業をすることはできないというジレンマに陥る。

地主にとっても，この裏返しのことが起こる。次ページの設例で説明しよう。この場合は，1,000㎡の土地に4,000㎡の建物が建築できることを前提として，6億4,000万円の地価が成り立っている。しかし，3,500㎡しか建築できないと

〔設例〕　マンションの分譲価額から逆算した地価

　マンションの建築費（諸経費・利息等を含む）を延床面積１㎡当り23万円，マンションの分譲面積（専有部分の面積）を延床面積の80％，その分譲価額を専有部分の１㎡当り65万円，販売費及び一般管理費等を分譲価額の25％として計算する。
(ア)　4,000㎡の建物が建築できる場合
　分譲価額　4,000㎡×0.8×650,000円＝2,080,000,000円……①
　建 築 費　4,000㎡×230,000円＝920,000,000円 …………②
　土地に投下できる金額　①×（１－0.25）－②＝640,000,000円
(イ)　3,500㎡の建物が建築できる場合
　分譲価額　3,500㎡×0.8×650,000円＝1,820,000,000円……①
　建 築 費　3,500㎡×230,000円＝805,000,000円 ……………②
　土地に投下できる金額　①×（１－0.25）－②＝560,000,000円
(ウ)　3,000㎡の建物が建築できる場合
　分譲価額　3,000㎡×0.8×650,000円＝1,560,000,000円……①
　建 築 費　3,000㎡×230,000円＝690,000,000円 …………②
　土地に投下できる金額　①×（１－0.25）－②＝480,000,000円

予想すれば，開発業者側の計算で逆算すれば，設例のように５億6,000万円でしか買えない。とすれば，堅実な開発業者は，５億6,000万円でしか買いにこないであろう。そして，開発業者が５億6,000万円でその土地を買ってから，運よく，そして努力の甲斐があって4,000㎡の建物が建ったとする。

　そうすると，その土地は６億4,000万円の価値があったことになり，その差額の8,000万円は，開発業者の企業努力の成果であり，リスク負担の反対給付として，開発業者に帰属する。とはいっても，地主側として，なんとなく損をした感じがするのは否めない。しかし，逆に3,000㎡しか建築できなかったとする。すると，その土地は４億8,000万円の価値しかなかったことになり，開発業者は8,000万円の損害を受ける。たまったものではない。

　それで，開発業者と地主とがあらかじめ大体の線は決めておくにしても，とにかく共同して開発許可の申請をして，どれだけの建物が建築できるかによって，両者の取り分を確定しようということにすれば，開発業者の開発リスクは軽減される。地主にとっても，実現可能な上限価格に近い線で取引ができることになる。

（注）　最近のように地価およびマンションの価格が地域によってはやや不安定な傾向にあるとき，マンションの建築・販売開始まで，マンションの分譲価額を計画決定しにくい環境にあるときは，開発業者には，この面からのリスクも加わる。

資金負担との関連から

土地を購入して，開発許可を得て，建築確認を受けて，工事にかかり，竣工して分譲が終わるまで，マンションの規模にもよるが，２年ぐらいの期間はすぐ経ってしまう。その間の土地手当資金に対する利子負担は相当なものになる。とすると，土地を購入するとき，その利子負担分を見込んで，土地代金をそれだけ安くたたかねばならない。そして，分譲完了までの期間によって，この利子負担分は違ってくる。その期間について安全率を多く見込めば，それだけ利子負担分を高く見積もらざるを得ない。土地代は，それだけ安くなる。その期間を短くみれば，それだけ土地代を高くできるが，開発業者のリスクは高まる。

ところで，一般に地主側からは，その土地について利子相当を計算する必要はない。普通，かなり昔に取得している土地である。したがって，取得したときのコストは低く，またその投下資金は，すでに回収されているか，埋没している例が多い。

等価交換方式では，着工に先立って，地主にある程度の一時金を支払うこともあるが，大部分は竣工した建物で渡す。だから，建物の建築中の利息は織り込む（建築工事着工から竣工までの期間は正確に見込むことができる）としても，土地を寝かしておくことの利息は，少なくとも建物竣工までの期間については考えなくともよくなる。それだけ，地主に渡す建物を多くすることができる。

地主は従来の土地を利用しつづけることができる

土地を売って，どこかに移るということは，いろいろな意味で踏み切れないことが多いものである。商売をしていればお得意さんとのつながりもあり，居住していれば隣近所の付き合いもあり，とにかく馴れた土地では，事業もやりやすいし，生活もしやすい。しかし，それだからといって，自力で建物を改築し，規模を広げようとしても，資金の調達や回収リスクの問題もあって，なかなか着手できないことも多い。等価交換方式では，それこそ１円の資金負担もなく，この問題を解決してくれる。

税金との関連

一般に，土地を譲渡すれば，譲渡所得に対して課税される。しかし，その土地が既成市街地等またはこれに準ずる区域内（**図表９−８**（975ページ）参照）にあるときは，「立体買換えの特例」（既成市街地等内における中高層耐火共同住宅建設のための買換特例）という制度がある。これは等価交換のためにもうけられたような制度であるが，この要件に適合しないケースについても，種々の特例があり，「**5　等価交換方式と税金**」（968ページ）で詳しく解説する。

3 等価交換方式の取引形態

> 等価交換といっても，交換によらず売買によることも多い。また，全部譲渡方式と部分譲渡方式とがある。

等価交換の交換とは

これまで，等価交換方式とは，地主が土地を提供し，開発業者がマンション等を建設し，その建物の一部の還元を受ける方式で，いわば，土地と建物とを等価で交換するものであることから「等価交換方式」といわれていると説明してきた。

交換と売買

しかし，この取引は必ずしも**交換**という形をとるとは限らない。むしろ，地主が従前の土地を開発業者に売り渡し，建設された建物の一部を買い受ける――開発業者からみれば土地を買い受けて，建物の一部を売り渡すという形，すなわち，相互に**売買**するという形で行われている。

税務の特例の適用の面からみれば，交換取引よりも，売買取引で行ったほうが有利なことが多い（特定事業用資産の特例を利用して等価交換の建物とともにそれ以外の土地・建物も買換えの対象とするとき）。そういうことで,筆者が相談を受けたときは，交換という取引形態でなく，売買という取引形態にすることをすすめている。

ともかく，ここでは，等価交換といっても，その取引形態は，交換とは限らず，売買も多いということを理解しておいてもらいたい。

全部譲渡方式と部分譲渡方式

本章の「**1　等価交換方式**」（952ページ）の設例では，第1例は地主の土地全部6億円と，そこに建てられた土地付マンションの1階，2階と9階の6億円とを交換する方式を説明している。この方式は，まず従前の土地の全部を開発業者に提供（譲渡）していることから，**全部譲渡方式**といわれている。そして，交換にする場合は**全部交換方式**，売買にする場合は**全部売買方式**といわれる。

これに対して，第2例は，地主の土地の共有持分の3分の2，すなわち，土地の一部分だけを提供（譲渡）していることから**部分譲渡方式**といわれている。そして，交換による場合は**部分交換方式**，売買による場合は**部分売買方式**といわれる。

全部譲渡方式と税務上のデメリット

全部譲渡方式による場合，この設例では，土地1,000㎡で6億円の全部の所有権が開発業者に移転する。そして，マンション等が建設された後，その土地の共有持分の3分の1が地主に移転される。このとおり登記をすれば，この共有持分の3分の1について，ダブッて登録免許税が課せられることになる。部分譲渡方式なら，土地共有持分3分の2を開発業者に移転登記するときの登録免許税が課せられるだけである。

（注） もっとも，登記には中間省略登記ということが従前はできたので，全部譲渡方式によっていても，登記は，共有持分の3分の2の移転登記だけするということも多く行われていた。これならば，登録免許税については部分譲渡方式と同じになる。しかし，平成16年の登記法の改正にともない，中間省略登記は一般的には認められないようになっているが，中間省略登記に代わる登記の節税の方法も工夫されており，これについては第2章「**25 中間省略登記に代わる登録免許税の節税方法**」（264ページ）参照。

なお，**不動産取得税**は，登記とは関係なく，取引の実態に即して課せられる。したがって，全部譲渡方式の場合は，地主に戻される土地共有持分の3分の1については，開発業者と地主とに二重に課せられることになることは避けることはできない（なお，建設された建物がマンションで特例適用住宅の要件をそなえたものである場合は，地主については不動産取得税の軽減措置がある。270ページ参照）。

（注） 上掲（注）記載の中間省略登記に代わる登録免許税の節税方法に記載する取引形態を採った場合には，二重課税は免れる。

また，後述する譲渡所得の譲渡の特例のうち，**特定事業用資産の買換特例**を適用する場合にも，譲渡価額の20%（10%～40%の場合もある）は課税対象となるので，全部譲渡方式だと不利になる。また，**居住用財産の3,000万円控除や軽課の特例**を適用する場合も，全部譲渡方式だと譲渡収入金額が部分譲渡方式の場合より大きくなるので，不利になる（983，985ページ参照）。

それでも全部譲渡方式によることもある

全部譲渡方式には，上述したような税務上のデメリットがある。したがって，できれば部分譲渡方式を利用したほうがいい。

しかし，にもかかわらず，全部譲渡方式による場合も多い。

たとえば，多数の地権者（地主と借地権者）がいて，これらの多数の区画を合わせて一つの敷地としてマンションを建設する場合である。この多数の画地を合筆するためには，それぞれの画地の所有者が同一でなければならない。そのために，その画地の所有権を開発業者の名義に移す必要から，全部譲渡方式をとることがある（なお，地権者が２～３名のときは部分譲渡方式で合筆することもできる（962ページコラム参照））。また，建設途中で，地権者側に相続が生じたり，他の債務と関係して差押えされて建設過程上でトラブルの生じることを予防するために全部譲渡方式をとることもある。

また，資力の弱い開発業者の場合には，その土地を銀行に担保として差し入れるため全部譲渡方式をとって，着工前に所有権を移転することもあるが，このような場合には，地権者も権利保全のために，それ相当の手当をしておかなければならない。

全部譲渡方式で，建設前に所有権移転をし，その登記までする場合は，その対価の全額を地権者に支払い，建設後の建物引渡しと引き換えに，その代金を地権者が支払う方法をとることが多い。

従前土地の所有権移転時期

なお，全部譲渡方式・部分譲渡方式のいずれでも，従前の土地またはその持分の所有権を契約時に移転する場合と，マンション完成後に移転する場合，また，その中間のいずれかの時期――たとえば着工時，上棟時などに移転する場合がある。これらは，申告の時期と関連し，買換資産の税務上の取得期限とも関連してくるので重要である（次ページのコラム参照）。

〈等価交換の場合の申告時期〉

等価交換方式でマンションを建設するとき，従前資産の譲渡をいつの所得として申告すべきか，いろいろと微妙な問題が多い。

昭和55年２月の東京税理士会の会員研修での東京国税局側講師の説明では，従前資産の所有権がいつ相手(マンション業者等)に移転するかによって，つぎのように取り扱うという説明がされている。

完成前移転型	完成前対価確定型	契約に係る建物の建築完成前における敷地の所有権移転のための引渡しの日と，対価が具体的に確定した日とのうち，いずれか遅い日が譲渡の日とされる。
	完成後対価確定型	譲渡した敷地の譲渡の対価として取得すべき建物等が，具体的に確定した日が，譲渡の日とされる。 (注)　譲渡の対象とした敷地又は敷地の共有持分の所有権移転のための引渡しが行われたとしても，対価として収入すべき金額が確定しなければ，その引渡しをもって課税の時期とすることはできないことになる。
完成後移転型	完成前対価確定型	契約に係る建物の建築完成前における敷地の所有権移転のための引渡しの日が，譲渡の日とされる。
	完成後対価確定型	契約に係る建物の建築完成以後における敷地の所有権移転のための引渡しの日と，譲渡した敷地の譲渡の対価として取得すべき建物等が，具体的に確定した日のうち，いずれか遅い日が，譲渡の日とされる。

〈複数地権者間での等価交換――従前の土地の持分の交換をし，部分譲渡方式で等価交換をする方法〉

(1)　開発業者が買収して還元する方法

複数の地権者のいる複数画地をまとめて，等価交換ビル・マンションを建設する場合，これらの複数画地をまとめて一筆の土地とし，その共有持分を開発業者と各地権者が保有することとする必要がある。

その方法として，開発業者が各地権者の土地の全部を買収し，一筆に併合した上で，その共有持分を建物とともに各地権者に売り渡すのがもっとも簡単で，わかりやすい方法であり，一般には，この方法がとられている。

しかし，この方法によれば，地権者の取得した土地共有持分について，前述の説明のような課税が生じることがある(注)。

（注）　立体買換えの特例（措法37条の５①二）や特定民間再開発事業の特例（措法37条の５①一）の適用が受けられる場合には，買換取得資産の全部が特例対象となるので，この点だけから見れば，このように固定資産の交換の特例は介在させる必要はないであろう。しかし，特定事業用資産の買換特例は全額買換えでも，原則，２割相当分は課税の対象となるので，開発後に自分が取得する土地持分の２割相当が課税対象となる。

　なお，地権者のうちに法人のいる場合には，法人税には，個人の立体買換えの特例また特定民間再開発事業の特例に相当する特例はない。また，長期所有資産の買換えの特例（措法65条の７①三）の圧縮限度は買換取得資産の80％（90％～60％の場合もある（971ページ以下参照））までとなっているので，やはり，上述したような手続きをとる必要がある。

(2)　地権者間の持分交換により土地を併合する方法

上記の課税を避けるために，開発業者に最終的に帰属する共有持分だけを売り渡し，その他を地権者間で交換して処理する方法もある。

この方法を例によって，以下説明する。

(1)　従前の権利形態は，次図のとおりであったとする。

甲　200㎡ 時価２億円	乙　100㎡ 時価１億円	丙　100㎡ 時価１億円
（A地）	（B地）	（C地）

(2)　開発業者は４億円の建物を建設する。各地権者は，土地の持分

$\frac{1}{2}$を開発業者に譲渡し，建設された建物の$\frac{1}{2}$を譲渡した土地共有持分の価額に応じて取得することとする。この場合，開発業者と各地権者の建物と土地との最終的な所有形態はつぎのとおりとなる。

開発業者……建物の$\frac{1}{2}$（２億円）と全敷地の持分$\frac{1}{2}=\frac{4}{8}$（２億円）

地権者甲……建物の$\frac{1}{4}$（１億円）と全敷地の持分$\frac{1}{4}=\frac{2}{8}$（１億円）

地権者乙……建物の$\frac{1}{8}$（5,000万円）と全敷地の持分$\frac{1}{8}$（5,000万円）

地権者丙……建物の$\frac{1}{8}$（5,000万円）と全敷地の持分$\frac{1}{8}$（5,000万円）

(3)　各地権者は，開発業者に土地持分をつぎのように売り渡す。

地権者甲……Ａ地200㎡の$\frac{1}{2}=\frac{4}{8}$（１億円）

地権者乙……Ｂ地100㎡の$\frac{1}{2}=\frac{1}{8}$（5,000万円）

地権者丙……Ｃ地100㎡の$\frac{1}{2}=\frac{1}{8}$（5,000万円）

この結果，各土地の持分は次図のようになる。

（Ａ地）	（Ｂ地）	（Ｃ地）
開発業者$\frac{4}{8}$（100㎡相当） 甲$\frac{4}{8}$（100㎡相当）	開発業者$\frac{4}{8}$（50㎡相当） 乙$\frac{4}{8}$（50㎡相当）	開発業者$\frac{4}{8}$（50㎡相当） 丙$\frac{4}{8}$（50㎡相当）

(4)　つぎに，各地権者間で，土地共有持分の交換をつぎのように行う。

甲・Ａ地200㎡の$\frac{1}{8}$(2,500万円)↔乙・Ｂ地100㎡の$\frac{2}{8}$(2,500万円)

甲・Ａ地200㎡の$\frac{1}{8}$(2,500万円)↔丙・Ｃ地100㎡の$\frac{2}{8}$(2,500万円)

乙・Ｂ地100㎡の$\frac{1}{8}$(1,250万円)↔丙・Ｃ地100㎡の$\frac{1}{8}$(1,250万円)

（Ａ地）	（Ｂ地）	（Ｃ地）
開発業者$\frac{4}{8}$ 甲$\frac{2}{8}$，乙$\frac{1}{8}$，丙$\frac{1}{8}$	開発業者$\frac{4}{8}$ 甲$\frac{2}{8}$，乙$\frac{1}{8}$，丙$\frac{1}{8}$	開発業者$\frac{4}{8}$ 甲$\frac{2}{8}$，乙$\frac{1}{8}$，丙$\frac{1}{8}$

(5)　前図のように各土地の権利（共有持分比）が同じになったので，一筆とすることができ，次図のようになる。

開発業者$\frac{4}{8}$
甲$\frac{2}{8}$，乙$\frac{1}{8}$，丙$\frac{1}{8}$

（A・B・C併合地）

(3)　開発業者に持分譲渡してから，地権者間で交換する

地権者間で交換してから，開発業者に譲渡すると，その譲渡した持分に交換により取得した部分も混入しているとみられ，その部分が交換の特例の適用を受けられなくなるおそれがあるので，まず，開発業者に持分を譲渡し，その残りを地権者間で交換する。

4 等価交換方式における交換基準

> 等価交換方式において，どのように交換すれば等価になるか。

全部譲渡方式と部分譲渡方式

本章の「１」の設例において，

〔第１例（全部譲渡方式）〕地主の土地全部６億円と，そこに建てられた土地付マンションの１階，２階と９階の６億円とを交換するという考え方（**図表９－２**（953ページ））と，

〔第２例（部分譲渡方式）〕地主の土地の３分の２の４億円と，建物の建築部分４億円とを交換する（**図表９－３**（954ページ））という考え方があると述べた。

全部譲渡方式による等価交換 ―― 土地の全部と土地付建物の一部との等価交換

〔第１例〕すなわち全部譲渡方式の考え方でいくとき，その原価と分譲価額は**図表９－４**のようになっている。分譲価額イコール土地付マンションの価額として，１～２階と９階分は18億円の３分の１だから６億円であり，それが，地主が提供した土地の６億円と等価になるというのが，この考え方の基本である。

図表９－４

しかし，地主のほうでは，18億円というのは開発業者の利益等の３億円を含んでいるのではないか，等価交換などとうまいことをいってごまかしているのではないか，と反論する。

開発業者側は，分譲価額と原価との差はすべて利益なわけではない。分譲するのに，広告宣伝費なり，販売手数料などの販売経費も含まれている。それに利益といっても，事業化によって，土地・建物の全体の価値が上がった。それに対する正当な報酬であると弁明するだろう。

それに対し，地主側は，「それはわかる。一般購入者に対して売る分には，広告費も販売経費も必要かもしれない。しかし，地主の自分に広告する必要もなければ，セールスマンが介在することもないだろう。だから，販売経費はいらないはずである。事業化に対する正当報酬といったって，自分も事業化に協力しているじゃないか。自分だって，正当報酬をもらう側にこそいても，払うの

は納得できない。それに，マンションについている土地部分は自分が提供したものだ。それにまで経費と利益をかけるのはおかしい」と再反論するだろう。

ところで，理論的にこれを分析するとどうなるだろうか。まず，分譲価額を検討してみる。もし，この分譲価額で，そのマンションが通常の販売期間で九分どおり売れて，かつ，それを買った一般購入者が，新品のまま転売しようとしたとき，その分譲価額で売れるものならば，その分譲価額は一応，客観的な時価を表わしているものであり，そのマンションの正常な価額である（それが正常な価額であるかどうかの判定が困難な場合には，不動産鑑定評価によることもいいであろう）。そして，この価額のなかに，どれだけ販売経費が含まれており，開発業者の利益が含まれていようが，その価額とは直接関係はない。この場合，正常な価額は18億円であり，その３分の１の６億円分を地主に渡せば，それが等価交換である。

理屈はそうかもしれないが，自分はどうも納得できないと，地主がいうかもしれない。このとき，地主は，こういう〔第１例〕の全部譲渡方式での等価交換を望んでいたのでなく，〔第２例〕の部分譲渡方式による等価交換を求めていたのではないかと思われる。

部分譲渡方式による等価交換 —— 土地の一部と建物の一部との等価交換

〔第２例〕の部分譲渡方式の考え方では，**図表９－５**のように，地主が提供するのは，1,000㎡の土地の３分の２の約666㎡であり，約333㎡ははじめから自分の手元に残っている。そして，この666㎡の土地の代価を受け取り，同時にそれを支払って建物の一部（A_1部分）を入手するのだ。もっと推し進めていえば，その土地の代価で，建物のその部分の建築費を払うのだともいえる。

図表９－５

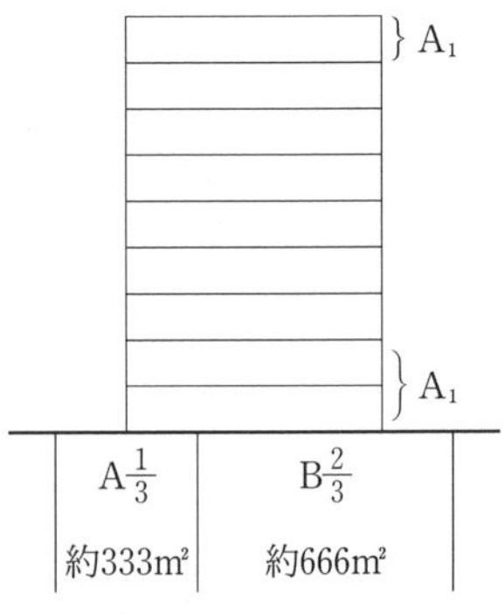

この場合には，少なくとも333㎡分の土地について，開発業者の販売経費や企業利潤は入り込む余地はない。また，その部分の建物の建築費のなかに，開発申請費用，設計監理料，近隣補償費などの分担分が含まれるとしても，開発業者の販売経費や企業利潤も含まれなくなるかもしれない。そうすれば，地主の取り分が大きくなることは確かである。すなわち，地主の取る建物の床面積が増えるか，別途に清算金を取るかという形になる。

ここまでくると，それは本来の意味での交換でなくなるかもしれない。しかし，現実にはこのやり方も多く，それを含めて等価交換方式といっている。

開発業者と地主との力関係

いずれにしても，全部譲渡方式，部分譲渡方式のどちらの方式によるか，相互の取り分の線をどこで引くかについては，何が等価であるかという理論からだけでは結着がつかない。それは，その土地での事業化を求める開発業者と地主との力関係で決まる。そして，開発業者は取り分が少々減少しても，それなりのメリットのある限り妥協するであろうし，採算上の最後の一線をこえたら，開発業者はそこでマンションをつくることをあきらめ，他の土地を探すようになるであろう。であるから，現実には完全な等価交換というものはありえないし，現実に行われているのは，不等価交換方式，せいぜい準等価交換方式である。それが現実であるにせよ，企画者またはコンサルタントの立場に立つものは，どの線が等価交換の合理的な線であり，採算上の限界線であるかということはおさえておかなければならない。

5 等価交換方式と税金

等価交換方式で税金は有利になるか。
――どのような特例を利用すればよいか

等価交換方式の普及の原因は税法の特例

等価交換方式では，地権者は従前の土地等の全部または一部を譲渡し，これと引換えに土地共有持分付建物または建物のみを取得していることを今までで説明してきた。

土地等を譲渡すれば，それが売買であっても交換であっても，譲渡所得として所得税が課税されるのが原則である。そして，その税額はかなり高額である。しかし，等価交換方式の場合，一定の条件に適合していれば，970ページ**図表９－６**（地権者が個人の場合）および1005ページ**図表９－16**（法人の場合）に掲げてあるような税法の特例を受けて，その全額または大部分について課税されないというメリットがある。

これが，等価交換方式の普及した最大の原因をなしているといえよう。

これから，等価交換方式に関する税法の特例について説明していくことにする。

地権者が個人の場合には買換（交換）特例と特別控除

等価交換方式に関する税法の特例は，地権者が個人の場合については，**図表９－６**に掲げたとおりであるが，これを大きく分けると，買換（交換）の特例と特別控除とになる。

買換（交換）特例には，

①　立体買換えの特例（既成市街地等内における中高層耐火共同住宅建設のための買換（交換）特例）（措法37条の５①二，⑤）

②　特定事業用資産の買換（交換）特例のうちの長期所有資産の買換（交換）特例（措法37条①三，措法37条の４）

③　特定の居住用財産の買換（交換）特例（注）（措法36条の２，措法36条の５）

があり，

（注）　譲渡価額が１億円以下の場合。

特別控除としては，

④　居住用財産の特別控除の特例（措法35条）

⑤　居住用財産の軽課の特例（措法31条の３）

がある。

（注）「特定民間再開発事業の特例（措法37条の５①一）」も適用できるが，その適用地域と適用条件は限定され，上記の「①立体買換えの特例」でカバーされているので，説明は省いた。

立体買換えの特例等と計算の仕方

「立体買換えの特例」または「特定の居住用財産の買換特例」を適用して，従前の土地等（譲渡資産）を売却し，建築されたマンション（買換資産）を買い受けた場合，

① 買換資産の価額が譲渡資産の価額と同額か，それ以上であれば課税されず，

② 買換資産の価額が譲渡資産の価額より低い場合に，その差額が課税対象となる。

たとえば，従前の土地等の売却価額が２億円で，買い換えたマンションの価額が１億7,000万円で，差金として3,000万円を現金で受領した場合，3,000万円だけが課税譲渡収入として課税対象となる。

この場合，従前の土地等をかつて取得したときの価額（取得費）が4,000万円で，今回譲渡するための費用（譲渡費用）が500万円であったとすると，つぎのようにして譲渡所得の計算をするようになる。

$$\underset{\text{（課税譲渡収入）}}{30,000,000\text{円}} - (\underset{\text{（取得費）}}{40,000,000\text{円}} + \underset{\text{（譲渡費用）}}{5,000,000\text{円}}) \times \frac{\overset{\text{（課税譲渡収入）}}{30,000,000\text{円}}}{\underset{\text{（譲渡価額）}}{200,000,000\text{円}}} = \underset{\text{（課税譲渡所得）}}{23,250,000\text{円}}$$

そして，長期譲渡であるか，短期譲渡であるかに応じ，この課税譲渡所得をもととして，通常の譲渡所得の計算方法により税額を算出する。

立体交換の特例等と計算の仕方

立体交換の特例または居住用財産の交換特例というのは，従前の土地等（交換譲渡資産）と建築されたマンション（交換取得資産）とを交換し，差金のない場合は課税されず，差金を受け取った場合には，その差金が課税譲渡収入として課税対象となるという制度である。

特定事業用資産の買換特例と計算の仕方

全部譲渡方式で，特定事業用資産の買換特例の**３号（長期所有資産の買換特例）**を適用して，従前の土地等（譲渡資産）を売却し，建築されたマンション（買換資産）を買い受けた場合，

① 買換資産の価額が譲渡資産の価額と同額か，それ以上である場合，譲渡価額の20％相当額が課税対象となる。なお，東京都特別区内の場合30％，それ以外の集中地域内の場合25％等となっている（措法37条⑩）。

図表９－６　等価交換方式の特例の一覧表

	地権者が個人の場合					地権者が法人の場合
	❶立体買換え（既成市街地等内における中高層耐火共同住宅の建設のための買換え）の特例（措法37条の５①二）	❷居住用財産の特例			❸特定事業用資産の買換特例（措法37条①四）（長期所有資産の買換特例）	特定資産の買換特例（措法65条の７①三）（長期所有資産の買換特例）
		①居住用財産の特別控除の特例（措法35条）	②特定の居住用財産の買換特例（措法 36 条の２）	③居住用財産の軽課の特例（措法31条の３）		
適用地域	(ア)　既成市街地等内 (イ)　これに準ずる区域内 (ウ)　中心市街地共同住宅供給事業の地区内	日本国内であればどこでもよい				
従前資産の所有期間	所有期間の制限はない		譲渡した年の１月１日で所有期間が10年を超えるもの			
従前資産とその用途	土地等・建物・構築物であれば用途は問わない	土地等・建物で居住の用に供していたもの	10年以上居住の用に供していたもの（譲渡価額が１億円以下）		土地等・建物・構築物で，事業用・貸付用に供されていたものに限る	土地等・建物・構築物であれば用途は問わない
建築場所	譲渡した土地等と同一敷地内に建築したもの	買換えをするかどうかは適用の条件ではないので左の制限は関係ない	同一敷地でなくてもよい			
建築される建物についての制限	地上階数３以上のもの		階数制限はない			
	構造は耐火構造または準耐火構造であること		構造の制限はない			
	建物の全体の２分の１以上が住宅であること		住　宅		住宅でも，店舗でも，事務所でもなんでもよい	

従後資産	建物および土地等		建物および土地等（専有部分の床面積は50㎡以上で，土地の共有持分の面積は500㎡相当以下）		建物および土地等（土地等の共有部分の面積300㎡以上）
従後資産の用途	(ア)　自己または親族の居住用 (イ)　自己の事業用・貸付用 (ウ)　自己と生計を一にする親族の事業用		自己の居住用		事業用または貸付用
特例の対象となる金額	買換取得資産の100％が対象		買換取得資産の100％が対象		**図表９－７**（次ページ）参照
従後の建物を建築する者	(ア)　譲渡資産を取得した者 (イ)　譲渡資産を譲渡した者		特に限定していない		
転出者への特例	転出者に対する特例はない		転出の場合でも適用が受けられる		
検査済証の要否	必　要		不　要		
適用になる譲渡の期限	特になし		令和７年12月31日まで	特になし	令和８年３月31日まで

（注１）　上表中の土地等には，土地の所有権と借地権等を含む。
（注２）　上表中の貸付用というのは，相当の対価を得て継続的に行うものに限られている。

図表９－７　特定の資産の買換特例の圧縮割合の地域

買換資産／譲渡資産		集中地域以外の地域		東京都特別地区以外の集中地域	東京都特別地区	
		本店資産以外	本店資産		本店資産以外	本店資産
集中地区以外の地域	本店資産以外	80	80	75	70	70
	本店資産	80	80		70	60
東京都特別地区以外の集中地域		80	80	80	80	80
東京都特別地区	本店資産以外	80	80	80	80	80
	本店資産	80	90	80	80	80

（出典：国税庁ホームページ）

たとえば，譲渡価額３億円，買換価額３億円（建物２億円，土地共有持分１億円），取得費4,000万円，譲渡費用500万円であったとすると，課税対象となる譲渡所得は，

$$\overset{（譲渡価額）}{300,000,000円}\times\overset{(注)}{0.2}=\overset{（課税譲渡収入）}{60,000,000円}$$

$$\overset{（課税譲渡収入）}{60,000,000円}-(\overset{（取得費）}{40,000,000円}+\overset{（譲渡費用）}{5,000,000円})\times\frac{\overset{（課税譲渡収入）}{60,000,000円}}{\underset{（譲渡価額）}{300,000,000円}}=\overset{（課税譲渡所得）}{51,000,000円}$$

となる。

（注）　東京都特別区は30％，集中地域は25％等となる。

②　買換資産の価額が譲渡資産の価額より低い場合には，買換割合は80％であるので，買換価額の20％相当額に差金を加えた額が課税対象となる。

たとえば，譲渡価額３億円，買換価額２億円（建物１億3,000万円，土地共有持分7,000万円），取得費4,000万円，譲渡費用500万円であったとすると，課税対象となる譲渡所得は，

$$\overset{（買換価額）}{200,000,000円}\times\overset{(注)}{0.2}+\overset{（差金）}{100,000,000円}=\overset{（課税譲渡収入）}{140,000,000円}$$

$$\overset{（課税譲渡収入）}{140,000,000円}-(\overset{（取得費）}{40,000,000円}+\overset{（譲渡費用）}{5,000,000円})\times\frac{\overset{（課税譲渡収入）}{140,000,000円}}{\underset{（譲渡価額）}{300,000,000円}}=\overset{（課税譲渡所得）}{119,000,000円}$$

となる。

（注）　東京都特別区は30％，集中地域は25％等となる。

そして，上述により求めた課税譲渡所得をもととして，長期譲渡であるか短期譲渡であるかに応じて，通常の譲渡所得の計算方法により税額を算出する。

特定事業用資産の交換特例と計算の仕方

特定事業用資産の買換特例の場合と同様の計算となる。

居住用財産の特別控除と計算の仕方

特別控除というのは，買い換えたかどうかとは関係なく，譲渡益から一定額——居住用財産の特別控除の場合は3,000万円を単純に差し引いて譲渡所得を求めるものである。

上記の例で計算の仕方を示すと，つぎのとおりである。

(譲渡価額)		(取得費)		(譲渡費用)		(特別控除)		(課税譲渡所得)
300,000,000円	−	40,000,000円	−	5,000,000円	−	30,000,000円	＝	225,000,000円

そして，居住用の家屋と敷地との所有期間が10年を超えていて，軽課の特例の適用を受けられる場合には，

(課税譲渡所得)		(所得税率)				(所得税額)
225,000,000円	×	0.15	−	3,000,000円	＝	30,750,000円
(課税譲渡所得)		(住民税率)				(住民税額)
225,000,000円	×	0.05	−	600,000円	＝	10,650,000円

となり(注)，その他の場合は，長期譲渡であるか，短期譲渡であるかに応じて，通常の譲渡所得の計算方法に応じて税額の算出をする。

(注)　軽課の特例の計算式は425ページに掲げてある。

買換特例適用後の税務

なお，買換（交換）特例を適用した場合には，「取得費の引継ぎ」という問題があり，買換（交換）後の資産を譲渡したときの譲渡所得の計算，事業用・貸付用に供したときの事業所得・不動産所得の計算に影響を与えるが，これについては999ページの「**12　買換特例適用後の税務**」で詳しく説明する。

地権者が会社の場合の特例は

地権者が法人の場合には，特定資産の買換（交換）特例の長期所有資産の買換（交換）特例（措法65条の７①三）だけである。また，法人の場合には，全額を買い換えても，そのうちの２割(注)は課税対象となる。

(注)　東京都特別区内は30％，集中地域内は25％等となる。

これの詳細は，1003ページの「**13　法人が地権者の場合の等価交換**」で説明する。

複数の地権者と買換特例

等価交換方式で建設する一つのマンション・ビル等の敷地に複数の地権者のいる場合に，その地権者の各自がそれぞれ自分に適合する有利な特例を選定して適用を受けることができる。たとえば，甲が立体買換えの特例を，乙が特定事業用資産の買換特例を，丙が居住用財産の特例を……と，それぞれが選択することができる。

6　立体買換えの特例――既成市街地等内における中高層耐火共同住宅建設のための買換特例

立体買換えの特例が適用できるのは，どういう条件をそなえているときか。
（措法37条の５①二，措令25条の４，措則18条の６）

この特例が適用されるのは

等価交換のための特例として，立体買換えの特例（既成市街地等内における中高層耐火共同住宅建設のための買換特例）（措法37条の５①二）という制度がある。

これは，等価交換方式による中高層住宅の供給促進をはかろうとする趣旨のものであり，等価交換方式によるマンション建設に最も多く利用されている。

この特例の適用が受けられる条件はつぎのとおりである。

①　従前の土地が(ア)既成市街地等内，(イ)既成市街地等に準ずる区域内，または(ウ)中心市街地共同住宅供給事業の区域内(注)にあること。

②　従前の土地・建物は，事業用・貸付用・居住用を問わない。空閑地，遊休地も対象となる。

③　そして，その土地を，その土地の上に建築される地上３階以上の中高層耐火共同住宅（その建物の２分の１以上が住宅であるもの）を建築するために譲渡して，その建物（土地共有持分を含む。以下同じ）の一部を取得（または交換）して，

④　その建物を，
　(ア)　自己または親族の居住の用
　(イ)　自己の事業用・貸付用
　(ウ)　自己と生計を一にしている親族の事業用
　に供した場合である。

⑤　その建物は，
　(ア)　譲渡を受けた者（マンション業者など）
　(イ)　譲渡をした者（すなわち，自己）
　が建築したものでなければならない。

⑥　また，その建物は建築基準法の竣工検査に合格して検査済証を受けたものでなければならない。

そして，

⑦　譲渡の日の属する年の12月31日（税務署長の承認を受ければ，その翌々々年

図表９－８　既成市街地等およびこれに準ずる区域の一覧表

首都圏	東京都	**特別区**，八王子市，立川市，**武蔵野市**，**三鷹市**，青梅市，府中市，昭島市，調布市，町田市，小金井市，小平市，日野市，東村山市，国分寺市，国立市，西東京市，福生市，狛江市，東大和市，清瀬市，東久留米市，武蔵村山市，多摩市，稲城市，羽村市
	神奈川県	**横浜市**，**川崎市**，横須賀市，平塚市，鎌倉市，藤沢市，茅ヶ崎市，逗子市，相模原市，厚木市，大和市，海老名市，座間市，綾瀬市
	埼玉県	**川口市**，さいたま市，所沢市，春日部市，上尾市，草加市，越谷市，蕨市，戸田市，朝霞市，志木市，和光市，新座市，八潮市，富士見市，三郷市
	千葉県	千葉市，市川市，船橋市，松戸市，野田市，佐倉市，習志野市，柏市，流山市，八千代市，我孫子市，鎌ヶ谷市，浦安市，四街道市
近畿圏	京都府	**京都市**，宇治市，向日市，長岡京市，八幡市
	大阪府	**大阪市**，**堺市**，岸和田市，豊中市，池田市，吹田市，泉大津市，高槻市，貝塚市，**守口市**，枚方市，茨木市，八尾市，泉佐野市，富田林市，寝屋川市，河内長野市，松原市，大東市，和泉市，箕面市，柏原市，羽曳野市，門真市，摂津市，高石市，藤井寺市，**東大阪市**，四条畷市，交野市，大阪狭山市
	兵庫県	**神戸市**，**尼崎市**，**西宮市**，**芦屋市**，伊丹市，宝塚市，川西市
中部圏	愛知県	**名古屋市**，春日井市，小牧市，尾張旭市，豊明市

(注)　上の表のうちの市街化区域。ただし，東京都の特別区および大阪市のうち，公有水面埋立法の規定による竣功認可があってから譲渡の年の12月31日までで10年を超えていない埋立地の区域は除く。

まで延期できる）までに買換資産を取得すること。

⑧　取得の日から１年以内に上記の④の用途に供すること。

既成市街地等またはこれに準ずる区域とは

この特例の適用になるためには，まず，その土地等が既成市街地等またはこれに準ずる区域内に所在していなければならない。

既成市街地等というのは，

①　首都圏については，首都圏整備法に規定する既成市街地

②　近畿圏については，近畿圏整備法に規定する既成都市区域および近郊整備区域

③　中部圏については，中部圏開発整備法に掲げる既成市街地等に準ずる区域

④　中心市街地の活性化に関する法律に規定する中心市街地共同住宅供給事業の区域

として指定された地域である。その内の主な市については，**図表３－29**（467ペ

ージ）に掲げてある地域である（**図表9－8**のうち**太字**で表示した東京都の特別区および市のなかで指定されている。具体的には，**巻末資料**の「既成市街地等の一覧表」を参照のこと）。

既成市街地等に準ずる区域というのは，上記の既成市街地等と連接した人口集中地区で中高層住宅の建設が必要である区域として指定された区域で，**図表9－8**のうち，東京都の特別区，武蔵野市，大阪市を除いた市の市街化区域が指定されている。

これをまとめて，この特例の適用になる地域を具体的に示すと，**図表9－8**のとおりである。

（注）　**中心市街地共同住宅供給事業の区域**とは，「中心市街地の活性化に関する法律」の認定基本計画に基づいて行われる中心市街地共同住宅供給事業で，都市福利施設の整備を行う事業と一体的に行われる事業の区域。

上掲の既成市街地等またはこれに準ずる区域外であっても，この事業の区域内であれば，この特例の適用になる。平成18年の税制改正で追加された。

譲渡された土地の上に建築されるものに限る

取得するマンションは，譲渡された土地の上に建築された建物でなければならない。したがって，**図表9－9**のように，一つの土地ABをAとBに分割して，Aを譲渡し，その代金でBにマンションを建築する場合は，この特例は適用されない。

図表9－9

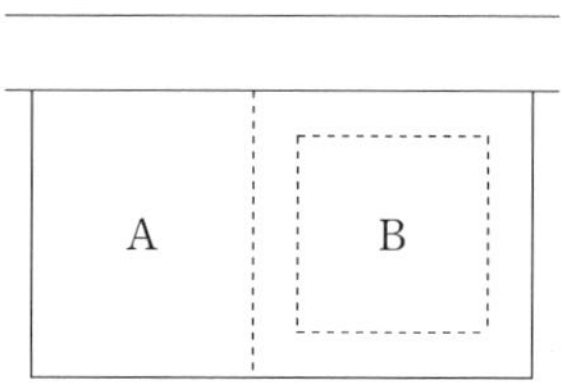

A部分を譲渡したのであれば，あくまでもA部分に建築された建物の一部を取得したものでなければならない。

地上3階建以上の中高層耐火構造の建物であること

建築される建物は，地上3階建以上のものでなければならない。地下1階，地上2階の場合，階数は合計して3階であるが，これは地上3階という

図表9－10　この特例の適用の可否

(イ)　地上一部2階，一部3階（適用になる）

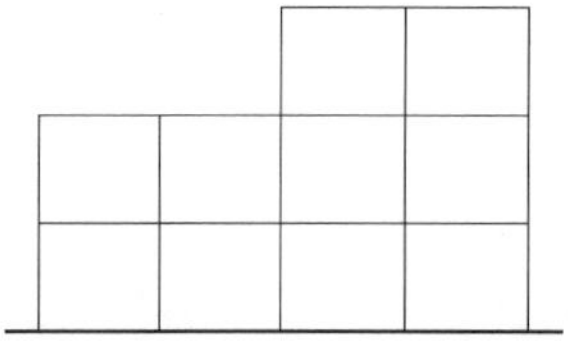

(ロ)　地下1階，地上2階（適用にならない）

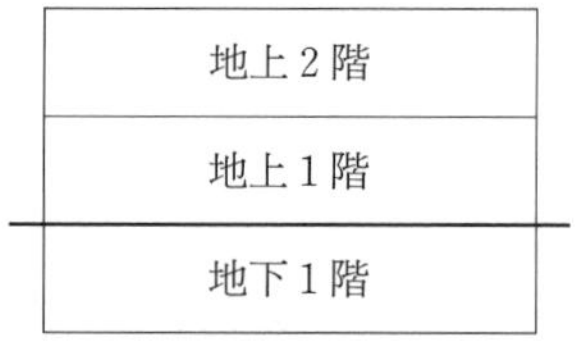

ことにならないので，この特例の適用にならない。しかし，一部２階，一部３階というのは適用になる。また，建物が地上３階建以上であれば，地権者が取得した部分が１階部分でも２階部分であっても適用を受けられる（**図表９－10**参照）。また，建物の構造は，

①　耐火構造，または

②　準耐火構造

のものでなければならないが，地上３階建以上のマンションであれば，通常はこのどちらかの構造をもっているであろう。

建物の２分の１以上が住宅であること

建物の全床面積のなかの２分の１以上が，専ら居住の用に供されるもの，すなわち，住宅でなければならない。

２分の１以上が住宅であるかどうかの判定は，建物全体について判定する。建物全体のうちの２分の１以上が住宅であれば，地権者の取得した部分の全部が店舗や事務所であっても適用になるが，建物全体のなかの３分の１が住宅で，３分の２が店舗という場合，地権者の取得した部分の全部が住宅であっても，この特例の適用にはならない。

従前資産の用途

従前の資産である土地・建物の用途は，事業用，貸付用（アパートまたは貸地），駐車場用，居住用その他なんでもいい。空閑地，遊休地のまま放っておいた土地でも適用になる。この点，この特例の利用範囲は広くなっている。また，借地権も対象となる。

従後資産の用途

従後資産の用途は，つぎのように制限されているが，かなり広い範囲のものが認められている。

①　自己または親族の居住用

②　自己の事業用または貸付用

貸付けの場合は，相当の対価を得て継続的に行うものに限定されている。「相当の対価」については，後述する特定事業用資産の買換えの項「**7**」（981ページ以下）で詳しく説明するが，世間相場並みの家賃に近いものを取っていれば，「相当の対価」と認められると考えておけばよい。

地権者の親族に居住用として貸す場合は，①に該当することになるので，その家賃がいくらであるかということは関係ない。

③　自己と生計を一にしている親族(注)の事業用

これは，地権者の妻がそこで美容院を経営したり，地権者の両親で生計を一にしている者がそこで喫茶店を経営したりするような場合である。

（注）「生計を一にしている親族」については196ページのコラム参照。

なお，等価交換で数戸のマンションを取得し，その一つを居住用，その

他を貸付用等に利用してもよい。

取得の時期と使用の時期

取得の時期は，原則としては譲渡の日の属する年であるが，所定の手続きをとってその翌年に取得してもよい。また，マンションの構造・規模によって，その工期が通常１年以上かかるようなものであるときは，税務署長の特別の承認をもらって翌々々年までで税務署長の認定した日まで取得時期を延長することができる（措法37条の５②における同法37条④の準用）。申請書は484ページの書式に準じて作成。

特定事業用資産や居住用財産の特例との併用は

そして，取得の日から１年以内に，上述したような用途に供さなければならないようになっている。

この取得の時期と使用の時期については，特定事業用資産の買換特例の場合とほぼ同様であり，この二つをあわせて，「**10　等価交換の特例適用の手続き**」（989ページ以下）で詳しく説明するので，この項を読んでもらいたい。

建築した者によっては適用にならない

ところで，この特例は，その建物を，

①　譲渡資産の取得をした者

②　譲渡資産を譲渡した者

が建築したのでなければ適用されないことに注意しなければならない。

したがって，不動産業者が地あげをして，いったん自分で取得し，それをマンション業者に転売したような場合には，この特例は適用されなくなる。また，建設業者が土地を買収し，それをマンション業者に転売し，建築工事を請け負って請負業者として工事を施工した場合も，この特例の適用を受けられなくなるので注意しなければならない。ここでいう建物を建築するというのは，建築主として建築するということであり，請負業者として施工するという意味ではないからである。

こういう場合には，地あげをした不動産業者なり建設業者が地権者に還元する部分について，マンション業者と共同建築主として建築するという方法をとれば，この要件に適合することになる[(注)]。

（注）　このような共同建築の場合は，この特例の適用を受けられない，との見解も課税当局の一部では見られるので注意を要す。

なお，②の譲渡をした者（地権者）が建築するというのは，地権者がマンション業者と連名で共同建築主として建築するような場合，また，地権者が独自で建物を建築し，完成後にその一部分を譲渡するような場合をいっている。

違反建築は適用にならない

この特例の適用を受けた場合，マンションが完成してから竣工検査を受け，交付を受けた検査済証を確定申告書に添付して提出しなければならない。したがって，違反建築で検査済証を得られない場合には，この特例の適用を受けられなくなるので注意しなければならない。

転出者に対しては

権利者が数人いて，そのうちのだれかが等価交換で建設された建物を取得せず，地区外に転出する場合もある。この人については，この立体買換えの特例は関係ない。

転出者は，従前の建物が事業用または貸付用であったのなら，「**7　特定事業用資産の買換特例**」（981ページ参照），居住用であったのなら居住用財産の特例（984ページ参照）を受けることになる。

しかし，譲渡した一つの資産について，その譲渡価額の一部について立体買換えの特例を，一部について特定事業用資産の特例または居住用財産の特例を受けることはできない。

したがって，店舗併用居住用住宅について，店舗部分を立体買換えの特例，居住用住宅部分に居住用財産の特例を受けるということはできないので注意を要する。

（注）　「一つの資産」については，下のコラム参照。

〈一つの資産と複数の譲渡所得の特例適用〉

譲渡所得の特例には，「一つの資産」の譲渡について，二つの特例の適用を受けられないとされている場合が多い。

ここでいう「一つの資産」とは，民法上の独立した一箇の不動産の単位と解すればよいであろう。

一棟の建物は，通常は，「一つの資産」である。しかし，一棟の建物が三つの専有部分に分かれて区分所有されている場合には，それぞれ独立して取引される三箇の不動産，すなわち，「三つの資産」ということになる。

区分所有されていない**一棟の建物が店舗と居住用住宅とに併用されている場合**には，一つの資産であるが，この譲渡については，店舗部分に特定事業用資産の買換特例，居住用住宅に居住用財産の特例を併用することが認められているが，これらの特例と立体買換えの特例または特定民間再開発事業の特例との併用は認められていないので注意を要する。

〈譲渡した土地の上に建築された建物とは〉

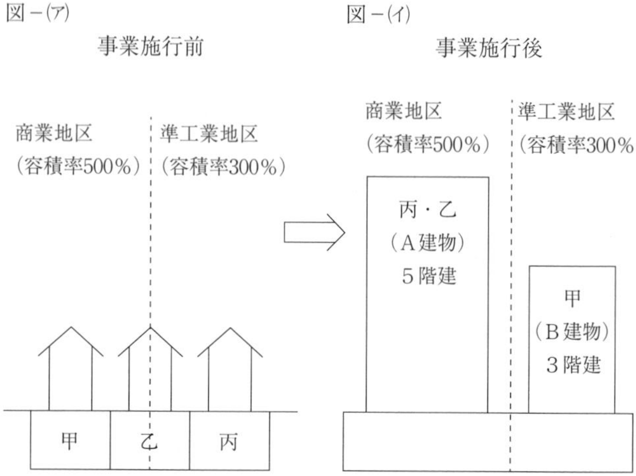

上図(ア)のような三区画の土地をひとまとめにして一つの事業として，上図(イ)のような２棟の中高層建物を建築し，甲・乙・丙が上図のように建物を取得した場合，たとえば，甲の取得する建物は，甲の譲渡した土地の上でなく，乙と丙の譲渡した土地の上に建築されたものであるが，立体買換えの特例（措法37条の５①二）は適用されるかという質問に対し，この特例は，その…「共同住宅が建築される区域全体を対象（単位）として適用されるもの」であり，「『認定された土地を含む一団の土地の上に建築された建物』と解するのが相当であると考えられ」，本例では，「甲等から開発業者に譲渡される一団の土地は，一区画内で相互に隣接して物理的に一体となっている土地であることから，一団の土地を形成していると考えられ」，他の条件が適合していれば，この特例が適用されるとされている〔東京国税局・事前照会に対する回答「容積率の異なる地域にまたがる一団の土地の上に２棟の中高層耐火共同住宅が建築される場合における租税特別措置法第37の５の規定による買換えの特例の適用について」（平成28年３月15日）〕

＊　　　＊　　　＊

なお，筆者の申告では，道路をまたいだ一団の団地についても，同様の特例を認められた例がある。

7 特定事業用資産の買換特例

等価交換方式で利用される特定事業用資産の買換特例の内の市街化区域内等における土地有効利用の買換特例は，どのような場合に利用されるのか。
（措法37条①三）

立体買換えの特例を受けられないとき

前項までで説明した立体買換え（交換）の特例または特定民間再開発事業の特例が受けられない場合で，従前資産が事業用または貸付用である場合は，この特定事業用資産の買換特例（措法37条）の適用が受けられるかどうかを検討することになる。

長期所有資産の買換特例の適用要件

長期所有資産の買換特例（措法37条①三）の適用要件は，つぎのとおりである。

(1)　適用地域は

日本国内であれば，どこでもよい。

(2)　譲渡資産は

土地，建物，構築物で，所有期間が譲渡の年の1月1日で10年を超えるもの

(3)　買換資産は

① 土地については，**面積300㎡以上**で，下記の特定施設の敷地の用に供されるものとされており，特定施設とは，事務所，事業所，工場，作業所，研究所，営業所，店舗，倉庫，住宅，その他これらに類する施設（福利厚生施設に該当するものを除く）とされている。

また，駐車場については，特定資産の事業の遂行上必要なものに限られている。

マンションを区分所有する場合に，これに対応する敷地の共有部分の面積が300㎡以上となると，譲渡した土地の面積がかなり広い場合でないと適用が難しくなる。

譲渡した面積が低い場合には，部分譲渡方式によって，買換資産を建物だけにして買換取得する敷地がないようにすれば，土地面積要件は関係なくなるので，クリアできる。

また複数の地権者が共同で行う場合には，地権者間の敷地の整理は，所得税の交換の特例を利用するなどの工夫も必要である（この方法については962ページのコラム参照）。

なお，買換土地の面積が譲渡土地の５倍を超えるときは，適用対象となるのは５倍までの部分となる（措令25条⑭）。

また，これは特定事業用資産の買換特例の一種であるから，

①　従前資産は，事業の用に供されていたものであって，

②　取得した建物も事業の用に供することが要件となっている。

なお，ここでいう「事業の用」には，「事業に準ずる貸付け」，すなわち，相当の対価を得て継続的に貸し付けられていたものが含まれる。

なお，この特例の適用期限は**令和８年３月31日まで**の譲渡となっている。

立体買換えの特例と比較すると

この長期所有資産の買換特例（措法37条）と立体買換えの特例（措法37条の５①二）を比較すると，上記のようなデメリットがあるが，つぎのようなメリットもある。

①　立体買換えの特例の適用地域が，既成市街地等およびこれに準ずる区域（三大都市圏内の特定の市の市街化区域に限定されている）に限定されているのに対し，措法37条は日本の全地域をカバーしている。

②　建築された建物の用途は事務所・工場・作業所・研究所・営業所・店舗・倉庫・住宅（福利厚生施設は除く）とされている。建物の全部が店舗や事務所であってもいい。もちろん，住宅でもかまわない。また，措法37条は，建物の階数，構造などの制限もない。しかし，取得するマンションの敷地の持分の面積が300㎡以上なければならないという制限がある。

③　その建物を建築した者がだれであってもよい。したがって，不動産業者や建築業者がまず土地を買収（取得）し，それをマンション業者に転売し，マンション業者が転売した場合でも適用になる。

④　検査済証の提出を必要としないので，違反建築であっても適用になる。

しかし，これらの特例は，特定事業用資産の買換特例の一種であるから，従前資産の用途が事業用または貸付用であり，従後資産の用途も同様に事業用または貸付用でなければならないという制約はついている。

しかし，立体買換えの特例では，買換取得資産の全額が買換特例の対象になるのに対し，この特例では，その原則８割までしか対象にならない。

したがって，まず，立体買換えの特例の適用が受けられないかを検討し，この特例の適用が受けられない場合に，この措法37条の特例の適用を検討することとなる。

事業用・貸付用とは

特定事業用資産の買換特例の適用を受けるためには，従前・従後の土地・建物ともに，

①　事業の用

②　事業に準ずる貸付けの用

に供されていたものでなければならない。

事業の用に準ずる貸付けの用とは，単に貸し付けられていたということではなく，それが，

(ア)　相当の対価を得て

(イ)　継続的に行われていたもの

でなければならない。

この判定をめぐって，微妙な問題が多く生じている。この判定については，**第３章の「21　特定事業用資産の特例の適用条件①」**（470ページ）に詳しく説明しておいたので参照されたい。

転出者に対しては

地区外転出者に対しては，この特例は，買換資産の地域は限定されていないので，その条件に応じて特定事業用資産の買換特例の適用を受けることができる。

また，譲渡価額の一部で建設された建物の一部を取得し，残額で地区外の事業用資産を取得し，ともに特定事業用資産の買換特例を適用することはできるし，譲渡代金の一部をこの特例（措法37条）に，一部を立体買換えの特例に適用することも可能である。

全額買換えでも２割は課税対象

なお，特定事業用資産の買換特例を受けるときには，全額買換えでも，買換価額の原則２割は課税対象になることに留意しておかなければならない（この計算の詳細については969～972ページ参照）。

店舗併用住宅等の場合

店舗併用住宅等で，従前資産が事業用または貸付用部分と居住用部分とからなっている場合で，特定事業用資産の買換特例と居住用財産の特例との適用を受けようとする場合には，従前の建物の使用面積比等によって，譲渡対価を事業用・貸付用と居住用に区分して，それぞれに対応する形で，それぞれの特例を受けることになるが，この区分の仕方については，442ページおよび470ページを参照されたい。

8 等価交換と居住用財産の特例①

> **等価交換に居住用財産の特別控除または買換特例を利用することもできる。**
> （措法35条，31条の３，36条の２～36条の５）

居住用財産の特例の利用

従前の土地が，居住の用に供していた家屋であって，既成市街地等内またはこれに準ずる区域内に所在していないときは，「立体買換えの特例」の適用は受けられないが，「居住用財産の特別控除」（措法35条），「居住用財産の特別控除・軽課の特例」（措法31条の３）または譲渡価額が**１億円以下**で，取得したマンションの自己の居住用部分の面積が50㎡以上で，これに対応する敷地の持分面積が500㎡以下であれば「特定の居住用財産の買換特例」（措法36条の２，措令24条の２）を利用することができる。

なお，「居住用財産の特別控除」と「同軽課の特例」については適用期間は制限されていないが，「特定の居住用財産の買換特例」は，その適用期限が**令和７年12月31日まで**に譲渡した場合となっている。

なお，居住用財産の特例については**第３章**第３節の「**12**」（423ページ）から「**18**」までで説明してあるので，この特例の適用を受けるために，どのような条件がそろっていなければならないかなどについては，これらの項を参照してもらいたい。

全部譲渡方式の場合の計算例

従前の居住用の土地の時価が１億円で，この土地の全部をまず１億円で譲渡して，完成後の土地共有持分付マンションの一部を１億円分を取得して居住の用に供したとする。そして，従前の土地の取得費が2,000万円で，譲渡費用は500万円であったとする。

この場合の「居住用財産の特別控除」を適用したときの計算は，

（譲渡価額）100,000,000円－（（取得費）20,000,000円＋（譲渡費用）5,000,000円）－（居住用財産の特別控除）30,000,000円＝（課税譲渡所得）45,000,000円

となり，譲渡所得の4,500万円が課税対象となる。買換資産をどれだけ取得したかは関係ない。そして，その所有期間が譲渡した年の１月１日で10年を超える場合には，税額について軽課の特例があり（425ページ参照），それ以下の場合には，その所有期間に応じて，長期譲渡・短期譲渡に区分して，それぞれの税額計算の方法により税額を求めればよい（387ページ，394ページ参照）。

なお，この場合に，「特定の居住用財産の買換特例」を適用したときは，従前

の土地を１億円で譲渡して，従後のマンション（買換資産）を１億円で取得するのであるので，譲渡所得はゼロとなり，課税は生じない。

部分譲渡方式の場合の計算例

今度は同じ条件の等価交換を部分譲渡方式でやった場合の例を考えてみよう。時価１億円の土地の共有持分の10分の６を6,000万円で譲渡し，完成後のマンションの建物のみを6,000万円で取得したとする。取得費等は同じとする。

この場合の「居住用財産の特別控除」を適用したときの計算は，

$$\underset{\text{（譲渡価額）}}{60,000,000\text{円}} - (\underset{\text{（取得費）}}{20,000,000\text{円}} + \underset{\text{（譲渡費用）}}{5,000,000\text{円}}) \times \frac{6}{10} - \underset{\text{（居住用財産の特別控除）}}{30,000,000\text{円}} = \underset{\text{（課税譲渡所得）}}{15,000,000\text{円}}$$

となり，譲渡所得の1,500万円が課税対象となる。前の全部譲渡方式の場合とくらべてみると，課税対象はかなり低くなっている。したがって，この計算だけからみれば，等価交換に居住用財産の特別控除を利用しようとするときは，全部譲渡方式でなく部分譲渡方式でやったほうが有利であるといえる。

なお，この場合も，「特定の居住用財産の買換特例」の適用を受ければ，前述したように譲渡所得はゼロになるので，このほうがさらに有利である。

（注）　なお，全部譲渡方式によるとき，譲渡金額が１億円を超えていて，この特例の適用が受けられない場合でも，部分譲渡方式では，譲渡価額が１億円以下となって，特例の適用が受けられる場合もある（434ページ参照）。

居住用財産の特別控除と買換特例との選択その他

従前の居住用の土地・建物が，居住用財産の特別控除と，居住用財産の買換特例のいずれの特例の対象にもなるときは，どちらの適用を受けたほうが有利であるかを検討して，有利なほうの特例を選択すればよい。しかし，一つの居住用財産について，一人で両方の特例を同時に受けることはできない。

また，居住用財産が既成市街地等内またはこれに準ずる区域内に所在していたときには，立体買換えの特例（措法37条の５①二）の適用も受けられる場合があるが，この場合もどちらか一方だけ選択して適用を受けることになる。

転出者に対しては

地区外に転出するものは，条件に応じて居住用財産の特例を受ければよい。

店舗併用住宅等の場合

店舗併用住宅等で，従前資産が居住用部分と事業用または貸付用部分とからなっている場合で，居住用財産の特例と特定事業用資産の買換特例との適用を受けようとする場合には，従前の使用面積比等によって，譲渡収入等を居住用と事業用・貸付用に区分して，それぞれに対応する形で，それぞれの特例を受けることになるが，この区分の仕方については，442ページおよび470ページを参照されたい。

9 等価交換と居住用財産の特例②

> 居住用財産の特例を利用して等価交換をするとき，どんな点に注意しなければならないか。

家屋とともに敷地を譲渡した場合

居住用財産の特例というのは，法律の原則的な形は，居住用の家屋とともにその敷地を一緒に譲渡することである。

等価交換をするときに，従来の居住用の家屋を取りこわさないで，その家屋付きで敷地の全部またはその共有持分をマンション業者に譲渡すれば，この原則型にあてはまるので，特に問題はない。

（注）転居後に譲渡するときは，それから３年目の年末までが期限となっている（詳細は441ページ参照）。

家屋を取りこわして敷地を譲渡した場合⑴――特別控除

ところで，家屋を取りこわして敷地を譲渡するとなると注意しなければならない問題が生じる。

居住用財産の特例を適用する場合については，通達（措所通35－２等）で，居住用の家屋を取りこわして，その敷地だけを譲渡したときでも，

① その売買契約が家屋の取りこわし後１年以内に締結され，かつ，それがその家屋を居住の用に供さなくなった日から３年を経過する日を含む年の年末までの間であること

② そして，家屋を取りこわしてから，その契約締結の日までの間に，その土地を貸し付けたり，自分の事業の用に供していないこと

の二つの条件をともにそなえていれば，居住用財産の特例の適用を受けられるものとして取り扱うよう規定されている。

したがって，家屋を取りこわして１年以内に譲渡をすればよいことになる。具体的には１年以内に引き渡すことであるが，引渡しが家屋を取りこわしてから１年以降になるときは，等価交換契約を１年以内にして，その翌年の３月15日までに，この特別控除を受ける旨の申告をすればよい。

家屋を取りこわして敷地を譲渡した場合⑵――買換特例

家屋を取りこわして敷地を譲渡する場合，居住用財産の買換特例を受けようとすると，等価交換については，もっとむずかしい問題が生じる。

この買換特例についても，家屋を取りこわした場合には，譲渡資産について上

述の特別控除の場合と同様の期間と用途の制限があるが，買換資産は譲渡した年の翌年末までに取得しなければならなくなっているので，譲渡の日を早めると，その翌年末までにマンションが完成しない，すなわち，買換資産の取得ができなくて適用が受けられないという事態が生じることも少なくない。

このようなことを考慮して，等価交換の契約は早目にしておいても，家屋を取りこわして土地を引き渡すのは，マンションの着工の日とするなど，引渡しの日をなるべく遅くしておいたほうが安全である。

地権者の自主分譲の場合は，居住用の特例は受けられない

地権者が自分でマンションを建築して，その一部を自分で分譲して，建築資金を回収する場合，これも一種の等価交換であり，立体買換えの特例や特定事業用資産の買換特例の適用を受けられることについては問題はないが，このような形態をとったとき，居住用財産の特例の適用は受けられなくなる。

家屋を取りこわして土地だけを譲渡する場合については，通達で，「その取壊し後，当該土地等の上にその土地等の所有者が建物等を建築し，当該建物等とともに譲渡する場合」には，この適用は受けられないと，はっきり規定している（措所通35－２）。

10 等価交換の特例適用の手続き

これらの買換特例を受けるための手続き等はどうしたらよいか。

立体買換えと特定事業用資産の特例の手続きは

以上説明してきた買換特例を受けるためには，それなりの所定の手続きをしなければならないが，まず，立体買換えの特例（措法37条の5①二），と特定事業用資産の買換特例（措法37条）に共通する条件と手続きをまとめると，**図表9－11**のようになる。

図表9－11　立体買換え，特定事業用資産の特例に共通する条件と手続きの要約

譲渡または取得の形態による制限	贈与，上記特例の交換以外の交換（または代物弁済）によるもの等は不適用（詳しくは992ページ参照）
買換資産取得日の制限	原則として譲渡した年（暦年で考える）（例外については**図表9－12**参照）
使用を開始する日の制限	取得後１年以内にそれぞれの用途に供すること
適用を受けるための手続き	確定申告書に，㋑「措法37条の5①二」または「措法37条①四」と記すこと，㋺「譲渡所得の内訳書（計算明細書）」（**図表9－13**），㋩買換資産の登記事項証明書またはその他取得を証する書類，㊁資産の地域制限のある場合には，その地域にあることの，市町村長等の証明書(注1)を添付すること（立体買換えの特例については，このほか検査済証の写し(注2)等，特定民間再開発事業の特例については知事の事業認定書の写しが必要）
譲渡をした翌年以降に買換資産を取得する場合の手続き	資産を譲渡した年分の確定申告書に，㋑「措法37条の5①」または「措法37条①」と記載すること，㋺「譲渡所得の内訳書（計算明細書）」，㋩「取得資産の取得予定日との見積額を記載した明細書」を添付すること。
買換資産の取得が翌々年以降になるとき	上記のほか，特別の手続きが必要（詳しくは本文参照）

（注１）　措法37条の5①二の適用を受ける場合は既成市街地等内またはこれに準ずる区域内であるということの市町村長の証明書が必要である。なお，これらの証明書は，東京都23区，武蔵野市，大阪市については不要とされている。これは，これらの区や市の全域が既成市街地等になっているため，証明書の添付がなくても判

定できるからである。

（注２）　措法37条の５①二適用のときは，その他事業概要書，各階平面図等で，その２分の１以上が住宅である等の要件を明らかにする書類を添付することになっている。

買換資産の取得の期間制限

立体買換え等の買換資産の取得期限は，原則として譲渡資産を譲渡した年中となっているが，特定事業用資産の買換えについては**図表９－12**のような範囲で取得すれば認められる。たとえば，令和６年５月１日に譲渡したとすると，取得期限の最長は令和９年の年末までとなる。

図表９－12　特定事業用資産の買換え・立体買換えの特例の従後資産の取得日の期間制限

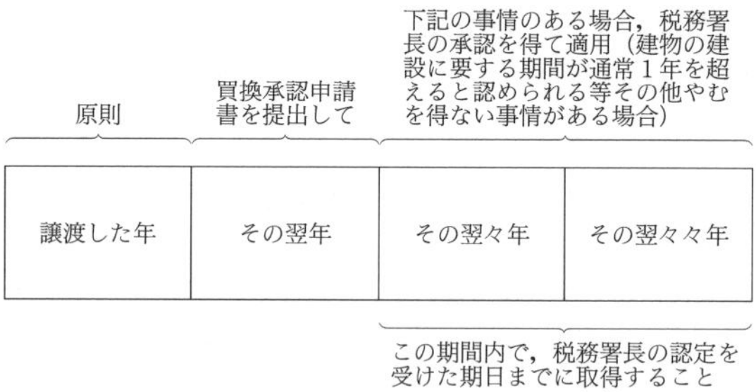

なお，特定事業用資産の買換特例の場合は，譲渡した日の前年，特別の事情のある場合は前々年でもよいことになっている。ただし，その場合は，先行取得の届出（485ページ参照）を提出しておかなければならないこととなっている。

「譲渡所得計算明細書」の記入例

図表９－13（次ページ）に，つぎの例によった記載例を掲げておく。

（設例１）　全部譲渡方式によった場合で立体買換えの特例の適用を受けるとき（措法37条の５①二を適用）

譲渡収入	６億円
その取得費	5,700万円
譲渡費用	300万円
買換価額（土地共有持分付建物）	4.8億円

（設例１）は，立体買換えの特例の適用を受け，買換資産を４億8,000万円とし，差金１億2,000万円を受領したときは，**図表９－13**(ア)の「譲渡所得の内訳書（計算明細書）」記載のように，この１億2,000万円が課税譲渡収入Ｆとなるが，これから差し引ける取得費と譲渡費用の合計Ｇは，

$$(57{,}000{,}000円_{(取得費)} + 3{,}000{,}000円_{(譲渡費用)}) \times \frac{120{,}000{,}000円}{600{,}000{,}000円} = 12{,}000{,}000円$$

というように按分計算するようになっている。

（設例２）　部分譲渡方式によった場合で特定事業用資産の買換特例の適用を受けるとき（措法37条①４を適用）

譲渡収入	４億円
その取得費	9,700万円
譲渡費用	300万円
買換価額（建物）	３億円

（設例２）は，特定事業用資産の買換特例を適用し，かつ，１億円の差金のある場合である。買換価額の80%（注），すなわち，

$$300{,}000{,}000円_{(買換価額)} \times 0.8 = 240{,}000{,}000円$$

が特例対象となり，**図表９－13**(イ)記載のように課税譲渡収入は１億円でなく，１億6,000万円となる。

（注）　東京都特別区内は70%，集中地域内は75%等。

図表９－13

(ア)　（設例１）立体買換えの特例を適用の場合

６　譲渡所得金額の計算をします。

「２面」・「３面」で計算した「①譲渡価額」、「②取得費」、「③譲渡費用」と上記「５」で計算した「④買換（代替）資産・交換取得資産の取得価額の合計額」により、譲渡所得金額の計算をします。

(1) (2)以外の交換・買換え（代替）の場合[交換（所法58）・収用代替（措法33）・居住用買換え（措法36の２）・震災買換え（震法12）など]

区分	特例適用条文	F 収入金額	G 必要経費	H 譲渡所得金額（F－G）
収用代替		①－③－④	②×F/(①－③)	
上記以外		①－④	(②＋③)×F/①	
短期・(長期)	所・(措)・震 37条の5	120,000,000円	12,000,000円	108,000,000円

(イ)　（設例２）特定事業用資産の買換特例を適用の場合

(2) 特定の事業用資産の買換え・交換（措法37・37の４）などの場合

区分	特例適用条文	J 収入金額	K 必要経費	L 譲渡所得金額（J－K）
①≦④		①×20%(※)	(②＋③)×20%(※)	
①＞④		(①－④)＋④×20%(※)	(②＋③)×J/①	
短期・(長期)	措法 37条の	160,000,000円	40,000,000円	120,000,000円

①　譲渡価額　　②　取得費　　③　譲渡費用　　④　買換価額

取得費と譲渡費用は，これに応じて按分計算をするようになる。

「譲渡所得の内訳書（計算明細書）〔土地・建物用〕」の（４面）の記載例は**図表９－13(ア)(イ)**のとおりとなる。

譲渡または取得の形態による制限

所得税でいう譲渡というのは，401ページのコラムで説明してあるように，売買だけでなく，交換とか代物弁済とかその他さまざまの形態がある。これらのなかで，譲渡の形態によっては，この買換えの特例の対象にならないものがある。その主なものは，

① 贈与，交換または出資による譲渡

② 金銭債務の弁済に代えてする代物弁済としての譲渡

であり，また買換資産の取得についても，

① 贈与，交換による取得

② 金銭債務の弁済に代えてする代物弁済による取得

は，特例の対象にならない（措法37条の５では②を適用の対象外とする規定はないが，措法37条の５については，実際問題としてこのようなケースは起こらないであろう）。

なお，交換については，466ページの**図表３－28**の特定事業用資産の買換えの適用資産表の「譲渡資産」と「買換資産」とを交換する場合は，特定事業用資産の交換の特例という制度（措法37条の４）があり，また，立体買換えまたは特定民間再開発事業に関する交換の特例という制度（措法37条の５④）もあるので，これらの特例の適用を受ければ，買換特例とまったく同様な扱いとなるので問題はない。この①でいう交換とは,「譲渡資産」に該当する資産を他の資産と交換し，所得税法の固定資産の交換の特例が受けられない場合に，この買換特例を受けようとしてもダメですよということである。また，立体買換の特例については，交換による場合「特定の事業用資産の買換えの特例の適用に関する届出書」は提出不要となっている。

金銭債務の弁済に代えてする代物弁済というのは，借金がある場合に金銭で返済しないで，土地・建物で返済したときなど（一般的には，代物弁済予約の仮登記に基づいて強制的に取り上げられることが多いであろう）の譲渡は適用にならないということである。

取得については，上記を裏返しにして考えてもらいたい。

これらの買換特例は，譲渡した資産の代金そのものをしまっておいて，その代金で買換資産を取得しなければ適用にならないというものではなく，譲渡代金そのものは別の用途に使ってしまって，別に入ってきた資金や新規の借入金で買換資産を取得すれば，それはそれでいいのであるが，しかしここにあげた

図表９－14

○ ○ 税務署
令和 7 年 3 月 15 日提出

名簿番号	

買換（代替）資産の明細書

住所	〒XXX－XXXX ○○市○○町○○番		
フリガナ	トウ カ コウ カン	電話番号	（XX） XXXX－XXXX
氏名	當家 高館		

交換・買換え（代替）の特例（租税特別措置法第33条、第36条の２、第37条、第37条の５又は震災特例法第12条）を受ける場合の、譲渡した資産の明細及び取得される予定の資産の明細について記載します。

１　特例適用条文

（租税特別措置法〔○印〕・震災特例法）第 37 条の5第 1 項

２　譲渡した資産の明細

所在地	○○市○○町○○番		
資産の種類	土地 建物	数量	土地　1,500 建物　100　㎡
譲渡価額	600,000,000 円	譲渡年月日	令和 6 年 2 月 11 日

３　買い換える（取得する）予定の資産の明細

資産の種類	建物（土地共有持分付）	数量	建物　2,000 土地　1,500㎡×$\frac{3}{10}$ ㎡
取得資産の該当条項	１　租税特別措置法 ⑴　第37条第１項の表の	第＿号 第 3 号（23区・23区以外の集中地域・集中地域以外の地域） （主たる事務所資産）	
	⑵　第37条の５第１項の表の	第 1 号（中高層耐火建築物・中高層の耐火建築物） 〔○印〕第 2 号（中高層の耐火共同住宅）	
	２　震災特例法 ・第12条第１項の表の	第＿号（　）	
取得価額の見積額	480,000,000 円	取得予定年月日	令和 7 年 11 月 30 日
付記事項			

㈲　３に記載した買換（取得）予定資産を取得しなかった場合や買換（代替）資産の取得価額が見積額を下回っている場合などには、修正申告が必要になります。

関与税理士		電話番号	

（資６－８－４－Ａ４統一）
R5. 11

①，②のケースは，譲渡と取得との関係があまりにも薄くなるので，適用外としたのであろう。

翌年以降に取得する予定の場合

譲渡資産を譲渡した年の翌年以降に買換資産を取得するということが多いであろうが，こういう場合は譲渡した年分の確定申告書を提出するとき，**図表９－13**の「譲渡所得の内訳書（計算明細書）」のほかに，**図表９－14**の「買換（代替）資産の明細書」を添付する。

翌々年～翌々々年までに取得する予定であるときは，さらに延長した期日を認定してもらうための**特別の承認申請書**（**図表３－35**，484ページ）を提出する。そのマンションなどの規模からみて，通常の建築期間がどれくらいかかるかどうかなど検討した上で承認されることとなるので，これらの事情を説明するための工事概要や工程表を添付して申請する。

その他，翌々年～翌々々年までに延期される場合として，買換資産について，①法令の規制等によりその取得に関する計画の変更を余儀なくされた場合，②売主その他の関係者との交渉が長びき容易にその取得ができないこと，③上記①②に準ずる特別な事情があること（措所通37－27の２，準用・措所通37の５－10）の場合である。

予定資産を取得したときの手続き

予定の買換資産を取得したとき，取得した日から４か月以内に登記事項証明書や取得を証明する書類その他の証明書を税務署へ提出し，実際の取得価額が予定価額より少なかったときは，買換えの適用に該当しなくなった部分を先に申告したときの譲渡収入に加えて譲渡所得と税額を計算し直して，**修正申告書**を提出して差額の税金を納付し，実際の取得価額が予定価額より大きくて，すなわち当初の申告より税額が少なくなるときは**更正の請求**という手続きをとって，税金を還付してもらうことになる。

（注） 上記の期限内に修正申告をした場合には，過少申告加算税，延滞税は課せられないことになっているが，上記の期限を経過して税務署から指摘されて修正申告した場合には過少申告加算税と延滞税が課せられる。また，期限内に更正の請求をしなかった場合，更正の請求ができなくなるので注意しなければならない（措法37条の２，準用・措法33条の５③，準用・措法37条の５②）。

居住用財産の買換特例の手続き

居住用財産の特別控除または特別控除・軽課の特例の適用を受ける場合は，買い換えるかどうかは関係ない。「特定の居住用財産の買換特例」について，特定事業用資産の買換特例と対比させながら補足的に説明しておく。

まず，**買換資産取得の期間制限**であるが，この特例の場合は，等価交換についていえば，譲渡した年の翌年末までである。マンションの建設に要する期間が通常１年を超えると認められるやむを得ない事情があっても，特定事業用資産の買換特例等のように，税務署長の特別の承認を受けて期間を翌々年まで延長するという法制上の制度はないので，かなりきびしい期間制限となっている。マンションの工期，竣工時点をよく見きわめて，従前資産の譲渡の日を設定しなければならないが，また，この譲渡の日も従前の家屋を取りこわしてから１年以内に契約しなければならず，また，取りこわしてから契約までの間の用途に制限があるという制限がついているので，両方をにらみながら決定していかなければならない。

また，**居住の用に供する期限**は，特定事業用資産の買換特例等の場合には買換資産を取得した日から１年以内にそれぞれの定められた用に供すればいいのであるが，この特例の場合には，取得した年の翌年の12月31日までに居住の用に供しなければならないようになっている。

やむを得ない場合の取得・入居期限の延長

なお，通達によって，譲渡した年の翌年末までに買換資産を取得できなかった場合について，つぎの要件をともに満たしている場合には，期限内に取得したものとして取り扱うとされている（措所通36の２－16）。

①　買換資産に該当する家屋を期限内に取得する契約をしていたが，その後に生じた災害その他その者の責めに帰せられないやむを得ない事情(注１)により期間内に取得できなかったこと。

②　その家屋を譲渡した年の翌々年12月31日までに取得(注２)し，かつ，同日までに居住の用に供していること(注３)。

なお，その家屋の建築が上記の日までに完了していることが前提となる。

（注１）　契約後に，近隣住民の反対運動などで着工が遅れたためとか，マンション業者が発注していたという建設業者が倒産して業者を切り替えたため等が，このやむを得ない事情にあたろう。

（注２）　マンション等の建設が完了した日以後でなければならない。また，マンション業者が建設業者から取得した日以後でなければならない（同通達(注)(1)(2)）。

（注３）　居住開始の日は，通常は取得の日以後１年以内となっているが，この通達による場合は，翌々年の12月31日までとなっていることに留意すること。

地権者の自主分譲のとき建設後いつまでに分譲すればよいか

地権者が自分でマンションを建設して分譲する場合は，買換資産となるマンションの一部を先に取得してから譲渡することになるので，譲渡の時期と取得の時期の制限を逆の観点から判定していかなければならない。

特定事業用資産の買換特例については，譲渡をした年の前年中に買換資産を取得することが認められている（措法37条③）ので，たとえば，令和６年中に建設した場合には，令和７年12月31日までに分譲すれば，この特例適用が受けられることになる。なお，この適用を受けるためには，取得（建設完了）の日の翌年３月15日までに「先行取得資産に係る買換えの特例の適用に関する届出書」（485ページ**図表３－36**に掲記）を提出しておかなければならない。

立体買換えの特例については，上記のような先行取得を認める条文はないので，建設した年の12月31日までに分譲もしなければならないこととなる。売れ残りがある場合には，同日までの分譲完了分だけについて特例の適用があり，その後の分譲分については，通常の譲渡所得税が課せられることになる。

> **（自己の建設に係る耐火建築物又は耐火共同住宅を分譲した場合）**
>
> **措所通37の５－４の２**　その者がおおむね10年以上所有している土地等の上に自ら措置法第37条の５第１項に規定する中高層耐火建築物又は中高層の耐火共同住宅を建設し，当該建設した日から同日の属する年の12月31日までの間に当該中高層耐火建築物又は耐火共同住宅の一部とともに当該土地等の一部の譲渡（譲渡所得の基因となる不動産等の貸付けを含む。以下この項において同じ。）をした場合には，当該譲渡をした土地等を同項に規定する譲渡資産とし，当該建設した中高層耐火建築物又は耐火共同住宅（譲渡された部分を除く。）を同項に規定する買換資産として同条の規定の適用を受けることができることに留意する。この場合において，同項に規定する「当該譲渡による収入金額」は，所得税基本通達33－５により当該譲渡した土地等の当該建設に着手する直前の価額を基として算定することになる。

なお，**居住用財産の買換特例**については，地権者の自主分譲は認められていない（988ページ参照）。

交換の特例は

さて，いままで買換特例について説明してきたが，これらの買換特例に対応して，それぞれ，つぎのような交換の特例がもうけられている。

① 既成市街地等内における中高層耐火共同住宅建設のための交換――立体買換えに関する交換の特例（措法37条の５⑤）
② 特定民間再開発事業のための交換の特例（措法37条の５⑤）
③ 特定事業用資産の交換の特例（措法37条の４）
④ 特定の居住用財産の交換の特例（措法36条の５）

従前資産を売り渡して従後資産を買い受けるという取引形態をとったときは，買換特例が適用になり，従前資産と従後資産とを交換したというときに交換の特例が適用になるのであるが，その他の適用条件，計算方法，適用を受けるための手続き等は，買換特例の場合とほぼ同様であるので，それに準じて処理することになる。

11　優良住宅等のための土地譲渡の軽減税率との併用

> 一定の条件をそなえた優良住宅等のために土地を譲渡したときの税額の計算での優遇措置との併用はできない。
> （措法31条の２④）

等価交換をして課税所得が出たときの優良住宅等の特例は

これまで等価交換方式によるマンション事業について，どのようにして立体買換えの特例や特定事業用資産の買換特例，または居住用財産の特例，あるいは特定民間再開発事業の特例の適用を受けて節税するかということを主として説明してきた。しかし，これらの特例の適用を受けられないときもあり，また受けられる場合でも全部をカバーしきれないで課税所得が出るときもある。課税所得が出た後で税額の計算をすることになる。この税額計算の方法は，それが長期譲渡であるか，短期譲渡であるかにより，税額を算出することになる。さて，この税額計算の段階で，さらに節税方法がないかを検討してみる。

優良住宅等の軽減税率との併用は不可

この税額計算にあたって優良住宅地の造成・優良住宅の建設等のために長期所有の土地を譲渡した場合の軽減税率（詳細は**第３章**第２節「**9**」402ページ参照）を適用できないか。

等価交換方式で土地を譲渡し，それが上記の要件に該当していた場合，従前は，この軽減税率を適用して税額を低くすることができたが，平成16年の税制改正で，

> 立体買換えの特例，特定民間再開発事業の特例
> 特定事業用資産の買換特例や居住用財産の特例

との併用はできないことになり，平成16年１月１日以降の譲渡から適用されている。

したがって，上記の買換え等の特例と軽減税率とのいずれか一方を選択して適用することになる。

12 買換特例適用後の税務

等価交換の特例の適用を受けて買い換えた場合，その後の税務処理はどうなるか。

取得費の引継ぎと将来の譲渡との関係

譲渡費の全部を買換資産の取得にあてて，立体買換えの特例や特定民間再開発事業の特例，あるいは居住用財産の買換特例を受けると，提供した土地の取得費が，そのまま買換取得したマンションの取得価額に引き継がれる。

提供した土地の時価が４億円，その土地を取得したときの取得費が5,000万円で，取得したマンションの建物の時価が４億円であったとする。この場合，マンションの建物の取得価額は，その土地の取得費を引き継いで5,000万円となる。取得費を引き継ぐということは，将来これを譲渡した場合，収入金額から差し引ける取得費を４億円でなく5,000万円を基礎として求めるということである。したがって，その時点での譲渡益は３億5,000万円だけ多く出ることになり，税額もそれだけ高くなる。

（注） 特定事業用資産の買換特例の場合は，提供した土地の取得費の80%に買換資産の取得価額の20%(注)を加算した金額が買換取得したマンションの取得価額となる。
この例では，マンションの取得価額は，
(提供した土地の取得費) 50,000,000円×0.8＋(提供した土地の時価＝マンションの時価) 400,000,000円 × 0.2 ＝ 120,000,000円
となる。
（注） 東京都特別区，集中地域内外によって割合が異なる。

買換制度というものは，このように，今回の譲渡益の全部または一部については課税しないが，将来に譲渡するときには，買換えをしたときに課税対象としなかった譲渡益も含めて課税するという制度である。**図表９－15**のように，今回の譲渡について買換特例の適用を受けなければ，（４億円－5,000万円＝３億5,000万円）が今回の課税対象，そして将来に６億円で譲渡したとき，（６億円－４億円＝２億円）が課税対象になる。買換特例の適用を受けると，今回の譲渡について課税は生じないが，将来譲渡したとき，（６億円－5,000万円＝５億5,000万円）を課税対象にするということである。すなわち，将来譲渡するまでの間だけ，課税を繰り延べるということである。したがって，買換制度は**課税**

図表9－15　事業用資産の買換えとその後の取得費

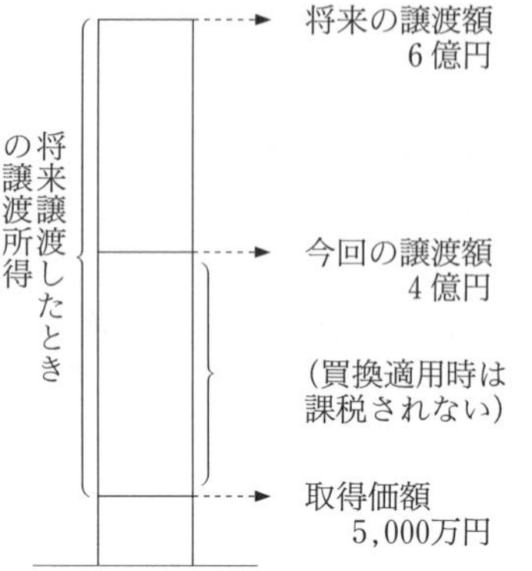

の繰延制度ともいわれている。

これが居住用財産の特別控除などの特別控除制度と本質的に異なるところである。居住用財産を譲渡して，3,000万円の特別控除または3,000万円控除と軽減税率の適用を受け，新たに居住用財産を取得した。そして，この新たに取得した居住用財産を将来譲渡するとき，譲渡収入から差し引く取得価額は，この新たに取得したときの居住用財産の取得価額ずばりそのものであり(注)，前に譲渡した居住用財産の取得価額とか,3,000万円とかいうものとは無関係である。これが買換特例と特別控除との違いである。

(注)　厳密にいえば，建物については，この取得価額から，譲渡の時点までの減価償却費を差し引いたものが，その時点の取得価額になる。

取得の日の引継ぎのないことと将来の譲渡

ところで，特定事業用資産の買換えの場合に，提供した土地の取得価額は引き継ぐが，その「取得の日」は引き継がない。

提供した土地の取得が平成13年７月１日，等価交換で資産を取得したのが令和６年７月１日とする。もし取得の日の引継ぎがあるとすれば，そのマンションの取得の日は平成13年７月１日ということになる。このマンションを将来，たとえば令和７年に譲渡したとすると，その年の１月１日にすでに所有期間が５年を超えているので長期譲渡所得ということになる。

しかし，この買換特例の適用を受けても，取得の日の引継ぎはない。だから，マンションの取得の日は，等価交換によって現実に取得をした日，すなわち令和６年７月１日ということになる。これを仮に令和７年に譲渡しても所有期間は５年未満ということになるので，短期譲渡所得ということになり，その税額は大幅に大きくなる。

等価交換をしてから，近いうちに譲渡をする予定であるのならば，この買換えの適用を受けないで，等価交換をした時点で，提供した土地については，長期譲渡として税金を払って清算しておいたほうがトクである。

この特定事業用資産の買換特例の適用を受けるのは，将来とも長期間にわたって，そのマンション等を貸し付けるとか，事業用に使用するということでないと，メリットはない。

等価交換して直後の譲渡

等価交換で取得したマンションの一部を，その直後に譲渡する人がいる。この場合には事業用・居住用などに供していないので，譲渡所得の特例の適用は受けられない。

従前土地の譲渡とマンションの譲渡との二つの譲渡があったとして申告することになる。従前土地の譲渡は，その所有期間が５年を超えていれば長期譲渡となり，取得したマンションの時価(通常はマンションの売却価額)を譲渡収入として計算する。取得後のマンションの譲渡は短期譲渡となるが，マンションの売却価額から取得時の時価を引いて計算するので，通常はゼロ円となろう。

買換特例適用後の減価償却計算

そのマンション等を貸し付けるにせよ，事業用に使用するにせよ，所得を計算する上で，減価償却をすることになる。そしてその減価償却費の計算の基礎になる取得価額は，そのマンションの時価の４億円でなく，提供した土地の取得価額である5,000万円になる。

買換え後の減価償却については488ページ以下に詳しく説明しておいたので参照されたい。

このように，買換特例を適用した場合は，等価交換をした時点では譲渡益の全部または一部の課税をしない。そのかわり，そのマンション等の譲渡前の旧資産の取得価額が引き継がれるため減価償却費が少なく計上され，その結果，利益が多くなり，毎年の税額がそれだけ多くなるという仕組みを通じて，等価交換の時点で課税しなかった税金を長期にわたって分割納付するような制度である。そして，中途でそのマンション等を譲渡する場合には，その時点で清算されるというような仕組みになっている。

〈等価交換後の概算取得費〉

等価交換方式によって取得した事業用資産の減価償却の基礎となる価額は，実際に取得した価額ではなく，従前資産をかつて取得したときの価額を引き継ぐことは，本文で説明した。

ところで，従前資産が長期所有のもので，その取得費が不明の場合は，どういうように価額を決めればよいのか。

譲渡所得を計算する場合の取得費については，譲渡収入の５％とすることが認められている（372ページ参照）が，減価償却の計算の基礎となる取得価額については，法令上も通達上も何らの規定ももうけられておらず，頭を悩ますところであったが，国税庁から，この引き継ぐ取得価額は，譲渡価額の５％でよいとする事務連絡を都市部の国税局に対して行ったということが報じられている（『納税通信』平成３年５月６日号より）。

13 法人が地権者の場合の等価交換

地権者が法人の場合の等価交換はどうなるか。
（措法65条の７～65条の９）

法人が地権者であるときも特例がある

法人が土地を所有しているとき，または借地をしているとき，貸地をしているときでも，個人の場合のときと同様に，等価交換方式で事務所ビルやマンションを取得し，課税の特例を受けることができる。しかし，法人の場合は，個人の場合とはいろいろな点が相違している。ここでは，その異同を中心として説明することにする。個人の場合と対比させながら理解してもらいたい。

特定資産の買換（交換）特例

法人の場合に適用になる特例は，特定資産の買換特例（措法65条の７）と特定資産の交換の特例（措法65条の９）があり，その適用要件は個人の場合の特定事業用資産の買換（交換）特例とほぼ同様である。

なお，個人の場合で説明したような立体買換え（交換）の特例（措法37条の５①二），居住用財産の特例（措法35条，31条の３，36条の２～36条の５）に相当する制度は，法人の場合にはない。

長期所有資産の買換特例（措法65の７）

長期所有資産の買換特例（措法65条の７）の適用要件は，個人の場合の措法37条①三（981ページ参照）と同様に，つぎの要件をそなえていなければならない。

①　従前資産が，国内に所在する土地，建物または構築物で，譲渡した年の１月１日でその所有期間が10年を超えるもので

②　従後資産が，国内に所在している土地，建物または構築物で，建設される建物について，事業用・貸付用であれば，その用途，階層，構造その他の制約は一切ない。

しかし，取得する従後の土地の共有部分の面積が300㎡以上と制限されているので，部分譲渡方式でないと適用はかなり制限される（981ページ参照）。

なお，適用期限は**令和８年３月31日まで**の譲渡となっている。

従前資産は固定資産なら適用

法人の場合，その従前資産は，棚卸資産以外であればいい。すなわち，固定資産であれば，事務所・工場・倉庫・店舗・社宅など，どのような用途に供していたものでもよく，また，

何の用途にも供せず空地として放置していたものでもよい。個人の特定事業用資産の買換特例（措法37条）の場合には，従前資産は事業用・事業に準ずる貸付用に供されていたものに限定されているのにくらべて大きく違うところである。しかし，個人の場合の立体買換えの特例（措法37条の5①二）で，従前資産が棚卸資産(注)以外であれば，すべて対象となっているのと同じであるので，詳細は個人の場合（984ページ）を参照されたい。

（注） 棚卸資産に該当するか否かの判定については，549ページコラム参照。

従後資産は事業用に供すること

従後資産は取得後1年以内に事業の用に供さなければならない。従後資産の土地については，面積300㎡以上で，下記の特定施設の敷地の用に供されるものとされており，**特定施設**とは，事業所，工場，作業所，研究所，営業所，店舗，倉庫，住宅，その他これらに類する施設（福利厚生施設に該当するものを除く）とされている。

また，駐車場については，特定資産の事業の遂行上必要なものに限られている。

従後資産の土地面積が従前資産の土地面積の5倍を超えるときは，特例対象になるのは5倍までの部分となる（措令39条の7⑧）。

この点は，個人の特定事業用資産の買換特例（措法37条）の場合とほぼ同じである。

取得の期間制限

従後資産を取得する時期については，個人の特定事業用資産の買換特例（措法37条）とほぼ同様であるが，個人の場合は暦年単位で定められているのに対して，法人の場合は譲渡した事業年度を中心として定められている点が異なっている。これを図表で示すと**図表9－16**のとおりである。

自主分譲の場合

法人がマンションを建設して自主分譲する場合，買換資産に該当するそのマンションの取得（建設）時期は，譲渡した事業年度内とその前年が認められている（措法65条の7③）ので，逆から見れば，建設した事業年度とその翌事業年度末までに分譲した部分が買換特例の対象となる。なお，この場合には「先行取得資産に係る買換えの特例の適用に関する届出書」（562ページ参照）を，建設した事業年度終了の日の翌日から2か月以内に提出しておかなければならない（同令39条の7⑩）。

法人の買換えも8割まで

法人の場合の特定資産の買換えの計算は，**第4章**の「**4**」（552ページ以下）で説明したように圧縮記帳という方法で行われる。

そして，その場合，圧縮割合は80％（60％～90％の場合がある（971，972ページ参照）。措法65条の7⑭）で，20％部分が課税の対象となる。

図表９－16　特定資産の買換えの取得日の期間制限（法人の場合）

（マンションなどの敷地にする住宅地の造成並びにそのマンションの建設や移転に要する期間が通常１年を超えると認められる事情がある場合）		適用	原則	申告により適用	下記の事情ある場合，税務署長の承認を得て適用（マンションなどの敷地にする宅地の造成並びにマンションの建設に要する期間が通常１年を超えると認められるやむを得ない事情がある場合）	
その前々々年	その前々年	その前年	譲渡した年度	その翌年	その翌々年	その翌々々年
					この期間内で，税務署長の承認した期間内に取得すること	

（注）「その翌年」というのは，譲渡をした事業年度の翌事業年度開始の日以後１年を経過する日までの期間を指す。その他も，これに準じて計算する。

たとえば，従前の土地が１億円で，等価交換でマンションの１億円部分を取得した場合，その帳簿価額が1,000万円であるとすると，まず9,000万円の固定資産処分益が生じる。

圧縮割合が80％の場合には，つぎのように計算して，圧縮損を計上する。

$$\underset{\left(\begin{array}{c}\text{圧縮基礎}\\\text{取得価額}\end{array}\right)}{100,000,000\text{円}} \times \underset{\text{（差益割合）}}{\frac{100,000,000\text{円}-10,000,000\text{円}}{100,000,000\text{円}}} \times \underset{\left(\begin{array}{c}\text{圧縮限}\\\text{度割合}\end{array}\right)^{\text{（注）}}}{0.8} = \underset{\text{（圧縮限度額）}}{72,000,000\text{円}}$$

すなわち，1,800万円が法人税等の課税対象となる（詳細は554ページ以下参照）。

（注）東京都特別区，集中地域内外で異なる。

上記のようにして，圧縮限度額を超えた部分（上例では1,800万円）が法人税の課税対象となる。

買換え後の減価償却　この場合，買換資産の減価償却の基礎となる価額は，つぎのようになる。

$$\underset{\left(\begin{array}{c}\text{買換資産の}\\\text{取得価額}\end{array}\right)}{100,000,000\text{円}} - \underset{\text{（圧縮額）}}{72,000,000\text{円}} = \underset{\left(\begin{array}{c}\text{減価償却の}\\\text{基礎価額}\end{array}\right)}{28,000,000\text{円}}$$

その他　会社（法人）の場合の買換えの特例についての手続き，その他の詳細については，552ページ以下を参照されたい。

〈等価交換方式に関する令和６年の主な改正〉

等価交換方式の税務に関して，令和６年に大きな改正はなかったが，令和５年につぎの改正がなされている。

◆優良住宅地の造成等のための土地譲渡の軽減税率（措法31条の２）

適用期限が，令和７年12月31日まで延長された。ただし，特定の民間再開発事業の用に供するための土地等の譲渡を除く。

◆既成市街地等内にある土地等の中高層耐火建築物の建築のための買換え及び交換の特例（措法37条の５）

買換資産である中高層の耐火建築物の建築に係る事業の範囲から，特定の民間再開発事業が除外された（令和５年４月１日から適用）。

◆事業用資産の買換え特例（措法37条，措法65条の７①）

長期保有の土地，建物等から国内にある土地，建物等への買換えについて，東京都の特別区から集中地域以外の本店資産の買換えについて，課税の繰延割合が80％から90％へ引き上げられた。逆に，集中地域外から東京都の特別区域内の買換えについては，課税の繰延割合が70％（本店資産60％）に引き下げられた（令和８年３月31日まで）。

なお，立体買換えの特例については，交換による場合，「特定の事業用資産の買換えの特例の適用に関する届出書」は提出不要となっている。

◆土地重課制度の適用停止期間（措法28条の４⑥）

個人短期所有土地等の譲渡課税（所得税52%，住民税12%）の土地売却に係る重課税制度の停止期間（平成10年から停止されている）が令和８年３月31日まで延長された。

〈井田法〉

殷の紂王は妲妃を溺愛して酒池肉林，悪逆無道の政を行い，周の武王はこれを滅ぼして天命を革めた。二代目成王のとき土地を国有とし，九百畝の田地を九等分し，周囲の田地を八家に貸し与え，その収穫で生活させ，中央は公田として八家に共同耕作させて，その収穫を官に納めさせた。この分け方が「井」の字に似ていることから井田法といった。収入（利益ではない）の９分の１が税金ということになる。

その前の堯・舜の頃は，老百姓が腹鼓をうって「日出でて働き，日入りて憩う。井を掘りて飲み，田を耕して食う。帝力我に何かあらんや」と歌っていたとか，いかにも税金など存在しなかったようにもとれるが，黄河の水を治めるのに膨大な費用がかかるはずなのだから，何らかの形で税金はとっていたのであろう。

資　料

●土地価格比準表（抄）

（最終改正:平成28年２月16日・国土交通省・建設産業局　地価調査課事務連絡）

別表第３　標準住宅地域の地域要因比準表

（編著　地価調査研究会）

条件	項目	細項目	格差の内訳				備考
街路条件	街路の幅員・構造等の状態	幅員	基準地域＼対象地域	優る	普通	劣る	地域内の標準的な街路の幅員について，次により分類し比較を行う。 優る　快適性及び利便性において，街路の幅員が一般的に優る地域 普通　街路の幅員が一般的に中庸である地域 劣る　街路の幅員が一般的に劣る地域
			優る	0	−5.0	−10.0	
			普通	5.0	0	−5.0	
			劣る	10.0	5.0	0	
		舗装	基準地域＼対象地域	優る	普通	劣る	舗装の種別，舗装率，維持補修の程度等について，次により分類し比較を行う。 優る　舗装の質が優れており，舗装率の高い地域 普通　舗装の質，舗装率が通常である地域 劣る　舗装の質が悪く舗装率の低い地域
			優る	0	−1.5	−3.0	
			普通	1.5	0	−1.5	
			劣る	3.0	1.5	0	
		配置	基準地域＼対象地域	優る	普通	劣る	街路の配置の状態について，次により分類し比較を行う。 優る　街路が放射状又は碁盤目状等に配置されて一般的に均衡のとれている地域 普通　街路の配置が比較的均衡のとれている地域 劣る　街路の大まかな整備はされているが，行き止まり路やT字路などの街路が一部にある地域
			優る	0	−2.0	−4.0	
			普通	2.0	0	−2.0	
			劣る	4.0	2.0	0	

条件	項目	細項目	基準地域＼対象地域	優る	普通	劣る	備考
街路条件（つづき）		系統及び連続性	優る	0	−2.0	−4.0	幹線街路との系統及び連続性について，次により分類し比較を行う。 優　る　幹線街路との系統，連続性が一般的に優れている街路の地域 普　通　幹線街路との系統，連続性が一般的に通常である街路の地域 劣　る　幹線街路との系統，連続性が一般的に劣っている街路の地域
			普通	2.0	0	−2.0	
			劣る	4.0	2.0	0	

条件	項目	細項目	基準地域＼対象地域	優る	やや優る	普通	やや劣る	劣る	備考
交通・接近条件	都心との距離及び交通施設の状態	最寄駅への接近性	優る	0	−1.5	−3.0	−4.5	−6.0	地域の標準的な社会経済的最寄駅への接近性について，次により分類し比較を行う。接近性については，道路に沿った最短距離，バス路線の有無，バス運行回数等を総合的に考慮して判定するものとする。なお，本格差率は政令指定都市以外の地方の県庁所在市を念頭に作成しているため，各分類における格差率が，地域の実態と合わない場合があるので留意すること。 優　る　最寄駅に近接する地域 やや優る　最寄駅にやや近い地域 普　通　最寄駅への時間，距離等が通常である地域 やや劣る　最寄駅にやや遠い地域 劣　る　最寄駅に遠い地域
			やや優る	1.5	0	−1.5	−3.0	−4.5	
			普通	3.0	1.5	0	−1.5	−3.0	
			やや劣る	4.5	3.0	1.5	0	−1.5	
			劣る	6.0	4.5	3.0	1.5	0	

条件	項目	細項目	基準地域＼対象地域	優る	やや優る	普通	やや劣る	劣る	備考
交通・接近条件	都心との距離及び交通施設の状態	最寄駅から都心への接近性	優る	0	−2.5	−5.0	−7.5	−10.0	最寄駅から居住者が勤務する事務所，商店，工場等が立地する経済中心地たる都心への接近性について，次により分類し比較を行う。なお，接近性については，鉄道，道路，バス等による時間的な距離に重点をおき，最寄駅の性格（急行停車駅，乗換駅，始発駅，運行回数等）をも勘案し総合的に考慮して判定するものとする。なお，本格差率は政令指定都市以外の地方の県庁所在市を念頭に作成しているため，各分類における格差率が，地域の実態と合わない場合があるので留意すること。 優　る　都心に近接する地域 やや優る　都心にやや近い地域 普　通　都心への時間，距離等が通常と判断される地域 やや劣る　都心にやや遠い地域 劣　る　都心に遠い地域
			やや優る	2.5	0	−2.5	−5.5	−7.5	
			普通	5.0	2.5	0	−2.5	−5.0	
			やや劣る	7.5	5.5	2.5	0	−2.5	
			劣る	10.0	7.5	5.0	2.5	0	

条件	項目	細項目	基準地域＼対象地域	優る	やや優る	普通	やや劣る	劣る	備考
交通・接近条件（つづき）	商業施設の配置の状態	最寄商業施設への接近性	優る	0	−2.0	−4.0	−6.0	−8.0	通常，一般的に利用されている日常生活の需要を満たすに足りる最寄商業施設への接近性について，次により分類し比較を行う。なお，接近性については，道路に沿った最短距離，バス路線の有無，バス運行回数等を総合的に考慮して判定するものとする。 優　る　最寄商店街に近接する地域 や　や 優　る　最寄商店街にやや近い地域 普　通　最寄商店街への時間，距離等が通常と判断される地域 や　や 劣　る　最寄商店街にやや遠い地域 劣　る　最寄商店街に遠い地域
			やや優る	2.0	0	−2.0	−4.0	−6.0	
			普通	4.0	2.0	0	−2.0	−4.0	
			やや劣る	6.0	4.0	2.0	0	−2.0	
			劣る	8.0	6.0	4.0	2.0	0	

条件	項目	細項目	基準地域＼対象地域	優る	普通	劣る	備考
交通・接近条件（つづき）	商業施設の配置の状態	最寄商業施設の性格	優る	0	−1.5	−3.0	最寄商業施設の性格について，次により分類し比較を行う。 優　る　規模が大きく，百貨店，総合スーパー等，繁華性の高い商業施設 普　通　食料品等を扱うスーパー等が存在し，周辺に一部専門店も存する商業施設 劣　る　食料品等を扱うスーパー等で，周辺に専門店の存しない商業施設
			普通	1.5	0	−1.5	
			劣る	3.0	1.5	0	

条件	項目	細項目	基準地域＼対象地域	優　る	やや優る	普　通	やや劣る	劣　る	備考
交通・接近条件（つづき）	学校・公園・病院等の配置の状態	幼稚園、小学校、公園、病院、官公署等	優る	0	−1.5	−3.0	−4.5	−6.0	公共利便施設の配置の状態について，次により分類し比較を行う。なお，配置の状態については，各施設の位置関係，集中の度合及び日常の利便性等について総合的に考慮して判定するものとする。 優　る　各種の施設に近接して利便性が高い地域 や　や 優　る　各種の施設にやや近く利便性がやや高い地域 普　通　各種の施設が標準的位置にあって利便性が通常である地域 や　や 劣　る　各種の施設にやや遠く利便性がやや低い地域 劣　る　各種の施設には遠く利便性の低い地域
			やや優る	1.5	0	−1.5	−3.0	−4.5	
			普通	3.0	1.5	0	−1.5	−3.0	
			やや劣る	4.5	3.0	1.5	0	−1.5	
			劣る	6.0	4.5	3.0	1.5	0	

条件	項目	細項目	基準地域＼対象地域	優る	普通	劣る	備考
環境条件	日照・温度・湿度，風向等の気象の状態	日照、温度、湿度、風向、通風等	優る	0	−1.5	−3.0	日照の確保，温度，湿度，通風等の良否等の自然的条件について，次により分類し比較を行う。 優る　日照，通風等を阻害するものが殆んどなく自然的条件が優れている地域 普通　日照，通風等も普通で自然的条件も通常である地域 劣る　日照，通風等が悪く自然的条件が劣っている地域
			普通	1.5	0	−1.5	
			劣る	3.0	1.5	0	
	眺望・景観等の自然的環境の良否	眺望、景観、地勢、地盤等	優る	0	−1.5	−3.0	眺望，景観，地勢，地盤等の自然的環境の良否について，次により分類し比較を行う。 優る　眺望がひらけ，景観，地勢が優れて地質，地盤が強固な環境に恵まれた地域 普通　眺望,景観とも通常で,地勢は平坦，地質，地盤が普通である地域 劣る　眺望,景観が優れず,地勢，地盤が劣る地域
			普通	1.5	0	−1.5	
			劣る	3.0	1.5	0	
	居住者の近隣関係等の社会的環境の良否	居住者の近隣関係等の社会的環境の良否	優る	0	−2.5	−5.0	居住者の近隣関係，住まい方等の社会的環境を形成する要因等について，次により分類し比較を行う。 優る　社会的環境がやや優れている地域 普通　社会的環境が中級である地域 劣る　社会的環境が普通である地域
			普通	2.5	0	−2.5	
			劣る	5.0	2.5	0	
	各画地の面積・配置及び利用の状態	画地の標準的面積	優る	0	−1.5	−3.0	画地の標準的な面積について，次により分類し比較を行う。 優る　画地の標準的な面積が一般的に300(200)㎡を超える地域 普通　画地の標準的な面積が一般的に150㎡を超え300(200)㎡以下の地域 劣る　画地の標準的な面積が一般的に150㎡以下の地域 ( )内は三大圏等主要都市の地域に適用する。 なお，各分類における画地の標準的な面積が，地域の実態と合わない場合があるので留意すること。
			普通	1.5	0	−1.5	
			劣る	3.0	1.5	0	

条件	項目	細項目	格差の内訳				備考
環境条件（つづき）		各画地の配置の状態	基準地域＼対象地域	優　る	普　通	劣　る	各画地の配置の状態について，次により分類し比較を行う。 優　る　各画地の地積，形状等の均衡がとれ，配置が整然としている地域 普　通　各画地の地積，形状等がやや不均衡であるが，配属がやや整然としている地域 劣　る　各画地の地積，形状等が不均衡で配置に統一性がない地域
			優る	0	−1.5	−3.0	
			普通	1.5	0	−1.5	
			劣る	3.0	1.5	0	
		土地の利用度	基準地域＼対象地域	優　る	普　通	劣　る	建築物の疎密度等の各画地の利用の度合について，次により分類し比較を行う。 優　る　有効に利用されている画地が大部分を占める地域 普　通　有効に利用されている画地が半数程度である地域 劣　る　有効に利用されている画地が少数である地域
			優る	0	−1.5	−3.0	
			普通	1.5	0	−1.5	
			劣る	3.0	1.5	0	
		周辺の利用状態	基準地域＼対象地域	優　る	普　通	劣　る	各画地の利用の状態について，次により分類し比較を行う。 優　る　大部分が専用住宅である地域 普　通　アパート等がいく分見受けられるが，専用住宅が多い地域 劣　る　アパート等がかなり混在している地域
			優る	0	−1.5	−3.0	
			普通	1.5	0	−1.5	
			劣る	3.0	1.5	0	
	上下水道・ガス等の供給処理施設の状態	上水道	基準地域＼対象地域	有	可　能	無	上水道（簡易水道を含む。）施設の整備の状態について，次により分類し比較を行う。 有　上水道施設の完備された地域 可　能　大半の地域について上水道の整備事業が進んでいる地域 無　上水道施設のない地域
			有	0	−1.5	−3.0	
			可能	1.5	0	−1.5	
			無	3.0	1.5	0	

条件	項目	細項目	格差の内訳				備考
環境条件（つづき）		下水道	基準地域＼対象地域	有	可能	無	下水道施設の整備の状態について，次により分類し比較を行う。 有　下水道施設の完備された地域 可能　大半の地域について下水道の整備事業が進んでいる地域 無　下水道施設のない地域
			有	0	−2.0	−4.0	
			可能	2.0	0	−2.0	
			無	4.0	2.0	0	

条件	項目	細項目	格差の内訳				備考
環境条件（つづき）		都市ガス等	基準地域＼対象地域	有	可能	無	都市ガス施設等の整備の状態について，次により分類し比較を行う。 有　都市ガス施設の完備された地域 可能　大半の地域について都市ガスの整備事業が進んでいる地域もしくは簡易ガスの施設のある地域 無　都市ガス施設もしくは簡易ガス施設のない地域
			有	0	−1.0	−2.0	
			可能	1.0	0	−1.0	
			無	2.0	1.0	0	

条件	項目	細項目	格差の内訳						備考
			基準地域＼対象地域	無	有				
					小さい	やや小さい	やや大きい	大きい	
環境条件（つづき）	変電所・汚水処理場等の危険施設・処理施設等の有無	変電所、ガスタンク、汚水処理場、焼却場等	無	0	−1.0	−2.5	−4.0	−5.0	危険施設又は処理施設等の有無及びそれらの配置の状態等にもとづく危険性あるいは悪影響の度合について，次により分類し比較を行う。 無　危険施設，処理施設等及び危険性，悪影響ともに皆無もしくは皆無に等しい地域 危険施設，処理施設等がある場合 小さい　危険あるいは悪影響を感じる程度が一般的に小さい地域 やや小さい　危険あるいは悪影響を感じる程度が一般的にやや小さい地域 やや大きい　危険あるいは悪影響を感じる程度が一般的にやや大きい地域 大きい　危険あるいは悪影響を感じる程度が一般的に大きい地域
			有 小さい	1.0	0	−1.5	−3.0	−4.0	
			有 やや小さい	2.5	1.5	0	−1.5	−2.5	
			有 やや大きい	4.0	3.0	1.5	0	−1.0	
			有 大きい	5.0	4.0	2.5	1.0	0	

<table>
<tr><th>条件</th><th>項目</th><th>細項目</th><th colspan="7">格差の内訳</th><th>備考</th></tr>
<tr><td rowspan="14">環境条件（つづき）</td><td rowspan="7">洪水・地すべり等の災害発生の危険性</td><td rowspan="7">洪水、地すべり、高潮、崖くずれ等</td><td colspan="2" rowspan="2">対象地域
基準地域</td><td rowspan="2">無</td><td colspan="4">有</td><td rowspan="7">災害の種類，発生の頻度及びその規模等にもとづく危険性について，次により分類し比較を行う。なお，特に津波の危険性，土砂災害の危険性については土地価格への影響が大きい場合があるので，これら地域における格差率については，慎重に調査のうえ適用することに留意すること。
無　災害の発生の危険性が一般的に殆んどない地域
小さい　災害の発生の危険性が一般的に小さい地域
やや小さい　災害の発生の危険性が一般的にやや小さい地域
やや大きい　災害の発生の危険性が一般的にやや大きい地域
大きい　災害の発生の危険性が一般的に大きい地域</td></tr>
<tr><td>小さい</td><td>やや小さい</td><td>やや大きい</td><td>大きい</td></tr>
<tr><td colspan="2">無</td><td>0</td><td>−1.0</td><td>−2.5</td><td>−4.0</td><td>−5.0</td></tr>
<tr><td rowspan="4">有</td><td>小さい</td><td>1.0</td><td>0</td><td>−1.5</td><td>−3.0</td><td>−4.0</td></tr>
<tr><td>やや小さい</td><td>2.5</td><td>1.5</td><td>0</td><td>−1.5</td><td>−2.5</td></tr>
<tr><td>やや大きい</td><td>4.0</td><td>3.0</td><td>1.5</td><td>0</td><td>−1.0</td></tr>
<tr><td>大きい</td><td>5.0</td><td>4.0</td><td>2.5</td><td>1.0</td><td>0</td></tr>
<tr><td rowspan="3">騒音・大気汚染等の公害発生の程度</td><td rowspan="3">騒音、振動、大気汚染、じんあい、悪臭等</td><td colspan="2" rowspan="2">対象地域の格差</td><td colspan="5">基準地の属する地域と比較して</td><td rowspan="3">公害の種類，発生頻度及びその広がり等を総合的に考慮して，次により分類し比較を行う。
小さい　基準地の属する地域と比較し一般的に小さい地域
やや小さい　基準地の属する地域と比較し一般的にやや小さい地域
やや大きい　基準地の属する地域と比較し一般的にやや大きい地域
大きい　基準地の属する地域と比較し一般的に大きい地域</td></tr>
<tr><td>小さい</td><td>やや小さい</td><td>ほぼ同じ</td><td>やや大きい</td><td>大きい</td></tr>
<tr><td colspan="2">格差率</td><td>5.0</td><td>2.5</td><td>0</td><td>−2.5</td><td>−5.0</td></tr>
<tr><td rowspan="6">行政的条件</td><td rowspan="6">土地の利用に関する公法上の規制の程度</td><td rowspan="6">用途地域及びその他の地域地区等</td><td colspan="2">対象地域
基準地域</td><td>弱い</td><td>やや弱い</td><td>普通</td><td>やや強い</td><td>強い</td><td rowspan="6">用途地域及びその他の地域地区等による土地の利用方法に関する公法上の規制の程度について，次により分類し比較を行う。
弱い　一般的に規制の影響が弱い地域
やや弱い　一般的に規制の影響がやや弱い地域
普通　一般的に規制の影響が通常である地域
やや強い　一般的に規制の影響がやや強い地域
強い　一般的に規制の影響が強い地域</td></tr>
<tr><td colspan="2">弱い</td><td>0</td><td>−1.5</td><td>−3.0</td><td>−4.5</td><td>−6.0</td></tr>
<tr><td colspan="2">やや弱い</td><td>1.5</td><td>0</td><td>−1.5</td><td>−3.0</td><td>−4.5</td></tr>
<tr><td colspan="2">普通</td><td>3.0</td><td>1.5</td><td>0</td><td>−1.5</td><td>−3.0</td></tr>
<tr><td colspan="2">やや強い</td><td>4.5</td><td>3.0</td><td>1.5</td><td>0</td><td>−1.5</td></tr>
<tr><td colspan="2">強い</td><td>6.0</td><td>4.5</td><td>3.0</td><td>1.5</td><td>0</td></tr>
</table>

条件	項目	細項目	格差の内訳				備考
行政的条件（つづき）		その他の規制	基準地域＼対象地域	強い	普通	弱い	
			強い	0	$-a'$	$-a''$	
			普通	a'	0	$-a'$	
			弱い	a''	a'	0	

条件	項目	細項目	格差の内訳						備考
その他	その他	将来の動向	基準地域＼対象地域	優る	やや優る	普通	やや劣る	劣る	街路条件，交通・接近条件，環境条件，行政的条件の動向を総合的に考慮して地域の将来の動向について，次により分類し比較を行う。
			優る	0	−2.5	−5.0	−7.5	−10.0	優　る　発展的に推移すると認められる地域
			やや優る	2.5	0	−2.5	−5.0	−7.5	や　や優　る　やや発展的に推移すると認められる地域
			普通	5.0	2.5	0	−2.5	−5.0	普　通　現状で推移すると認められる地域
			やや劣る	7.5	5.0	2.5	0	−2.5	や　や劣　る　やや衰退的に推移すると認められる地域
			劣る	10.0	7.5	5.0	2.5	0	劣　る　衰退的に推移すると認められる地域

条件	項目	細項目	格差の内訳				備考
その他	その他	その他	基準地域＼対象地域	優　る	普　通	劣　る	街路条件，交通・接近条件，環境条件，行政的条件で掲げる項目及びその他将来の動向のほか，比較すべき特別の項目があると認められるときは，その項目に応じて適正に格差率を求めるものとする。
			優る				
			普通				
			劣る				

別表第４　標準住宅地域の個別的要因比準表

条件	項目	細項目	格差の内訳						備考
街路条件	接面街路の系統・構造等の状態	系統及び連続性	基準地＼対象地	優る	やや優る	普通	やや劣る	劣る	接面する街路の系統及び連続性について，次により分類し比較を行う。
			優る	0	−1.0	−2.0	−3.0	−4.0	優　る　標準的な画地の街路より系統，連続性が良い街路
			やや優る	1.0	0	−1.0	−2.0	−3.0	やや優る　標準的な画地の街路より系統，連続性がやや良い街路
			普通	2.0	1.0	0	−1.0	−2.0	普　通　標準的な画地の街路と系統，連続性が同程度の街路
			やや劣る	3.0	2.0	1.0	0	−1.0	やや劣る　標準的な画地の街路より系統，連続性がやや悪い街路
			劣る	4.0	3.0	2.0	1.0	0	劣　る　標準的な画地の街路より系統，連続性が悪い街路
		幅員	基準地＼対象地	優る	やや優る	普通	やや劣る	劣る	接面する街路の幅員の状態について，次により分類し比較を行う。
			優る	0	−2.0	−4.0	−6.0	−8.0	優　る　標準的な画地に接面する街路の幅員より良い幅員
			やや優る	2.0	0	−2.0	−4.0	−6.0	やや優る　標準的な画地に接面する街路の幅員よりやや良い幅員
			普通	4.0	2.0	0	−2.0	−4.0	普　通　標準的な画地に接面する街路の幅員と同程度の幅員
			やや劣る	6.0	4.0	2.0	0	−2.0	やや劣る　標準的な画地に接面する街路の幅員よりやや悪い幅員
			劣る	8.0	6.0	4.0	2.0	0	劣　る　標準的な画地に接面する街路の幅員より悪い幅員
		舗装	基準地＼対象地	優る	やや優る	普通	やや劣る	劣る	接面する街路の舗装の状態について，次により分類し比較を行う。
			優る	0	−1.0	−2.0	−3.0	−4.0	優　る　標準的な画地が接面する街路の舗装の状態より良い舗装
			やや優る	1.0	0	−1.0	−2.0	−3.0	やや優る　標準的な画地が接面する街路の舗装の状態よりやや良い舗装
			普通	2.0	1.0	0	−1.0	−2.0	普　通　標準的な画地が接面する街路の舗装の状態と同程度の舗装
			やや劣る	3.0	2.0	1.0	0	−1.0	やや劣る　標準的な画地が接面する街路の舗装の状態よりやや悪い舗装
			劣る	4.0	3.0	2.0	1.0	0	劣　る　標準的な画地が接面する街路の舗装の状態より悪い舗装又は未舗装

条件	項目	細項目	基準地＼対象地	優る	やや優る	普通	やや劣る	劣る	備考
交通・接近条件	交通施設との距離	最寄駅への接近性	優る	0	−1.0	−2.5	−4.0	−5.0	社会経済的最寄駅への接近性について，次により分類し比較を行う。接近性については，道路に沿った最短距離，バス路線の有無，バス停までの距離，バス運行表等を総合的に考慮して判定するものとする。なお，本格差率は政令指定都市以外の地方の県庁所在市を念頭に作成しているため，各分類における格差率が，地域の実態と合わない場合があるので留意すること。 優　る　最寄駅に近接する画地 やや優る　最寄駅にやや近い画地 普　通　地域において標準的な位置関係にあると認められる画地 やや劣る　最寄駅にやや遠い画地 劣　る　最寄駅に遠い画地
			やや優る	1.0	0	−1.5	−3.0	−4.0	
			普通	2.5	1.5	0	−1.5	−2.5	
			やや劣る	4.0	3.0	1.5	0	−1.0	
			劣る	5.0	4.0	2.5	1.0	0	
	商業施設との接近の程度	最寄商業施設への接近性	優る	0	−2.0	−4.0	−6.0	−8.0	通常，一般的に利用されており日常生活の需要を満たすに足りる最寄商店街への接近性について,次により分類し比較を行う。 優　る　最寄商店街に近接する画地 やや優る　最寄商店街にやや近い画地 普　通　地域において標準的な位置関係にあると認められる画地 やや劣る　最寄商店街にやや遠い画地 劣　る　最寄商店街に遠い画地
			やや優る	2.0	0	−2.0	−4.0	−6.0	
			普通	4.0	2.0	0	−2.0	−4.0	
			やや劣る	6.0	4.0	2.0	0	−2.0	
			劣る	8.0	6.0	4.0	2.0	0	
	公共施設等との接近の程度	幼稚園、小学校、公園、病院、官公署等への接近性	優る	0	−1.5	−3.0	−4.5	−6.0	公共公益施設への接近性について，次により分類し比較を行う。なお，接近性については，各施設の位置関係，集中の度合及び日常の利便性等について総合的に考慮して判定するものとする。 優　る　各種の施設に近接し，利便性が高い画地 やや優る　各種の施設にやや近く，利便性がやや高い画地 普　通　地域において標準的な位置関係にあると認められる画地 やや劣る　各種の施設にやや遠く，利便性がやや低い画地 劣　る　各種の施設には遠く，利便性の低い画地
			やや優る	1.5	0	−1.5	−3.0	−4.5	
			普通	3.0	1.5	0	−1.5	−3.0	
			やや劣る	4.5	3.0	1.5	0	−1.5	
			劣る	6.0	4.5	3.0	1.5	0	

条件	項目	細項目	格差の内訳 基準地＼対象地	優　る	普　通	劣　る	備　考
環境条件	日照・通風・乾湿等の良否	日照、温度、通風、乾湿等	優る	0	−1.5	−3.0	日照の確保，温度，湿度，通風等の良否等自然的条件について，次により分類し比較を行う。 優　る　日照，通風等自然的条件が通常より優れている画地 普　通　日照，通風等自然的条件が地域において通常である画地 劣　る　日照，通風等が通常以下であって自然的条件が劣っている画地
			普通	1.5	0	−1.5	
			劣る	3.0	1.5	0	

条件	項目	細項目	格差の内訳 基準地＼対象地	優　る	普　通	劣　る	備　考
環境条件	地勢・地質・地盤等の良否	地勢、地質、地盤等	優る	0	−1.5	−3.0	地勢，地質，地盤等の自然的環境の良否について，次により分類し比較を行う。 優　る　地勢，地質，地盤等が通常より優れている画地 普　通　地勢，地質，地盤等が地域において通常である画地 劣　る　地勢，地質，地盤等が通常以下である画地
			普通	1.5	0	−1.5	
			劣る	3.0	1.5	0	

条件	項目	細項目	格差の内訳 基準地＼対象地	普通	やや劣る	劣る	相当に劣る	極端に劣る	備　考
環境条件	隣接不動産等周囲の状態	隣接地の利用状況	普通	0	−2.0	−4.0	−6.0	−8.0	隣接地の利用状態について，次により分類し比較を行う。 普　通　特に環境上問題のない画地 やや劣る　北西にアパート等のある場合又は隣接しないが，環境上影響のある画地 劣　る　北東にアパート等のある場合等で環境が劣る画地 相当に劣る　南にアパート等のある場合等で環境が相当に劣る画地 極端に劣る　アパート等に周りを囲まれている場合で環境が極端に劣る画地
			やや劣る	2.0	0	−2.0	−4.0	−6.0	
			劣る	4.0	2.0	0	−2.0	−4.0	
			相当に劣る	6.0	4.0	2.0	0	−2.0	
			極端に劣る	8.0	6.0	4.0	2.0	0	

条件	項目	細項目	基準地＼対象地	優る	普通	劣る	備考
環境条件（つづき）	供給処理施設の状態	上水道	優る	0	−1.5	−3.0	上水道（簡易水道を含む。）施設の状態について，次により分類し比較を行う。 優　る　標準的な画地の整備の状態より良い画地 普　通　標準的な画地の整備の状態と同程度の画地 劣　る　標準的な画地の整備の状態より悪い画地
			普通	1.5	0	−1.5	
			劣る	3.0	1.5	0	
		下水道	優る	0	−1.5	−3.0	下水道施設の状態について，次により分類し比較を行う。 優　る　標準的な画地の整備の状態より良い画地 普　通　標準的な画地の整備の状態と同程度の画地 劣　る　標準的な画地の整備の状態より悪い画地
			普通	1.5	0	−1.5	
			劣る	3.0	1.5	0	
		都市ガス等	優る	0	−1.0	−2.0	都市ガス施設等の整備の状態について，次により分類し比較を行う。 優　る　標準的な画地の整備の状態より良い画地 普　通　標準的な画地の整備の状態と同程度の画地 劣　る　標準的な画地の整備の状態より悪い画地
			普通	1.0	0	−1.0	
			劣る	2.0	1.0	0	

条件	項目	細項目	基準地＼対象地	無	有 小	有 やや小	有 通常	有 やや大	有 大	備考
環境条件（つづき）	変電所・汚水処理場等の危険施設・処理施設等との接近の程度	変電所、ガスタンク、汚水処理場、焼却場等	無	0	−1.5	−3.0	−4.5	−6.0	−7.5	危険施設又は処理施設等の有無及びそれらの配置の状態等にもとづく危険性あるいは悪影響の度合について，次により分類し比較を行う。 無　危険施設，処理施設等及び危険性，悪影響ともに皆無もしくは皆無に等しい画地 危険施設，小　処理施設等がある場合危険等が標準的な画地より小さい画地 や　や　小　危険等が標準的な画地よりやや小さい画地 通　常　危険等が標準的な画地と同程度の画地 や　や　大　危険等が標準的な画
			有 小	1.5	0	−1.5	−3.0	−4.5	−6.0	
			有 やや小	3.0	1.5	0	−1.5	−3.0	−4.5	
			有 通常	4.5	3.0	1.5	0	−1.5	−3.0	
			有 やや大	6.0	4.5	3.0	1.5	0	−1.5	

条件	項目	細項目	格差の内訳						備考
			大	7.5	6.0	4.5	3.0	1.5	0	大　地よりやや大きい画地 危険等が標準的な画地より大きい画地

条件	項目	細項目	基準地＼対象地	普　通	やや劣る	劣　る	備考
画地条件	地積・間口・奥行・形状等	地積	普通	1.00	0.93	0.85	地積の過大又は過小の程度について，次により分類し比較を行う。 普　通　標準的な画地の地積と同程度の画地 やや劣る　標準的な画地の地積より過大又は過小であるため，画地利用上の阻害の程度が大きい画地 劣　る　標準的な画地の地積より過大又は過小であるため，画地利用上の阻害の程度が相当に大きい画地
			やや劣る	1.08	1.00	0.92	
			劣る	1.18	1.09	1.00	

条件	項目	細項目	基準地＼対象地	普通	やや劣る	劣る	相当に劣る	極端に劣る	備考
画地条件	地積・間口・奥行・形状等	間口狭小	普通	1.00	0.94	0.88	0.82	0.77	間口狭小の程度について，次により分類し比較を行う。 普　通　標準的な画地とほぼ同じ間口の画地 やや劣る　標準的な画地の間口の0.6以上0.7未満の画地 劣　る　標準的な画地の間口の0.4以上0.6未満の画地 相当に劣る　標準的な画地の間口の0.2以上0.4未満の画地 極端に劣る　標準的な画地の間口の0.2未満の画地
			やや劣る	1.06	1.00	0.94	0.87	0.82	
			劣る	1.14	1.07	1.00	0.93	0.88	
			相当に劣る	1.22	1.15	1.07	1.00	0.94	
			極端に劣る	1.30	1.22	1.14	1.06	1.00	
		奥行逓減	普通	1.00	0.94	0.88	0.82	0.77	奥行逓減の程度について，次により分類し比較を行う。 普　通　標準的な画地とほぼ同じ奥行の画地 やや劣る　標準的な画地の奥行の1.5以上2.0未満の画地 劣　る　標準的な画地の奥行の2.0以上2.5未満の画地 相当に劣る　標準的な画地の奥行の2.5以上3.0未満の画地 極端に劣る　標準的な画地の奥行の3.0以上の画地
			やや劣る	1.06	1.00	0.94	0.87	0.82	
			劣る	1.14	1.07	1.00	0.93	0.88	
			相当に劣る	1.22	1.15	1.07	1.00	0.94	
			極端に劣る	1.30	1.22	1.14	1.06	1.00	

条件	項目	細項目	基準地＼対象地	普通	やや劣る	劣る	相当に劣る	極端に劣る	備考
画地条件（つづき）	地積・間口・奥行・形状等	奥行短小	基準地＼対象地	普通	やや劣る	劣る	相当に劣る	極端に劣る	奥行短小の程度について，次により分類し比較を行う。 普通　標準的な画地とほぼ同じ奥行の画地 やや劣る　標準的な画地の奥行の0.6以上0.7未満の画地 劣る　標準的な画地の奥行の0.4以上0.6未満の画地 相当に劣る　標準的な画地の奥行の0.2以上0.4未満の画地 極端に劣る　標準的な画地の奥行の0.2未満の画地
			普通	1.00	0.96	0.93	0.90	0.86	
			やや劣る	1.04	1.00	0.97	0.94	0.90	
			劣る	1.08	1.03	1.00	0.97	0.92	
			相当に劣る	1.11	1.07	1.03	1.00	0.96	
			極端に劣る	1.16	1.12	1.08	1.05	1.00	
		奥行長大	基準地＼対象地	普通	やや劣る	劣る	相当に劣る	極端に劣る	奥行長大の程度について，次により分類し比較を行う。 普通　標準的な画地の奥行と間口の比(奥行/間口）とほぼ同じ画地 やや劣る　標準的な画地の奥行と間口の比の1.5以上2.0未満の画地 劣る　標準的な画地の奥行と間口の比の2.0以上2.5未満の画地 相当に劣る　標準的な画地の奥行と間口の比の2.5以上3.0未満の画地 極端に劣る　標準的な画地の奥行と間口の比の3.0以上の画地
			普通	1.00	0.97	0.93	0.90	0.87	
			やや劣る	1.03	1.00	0.96	0.93	0.90	
			劣る	1.08	1.04	1.00	0.97	0.94	
			相当に劣る	1.11	1.08	1.03	1.00	0.97	
			極端に劣る	1.15	1.11	1.07	1.03	1.00	
		不整形地	基準地＼対象地	普通	やや劣る	劣る	相当に劣る	極端に劣る	不整形の程度について，次により分類し比較を行う。 普通　標準的な画地の形状とほぼ同じ形状の画地 やや劣る　やや不整形の画地 劣る　不整形の画地 相当に劣る　相当に不整形の画地 極端に劣る　極端に不整形の画地
			普通	1.00	0.93	0.86	0.79	0.65	
			やや劣る	1.08	1.00	0.92	0.85	0.70	
			劣る	1.16	1.08	1.00	0.92	0.76	
			相当に劣る	1.27	1.18	1.09	1.00	0.82	
			極端に劣る	1.54	1.43	1.32	1.22	1.00	

条件	項目	細項目	基準地＼対象地	格差の内訳					備考
画地条件（つづき）		三角地	基準地＼対象地	普通	やや劣る	劣る	相当に劣る	極端に劣る	三角地の画地利用上の阻害の程度について，次により分類し比較を行う。 普　通　標準的な画地の形状とほぼ同じ形状の画地 やや劣る　利用上の阻害の程度がやや大きい画地 劣　る　利用上の阻害の程度が大きい画地 相当に劣る　利用上の阻害の程度が相当に大きい画地 極端に劣る　利用上の阻害の程度が極めて大きい画地
			普通	1.00	0.93	0.86	0.79	0.65	
			やや劣る	1.08	1.00	0.93	0.85	0.75	
			劣る	1.16	1.09	1.00	0.92	0.81	
			相当に劣る	1.27	1.18	1.09	1.00	0.89	
			極端に劣る	1.43	1.33	1.23	1.13	1.00	
	方位・高低・角地・その他接面街路との関係	方位	基準地＼対象地	北	西	東	南		画地からの接面街路の方位により分類し比較を行う。なお，左欄における方位の優位性が地域の実態と合わない場合には，適切な順序に入れ替えて比較を行うものとする。 ※当該項目は，角地，準角地及び三方路には適用しない。
			北	1.00	1.02	1.04	1.06		
			西	0.98	1.00	1.02	1.04		
			東	0.96	0.98	1.00	1.02		
			南	0.94	0.96	0.98	1.00		
		高低	基準地＼対象地	優る	やや優る	普通	やや劣る	劣る	接面街路の高低差による快適性及び利便性の程度について，次により分類し比較を行う。 優　る　高低差により快適性及び利便性の高い画地 やや優る　高低差により快適性及び利便性のやや高い画地 普　通　地域における標準的な画地の高低差と同程度の画地 やや劣る　高低差により快適性及び利便性のやや低い画地 劣　る　高低差により快適性及び利便性の低い画地
			優る	1.00	0.93	0.87	0.80	0.74	
			やや優る	1.08	1.00	0.93	0.86	0.79	
			普通	1.15	1.08	1.00	0.93	0.85	
			やや劣る	1.24	1.16	1.08	1.00	0.92	
			劣る	1.35	1.26	1.18	1.09	1.00	

条件	項目	細項目	基準地＼対象地	普通	やや優る	優る	相当に優る	特に優る	備考
画地条件（つづき）		角地（正面及び一方の側面が街路に接する画地）	普通	1.00	1.03	1.05	1.07	1.10	角地により快適性及び利便性の程度について，次により分類し比較を行う。 普　通　中間画地（一方が街路に接する画地） やや優る　角地の方位及び側道の広さから勘案して快適性及び利便性がやや高い画地 優　る　角地の方位及び側道の広さから勘案して快適性及び利便性が高い画地 相当に優る　角地の方位及び側道の広さから勘案して快適性及び利便性が相当に高い画地 特に優る　角地の方位及び側道の広さから勘案して快適性及び利便性が特に高い画地
			やや優る	0.97	1.00	1.02	1.04	1.07	
			優る	0.95	0.98	1.00	1.02	1.05	
			相当に優る	0.93	0.96	0.98	1.00	1.03	
			特に優る	0.91	0.94	0.95	0.97	1.00	
		準角地（一系統の街路の屈曲部の内側に接する画地）	普通	1.00	1.02	1.03	1.05	1.07	準角地による快適性及び利便性の程度について，次により分類し比較を行う。 普　通　中間画地（一方が街路に接する画地） やや優る　準角地の方位及び前面道路の広さから勘案して快適性及び利便性がやや高い画地 優　る　準角地の方位及び前面道路の広さから勘案して快適性及び利便性が高い画地 相当に優る　準角地の方位及び前面道路の広さから勘案して快適性及び利便性が相当に高い画地 特に優る　準角地の方位及び前面道路の広さから勘案して快適性及び利便性が特に高い画地
			やや優る	0.98	1.00	1.01	1.03	1.05	
			優る	0.97	0.99	1.00	1.02	1.04	
			相当に優る	0.95	0.97	0.98	1.00	1.02	
			特に優る	0.93	0.95	0.96	0.98	1.00	
		二方路（正面及び裏面が街路に接する画地）	普　通	1.00	1.01	1.03		1.05	中間画地に比較して快適性及び利便性が優る場合で必要があるときに，次により分類し比較を行う。 普　通　中間画地（一方が街路に接する画地） やや優る　背面道路の系統，連続性等が前面道路より相当に劣る画地 優　る　背面道路の系統，連続性等が前面道路より劣る画地
			やや優る	0.99	1.00	1.02		1.04	
			優る	0.97	0.98	1.00		1.02	

<table>
<tr><th>条件</th><th>項目</th><th>細項目</th><th colspan="5">格差の内訳</th><th>備考</th></tr>
<tr><td rowspan="5">画地条件（つづき）</td><td rowspan="5"></td><td></td><td>特に優る</td><td>0.95</td><td>0.96</td><td>0.98</td><td>1.00</td><td>特に優る　背面道路の系統，連続性等が前面道路とほぼ同じ画地</td></tr>
<tr><td>三方路（三方が街路に接する画地）</td><td colspan="5">対象地が三方路である場合において中間画地に比較して快適性及び利便性が優る場合には，三方路が角地としての性格を重複して持っていることに鑑み，それぞれの道路の角地とみなして角地格差率を求めて得た格差率の和を限度として，実情に応じて適正に格差率を求めるものとする。</td><td></td></tr>
<tr><td>袋地</td><td colspan="5">イ　有効宅地部分の減価率<table><tr><th>路地状部分の奥行</th><th>最高減価率</th></tr><tr><td>10m未満の場合</td><td>10%</td></tr><tr><td>10m以上20m未満の場合</td><td>15%</td></tr><tr><td>20m以上の場合</td><td>20%</td></tr></table>ロ　路地状部分の減価率
30%～50%</td><td>袋地の価格は袋地が路地状部分（進入路）と有効宅地部分によって構成されているので，これらの部分の価格をそれぞれ評価して得た額を加えて求めるものとする。
(イ)　有効宅地部分の価格は，袋地が接する道路に当該有効宅地部分が直接接面するものとして評価した当該有効宅地部分の価格（標準価格）に路地状部分の奥行を基準とした左欄の率を限度として減価を行って求める。
(ロ)　路地状部分の価格は，上記(イ)の有効宅地部分の標準価格に，路地状部分の間口，奥行等を考慮して，左欄の率の範囲内で減価を行って求める。
なお，有効宅地部分及び路地状部分に係る左欄の率が，土地の利用状況や地域の状況等により適正と認められない場合があるので留意すること。</td></tr>
<tr><td>無道路地</td><td colspan="5">現実の利用に最も適した道路等に至る距離等の状況を考慮し取付道路の取得の可否及びその費用を勘案して適正に定めた率をもって補正するものとする。</td><td></td></tr>
<tr><td>崖地等</td><td colspan="5">崖地等で通常の用途に供することができないものと認められる部分を有する画地の場合は，別表第30に基づき適正に定めた率をもって補正するものとする。</td><td></td></tr>
</table>

<table>
<tr><th>条件</th><th>項目</th><th>細項目</th><th>格差の内訳</th><th>備考</th></tr>
<tr><td rowspan="2">画地条件（つづき）</td><td></td><td>私道減価</td><td>
<table>
<tr><td>利用の状態</td><td>減価率</td></tr>
<tr><td>共用私道</td><td>50%～80%</td></tr>
<tr><td>準公道的私道</td><td>80%以上</td></tr>
</table>
</td><td>私道の価格は，道路の敷地の用に供するために生ずる価値の減少分を，左欄の率の範囲内で当該私道の系統，幅員，建築線の指定の有無等の事情に応じて判断し，当該私道に接する各画地の価格の平均価格を減価して求めるものとする。</td></tr>
<tr><td>その他</td><td>高圧線下地</td><td>高圧線下地を含む画地の場合は，その高圧線の電圧の種別，線下地部分の面積及び画地に占める位置等を考慮し適正に定めた率をもって補正するものとする。</td><td></td></tr>
<tr><td>行政的条件</td><td>公法上の規制の程度</td><td>用途地域及びその他の地域，地区等</td><td>
<table>
<tr><td colspan="2">対象地／基準地</td><td colspan="5">規制の程度</td></tr>
<tr><td colspan="2"></td><td>弱い</td><td>やや弱い</td><td>普通</td><td>やや強い</td><td>強い</td></tr>
<tr><td rowspan="5">規制の程度</td><td>弱い</td><td>0</td><td>−1.5</td><td>−3.0</td><td>−4.5</td><td>−6.0</td></tr>
<tr><td>やや弱い</td><td>1.5</td><td>0</td><td>−1.5</td><td>−3.0</td><td>−4.5</td></tr>
<tr><td>普通</td><td>3.0</td><td>1.5</td><td>0</td><td>−1.5</td><td>−3.0</td></tr>
<tr><td>やや強い</td><td>4.5</td><td>3.0</td><td>1.5</td><td>0</td><td>−1.5</td></tr>
<tr><td>強い</td><td>6.0</td><td>4.5</td><td>3.0</td><td>1.5</td><td>0</td></tr>
</table>
</td><td>用途地域及びその他の地域，地区等による土地の利用方法に関する公法上の規制の態様について，次により分類し比較を行う。
弱　　い　標準的な画地より影響が弱い画地
やや弱い　標準的な画地より影響がやや弱い画地
普　　通　標準的な画地と同程度の影響を受ける画地
やや強い　標準的な画地より影響がやや強い画地
強　　い　標準的な画地より影響が強い画地</td></tr>
<tr><td>その他</td><td>その他</td><td>その他</td><td>
<table>
<tr><td>対象地／基準地</td><td>優る</td><td>普通</td><td>劣る</td></tr>
<tr><td>優る</td><td></td><td></td><td></td></tr>
<tr><td>普通</td><td></td><td></td><td></td></tr>
<tr><td>劣る</td><td></td><td></td><td></td></tr>
</table>
</td><td>街路条件，交通・接近条件，環境条件，画地条件，行政的条件で掲げる項目のほか，比較すべき特別の項目があると認められるときは，その項目に応じて適正に格差率を求めるものとする。</td></tr>
</table>

別表第８　造成宅地の品等検証格差率表

比較項目＼品等	上		中		下	
	細項目等	格差率	細項目等	格差率	細項目等	格差率
１街　路						
イ歩道又はガードレールの有無（幹線街路）	歩道又はガードレールのある地域	+1.0	歩道又はガードレールのない地域	0		
ロ構　造						
電柱の位置	画地内にあり，歩行者の支障とならない地域	+1.0	道路敷にある地域	0		
角　切	角切のある地域	+1.0	角切のない地域	0		
ハ排水施設	L字溝と管渠であり平坦地で20mに１か所の街渠桝がある地域	+2.0	有蓋U字溝である地域	0	無蓋U字溝である地域	−2.0
ニ街路樹の有無	街路樹，花壇等がある地域	+1.0	街路樹，花壇等がない地域	0		
ホ勾　配						
団地内縦横断勾配	縦断勾配３％未満，横断勾配２％程度である地域	+1.5	縦断勾配３％以上，10％未満で横断勾配２％程度以外の地域	0	縦断勾配10％以上で横断勾配２％程度以外の凹凸のある地域	−3.0
２雨水排水						
イ排水方式	管渠又は開渠である地域	+2.0 (+1.5)	U字溝等による簡易排水である地域	0 (0)	U字溝等が不十分である地域	−2.0 (−2.0)
ロ排水能力	地域確率雨量に基づく設備である地域	+1.0	地域確率雨量を根拠としない設備である地域	0		
ハ排水設備	画地内に雨水桝があり排水が良くかつ道路内にマンホールが適切に整備されて勾配道路がグレーチング処理である地域	+2.0	画地内に雨水桝がなく勾配道路対策が未処理である地域	0	画地内の雨水排水が不良である地域	−2.0

比較項目＼品等	上		中		下	
	細項目等	格差率	細項目等	格差率	細項目等	格差率
3 画地仕上げ						
イ 前面道路との関係	画地が20cm以上1m未満高い地域	+2.0 (+2.0)	画地が20cm未満又は1m以上2m未満である地域	0 (0)	画地が低く又は2m以上高い地域	−6.0 (−5.0)
ロ 擁　壁						
材料	自然石又は人工自然石である地域	+2.0	コンクリート間知石である地域	0	ブロックである地域	−1.5
構造	技術基準による安全構造である地域	+2.0	安全構造にやや欠ける地域	0		
施工	傾斜が一定で笠石があり目地も揃っている地域	+1.0	普通な仕上げで笠石がない地域	0		
ハ 改良を要する地盤	改良の済んだ地域	+1.0		0		
ニ 土　質	排水性が優れ岩石が少なく植栽適性土質である地域	+1.5 (+1.5)	排水性が普通である地域	0 (0)	排水性の劣る地域	−1.5 (−2.0)
ホ 駐車設備	画地内に設置している地域	+2.0	画地内に設置していない地域	0		
4 公園，緑地						
イ 規　模	開発面積の3％以上，3,000㎡程度の公園で運動広場として機能を果たしている地域	+2.0 (+2.0)	開発面積の3％程度の小規模な公園で団地内に散在している地域	0 (0)	開発面積の3％未満で宅地造成等の技術基準以下である地域	−1.5 (−2.0)
ロ 内　容	緑化施設が十分で景観配慮がある地域	+1.0	緑化施設は普通で景観配慮が特にない地域	0		
5 諸施設（予定を含む）						
イ 街　灯	街灯施設が完備している地域	+1.0	街灯施設が普通である地域	0	街灯施設がない地域	−1.0
ロ ゴミ集積施設	ゴミ集積施設がある地域	+1.0	ゴミ集積施設がない地域	0		

品等 / 比較項目	上		中		下	
	細項目等	格差率	細項目等	格差率	細項目等	格差率
ハ集会所	集会所のある地域	+1.0	集会所のない地域	0		
ニ医療施設	医療施設がある地域	+2.0	医療施設が付近にある地域	0	医療施設が付近にもない地域	−3.0
ホバス停留所	団地内に設置している地域	+2.0 (+2.5)	既存近隣停留所を利用している地域	0 (0)	団地内及び近隣にもない地域	−3.0 (−4.0)
ヘ幼稚園，保育園	団地内に設置している地域	+2.0	既存近隣施設を利用している地域	0	団地内及び近隣にもない地域	−2.5
ト消火栓，防火水槽等	消火栓等が適切に整備されている地域	+1.0	消火栓等が整備されている地域	0	消火栓等がほとんどない地域	−1.0
6団地管理体制	将来に亘って安定した管理体制が整備されている地域	+1.0 (+3.0)		0 (0)		
7その他						
立地条件	高台地，南系傾斜地である地域	+4.0 (+2.0)	平坦地である地域	0 (0)	埋立地，北系傾斜地である地域	−4.5 (−3.0)

注：(　) 内は，三大圏（埼玉県，千葉県，東京都，神奈川県，京都府，大阪府，兵庫県，愛知県及び三重県）と地方圏（三大圏に属さない道，県）の格差率が異なる場合における地方圏の格差率である。

別表第30 崖地格差率表

<table>
<tr><th rowspan="2">区　　別</th><th colspan="3">崖地部分と平坦宅地部分との
①関係位置・方位</th><th colspan="2">②崖地の傾斜の状況</th><th rowspan="2">備　　考</th></tr>
<tr><th>崖地と平坦宅地部分との関係位置</th><th>傾斜方位</th><th>格差率</th><th>有効利用の方法</th><th>格差率</th></tr>
<tr><td>利用不可能な崖地（傾斜度15° 以上）</td><td>下り崖地（法地）
崖地部分が対象地内で下り傾斜となっている場合</td><td>南
東
西
北</td><td>50～80
40～60
30～50
10～20</td><td>イ．崖状を呈し，庭としての利用は殆ど不可能
ロ．人工地盤により宅地利用も可能であるが，通常の住宅建築は不可能</td><td>60～70</td><td rowspan="2">崖地の格差率は，崖地部分と平坦宅地部分との関係位置・方位による格差率に崖地の傾斜の状況による格差率を乗じて求める。
(1)　本表の格差率は，平坦宅地部分を100とした場合の格差率である。
(2)　崖地で２メートル以下の高さの擁壁又は0.6メートル以下の土羽の法地部分については，これを本表の崖地等として取り扱わない。
(3)　崖地部分が対象地内で上り傾斜となっている上り崖地については，別途その状況を判断して格差率を求める。</td></tr>
<tr><td>利用可能な崖地</td><td>下り崖地（法地）</td><td>南
東
西
北</td><td>70～90
55～70
50～60
40～50</td><td>通常の基礎を補強すれば，住宅建築が可能であるが，崖地を直接庭として利用することは安全性からみて不可能</td><td>80～90</td></tr>
</table>

●既成市街地等の一覧表

❶首都圏整備法で定める既成市街地の区域

東京都の特別区(23区)及び武蔵野市並びに三鷹市，横浜市，川崎市及び川口市の区域のうち次表の区域を除く区域とされている(首都圏整備法施行令第２条，同令別表)。

(この表に掲げる区域は，それぞれ昭和47年９月１日における行政区画その他の区域によって表示されたものとする)

市　名	区　　域
三 鷹 市	北野１丁目から４丁目まで，新川１丁目，中原１丁目，２丁目及び４丁目並びに大沢２丁目から６丁目までの区域並びに新川４丁目，中原３丁目及び大沢１丁目のうちそれぞれ国土交通大臣が定める区域
横 浜 市 （筆者注：港北区および緑区については，平成６年11月６日より，港北区，緑区，青葉区，都筑区の４区に再編成されている。）	神奈川区（菅田町及び羽沢町のうちそれぞれ国土交通大臣が定める区域） 港南区（野庭町及び日野町のうちそれぞれ国土交通大臣が定める区域） 保土ヶ谷区（新井町及び上菅田町の区域並びに今井町のうち国土交通大臣が定める区域） 旭区（今宿西町，大池町，金が谷，上川井町，上白根町，川井宿町，川井本町，桐が作，笹野台，下川井町，善部町，都岡町，中尾町，中希望が丘，東希望が丘，南希望が丘及び矢指町の区域並びに今川町，今宿町，今宿東町，柏町，さちが丘，白根町，中沢町，二俣川１丁目及び南本宿町のうちそれぞれ国土交通大臣が定める区域） 磯子区（氷取沢町及び峰町の区域並びに上中里町及び栗木町のうちそれぞれ国土交通大臣が定める区域） 金沢区（野島町の区域並びに朝比奈町，乙艫町，釜利谷町及び六浦町のうちそれぞれ国土交通大臣が定める区域） 港北区（牛久保町，大棚町，勝田町，北山田町，すみれが丘，茅ヶ崎町，中川町，東山田町及び南山田町の区域並びに新吉田町及び新羽町のうちそれぞれ国土交通大臣が定める区域） 緑区（青砥町，青葉台１丁目及び２丁目，市ヶ尾町，美しが丘１丁目から５丁目まで，梅が丘，荏田町，榎が丘，大熊町，大場町，折本町，恩田町，上山町，上谷本町，鴨志田町，川和町，北八朔町，鉄町，黒須田町，小山町，桜台，さつきが丘，寺家町，下谷本町，しらとり台，台村町，田奈町，たちばな台１丁目及び２丁目，千草台，つつじが丘，寺山町，十日市場町，長津田町，中山町，奈良町，成合町，新治町，西八朔町，白山町，藤が丘１丁目及び２丁目，松風台，三保町，もえぎ野，元石川町並びに若草台の区域並びに池辺町，鴨居町，川向町，佐江戸町及び東方町のうちそれぞれ国土交通大臣が定める区域） 戸塚区（飯島町，和泉町，岡津町，影取町，笠間町，鍛冶ヶ谷町，桂町，金井町，上飯田町，上郷町，公田町，小菅ヶ谷町，小雀町，下飯田町，新橋町，田谷町，長尾台町，中野町，原宿町，東俣野町，深谷町及び俣野町の区域並びに上矢部町，川上町，汲沢町，品濃町，下倉田町，戸塚町，中田町，長沼町及び名瀬町のうちそれぞれ国土交通大臣が定める区域） 瀬谷区

川崎市	高津区（鷺沼２丁目及び４丁目の区域並びに菅生，平，長尾，向ヶ丘，土橋，有馬，野川，宮崎，鷺沼１丁目及び３丁目並びに久末のうちそれぞれ国土交通大臣が定める区域） 多摩区（寺尾台１丁目及び２丁目，三田１丁目から５丁目まで，高石，百合丘１丁目から３丁目まで，細山，千代ヶ丘１丁目から７丁目まで，金程，上麻生，片平，五力田，古沢，万福寺，栗木，黒川，下麻生，王禅寺，早野並びに岡上の区域並びに菅，上布田，登戸，宿河原及び生田のうちそれぞれ国土交通大臣が定める区域）
川口市	上青木町２丁目から５丁目まで，前川町１丁目から４丁目まで，赤井，東本郷，蓮沼，江戸袋，前野宿，東貝塚，大竹，峯，新堀，榛松，根岸，在家，道合，神戸，木曽呂，東内野，源左衛門新田，石神，赤芝新田，西新井宿，新井宿，赤山，芝中田町１丁目及び２丁目，芝新町，芝，伊刈，柳崎，小谷場，安行原，安行領家，安行慈林，安行，安行吉岡，安行藤八，安行吉蔵，安行北谷，安行小山，安行西立野，戸塚，西立野，長蔵新田，久左衛門新田，藤兵衛新田，行衛並びに差間の区域

❷近畿圏整備法で定める既成都市区域

大阪市の区域及び次表の区域とされている（近畿圏整備法施行令第１条，同令別表）。

（この表に掲げる区域は，京都市及び神戸市については昭和44年４月11日，その他の市については昭和40年５月15日における行政区画その他の区域又は道路，河川若しくは鉄道によって表示されたものとする）

市　名	区　　　　域
京都市	市道白川通と府道高野修学院山端線との交会点を起点とし，順次同府道，府道上賀茂山端線，市道北山通，都市計画街路北山通，府道杉坂西陣線，市道京都環状線，市道衣笠宇多野線，府道花園停車場御室線，府道花園停車場広隆寺線，日本国有鉄道山陰本線，御室川右岸線，府道宇多野嵐山樫原線，桂川左岸線，日本国有鉄道東海道本線，市道京都環状線，府道伏見港京都停車場線，濠川左岸線，宇治川派流右岸線，京阪電気鉄道宇治線，一般国道24号線，日本国有鉄道奈良線，一般国道１号線，市道京都環状線，市道丸太町通及び市道白川通を経て起点に至る線で囲まれた区域（右京区鳴滝音戸山町の区域並びに同区太秦中山町，太秦三尾町，嵯峨広沢北下馬野町，嵯峨広沢池下町，音戸山山ノ茶屋町及び山越中町の区域のうち国土交通大臣が定める区域を除く。）並びにこの区域に属さない次の区域 北区衣笠西馬場町，衣笠総門町及び平野宮敷町の区域並びに同区衣笠馬場町及び平野上柳町の区域のうち国土交通大臣が定める区域 右京区常盤柏ノ木町，常盤古御所町，常盤神田町，常盤音戸町，龍安寺塔ノ下町，花園内畑町，宇多野法安寺町及び鳴滝桐ケ淵町の区域並びに同区常盤御池町，常盤山下町，花園岡ノ本町，花園段ノ岡町，御室岡ノ裾町，御室双岡町，宇多野長尾町，宇多野福王子町，宇多野御屋敷町及び鳴滝本町の区域のうち国土交通大臣が定める区域 伏見区深草秡川町，深草一ノ坪町，深草下横繩町，深草正覚町，深草開土町，深草稲荷榎木橋町及び深草稲荷中之町の区域並びに同区深草願成町，深草藪之内町，深草稲荷御前町及び深草直違橋11丁目の区域のうち国土交通大臣が定める区域 東山区五軒町，石橋町，柚之木町，定法寺町，堀池町，石泉院町，東姉小路町，

京都市	梅宮町，西小物座町，中之町，夷町，西町，大井手町，今小路町，西海子町，分木町，南西海子町，進之町，土居之内町，堤町，唐戸鼻町，古川町，八軒町，北木之元町，南木之元町，稲荷町北組，稲荷町南組，清井町，遊行前町，梅林町，清水２丁目，清水４丁目，上弁天町，星野町，月見町，昆沙門町，下弁天町，玉水町，上田町，辰巳町，月輪町，慈法院庵町，常盤町，東音羽町，下馬町，上馬町，瓦役町，今熊野池田町，今熊野椥ノ森町，泉涌寺雀ケ森町，泉涌寺東林町，泉涌寺門前町，本町19丁目，本町20丁目，本町21丁目，本町22丁目，本町14丁目及び今熊野宝蔵町の区域並びに同区妙法院前側町，松原町，東分木町，今道町，粟田口華頂町，東町，粟田口三条坊町，谷川町，祇園町北側，祇園町南側，林下町，五条橋東６丁目，白糸町，清水３丁目，下河原町，南町，鷲尾町，金園町，八坂上町，桝屋町，清閑寺下山町，清閑寺池田町，清閑寺山ノ内町，今熊野泉山町，泉涌寺山内町，本町15丁目，今熊野阿弥陀ヶ峯町，本町17丁目，本町18丁目，本町16丁目，今熊野剣ノ宮町，今熊野南日吉町，東瓦町，今熊野日吉町及び今熊野北日吉町の区域のうち国土交通大臣が定める区域 左京区岡崎入江町，岡崎東天王町，岡崎天王町，岡崎法勝寺町，岡崎成勝寺町，岡崎最勝寺町，岡崎西天王町，岡崎徳成町，岡崎円勝寺町，岡崎南御所町，岡崎北御所町，聖護院円頓美町，聖護院山王町，東門前町，北門前町，南門前町，粟田口鳥居町，永観堂西町，鹿ヶ谷寺ノ前町，鹿ヶ谷西寺ノ前町，鹿ヶ谷高岸町，鹿ヶ谷上宮ノ前町，鹿ヶ谷法然院西町，銀閣寺前町，浄土寺上南田町，浄土寺下南田町，浄土寺馬場町，浄土寺東田町，浄土寺石橋町，北白川上池田町，北白川東久保田町，北白川大堂町，北白川上別当町及び北白川下別当町の区域並びに同区南禅寺北ノ坊町，南禅寺下河原町，南禅寺草川町，南禅寺福地町，若王子町，鹿ヶ谷宮ノ前町，鹿ヶ谷下宮ノ前町，鹿ヶ谷桜谷町，鹿ヶ谷法然院町，銀閣寺町，浄土寺南田町，北白川仕伏町，北白川下池田町，北白川上終町，北白川丸山町，北白川山田町及び北白川山ノ元町の区域のうち国土交通大臣が定める区域
守口市	八雲南，八雲旧南10番，八雲旧北10番，八雲旧８番，八雲旧下島，大庭７番，大庭，大日，佐太，大日旧大庭６番，大日旧大庭４番，大日旧大庭３番，佐太旧大庭５番，佐太旧大庭２番，佐太旧大庭１番，佐太西町２丁目，佐太中町４丁目から７丁目まで，佐太東町１丁目及び２丁目，金田，金田町１丁目から６丁目まで，梶，梶町１丁目から４丁目まで，北，大久保町１丁目及び３丁目，東，藤田，藤田町１丁目，藤田浮田通，藤田天社通，藤田東通，藤田東中央通，藤田小金通，藤田大蔵通，藤田桜通，淀川河川区域並びに一般国道163号線以南を除く区域
布施市 （現在 東大阪市）	長瀬川左岸線と日本国有鉄道東海道本線貨物支線との交会点を起点とし，順次同貨物支線，大阪市との境界線，市道長瀬374号線，市道衣摺東西線，府道大阪八尾線，八尾市との境界線，府道堺布施豊中線，府道大阪枚岡奈良線及び長瀬川左岸線を経て起点に至る線で囲まれた区域（日本国有鉄道東海道本線貨物支線から大阪市との境界線に移るには，その最初の交会点から移るものとする。）
堺　市	日本国有鉄道阪和線以西の区域（石津川左岸線以西の区域を除く。）
神戸市	東灘区の区域のうち京阪神急行電鉄神戸本線以南の区域 灘区の区域のうち水車新田，高羽（東灘区，兵庫区並びに灘区水車新田，土山

神戸市	町，桜ヶ丘町，一王山町，六甲台町及び篠原で囲まれた区域に限る。），土山町，桜ヶ丘町，一王山町，六甲台町，八幡，篠原，畑原，原田及び岩屋の区域並びに同区大石，五毛及び上野の区域（国土交通大臣が定める区域を除く。）を除く区域 葺合区の区域のうち中尾町及び葺合町の区域（国土交通大臣が定める区域を除く。）を除く区域 生田区の区域のうち神戸港地方の区域（国土交通大臣が定める区域を除く。）を除く区域 兵庫区の区域のうち平野町，烏原村，石井村，清水町（国土交通大臣が定める区域を除く。），鵯越筋，里山町，天王町３丁目及び４丁目，有馬町，有野町二郎，有野町有野，有野町唐櫃，山田町上谷上，山田町下谷上，山田町原野，山田町福地，山田町中，山田町東下，山田町西下，山田町衝原，山田町小河，山田町坂本，山田町藍那，山田町小部，山田町与左衛門新田，道場町生野，道場町塩田，道場町道場，道場町日下部，道場町平田，八多町中，八多町下小名田，八多町上小名田，八多町吉尾，八多町柳谷，八多町附物，八多町深谷，八多町屏風，八多町西畑，大沢町神付，大沢町上大沢，大沢町中大沢，大沢町日西原，大沢町簾，大沢町市原，長尾町上津，長尾町宅原，淡河町神田，淡河町野瀬，淡河町神影，淡河町中山，淡河町東畑，淡河町北畑，淡河町行原，淡河町木津，淡河町北僧尾，淡河町南僧尾，淡河町萩原，淡河町淡河並びに淡河町勝雄の区域を除く区域 長田区の区域のうち鶯町４丁目，源平町，滝谷町１丁目から３丁目まで，大日丘町１丁目から３丁目まで，萩乃町１丁目から３丁目まで，雲雀ヶ丘１丁目から３丁目まで及び一里山町の区域並びに同区鹿松町１丁目から３丁目まで，長者町，林山町，西山町５丁目，池田宮町及び高取山町の区域（国土交通大臣が定める区域を除く。）を除く区域 須磨区の区域のうち板宿，多井畑，妙法寺，車及び白川の区域並びに同区東須磨，西須磨，大手，明神町３丁目から５丁目まで，禅昌寺町１丁目及び２丁目，須磨寺町３丁目及び５丁目，高倉町１丁目及び２丁目並びに一ノ谷町１丁目から４丁目までの区域（国土交通大臣が定める区域を除く。）を除く区域
尼崎市	京阪神急行電鉄神戸本線以南の区域
西宮市	京阪神急行電鉄神戸本線以南の区域
芦屋市	京阪神急行電鉄神戸本線以南の区域

❸名古屋市の区域

名古屋市の区域（首都圏，近畿圏及び中部圏の近郊整備地帯等の整備のための国の財政上の特別措置に関する法律施行令別表に規定される区域）は次表のとおりである。

（この表に掲げる区域は，昭和45年３月１日における行政区画その他の区域又は道路，河川若しくは鉄道によって表示されたものとする）

市　名	区	域
名古屋市	千種区	猪高町の区域を除く区域
	東　区	全　域
	北　区	西区との区界線と都市計画街路中小田井味鋺線との交会点から順次同中小田井味鋺線，県道名古屋小牧線及び新地蔵寺川右岸線を経て春日井市との境界線に至る線以北の区域を除く区域
	西　区	山田町の区域を除く区域
	中村区	全　域
	中　区	全　域
	昭和区	天白町，一つ山，久方１丁目，久方２丁目，山郷町，大根町，高坂町及び御前場町の区域を除く区域
	瑞穂区	全　域
	熱田区	全　域
	中川区	富田町及び七反田町の区域を除く区域
	港　区	南陽町の区域を除く区域
	南　区	全　域
	守山区	春日井市との境界線と日本国有鉄道中央本線との交会点を起点とし，順次同中央本線，都市計画街路山の手通線，同小幡西山線，千種区との区界線，東区との区界線，北区との区界線及び春日井市との境界線を経て起点に至る線で囲まれた区域
	緑　区	南区との区界線と都市計画街路天白橋公園線との交会点を起点とし，順次同天白橋公園線，同彌富鳴海線，同星崎白土線，同鳴子団地大高線，国道１号線及び南区との区界線を経て起点に至る線で囲まれた区域

●近郊整備地域の一覧表

❶首都圏整備法の近郊整備地帯

都道府県	区域					
東京都	八王子市	立川市	三鷹市	青梅市	府中市	昭島市
	調布市	町田市	小金井市	小平市	日野市	東村山市
	国分寺市	国立市	福生市	狛江市	東大和市	清瀬市
	東久留米市	武蔵村山市	多摩市	稲城市	羽村市	あきる野市
	西東京市	瑞穂町	日の出町			
埼玉県	さいたま市	川越市	熊谷市	川口市	行田市	所沢市
	飯能市	加須市	東松山市	春日部市	狭山市	羽生市
	鴻巣市	上尾市	草加市	越谷市	蕨市	戸田市
	入間市	朝霞市	志木市	和光市	新座市	桶川市
	久喜市	北本市	八潮市	富士見市	三郷市	蓮田市
	坂戸市	幸手市	鶴ヶ島市	日高市	吉川市	ふじみ野市
	白岡市	伊奈町	三芳町	毛呂山町	越生町	滑川町
	嵐山町	川島町	吉見町	鳩山町	宮代町	杉戸町
	松伏町					
千葉県	千葉市	市川市	船橋市	木更津市	松戸市	野田市
	成田市	佐倉市	習志野市	柏市	市原市	流山市
	八千代市	我孫子市	鎌ケ谷市	君津市	富津市	浦安市
	四街道市	袖ケ浦市	印西市	白井市	富里市	酒々井町
	栄町					
神奈川県	横浜市	川崎市	相模原市	横須賀市	平塚市	鎌倉市
	藤沢市	小田原市	茅ヶ崎市	逗子市	三浦市	秦野市
	厚木市	大和市	伊勢原市	海老名市	座間市	南足柄市
	綾瀬市	葉山町	寒川町	大磯町	二宮町	中井町
	大井町	松田町	開成町	愛川町		
茨城県	龍ケ崎市	常総市	取手市	牛久市	守谷市	坂東市
	つくばみらい市	五霞町	境町	利根町		

（注）　各指定区域は，令和２年４月１日現在のものです。

❷近畿圏整備法の近郊整備区域

都道府県	区域					
京都府	京都地区		京都市	宇治市	亀岡市	城陽市
			向日市	長岡京市	八幡市	京田辺市
			南丹市	木津川市	大山崎町	久御山町
			井手町	精華町		

大阪府	大阪地区	堺市　岸和田市　豊中市　池田市　吹田市　泉大津市　高槻市　貝塚市　守口市　枚方市　茨木市　八尾市　泉佐野市　富田林市　寝屋川市　河内長野市　松原市　大東市　和泉市　箕面市　柏原市　羽曳野市　門真市　摂津市　高石市　藤井寺市　東大阪市　泉南市　四條畷市　交野市　大阪狭山市　阪南市　島本町　豊能町　能勢町　忠岡町　熊取町　田尻町　岬町　太子町　河南町　千早赤阪村
兵庫県	兵庫地区	神戸市　尼崎市　西宮市　芦屋市　伊丹市　宝塚市　川西市　三田市　猪名川町
奈良県	奈良地区	奈良市　大和高田市　大和郡山市　天理市　橿原市　桜井市　五條市　御所市　生駒市　香芝市　葛城市　宇陀市　平群町　三郷町　斑鳩町　安堵町　川西町　三宅町　田原本町　高取町　明日香村　上牧町　王寺町　広陵町　河合町　吉野町　大淀町　下市町

（注）　各指定区域は，令和２年４月１日現在のものです。

❸中部圏開発整備法の都市整備区域

都道府県	区域
愛知県	名古屋市　岡崎市　一宮市　瀬戸市　半田市　春日井市　津島市　碧南市　刈谷市　豊田市　安城市　西尾市　犬山市　常滑市　江南市　小牧市　稲沢市　東海市　大府市　知多市　知立市　尾張旭市　高浜市　岩倉市　豊明市　日進市　愛西市　清須市　北名古屋市　弥富市　みよし市　あま市　長久手町　東郷町　豊山町　大口町　扶桑町　大治町　蟹江町　阿久比町　東浦町　南知多町　美浜町　武豊町　幸田町　飛島村
三重県	四日市市　桑名市　いなべ市　木曽岬町　東員町　朝日町　川越町

（注）　各指定区域は，令和２年４月１日現在のものです。

※　アンダーラインを引いた市町村は行政区域の一部が区域指定に係るため，詳細は各都道府県庁にご確認下さい。

もっと研究したい人のために

ところで，この本では，それぞれのテーマについて相当に微に入り細にわたって説明したつもりであるが，やはり，筆者の能力と紙数の限度もあり，すべてを書き切れるものではない。

この本を読んだ後で，さらに深く理解し，または，この本とあわせて実務に利用するための参考書をつぎに掲げておく。なお，ここでは実務家としてのコンサルタントの人を対象として記しておく。

○第１編第１章関係では，土地の売買にからまる契約などの法律問題などを最もコンパクトにまとめて説明した本として，

〈最新版〉土地建物に関するすべての法律知識（鵜野和夫著　日本実業出版社刊）

がある。

また，平成30年の民法改正に対応するものとして，

民法改正と不動産取引（吉田修平著　金融財政事情研究会刊）

があり，改正民法の性格から始め，具体的な取引事例を例挙して，わかり易く解説している。

さらに，実務的な問題について，テーマごとに解説を加えた本として，

新版・Ｑ＆Ａ　不動産実務相談事例集（東京エステートコンサルティング［ＴＥＣ］編　清文社刊）

がある。また，実際にトラブルが生じて裁判になったときの参考として，

実務に役立つ 続・判例にみる不動産の取引価格（津村孝著　清文社刊）

がある。

不動産の評価について，多くの専門書は出版されているが，いずれも独特の専門用語で書かれているのでとりあえず，評価を依頼した人や関係者が鑑定評価書を読むときの手引として書かれた

〈最新増補版〉例解・不動産鑑定評価書の読み方（鵜野和夫著　清文社刊）

から読むことをおすすめしておく。もう少し簡便に鑑定評価のあらましと考え方を知りたいというのなら，

〈新版〉不動産の鑑定評価がもっとよくわかる本（鵜野和夫著　プログレス刊）

から読むのもいいだろう。また，鑑定評価理論と実務の入門書として，

不動産評価入門〈第２版〉（森島義博著　東洋経済新報社刊）

がある。

なお，不動産鑑定評価の基準から学習しようとする人には，

〈新版〉逐条詳解　不動産鑑定評価基準（黒沢泰著　プログレス刊）

が具体的な事例にあてはめて，その理論をわかりやすく解説しており最適である。
相続税等の土地の路線価による評価については，

令和６年８月改訂・路線価による土地評価の実務（名和道紀・長井庸子共著　清文社刊）

が，図解入りで具体的に解説しており，評価明細書の記載例まで掲げてあるので，わかりやすい。

税務評価と鑑定評価とは，本書でも述べたように大きく違っているが，両者を対照させて解説した本として，

土地の税務評価と鑑定評価〈第２版〉（日税不動産鑑定士会編　中央経済社刊）

不動産の鑑定評価と税務評価（日税不動産鑑定士会編著　プログレス刊）

があり，

土地評価の租税判決・裁決例分析（鵜野和夫・下﨑寛共著　中央経済社刊）

税務評価と鑑定評価　評価通達における土地等の時価と「特別の事情」（鵜野和夫・下﨑寛・関原教雄共著　日本法令刊）

では，具体的な事例をあげて，裁判等での判断基準を紹介し，評釈を加えている。
また，土地の形状，種類は複雑多岐にわたるが，そのうちの特殊な画地を取りあげて詳しく解説した本として，

特殊な画地と鑑定評価〈第６版〉（土地評価理論研究会著　清文社刊）

がある。最新の情報を織り込み，平成24年６月に改訂している。特殊な権利を取りあげて詳しく解説した本として，

〈新版〉特殊な権利と鑑定評価（土地評価理論研究会著　清文社刊）

がある。最新の情報を織り込み，平成24年２月に改訂している。
なお，評価に先立って土地・建物の実施調査をしなければならないが，

事例でわかる不動産鑑定の物件調査Ｑ＆Ａ 第２版（黒沢泰著　中央経済社）

は，登記簿，公図の読み方，道路の判定などを中心に専門家以外の者でも理解できるよう例をあげて平易に解説しており，評価のみならず取引にあたっても参考になる。

○第２章の不動産取得に係る税務については，まず印紙税では，

令和５年６月改訂・印紙税取扱いの手引（椿健一編　清文社刊）

は，容易に，かつ，手早く，必要文書を引き出し，印紙税を判定するのに便利である。
本格的なものとしては，

第11訂版 書式550 例解印紙税（馬場則行編　税務研究会出版局刊）

があり，実務上起こると予想されるさまざまな実態を想定して，500以上の書式をあげて解説しており，一冊はぜひ備えておきたい本である。
固定資産税については，

改訂新々版 こんなに簡単!!　固定資産税を安くする法（今仲清・奥田貞沖・杉

之内孝司・林弘明共著　エヌピー通信社刊）
は，ずばり表題どおりの内容で，節税に役立つ。
また，固定資産税の土地評価の実務を詳しく知りたい人には，
土地評価実務マニュアル（固定資産税評価事務研究会編著　第一法規出版刊）
がある。

○第３章の土地譲渡に係る税金については，その解説書はおびただしいが，この本と併せて利用しようとする場合には，
第３版 コンサルティングを行う実務家のための　必携不動産税務（鵜野和夫著　清文社刊）
が，本書の税務部分をコンパクトにまとめた本で，実務家がコンサルティングをするときの手引書として利用されたい。
また，相続税・贈与税については，
相続税・贈与税の大改正と小規模宅地特例の税務対策（鵜野和夫著　清文社刊）
で，より詳しく解説した。
また，大家さんの税金の悩みを問答式に答えた本として，
第３版 Ｑ＆Ａ 大家さんの税金－アパート・マンション経営の税金対策（鵜野和夫著　プログレス刊）
Ｑ＆Ａ 借地権の税務――借地の法律と税金がわかる本（鵜野和夫著　プログレス刊）
がある。また，
平成19年版・問答式　法人と個人の不動産の税務（伊藤裕幸編　清文社刊）
は，本書において，法人税の説明は大幅に省略しているので，法人の土地税制については，この著を併用して使ってもらいたい。譲渡税に関する特例などの地域制限などの地域を具体的に知ろうとするときや，申告書を書こうとするとき，
令和５年11月改訂・資産税の取扱いと申告の手引（後藤幸泰・信永弘編　納税協会連合会／清文社刊）
が役立つ。

○第２編の借地借家の法律的な面からの解説書として，問題ごとに問答式にまとめて，事典的に利用できるものとして，
借地の法律相談〈第３版〉（鈴木禄弥他編　有斐閣刊）
借家の法律相談〈第３版補訂版〉（水本浩他編　有斐閣刊）
がある。さらに体系的にまとめたものに，
現代借地・借家の法律実務〈３〉（西村宏一他編　ぎょうせい刊）
があり，逐条的に解説したコンメンタールとしては，
新基本法コンメンタール・借地借家法 第２版〈別冊法学セミナー〉（田山輝明・

　　澤野順彦・野澤正充編　日本評論社刊）
がある。
　また，定期借地権の設定契約をする場合の実務の参考書として，住宅用一般定期借地については，
　　定期借地住宅の契約実務（稲本洋之助他編著　ダイヤモンド社刊）
がわかりやすい解説をつけた書式例をのせており，また，定期借地権だけでなく，普通借地権，借家を含めた書式に注意事項を付記したものとして，
　　新借地借家法の契約書式とチェックポイント（内野経一郎・仁平志奈子著　第一法規出版刊）
などがある。
　定期借家権については，
　　実務注釈・定期借家法（衆議院法制局・建設省住宅局監修　福井秀夫・久米良昭・阿部泰隆編集　信山社刊）
が，その逐条解説から標準契約書のヒナ型まで掲げてある。
　名義書換料，建物増改築承諾料，借地条件変更承諾料については，
　　借地非訟事件便覧（借地非訟実務研究会編　新日本法規出版刊）
を見て，具体的な例を参考にするとよいであろう。
　また，継続地代・継続家賃・更新料については，豊富な実態調査にもとづく，
　　令和３年版　継続地代の実態調べ（日税不動産鑑定士会）
が刊行されており，東京都内の地域ごとの相場を把握する場合に参考になろう（(社)東京都不動産鑑定士協会（電話：03(5472)1120）で発売）。

○第３編のビル建設関係では，等価交換方式について，
　　等価交換方式の計画・運用・税務（鵜野和夫著　清文社刊）
がある。
　なお，消費税の実務にあたっての解説書としては，
　　令和６年11月改訂 プロフェッショナル消費税の実務（金井恵美子著　清文社刊）
　　令和６年版　消費税実務問答集（杉村勝之編　清文社刊）
がある。

○不動産の登記・売買，賃貸，建築法規，金融，税務等をひとまとめにして，わかりやすく，項目別にまとめ，辞書的にも使える本として，
　　第20版 不動産実務百科Ｑ＆Ａ（一般財団法人日本不動産研究所著　清文社刊）
がある。また，建設業，設計家サイドからのコンサルタントに対しては，
　　実践 建築の企画営業〈第13版〉（秋山英樹著　清文社刊）
があり，建築のノウハウを軸に税務，投資採算などまで含めた総合的なコンサルティングの本となっている。また，その基礎にある都市計画法と建築基準法について，

開発業者・不動産業者など向けにわかりやすく解説した本として，

新版　不動産有効利用のための都市開発の法律実務（鵜野和夫・秋山英樹・上野俊秀編著　清文社刊）

がある。

*　　　　　　*　　　　　　*

近年の出版業界の事情から，なかなか上掲の参考書も入手しがたいものも多い。

しかし，図書館で保存して，貸出もしてくれるところがあるので，インターネットで，

「公共図書館」https://www.jla.or.jp/link/link/tabid/172/Default.aspx

を開いて，都道府県別・市町村別で，近所の図書館を探し，「書名」または「著者名」を入れて検索すると，在庫状況と貸出の可否が示されるので，これを利用することもおすすめしておく。

索　引

【か】

【き】

【さ】

【し】

【た】

【ち】

【つ】

【て】

【と】

【へ】

【ほ】

【ま】

【り】

【る】

【れ】

【ろ】

【わ】

<様式の索引>

あとがき

(一)

筆者は，ここ10年くらい，建設会社で，PC工場の工務課長代理，一戸建プレハブ住宅部門の販売課長，都市開発室の企画課長などの仕事をしてきた関係から，土地を売買する人，ビルを建設する人に対するコンサルティングをすることが多く，現在は，開発統括部という部門で，そういうコンサルティング専門の課長をしている。

こういう形でコンサルティングをしていると，どういう質問が飛び出すか予想もできないもので,「私は税金の専門家ですから，評価のことはわかりません」などといってすましているわけにはいかない。たとえば，借地をして木造２階建店舗兼住宅を建てて暮らしている人から，中高層ビルに建て替えたいと相談があると，借地権とはどういうもので，どれくらいの権利があって，借地条件を変更しようとすればどういう手続きをすればよいかという「借地法」という法律の説明から始まって，その場合の借地条件変更の承諾料をいくら払えばよいかという「鑑定評価」の問題，この事業にからまってどういう税金が発生するかという「税務」の相談などがある。

ところで，従来の解説書は，借地法の本なら法律のことしか書いていないし，鑑定評価の本なら評価のことだけというのが多い。税務に至っては，所得税，贈与税，法人税，固定資産税とさらにバラバラになっており，所得税はかからないと思って安心していると贈与税をとられたり，全く思いもかけなかった法人税のほうで課税されたりで，一つの質問に対しても何冊かの本を調べてみないと答えられないというのが現状である。

この法律と評価と税務との三つの問題をテーマごとにまとめた本があって，この本を持ち歩いていればどんな質問が飛び出してきても，そのページを開ければ簡単に回答が見つかり，明解に説明できれば，コンサルタントとして実に便利であろうと，そういう本はないかと探し廻ったが，本は書店に汗牛充棟（かんぎゅうじゅうとう）もただならないほど積まれているのに，ついぞそのように便利な本は見当たらず，そういう虫のいいことを夢みているよりも自分で書いたほうが早いのではないかと思いついたところ，それは面白いと，清文社の編集部が取り上げ，世に出るようになったのがこの本である。

(二)

法律と評価と税金とを，テーマごとに一冊にまとめる場合，それぞれの専門家三人が書いてまとめるという形もあるが，それでは一つの箱にバラバラのものを押し込めただけであり，この本の特徴の一つは，その三つを有機的に結びつけようとしたことである。それから，そういう過程で気がついたことだが，この三つは微妙にからまり合った関係にあり，㈠で例示した借地条件変更承諾料という法律上の権利は，それが何円であるかという評価をして始めて具体性を帯びてくるものであり，また，その評価額は借地条件の変更を求めることのできる法律上の権利の強弱ともかかわり合ってくる。さらに，この承諾料にどういう税金がかかるかということは，この承諾料が法律上のどういう権利に基づいて授受されたのかということがわからなければ解明されないし，その承諾料の額が税務上も妥当であるかという問題は，評価とはなれては論じることはできない。そして，地主の手元に残るのは税引後の金額であり，権利の調整をしようとするとき，税金をいくらとられるのかということを抜きにしては話が進まない。

法律と評価と税務とは，このようにからまり合って存在するのであるが，これを三つのそれぞれの面を通して他の二つを観察すると，一つひとつバラバラに取り上げて観察したときと違った新鮮な姿をして現われてくるのに気づいた。本書では，そういう面から問題にアプローチするように努力したが，必ずしも満足のいくところまではいっていない。これは，今後つきつめてみたい問題と思っている。

㈢

それはともかく，この本は，建設会社やデベロッパーの企画営業，コンサルタント営業を担当している人，設計事務所，不動産業者などの実務に携わっている人を読者として想定して書き出したものである。そのためには，なるべく専門的ないいまわしを避け，日常用語で平明に書こうと努力した。そして，書き上がってから読み返してみると，この本自身が一人のコンサルタントになっており，土地売買やビルを建設する当事者自身が読んでも，わかるようになっている。

また，わかり易く解説しようとすると，かえって事物の本質に肉迫するものであり，そういう意味と，㈡で述べたように，法律・評価・税務というものがからまり合っているという意味で，それぞれの専門家，弁護士・不動産鑑定士・税理士の先生方が読んでも，専門分野と違った分野についての知識を得，それを媒介として自分の専門分野を見直せるという意味で，十分に役立つであろうと思っている。

㈣

本書を書き終えて，最後に振り返ってみると，まだまだ荒削りで，不十分な面も目につく。第２編の借地に関する問題，特に第３編の共同ビル，等価交換方式ビルについては，新しい問題でもあり，研究成果も未だあまり世に現われてもいないこともあり，筆者のドグマに近いところもあるかもしれない。

こういう場合に，あの大数学者ガウスのように，せっかく発見した非ユークリッド幾何学を世に発表することなく，死ぬまで推敲を重ねるのも一つの生き方であろうし，多くの研究成果を待ってから完全な体系をつくりあげて，おもむろに発表し，哲学者ヘーゲルが『法哲学』の序説で述べたあの有名な科白をまねて，「学問の来ることはつねに余りにも遅すぎるのである。現実がその形成過程を完了してしまった時期に，学問ははじめて，世界の思想としてあらわれる」。すなわち，「ミネルバの梟(ふくろう)は夕暮になってはじめて飛翔(ひしよう)する」のであるとうそぶくのも一つの方法であろう。

しかし，実務の問題の解決は夕暮まで待っていてはくれない。そういう意味で，本書は，特に後半は，日の明るいうちにさ迷い出た梟のように，間の抜けたところがあるかもしれない。このヨタヨタ歩きの梟に諸賢の鋭い批判の矢が浴びせかけられることを待つ心は切なるものである。

昭和53年３月３日

鵜　野　和　夫

著者紹介

鵜野　和夫（うの　かずお）
税理士・不動産鑑定士

昭和５年　東京に生まれる
昭和30年　一橋大学社会学部卒業
昭和36年　フジタ工業株式会社（現・フジタ）入社
経理，原価管理，PC 工場経営，住宅販売，都市開発等の業務を担当し，昭和58年３月同社退職
不動産鑑定士・税理士事務所を開設
東京税理士会・税務会計学会常任委員
(社)日本不動産鑑定協会調査研究委員会小委員長・同東京会幹事・実務相談室委員長・研修委員会委員
国土庁土地鑑定委員会鑑定評価員，
日本大学，新潟大学等の非常勤講師などを歴任

〈主要著書〉
『相続税・贈与税の大改正と小規模宅地特例の税務対策』，『新版 コンサルティングを行う実務家のための必携不動産税務』，『等価交換方式の計画・運用・税務』，『不動産有効利用のための都市開発の法律実務』，『〈最新増補版〉例解・不動産鑑定評価書の読み方』，『Q&A 新土地税制の詳解』，『土地建物の節税対策』，『土地建物の相続・贈与対策』，『不動産利用の法律』，『土地譲渡益重課制度の適用除外の手引き』，『不動産鑑定評価 Q&A』（共編著），『定期借地権の法律・鑑定評価・税務』（共著），『第６版・特殊な画地と鑑定評価』（共著），『新版 特殊な権利と鑑定評価』（共著），『日照権問題解決の理論と実務』（共著），『不動産をめぐる現代財産権の法律と評価』（共著），『鑑定評価のフロンティア』（共著），『空中権・土地信託・抵当証券』（共著），『不動産税務手帳』（監修）（以上，清文社）

下﨑　寛（しもざき　ひろし）
税理士・不動産鑑定士

昭和51年　中央大学商学部卒業
昭和55年　税理士登録，その後不動産鑑定士，中小企業診断士，行政書士登録
地価公示評価委員，都道府県基準地価評価委員，固定資産税評価委員，路線価精通者，東京家庭裁判所調停委員等を歴任
現在，日税不動産鑑定士会　会長

〈主要著書〉
『海外不動産の評価』（大蔵財務協会），『知っておきたい外国人雇用の ABC』（大蔵財務協会），『広大地の税務評価』（共著／プログレス），『実務家のための土地の時価評価と活用100問100答』（ぎょうせい），『土地評価の実務勘どころ』（日本法令）

関原　教雄（せきはら　のりお）
税理士・不動産鑑定士

平成２年　日本大学法学部卒業。在学中に租税法を専攻
東京国税局管内の税務署で個人課税（所得税・消費税の税務調査，税務相談，資料情報担当，審理指導担当），資産課税（相続税・贈与税・譲渡所得の税務調査，路線価作成担当，審理指導担当）の事務に従事
平成29年　同局を退職，都内の税理士法人に勤務
平成30年　税理士事務所を開設
令和２年　エス・アセット株式会社設立
現在，日税不動産鑑定士会　副会長

〈主要著書〉
『税理士のための相続税申告書作成完全マニュアル』（日本法令），『Q&A 遺留分をめぐる法務・税務』（共著／清文社），『不動産コンサルティング基本テキスト・税制編』（共著／不動産流通推進センター）

不動産の評価・権利調整と税務
――土地・建物の売買・賃貸からビル建設までのコンサルティング

昭和53年６月10日　初版発行　　　　　　　　　　令和６年11月15日　第46版発行
昭和54年12月20日　改訂増補版発行
昭和56年11月20日　新訂版発行
昭和57年８月10日　改訂新版発行
昭和58年８月10日　第５版発行（以下，各年改訂版発行）

著　者　　鵜野 和夫／下﨑 寛／関原 教雄 ©

発行者　　小泉 定裕

発行所　　株式会社 清文社
東京都文京区小石川１丁目３－25（小石川大国ビル）
〒112-0002　電話03(4332)1375　FAX03(4332)1376
大阪市北区天神橋２丁目北２－６（大和南森町ビル）
〒530-0041　電話06(6135)4050　FAX06(6135)4059
URL https://www.skattsei.co.jp/

印刷：大村印刷㈱

ISBN978-4-433-77404-2